八訂版

民法・税法による

遺産分割の手続と相続税実務

小池正明 著

税務研究会出版局

八　訂　版　序

本書は、平成14年１月に初版を刊行した後、平成27年11月の七訂版の刊行まで、税制改正等を踏まえて内容を改めてきました。前回の七訂版は、平成25年度の税制改正により平成27年１月以後の相続に係る相続税から基礎控除額が引き下げられるなどの大幅な見直しが行われたことに対応したものでした。

その後、平成29年度の税制改正においては、国外財産に対する課税を強化するための相続税・贈与税の納税義務の範囲の見直しや相続税の物納財産の範囲の改正などがあり、また、財産評価基本通達の改正により、広大地評価が廃止され、地積規模の大きな宅地の評価方法が定められたことは実務に大きな影響を及ぼしました。

平成30年度の税制改正では、非上場株式等に係る贈与税・相続税の納税猶予制度について、適用期間を限定した特例措置が講じられたことが注目されました。また、小規模宅地等の特例において、持ち家を有していない者の適用要件の見直しや相続開始前３年以内に新たに貸付事業を開始した場合の不適用措置の導入など、制度の厳格化が図られました。

さらに、平成から令和に変わった最初の税制改正では、個人事業者の特定事業用資産に係る贈与税・相続税の納税猶予制度が創設されたことが話題になりました。また、特定事業用宅地等についての小規模宅地等の特例の適用上、相続開始前３年以内に事業を開始した場合の不適用措置が講じられました。

一方、平成30年７月に成立した改正民法は、相続制度について約40年振りの大幅な見直しを行いました。主な改正事項を列挙すると、次のとおりです。

① 相続後の配偶者の生活環境を保護するための方策として「配偶者居住権」の制度を創設する（令和２年４月１日施行）。

② 特別受益者の相続分の規定に関し、婚姻期間が20年以上の配偶者間で居住用不動産の遺贈又は贈与があった場合に持戻し免除の意思表示があったものとする推定規定を新設する（令和元年７月１日施行）。

③ 相続財産である預貯金債権について、生活費や葬儀費用の支払、相続債務の弁済などの資金需要に対処するための遺産分割前の仮払制度を創設する（令和元年７月１日施行）。

④ 自筆でない財産目録を添付した自筆証書遺言書の作成を可能にするとともに（令和元年１月13日施行）、法務局における自筆証書遺言の保管制度を創設する（令和２年７月10日施行）。

⑤ 遺留分制度を大幅に見直し、遺留分の権利行使に係る侵害額請求権を金銭債権化する

とともに、遺留分の算定方法を明確化する（令和元年７月１日施行）。

⑥　相続人以外の者の貢献を考慮するための方策として、相続人以外の親族が被相続人の療養看護などを行った場合に、相続人に対して金銭（特別寄与料）の支払を請求できる制度を創設する（令和元年７月１日施行）。

これらの民法改正は、相続税制にも影響を及ぼすこととなり、令和元年度の税制改正では、配偶者居住権の財産評価方法が法定されるとともに、特別寄与料に対する課税方法が定められました。また、遺留分制度の見直しに対応した税制上の整備も図られました。

このほか、令和４年４月から成年年齢が20歳から18歳に引き下げられることに対応して、相続税の未成年者控除の適用者、相続時精算課税の受贈者、贈与税の特例税率の適用者、非上場株式等に係る贈与税の納税猶予の適用者及び個人事業者に係る贈与税の納税猶予の適用者に係る年齢要件がいずれも「18歳」に改正されます。

こうした一連の改正を踏まえて本書は、税制や民法の改正内容を織り込んで大幅に書き改めるとともに、相続手続に関する各種の書類の様式や相続に関連する税務の申告書・申請書・届出書などの書式を最新のものに改めました。

本書は、初版の「はじめに」にも記してあるとおり、「相続」や「相続税」についての単なる解説書ではなく、複雑で煩瑣な「相続の実務」に対し、実践的に役立つことを目的としたものです。そのため、民法の相続制度を踏まえ、戸籍の収集、遺言書や遺産分割協議書の作成方法、遺産分割の調停や審判、遺留分の算定方法や侵害額請求の手続などのほか、配偶者居住権制度の意義や活用方法にも言及しました。また、相続税はもちろんのこと、相続に伴う所得税や消費税など相続税以外の税務や不動産の相続登記に関する手続や税務にも解説を加えています。

高齢者人口の増加によって相続事案も増加している中で、平成27年からの相続税の課税強化と平成30年の民法の相続制度の見直しは、相続問題に対する国民の関心を一層高めました。今後とも、税理士等の専門家が「相続」に関与する機会が増加していくものと思われます。

本書が相続に関する税務や法務について、さまざまな問題の解決と適宜・適切な手続の実践に役立つことができれば幸いです。

令和２年４月

小池　正明

はじめに（初版）

相続――この法律用語の意義を簡記すれば、「被相続人からの相続人に対する財産の承継」といえるでしょう。この意味は、専門家でなくても十分に理解できることであり、この限りでいえば、「相続」という言葉そのものは、それほど難しい概念ではありません。

しかしながら、「相続の実務」はどうでしょうか。多少なりとも相続の現場を体験した方なら、その実務はきわめて煩瑣で、多種多様な手続きとそれを的確に行うための専門的な知識が必要であることがお分かりでしょう。

たとえば、「遺産分割」です。被相続人の財産を共同相続人間で具体的に配分することが遺産分割である、ということはどなたもご存じのとおりですが、これに関する実務は、被相続人と相続人の戸籍謄本等の収集、それを基にした相続人と相続分の確定、被相続人の遺産の調査・評価と分割対象財産の確定を経て、分割協議の実行と協議書の作成、相続財産の名義変更に至るまで、多くの手続きを要します。

また、遺産分割に関連する事項として、被相続人に遺言がある場合の処理のほか、相続放棄や限定承認相続の手続きを要することもあり、遺留分やその減殺方法の知識も実務には不可欠です。さらに、相続人が未成年者や国外居住者というケースもありますし、特殊な例では、相続人が行方不明であったり、相続権者がいないという相続もあります。これらの場合にも一定の手続きを経ないと遺産分割等を行うことはできません。

遺産分割という一つのテーマをみてもこのように広範な実務処理とそれを的確に実行するための知識を要するのですが、相続に関するいま一つの重要なテーマである税務も同様です。財産の評価から申告と納付に至る相続税について、さまざまな税務を要することはいうまでもありませんが、実際には、相続税以外にも数々の税務が関連します。被相続人の所得の清算手続きとしての所得税の準確定申告はよく知られているところですが、被相続人が消費税の課税事業者であれば、これと同様の清算手続きが必要です。

また、相続では、被相続人が事業者であった場合、相続開始によって事業を廃止するケースと相続人が被相続人の事業を承継するケースに分かれます。それぞれのケースに応じた税務手続きとともに、税法の扱いについて、両者の異同点を十分に承知しておかなければなりません。一例を示すと、被相続人の事業上の売掛債権が相続開始後に貸倒れとなった――この例で、相続人が被相続人の事業を承継した場合と承継しない場合とで税務処理は異なるか否か、さらに、相続後の貸倒損失の取扱いについて、所得税と消費税との異同点は何か――といった問題です。

本書は、相続に伴うさまざまな手続きについて、民法や税法の考え方を示しながら、実務の流れに沿って、その処理方法や対応の仕方を解説したもので、次のような構成になっています。

第１章　相続の開始から相続人・相続分確定までの手続きと実務

第２章　遺産分割と分割協議書作成の実務

第３章　相続財産の評価と明細書作成の実務

第４章　相続税のしくみと申告書作成の実務

第５章　相続税の納付と延納・物納の実務

第６章　相続税の申告後の諸問題と実務

このうち第１章は、遺産分割の実行に至るまでの前段階として必要な手続きやその周辺の法務を説明し、また、被相続人と相続人に対する所得税や消費税など、相続税以外の税務問題を取り上げています。これを受けて第２章では、遺産分割の具体的方法について、現物分割・代償分割・換価分割の態様ごとに、法務・税務の留意点を含めて解説し、また、各種の財産についての相続性――遺産分割の対象になる財産か否か――について検討しました。

第３章から第５章は、主として相続税に関する部分ですが、財産評価は税務に限らず、遺産分割などの法務にも影響を及ぼす事項です。第６章では、遺産分割の確定後や相続税の申告後に生じる問題とその対応について検討してあります。申告もれ遺産が生じた場合の税務処理や加算税についてはもちろんのこと、遺留分の減殺請求や相続人の異動などが事後的に生じた場合の法務・税務を取り上げるとともに、相続後の土地等の譲渡に係る税務や不動産の相続登記の申請手続きと登録免許税についても解説を加えてあります。

本書は、「民法・税法による――遺産分割の手続と相続税実務」という書名になっていますが、その主旨は、「相続」を巡る法務と税務について、関連する周辺の問題まで広範に取り上げたということであり、内容は実務に徹し、実務に役立つことを念頭において記述したつもりです。本書で100を超える書式とその記載例を掲げ、解説にあたってはできるだけ設例や計算例を用いたのもそのためです。もちろん、筆者の経験不足や浅学のための記述誤り等があるやもしれませんが、その点は読者のご叱正を得て、改めたいと思います。

本書が税理士など税務の専門家のほか、相続問題に関わる弁護士や司法書士などの方々にもお役に立つことができれば幸いです。最後に、本書の企画から発刊に至るまで多大なご尽力をいただいた税務研究会の小島祥一氏に深甚より感謝申し上げます。

平成13年12月

小池　正明

目　次

第１章　相続の開始から相続人・相続分確定までの手続と実務

第３章　相続財産の評価と明細書作成の実務

第４章 相続税のしくみと申告書作成の実務

第５章　非上場株式等に係る贈与税・相続税の納税猶予制度の実務

第７章 相続税の納付と延納・物納の実務

第８章　相続税の申告後の諸問題と実務

省　略　用　語　例

1　本書において使用した主な省略用語は、それぞれ次に掲げる法令等を示します。

民	民法
相法	相続税法
相令	相続税法施行令
相規	相続税法施行規則
相基通	相続税法基本通達
評基通	財産評価基本通達
法法令	法人税法施行令
所法	所得税法
所令	所得税法施行令
所規	所得税法施行規則
所基通	所得税基本通達
消法	消費税法
消令	消費税法施行令
消基通	消費税法基本通達
耐令	減価償却資産の耐用年数等に関する省令
耐通	耐用年数の適用等に関する取扱通達
措法	租税特別措置法
措令	租税特別措置法施行令
措規	租税特別措置法施行規則
措通	租税特別措置取扱通達
通則法	国税通則法
通則令	国税通則法施行令
通基通	国税通則法基本通達
徴法	国税徴収法
地法	地方税法
不登法	不動産登記法
登免法	登録免許税法
登免令	登録免許税法施行令
災免法	災害被害者に対する租税の減免、徴収猶予等に関する法律
円滑化法	中小企業における経営の承継の円滑化に関する法律
円滑化令	中小企業における経営の承継の円滑化に関する法律施行令
円滑化規則	中小企業における経営の承継の円滑化に関する法律施行規則

2　本書は、令和２年４月１日現在の法令通達によっています。

第1章

相続の開始から相続人・相続分確定までの手続と実務

Ⅰ　相続の開始に伴う諸手続とタイムスケジュール

1. タイムスケジュールの確認

民法は、「相続は、死亡によって開始する」（民882）と定めており、相続に伴うさまざまな手続は、文字どおり被相続人の死亡とともにスタートすることになります。

その手続は、大きく分けて相続財産や相続人の確認といった遺産の承継のための事項と、その承継に伴って生じる相続税等の税務問題があります。

まず、相続の開始に伴う手続等のスケジュールを時間的な流れに沿ってまとめると、次ページの図のようになります。このように、その手続については所定の期限が定められているものが多くありますので、スケジュールの管理はきわめて重要な問題です。

2. 相続財産の承継に関する手続の概要

被相続人の財産は、相続の開始と同時に相続人に承継され（民896）、また、被相続人に適法な遺言（遺言書）がある場合は、その者の死亡とともに遺言の効力が生じ、受遺者に遺贈財産の承継権が発生します（民985①）。

このような相続や遺贈の法的な性質からみて、相続開始に伴う手続としては、相続財産の承継のために必要な事項が数多くあります。これに関するものとしては、次のような手続があります。

①　自筆遺言がある場合の家庭裁判所での検認

②　戸籍謄本の収集と相続人の確定

③　相続財産の調査と評価

④　相続の承認、放棄、限定承認の選択と手続

⑤　相続人に未成年者がいる場合の特別代理人の選任

⑥　遺産分割協議と遺産分割協議書の作成

⑦　被相続人から相続人等への相続財産の所有権移転の登記、登録等の手続

これらについては、次項以下で詳述しますが、それぞれの事項は相続税などの税務と密接に関わることにも十分注意する必要があります。

3. 税務に関する手続の概要

相続に関する税務としては、相続税の申告や納付の問題があることはいうまでもありませんが、これ以外にも次のような税務があります。

●相続開始後のタイムスケジュール

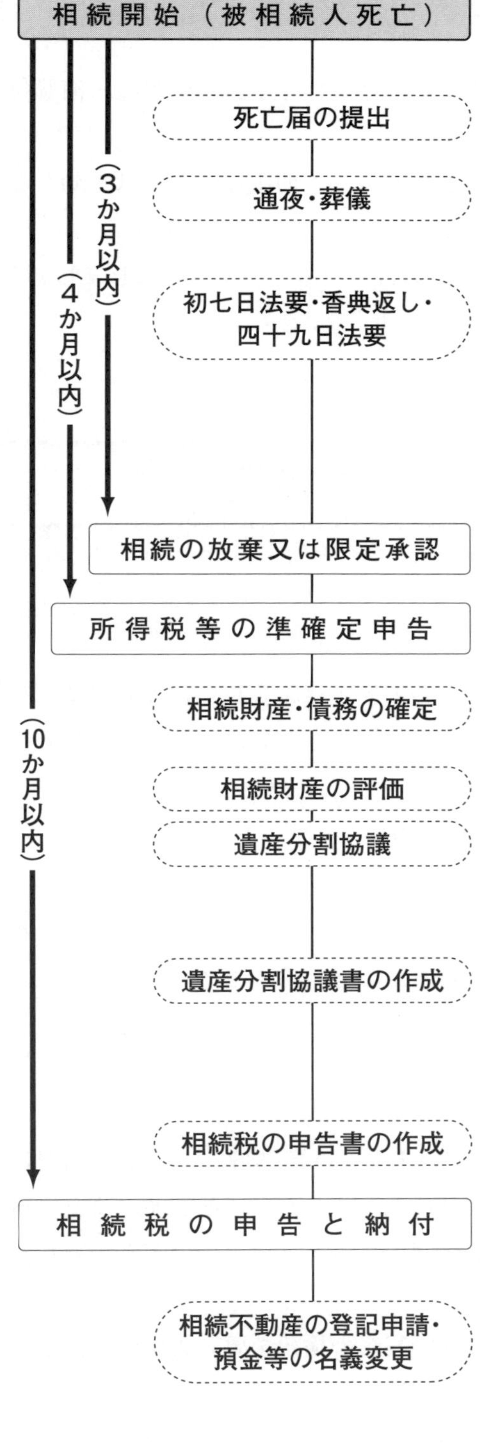

・通夜・葬儀の準備。
・死亡診断書を添付して７日以内に市区町村に提出。
・葬式費用の領収書等の整理。
・遺言書の有無の確認、自筆証書遺言の家庭裁判所での検認。
・相続財産及び債務の概要の調査と把握。
・被相続人及び相続人の戸籍謄本の収集（本籍地の市区町村役場）と相続人の確認。
・被相続人が個人事業者の場合は、所得税（消費税）の事業廃止届、死亡届等を税務署に提出。
・相続放棄又は限定承認をする場合は、家庭裁判所に戸籍謄本等を添付して申述書等を提出。
・被相続人のその年１月１日から死亡日までの所得税（消費税）の税務署への申告と納付。
・相続財産と債務の詳細な調査、生前贈与の有無の確認、財産債務の一覧表の作成。
・財産評価に必要な資料の収集と評価額の算定。
・遺言がある場合は受遺者の意思を確認の上、遺産分割を決定（未分割とする場合は、相続税の配偶者の軽減・小規模宅地等の特例・農地の納税猶予の特例等の不適用を考慮して分割の時期を確認）。
・相続人全員の印鑑証明及び実印が必要。
・相続税の納付方法（現金一時納付、延納、物納）の決定と納税資金の調達、延納の担保、物納申請財産の確定。
・延納又は物納の場合は、手続関係書類を確認の上、申請書を作成。
・被相続人の住所地の所轄税務署に添付書類を確認の上、提出（延納、物納の場合は申請書等も提出）。
・登記、名義変更の手続に期限はない（相続不動産を延納の担保又は物納申請する場合には速やかに登記変更が必要。預金を納税資金とする場合は引出しのために名義変更が必要）。

①　被相続人の相続開始年分の所得税（課税事業者の場合は消費税）の清算手続（準確定申告）
②　被相続人が事業を行っていた場合の事業閉鎖に伴う手続（所得税・消費税に関する届出）
③　被相続人の事業を相続人が承継した場合の事業開始に伴う手続（所得税・消費税に関する届出）

これらについても一定の期限が定められているものが多く、期限後の手続は無効となったり、納税者に不利な結果となる場合があることに注意しなければなりません。

以下、前図のタイムスケジュールに沿いながら、その詳細をみていくことにしましょう。

Ⅱ　死亡届の提出と必要書類

1. 死亡届の提出先と提出期限

人の死亡に際しては、被相続人の親族や知人等への通知・連絡を行い、葬儀の準備をすることは当然ですが、法で定められた手続としては、死亡届〔書式1〕（次ページ）の提出が最初です（戸籍法86①、87）。

・提 出 先――死亡者の住所地の市区町村（戸籍係）
・提出期限――死亡後7日以内

もっとも、死亡届を提出しないと火葬許可書や埋葬許可書が発行されませんから、死亡とともに直ちに届出を行っているのが通常でしょう。

2. 死亡届の必要書類

死亡届には、死亡診断書を添付することとされています（戸籍法86②）。死亡診断書は、死亡時まで診療や治療に当たっていた医師に作成を依頼するのが一般的です。また、自宅で急死したような場合でも、医師によって死因が確認できるときは、その医師が死亡診断書を作成してくれます。

ただし、死亡の原因が自殺や変死などの場合は、警察医の検死を要しますから、その場合は、死亡診断書ではなく死体検案書を死亡届に添付することになります。

なお、死亡診断書は生命保険金の請求等にも必要になりますから、その分を考慮して医師に作成依頼をした方がよいでしょう。

〔書式1〕

死亡届

令和　年　月　日 届出

長 殿

受理 令和　年　月　日 第　号	発送 令和　年　月　日
送付 令和　年　月　日 第　号	長印

書類調査	戸籍記載	記載調査	調査票	附票	住民票	通知

(1) (よみかた)	氏 こう やま　名 た ろう	
(2) 氏名	氏 甲山　名 太郎	☑男 □女
(3) 生年月日	昭和◯年 7月 25日 （生まれてから30日以内に死亡したときは生まれた時刻も書いてください。）	□午前 □午後　時　分
(4) 死亡したとき	令和◯年 5月 15日	☑午前 □午後 2時 15分
(5) 死亡したところ	東京都中央区××1丁目 1番地 番 1号	
(6) 住所 （住民登録をしているところ）	東京都江東区◯◯2丁目 3番地 番 5号	
	世帯主の氏名 甲山太郎	
(7) 本籍 （外国人のときは国籍だけを書いてください）	長野県松本市◯◯1058 番地 番	
	筆頭者の氏名 甲山太郎	
(8)(9) 死亡した人の夫または妻	☑いる（満 74 歳） いない（□未婚 □死別 □離別）	
(10) 死亡したときの世帯のおもな仕事と	□1. 農業だけまたは農業とその他の仕事を持っている世帯 □2. 自由業・商工業・サービス業等を個人で経営している世帯 □3. 企業・個人商店等（官公庁は除く）の常用勤労者世帯で勤め先の従業者数が1人から99人までの世帯（日々または1年未満の契約の雇用者は5） ☑4. 3にあてはまらない常用勤労者世帯及び会社団体の役員の世帯（日々または1年未満の契約の雇用者は5） □5. 1から4にあてはまらないその他の仕事をしている者のいる世帯 □6. 仕事をしている者のいない世帯	
(11) 死亡した人の職業・産業	（国勢調査の年・・・　年・・・の4月1日から翌年3月31日までに届出をするときだけ書いてください） 職業 会社役員 ｜ 産業	
その他		
届出人	☑1. 同居の親族 □2. 同居していない親族 □3. 同居者 □4. 家主 □5. 地主 □6. 家屋管理人 □7. 土地管理人 □8. 公設所の長 □9. 後見人 □10. 保佐人 □11. 補助人 □12. 任意後見人	
	住所 東京都江東区◯◯2丁目 3番地 番 5号	
	本籍 長野県松本市◯◯ 1058番地 番　筆頭者の氏名 甲山一郎	
	署名 甲山一郎 印　昭和◯◯年 9月 20日生	
事件簿番号		

記入の注意

鉛筆や消えやすいインキで書かないでください。
死亡したことを知った日からかぞえて7日以内に出してください。
死亡者の本籍地でない役場に出すときは、2通出してください。

→「筆頭者の氏名」には、戸籍のはじめに記載されている人の氏名を書いてください。

→内縁のものはふくまれません。

□には、あてはまるものに☑のようにしるしをつけてください。

→死亡者について書いてください。

届け出られた事項は、人口動態調査（統計法に基づく基幹統計調査、厚生労働省所管）、がん登録等の推進に関する法律に基づく全国がん登録（厚生労働省所管）にも用いられます。

日中連絡のとれるところ
電話（　　）
自宅 勤務先 呼出（　　方）

Ⅲ　遺言書がある場合の対応と手続

1. 遺言書の開封と検認

相続が開始した場合には、被相続人に遺言（遺言書）があるか否かを早急に確認すべきです。財産の処分に関する遺言があるにもかかわらず、相続人間で遺言の内容と異なる遺産の分割を行った場合には、後日に遺産分割のやり直し等の問題が生じるからです。

遺言書がある場合において、その遺言書に封印がされているときは、相続人又はその代理人が立会いをして家庭裁判所で開封しなければなりません（民1004③）。

また、公正証書遺言を除き、遺言書は家庭裁判所の「検認」が必要です（民1004①）。検認というのは、遺言書の内容や体裁を確認し、偽造や変造を防止するための検証手続で、一種の証拠保全の目的があります。

遺言書の保管者又は発見者は、遺言者の住所地を管轄する家庭裁判所に「遺言書検認申立書」〔書式２〕（次ページ）とともに遺言書を提出します。家庭裁判所では、その内容等を確認の上、検認調書が作成されます。

この場合の検認は、家庭裁判所による保全の手続ですから、遺言が有効か無効かということとは関係ありません。仮にその遺言書が特定の者に強迫されて作成されたもので、遺言者本人の真意と異なるものであったとしても、家庭裁判所はその内容には関知しません。遺言内容に不信や不服がある場合は、遺言の無効確認の訴え等で争う必要があります。また、財産の処分について、遺留分に反する内容であったとしても、その遺言自体は無効ではなく、別途に遺留分侵害額請求を行うことになります（民1046①）。

なお、封印のある遺言書を家庭裁判所以外の場所で開封したり、検認の手続を怠った場合は、５万円以下の過料に処せられます（民1005）。

2. 法務局における遺言書の保管制度

ところで、自筆証書遺言について、遺言書の紛失、隠匿・変造等を防止し、相続関係者が遺言書の存在を把握できるようにするための仕組みを定めた「法務局における遺言書の保管等に関する法律」（遺言書保管法）が制定され（平成30年７月６日成立・同月13日公布）、令和２年７月10日から施行されます。

遺言書保管法に基づき遺言書保管所（法務局）に保管されている遺言書については、家庭裁判所の検認の手続は不要とされています（同法11）。ただし、この制度を利用したとしても、遺留分に反するかどうかなど、遺言の内容の正当性が保証されるわけではありません。遺言書の保管制度の概要は、９ページのとおりです。

〔書式２〕

受付印	家事審判申立書　事件名（　遺言書検認　）
	（この欄に申立手数料として１件について８００円分の収入印紙を貼ってください。） （貼った印紙に押印しないでください。） （注意）登記手数料としての収入印紙を納付する場合は，登記手数料としての収入印紙は貼らずにそのまま提出してください。
収入印紙　円	
予納郵便切手　円	
予納収入印紙　円	

準口頭		関連事件番号　平成・令和　年（家　）第　号

東京　家庭裁判所　御中 令和 ◯ 年 10 月 20 日	申立人 （又は法定代理人など） の記名押印	甲　野　一　郎　印

添付書類	（審理のために必要な場合は，追加書類の提出をお願いすることがあります。） 申立人の戸籍謄本 1通　遺言者の戸籍謄本 1通　相続人の戸籍謄本 3通 遺言者の住民票の除票の写し 1通　申立人の住民票の写し 1通

申立人	本籍（国籍）	（戸籍の添付が必要とされていない申立ての場合は，記入する必要はありません。） 埼玉　都道府(県)　川口市栄町３丁目15番地
	住所	〒 135 － 0004　電話 03（3633）×××× 東京都江東区森下３丁目２番１号 （　方）
	連絡先	〒　－　電話　（　） （　方）
	フリガナ 氏名	コウ ノ イチ ロウ 甲　野　一　郎　(昭和)・平成・令和 ◯◯ 年 6 月 10 日生（ ◯◯ 歳）
	職業	会社員
※ 遺言者	本籍（国籍）	（戸籍の添付が必要とされていない申立ての場合は，記入する必要はありません。） 都道府県　申立人の本籍に同じ
	住所	〒　－　電話　（　） 申立人の住所に同じ （　方）
	連絡先	〒　－　電話　（　） （　方）
	フリガナ 氏名	コウ ノ タ ロウ 甲　野　太　郎　(昭和)・平成・令和 ◯◯ 年 7 月 20 日生（ ◯◯ 歳）
	職業	

（注）　太枠の中だけ記入してください。
※の部分は，申立人，法定代理人，成年被後見人となるべき者，不在者，共同相続人，被相続人等の区別を記入してください。
別表第一（1/　）

申　立　て　の　趣　旨
遺言者の自筆証書による遺言書の検認を求めます。

申　立　て　の　理　由
1　申立人は、令和○年10月8日遺言者が使用していた自宅の机の中に封印されている遺言書を発見しました。
2　遺言者は、令和○年10月5日に死亡したので遺言書の検認を求めます。
なお、相続人は、別紙の相続人目録のとおりです。

別表第一（　/　）

	制度の概要
遺言書の保管の申請	○　保管の対象になるのは、民法968条に規定する自筆証書による遺言書に限られる（遺言書保管法１）。 ○　保管の申請をすることができる遺言書は、法務省令で定める様式に従って作成した無封の遺言書でなければならない（同法４②）。 ○　遺言書の保管の申請は、遺言者の住所地若しくは本籍地又は遺言者の所有する不動産の所在地を管轄する遺言書保管所の遺言書保管官に対してしなければならない。 ○　遺言書の保管の申請をすることができるのは、遺言書を作成した遺言者のみであり、また、保管の申請は、遺言者が遺言書保管所に自ら出頭して行わなければならない（同法４①、６）。
遺言書の保管・情報の管理	○　遺言書保管官は、保管する遺言書について、その画像、遺言書の作成年月日、遺言者の氏名、遺言書に受遺者及び遺言執行者の記載があるときは、その氏名等の情報を電子データとして管理する（同法７①②）。
遺言書の閲覧	○　遺言者は、遺言書保管所に自ら出頭することにより、いつでも遺言書の閲覧を申請することができる（同法６）。 ○　遺言者以外の者は、遺言者の生存中は、保管されている遺言書について、閲覧を含め、遺言書保管所からいかなる情報も得ることができない。
遺言書の保管の撤回	○　遺言者は、遺言書保管所に出頭することにより、保管されている遺言書について、保管の申請を撤回し、遺言書の返還を受けることができる（同法８）。
遺言書情報証明書の交付	○　相続人、受遺者、遺言執行者等の関係相続人は、遺言者が死亡している場合に限り、遺言書保管官に対し、保管されている遺言書の内容を証明した書面である遺言書情報証明書の交付を請求することができる（同法９①）。 　なお、相続財産の登記、各種の名義変更等の手続は、遺言書情報証明書を確認することにより可能となる。
遺言者の死亡後の関係相続人等の閲覧	○　関係相続人等（相続人、受遺者、遺言執行者等）は、遺言者が死亡している場合に限り、自己が関係相続人等に該当する遺言書の閲覧を請求することができる（同法９③）。
遺言書の保管の通知	○　遺言書保管官は、保管されている遺言書について、遺言者が死亡した後、関係相続人等の請求により遺言書情報証明書を交付し又は閲覧させた場合には、遺言者の相続人、受遺者及び遺言執行者に対し、遺言書を保管している旨を通知する（同法９⑤）。

（注）遺言書の保管等の申請に際しては、次の手数料を要します。
①　遺言書の保管の申請……１件につき3,900円
②　遺言書の閲覧の申請……１回につき1,700円
③　遺言書情報証明書の交付申請……１通につき1,400円

3. 遺言の執行

遺言の内容を実現させるには、さまざまな作業が必要です。不動産の所有権移転登記、動産の引渡し、認知に関する遺言であればその届出などです。これらの作業を実行することを遺言の執行といい、その任に当たる者を遺言執行者といいます。

遺言執行者は、遺言で指定することができますし、また、遺言でその指定を第三者に委託することもできます。指定する遺言執行者は一人でも複数でもかまいません（民1006①）。

この場合、指定された者は遺言執行者に就任する義務はなく、その者の承認により遺言執行者となり、また、その就任を拒否することができます。もっとも、遺言で指定された遺言執行者が就職の承諾を留保していると、遺言執行が進まないため、相続人その他の利害関係者は、相当の期間を定めて、その期間内に就職を承諾するかどうか確答すべき旨を催告することができます。遺言執行者がその期間内に相続人に対して確答しないときは、その就職を承諾したものとみなされます（民1008）。また、指定された者がその就任を拒否した場合、あるいは遺言に遺言執行者の指定がなかった場合は、相続人等の利害関係者が家庭裁判所に遺言執行者の選任の申立てをすることになります（民1010）〔書式３〕（次ページ）。

民法は、「遺言執行者は、遺言の内容を実現するため、相続財産の管理その他遺言の執行に必要な一切の行為をする権利義務を有する。」と定めており（民1012①）、また、「遺言執行者がその権限内において遺言執行者であることを示してした行為は、相続人に対して直接にその効力を生ずる。」としています（民1015）。これらの規定は、平成30年７月に成立した改正民法において見直しが行われたものであり、遺言執行者の権限を強化し、その法的地位を明確化したものです。

さらに民法は、「遺言執行者がある場合には、遺贈の履行は、遺言執行者のみが行うことができる。」と規定するとともに（民1012②）、特定財産承継遺言（いわゆる相続させる旨の遺言）があった場合には、遺言執行者にその遺言によって財産を取得する相続人のために対抗要件を具備する権限を与えています（民1014②）。

いずれにしても、「遺言執行者がある場合には、相続人は、相続財産の処分その他遺言の執行を妨げるべき行為をすることはできない。」こととされ（民1013①）、この規定に反した相続人の行為は絶対的に無効になります（民1013②）。

なお、遺言執行者の報酬は、遺言で定められている場合はそれに従いますが、その定めがないときは、相続財産の状況等により家庭裁判所が決定することになります（民1018①）。この場合の報酬や遺言の執行に関する費用は、相続財産の中から支出されます（民1021）。

（注） 遺言執行者の報酬や遺言執行費用は、相続開始後に支出されるものであり、被相続人の債務ではありません。このため、相続税の債務控除の対象にはなりません。

4.　遺言の種類と遺言事項の法的効果

ここで、遺言書の作成方法やその法的効果などについて、そのポイントをみておくことにしましょう。

⑴　遺言の種類と作成方法

遺言は、民法の定める方式に従って作成されたものだけが有効です。まず、その種類をまとめてみると、13ページのようになります。

〔書式3〕

受付印	家事審判申立書　事件名（遺言執行者選任）
収入印紙　円 予納郵便切手　円 予納収入印紙　円	（この欄に申立手数料として1件について800円分の収入印紙を貼ってください。） （貼った印紙に押印しないでください。） （注意）登記手数料としての収入印紙を納付する場合は，登記手数料としての収入印紙は貼らずにそのまま提出してください。

準口頭		関連事件番号　平成・令和　　年（家　　）第　　　号

東京　家庭裁判所 御中 令和　○　年　12　月　10　日	申立人 （又は法定代理人など） の記名押印	甲　野　一　郎　　印

添付書類	（審理のために必要な場合は，追加書類の提出をお願いすることがあります。） 申立人の戸籍謄本 1通　遺言者の戸籍謄本 1通　相続人の戸籍謄本 1通 遺言者の住民票の除票の写し 1通　申立人の住民票の写し 1通

申立人	本籍（国籍）	（戸籍の添付が必要とされていない申立ての場合は，記入する必要はありません。） 埼玉　都道府（県）　川口市栄町3丁目15番地
	住所	〒 135 − 0004　電話　03（3633）×××× 東京都江東区森下3丁目2番1号 （　　方）
	連絡先	〒　−　電話　（　） （　　方）
	フリガナ 氏名	コウ　ノ　イチ　ロウ 甲　野　一　郎　（昭和）平成 令和　○○年　6月　10日生（　○○　歳）
	職業	会社員
※ 遺言者	本籍（国籍）	（戸籍の添付が必要とされていない申立ての場合は，記入する必要はありません。） 都道府県　申立人の本籍に同じ
	住所	〒　−　電話　（　） 申立人の住所に同じ （　　方）
	連絡先	〒　−　電話　（　） （　　方）
	フリガナ 氏名	コウ　ノ　タ　ロウ 甲　野　太　郎　（昭和）平成 令和　○○年　7月　20日生（　○○　歳）
	職業	

（注）　太枠の中だけ記入してください。
※の部分は，申立人，法定代理人，成年被後見人となるべき者，不在者，共同相続人，被相続人等の区別を記入してください。

別表第一（1/　）

申　立　て　の　趣　旨
遺言者の遺言につき遺言執行者の選任を求めます。

申　立　て　の　理　由
1　申立人は、遺言者の遺言書を発見した相続人です。
2　この遺言書は、令和○年12月5日に御庁においてその
検認を受けました（令和○(家)第○○○○号）が、遺言
執行者の指定及び指定の委託がないため、その選任を求
めます。
なお、遺言執行者として、遺言者の知人である次の者
を選任することを希望します。
本籍　東京都目黒区目黒2丁目35番地
住所　東京都目黒区目黒2丁目3番5号
（電話番号　03－3710－××××）
氏名　山川三郎（昭和○年○月○日生）

別表第一（　/　）

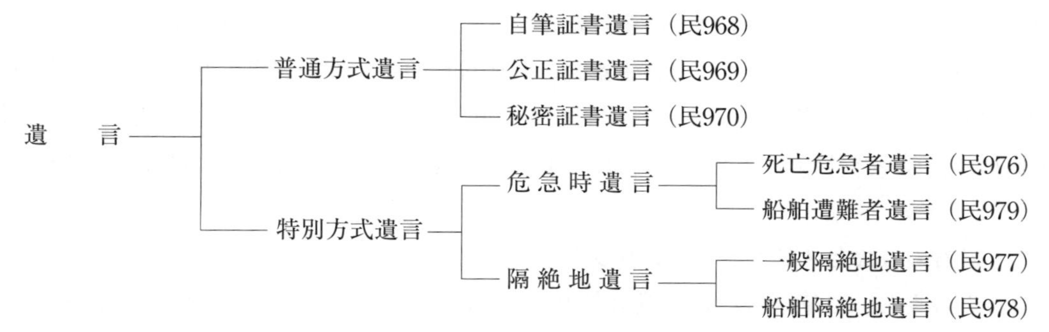

これらのうち特別方式遺言は例外的なものであり、通常は普通方式遺言によります。また、普通方式のうち秘密証書遺言は実例が少なく、一般的には自筆証書遺言か公正証書遺言が利用されています。その作成上のポイントは、次のとおりです。

自筆証書遺言	①　全文を自筆する。代筆やワープロなどで作成したものは無効となる。 ②　日付も自筆で記入する。この場合、「令和２年８月」のように「日」を記入していないものは無効となる。また、「令和２年８月吉日」というのも無効となる。 ③　氏名も自筆する。この場合、ペンネームなど本名以外でも遺言者が特定できれば有効とされている。 ④　押印は、実印が望ましいが、認印や拇印でも有効である。 ⑤　加除訂正は、その箇所を明確にし、その箇所に押印の上、署名を要する。 ⑥　遺言書に封印をするか否かは任意であるが、封印のある遺言書は家庭裁判所で開封することが義務付けられているので、偽造や変造を防止する観点からは封印することが望ましい。
公正証書遺言	①　証人２人以上とともに公証人役場で作成する（遺言者の病状などによっては、公証人に依頼して自宅又は病院など公証人役場以外の場所で作成することも可能）。 ②　遺言者が遺言の内容を公証人に口述する。 ③　公証人が遺言者の口述内容（遺言内容）を筆記し、これを遺言者及び証人に読み聞かせる。 ④　遺言者及び証人が筆記内容の正確なことを確認・承認した後、遺言者及び証人の全員が遺言書に署名・押印する（遺言者が病気などで署名できないときは、公証人がその理由を付記して署名に代える）。 ⑤　公証人がその証書を法律に定める方式に従って作成したものである旨を付記して、その遺言書に署名・押印する。

これらのうち、自筆証書遺言について、平成30年７月に成立した改正民法は、その方式を緩和し、自筆証書遺言を作成しやすいものとしました。そのポイントは、次のとおりです（民968）。

①　自筆証書遺言に相続財産の全部又は一部の目録を添付する場合には、その目録については自署を要しない。

②　財産目録の作成については、特定の方式が定められていないため、代筆やパソコン等によって作成する方法のほか、不動産の登記事項証明書や預金通帳の写しをもって財産目録とすることができる。

③　財産目録の毎葉（各頁）には署名・押印をしなければならない（自署によらない財産目録の記載が両面に及ぶ場合には、その両面に署名・押印をしなければならない）。

④　自筆による遺言書の本文と財産目録とを編綴したり、契印をする必要はない。

なお、④について民法では、遺言書本文と財産目録の一体性が要求されています（民968②)。この場合の一体性について、具体的な方法は定められていませんが、両者に契印をする方法、同一の封筒に入れて封緘する方法、遺言書全体を編綴する方法などが考えられます。

⑵　遺言の方式とメリット・デメリット

これらのうち、自筆証書遺言は遺言者の行為のみでできるため、その作成は比較的容易です。これに対し、公正証書遺言は公証人が関与するため、自筆証書遺言に比べると簡便ではなく、公証人への手数料も要します。また、公正証書遺言は、２人以上の証人の立会いを要するため、遺言内容の秘密が守られないおそれがあります。

しかし、公正証書遺言は公証人が作成するため、要式の不備が生じることはなく、その原本は公証人が保管するため（保管期内は150年)、紛失や偽造・変造などの心配もありません。また、公正証書遺言の場合は、自筆証書遺言と異なり家庭裁判所の検認の手続が不要なため、遺言の執行が迅速に行えるというメリットがあります。

公正証書遺言の作成の際の証人について、資格等の制限はありませんが、次の者は証人になることはできません（民974)。

①　未成年者

②　推定相続人（相続が開始した場合に相続人となるべき者）及び受遺者（その遺言により財産を受ける者）

③　②の者の配偶者及び直系血族

④　公証人の配偶者、四親等内の親族、書記及び使用人

なお、全国のすべての公正証書遺言がオンラインで一元管理されており、遺言者の死亡後であれば、全国のいずれの公証人役場でもその有無が確認できるようになっています。

公正証書遺言の作成例を示すと、〔書式４〕（次ページ）のとおりです。

⑶　遺言事項の法的効力

遺言によって法的な効力を与えられるのは、財産の処分に関する事項（遺贈など)、相続に関する事項（相続分の指定など）及び身分に関する事項（遺言による認知など）の３つに大別することができます。遺言でできる事項を列挙すると、次のとおりですが、これらのうち、必要な事項だけを遺言書に記載すれば足りることはいうまでもありません。

①　認知

②　後見人の指定、後見監督人の指定

③　遺贈、寄附行為

④　遺贈の減殺方法の指定

⑤　相続人の廃除、廃除の取消し

⑥　相続分の指定、指定の委託

〔書式４〕

令和○年第123号

遺言公正証書

本職は遺言者山田一郎の嘱託により証人、中村太郎　証人、鈴木次郎の立会いのうえ、遺言者の遺言の趣旨の口述を筆記し、この証書を作成する。

遺言の趣旨

第１条　遺言者は、遺言者が所有する次の財産を遺言者の妻山田春子（昭和25年１月７日生）に相続させる。

一、土地

北区滝野川七丁目

地番　23番１

宅地　145平方メートル

一、建物

北区滝野川七丁目23番地

家屋番号　23番

木造２階建　居宅　236平方メートル

第２条　遺言者は、遺言者が所有する○○工業株式会社の株式の全部を長男山田秋男（昭和52年６月７日生）に相続させる。

第３条　遺言者は、遺言者の預金のうち、金1,000万円を長女内田夏子（昭和54年４月９日生）に、金800万円を次男山田冬男（昭和56年５月18日生）に、それぞれ相続させる。

第４条　遺言者は、相続開始時における残余の財産は、すべて遺言者の妻山田春子に相続させる。

第５条　遺言者は、次の者を遺言執行者に指定する。

東京都千代田区麹町四丁目３番地

弁護士　田中　五郎

昭和36年12月８日生

以上

本旨外要件

東京都北区滝野川七丁目１番８号

無職

遺言者　山田　一郎

昭和22年２月２日生

上記は、印鑑証明書の提出により人違いでないことを証明させた。

東京都江東区森下一丁目２番３号

会社員

証人　中村　太郎　昭和35年５月５日生

東京都杉並区高円寺二丁目３番４号

会社員

証人　鈴木　次郎　昭和47年８月８日生

前記各事項を列席者に読み聞かせたところ、一同その筆記の正確なことを承認し、次に各人が署名押印する。

遺言者　山田　一郎

証人　中村　太郎

証人　鈴木　次郎

この証書は、令和○年５月１日本職役場に於て、民法第969条第１号ないし第４号所定の方式に従って作成し、同条第５号にもとづき本職左に署名押印する。

東京都中央区日本橋兜町１番10号

東京法務局所属

公証人　石田　三郎

⑦　特別受益者の持戻しの免除
⑧　遺産分割方法の指定、指定の委託
⑨　遺産分割の禁止
⑩　共同相続人間の担保責任の指定
⑪　遺言執行者の指定、指定の委託
⑫　信託の設定

なお、これら以外の個人の感情的な事柄として、たとえば、「相続財産は円満に分配すること」とか、「相続人は互いに助け合っていくこと」、あるいは「葬儀は簡素に行うこと」といったことを遺言書に書くことはかまいません。ただし、法的な効力は一切ありません。

⑷　遺言（遺贈）と相続税

遺言による財産分与を「遺贈」といい、遺贈される者を「受遺者」といいますが、受遺者の取得財産について相続税が課税されることはいうまでもありません。上記の遺言事項は、相続税に関わることが少なくないのですが、とくに「遺産分割方法の指定」と「遺産分割の禁止」事項は相続税に大きな影響が生じます。

相続税は、遺産分割の方法によって納付税額が異なることがあり、また、財産の種類によっては、その財産の取得者が誰であるかによって相続人全体の納税額に影響を及ぼす制度があります。前者は「配偶者に対する相続税額の軽減」（相法19の２①）であり、後者は「小規模宅地等の特例」（措法69の４①）です。

被相続人の配偶者については、相続財産価額（課税価格の合計額）のうち法定相続分相当額又は１億6,000万円のいずれか多い金額に対応する相続税額は税額控除となります。このため、遺言で配偶者の取得財産を指定し、その指定に従って分割をした場合に配偶者の取得財産価額がこれらの金額を下回ると、結果的に税額控除が十分に活かされないことになります。また、被相続人の事業用宅地等や居住用宅地等については、その取得者が一定の者である場合には、「小規模宅地等の特例」によりその相続税評価額から80％の減額が適用できることとされています。これらの宅地等の取得者を指定した場合、その取得者が80％減額の適用対象者でないとすれば、特例を活かした場合に比べ、納税額は過大なものとなります。したがって、遺産分割方法を遺言で指定する場合は、このような税務問題に十分な配慮をする必要があります。

また、相続税の申告は、相続人が相続の開始を知った日の翌日から10か月以内とされていますが（相法27①）、申告書の提出時に相続財産が分割されていない場合は、配偶者の税額軽減規定や小規模宅地等の特例のいずれも適用できないこととされています。このため、遺言において遺産分割の禁止事項があると、未分割での申告となり、納税上の不利が生じるおそれがあります。少なくとも遺言における遺産分割の禁止は、税務的にみて有利に作用することはありません。

（注） 遺言と異なる遺産分割を行うことも可能ですが、この点は後述（106ページ）します。

Ⅳ 被相続人の所得税等の税務手続

相続に伴う税務としては、相続税の申告や納付が中心になりますが、その前に被相続人の所得税の清算手続が必要です。また、被相続人が事業を行っており、消費税の課税事業者であった場合は、消費税についても同様の手続を要します。

1. 所得税の準確定申告

被相続人が給与所得者で、かつ、1か所から給与を支給されていた場合は、死亡年分の給与所得についてその支払者が年末調整を行いますから、いわゆる準確定申告は不要です。

これ以外の場合で、被相続人に死亡の年の1月1日から死亡日までの間に所得があり、かつ、確定申告義務があるときは、相続人が準確定申告を行う必要があります。

(1) 申告期限

準確定申告書の提出期限は、相続人が相続の開始を知った日の翌日から4か月以内です(所法124①、125①)。したがって、次図のようになります。

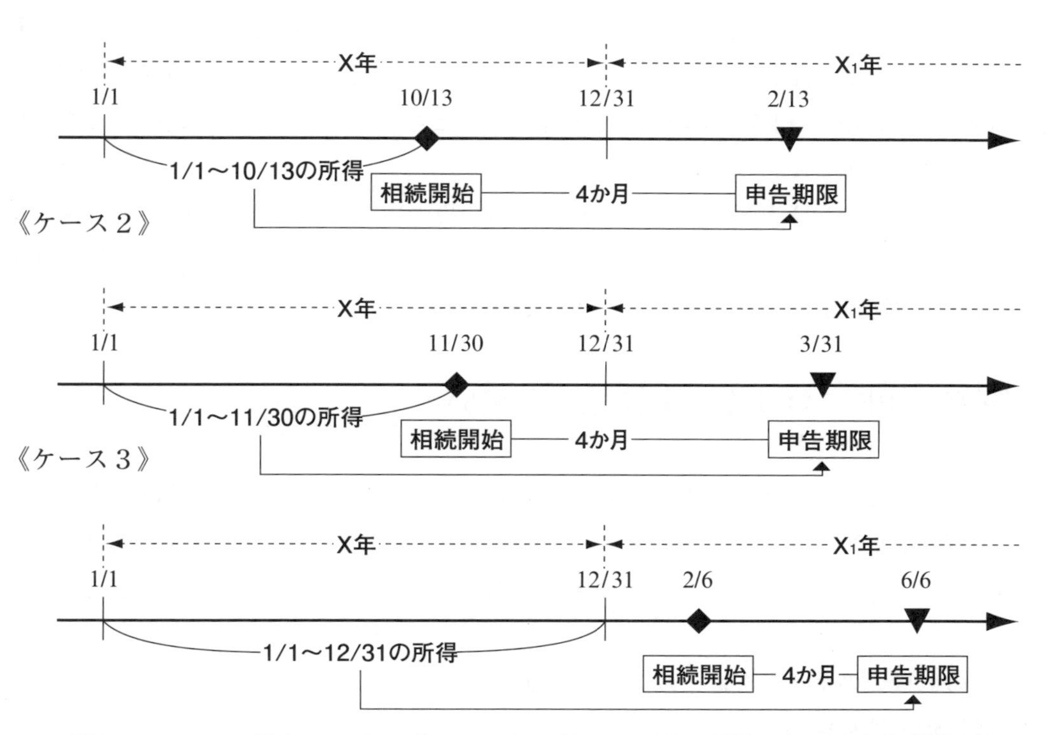

(注) ケース3の場合、X_1年1月1日から2月6日の間の所得について申告義務があるときは、X年分と同様にX_1年6月6日までに申告します。

なお、被相続人の所得について、還付のための申告書を提出できる場合、その提出期限の定めはありません。還付請求権の消滅時効前（５年以内）であれば、いつでも提出できます（通則法74①）。

⑵　提出書類

所得税の準確定申告は、通常の確定申告書と同じ申告用紙で行いますが、相続人が２人以上ある場合は、原則として相続人全員の連名による「令和○年分所得税及び復興特別所得税の確定申告書付表（兼相続人の代表者指定届出書）」〔書式５〕（次ページ）を添付する必要があります。

この「付表」には、次の事項を記載することとされています（所規49）。

①　各相続人の氏名及び住所、被相続人との続柄

②　民法の規定による相続分、相続などにより取得した財産の価額

③　限定承認をした場合にはその旨

④　相続人が２人以上の場合は、被相続人の所得税額を②の相続分により各相続人にあん分した金額（100円未満の端数は切捨て。還付申告の場合は円単位まで算出）

このうち、④については、被相続人の所得税額及び復興特別所得税額を指定相続分があればその割合であん分し、指定相続分がないときは法定相続分であん分して各相続人の納付税額（又は還付税額）とします（相続などにより取得した財産の価額は、申告時までに確定していない場合は、記載しなくてもかまいません）。この場合、その後に遺産分割が確定し、「付表」に記載した相続財産の価額と異なることとなっても、各相続人に配分した所得税額の修正は要しません。

なお、準確定申告により納付すべき税額は、相続税の申告では「債務控除」の対象となりますが（相法13）、還付申告の場合の還付税額は、「未収還付所得税額」として相続財産に含まれます（還付加算金は相続財産には含まれません）。

2. 準確定申告における所得控除の取扱い

所得税における扶養控除や配偶者控除などの各種の所得控除について、準確定申告では多少の注意が必要です。また、被相続人の相続開始前後には相当額の医療費の支出があるのが通常です。このため、医療費控除の適用関係についても確認しておく必要があるでしょう。

これらの取扱いのポイントは、以下のとおりです。

《配偶者控除・扶養控除》

①　配偶者その他の親族が被相続人と生計を一にしていたかどうかは、相続開始時の現況により判定する（所法85①、所基通85－1⑴）。

〔書式5〕

死亡した者の平成/令和 ○ 年分の所得税及び復興特別所得税の確定申告書付表
（兼相続人の代表者指定届出書）

受付印

（平成二十九年分以降用） ○この付表は、**申告書と一緒に提出してください。**

1 死亡した者の住所・氏名等			
住所	(〒115-0045) 東京都北区赤羽3−7−8	氏名	（フリガナ）コウノ タロウ 甲野太郎
死亡年月日	平成・令和 ○ 年 8 月 23 日		
2 死亡した者の納める税金又は還付される税金	〔第3期分の税額〕〔還付される税金のときは頭部に△印を付けてください。〕	413,500 円…A	
3 相続人等の代表者の指定	〔代表者を指定されるときは、右にその代表者の氏名を書いてください。〕	相続人等の代表者の氏名	甲野一郎
4 限定承認の有無	〔相続人等が限定承認をしているときは、右の「限定承認」の文字を○で囲んでください。〕	限定承認	

5 相続人等に関する事項				
(1) 住所	(〒115-0045) 東京都北区赤羽3−7−8	(〒115-0045) 東京都北区赤羽3−7−8	(〒165-0027) 東京都中野区野方2−2−3	(〒 −)
(2) 氏名	（フリガナ）コウノ ハナコ 甲野花子 ㊞	（フリガナ）コウノ イチロウ 甲野一郎 ㊞	（フリガナ）オツヤマ サキコ 乙山咲子 ㊞	（フリガナ） ㊞
(3) 個人番号				
(4) 職業及び被相続人との続柄	職業 なし 続柄 妻	職業 会社員 続柄 子	職業 なし 続柄 子	職業 続柄
(5) 生年月日	明・大・昭・平・令 8 年 6 月 10 日	明・大・昭・平・令 35 年 9 月 7 日	明・大・昭・平・令 37 年 8 月 20 日	明・大・昭・平・令 年 月 日
(6) 電話番号	03−3906−XXXX	03−3906−XXXX	03−3337−XXXX	− −
(7) 相続分…B	法定・指定 1/2	法定・指定 1/4	法定・指定 1/4	法定・指定
(8) 相続財産の価額	円	円	円	円

6 納める税金等				
Aが黒字のとき 各人の納付税額 A × B 〔各人の100円未満の端数切捨て〕	206,700 円	103,300 円	103,300 円	00 円
Aが赤字のとき 各人の還付金額 〔各人の1円未満の端数切捨て〕	円	円	円	円

7 還付される税金の受取場所					
銀行等の預金口座に振込みを希望する場合	銀行名等	銀行 金庫・組合 農協・漁協	銀行 金庫・組合 農協・漁協	銀行 金庫・組合 農協・漁協	銀行 金庫・組合 農協・漁協
	支店名等	本店・支店 出張所 本所・支所	本店・支店 出張所 本所・支所	本店・支店 出張所 本所・支所	本店・支店 出張所 本所・支所
	預金の種類	預金	預金	預金	預金
	口座番号				
ゆうちょ銀行の口座に振込みを希望する場合	貯金口座の記号番号	−	−	−	−
郵便局等の窓口受取りを希望する場合	郵便局名等				

（注）「**5 相続人等に関する事項**」以降については、相続を放棄した人は記入の必要はありません。

税務署整理欄					
整理番号		0	0	0	0
番号確認	身元確認	□済 □未済	□済 □未済	□済 □未済	□済 □未済

一連番号

② 配偶者その他の親族の所得要件は、相続開始時の現況により見積もったその年1月1日から12月31日までの合計所得金額により判定する（所基通85－1⑵）。

③ 特定扶養親族など、年齢により適用される所得控除については、相続開始時ではなく、その扶養親族等のその年12月31日現在の年齢により適用関係を判定する（所法85③）。

《医療費控除》

① 被相続人の医療費で、相続開始時までに支払われたものは、原則として準確定申告で医療費控除の対象になる（所法73①）。

② 被相続人の医療費で、相続開始後に支払われたものは、その費用を負担した生計を一にしていた親族の所得税の確定申告で医療費控除の対象になる（所基通73－1）。

なお、医療費控除については、被相続人に医療費の支払能力があったか否かにより考え方が異なり、また、相続税の債務控除が適用されるか否かの問題があります。これをまとめると、次のようになります（下表における「被相続人の支払能力の有無」及び「相続人が立替え払いした」か否かは、いずれも事実認定の問題です）。

	被相続人に支払能力あり	被相続人に支払能力なし
相続前の支払い	［被相続人が支払った場合］ ○準確定申告で被相続人の医療費控除 ……適用あり ○相続人の確定申告で医療費控除 ……適用なし ○相続税の債務控除 ……適用なし	［相続人が支払った場合］ ○準確定申告で被相続人の医療費控除 ……適用なし ○相続人の確定申告で医療費控除 ……適用あり ○相続税の債務控除 ……適用なし
	［相続人が立替え払いした場合］ ○準確定申告で被相続人の医療費控除 ……適用あり ○相続人の確定申告で医療費控除 ……適用なし ○相続税の債務控除 ……適用あり （相続人に対する債務に該当する）	
相続後の支払い	［相続人が支払った場合］ ○準確定申告で被相続人の医療費控除 ……適用なし ○相続人の確定申告で医療費控除 ……適用あり ○相続税の債務控除 ……適用あり	［相続人が支払った場合］ ○準確定申告で被相続人の医療費控除 ……適用なし ○相続人の確定申告で医療費控除 ……適用あり ○相続税の債務控除 ……適用なし （被相続人の債務には該当しない）

3. 被相続人の事業所得等の必要経費算定上の留意点

準確定申告における被相続人の所得の計算は、通常の場合とほぼ同様です。ただし、被相続人が事業者の場合は、死亡とともに事業を廃止することになりますので、事業所得や不動産所得の計算上、相続開始後に生じる必要経費の扱いには注意を要します。
所得計算上の一般的な経費項目の留意点をまとめておきましょう。

項　　目	所　得　税　の　取　扱　い	相続税の取扱い
事　業　税	相続開始年分の事業所得等に対する事業税は、次のいずれかによる。 ①　相続開始年分（事業を廃止した年分）に「見込控除額」を必要経費に算入する（所基通37－7）。 ②　見込控除をしなかった場合は、事業税の賦課決定を受けた日の翌日から２か月以内に準確定申告について更正の請求を行う。 （注）上記①の見込控除額は、次の算式により計算する。 $見込控除額＝\frac{(A \pm B) \times R}{1+R}$ A……事業税の課税見込額を控除する前のその年分の事業に係る所得金額 B……事業税の課税標準の計算上、Aの金額に加算又は減算する金額（青色申告特別控除額又は事業主控除額） R……事業税の税率 ［計算例］　９月10日に相続が開始した場合 ・事業税控除前の事業所得等の金額　………500万円 ・青色申告特別控除額…………………………65万円 ・事業主控除額　…290万円×９月／12月＝217.5万円 ・事業税の税率……………………………………５％ ＜見込控除額＞ $\frac{(500万円+65万円-217.5万円)\times 5\%}{1+5\%}＝165,400円$	相続開始後に相続人が納付した事業税は、相続税の債務控除の適用がある（相法13①一）。
固定資産税	納税通知が相続開始の前か後かにより、次のいずれかによる。 ①　相続開始前に納税通知があった場合 選　択┬全額を準確定申告で必要経費に算入 　　　　├納付期限到来分を準確定申告で必要経費に算入 　　　　└実際の納付額を準確定申告で必要経費に算入 （注）被相続人の所得金額の計算上、必要経費に算入された金額以外の金額は、事業を承継した場合の相続人の所得金額の計算上、必要経費に算入される。 ②　相続開始後に納税通知があった場合――被相続人の所得金額の計算上、必要経費不算入 （注）相続人が被相続人の事業を承継した場合は、相続人の所得の金額の計算上、必要経費に算入される。	賦課期日（その年度の属する年の１月１日）に納税義務が確定したものとして、相続開始後に相続人が納付した固定資産税は、相続税の債務控除の対象になる（相法13①一）。
消費税・地方消費税	被相続人が課税事業者の場合は、相続人が被相続人の相続開始年分の消費税等の申告を行う（申告期限は、所得税の準確定申告に同じ）。──→納付税額は、準確定申告で必要経費に算入。	相続人が納付した消費税等は、相続税の債務控除の対象になる（相基通13－８）。

借入金利子	相続開始時までの期間に対応する利子のみ、準確定申告で必要経費に算入できる。 (注) 相続開始後に相続人が支払う利子のうち、相続開始後の期間に対応するものは、家事費となる。ただし、事業上の借入金の利子で、相続人が被相続人の事業を承継した場合は、相続人の事業所得の金額の計算上、必要経費に算入できる。	
貸倒損失	［所得税］相続開始後に発生した貸倒損失は、次による。 ① 相続開始年分の準確定申告において、総所得金額と事業所得等の金額のうち、いずれか少ない金額を限度として必要経費に算入する。 ② ①により控除しきれなかった貸倒損失額は、その前年の事業所得等の金額の計算上、必要経費に算入できる（この場合は、貸倒れの事実が生じた日の翌日から2か月以内に更正の請求を行う）。 ［消費税］相続開始後に発生した貸倒損失は、次による。 ① 被相続人の消費税の申告上、貸倒れに係る消費税額の控除は適用されず、更正の請求はできない。 ② 相続人が被相続人の事業を承継した場合は、相続人の消費税の申告において、貸倒れに係る消費税額の控除が適用できる。	
専従者給与	① 青色事業専従者給与――相続開始時までの期間のうち2分の1を超える期間について、その事業に従事していれば、支給した給与のうち不相当でない部分の金額が必要経費となる。 ② 白色事業専従者控除――相続開始年分において、6か月を超えて事業に従事している場合のみ必要経費となる。	

4. 準確定申告による純損失の繰戻し還付請求

ところで、所得税について青色申告を行っている場合において、純損失が生じたときは、翌年以後3年間の繰越控除又は繰戻し還付のいずれかを適用できることとされています(所法70①、140①)。ただし、被相続人の準確定申告における純損失は、事業者本人が死亡しているため、翌年以後の所得はなく、繰越控除を行うことはできません。したがって、この場合は繰戻し還付請求のみができることになります。

(1) 相続開始年分の繰戻し還付請求

相続開始年分の被相続人の事業所得等について純損失が生じた場合は、準確定申告（青色申告）の際に、還付請求書を併せて提出することができます（所法141①）。

《例》

○相続開始年分の所得金額……………△200万円（純損失）
○相続開始の前年分の課税所得金額……500万円（所得税額及び復興特別所得税額　572,500円）

＜還付請求金額の計算＞

イ　前年分の課税所得金額　　500万円－200万円＝300万円

ロ　イの課税所得金額に対する所得税額及び復興特別所得税額　　202,500円

ハ　還付請求金額　　572,500円－202,500円＝370,000円

この例を「還付請求書」に記載すると、〔書式６〕（次ページ）のとおりです。

⑵　相続開始の年の前年に純損失が生じている場合の繰戻し還付請求

相続開始の年は被相続人に所得が生じ、その前年が純損失であった場合は、まず、相続開始の年分の所得から前年の純損失を控除し、なお控除しきれなかった純損失があるときは、前々年の所得税について繰戻し還付請求を行うことができます（所法141④）。

《例》

○相続開始年分の所得金額……………………400万円
○相続開始の年の前年分の所得金額………△600万円（純損失）
○相続開始の年の前々年分の課税所得金額…500万円（所得税額及び復興特別所得税額　572,500円）

＜還付請求金額の計算＞

イ　相続開始年分の所得金額……400万円－600万円＝ゼロ（控除未済額200万円）

ロ　前々年分の課税所得金額…………………………500万円－200万円＝300万円

ハ　ロの課税所得金額に対する所得税額及び復興特別所得税額………202,500円

ニ　還付請求金額……………………………………572,500円－202,500円＝370,000円

5.　消費税の準確定申告

被相続人が事業者で、消費税の納税義務がある場合は、相続人において相続開始年分の課税資産の譲渡等に係る消費税及び地方消費税の確定申告書を提出しなければなりません（消法45③）。もちろん、消費税等の還付のための申告書を提出することもできます（消法46②）。

〔書式6〕

税務署受付印

純損失の金額の繰戻しによる所得税の還付請求書

荻　窪　税務署長

○○年　1　月　12　日提出

住所（又は事業所・事務所・居所など）	(〒167－0015) 東京都杉並区荻窪5－23－3	職業	食品小売業
フリガナ 氏名	コウ ノ イチ ロウ 甲野一郎 ㊞	電話番号	(3220)××××
個人番号			

純損失の金額の繰戻しによる所得税の還付について次のとおり請求します。

還付請求金額（下の還付請求金額の計算書の㉒の金額）	370,000 円

純損失の金額の生じた年分	○○年分
純損失の金額を繰り戻す年分（純損失の金額の生じた年の前年分を書きます。）	××年分

還付の請求が、事業の廃止、相当期間の休止、事業の全部又は重要部分の譲渡、相続によるものである場合は右の欄に記入してください。

請求の事由（該当する文字を○で囲んでください。）	左の事実の生じた年月日	この純損失の金額について、既に繰戻しによる還付を受けた事実の有無
事業の 廃止・休止・譲渡　(相続)	休止期間 ○○・9・15	有・(無)

還付請求金額の計算書（書き方は裏面に説明してあります。）

			金額				金額
平成○年分の純損失の金額 A純損失の金額	総所得	変動所得 ①	円	BAのうち繰り戻す前年分の金額	総所得	変動所得 ④	円
		その他 ②	△2,000,000			その他 ⑤	△2,000,000
		山林所得 ③				山林所得 ⑥	
純損失の金額の繰戻しによる所得税の還付金額の計算 前年分の税額	C課税される所得金額	総所得 ⑦	5,000,000	繰戻し控除後の税額	E繰り戻された後の課税所得金額	総所得 ⑮	3,000,000
		山林所得 ⑧				山林所得 ⑯	
		退職所得 ⑨				退職所得 ⑰	
	DCに対する税額	⑦に対する税額 ⑩	572,500		FEに対する税額	⑮に対する税額 ⑱	202,500
		⑧に対する税額 ⑪				⑯に対する税額 ⑲	
		⑨に対する税額 ⑫				⑰に対する税額 ⑳	
		計（100円未満の端数は切り捨ててください。） ⑬	572,500			計（100円未満の端数は切り捨ててください。） ㉑	202,500
	源泉徴収税額を差し引く前の所得税額	⑭	572,500	純損失の金額の繰戻しによる還付金額（「⑬－㉑」と⑭のいずれか少ない方の金額）		㉒	370,000

千円未満の端数は切り捨ててください。

○申告書と一緒に提出してください。

税理士署名押印（電話番号）　㊞

還付される税金の受取場所	（銀行等の預金口座に振込みを希望する場合） ○○ (銀行)・金庫・組合・農協・漁協　荻窪 本店・(支店)・出張所・本所・支所　普通 預金　口座番号 1234567	（ゆうちょ銀行の口座に振込みを希望する場合） 貯金口座の記号番号　― （郵便局等の窓口受取りを希望する場合）

税務署整理欄	通信日付印の年月日	確認印	整理番号			一連番号
	年　月　日		0			
	番号確認	身元確認	確認書類			
		□済 □未済	個人番号カード／通知カード・運転免許証 その他（　　）			

消費税等の申告書の提出期限は、所得税の準確定申告書の提出期限と同様で、相続人が相続の開始を知った日の翌日から４か月以内です。

その申告に際しては、消費税等の確定申告書に「付表６　死亡した事業者の消費税及び地方消費税の確定申告明細書」〔書式７〕（次ページ）を添付することとされています。「付表６」の記載内容や記載方法は、所得税の準確定申告書の付表とほぼ同じです。

6. 事業の廃止等の届出

被相続人が事業者であった場合は、所轄税務署長に対し、死亡に伴う廃業等の届出を行う必要があります（所法229）。また、消費税の課税事業者であった場合も同様です（消法57①四）。

所　得　税	提出書類……「個人事業の開廃業等届出書」〔書式８〕（27ページ） 提出期限……相続人が相続の開始を知った日の翌日から１か月以内
消　費　税	提出書類……「個人事業者の死亡届出書」〔書式９〕（28ページ） 提出期限……できるだけ速やかに

なお、被相続人が所得税の申告について、青色申告を行っていた場合において、死亡により業務を廃止したときは、その青色申告の承認は自動的に取り消されます（所法151②）。したがって、「所得税の青色申告の取りやめ届出書」は提出する必要はありません。

(注) 相続人が被相続人の事業を承継したとしても、青色申告の承認の効果は引き継がれません。相続人がその事業について青色申告によりたい場合は、新たに青色申告の承認申請を行う必要があります（29ページ参照）。

なお、消費税の届出について、次ページの〔書式７〕に必要事項を記載して提出すれば、28ページの〔書式９〕の提出があったものとされます（消基通17－１－３）。

V　被相続人の事業を承継した相続人の税務手続

1. 所得税の開業の届出

相続人が相続後に被相続人の事業を承継する場合は、その相続人が従前から事業を行っていたときを除き、新たな事業の開始になります。

このため、相続人は納税地の所轄税務署長に対し、開業の届出を行う必要があります。届出は、「個人事業の開廃業等届出書」〔書式８〕（27ページ）により、事業を開始した日から１か月以内に提出します（所法229）。

〔書式7〕

付表6　死亡した事業者の消費税及び地方消費税の確定申告明細書
（自 平成・㊞令和 ○ 年 1 月 1 日 至 平成・㊞令和 ○ 年 9 月 15 日の課税期間分）

整理番号	

1 死亡した事業者の納税地・氏名等

納税地	東京都杉並区荻窪5－23－3	氏名（フリガナ コウノ イチロウ）	甲野一郎	死亡年月日	平成・令和○年9月15日

2 事業承継の有無等（右のいずれかを○で囲むとともに、有の場合には以下に事業承継者の情報を記載してください。）　㊒・無

住所等	東京都杉並区荻窪5－23－3（電話番号 03－3220－××××）	氏名（フリガナ コウノ タロウ）	甲野太郎	その他参考事項	

3 相続人等の代表者の指定（代表者を指定するときは記入してください。）　相続人等の代表者の氏名：甲野太郎

4 限定承認の有無（相続人等が限定承認しているときは、右の「限定承認」の文字を○で囲んでください。）　限定承認

5 死亡した事業者の消費税及び地方消費税の額

項目		金額（円）	項目		金額（円）
納める消費税及び地方消費税の合計額	①	580,200	還付される消費税及び地方消費税の合計額	④	
①のうち消費税	②	452,600	④のうち消費税	⑤	
①のうち地方消費税	③	127,600	④のうち地方消費税	⑥	

6 相続人等の納める消費税及び地方消費税の額又は還付される消費税及び地方消費税の額
（相続を放棄した人は記入の必要はありません。）

相続人等に関する事項	住所又は居所		東京都杉並区荻窪5－23－3	東京都杉並区荻窪5－23－3	埼玉県川口市栄町3－11－7	
	フリガナ 氏名		コウノ ハナコ 甲野花子 ㊞	コウノ タロウ 甲野太郎 ㊞	コウノ ジロウ 甲野次郎 ㊞	㊞
	個人番号					
	職業及び続柄		職業 なし 続柄 妻	職業 会社員 続柄 長男	職業 会社員 続柄 二男	職業　続柄
	生年月日		明・大・㊐昭・平・令 22年7月23日	明・大・㊐昭・平・令 50年5月18日	明・大・㊐昭・平・令 53年10月2日	明・大・昭・平・令 年 月 日
	電話番号		03(3220)××××	03(3220)××××	048(256)××××	(　)
	相続分	⑦	㊐法定・指定 1/2	㊐法定・指定 1/4	㊐法定・指定 1/4	法定・指定
	相続財産の価額	⑧	円	円	円	円
納付（還付）税額の計算	各人の納付税額（注）消費税〔②×⑦〕	⑨	226,300	113,100	113,100	00
	地方消費税〔③×⑦〕	⑩	63,800	31,900	31,900	00
	計〔⑨＋⑩〕	⑪	290,100	145,000	145,000	00
	各人の還付税額（注）消費税〔⑤の分割額〕	⑫				
	地方消費税〔⑥の分割額〕	⑬				
	計〔⑫＋⑬〕	⑭				
還付される税金の受取場所	銀行等の口座に振込みを希望する場合	銀行名等	銀行 金庫・組合 農協・漁協	銀行 金庫・組合 農協・漁協	銀行 金庫・組合 農協・漁協	銀行 金庫・組合 農協・漁協
		支店名等	本店・支店 出張所 本所・支所	本店・支店 出張所 本所・支所	本店・支店 出張所 本所・支所	本店・支店 出張所 本所・支所
		預金の種類	預金	預金	預金	預金
		口座番号				
	ゆうちょ銀行の口座に振込みを希望する場合	記号番号	－	－	－	－
	郵便局窓口での受取りを希望する場合	郵便局名	郵便局	郵便局	郵便局	郵便局
※税務署処理欄	整理番号					
	番号確認	身元確認				

（注）　⑨・⑩欄は、各人の100円未満の端数切捨て
　　　⑫・⑬欄は、各人の1円未満の端数切捨て

〔書式８〕

税務署受付印

1040

個人事業の開業・廃業等届出書

荻窪　税務署長

○○年 10 月 10 日提出

納税地	○住所地・○居所地・◎事業所等(該当するものを選択してください。) (〒167 − 0015) 東京都杉並区荻窪５−23−3 (TEL 03 − 3220 −××××)
上記以外の住所地・事業所等	納税地以外に住所地・事業所等がある場合は記載します。 (〒 −) (TEL − −)
フリガナ	コウ ノ イチ ロウ
氏名	被相続人 甲野一郎 ㊞ ／ 生年月日 ○大正 ◎昭和 ○平成 ○令和 ○○年10月10日生
個人番号	
職業	食品小売業 ／ フリガナ コウノショクヒン ／ 屋号 甲野食品

個人事業の開廃業等について次のとおり届けます。

届出の区分	○開業（事業の引継ぎを受けた場合は、受けた先の住所・氏名を記載します。） 住所　　　氏名 事務所・事業所の（○新設・○増設・○移転・○廃止） ◎廃業（事由）死亡 （事業の引継ぎ（譲渡）による場合は、引き継いだ（譲渡した）先の住所・氏名を記載します。） 住所　　　氏名		
所得の種類	○不動産所得・○山林所得・○事業（農業）所得〔廃業の場合……○全部・○一部（ ）〕		
開業・廃業等日	開業や廃業、事務所・事業所の新増設等のあった日	○○年 9 月 15 日	
事業所等を新増設、移転、廃止した場合	新増設、移転後の所在地	(電話)	
	移転・廃止前の所在地	東京都杉並区荻窪５−23−3	
廃業の事由が法人の設立に伴うものである場合	設立法人名		代表者名
	法人納税地		設立登記　年　月　日
開業・廃業に伴う届出書の提出の有無	「青色申告承認申請書」又は「青色申告の取りやめ届出書」	○有・◎無	
	消費税に関する「課税事業者選択届出書」又は「事業廃止届出書」	○有・◎無	
事業の概要（できるだけ具体的に記載します。）			

給与等の支払の状況	区分	従事員数	給与の定め方	税額の有無	その他参考事項
	専従者	人		○有・○無	
	使用人			○有・○無	
				○有・○無	
	計				
源泉所得税の納期の特例の承認に関する申請書の提出の有無				○有・○無	給与支払を開始する年月日　年　月　日

関与税理士
(TEL − −)

税務署整理欄	整理番号	関係部門連絡	A	B	C	番号確認	身元確認
	0						□済 □未済
	源泉用紙交付	通信日付印の年月日	確認印	確認書類 個人番号カード／通知カード・運転免許証 その他（ ）			
		年　月　日					

〔書式９〕

第７号様式

個人事業者の死亡届出書

収受印

令和 ○ 年 10 月 10 日 荻窪 税務署長殿	届出者	（フリガナ）	トウキョウトスギナミクオギクボ
		住所又は居所	（〒 167 － 0015 ） 東京都杉並区荻窪５－23－３ （電話番号　03 － 3220 －××××）
		（フリガナ）	コウ　ノ　タ　ロウ
		氏名	甲野太郎　印
		個人番号	

下記のとおり、事業者が死亡したので、消費税法第57条第１項第４号の規定により届出します。

死亡年月日		平成・(令和) ○ 年 9 月 15 日	
死亡した事業者	納税地	東京都杉並区荻窪５－23－３	
	氏名	甲野一郎	
届出人と死亡した事業者との関係		長男	
参考事項	事業承継の有無		(有)・無
	事業承継者	住所又は居所	東京都杉並区荻窪５－23－３ （電話番号　03 － 3220 －××××）
		氏名	甲野太郎
税理士署名押印		印 （電話番号　－　－　）	

※税務署処理欄	整理番号		部門番号			
	届出年月日	年　月　日	入力処理	年　月　日	台帳整理	年　月　日
	番号確認		身元確認 □ 済 □ 未済	確認書類 個人番号カード／通知カード・運転免許証 その他（　）		

注意　１．裏面の記載要領等に留意の上、記載してください。
　　　２．税務署処理欄は、記載しないでください。

2. 青色申告の承認申請

事業所得等について、青色申告によりたいときは、その旨の承認申請を行う必要がありますが、通常の場合の申請書の提出期限は次のようになっています（所法144）。

○既に事業を営んでいる場合又はその年１月15日以前に事業を開始した場合……青色申告によりたい年の３月15日まで

○その年の１月16日以後に事業を開始した場合……事業を開始した日から２か月以内

なお、「所得税の青色申告承認申請書」〔書式10〕（次ページ）を提出した日の年の12月31日までに税務署長による承認又は却下の処分がないときは、その申請は承認されたものとみなすこととされています（所法147）。

注意したいのは、被相続人が青色申告をしていた場合です。相続人が被相続人の事業を承継しても、青色申告の承認の効果は相続人には及びません。したがって、新たにその承認申請を行わないと、相続人において青色申告によることはできません。

この場合の承認申請書の提出期限については、上記の原則と異なり、次のように取り扱うこととされています（所基通144－１）。

① 相続の開始がその年1月1日から10月31日までの場合……相続開始の日から4か月を経過する日とその年12月31日のいずれか早い日（この場合のみなし承認は、12月31日）

② 相続の開始がその年11月１日から12月31日までの場合……翌年２月15日まで（この場合のみなし承認は、翌年２月15日）

これを図示すれば下記のとおりですが、要するに、相続の開始がその年10月31日までであれば、準確定申告書の提出期限まで（又はその年12月31日まで）に承認申請書を提出すればよいということです。また、11月１日以後の相続の場合で、その年分から青色申告によりたいときは、翌年２月15日が申請期限になるということです。このように、相続の場合は例外的な取扱いがあることを承知しておいてください。

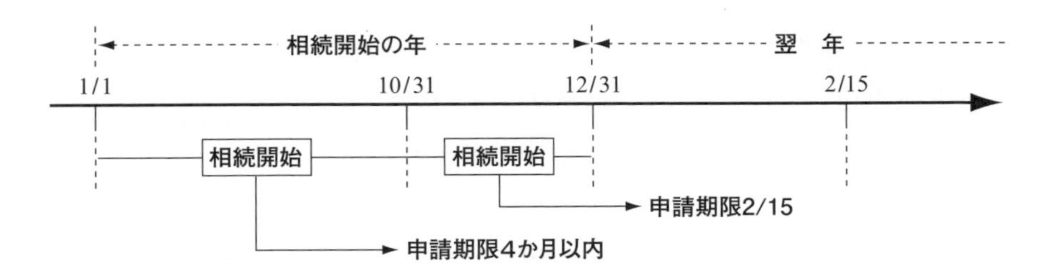

なお、「青色事業専従者給与に関する届出書」については、相続の場合の特別な取扱いはありません。したがって、その提出期限は、通常の場合はその年３月15日、その年１月16日以後に事業を開始した場合や新たに専従者がいることとなった場合は、その開業の日又は専従者がいることとなった日から２か月以内となります（所法57②）。

〔書式10〕

1	0	9	0

税務署受付印

所得税の青色申告承認申請書

荻　窪　税務署長

○○年 12 月 28 日提出

納税地	◎住所地・○居所地・○事業所等（該当するものを選択してください。） （〒 167－0015 ） 東京都杉並区荻窪5－23－3 （TEL 03－3220－××××）		
上記以外の住所地・事業所等	納税地以外に住所地・事業所等がある場合は記載します。 （〒　－　） （TEL　－　－　）		
フリガナ	コウ ノ タ ロウ	生年月日	○大正 ◎昭和 ○平成 ○令和　○○年 8 月 25 日生
氏名	甲野太郎 ㊞		
職業	食品小売業	フリガナ 屋号	コウノショクヒン 甲野食品

令和 ○ 年分以後の所得税の申告は、青色申告書によりたいので申請します。

1　事業所又は所得の基因となる資産の名称及びその所在地（事業所又は資産の異なるごとに記載します。）

名称 甲野食品　所在地 杉並区荻窪5－23－3

名称 ＿＿＿＿　所在地 ＿＿＿＿

2　所得の種類（該当する事項を選択してください。）

◎事業所得・○不動産所得・○山林所得

3　いままでに青色申告承認の取消しを受けたこと又は取りやめをしたことの有無

(1)　○有（○取消し・○取りやめ）　＿年＿月＿日　(2)　◎無

4　本年1月16日以後新たに業務を開始した場合、その開始した年月日　○○年 9 月 16 日

5　相続による事業承継の有無

(1)　◎有　相続開始年月日　○○年 9 月 15 日　被相続人の氏名 甲野一郎　(2)　○無

6　その他参考事項

(1)　簿記方式（青色申告のための簿記の方法のうち、該当するものを選択してください。）

◎複式簿記・○簡易簿記・○その他（　　）

(2)　備付帳簿名（青色申告のため備付ける帳簿名を選択してください。）

◎現金出納帳・◎売掛帳・◎買掛帳・○経費帳・○固定資産台帳・◎預金出納帳・○手形記入帳
○債権債務記入帳・◎総勘定元帳・○仕訳帳・○入金伝票・○出金伝票・○振替伝票・○現金式簡易帳簿・○その他

(3)　その他

関与税理士
（TEL　－　－　）

税務署整理欄	整理番号	関係部門連絡	A	B	C		
	0						
	通信日付印の年月日	確認印					
	年　月　日						

3. 減価償却方法の引継ぎと届出

(1) 相続の場合の償却方法、取得価額、耐用年数の取扱い

被相続人から相続により取得した減価償却資産についての所得税法の取扱いは、次のとおりです（所法60、所令126②）。

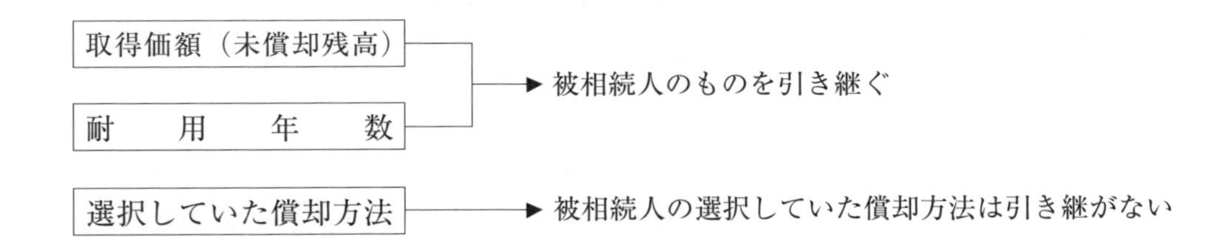

したがって、減価償却費の計算に当たっては、償却方法を除き、被相続人が行っていた計算と同じ取得価額を基礎とし、耐用年数も同じものを適用することになります。

(注) 限定承認相続又は限定承認包括遺贈をしたため、被相続人に「みなし譲渡」の規定（所法59①）が適用された場合は、取得価額の引継ぎはなく、相続開始時の時価が取得価額になります（所令126①五）。また、この場合は、中古資産を取得した場合と同様に、見積り耐用年数によることができます（耐令3、耐通1－5－1）。

減価償却の方法について、所得税法は次のように定めています（所令120、120の2、125）。

取得時期／種類	平成10年3月31日以前	平成10年4月1日以後 平成19年3月31日以前	平成19年4月1日以後
建物	旧定額法又は旧定率法	旧定額法	定額法
建物以外の資産	旧定額法又は旧定率法		定額法又は定率法

(注) 旧定額法、旧定率法とは、残存価額（取得価額の10%）及び償却可能限度額（取得価額の95%）を考慮した償却方法であり、定額法及び定率法とは、これらを考慮しない償却方法をいいます（定率法について、平成19年4月1日以後の取得分はいわゆる250%定率法、同24年4月1日以後の取得分は200%定率法によります）。

相続により承継した減価償却資産の場合、被相続人の選択していた償却方法は相続人に引き継がれませんから、建物以外の資産について、相続人が定率法によりたいときは、「所得税の減価償却資産の償却方法の届出書」〔書式11〕（次ページ）を税務署に提出する必要があります。提出期限は、その年分の確定申告期限です（所令123②、124②）。

なお、平成10年4月1日以後に取得した建物の償却方法は、旧定額法又は定額法が強制

〔書式11〕

1	1	6	0

税務署受付印

所得税の ~~棚卸資産の評価方法~~ ◎減価償却資産の償却方法 の届出書

荻窪 税務署長

○○年 3 月 10 日提出

納税地	◎住所地・◎居所地・◎事業所等（該当するものを選択してください。） （〒 167－0015 ） 東京都杉並区荻窪5－23－3 （TEL 03－3220－××××）
上記以外の住所地・事業所等	納税地以外に住所地・事業所等がある場合は記載します。 （〒 － ） （TEL － － ）
フリガナ	コウ ノ タ ロウ
氏名	甲野太郎 印
生年月日	◎大正 ◎昭和 ◎平成 ◎令和 ○○年 8 月 25 日生
職業	食品小売業
フリガナ	コウノショクヒン
屋号	甲野食品

~~棚卸資産の評価方法~~
◎減価償却資産の償却方法 については、次によることとしたので届けます。

1　棚卸資産の評価方法

事業の種類	棚卸資産の区分	評価方法

2　減価償却資産の償却方法

	減価償却資産の種類 設備の種類	構造又は用途、細目	償却方法
(1) 平成19年3月31日以前に取得した減価償却資産			
(2) 平成19年4月1日以後に取得した減価償却資産	車両及び運搬具	自動車（その他のもの）	定率法
	器具及び備品	陳列ケース	〃

3　その他参考事項

(1)　上記2で「減価償却資産の種類・設備の種類」欄が「建物」の場合

建物の取得年月日　　＿＿年＿＿月＿＿日

(2)　その他　　被相続人　甲野一郎（令和○年9月15日相続開始）の死亡により令和○年9月16日事業開始。

関与税理士
（TEL － － ）

税務署整理欄	整理番号	関係部門連絡	A	B	C		
	0						
	通信日付印の年月日		確認印				
	年 月 日						

されていますが、相続による承継も「取得」に含まれます。したがって、平成10年４月１日以後に相続により取得した建物は、被相続人の償却方法に関係なく、全て旧定額法（又は定額法）の強制適用となります（所基通49－１）。

⑵ 相続があった場合の一括償却資産の取扱い

一括償却資産の必要経費算入の規定（所令139①）の適用を受けている事業者に相続が開始し、翌年以後に必要経費に算入されるべき金額がある場合は、原則として、その必要経費に算入されるべき金額の全額を死亡した者の死亡年分の必要経費に算入します。

ただし、死亡者の業務を承継した者がある場合は、各年の必要経費算入額について、次によることもできます（所基通49－40の３）。

① 死亡者の死亡年分…………その死亡者の必要経費に算入

② 死亡年の翌年以後の年分…業務を承継した者の必要経費に算入

この取扱いを図で説明すると、次のとおりです。

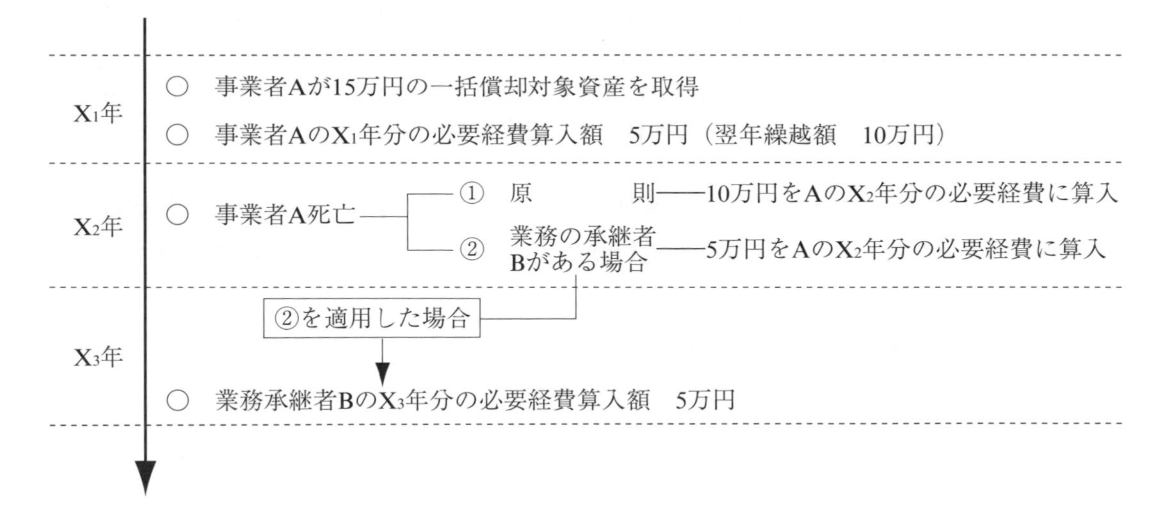

4. 消費税の手続

⑴ 相続の場合の納税義務の判定の特例

消費税法では、その課税期間の基準期間（個人事業者の場合は前々年）における課税売上高が1,000万円以下の事業者については、国内取引に係る消費税の納税義務を免除する事業者免税点制度が設けられています（消法９①）。

注意したいのは、事業者に相続が開始し、相続人が事業を承継した場合の事業者免税点制度については特例的措置があることです。その内容は、次のとおりです。

① 相続開始の年――相続人又は被相続人の基準期間における課税売上高のうち、いずれかが1,000万円を超える場合は、納税義務を免除しない（消法10①、消基通１－５－１）。

② 相続開始の年の翌年又は翌々年——相続人の基準期間における課税売上高と被相続人の基準期間における課税売上高の合計額が1,000万円を超える場合は、納税義務を免除しない（消法10②、消基通1－5－4）。

このうち、①は相続開始の年についての取扱いで、被相続人の基準期間における課税売上高が1,000万円を超える場合にのみ納税義務があり、相続人と被相続人の課税売上高を合計して事業者免税点の判定をする必要はないということです。

この場合、被相続人の基準期間における課税売上高が1,000万円を超えるときは、相続人が非事業者であったり又は免税事業者であっても、その相続開始の日の翌日からその年12月31日までの間の課税資産の譲渡等については、納税義務が生じることになります。

なお、上記は、相続人が被相続人の事業を承継したときの取扱いであるが、この場合の「事業を承継したとき」とは、事業継続のため、被相続人の財産の全部又は一部を承継した場合をいうこととされています（消基通1－5－3）。

（注）相続人がもともと課税事業者（基準期間の課税売上高が1,000万円超）の場合や、免税事業者であっても課税事業者の選択をしているときは、その課税期間について納税義務があることはいうまでもありません。また、事業者である相続人の「特定期間」（その年の前年1月1日から6月30日までの期間）における課税売上高が1,000万円（又は支払給与等の合計額が1,000万円）を超える場合も同様です（消法9の2①）。

一方、上記の②は、相続人が事業を承継した翌年又は翌々年についての納税義務の判定方法で、この場合は、相続人と被相続人の課税売上高の合計額によって納税義務の有無を判定することになります。

これらの関係を図で説明すると、次のとおりです。

《ケース1》非事業者であった相続人が被相続人の事業を承継した場合

（金額は課税売上高）

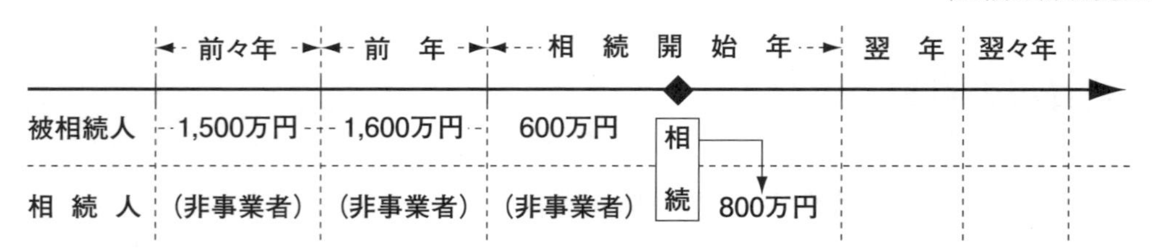

［判　定］

① 相続開始の年————相続開始の日の翌日から12月31日までの間の課税売上高（800万円）について納税義務あり（1,500万円＞1,000万円）

② 相続開始の翌年———納税義務あり（1,600万円＞1,000万円）

③ 相続開始の翌々年——納税義務あり（600万円＋800万円＝1,400万円＞1,000万円）

《ケース２》免税事業者であった相続人が被相続人の事業を承継した場合

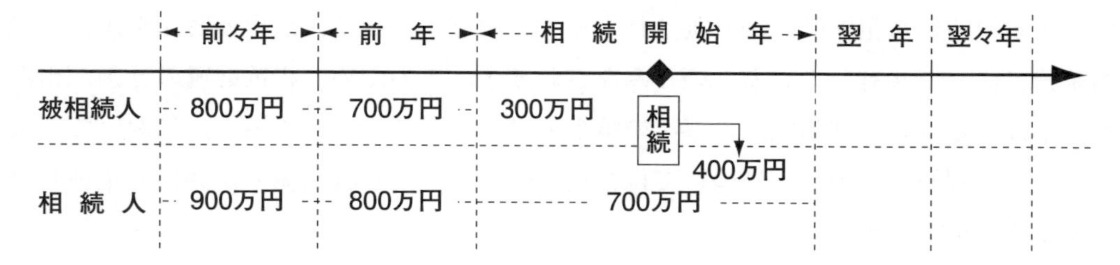

［判　定］

① 相続開始の年────納税義務なし（800万円≦1,000万円）

② 相続開始の翌年───納税義務あり（700万円＋800万円＝1,500万円＞1,000万円）

③ 相続開始の翌々年──納税義務あり

（300万円＋400万円＋700万円＝1,400万円＞1,000万円）

⑵ ２以上の事業を相続人が分割承継した場合の納税義務の判定

被相続人が２以上の事業場を有していた場合に、２人以上の相続人が各事業場ごとに分割して承継したときは、被相続人の相続開始の年の基準期間における課税売上高のうち、各相続人が承継した事業場に対応する金額により納税義務の判定を行うこととされています（消法10③、消令21）。これを図で説明すると、次のとおりです。

○ 被相続人の事業──Ａ事業とＢ事業

○ 相　続　人────甲及び乙の２人（いずれも相続開始前は非事業者）

○ 事業の承継────甲はＡ事業、乙はＢ事業を承継

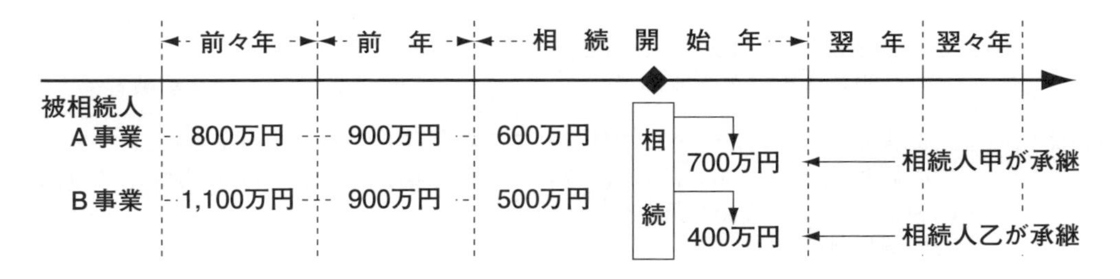

［判　定］

	相　続　人　甲（Ａ事業）	相　続　人　乙（Ｂ事業）
相続開始の年	納税義務なし（800万円≦1,000万円）	相続開始の日の翌日から12月31日までの課税売上高（400万円）について納税義務あり（1,100万円＞1,000万円）
相続開始の翌年	納税義務なし（900万円≦1,000万円）	納税義務なし（900万円≦1,000万円）
相続開始の翌々年	納税義務あり（600万円＋700万円＝1,300万円＞1,000万円）	納税義務なし（500万円＋400万円＝900万円≦1,000万円）

(3) 相続財産が未分割の場合の納税義務の判定

相続開始の時から相続財産が分割されるまでの間は、各相続人がその財産を民法に定める相続分に従って共有しているものとみなされます。このため、相続財産の分割が相続開始の翌年になる場合（被相続人の事業の承継者の確定が翌年になる場合）において、未分割状態にある相続開始の年分については、被相続人の事業を各相続人が共同で承継したものとみることができます。

この場合、各相続人が消費税について免税事業者に当たるか否かの判定は、被相続人の基準期間における課税売上高を各相続人の民法上の相続分であん分した金額を基礎として判定することとされています（消基通1－5－5）。これを図で説明すると、次のとおりです。

○　共同相続人――甲（法定相続分２分の１）、乙（同４分の１）、丙（同４分の１）の３人

○　事業の承継――相続開始の翌年に遺産分割が行われ、相続人甲が被相続人の事業の全部を承継

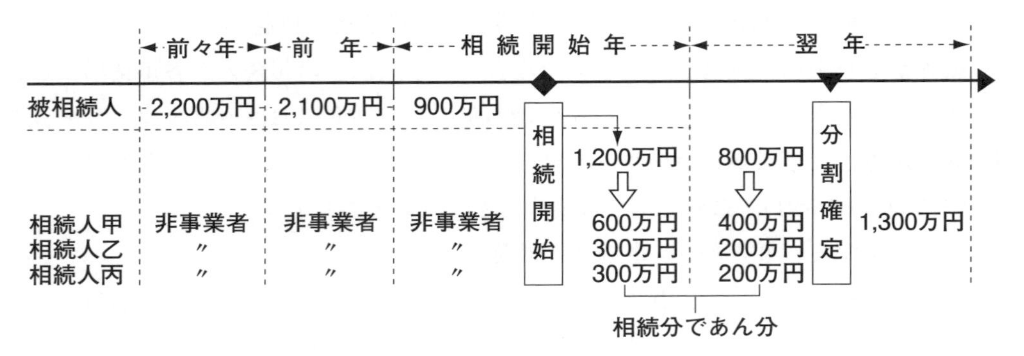

［判　定］

	相続人甲（事業承継者）	相続人乙及び丙（非承継者）
相続開始の年	相続開始の日の翌日から12月31日までの課税売上高（600万円）について納税義務あり（2,200万円×$\frac{1}{2}$＝1,100万円＞1,000万円）	納税義務なし（非事業者）（2,200万円×$\frac{1}{4}$＝550万円≦1,000万円）
相続開始の翌年	納税義務あり（2,100万円＞1,000万円）（注）相続人甲は、被相続人の事業の全部を承継したため、相続開始の翌年分の課税売上高の全部について納税義務がある。	納税義務なし（非事業者）
相続開始の翌々年	納税義務あり（900万円＋1,200万円＝2,100万円＞1,000万円）	納税義務なし（非事業者）

（注）未分割遺産から生じる所得がある場合は、各共同相続人に民法の規定による相続分に応じてその所得が帰属したものとされます。上例の場合、相続開始年における相続開始時からその年12月31日までの所得に係る所得税は、甲、乙及び丙がその相続分に従って納税義

務を負うことになります。

なお、遺産分割の効果は相続開始時に遡りますが、遺産から生じる相続開始後の所得は遡及しません。このため、甲が遺産を取得し、事業の全部を承継したとしても、相続開始年分の所得税について、修正申告又は更正の請求は必要ないこととされています。

⑷ 課税事業者届と課税事業者選択届

相続人が被相続人の事業を承継したことにより新たに課税事業者となった場合は、所轄税務署長に対し、速やかに「消費税課税事業者届出書」〔書式12〕（次ページ）を提出することとされています（消法57①一）。

また、この場合は、併せて「相続・合併・分割があったことにより課税事業者となる場合の付表」〔書式13〕（39ページ）を提出することになります。

一方、事業の承継をしても免税事業者であれば、とくに届出等は必要ありませんが、免税事業者が課税事業者としての扱いを受けたい場合は、「消費税課税事業者選択届出書」〔書式14〕（40ページ）を提出して課税事業者となることができます（消法９④、消令20二）。この場合の選択届出書の効力は、原則として翌課税期間から生じますが、事業を承継した相続開始年の12月31日までに提出すれば、その課税期間から課税事業者として扱われます（消基通１－４－12）。

なお、この場合の選択届出は、相続人がもともと免税事業者で、かつ、事業の承継後も免税事業者というケースで、相続後は課税事業者を選択したいというときも同じです。

⑸ 簡易課税制度の選択と届出期限の特例

消費税の課税事業者が簡易課税制度の適用を受けたい場合は、「消費税簡易課税制度選択届出書」〔書式15〕（41ページ）を提出することとされており、原則として、その提出の日の翌課税期間から効力が生じます（消法37①）。ただし、新たに事業を開始した場合は、その年12月31日までに選択届出書を提出すれば、その提出をした日の属する課税期間から簡易課税制度の適用を受けることができます（消令56一）。

注意したいのは、相続の場合の特例的取扱いです。事業者である相続人が被相続人の事業を承継したことにより、その後は簡易課税制度の適用を受けたいという場合に、相続開始とともに直ちに選択届出書を提出しても、その適用は相続開始の年の翌課税期間からになるのが原則です。

ただし、被相続人が簡易課税制度の適用を受けていた場合で、相続人がその事業を承継したときは、相続開始の日の属する年の12月31日までに選択届出書を提出すれば、その相続開始年分の課税期間から同制度の適用を受けられることになっています（消令56二）。これを図で示すと、42ページのとおりです。

〔書式12〕

第３－(1)号様式

基準期間用

消費税課税事業者届出書

収受印

令和 ○ 年 10 月 10 日 荻窪 税務署長殿	届出者	(フリガナ)	トウキョウトスギナミクオギクボ
		納税地	(〒 167 － 0051) 東京都杉並区荻窪５－23－3 (電話番号 03 －3220 －××××)
		(フリガナ)	
		住所又は居所 (法人の場合) 本店又は主たる事務所の所在地	(〒 －) 同　上 (電話番号 － －)
		(フリガナ)	コウノショクヒン
		名称（屋号）	甲野食品
		個人番号 又は 法人番号	↓ 個人番号の記載に当たっては、左端を空欄とし、ここから記載してください。
		(フリガナ)	コウ ノ タ ロウ
		氏名 (法人の場合) 代表者氏名	甲　野　太　郎　　印
		(フリガナ) (法人の場合) 代表者住所	(電話番号 － －)

下記のとおり、基準期間における課税売上高が1,000万円を超えることとなったので、消費税法第57条第１項第１号の規定により届出します。

適用開始課税期間	自 ○平成 ◎令和 ○ 年 9 月 16 日	至 ○平成 ◎令和 ○ 年 12 月 31 日	
上記期間の基準期間	自 ○平成 ◎令和 ○ 年 1 月 1 日	左記期間の総売上高	15,000,000 円
	至 ○平成 ◎令和 ○ 年 12 月 31 日	左記期間の課税売上高	15,000,000 円

事業内容等	生年月日（個人）又は設立年月日（法人）	1明治・2大正・◎3昭和・4平成・5令和 ○○ 年 8 月 25 日	法人のみ記載	事業年度	自 月 日 至 月 日
				資本金	円
	事業内容		届出区分	◎相続・合併・分割等・その他	

参考事項	被相続人　甲野一郎の死亡 (令和○年９月15日) により 同人の事業を承継	税理士署名押印	印 (電話番号 － －)

※税務署処理欄	整理番号		部門番号			
	届出年月日	年 月 日	入力処理	年 月 日	台帳整理	年 月 日
	番号確認		身元確認 □ 済 □ 未済	確認書類 個人番号カード／通知カード・運転免許証 その他（ ）		

注意　1．裏面の記載要領等に留意の上、記載してください。
　　　2．税務署処理欄は、記載しないでください。

〔書式13〕

第4号様式

相続・合併・分割等があったことにより 課税事業者となる場合の付表

届出者	納税地	東京都杉並区荻窪5－23－3
	氏名又は名称	甲野太郎　印

①　相続の場合（分割相続　有・(無)）

被相続人の	納税地	東京都杉並区荻窪5－23－3　所轄署（　荻窪　）
	氏名	甲野一郎
	事業内容	食品小売業

②　合併の場合（設立合併・吸収合併）

i 被合併法人の	納税地	所轄署（　　）
	名称	
	事業内容	
ii 被合併法人の	納税地	所轄署（　　）
	名称	
	事業内容	

③　分割等の場合（新設分割・現物出資・事後設立・吸収分割）

i 分割親法人の	納税地	所轄署（　　）
	名称	
	事業内容	
ii 分割親法人の	納税地	所轄署（　　）
	名称	
	事業内容	

基準期間の課税売上高

課税事業者となる課税期間の基準期間		自 平成・(令和) ○年1月1日　至 平成・(令和) ○年12月31日
上記期間の	(①相続人) ②合併法人 ③分割子法人 の課税売上高	0円
	(①被相続人) ②被合併法人 ③分割親法人 の課税売上高	15,000,000円
	合計	15,000,000円

注意　1.　相続により事業場ごとに分割承継した場合は、自己の相続した事業場に係る部分の被相続人の課税売上高を記入してください。

2.　①、②及び③のかっこ書については該当する項目に○を付します。

3.　「分割親法人」とは、分割等を行った法人をいい、「分割子法人」とは、新設分割、現物出資又は事後設立により設立された法人若しくは吸収分割により営業を承継した法人をいいます。

4.　元号は、該当する箇所に○を付します。

〔書式14〕

第１号様式

消費税課税事業者選択届出書

収受印

令和 ○ 年 4 月 10 日	届出者	（フリガナ）	チバケンフナバシシバヤマ
		納税地	（〒 274 － 0816 ） 千葉県船橋市芝山3−7−2 （電話番号 047 － 464 －××××）
		（フリガナ）	
		住所又は居所 （法人の場合） 本店又は主たる事務所の所在地	（〒 － ） 同上 （電話番号 － － ）
		（フリガナ）	オツヤマコウギョウ
		名称（屋号）	乙山工業
		個人番号又は法人番号	↓ 個人番号の記載に当たっては、左端を空欄とし、ここから記載してください。
		（フリガナ）	オツ ヤマ サブ ロウ
		氏名 （法人の場合） 代表者氏名	乙 山 三 郎 印
		（フリガナ）	
船橋 税務署長殿		（法人の場合） 代表者住所	（電話番号 － － ）

下記のとおり、納税義務の免除の規定の適用を受けないことについて、消費税法第９条第４項の規定により届出します。

適用開始課税期間	自 ○平成 ◯令和 ○ 年 3 月 20 日	至 ○平成 ◯令和 ○ 年 12 月 31 日	
上記期間の基準期間	自 ○平成 ◯令和 ○ 年 1 月 1 日	左記期間の総売上高	9,650,000 円
	至 ○平成 ◯令和 ○ 年 12 月 31 日	左記期間の課税売上高	9,650,000 円

事業内容等	生年月日（個人）又は設立年月日（法人）	1明治・2大正・◯3昭和・4平成・5令和 ○○年 5 月 18 日	法人のみ記載	事業年度	自 月 日 至 月 日
				資本金	円
	事業内容	板金工事業	届出区分	事業開始・設立・◯相続・合併・分割・特別会計・その他	

参考事項	免税事業者であった被相続人 乙山太郎（令和○年３月19日相続開始） の事業を承継	税理士署名押印	印 （電話番号 － － ）

※税務署処理欄	整理番号		部門番号		
	届出年月日	年 月 日	入力処理	年 月 日	台帳整理 年 月 日
	通信日付印 年 月 日	確認印	番号確認	身元確認 □ 済 □ 未済	確認書類 個人番号カード／通知カード・運転免許証 その他（ ）

注意　1．裏面の記載要領等に留意の上、記載してください。
　　　2．税務署処理欄は、記載しないでください。

〔書式15〕

第１号様式

消費税簡易課税制度選択届出書

<table>
<tr><td rowspan="5">収受印
令和 ○ 年12月25日

荻窪 税務署長殿</td><td rowspan="5">届出者</td><td>(フリガナ)</td><td>トウキョウトスギナミクオギクボ</td></tr>
<tr><td>納税地</td><td>(〒167 － 0051)
東京都杉並区荻窪５－23－３
(電話番号 03 － 3220 －××××)</td></tr>
<tr><td>(フリガナ)</td><td>コウ ノ タ ロウ</td></tr>
<tr><td>氏名又は
名称及び
代表者氏名</td><td>甲 野 太 郎 印</td></tr>
<tr><td>法人番号</td><td>※個人の方は個人番号の記載は不要です。</td></tr>
<tr><td colspan="4">下記のとおり、消費税法第37条第１項に規定する簡易課税制度の適用を受けたいので、届出します。
（□ 所得税法等の一部を改正する法律（平成28年法律第15号）附則第40条第１項の規定により消費税法第37条第１項に規定する簡易課税制度の適用を受けたいので、届出します。）</td></tr>
<tr><td colspan="2">① 適用開始課税期間</td><td colspan="2">自 令和○年 9月 16日 至 令和○年 12月 31日</td></tr>
<tr><td colspan="2">② ①の基準期間</td><td colspan="2">自 令和○年 1月 1日 至 令和○年 12月 31日</td></tr>
<tr><td colspan="2">③ ②の課税売上高</td><td colspan="2">15,000,000 円</td></tr>
<tr><td colspan="2">事業内容等</td><td colspan="2">(事業の内容) 食料品の小売　(事業区分) 第 2 種事業</td></tr>
<tr><td colspan="2" rowspan="8">提出要件の確認</td><td colspan="2">次のイ、ロ又はハの場合に該当する
（「はい」の場合のみ、イ、ロ又はハの項目を記載してください。）　はい □　いいえ ☑</td></tr>
<tr><td>イ 消費税法第９条第４項の規定により課税事業者を選択している場合</td><td>課税事業者となった日　年　月　日
課税事業者となった日から２年を経過する日までの間に開始した各課税期間中に調整対象固定資産の課税仕入れ等を行っていない　はい □</td></tr>
<tr><td>ロ 消費税法第12条の２第１項に規定する「新設法人」又は同法第12条の３第１項に規定する「特定新規設立法人」に該当する（該当していた）場合</td><td>設立年月日　年　月　日
基準期間がない事業年度に含まれる各課税期間中に調整対象固定資産の課税仕入れ等を行っていない　はい □</td></tr>
<tr><td rowspan="2">ハ 消費税法第12条の４第１項に規定する「高額特定資産の仕入れ等」を行っている場合
（仕入れ等を行った資産が高額特定資産に該当する場合はAの欄を、自己建設高額特定資産に該当する場合は、Bの欄をそれぞれ記載してください。）</td><td>A 仕入れ等を行った課税期間の初日　年　月　日
この届出による①の「適用開始課税期間」は、高額特定資産の仕入れ等を行った課税期間の初日から、同日以後３年を経過する日の属する課税期間までの各課税期間に該当しない　はい □</td></tr>
<tr><td>B 仕入れ等を行った課税期間の初日　年　月　日
建設等が完了した課税期間の初日　年　月　日
この届出による①の「適用開始課税期間」は、自己建設高額特定資産の建設等に要した仕入れ等に係る支払対価の額の累計額が１千万円以上となった課税期間の初日から、自己建設高額特定資産の建設等が完了した課税期間の初日以後３年を経過する日の属する課税期間までの各課税期間に該当しない　はい □</td></tr>
<tr><td colspan="2">※ この届出書を提出した課税期間が、上記イ、ロ又はハに記載の各課税期間である場合、この届出書提出後、届出を行った課税期間中に調整対象固定資産の課税仕入れ等又は高額特定資産の仕入れ等を行うと、原則としてこの届出書の提出はなかったものとみなされます。詳しくは、裏面をご確認ください。</td></tr>
<tr><td colspan="2">所得税法等の一部を改正する法律（平成28年法律第15号）（平成28年改正法）附則第40条第１項の規定による場合
次のニ又はホのうち、いずれか該当する項目を記載してください。</td></tr>
<tr><td colspan="2">ニ 平成28年改正法附則第40条第１項に規定する「困難な事情のある事業者」に該当する（ただし、上記イ又はロに記載の各課税期間中に調整対象固定資産の課税仕入れ等を行っている場合又はこの届出書を提出した日を含む課税期間がハに記載の各課税期間に該当する場合には、次の「ホ」により判定する。）　はい □
ホ 平成28年改正法附則第40条第２項に規定する「著しく困難な事情があるとき」に該当する（該当する場合は、以下に「著しく困難な事情」を記載してください。）（　）　はい □</td></tr>
<tr><td colspan="2">参考事項</td><td colspan="2">簡易課税制度の適用を受けていた被相続人甲野一郎の死亡（令和○年９月15日）により同人の事業を承継</td></tr>
<tr><td colspan="2">税理士署名押印</td><td colspan="2">印 (電話番号 － －)</td></tr>
</table>

※税務署処理欄	整理番号		部門番号		
	届出年月日	年 月 日	入力処理	年 月 日	台帳整理 年 月 日
	通信日付印 年 月 日	確認印	番号確認		

注意 1．裏面の記載要領等に留意の上、記載してください。
2．税務署処理欄は、記載しないでください。

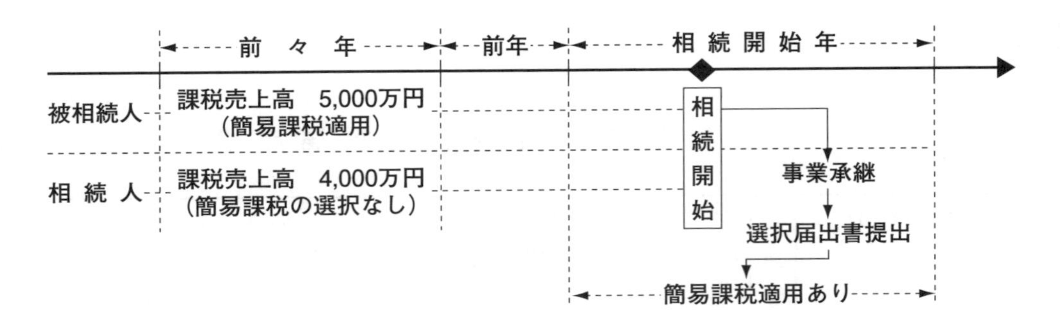

もっとも、相続があった日の属する課税期間の基準期間における課税売上高が、もともと1,000万円を超えている場合のその課税期間は、消費税法第56条第１項第２号の「相続があった日の属する課税期間」には該当しませんので、その課税期間中に選択届出書を提出した場合には、原則通りその翌課税期間から届出書の効力が生じることになります。

なお、上記の例で相続開始年の相続人について、簡易課税制度の適用の有無を判定する場合の基準期間の課税売上高は、相続人の基準期間の課税売上高（4,000万円）で判定することとされています。この点は、相続人が相続開始年分について免税事業者か否かの判定を行うときの取扱い（被相続人の基準期間の課税売上高で判定）と異なることに注意する必要があります。

ところで、簡易課税制度の選択をしようとする事業者が、やむを得ない事情があるため所定の期限までに選択届出書を提出できなかった場合において、税務署長の承認を受けたときは、相当の期間内（やむを得ない事情がやんだ日から２か月以内）に「消費税簡易課税制度選択（不適用）届出に係る特例承認申請書」〔書式16〕を提出すれば、その所定の期限までに選択届出書を提出したものとみなされます（消法37⑧、消令57の２①②）。

この場合のやむを得ない事情には、「その課税期間の末日前おおむね１か月以内に相続があったことにより、その相続に係る相続人が新たに課税事業者選択届出書等を提出できる事業者となった場合」が含まれています（消基通13－１－５の２、１－４－16、１－４－17）。要するに、12月中に相続が開始した場合（その課税期間の末日前おおむね１か月以内に相続があったこと）には、翌年２月末までに承認申請書を提出すれば、相続開始年分の課税期間から簡易課税制度の適用を受けられるということです。

Ⅵ　相続財産の把握と調査のポイント

1. 相続財産の調査の必要性と調査方法

(1)　財産調査の必要性

相続とは、被相続人から相続人に対する財産の承継ですから、相続財産を正確に把握し

〔書式16〕

第34号様式

消費税簡易課税制度選択（不適用）届出に係る特例承認申請書

収受印

令和 ○ 年 2 月 20 日 本所 税務署長殿	申請者	（フリガナ）	トウキョウト スミダク コウトウバシ
		納税地	（〒 130 － 0022 ） 東京都墨田区江東橋 3－2－1 （電話番号 03 － 3846 －××××）
		（フリガナ）	ヘイ カワ ゴ ロウ
		氏名又は名称及び代表者氏名	丙 川 五 郎 印
		法人番号	※ 個人の方は個人番号の記載は不要です。

下記のとおり、消費税法施行令第57条の2第1項又は第2項に規定する届出に係る特例の承認を受けたいので申請します。

届出日の特例の承認を受けようとする届出書の種類	☑ ① 消費税簡易課税制度選択届出書 □ ② 消費税簡易課税制度選択不適用届出書 【届出書提出年月日 ： 平成・令和 ○ 年 2 月 20 日 】
特例規定の適用を受けようとする（受けることをやめようとする）課税期間の初日及び末日	自 平成・令和 ○ 年 12 月 6 日 至 平成・令和 ○ 年 12 月 31 日 （②の届出の場合は初日のみ記載します。）
上記課税期間の基準期間における課税売上高	40,000,000 円
上記課税期間の初日の前日までに提出できなかった事情	令和○年 12 月 5 日に被相続人丙川一郎に相続が開始し同人の事業を承継したため
事業内容等	（①の届出の場合の営む事業の種類） 貨物自動車運送業
参考事項	
税理士署名押印	印 （電話番号 － － ）

※ 上記の申請について、消費税法施行令第57条の2第1項又は第2項の規定により、上記の届出書が特例規定の適用を受けようとする（受けることをやめようとする）課税期間の初日の前日（平成・令和 年 月 日）に提出されたものとすることを承認します。

第 号
令和 年 月 日　　税務署長 印

※税務署処理欄	整理番号		部門番号		みなし届出年月日	年 月 日	番号確認	
	申請年月日	年 月 日	入力処理	年 月 日	台帳整理	年 月 日		

注意 1．この申請書は、2通提出してください。
2．※印欄は、記載しないでください。

なければならないことは当然のことです。相続財産の調査が的確でないと、相続手続上、次のようなさまざまな問題が生じます。

第一に、相続の承認と放棄の判断の問題があります。被相続人が債務超過の場合は、相続の放棄や限定承認相続によって相続債務の負担から逃れることができます（相続の放棄等の手続は、71ページ参照）。ただし、相続放棄等は、原則として相続の開始を知った時から３か月以内に行わなければならず、何らの手続もせずにこの期間を経過すると、相続債務も全て相続人に承継されることになります。したがって、相続が開始した場合には、相続財産の概要だけでも速やかに把握する必要がありますが、少なくとも相続開始から３か月以内に被相続人が債務超過でないことを確認すべきです。

第二に、相続財産が正確に判明しないと、相続人間での遺産分割協議に支障が生じます。遺産分割協議が成立した後に新たな相続財産が発見されると、改めて分割協議を行わなければならず、相続手続が煩わしくなるばかりでなく、いわゆる相続争いの起因ともなりかねません。

第三に、相続税の申告への影響です。被相続人の財産を全て網羅し、正確に評価して申告しなければならないことはいうまでもありません。ことに、相続税の申告後や税務調査により申告もれ財産が生じると、延滞税・加算税を含めた追徴課税の問題が生じます。

⑵　財産調査のポイント

被相続人の財産を生前から相続人や同居者が管理していた場合には、その把握も比較的容易ですが、被相続人自身が財産を掌握していた場合は、さまざまな資料を手掛りに財産調査を行わなければなりません。被相続人の財産の把握には、次のような方法が考えられます。

①　被相続人が金庫を有していたり、銀行等の貸金庫を利用していた場合は、その中の保管書類等を整理し、財産を把握する。

②　被相続人が所得税の確定申告を行っていた場合は、申告内容から収入の基となる財産を把握する。また、確定申告時に「財産債務調書」を提出している場合は、その内容を参考とする。

③　預金通帳の出入記録を精査し、定期預金の利子、上場会社等からの配当金、証券会社や保険会社からの収受金があれば、その元本等となる財産を確認する。また、出金内容から借入金等の債務も調査する。

④　名刺ファイル等により、不動産関係、銀行・証券会社・保険会社関係の取引を想定し、これらに関連する財産の有無を調査する。

⑤　被相続人が記録していた日記帳や手帳等があれば、その記載内容から財産を把握する。

なお、相続財産の調査に当たっては、借入金や未払金等の債務、未納の公租公課のほか、被相続人が生前に行った財産贈与があれば、その内容も確認する必要があります。これらは、相続税の申告や遺産分割協議に際して重要な事項となります。

2. 財産の種類と調査方法

(1) 不動産の調査と登記事項証明書の収集

土地や家屋などの不動産については、所在、地目、面積、構造等を確認しなければなりませんが、相続による所有権移転登記も考慮して、全ての不動産について登記事項証明書（登記簿謄本）を入手した方がよいでしょう。

不動産の登記事項証明書は、その不動産の所在する地域を管轄する登記所（法務局）に申請書〔書式17（次ページ）、登記事務をコンピュータ処理していない登記所の場合は書式が異なります〕を提出して交付を受けることができます（郵便料を負担すれば、郵送で申請し、交付を受けることもできます）。申請書には、申請人（誰でも申請することができます）の住所・氏名を記載し、押印するとともに、交付を受ける証明書の土地又は建物について、所在地、地番又は家屋番号等を記載します。また、証明書の交付手数料に見合う登記印紙を貼付する必要があります（交付手数料は、証明書１通につき600円ですが、１通の枚数が50枚を超えるときは、その超える枚数50枚ごとに100円を加算します）。

このほかの不動産の調査資料としては、登記識別情報通知（登記済証）、固定資産税の納税通知書、過去の売買契約書等がありますが、同一の市町村内に複数の土地や家屋がある場合は、その市町村から送付される不動産の課税明細書（同一市町村内に所在する土地家屋の所有者ごとの一覧表）で確認することができます。

なお、市町村の固定資産税課では、併せて「土地（又は家屋）評価証明書」を入手しておきます〔書式18（47ページ）、市町村によって申請書の書式は異なります〕。相続税の申告や不動産の移転登記の申請の際に必要になります。

(2) 預貯金・有価証券の調査と残高証明書の収集

預貯金については、通帳、証書、キャッシュカード等により取引金融機関を確認し、残高証明書の発行を依頼します。また、その金融機関からの借入金がある場合は、その残高証明書を入手します。

上場株式については、配当金支払報告書、預金に振り込まれている配当金、証券会社からの売買報告書等を資料に、銘柄と株数を確認します。また、振替機関又は口座管理機関である信託銀行や証券会社に残高証明書の発行を依頼します。

上場株式以外の株式（取引相場のない株式）の場合は、株券の有無を確認した上で、被相続人の生前の勤務会社や関係会社に問い合わせる必要があるでしょう。

株式以外の有価証券についても、株式と同様の資料等で種類、銘柄、数量を確認します。また、保護預りの場合には、その証券会社等から残高証明書の発行を受けておきます。

〔書式17〕

不動産用

登記事項証明書 登記簿謄本・抄本 交付申請書

※ 太枠の中に記載してくださ

住所	東京都○○区○○ 5−23−3
フリガナ	コウ ノ タ ロウ
氏名	甲 野 太 郎

※地番・家屋番号は、住居表示番号（○番○号）とはちがいますので，注意してください。

種別（レ印をつける）	郡・市・区	町・村	丁目・大字・字	地番	家屋番号又は所有者	請求通数
1 ☑土地	○○	××	3	229		1
2 □建物						
3 □土地						
4 □建物						
5 □土地						
6 □建物						
7 □土地						
8 □建物						
9 □財団（□目録付）□船舶 □その他						

※共同担保目録が必要なときは，以下にも記載してください。
次の共同担保目録を「種別」欄の番号＿＿＿＿＿＿＿番の物件に付ける。
□現に効力を有するもの □全部（抹消を含む）□（＿）第＿＿＿＿号

※該当事項の□にレ印をつけ，所要事項を記載してください。

☑ 登記事項証明書・謄本（土地・建物）
専有部分の登記事項証明書・抄本（マンション名＿＿＿＿＿＿＿＿＿＿＿＿＿）
□ただし，現に効力を有する部分のみ（抹消された抵当権などを省略）

□ 一部事項証明書・抄本（次の項目も記載してください。）
共有者＿＿＿＿＿＿＿＿＿＿＿＿＿＿＿＿＿＿＿＿に関する部分

□ 所有者事項証明書（所有者・共有者の住所・氏名・持分のみ）
□ 所有者 □ 共有者＿＿＿＿＿＿＿＿＿＿＿＿

□ コンピュータ化に伴う閉鎖登記簿
□ 合筆，滅失などによる閉鎖登記簿・記録（昭和/平成＿＿年＿＿月＿＿日閉鎖）

収入印紙欄

収入印紙

収入印紙

収入印紙は割印をしないでここに貼ってください。

（登記印紙も使用可能）

交付通数	交付枚数	手数料	受付・交付年月日

（乙号・1）

〔書式18〕

固定資産〔証明・閲覧〕申請書

※太枠内に記載されている□に✓を付け、所要事項を記入してください。

令和○年11月10日
東京都　○○　都税事務所長　殿
次のとおり証明・閲覧を申請します。

証明
☑評価証明
☑土地・家屋
□償却資産（　　区）（　　年度）
□関係（公課）証明
□土地・家屋
□償却資産（　　区）（　　年度）
□物件証明

閲覧
□課税台帳
□土地・家屋
□償却資産（　　年度）
□土地・家屋名寄帳
□地籍図

申請者　□所有者　□代理人　☑相続人　□その他（　　）

住所（所在）　東京都○○区○○　5−23−3
フリガナ　コウ　ノ　タ　ロウ
氏名（名称）　甲　野　太　郎　　代表者印（法人のみ押印）
電話　03（0000）××××

使者　※使者の方が申請書を提出する場合は、以下の事項も記入してください。
申請者が法人の場合で、その従業員の方が申請書を提出する場合（申請書（代表者印押印）、従業員証、本人確認書類 等）
申請者が弁護士等の場合で、その事務職員の方が申請書を提出する場合（弁護士等あて委任状、補助者証、本人確認書類 等）
住所
フリガナ
氏名
電話

証明・閲覧の対象となる固定資産の納税義務者（□ 申請者に同じ）

住所（所在）　東京都○○区○○　5−23−3　※申請者と同じ場合は記入不要です
フリガナ　コウ　ノ　イチ　ロウ
氏名（名称）　甲　野　一　郎　※申請者と同じ場合は記入不要です

証明・閲覧を必要とする理由
□登記所（　通）　□金融機関（　通）
□裁判所（　通）　☑税務署（1通）
□官公庁（　　）（　通）
□参考資料（　通）
□その他（　　）（　通）

物件の所在地（登記簿の地番）
※同一所有者の物件については、土地・家屋に係る証明の種類ごと、区ごとに、1枚の証明書に最大3物件表示されます。

年度	区分	区	（町）	丁目	番	号	家屋番号	証明番号
○○	☑土地 □家屋	○○	××	3	229			
	□土地 □家屋							
	□土地 □家屋							
	□土地 □家屋							
	□土地 □家屋							

申請者	納税義務者　代理人　相続人　法人の代表者　納税管理人　借地・借家人　賦課期日後の所有者　民事訴訟等の申立人　強制競売等の申立人　競売の買受人　その他（　　）	共有者氏名表
申請権限	委任状　除籍謄本・戸籍謄本（　年　月　日死亡　続柄【　】）　代表者印　賃貸借契約書　賃貸料払込領収証書　不動産登記簿謄本　商業登記簿謄本　売買契約書　売買代金払込領収証書　訴状　不動産競売申立代金納付期限通知書　媒介契約書　その他（　　）	□ 必要 □ 不要

本人確認			
	A	官公署が発行した書類（顔写真付）　運転免許証　旅券　在留カード　マイナンバーカード　住民基本台帳カード（顔写真付）　身体障害者手帳（　）士証明書類（顔写真付）　その他（　）	A1
	B	官公署が発行した書類（顔写真なし）　被保険者証　共済組合員証　国民年金手帳　住民基本台帳カード（顔写真なし）　その他（　）	B2
	C	国税又は地方税の納税通知書　国税又は地方税の領収書（自動車税及び軽自動車税を除く）　公共料金領収書　キャッシュカード　クレジットカード　預（貯）金通帳　学生証（顔写真付）　東京都シルバーパス　法人が発行した身分証明書（顔写真付）　その他（　）	B1 C1

本人確認番号控（A・Bのみ）　　担当者

〔手数料確認欄〕
窓口職員が収納金額をお伝えしたあとに、お買い求めください。
証明は1件400円（※）、閲覧は1件300円です。
※同一所有者（同一納税通知書番号）が所有する同一区内の物件の証明を2件以上申請される場合は、2件目以降は1件につき100円となります。

種類	納税通知書番号	件数	手数料 400円	手数料 100円	手数料 300円
評・閲・物・覧		件	件	件	件
評・閲・物・覧		件	件	件	件
評・閲・物・覧		件	件	件	件
評・閲・物・覧		件	件	件	件
手数料計	円	内訳	件 / 円	件 / 円	件 / 円

◎申請者（使者）の本人確認の際、原則本人確認書類の写しをとらせていただきますので、ご理解ご協力のほどよろしくお願いいたします。
確認書類で有効期限のある書類は、有効期限内のものに限ります。個人情報については厳重に取り扱い、目的外の利用は一切いたしません（東京都個人情報保護条例で定める場合を除く）。

⑶　生命保険契約・損害保険契約の調査と確認

生命保険契約の有無については、保険証券、保険料支払領収書、生命保険料控除証明書のほか、所得税の確定申告書の生命保険料控除欄などから調査し、加入保険の種類、内容を確認します。また、被相続人が被保険者となっているものは、保険会社に死亡保険金の請求を行います。

注意したいのは、生命保険契約の権利に関するものです。被相続人が契約者（保険料の負担者）で、被相続人以外の者が被保険者となっているものは、被相続人の死亡により保険金の支払いはありませんが、保険契約の権利として相続財産に含まれます。この点は、いわゆる積立型の損害保険契約も同様です。これらの契約に注意して調査することが重要です。

⑷　その他の財産の調査と確認

このほかの財産では、自動車、ゴルフクラブ等のレジャークラブの会員権、電話加入権などについて、その名義や財産内容を証書、電話料金の請求書等で確認します。

以上の内容について、一覧表にまとめると、次のとおりです。

	確認事項	調査資料
土地	①　所在地番 ②　住居表示 ③　地積（登記面積及び実測面積） ④　権利関係（借地関係等） ⑤　使用関係（自用地・貸地・貸家建付地等）	ア　登記事項証明書（登記簿謄本） イ　不動産の名寄帳 ウ　購入時の売買契約書 エ　借地契約書（無償返還の届出書を含む。） オ　貸地契約書（無償返還の届出書を含む。） カ　地積図 キ　住宅地図 ク　路線価図・倍率表 ケ　固定資産評価証明書
家屋	①　所在地番 ②　所在場所 ③　家屋番号 ④　構造 ⑤　床面積 ⑥　権利関係（自用家屋・貸家等）	ア　登記事項証明書（登記簿謄本） イ　購入時の売買契約書 ウ　建物建築請負契約書 エ　賃貸借契約書 オ　住宅地図 カ　固定資産評価証明書
有価証券	（上場株式・店頭株式） ①　銘柄 ②　株数	ア　残高証明書（振替機関・口座管理機関である証券会社等発行） イ　預り証 ウ　配当金支払報告書
	（その他の株式） ①　銘柄 ②　株数	ア　株主名簿 イ　課税時期前3期分法人税確定申告書
	（公債・社債） ①　銘柄 ②　額面金額 ③　取扱証券会社	ア　債券証書 イ　通帳 ウ　預り証 エ　残高証明書（保護預りの場合の証券会社発行）
	（証券投資信託） ①　銘柄 ②　口数 ③　取扱証券会社	ア　証書 イ　通帳 ウ　預り証 エ　残高証明書（保護預りの場合の証券会社発行）
	（貸付信託・金銭信託） ①　銘柄 ②　額面金額 ③　取扱信託会社	ア　証書 イ　通帳 ウ　預り証 エ　残高証明書（保護預りの場合の信託会社発行）
現金・預貯金等	①　現金残高 ②　預貯金種類 ③　預貯金金額 ④　預貯金利率（約定利率・解約利率）	ア　銀行・郵便局通帳 イ　銀行・郵便局証書 ウ　残高証明書

生命保険金・退職手当金等	① 生命保険金 ② 退職手当金 ③ 生命保険契約に関する権利	ア 保険証券 イ 保険会社からの関係書類 ウ 退職手当金支払計算書
その他の財産	(自動車) ① 車種 ② 年型	ア 購入時書類 イ 自動車保険・自動車税納付書
	(ゴルフクラブ・レジャークラブ) ① 会員クラブ名 ② 取得日	ア 購入時書類 イ 会員証
	(貸付金・未収金) ① 貸付先 ② 貸付金額 ③ 貸付利率	ア 金銭消費貸借契約書 イ 借用証書
	(電話加入権) ① 電話番号 ② 数量	ア 電話料請求書 イ 電話料領収書
生前贈与財産	① 相続前３年以内贈与財産 ② 相続時精算課税の適用贈与財産 ③ 納付贈与税額	ア 贈与契約書 イ 贈与税申告書
債務	(借入金・未払金) ① 借入先（未払先） ② 借入金額（未払金額） ③ 借入利率	ア 金銭消費貸借契約書 イ 借入金返済表 ウ 請求書

Ⅶ 相続人と相続分の確定の手続

1. 戸籍謄本のとり方と見方

(1) 戸籍の種類

被相続人と相続人の関係を明らかにし、相続権者を特定するため、相続実務では被相続人と相続人の戸籍謄本を収集する必要があります。不動産の相続登記等では、「登記原因証明情報」（相続証明書）を添付しなければなりませんが、これは被相続人の出生時から死亡時までの連続した戸籍謄本をいい、相続人に漏れのないことを証するものです。

戸籍は、明治４年の戸籍法により編成されたのが最初ですが、その後数次にわたって様式が改められ、現行の様式は昭和22年に制定されたものです。また、平成６年の戸籍法の改正により、戸籍を磁気ディスクで調製する、いわゆる戸籍のコンピュータ化が行われています。戸籍の様式変更により旧戸籍から新戸籍に移記されますが、これを戸籍の改製といい、新戸籍が編成された場合の旧戸籍を「改製原戸籍」といいます。

この場合、新戸籍に記載されるのは、その時点で籍を有する者だけであり、すでに除籍された者は記載されません。このため、相続人が誰であるかを確認する相続証明書の作成に当たっては、通常の場合、改製原戸籍を含めた複数の戸籍が必要になるわけです。

(2) 戸籍謄本のとり方

戸籍謄本は、その者の本籍地の市区町村役場で戸籍謄本等請求書を提出して交付を受け

〔書式19〕

<日本税理士会連合会統一用紙>　【第１号様式】

No. 18-1-01-A-041531

戸籍謄本・住民票の写し等職務上請求書

（戸籍法第10条の2第3項、第4項及び住基法第12条の3第2項、第20条第4項による請求）

松本　市　　　長　殿　　　　令和○年　9　月　10　日

請求の種別	□戸籍　☑除籍　□原戸籍　（謄本）・抄本 □住民票　□除票　□戸籍の附票　の写し □住民票記載事項証明書	1　通
本籍・住所　※1	長野県松本市○○2丁目1058番地	
筆頭者の氏名 世帯主の氏名　※2	山田　太郎	
請求に係る者の 氏名・範囲　※3	氏名（ふりがな） 生年月日　明.大.昭.平.　.西暦　　年　　月　　日	
住基法第12条の3第7項による基礎証明事項以外の事項　※4	□世帯主　□世帯主の氏名及び世帯主との続柄　□本籍又は国籍・地域 □その他（　　　　　　　　）	
利用目的の種別	請求に際し明らかにしなければならない事項	
1　税理士法第2条第1項第1号に規定する不服申立て及びこれに関する主張又は陳述についての代理業務に必要な場合	事件及び代理手続の種類： 戸籍・住民票等の記載事項の利用目的：	
2　上記１以外の場合で受任事件又は事務に関する業務を遂行するために必要な場合	業務の種類： 相続証明書の作成 依頼者の氏名又は名称： 山田太郎 依頼者について該当する事由　□権利行使又は義務履行　☑国等に提出　□その他正当な理由 上記に該当する具体的事由： 登記所及び税務署に提出	
【請求者】 事務所所在地 事務所名 税理士氏名 電話番号 登録番号　※5	東京税理士会所属　法人番号　第　　号 東京都中央区○○3－2－1 甲山税理士事務所 甲山五郎 電話　03(3242)×××× 登録番号　第　××××　号	職印
【使者】 住所 氏名　※6	住所 氏名　　　　　印	

東京税理士会事務局電話　03（3356）4461（代表）

※1・2欄　戸籍謄本等、又は戸籍の附票の写しの請求の場合は、本籍・筆頭者を、また、住民票の写し等の請求の場合は、住所・世帯主を記載する。

※3欄　戸籍の抄本・記載事項証明又は住民票の写しの請求の場合は、請求に係る者の氏名、又は請求に係る者の範囲を記載する。なお、請求に係る者の氏名のふりがな・生年月日は、判明している場合に記載する。
また、外国人住民にあっては氏名は通称を含むほか、生年月日は西暦を用いる。

※4欄　基礎証明事項とは、住基法第7条第1号から第3号まで及び第6号から第8号までに定める事項（外国人住民にあっては、法第7条第1項に掲げる事項及び通称、同条第2号、第3号、第7号及び第8号に掲げる事項並びに法第30条の45に規定する外国人住民となった年月日）をいい、これ以外の住民票の記載事項を記載した写し等を求める場合はその求める事項を記入する。

※5欄　職印は業務において通常使用しているものを押印する。
税理士法人が請求する場合は，法人の名称及び事務所の所在地，代表税理士の氏名及び法人番号を記載する。

※6欄　使者は自宅住所を記載する。事務職員身分証明書を有する場合は，事務所の所在地を記載する。

ます。通常は、市区町村役場で手数料（１通に付き450円）を納付して直接交付を受けますが、本籍地、戸籍筆頭者、請求者の氏名を明記した書面に手数料分の定額小為替等を添えれば、郵送により交付を受けることができます（戸籍法10③、戸籍法施行規則11）。

戸籍は、個人のプライバシーに係ることが記載されているため、除籍謄本については、原則として、戸籍に記載されている者のほかは、その配偶者、直系卑属及び直系尊属に当たる者以外には請求できないこととされています（戸籍法10①）。

ただし、弁護士、司法書士、税理士等が職務上の必要に基づいて独自に請求することは可能です（戸籍法10の２、戸籍法施行規則11の２）。この場合は、請求者の資格の確認のために、一定の書式によるのが原則です。ちなみに、税理士の場合は、「戸籍謄本・住民票の写し等職務上請求書」〔書式19〕（前ページ）によることとされています（書式19は、税理士会が交付した用紙のみが有効で、これをコピーして使用することはできません）。

⑶ 戸籍の見方

現行の戸籍法による戸籍は、「本籍」（戸籍の所在地を示し、日本国内であれば自由に定めることができます）と「戸籍筆頭者」（戸籍の整理上、見出しの機能があります）が最初に記載されています。

次に、「戸籍事項」があり、新戸籍の編成事由（婚姻による編成など）、編成した年月日、戸籍の改製や再製などの事項が記載されています。

また、その戸籍に記載されている各人については、「身分事項」として、出生、婚姻、死亡のほか、その間に養子縁組、認知等があれば、それぞれの事項が記載されています。

相続手続に必要となる戸籍謄本は、被相続人の死亡時の最終戸籍（身分事項に死亡の年月日が記載されたもの）からスタートし、戸籍の編成年月日が連続するように遡って出生時に至るまで収集します。

これを基本的な〔例〕と戸籍謄本の記載例でみると、次ページ以下のとおりであり、戸籍のコンピュータ化により磁気ディスクによって調製された戸籍簿の場合も基本的にはこれと同様です。

なお、戸籍のコンピュータ化によって市区町村で発行されるのは、次のものです。

コンピュータ媒体によるもの	紙媒体によるもの
・戸籍の全部事項証明書	・戸籍謄本
・戸籍の個人事項証明書	・戸籍抄本
・戸籍の一部事項証明書	・戸籍の記載事項証明書
・除かれた戸籍の全部事項証明書	・除籍謄本
・除かれた戸籍の個人事項証明書	・除籍抄本
・除かれた戸籍の一部事項証明書	・除籍の記載事項証明書

《例》被相続人山田太郎の相続人関係図

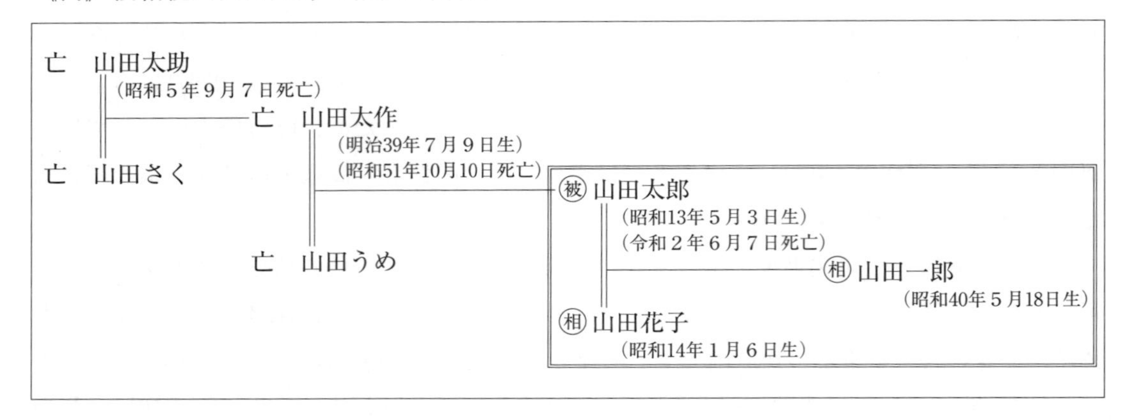

〔戸籍の全部事項証明書〕被相続人の最終戸籍

54ページの「戸籍の全部事項証明書」には、被相続人である山田太郎が令和２年６月７日に死亡したことによって除籍されたことが記載されています。この戸籍は、平成14年１月26日に改製されたものですが、これは紙戸籍によって編製されていたものをコンピュータ化したものです。

なお、戸籍のコンピュータ化の際には、紙戸籍に記載されている事項が移記されますが、その時点で除籍されている者（この例では、被相続人の子である山田一郎）は移記されません。

〔改製原戸籍１〕被相続人の改製原戸籍

被相続人の死亡の記載のある戸籍から1つ遡ると、55ページの紙戸籍になります。この戸籍は、昭和22年の戸籍法の改正後の様式で、夫婦単位で編成され、被相続人である山田太郎が戸籍筆頭者です。この場合、戸籍筆頭者の氏名は、戸籍の見出しとして機能しているため、その者が死亡しても「亡」とは記載されません。

この戸籍は、平成14年１月26日にコンピュータ化されたため、「改製原戸籍」となったもので、「戸籍事項」欄をみると、昭和37年９月17日に被相続人である山田太郎が林田花子と婚姻したため、新たに編成されたものであることがわかります。

そして、戸籍の編製時（昭和37年９月17日）から死亡時（令和２年６月７日）までは、山田太郎の「身分事項」欄に「除籍」の記載はありません。したがって、この戸籍は、被相続人の昭和37年９月から死亡時までのものであることがわかります。そこで、さらに昭和37年９月以前の戸籍をみる必要があります。

なお、山田太郎の子である山田一郎は、平成５年９月に婚姻しており、同人の新たな戸籍が編製されたため、山田太郎の戸籍からは除籍されています。

〔改製原戸籍２〕被相続人の婚姻前の戸籍

旧民法下では、家督相続制度によっていましたから、昭和22年前の戸籍は、「家」を単位として編成され、戸主以下その家族全員が記載されています。

56ページの改製原戸籍の山田太郎の身分事項欄をみると、昭和13年５月３日に出生し、同年５月５日に入籍が記録されています。その後、昭和37年９月17日に婚姻したため、この戸籍から除籍され、新たな戸籍（前記の改製原戸籍１）に移行しています。

この戸籍をみると、山田太郎について出生時から昭和37年９月までの間に除籍の記載はありませんので、この改製原戸籍は、被相続人山田太郎の出生時から昭和37年９月までのものであることがわかります。

この結果、以上の戸籍は連続しており、出生時から死亡時までのものが整ったことになります。なお、これらの戸籍だけでは、被相続人の子である山田一郎が生存しているかどうかはわかりませんので、別途に山田一郎の戸籍をとる必要があります。

〔戸籍の全部事項証明書〕

（1の1）　全部事項証明

本　　籍 氏　　名	長野県松本市深志２丁目1058番地 山田　太郎
戸籍事項 　戸籍改製	【改製日】平成14年１月26日 【改製事由】平成６年法務省令第51号附則第２条第１項による改製
戸籍に記録されている者 除　籍	【名】太郎 【生年月日】昭和13年５月３日　　【配偶者区分】夫 【父】山田太吉 【母】山田うめ 【続柄】長男
身分事項 　出　　生	【出生日】昭和13年５月３日 【出生地】東京都江東区 【届出日】昭和13年５月５日 【届出人】父
婚　　姻	【婚姻日】昭和37年９月17日 【配偶者氏名】林田花子 【従前戸籍】長野県松本市深志２丁目1058番地　山田太作
死　　亡	【死亡日】令和２年６月７日 【死亡時分】午前２時30分 【死亡地】埼玉県川口市 【届出日】令和２年６月７日 【届出人】親族　林田花子
戸籍に記録されている者	【名】花子 【生年月日】昭和14年１月６日　　【配偶者区分】妻 【父】林田次郎 【母】林田キク 【続柄】長女
身分事項 　出　　生	【出生日】昭和14年１月６日 【出生地】埼玉県浦和市 【届出日】昭和14年１月９日 【届出人】父
婚　　姻	【婚姻日】昭和37年９月17日 【配偶者氏名】山田太郎 【従前戸籍】埼玉県川越市野田３番地　林田次郎
配偶者の死亡	【配偶者の死亡日】令和２年６月７日

〔改製原戸籍1〕

改製原戸籍

本籍　長野県松本市深志弐丁目阡五拾八番地

氏名　山田太郎

婚姻の届出により昭和参拾七年九月弐拾六日夫婦につき本戸籍編成
滅失の虞あるため命により昭和参拾八年拾月拾日本戸籍再製

昭和拾参年五月参日東京市深川区木場町拾参番地で出生父山田太作届出仝月五日深川区長受附仝月拾参日送付入籍
林田花子と婚姻届出昭和参拾七年九月拾七日東京都江東区長受附同月弐拾六日送付松本市深志弐丁目阡五拾八番地山田太作戸籍より入籍

父	山田太作	長男
母	うめ	
夫	太郎	
出生	昭和拾参年五月参日	

昭和拾四年壱月六日長野県南佐久郡小海町大字小海五百八番地で出生父林田次作届出仝月八日受附入籍
昭和参拾七年九月拾七日山田太郎と婚姻届出長野県南佐久郡小海町大字小海五百八番地林田次作戸籍より仝月弐拾六日入籍

父	林田次作	二女
母	はな	
妻	花子	
出生	昭和拾四年壱月六日	

昭和四拾年五月拾八日東京都葛飾区下小松町千拾壱番地で出生父山田太郎届出同月拾九日葛飾区長受附同月弐拾参日送付入籍
平成五年九月参拾日森田菊子と婚姻届出同年拾月参日東京都江東区長から送付長野県松本市深志弐丁目千五拾八番地に夫の氏の新戸籍編成につき除籍

父	山田太郎	長男
母	花子	
	一郎	
出生	昭和四拾年五月拾八日	

父		
母		
出生		

〔改製原戸籍2〕

改製原戸籍

本籍	長野県松本市深志弐丁目阡五拾八番地	前戸主	山田太助

長野県松本市深志弐丁目阡五拾八番地ニ於テ出生父 山田太助届出明治参拾九年七月拾弐日受附入籍 村田うめト婚姻届出大正拾八年拾月拾五日受附 大正拾四年九月七日前戸主山田太助死亡ニ因リ家督 相続届出仝月拾四日受附 昭和参拾弐年法務省令第二十七号により昭和参拾八 年四月壱日本戸籍改製 昭和参拾弐年法務省令第二十七号により昭和参拾八 年八月拾四日あらたに戸籍を編成したため本戸籍消除	戸主	前戸主トノ続柄　亡山田太助長男 父　亡山田太助　長男 母　亡　さく 山田太作 出生　明治参拾九年七月九日
東筑摩郡青木村大字竹下八拾参番地町田弥助ト婚姻 大正拾四年参月参日青木村長田村善之助受附仝月九日 送付除籍	姉	父　亡山田太助　長女 母　亡　さく みね 出生　明治参拾七年参月五日
南安曇郡穂高村大字牟礼四百五番地戸主村田金太郎 二女大正拾八年拾月拾五日山田太作ト婚姻届仝日入籍	妻	父　村田金太郎　二女 母　よね うめ 出生　明治四拾年八月八日
東京市深川区木場町拾参番地ニ於テ出生山田太郎届 出昭和拾参年五月五日深川区長受附仝月拾壱日送付入 籍 林田花子と婚姻夫の氏を称する旨届出昭和参拾七年 九月拾七日東京都江東区長受附同月弐拾六日送付松本 市深志弐丁目千五拾八番地に新戸籍編成につき除籍	長男	父　山田太作　長男 母　うめ 太郎 出生　昭和拾参年五月参日
		父 母 出生

2. 民法上の相続人の範囲

⑴ 法定相続制度と相続人の範囲

被相続人の財産を承継することができる者を相続人といい、法定相続制度をとるわが国では、民法でその範囲が定められています。いわゆる法定相続人と呼ばれますが、これ以外の者に相続権が生じることはありません。

法定相続人は、血族相続人と配偶相続人に区分され、前者は文字どおり血縁関係があることで相続権を有する者、後者は配偶関係によって相続人となるものです。このうち、血族相続人については、民法でその順位が定められており、先順位の相続人がある場合には、後順位の者に相続権はありません。法定相続人の範囲と順位は、次のとおりです（民887～890）。

	血族相続人	配偶相続人
第１順位	子（又はその代襲者）	配偶者
第２順位	直系尊属 （被相続人の父母等）	
第３順位	兄弟姉妹 （又はその代襲者）	

この場合、配偶者について順位はなく、民法は、「配偶者は、常に相続人となる」と定めています（民890）。ただし、相続人となる配偶者とは、法律上婚姻している者に限られ、いわゆる内縁の配偶者については、被相続人に対する貢献の度合等にかかわらず、一切相続権が認められません。

なお、上記の血族相続人の第２順位となる直系尊属の場合、親等の異なる者がいるときは、親等の近い者だけが相続人となります（民889①一）。たとえば、次図の例では、祖父母に相続権はなく、被相続人の母のみが相続人となるわけです。

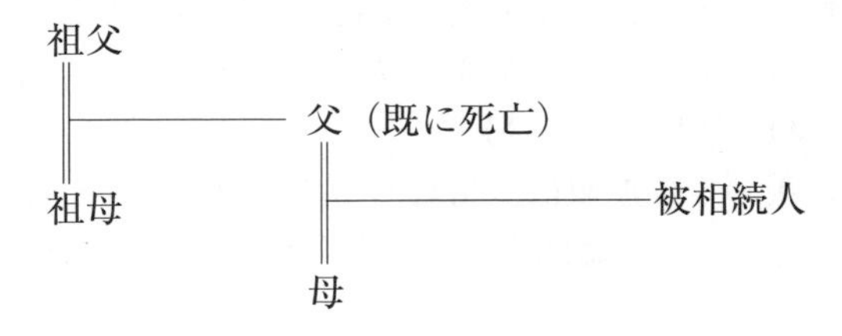

⑵ 養子、非嫡出子、胎児の相続権

養子は、その縁組の日から養親の嫡出子としての身分を与えられますから（民809）、当然に血族相続人の第１順位としての子に含まれます。もっとも、いわゆる普通養子は、実

父母との親子関係は維持されていますから、実父母に相続が開始した場合にも相続権を有することになります。

これに対し、いわゆる特別養子（養親の家庭裁判所への請求により成立します）は、実父母との親子関係が消滅することとされており（民817の９）、実父母に相続が開始しても相続人になることはありません。

なお、民法は、養子縁組が成立するためには当事者の意思の合致がなければならず、縁組の意思がない場合には無効になるとしています（民802一）。この点について、相続税の節税を目的とした養子縁組であっても、有効であるとする判例があります（最高裁平28.1.31判決）。

（注）相続税法では、被相続人に養子がある場合、相続税の基礎控除額、相続税の総額、生命保険金や死亡退職金の非課税限度額の計算上、法定相続人の数に算入する人数を１人又は２人に制限しています（372ページ参照）。ただし、これは税法上の規制であり、養子について民法上の相続権の有無に影響するものではありません。

戸籍上の婚姻関係外に出生した子は、被相続人と血縁関係があるとしても、法的には親子とは認められず、その状態では相続人になることはできません。父親が認知の届出（民781、戸籍法60）をして、初めて非嫡出子としての相続権を有することになります。もっとも、被相続人がその子の母親である場合は、出生の事実によって親子関係があることが明らかですから、認知がなくても被相続人（母親）の相続人とされます。

ところで、被相続人の相続開始時においてその配偶者が懐胎中であった場合、その胎児についての相続権の有無が問題となりますが、民法は、「胎児は、相続については、既に生まれたものとみなす」と規定し（民886①）、子としての相続権が与えられています。ただ、この規定は、誕生したときに初めて相続権が与えられるという意味ですから、胎児が死体で生まれた場合は、初めからいなかったものとされます（民886②）。

いずれにしても、胎児にも相続権が認められていますから、胎児がある場合の遺産分割は、その胎児の出生後に行うのが原則です。

（注）相続税法上も胎児は法定相続人として扱いますから、基礎控除額の計算等の基礎に算入します。ただし、胎児の出生前に相続税の申告書を提出するときは、その胎児が生きて生まれるか否かがわかりませんので、基礎控除額等の計算上、胎児がいないものとする取扱いになっています（相基通11の２－３）。

ただ、現行の相続税の申告期限は、相続開始の日の翌日から10か月以内とされているため、通常の場合は胎児の出生を確認してから申告することが可能と思われます。

(3) 代襲相続の意義と原因

被相続人の相続開始以前に、本来であれば相続人となるべき子（又は兄弟姉妹）が死亡している場合は、その者（被代襲者）に代わって、その直系卑属が相続人（代襲相続人）となります（民887②、889②）。いわゆる代襲相続です。

代襲相続は、子が相続人となる場合と、兄弟姉妹が相続人になる場合があります。

《ケース１》子の代襲相続

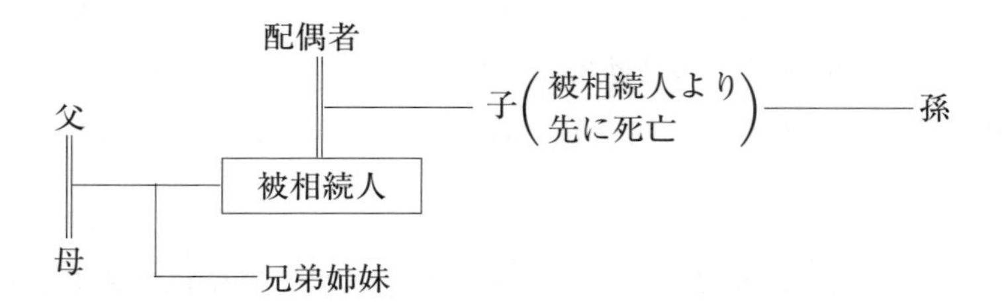

この例では、孫が子に代わって（配偶者とともに）相続人になりますが、もちろん第１順位の血族相続人です。したがって、父母が生存していても相続権はなく、兄弟姉妹も相続人になることはありません。

《ケース２》兄弟姉妹の代襲相続

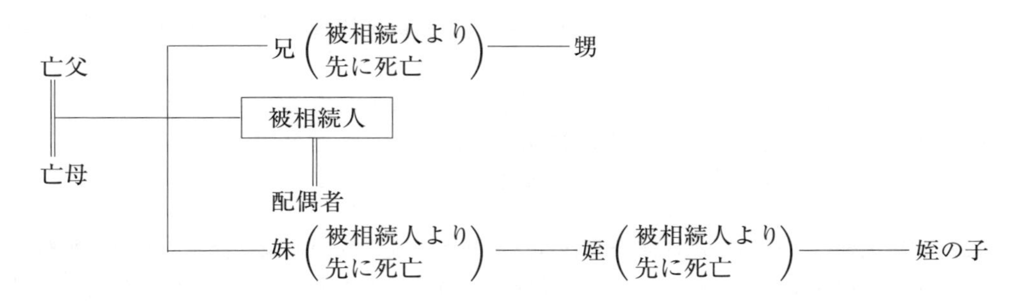

このケースでは、配偶者と血族相続人第３順位の兄弟姉妹が相続人になりますが、兄及び妹はともに被相続人より先に死亡しており、両者について代襲相続が生じます。

ただし、兄弟姉妹の代襲相続人は、その子（被相続人の甥又は姪）までに制限されており、いわゆる再代襲は認められません。したがって、上記のケース２では、姪の子に相続権はなく、被相続人の甥が配偶者とともに相続人になります。なお、子については再代襲が認められているため、上記のケース１で、仮に孫が被相続人より先に死亡し、かつ、孫の子(被相続人の曾孫)がある場合は､その曾孫が子に代わって相続人になります(民887③)。

(注) 代襲相続は、被代襲者が相続開始「以前」に死亡している場合に生じますから、同時死亡又は同時死亡と推定される場合は、死亡者相互間に相続はないものとされ、代襲相続となります。たとえば、次の例で、父と子が交通事故等で同時に死亡したとみなされるときは、孫は子に代わって父の相続について代襲相続人になります。

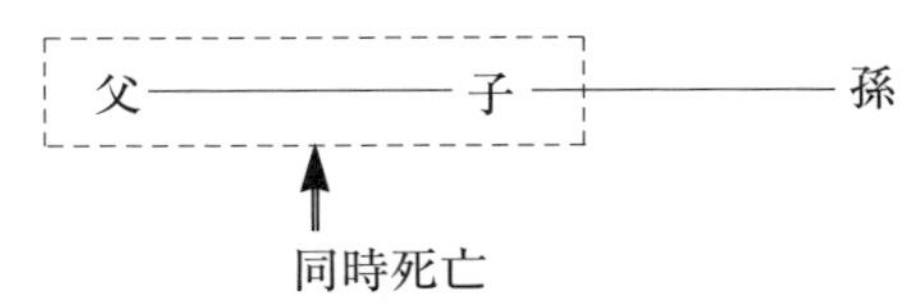

ところで、代襲相続の原因は、相続人となるべき者が被相続人の相続開始以前に死亡したことのほか､「相続欠格」（民891）と「相続人の廃除」（民892）が含まれます（民887②）。

前者は、相続に関する不当・不正な行為をした場合に相続人の資格を法的に剥奪する制度で、下記の５つが欠格事由とされています。また、後者は、被相続人等に対する虐待・侮辱・著しい非行があった場合、家庭裁判所の判断で相続権を失わせる制度です。

これらに該当したため相続権がなくなった場合は、代襲相続となり、相続権を失った者の子が相続人になります。

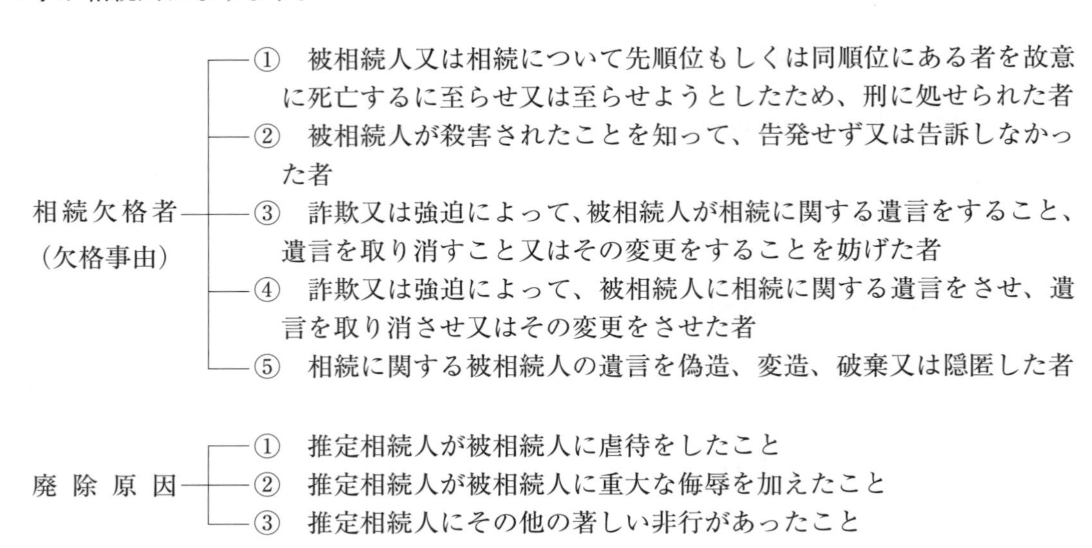

(注) 相続欠格は、その事由に該当すれば、裁判上の宣告等の手続を経ることなく当然に相続権がなくなります。これに対し、相続廃除は被相続人の家庭裁判所への廃除請求（遺言による廃除の場合は、遺言執行者の請求）が必要とされ、家庭裁判所での審判・調停により推定相続人の相続権がなくなります。

なお、相続廃除は、推定相続人のうち、「遺留分」のある者だけが対象となります。これは、遺留分のない者（被相続人の兄弟姉妹）に相続財産を分与したくない場合は、遺言によってそれが可能になるためです。

⑷　相続放棄と相続人の範囲

相続放棄の意義や手続については後述（70ページ）しますが、民法は、相続放棄があった場合、その者は初めから相続人にならなかったものとみなし（民939）、また、相続放棄は代襲相続の原因にはなりません。

このため、相続の放棄があると、相続人の範囲や血族相続人の相続順位に変動が生じることがあります。

《例》

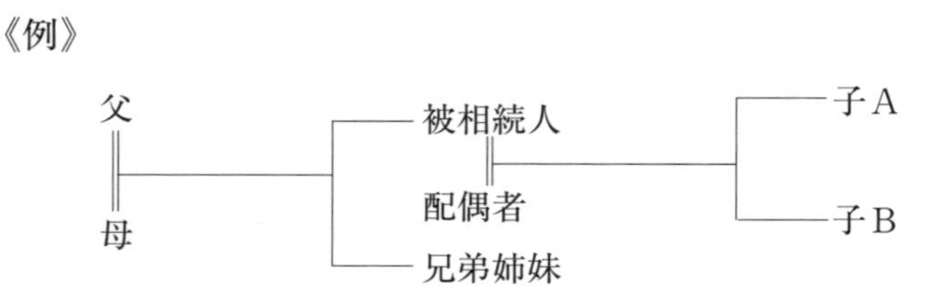

この例で、子Ａのみが相続の放棄をしたとすれば、Ａは初めからいなかったものとされ、血族相続人は子Ｂのみ（配偶者とともに相続）となります。ただし、子Ａと子Ｂのいずれも相続の放棄をしたとすれば、血族相続人第１順位の子がいないことになりますので、同第２順位の父母（と配偶者）が相続人となり、さらに父母が死亡又は相続の放棄をすれば、兄弟姉妹（と配偶者）が相続人となります。

（注）相続税の基礎控除額や生命保険金・死亡退職金の非課税限度額等の計算基礎となる「法定相続人」は、相続の放棄があっても、その放棄がなかったものとして算定します。したがって、上例では、相続放棄の有無にかかわらず、子Ａ、子Ｂ及び配偶者の３人が「法定相続人」となります。

3. 法定相続分の算定方法

⑴ 法定相続分の意義と割合

相続人が１人（単独相続）の場合は、相続分が問題になることはありませんが、通常の場合は相続人が複数（共同相続）であり、相続分の算定が重要になります。

相続分とは、各共同相続人の相続財産に対する割合的持分又は具体的に受けるべき財産の価額を意味します。この場合、わが国民法は、遺言優先主義によっていますから、遺言で各相続人の相続分の指定（指定相続分）があれば、その指定された相続分が適用されます。

しかし、遺言がない相続では、民法が各相続人の相続分を定め、遺産分割等の基準とすることとされています。いわゆる法定相続分です。法定相続分は、次のようになっています（民900）。

（注）非嫡出子の相続分に関する平成25年９月４日の最高裁判所判決により、民法900条４項が改正され、同年９月５日以後に開始した相続から、嫡出子と非嫡出子の相続分は同等となりました。

相 続 人	法定相続分	留 意 点
子と配偶者の場合	配偶者 $\frac{1}{2}$ 子 $\frac{1}{2}$	子が数人あるときは、相続分は均分（頭割り）となる。
配偶者と直系尊属の場合	配偶者 $\frac{2}{3}$ 直系尊属 $\frac{1}{3}$	直系尊属が数人あるときは、相続分は均分となる。
配偶者と兄弟姉妹の場合	配偶者 $\frac{3}{4}$ 兄弟姉妹 $\frac{1}{4}$	① 兄弟姉妹が数人あるときは、相続分は均分となる。 ② 父母の一方を同じくする兄弟姉妹（半血兄弟姉妹）の相続分は、父母の双方を同じくする兄弟姉妹（全血兄弟姉妹）の相続分の$\frac{1}{2}$となる。

(2) 法定相続分の算定方法

上記に基づいて、法定相続分の算定方法を具体例で示すと、次のようになります。

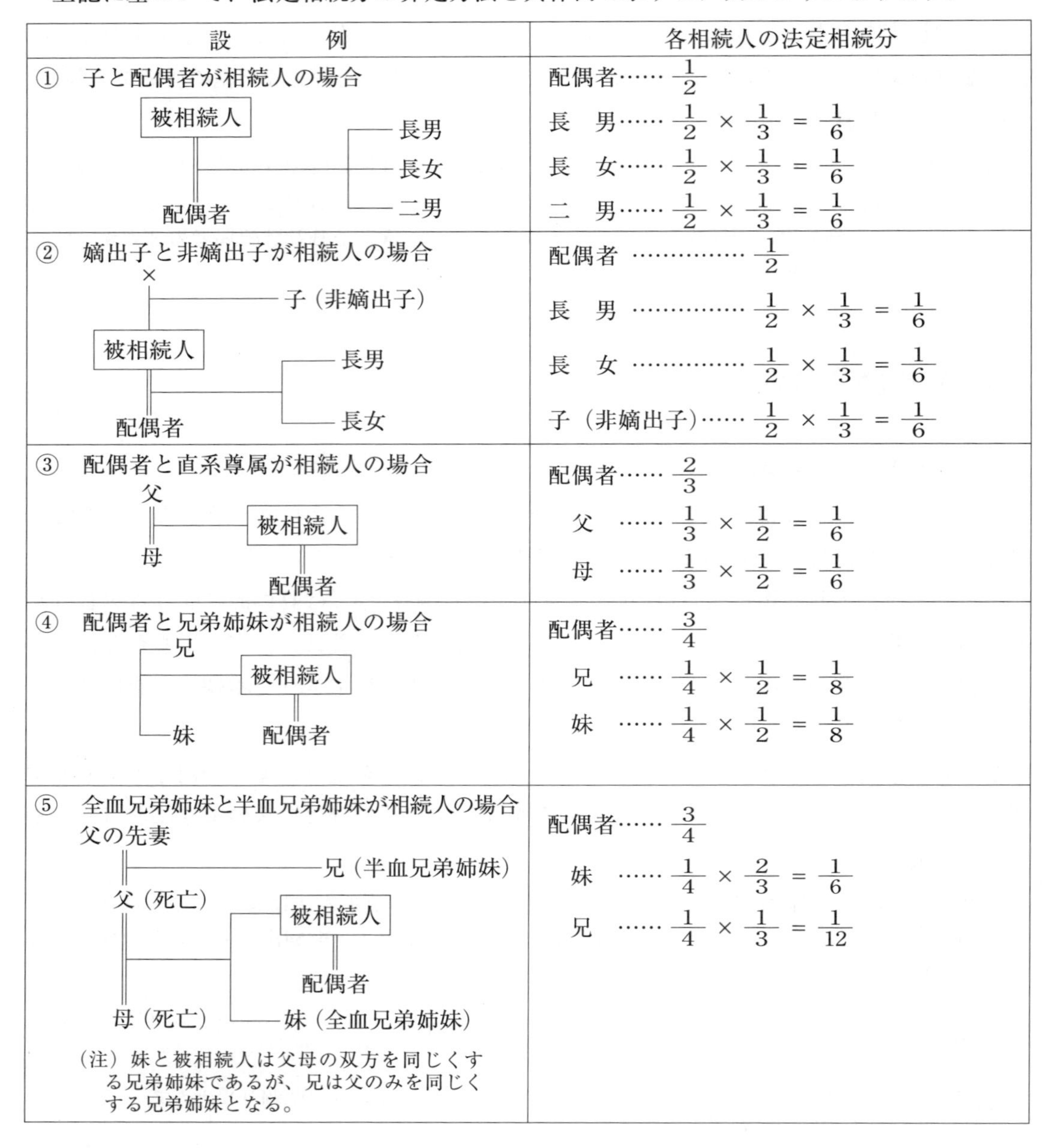

設　　例	各相続人の法定相続分
① 子と配偶者が相続人の場合 被相続人／配偶者／長男／長女／二男	配偶者…… $\frac{1}{2}$ 長　男…… $\frac{1}{2}\times\frac{1}{3}=\frac{1}{6}$ 長　女…… $\frac{1}{2}\times\frac{1}{3}=\frac{1}{6}$ 二　男…… $\frac{1}{2}\times\frac{1}{3}=\frac{1}{6}$
② 嫡出子と非嫡出子が相続人の場合 ×／子（非嫡出子）／被相続人／長男／配偶者／長女	配偶者 …………… $\frac{1}{2}$ 長　男 …………… $\frac{1}{2}\times\frac{1}{3}=\frac{1}{6}$ 長　女 …………… $\frac{1}{2}\times\frac{1}{3}=\frac{1}{6}$ 子（非嫡出子）…… $\frac{1}{2}\times\frac{1}{3}=\frac{1}{6}$
③ 配偶者と直系尊属が相続人の場合 父／被相続人／母／配偶者	配偶者…… $\frac{2}{3}$ 父 …… $\frac{1}{3}\times\frac{1}{2}=\frac{1}{6}$ 母 …… $\frac{1}{3}\times\frac{1}{2}=\frac{1}{6}$
④ 配偶者と兄弟姉妹が相続人の場合 兄／被相続人／妹／配偶者	配偶者…… $\frac{3}{4}$ 兄 …… $\frac{1}{4}\times\frac{1}{2}=\frac{1}{8}$ 妹 …… $\frac{1}{4}\times\frac{1}{2}=\frac{1}{8}$
⑤ 全血兄弟姉妹と半血兄弟姉妹が相続人の場合 父の先妻／兄（半血兄弟姉妹）／父（死亡）／被相続人／配偶者／母（死亡）／妹（全血兄弟姉妹） （注）妹と被相続人は父母の双方を同じくする兄弟姉妹であるが、兄は父のみを同じくする兄弟姉妹となる。	配偶者…… $\frac{3}{4}$ 妹 …… $\frac{1}{4}\times\frac{2}{3}=\frac{1}{6}$ 兄 …… $\frac{1}{4}\times\frac{1}{3}=\frac{1}{12}$

(3) 代襲相続人の相続分

代襲相続がある場合の代襲相続人は、被代襲者の相続分をそのまま受け継ぎます。この場合、同一の被代襲者について、２人以上の代襲相続人があるときは、その被代襲者の相続分を均分して、それぞれの代襲相続人の相続分を算定することになります（民901）。

代襲相続がある場合の法定相続分の算定方法を示すと、次のとおりです。

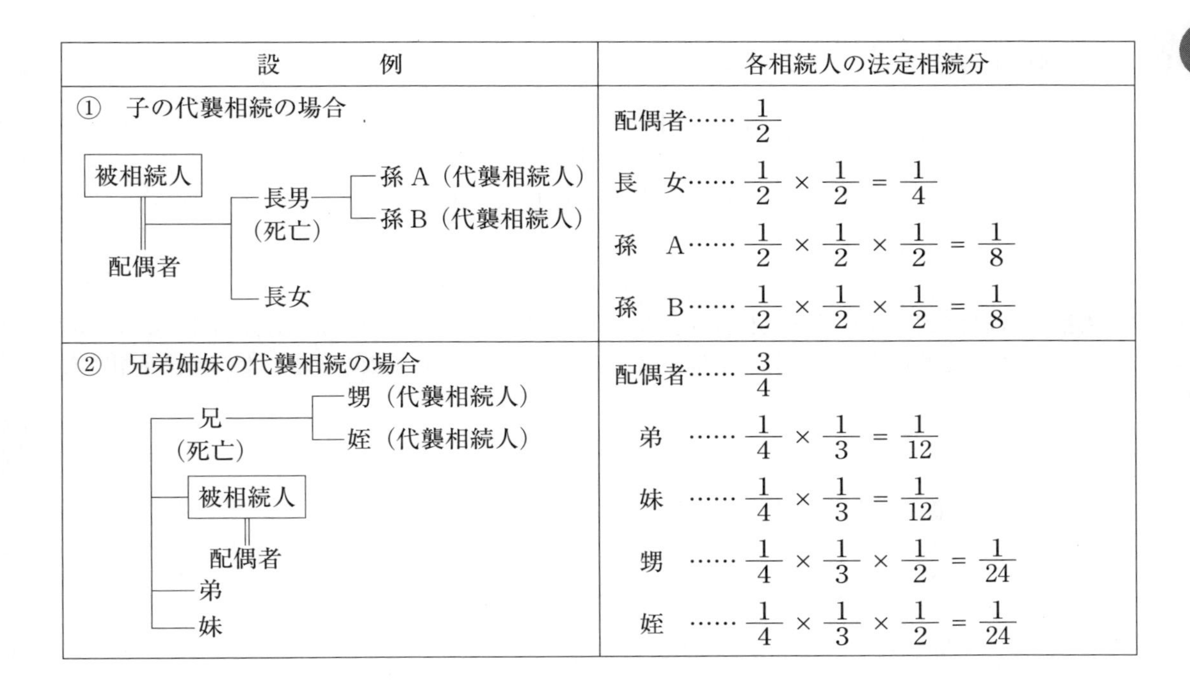

設　　例	各相続人の法定相続分
①　子の代襲相続の場合 被相続人／配偶者／長男（死亡）／孫A（代襲相続人）／孫B（代襲相続人）／長女	配偶者…… $\frac{1}{2}$ 長　女…… $\frac{1}{2} \times \frac{1}{2} = \frac{1}{4}$ 孫　A…… $\frac{1}{2} \times \frac{1}{2} \times \frac{1}{2} = \frac{1}{8}$ 孫　B…… $\frac{1}{2} \times \frac{1}{2} \times \frac{1}{2} = \frac{1}{8}$
②　兄弟姉妹の代襲相続の場合 兄（死亡）／甥（代襲相続人）／姪（代襲相続人）／被相続人／配偶者／弟／妹	配偶者…… $\frac{3}{4}$ 弟　…… $\frac{1}{4} \times \frac{1}{3} = \frac{1}{12}$ 妹　…… $\frac{1}{4} \times \frac{1}{3} = \frac{1}{12}$ 甥　…… $\frac{1}{4} \times \frac{1}{3} \times \frac{1}{2} = \frac{1}{24}$ 姪　…… $\frac{1}{4} \times \frac{1}{3} \times \frac{1}{2} = \frac{1}{24}$

(4)　身分が重複する場合の相続分の取扱い

養子縁組は人為的に親子関係を創設することですが、このような行為があった場合は、同一人について2つの異なった身分が生じることがあり、相続分の算定をどのように行うかが問題となることがあります。

この場合の基本的な考え方は、一方が他方の親族関係を否定する旨の規定（たとえば、特別養子縁組の場合は養親との関係のみとなり、実親との親子関係は維持されません）がない限り、2つの身分が同時に存在することになります。ただし、過去の判例や学説等によって否定的に扱われる例もあります。

いくつかの例を掲げておきましょう。

〔孫が養子となった場合〕

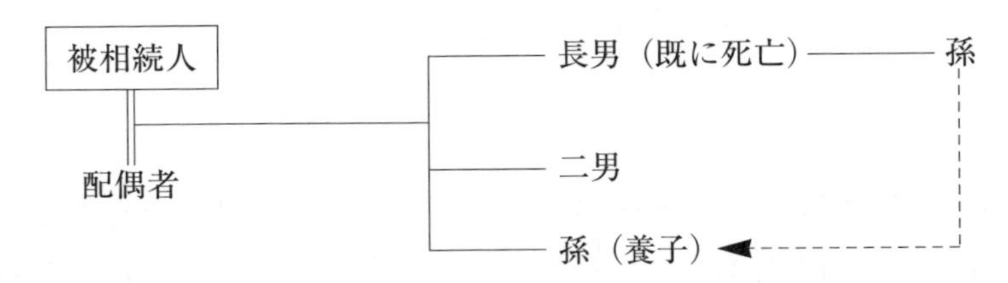

この例の孫（養子）は、被相続人の子（養子）としての身分と、長男の代襲相続人としての身分の双方を有しています。この場合は、養子としての相続分と代襲相続人としての相続分の双方を取得することとされています（昭和26.9.18民事甲第1881号民事局長回答）。したがって、法定相続分は次のようになります。

・配 偶 者 ……………… $\frac{1}{2}$

・二　　男 ……………… $\frac{1}{2} \times \frac{1}{3} = \frac{1}{6}$

・孫（養子） ……………… $\left(\frac{1}{2} \times \frac{1}{3}\right) + \left(\frac{1}{2} \times \frac{1}{3}\right) = \frac{1}{3}$

(注) 相続税の計算上の「法定相続分」もこれと同様に扱いますが、基礎控除額等を計算する場合の法定相続人の数の算定上は、孫（養子）は１人として扱います（上例の法定相続人数は３人)。

〔非嫡出子を養子とした場合〕

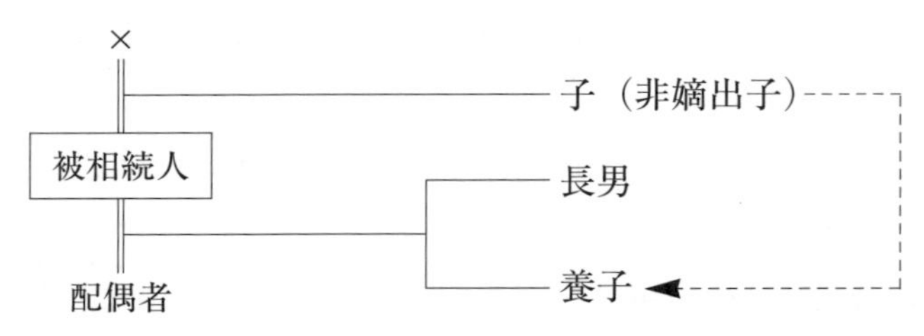

この例の非嫡出子は、被相続人と養子縁組をしたことにより、嫡出子としての身分を取得するわけですが、嫡出子と非嫡出子との身分が同時に存在するのは不自然と考えられます。

したがって、非嫡出子の身分は消滅し、養子としての相続分のみを取得することになると解されています。

〔実子と養子が婚姻した場合〕

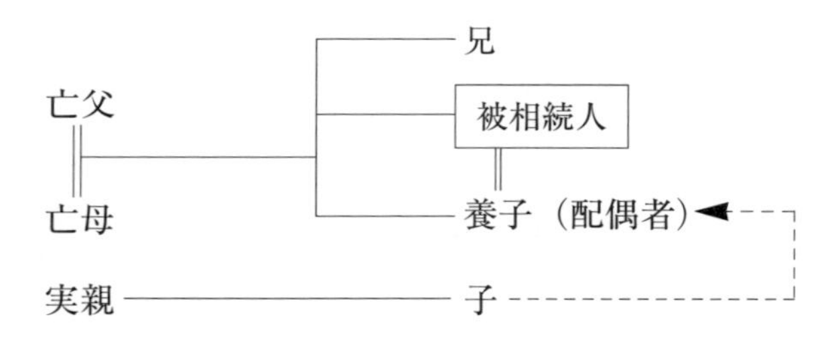

この例における養子（配偶者）は、被相続人の配偶者としての身分を有すると同時に、被相続人の兄弟姉妹としての身分も有しています。したがって、これら双方の相続分を取得するという考え方もありますが、上記の孫を養子とした場合のような血族関係の重複ではありません。このため、相続分の重複は否定的に解するのが有力のようです（昭和23.8.9民事甲第2371号民事局長回答)。配偶者としての相続分のみ有すると考えるべきでしょう。

4. 指定相続分の算定方法

⑴ 指定相続分の意義

被相続人は、遺言によって共同相続人の相続分を指定し、又はその指定を第三者に委託することができます（民902①）。これを指定相続分といい、法定相続分に優先することとされています。

相続分の指定は、原則として相続財産に対する割合を示す方法によります。たとえば、「相続人甲の相続分は７分の５、相続人乙及び丙の相続分は各７分の１とする。」というように行われます。ただし、特定の財産を明示する方法、たとえば「甲に自宅の土地・建物を相続させる。」というのも相続分の指定とみることができます。

なお、平成30年７月の改正民法は、相続分の指定に関して、「遺留分に関する規程に違反することはできない」とする規定（改正前の民法902条ただし書）を削除しました。これは、遺留分を侵害する相続分の指定があった場合に、その指定が当然に無効になるのかどうかという解釈上の疑義があったのですが、民法の改正後は、その指定が無効になるのではなく、その侵害を受けた者が遺留分侵害額請求をすれば足りることとなったためです。

⑵ 指定相続分の算定方法

相続人の全員について相続分の指定がある場合は、その相続分によりますが、共同相続人の一部の者のみに相続分の指定があるときは、その者以外の相続人の相続分は、指定相続分以外の部分について、法定相続分が適用されます（民902②）。

《例》被相続人の相続人は、次のとおりであるが、被相続人は遺言書で子Ａについてのみその相続分を４分の１と指定している。

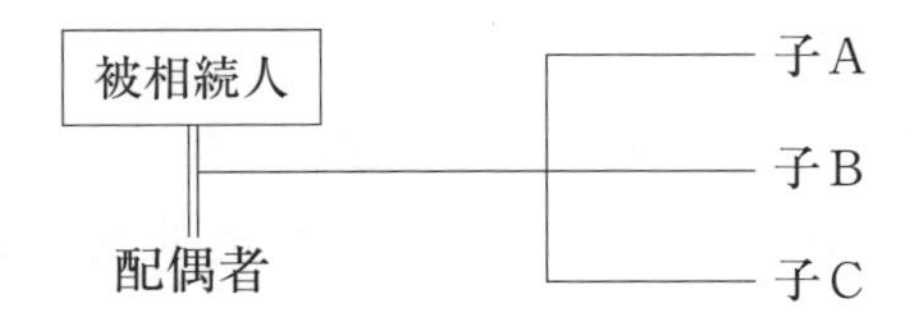

・各相続人の相続分

子　Ａ …………………… $\frac{1}{4}$（指定相続分）

配偶者 …………………… $\frac{3}{4} \times \frac{1}{2} = \frac{3}{8}$

子　Ｂ …………………… $\frac{3}{4} \times \frac{1}{2} \times \frac{1}{2} = \frac{3}{16}$

子　Ｃ …………………… $\frac{3}{4} \times \frac{1}{2} \times \frac{1}{2} = \frac{3}{16}$

5.　特別受益の意義と特別受益者の相続分の算定

(1)　特別受益の意義と持戻し計算

相続財産は、法定相続分又は指定相続分を基準として共同相続人間で分割等の手続を行うのが原則です。

しかし、共同相続人のうちの特定の者だけが、被相続人の生前に特別の金銭的援助を受けたり、生活のための土地や建物の贈与を受けていた場合に、法定相続分や指定相続分のみで遺産を分割すると、相続人間での不公平が生じます。

そこで、このような問題を是正するため民法では、特別受益者に関する相続分の規定を設け、一定の生前贈与を相続開始時の財産価額に加算して、相続分を算定する旨を定めています（民903①）。これを特別受益の持戻しとよんでいます。

この場合の特別受益とは、「遺贈」と「生前贈与」ですが、このうち、生前贈与としての特別受益は、「婚姻、養子縁組のための贈与」と「生計の資本としての贈与」をいいます。また、持戻し計算とは、被相続人の相続開始時の財産価額に、これらの贈与の価額を加算したものを相続財産とみなし、法定相続分又は指定相続分により算定した価額から、その遺贈又は生前贈与の価額を控除して、その特別受益者の相続分を算定するものです。

これを簡単な計算例で示すと、次のとおりです。

《例》

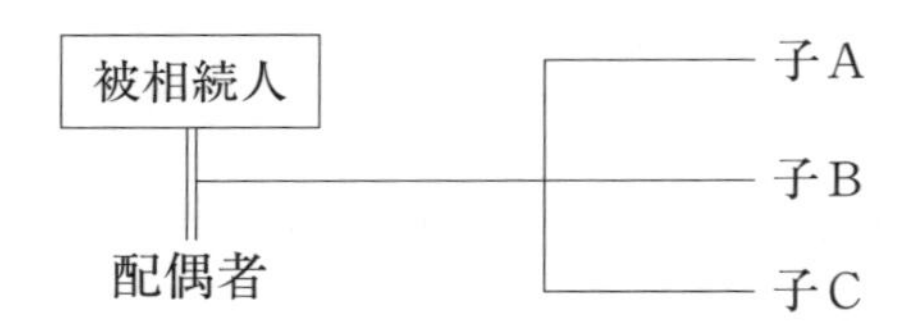

①　被相続人の相続開始時の財産は、４億円である。

②　被相続人は、遺言により①の財産から3,000万円を子Ａに遺贈した。

③　子Ｂは、被相続人からその生前に生計の資本として2,000万円の贈与を受けている。

・各相続人の相続分の額

相続財産とみなされる額…４億円＋2,000万円（生前贈与）＝４億2,000万円

各相続人の相続分額

配　偶　者…………４億2,000万円 × $\frac{1}{2}$ ＝２億1,000万円

子Ａ（特別受益者）…４億2,000万円 × $\frac{1}{2}$ × $\frac{1}{3}$ －3,000万円（特別受益）＝4,000万円

子Ｂ（特別受益者）…４億2,000万円 × $\frac{1}{2}$ × $\frac{1}{3}$ －2,000万円（特別受益）＝5,000万円

子Ｃ……………………４億2,000万円 × $\frac{1}{2}$ × $\frac{1}{3}$ ＝7,000万円

（注）子Aは、4,000万円の相続財産のほかに、3,000万円の遺贈財産を取得します。

特別受益者の持戻し計算とは、このようなものですが、実務的にいえば、こうした計算を行って相続分を算定し、遺産分割を行う例は少ないと思われます。実際の相続では、遺贈や生前贈与があれば、これらを勘案して遺産分割を行いますが、生前贈与の時期やその価額の算定が困難なケースが少なくありません。このため、特別受益については、厳密な価額算定は行わず、文字どおり勘案することで、遺産分割を行うことが多いといえるでしょう。ただ、相続人間で意見が対立する場合は、特別受益の存在は重要な問題となります。

(2) 特別受益の範囲

いわゆる持戻しの対象となる特別受益について、まず、「遺贈」があれば全てこれに含まれます。問題になりやすいのは生前贈与ですが、上述のとおり「婚姻、養子縁組のための贈与」と「生計の資本のための贈与」が特別受益とされています。

これについて、婚姻の際の持参金や嫁入り道具は特別受益に当たりますが、結納金や挙式費用はこれに当たらないというのが一般的な見方です。また、生計の資本としての贈与とは、子が新たに事業を行う際の資金提供や、独立して生活を営む際の土地・建物の贈与が典型的な特別受益です。

特別受益の範囲で見解が分かれるのは生命保険金です。被相続人の死亡を原因として相続人が受け取る生命保険金は、原則として特別受益には該当しませんが、被相続人の遺産額などに比して著しく多額な生命保険金は、特別受益に含まれると考えられます（最高裁平16.10.29判決）。

なお、相続税では被相続人からの生前贈与財産で、相続開始前３年以内のものは、その価額を相続税の課税価格に加算することとされていますが、生前贈与としての特別受益には、贈与時期についての制限はありません。この点は、相続時精算課税の贈与と同様です。

(3) 特別受益の持戻し免除と配偶者間の居住用不動産の贈与・遺贈

民法903条の特別受益者の相続分の規定は、上述したとおり、相続人に対する遺贈や贈与があった場合に、遺産の取得について共同相続人の実質的な公平を図ることを目的とした規定です。

しかし、被相続人が特定の相続人に遺贈や贈与を行う場合に、その相続人により多くの財産を取得させたいという意思を有している場合もあります。そこで、民法は、被相続人の意向を尊重し、特別受益の持戻しを免除するという意思表示があった場合には、これに従うこととしています（民903③）。

なお、持戻しの免除の意思表示は、特別の方式は定められていないため、明示と黙示を問わないと解されています。もっとも、実務的には、遺言によってその意思を明らかにしてくことが望ましいと考えられます。

ところで、被相続人が生前にその配偶者に対し、居住用不動産を贈与した場合又は配偶者に居住用不動産を遺贈した場合には、その配偶者の長年の貢献に報いるとともに、配偶者の老後の生活保障を意図していることが多いと考えられます。そうであるとすれば、遺産分割における配偶者の取得財産価額を算定するに当たり、その居住用不動産の価額を特別受益とし、その取り分を減らすという意図もないと想定されます。

そこで、平成30年７月に成立した改正民法は、婚姻期間が20年以上の配偶者に対し、居住用不動産を贈与又は遺贈をした場合には、特別受益の持戻し免除の意思表示があったものと推定することとしました（民903④）。

また、後述（137ページ）の配偶者居住権が遺贈の目的とされた場合にも、持戻し免除の意思表示があったものと推定されます（民1028③）。

この規定における「20年以上」であるかどうかは、居住用不動産の遺贈の場合には、遺言の効力が生じた時（遺言者の死亡時）であり、贈与の場合には、その贈与の時により判定するものとされています。

なお、この民法の規定は、後述（367ページ）の「贈与税の配偶者控除」の制度をベースに考案されたものです。

⑷　特別受益額の評価

特別受益の価額は、相続開始時に評価するというのが通説になっています。したがって、生前贈与としての特別受益額は、贈与時の価額ではなく、その贈与財産について、改めて相続時の価額（時価）に引き直すのが原則です。

この場合、特別受益に当たる生前贈与財産が、相続開始時には存在しないこともあり得ますが、その滅失の原因により民法の取扱いが異なります。まず、受贈者自身の行為により生前贈与財産が存在しない場合（たとえば、贈与を受けた土地・建物を相続開始前に受贈者が処分した場合）は、相続開始時にその財産が存在するものとしてその価額を算定します（民904）。これに対し、受贈者自身の行為によらずに財産が滅失した場合（たとえば、生前贈与を受けた家屋等が天災により滅失した場合）は、特別受益はないものとして扱われます。

また、特別受益の評価に際し、不動産と金銭とでは異なった扱いになります。不動産を相続開始時で時価評価し、金銭による生前贈与は受贈額のままとすると、両者の間でアンバランスが生じます。このため、金銭贈与については、贈与時から相続開始時までの貨幣価値の変動を考慮し、相続時で換算し直すというのが一般的な考え方です。

（注）特別受益者がある場合の相続分は、いわゆる未分割財産に対する相続税の課税規定との関係があります。この点は後述（449ページ）します。

6. 寄与分の意義と決定方法

⑴ 寄与分の意義

民法は、「共同相続人中に、被相続人の事業に関する労務の提供又は財産上の給付、被相続人の療養看護その他の方法により被相続人の財産の維持又は増加について特別の寄与をした者」は、上記までの相続分とは別に相続財産を取得できることとしています（民904の２①）。いわゆる寄与分（寄与相続分）の制度で、上記の特別受益者の相続分の規定と同様に、相続人間の実質的な公平を図るための規定です。

実務的には、どのようなケースに寄与分が認められるかが重要ですが、上記の民法の規定からみると、典型的な例は、子が無報酬で親の事業に従事してきたような場合をいいます。

寄与分について誤解されやすいのは、「被相続人の療養看護」です。親を療養し看護することは、相当の負担を伴うことがありますが、親子は互いに扶養する義務がありますから、通常の看護は「特別の寄与」とはいえません。もっとも、その療養看護によって、付添人の費用など本来なら他に支払うべき費用の支出が免れ、その分だけ被相続人の財産が維持されたというのであれば、寄与分が認められる可能性があります。

いずれにしても、寄与分は「通常の寄与」ではなく、「特別の寄与」があった場合にのみ認められます。ただ、両者の明確な区分基準はありませんから、結局は他の相続人との比較で決めざるを得ないでしょう。

⑵ 寄与分の決定方法

寄与分の決定は、共同相続人の協議によることが原則です。寄与分は遺産分割の前提になる事項ですから、遺産分割協議の際に併せて協議決定を行うことになります。

この場合、共同相続人間で協議が成立しないときは、寄与相続人は家庭裁判所への請求で寄与分の決定を求めることができます（民904の２②）。寄与分の協議が不成立の場合は、遺産分割協議も不成立となるのがほとんどですから、遺産分割の審判又は調停と同時に請求するのが通常です。

（注）民法には寄与分とは別に、特別の寄与があった相続人以外の者が相続人に対し金銭の支払を請求できる制度がありますが、この点は後述（358ページ）します。

Ⅷ　相続の承認・放棄の効果と手続

1.　相続の承認と放棄の意義

(1)　相続の承認・放棄と相続人の選択

相続人は、相続開始の時から被相続人の財産に属した一切の権利義務を承継することとされており（民896）、わが国の相続制度は、財産の承継だけがその対象とされています。しかしながら、被相続人の財産には、消極財産（債務）も含まれるため、相続人は相続によって必ずしも財産的利益が得られるとは限りません。ときには、被相続人が債務超過の状態で相続が開始することもあります。

相続の法的効果によって、被相続人の財産と債務が無制限に相続人に承継されるとすれば、相続人は過重な債務負担によって生活が脅かされないとも限りません。そこで、民法は、債務を含めた被相続人の財産を承継するか否かの選択権を相続人に与えています。被相続人の財産・債務の一切を承継しないとするのが相続放棄（民939）、その承継をするのが相続の承認ですが、これには無条件・無制限で承継する単純承認（民920）と条件付で承継する限定承認（民922）があります。

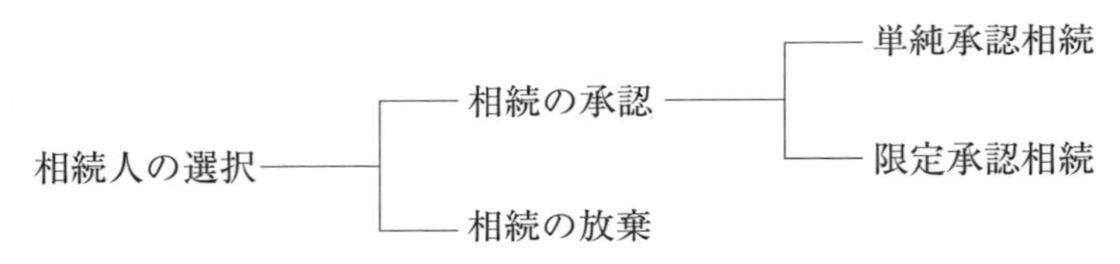

(2)　単純承認相続と法定単純承認

一般に実務上、「相続する」といっているのは単純承認相続のことであり、相続人は、被相続人の全ての財産と債務を承継することになります。このため、相続人は被相続人の全債務の弁済義務が生じ、その弁済がないときは、相続債権者は相続人の固有財産に対しても強制執行をすることができます。

民法は、単純承認についての手続等は規定していません。このため、相続放棄及び限定承認の手続をしない場合は、単純承認をしたものとみなされます。

なお、次の場合にも単純承認したものとみなすこととされており、これを法定単純承認といいます（民921）。

①　相続人が相続財産の全部又は一部を処分したとき

②　相続人が相続開始を知った時から３か月以内に限定承認又は放棄をしなかったとき

③　相続人が限定承認又は放棄をした後でも、相続財産の全部又は一部を隠匿し、私的に消費し、又は悪意で財産目録に記載しなかったとき

2. 相続放棄の効果と手続

(1) 相続放棄の手続

相続の放棄をするためには、相続の開始があったことを知った時から3か月以内に、家庭裁判所に対し、書面〔書式20〕（次ページ）をもって放棄の申述をしなければなりません（民915、938）。この手続によらなければ、相続放棄は法的な効力が生じません。

（注） 相続放棄申述書の提出先は、被相続人の住所地を管轄する家庭裁判所ですが、申述の期限が迫っているなど緊急の場合は申述人の住所地の家庭裁判所に提出することもできます。
　申述書の添付書類は、申述人の戸籍謄本と被相続人の住民票除票又は戸籍の附表です（限定承認の場合と異なり財産目録は不要です）。なお、申立手数料は800円（収入印紙を貼付）、連絡用の郵便切手を要します。

相続の放棄を申述する相続人が未成年者の場合は、父又は母が法定代理人として放棄の手続をします。ただし、その者と未成年者が共同相続人の場合は、利益相反の関係にあるため代理人になることはできず、別に特別代理人を選任して申述する必要があります（特別代理人の選任については、後述（113ページ）します）。

相続放棄申述書が提出されると、家庭裁判所は、その申述を受理するか否かを審査しますが、これは申述書の記載や申述が本人の真意によるものかどうかといった形式的なものです。

なお、家庭裁判所で放棄の申述が認められると、放棄者に対して「相続放棄申述受理証明書」が交付されます。

(2) 相続放棄の熟慮期間

相続の放棄や限定承認の手続は、相続人が相続の開始があったことを知った時から3か月以内と定められており（民915①）、その期間を経過すると放棄や限定承認は認められません。この場合の3か月は、相続財産を調査し、債務超過の有無を確認するための期間で、一般に熟慮期間とよばれています。

その起算日となる「相続の開始があったことを知った時」とは、文字どおり被相続人の死亡を知った時をいいますが、通常の場合、常識的には被相続人の死亡日となるでしょう。

実務上は、3か月という熟慮期間が経過した後においても相続放棄等の手続が可能かどうかという疑問がありますが、相続財産の内容が複雑であったり、債務の存在や金額を確認するために相当の期間を要すると見込まれるなどの理由があれば、熟慮期間の伸長が可能です。

ただし、その期間延長は、相続人が相続開始から3か月以内に家庭裁判所に請求することが前提で、審判を受けなければ認められません。したがって、特別な場合を除き、相続放棄や限定承認をするためには、被相続人の死亡日から3か月以内に何らかの手続を行う必要があります。

〔書式20〕

相続放棄申述書

受付印	（この欄に収入印紙800円分を貼ってください。）
収入印紙 円	
予納郵便切手 円	（貼った印紙に押印しないでください。）

準口頭		関連事件番号 平成・令和 年（家 ）第 号

東京 家庭裁判所 御中 令和 ○ 年 5 月 10 日	申述人（未成年者などの場合は法定代理人）の記名押印	乙川次郎 印

添付書類	（同じ書類は1通で足ります。審理のために必要な場合は，追加書類の提出をお願いすることがあります。） ☑ 戸籍（除籍・改製原戸籍）謄本（全部事項証明書） 合計 2 通 ☑ 被相続人の住民票除票又は戸籍附票 ☐

申述人	本籍（国籍）	千葉 都道府（県） 船橋市北本町1丁目54番地			
	住所	〒 140 － 0013 電話 03（3767）×××× 東京都品川区南大井3丁目3番号 （ 方）			
	フリガナ 氏名	オツ カワ ジ ロウ 乙川次郎	（昭和）平成 令和 ○○年 9 月20日生（ ○○ 歳）	職業	会社員
	被相続人との関係	※ 被相続人の……… ①子 2 孫 3 配偶者 4 直系尊属（父母・祖父母） 5 兄弟姉妹 6 おいめい 7 その他（ ）			
法定代理人等	※ 1 親権者 2 後見人 3	住所 〒 － 電話 （ ） （ 方）			
		フリガナ 氏名		フリガナ 氏名	
被相続人	本籍（国籍）	都道府県 申述人の本籍に同じ			
	最後の住所	東京都江戸川小岩2丁目1番8号		死亡当時の職業	なし
	フリガナ 氏名	オツ カワ イチ タ ロウ 乙川一太郎	平成（令和）○ 年 2 月 20 日死亡		

（注） 太枠の中だけ記入してください。 ※の部分は，当てはまる番号を○で囲み，被相続人との関係欄の7，法定代理人等欄の3を選んだ場合には，具体的に記入してください。

相続放棄（1/2）

(942080)

申　述　の　趣　旨
相続の放棄をする。

申　述　の　理　由			
※　相続の開始を知った日…………平成・(令和)　○　年　2　月　20　日 ①　被相続人死亡の当日　　3　先順位者の相続放棄を知った日 2　死亡の通知をうけた日　　4　その他（　　　　）			
放棄の理由	相続財産の概略		
※ 1　被相続人から生前に贈与を受けている。 2　生活が安定している。 3　遺産が少ない。 4　遺産を分散させたくない。 ⑤　債務超過のため。 6　その他（　　　　）	資産	農　地……約　　平方メートル 山　林……約　　平方メートル 宅　地……約　　平方メートル 建　物……約　　平方メートル	現金 預貯金………約　200　万円 有価証券……約　　万円
	負債	………………………………約　3,500　万円	

（注）　太枠の中だけ記入してください。　※の部分は，当てはまる番号を○で囲み，申述の理由欄の4，放棄の理由欄の6を選んだ場合には，（　　）内に具体的に記入してください。

(3)　相続放棄と相続人・相続分の関係

相続人が相続の放棄をすると、その相続に関しては相続開始時から相続人とならなかったものとみなされます（民939）。また、相続放棄は代襲相続の原因にはなりません。

このような相続放棄の法的効果からみると、前項で説明したとおり、特定の相続人の放棄によって相続人の範囲に影響が生じます。また、放棄者を除いたところで相続分が算定されますから、当然のことながら放棄がなかった場合の相続分と異なることになります。

相続放棄があった場合の法定相続分の算定例を示すと、次のとおりです。

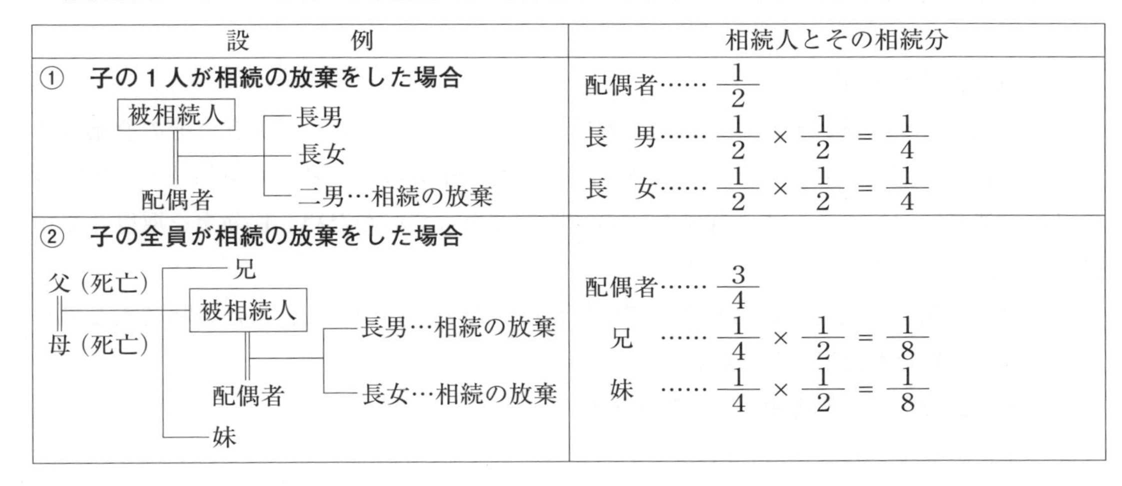

設　例	相続人とその相続分
①　子の1人が相続の放棄をした場合 被相続人＝配偶者；子：長男、長女、二男…相続の放棄	配偶者…… $\frac{1}{2}$ 長　男…… $\frac{1}{2} \times \frac{1}{2} = \frac{1}{4}$ 長　女…… $\frac{1}{2} \times \frac{1}{2} = \frac{1}{4}$
②　子の全員が相続の放棄をした場合 父（死亡）＝母（死亡）；子：兄、被相続人、妹 被相続人＝配偶者；子：長男…相続の放棄、長女…相続の放棄	配偶者…… $\frac{3}{4}$ 兄　…… $\frac{1}{4} \times \frac{1}{2} = \frac{1}{8}$ 妹　…… $\frac{1}{4} \times \frac{1}{2} = \frac{1}{8}$

(4)　事実上の相続放棄

上述のとおり、３か月の熟慮期間内に家庭裁判所に申述して行うのが法的な意味での相続放棄ですが、相続実務では、いわゆる事実上の相続放棄がよくみられます。

相続放棄の手続をすべき熟慮期間が経過してしまったり、あるいは申述の煩わしさを避けるため、法的な手続を経ずに相続財産の取得を放棄する方法です。具体的には、遺産分割協議に加わって財産をまったく取得しないとする方法（事実上の放棄者を含めて相続人全員による遺産分割協議書を作成）や、生前に特別受益としての贈与を受けているため相続分がない旨を陳述する書面（特別受益証明書）を作成する方法があります〔書式21〕（次ページ）。

このような事実上の放棄は、実務上は法的な相続放棄と同様の効果が得られますから、相続人間でトラブルがない限り現実的な方法といってよいでしょう。ただ、実際問題とすると、「特別受益証明書」は特定の相続人が全財産を取得するためのいわば便法として利用されることが少なくありません。ちなみに、不動産登記の実務では、特別受益証明書の真偽が問題となることはなく、登記官は書面の添付があれば、形式的な審査だけで登記申請を認めています。

このため、証明書の真偽をめぐって相続人間でトラブルが生ずる例も少なくありません。いずれにしても、事実上の相続放棄は、相続人全員の意思を確認して行うことが重要であり、安易な取扱いは慎むべきでしょう。

(注) 相続実務の現場では、事実上の相続放棄に関する遺産分割協議書や特別受益証明書の押印に際し、「ハンコ代」と称して金員の授受を行うといった例も見受けられます。ただ、このような金員については、その性格があいまいなだけに税務上の問題（金員の贈与か、遺産分割における代償金かという問題）が生じないとも限りません。したがって、代償分割金であればその旨を遺産分割協議書に記載するなどの方法により明確にしておくことが望まれます。

3.　相続放棄と相続税との関係

(1)　相続放棄と相続税法

相続の放棄をすれば、被相続人の遺産や債務を承継しませんから、通常はその放棄者について相続税が課税されることはありません。ただ、相続の放棄者でも被相続人から特定の財産の遺贈を受けたり、生命保険契約の受取人となっていたため、保険金を取得して相続税の納税義務が生じることがあります。

この場合、相続放棄者（法的な意味での放棄をした者）について、ほかの相続人と異なるのは、次の規定が適用されないことです。

①　生命保険金等の非課税（相法12①五）

②　死亡退職金の非課税（相法12①六）

〔書式21〕

特別受益証明書

被相続人
　氏　　　名　　山　田　太　郎
　本　　　籍　　愛知県名古屋市錦２丁目205番地
　最後の住所　　愛知県名古屋市錦２丁目２番10号
　死亡年月日　　令和○年７月20日

私は、上記の被相続人の相続人ですが、当該被相続人から生前において、既に相続分に相当する財産の贈与を受けています。よって、当該被相続人の死亡に係る相続については、私の受けるべき相続分はないことを証明いたします。

令和○年12月11日

（本　籍）　愛知県名古屋市錦２丁目205番地
（住　所）　愛知県名古屋市南区浜田町３丁目88番地
相　続　人（三男）　山　田　三　郎　㊞

（注）特別受益証明書は、その文面に「被相続人から生前に贈与を受けているため、相続分はない」旨の記載があればよく、様式等に決まりはありません。ただし、押印はいわゆる実印により、印鑑証明書の添付を要します。

③　債務控除（相法13）

④　相次相続控除（相法20）

したがって、相続放棄者についてのみ考えれば、相続放棄は相続税の課税上不利益が生ずるといってよいでしょう。

（注） 債務控除の適用について、相続放棄者が被相続人の葬式費用を負担した場合は、遺贈財産の価額からその負担費用を控除することが認められています（相基通13－１）。

なお、相続の放棄があっても、その放棄者は、相続税法上の「法定相続人」に当たりますから、遺産に係る基礎控除額（相法15）の計算上はその放棄者を含めますし、未成年者控除（相法19の３）や障害者控除（相法19の４）の適用を受けられます。

⑵　事実上の相続放棄と未成年者控除等の適用

実務上注意したいのは、「事実上の相続放棄」と未成年者控除及び障害者控除との適用関係です。未成年者控除（障害者控除）は、相続人である未成年（障害者）本人の相続税額から控除するのが原則ですが、その者の相続税額が少額なため、控除しきれなかった金額があるときは、その者の扶養義務者の相続税額から控除できることとされています（相法19の３②、19の４③）。

ただし、扶養義務者からの控除は、未成年者（障害者）が相続財産を取得し、相続税の納税義務者となった場合にのみ適用される規定です。逆にいえば、未成年者（障害者）が財産をまったく取得しなかったため、その者の相続税額が算出されないときは、扶養義務者からの控除は認められないということです。

したがって、相続人が未成年者（障害者）であるからといって、相続財産を取得させない事実上の放棄をすることは税負担上は得策とはいえません。わずかな金額でも相続させることが相続人全体にとって有利になるわけです。

4.　限定承認相続の効果と手続

⑴　限定承認の意義と効果

被相続人の相続財産が5,000万円で、相続債務が8,000万円という場合は、債務のうち5,000万円の弁済義務を負い、残り3,000万円については弁済義務を負わないというパターン（下記図１）と、相続財産が8,000万円で、相続債務が5,000万円という場合は、債務の全額について弁済の義務を負うというパターン（下記図２）がありますが、要するに、相続財産の範囲内でのみ債務の承継をするという条件付相続を限定承認といいます。

相続放棄は相続人を相続債務から救済する制度ですが、限定承認も債権者の犠牲において相続人を保護する制度といってよいでしょう。

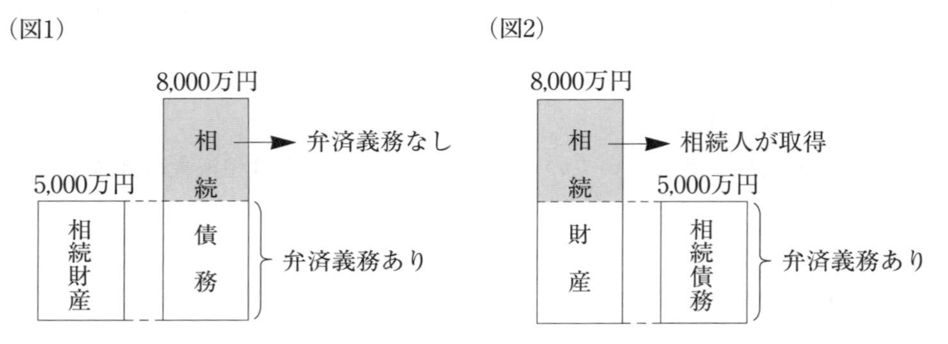

この場合、限定承認といえども相続の承認ですから、（図１）の相続債権者は相続人に対して8,000万円の弁済請求をすることはできます。ただ、弁済がない場合の強制執行は、5,000万円の相続財産にのみ可能で、相続人の固有財産に強制執行をすることはできません。

一般に限定承認の効果はこのように説明されていますが、実務的には相続放棄と限定承認を次のように使い分けることもできます。

○被相続人の相続人は子だけであり、配偶者はいない（ただし、被相続人には弟と妹がある）。

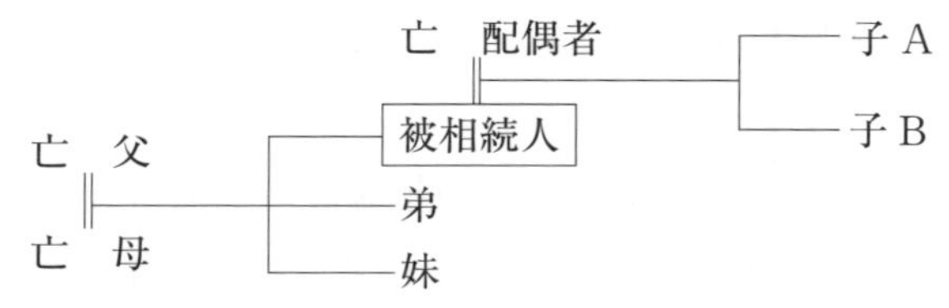

○被相続人の財産内容は、債務超過であることが明らかである。

このケースでは、子が２人とも相続放棄を行うことも考えられますが、仮に子が放棄をすると、相続権は弟と妹に移転することになります。したがって、債務超過となっている被相続人の財産は、弟と妹に改めて相続問題が生じます。もちろん、弟と妹が相続放棄をすれば問題の解決にはなるのですが、親族関係によっては相続問題を移行させたくないというケースがあります。

このような場合は、子が2人とも限定承認をすることによって、いわば子の段階で問題の解決が図れるわけです。

(2) 限定承認の手続

相続人が限定承認をしようとするときは、相続の開始があったことを知った時から3か月以内に家庭裁判所に申立てをしなければなりません（民924）。この場合の書面は「家事審判申立書」〔書式22〕（次ページ）によりますが、被相続人及び相続人全員の戸籍謄本とともに、財産目録を調整して提出しなければなりません（申立手数料は800円（収入印紙貼付）を要します）。なお、財産目録の書式に決まりはありません。相続財産と債務を区分し、それぞれの内容がわかる程度で十分です。

相続放棄と異なるのは、限定承認の申立ては相続人の全員が行わなければならないことです。したがって、共同相続人の一部に単純承認をする者があれば、他の相続人は限定承認を行うことはできなくなります。

なお、共同相続人の一部の者が相続の放棄、他の相続人が限定承認というのはかまいません。相続放棄者は当初から相続人でなかったものとみなされますから、他の相続人の全員は限定承認をすることが可能です。

(3) 限定承認の清算手続

限定承認が行われた場合には、相続財産の管理・保全・清算の手続が必要です。おおむね次のような手順になります。

① 相続人が複数の場合は、家庭裁判所は相続人の中から相続財産の管理人を選任する。

② 限定承認者は、限定承認の受理審判があった後5日以内（共同相続の場合は管理人の選任後10日以内）に、全ての相続債権者及び受遺者に対し、限定承認をしたことと、2か月以内にその請求をすべき旨の公告（除斥公告）を行う〔書式23〕（80ページ）。

③ 限定承認者に知れている債権者に対しては、各別に債権申出の催告をする。

④ 公告期間満了に伴い、限定承認者は、相続債権者にそれぞれの債権額の割合に応じて相続財産の中から弁済を行う。この場合、相続財産が不動産等で換価を要するものであるときは、原則として競売に付さなければならない。

なお、④に関して、限定承認をした者が換価を要する相続財産を競売ではなく、任意売却した場合も、その売却行為は無効にはなりません。ただし、そのことによって相続債権者等に損害を与えた場合には、限定承認者は不法行為に基づく損害賠償責任を負うと解されています。

〔書式22〕

受付印	家事審判申立書　事件名（相続の限定承認）
	（この欄に申立手数料として1件について800円分の収入印紙を貼ってください。） （貼った印紙に押印しないでください。） （注意）登記手数料としての収入印紙を納付する場合は，登記手数料としての収入印紙は貼らずにそのまま提出してください。
収入印紙　円 予納郵便切手　円 予納収入印紙　円	

準口頭		関連事件番号　平成・令和　年（家　）第　号

東京　家庭裁判所 御中 令和　○　年　4　月　20　日	申立人 （又は法定代理人など） の記名押印	甲山花子　印

添付書類	（審理のために必要な場合は，追加書類の提出をお願いすることがあります。） 被相続人の戸籍謄本及び除籍謄本　1通　　相続人の戸籍謄本　1通 財産目録　1通

申立人	本籍（国籍）	（戸籍の添付が必要とされていない申立ての場合は，記入する必要はありません。） 宮城　都道府㊉県　仙台市青葉区上杉626番地
	住所	〒184－0012　電話 042（383）×××× 東京都小金井市中町3丁目3番3号 （　方）
	連絡先	〒　－　電話（　） （　方）
	フリガナ 氏名	コウヤマ　ハナコ 甲山花子　　㊉昭和・平成・令和　○○年　7月23日生（○○歳）
	職業	
※ 被相続人	本籍（国籍）	（戸籍の添付が必要とされていない申立ての場合は，記入する必要はありません。） 都道府県　申立人の本籍に同じ
	住所	〒　－　電話（　） 申立人の住所に同じ （　方）
	連絡先	〒　－　電話（　） （　方）
	フリガナ 氏名	コウヤマ　タロウ 甲山太郎　　㊉昭和・平成・令和　○○年　9月10日生（○○歳）
	職業	不動産貸付

（注）　太枠の中だけ記入してください。
※の部分は，申立人，法定代理人，成年被後見人となるべき者，不在者，共同相続人，被相続人等の区別を記入してください。

別表第一（1/　）

申　立　て　の　趣　旨
被相続人の相続につき限定承認します。

申　立　て　の　理　由
1．申立人は、被相続人の妻であり、相続人は申立人だけです。
2．被相続人は、令和○年2月5日に死亡し、申立人は被相続人の死亡当日に相続の開始を知りました。
3．被相続人には、別添の財産目録記載の財産はありますが、相当額の債務もあり、申立人は相続によって得た財産の限度で債務を弁済したいと考えますので、限度承認をすることを申立てます。

別表第一（　／　）

〔書式23〕

限定承認公告

本籍埼玉県川口市栄町二丁目八九三番地　最後の住所横浜市栄区笠間五丁目八番一四号

被相続人　亡　甲野　太郎

右被相続人は令和○年九月二十四日死亡し、その相続人は令和○年十二月十三日横浜家庭裁判所にて限定承認をしたから、一切の相続債権者及び受遺者は、本公告掲載の翌日から二箇月以内に請求の申出をして下さい。右期間内にお申出がないときは弁済から除斥します。

令和○年十二月二十二日

横浜市栄区笠間五丁目八番一四号

相続財産管理人　甲野　一郎

5.　限定承認と税務との関係

⑴　被相続人に対するみなし譲渡課税

通常の相続（単純承認相続）では、被相続人から相続人に財産の引継ぎ（資産の取得価額と取得時期の引継ぎ）が行われ（所法60①）、相続の段階で所得税の課税が生じることはありません。

これに対し、限定承認があると、相続開始の時に被相続人から相続人に相続財産が時価で譲渡したものとみなされます（所法59①一）。この結果、相続財産が土地等の譲渡所得の基因となるものであれば、被相続人に対して譲渡所得課税が行われることになります（この場合の譲渡所得の申告は、いわゆる準確定申告で行います）。

もっとも、この場合の譲渡所得税は、被相続人の債務ですから、他の一般の債務と同様に限定承認の効果が及びます。したがって、限定承認をした相続人が自己の固有財産を支出して譲渡所得税を納税する必要はありません。国税債務（譲渡所得税）と他の一般の債務との合計額が相続財産の価額を超えれば、事実上納税しなくてよいことになります。

なお、相続人が限定承認で取得した財産をその後に譲渡した場合（相続債務の弁済のために競売した場合）は、その段階で新たに譲渡課税の問題が生じますが、譲渡所得金額の計算上は、その相続人がその資産を相続開始時の時価で取得したものとみなされます（所法60②）。このため、相続人において譲渡益が生ずる例はほとんどないといってよいでしょう。

⑵　限定承認と納税義務の承継との関係

国税通則法は、相続が開始した場合において、被相続人に課されるべき又は被相続人が納付・徴収されるべき国税は、民法第900条（法定相続分）から第902条（指定相続分）の規定又は包括遺贈の割合により按分して相続人及び包括受遺者に承継させることとしています（通則法５①前段、②）。

ただし、相続人が限定承認をした場合には、その相続人は相続により取得した財差を限度として国税を納付する義務を負うこととしています（通則法５①後段）。

したがって、相続人の固有の財産に対して国が滞納処分を行うことはできません。

⑶　限定承認と相続税

上記⑴で述べた被相続人の譲渡所得税は、被相続人の債務ですから、相続税の課税上は債務控除（相法13）の対象になります。

もっとも、限定承認相続では、相続財産が債務の額を大きく上回る例はほとんどありません。限定承認の場合に相続税が課税されることは、実際問題としてはないといってよいでしょう。

Ⅸ　遺留分の意義と侵害額請求の手続

相続の開始から遺産分割に至るまでには、これまで述べたように、相続財産の調査、被相続人に遺言がある場合の処理、相続人の確定等の作業が必要であり、また、遺産分割に当たっては、各共同相続人の相続分が前提となります。

このような手続の中で、ときとして遺留分の問題が生じることがあります。ことに被相続人に財産の処分に関する遺言がある場合は、特定の相続人や受遺者に財産が偏ることがあり、遺留分をめぐるトラブルが予想されます。そこで、遺留分制度の概要をまとめておくことにします。

(注) 相続税の申告後に遺留分の侵害額請求があった場合など、税務上の問題は後述（748ページ）します。

1.　遺留分の意義と遺留分権者の範囲

⑴　遺留分の意義

わが国のような私有財産制のもとでは、個人がその所有する財産をどのように処分するかは本人の自由です。これは生前の処分はもちろん、「遺言自由の原則」によって死亡後の処分方法も自由に決めることができます。

しかし、その自由を無制限に認めると、遺産の全部又は大部分を相続人以外の者に与え、結果的に相続人の生活の安定が損なわれないとも限りません。

このため、民法は、一定範囲の相続人に一定割合の相続財産の承継を保障する遺留分制度を設けています。この場合の一定範囲の相続人を遺留分権利者といい、一定の保障割合を遺留分の割合といいます。

⑵　遺留分権利者と遺留分の割合

遺留分を有する相続人（遺留分権利者）は、配偶者、子及び直系尊属で、兄弟姉妹に遺留分はありません。子について、代襲相続があれば、被代襲者と同じ遺留分を有します。ただし、遺留分権利者となり得る者であっても、相続欠格、相続の廃除又は相続の放棄をした者に遺留分はありません。

遺留分の割合について、民法は、「遺留分を算定するための財産の価額」に、次の割合を乗じた額の財産を取得する権利があることとしています（民1042①）。

①　直系尊属のみが相続人である場合……３分の１

②　その他の場合……２分の１

これらの割合は、「総体的遺留分」と称されていますが、遺留分権利者の個々の遺留分（個別的遺留分）は、総体的遺留分にそれぞれの法定相続分を乗じた割合になります（民1042②）。

$$\boxed{\text{遺留分の額}} = \boxed{\text{遺留分の算定の基礎となる財産の価額}} \times \frac{1}{2} \times \boxed{\text{遺留分権利者の法定相続分}}$$

(注) 相続人が直系尊属のみの場合には、「２分の１」が「３分の１」になります。

遺留分の算定の基礎となる財産の価額を３億円として、個別的遺留分の額を求めると、次ページのようになります。

⑶　遺留分の算定の基礎となる財産の価額と生前贈与

次ページの設例における「３億円」という遺留分の算定の基礎となる財産の価額は、次の算式により計算します（民1043①）。

設　例	相続人	個別的遺留分	遺留分の額
① 配偶者と子が相続人の場合 被相続人＝配偶者、子：長男・長女・二男 （総体的遺留分 $\frac{1}{2}$）	配偶者	$\frac{1}{2} \times \frac{1}{2} = \frac{1}{4}$	3億円×$\frac{1}{4}$＝7,500万円
	長　男	$\frac{1}{2} \times \frac{1}{2} \times \frac{1}{3} = \frac{1}{12}$	3億円×$\frac{1}{12}$＝2,500万円
	長　女	$\frac{1}{2} \times \frac{1}{2} \times \frac{1}{3} = \frac{1}{12}$	3億円×$\frac{1}{12}$＝2,500万円
	二　男	$\frac{1}{2} \times \frac{1}{2} \times \frac{1}{3} = \frac{1}{12}$	3億円×$\frac{1}{12}$＝2,500万円
② 子が相続人の場合 被相続人＝亡 配偶者、子：長男・長女 （総体的遺留分 $\frac{1}{2}$）	長男	$\frac{1}{2} \times \frac{1}{2} = \frac{1}{4}$	3億円×$\frac{1}{4}$＝7,500万円
	長女	$\frac{1}{2} \times \frac{1}{2} = \frac{1}{4}$	3億円×$\frac{1}{4}$＝7,500万円
③ 配偶者だけが相続人の場合 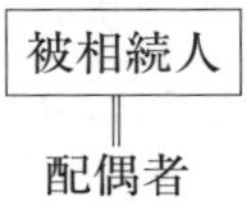 被相続人＝配偶者 （総体的遺留分 $\frac{1}{2}$）	配偶者	$\frac{1}{2}$	3億円×$\frac{1}{2}$＝1億5,000万円
④ 配偶者と直系尊属が相続人の場合 父＝母 ― 被相続人＝配偶者 （総体的遺留分 $\frac{1}{2}$）	配偶者	$\frac{1}{2} \times \frac{2}{3} = \frac{1}{3}$	3億円×$\frac{1}{3}$＝1億円
	父	$\frac{1}{2} \times \frac{1}{3} \times \frac{1}{2} = \frac{1}{12}$	3億円×$\frac{1}{12}$＝2,500万円
	母	$\frac{1}{2} \times \frac{1}{3} \times \frac{1}{2} = \frac{1}{12}$	3億円×$\frac{1}{12}$＝2,500万円
⑤ 配偶者と兄弟姉妹が相続人の場合 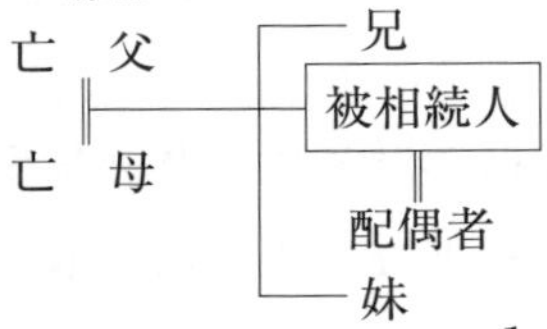 亡 父＝亡 母 ― 兄・被相続人＝配偶者・妹 （総体的遺留分 $\frac{1}{2}$）	配偶者	$\frac{1}{2}$	3億円×$\frac{1}{2}$＝1億5,000万円
	兄	（遺留分なし）	
	妹	（遺留分なし）	
⑥ 直系尊属だけが相続人の場合 父＝母 ― 被相続人 （総体的遺留分 $\frac{1}{3}$）	父	$\frac{1}{3} \times \frac{1}{2} = \frac{1}{6}$	3億円×$\frac{1}{6}$＝5,000万円
	母	$\frac{1}{3} \times \frac{1}{2} = \frac{1}{6}$	3億円×$\frac{1}{6}$＝5,000万円

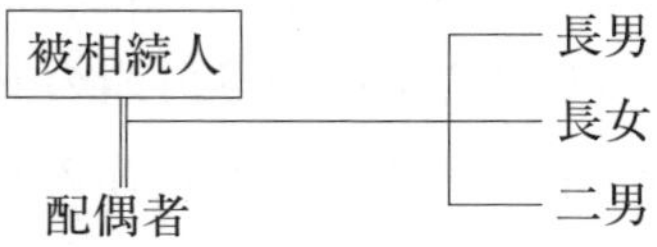

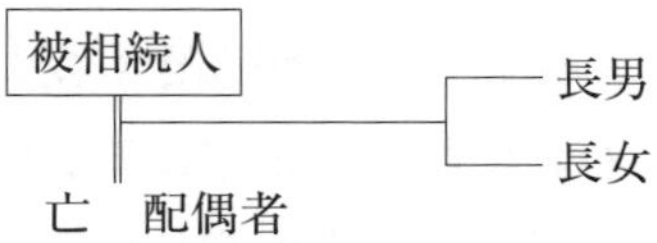

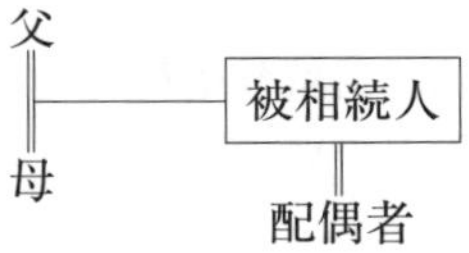

遺留分の算定の基礎となる財産の価額	=	被相続人が相続開始の時において有した財産の価額	+	贈与した財産の価額	−	被相続人の債務の全額

この計算式で問題になるのは、「贈与した財産」の範囲です。平成30年7月の民法改正前では、相続人に対する贈与は、贈与の時期を問わず、原則として全ての贈与財産の価額が、また、相続人以外の者に対する贈与は、相続開始前1年以内にされた贈与財産の価額が遺留分の算定の基礎となる財産の価額に算入されることとされていました（改正前民法1030）。

このように取り扱われるとすれば、被相続人が相続開始の何十年も前に行った相続人に対する贈与によって、第三者である受遺者又は受贈者が受ける減殺の範囲が大きく変わることになるという問題がありました。また、何十年も前に行われた贈与を正確に確認することは実際問題として困難です。そこで、平成30年7月の改正民法は、生前贈与の範囲について、次のように規定しました（民1044）。

贈与の区分		遺留分の算定における贈与の取扱い
原 則	相続人に対する贈与	相続開始前の10年間にした贈与に限り、遺留分の算定の基礎となる財産の価額に算入する。
	相続人以外の者に対する贈与	相続開始前の１年間にした贈与に限り、遺留分の算定の基礎となる財産の価額に算入する。
遺留分権利者に損害を与えることを知って贈与をした場合		贈与の時期を問わず、原則として全ての贈与財産の価額を遺留分の算定の基礎となる財産の価額に算入する。

(注) 上記の「遺留分権利者に損害を与えることを知って贈与をした」とは、遺留分権利者の遺留分を侵害することを認識し、かつ、その後将来にわたって財産が増加する可能性がないことを認識して贈与したような場合をいうと解されます。

上記のほか、改正民法では、贈与財産が受贈者の行為によって滅失し又はその価格の増減があったときであっても、相続開始の時においてなお現状のままあるものとみなして、遺留分の算定の基礎となる財産の価額に算入する旨が明らかにされました（民1044②、904）。

なお、遺留分の算定の基礎となる相続財産の価額は、相続開始時の時価により評価するというのが通説的な考え方です。この点、遺産分割を行う際の基準となる価額は、遺産分割時の時価とされていますが、遺留分に関する権利が発生し、遺留分の範囲が確定するのが相続開始の時であることから、その評価も相続開始時を基準とすることになります。

2. 遺留分侵害額請求権の法的性質と侵害額の算定方法

(1) 遺留分侵害額請求の法的性質

遺留分に反した被相続人の遺贈や相続分の指定は、直ちに無効にはならず、遺留分を侵害された者の遺産の取得は、減殺請求によることとされていました（改正前民法1031）。旧民法における問題点は、遺留分減殺請求権が行使されると、遺留分を侵害する贈与や遺贈は、侵害の限度で失効し、その目的財産は受遺者・受贈者と減殺請求をした者の共有になるとされていたことです。いわゆる物権的効力の発生であり、遺贈等の目的財産が事業用財産であった場合には円滑な事業承継を困難にするという指摘がありました。たとえば、被相続人が事業の後継者である特定の相続人に事業用の土地建物を遺贈し、又は後継者に株式を承継させたとしても、遺留分の減殺請求が行われると、これらの財産が事業の後継者と他の相続人との共有になり、事業承継後の経営が困難になるとともに、共有関係の解消をめぐって新たな紛争が生ずるという問題です。

なお、旧民法においては、遺留分の減殺請求を受けた受贈者又は受遺者は、目的物を現物で返還することが原則であるが、その価額の弁償（金銭の交付）により返還の義務を免れることができることとされていました（改正前民法1041①）。

上記のような問題点を解消するため、平成30年７月に成立した改正民法は、遺留分に関する権利行使により遺贈又は贈与の一部が当然に無効となり、共有状態が生ずるという旧法の規律を見直し、遺留分に関する権利行使があった場合には、受遺者又は受贈者に対し、遺留分侵害額に相当する金銭の支払を請求することができることとされました（民1046①）。遺留分に関する権利を金銭債権化したということです。

なお、遺留分に関する権利が金銭債権となったため、受遺者又は受贈者は、遺留分侵害額の請求に対し、現物による返還を選択することはできないこととなりました。もっとも、請求を受けた受遺者又は受贈者が現物で返還することを希望し、かつ、遺留分権利者が現物による返還を認めた場合には、現物返還も可能であると考えられます。

⑵　金銭請求を受けた受遺者又は受贈者に対する支払期限の許与

遺留分侵害額請求権が金銭債権化された結果、遺留分権利者から金銭請求を受けた受遺者又は受贈者が直ちにその金銭の支払をすることが困難である場合も想定されます。

そこで、裁判所は、受遺者又は受贈者の請求により、金銭債務の全部又は一部の支払につき相当の期限を許与することができるとしています（民1047⑤）。

なお、裁判所が支払期限を許与した場合には、債務の弁済期は到来していませんが、その期限が到来しても支払がないと履行遅滞となり、その期限の翌日から遅延損害金が発生することになります。

⑶　遺留分侵害額の算定方法

遺留分侵害額とは、遺留分権利者が、遺贈及び一定範囲の贈与を含む被相続人の財産から遺留分に相当する財産を取得することができない場合のその不足分をいい、受遺者又は受贈者に請求できる金額のことです。その算定方法を図式的に示すと、次のとおりです（民1046）。

遺留分の額
（－）
遺留分権利者の特別受益の額
（－）
遺留分権利者が遺産分割において取得すべき財産の価額
（＋）
遺留分権利者が相続によって負担する債務の額
（＝）
遺留分侵害額

なお、遺留分侵害額の算定に当たって加算すべき債務の額は、法定相続分又は指定相続分に応じて遺留分権利者が負担すべき債務の額となります（民1046②三）。

上記の遺留分侵害額の算定方法について、具体的に示すと、以下のとおりです。

＜設　例＞

(1)　遺留分権利者 …… 相続人Ａ（法定相続分４分の１）

(2)　被相続人の相続開始時の積極財産の額 ……　３億円

(3)　Ａが遺産分割により取得すべき財産の価額 …… 2,000万円

(4)　被相続人の債務の額 …… 1,000万円

(5)　Ａが負担する被相続人の債務の額 …… 250万円

(6)　被相続人からの生前贈与財産の価額

・相続人Ａに対する贈与……相続開始の15年前　400万円

・相続人Ｂに対する贈与…┬…相続開始の15年前　800万円
　　　　　　　　　　　　└…相続開始の８年前　3,000万円

・第三者に対する贈与………相続開始の半年前　200万円

〔計算〕

①　相続人Ａの遺留分の割合

（総体的遺留分）（法定相続分）

$$\frac{1}{2} \times \frac{1}{4} = \frac{1}{8}$$

②　遺留分を算定するための財産の価額

　　３億円（被相続人の相続開始時の積極財産の額）

＋）3,000万円（相続人Ｂに対する相続開始前10年以内の贈与）

＋）　200万円（第三者に対する相続開始前１年以内の贈与）

－）1,000万円（被相続人の債務の額）

３億2,200万円

③　相続人Aの遺留分の額

$$3\text{億}2{,}200\text{万円} \times \frac{1}{8} = 4{,}025\text{万円}$$

④　相続人Aの遺留分侵害額

　　4,025万円（Aの遺留分の額）
－）　400万円（Aの特別受益の額）
－）2,000万円（Aの遺産分割による取得財産価額）
＋）　250万円（Aが負担する債務の額）
　　1,875万円 → Aが受遺者又は受贈者に請求できる額

3.　遺留分侵害額請求の手続

⑴　遺留分侵害額請求の方法

遺留分侵害額請求権は、いわゆる形成権と解されており、受遺者又は受贈者に対して意思表示をすることで効力が生じることとされています。このため、必ずしも裁判上の請求による必要はありません。

遺留分侵害額請求を裁判外の意思表示で行う場合、その方式についての定めはありません。ただし、相手方に到達することが重要であるため、通常は内容証明郵便が利用されています。その例を示すと、〔書式24〕（次ページ）のとおりです。

この場合の意思表示について、どの程度の内容を要するかという問題があります。遺留分侵害額の請求権に係る短期消滅時効との関係から、とりあえず被請求者に侵害額請求の意思を伝える必要がある場合が多いと考えられます。この場合、相続開始から短期間のうちに相続財産や遺贈財産の価額を正確に算定し、具体的な請求額を明示することは、実際問題として困難です。このため、とりあえず「遺留分を侵害されているので、侵害額請求をする」といった程度の意思表示をし、その後に具体的な金額を提示して請求する方法でもよいと考えられます。

もっとも、このような請求に相手方が直ちに応じて、金銭の支払をしてくれればよいのですが、そうでないときは、家事調停の申立て又は民事訴訟を提起せざるを得ないでしょう。家事調停申立書は〔書式25〕（89ページ）のとおりです。

なお、遺留分侵害額請求権は、遺留分権利者が相続の開始及び遺留分を侵害する贈与又は遺贈があったことを知った時から１年間その行使をしないときは、時効によって消滅します（民1048前段）。また、相続開始の時から10年を経過したときも、遺留分侵害額請求権は消滅することとされています（民1048後段）。

〔書式24〕

内容証明書用紙

遺留分侵害額請求書

被相続人甲山太郎は、遺言により貴殿に対し、後記財産を遺贈しました。
その結果、私の遺留分が侵害されました。
よって、本書をもって貴殿に対し、遺留分侵害額の請求をいたします。

記

一、神奈川県藤沢市片瀬二丁目五番所在
　　宅地　四五六・七八平方メートル
一、藤沢銀行本町支店の預金全部

令和〇〇年七月四日

神奈川県藤沢市片瀬二丁目五番三号
乙川一郎

神奈川県横浜市鶴見区上末吉一丁目二番七号
山川次郎殿

〔書式25〕

この申立書の写しは，法律の定めるところにより，申立ての内容を知らせるため，相手方に送付されます。

受付印	家事 ☑調停 □審判 申立書 事件名（遺留分侵害額請求）
	（この欄に申立て１件あたり収入印紙１，２００円分を貼ってください。）
収入印紙　円	
予納郵便切手　円	（貼った印紙に押印しないでください。）

東京　家庭裁判所 御中 令和 ○ 年 10 月 10 日	申立人（又は法定代理人など）の記名押印	甲野一郎　印

添付書類	（審理のために必要な場合は，追加書類の提出をお願いすることがあります。） 申立人の戸籍謄本　1通　相手方の戸籍謄本　1通	準口頭

申立人	本籍（国籍）	（戸籍の添付が必要とされていない申立ての場合は，記入する必要はありません。） 広島 都道府(県) 広島市中区幟町13番地	
	住所	〒153－0062 東京都目黒区三田2丁目2番3号（　方）	
	フリガナ 氏名	コウノイチロウ 甲野一郎	大正 (昭和) 平成 令和 ○○年5月20日生（○○歳）
相手方	本籍（国籍）	（戸籍の添付が必要とされていない申立ての場合は，記入する必要はありません。） 宮城 都道府(県) 仙台市青葉区中央3丁目101番地	
	住所	〒190－0003 東京都立川市栄町2丁目10番7号（　方）	
	フリガナ 氏名	オツカワウメコ 乙川梅子	大正 (昭和) 平成 令和 ○○年2月15日生（○○歳）

（注）　太枠の中だけ記入してください。

別表第二，調停（　／　）

この申立書の写しは，法律の定めるところにより，申立ての内容を知らせるため，相手方に送付されます。

申　立　て　の　趣　旨
申立人は、相手方に対し、相手方が被相続人甲野太郎から遺贈を受けた別添の財産目録記載の土地及び建物の時価の2分の1に相当する金銭の支払をするとの調停を求めます。

申　立　て　の　理　由
1．被相続人甲野太郎（本籍広島県広島市幟町13番地）はその配偶者花子死亡後の平成○○年9月頃から相手方と同居し、内縁関係にありましたが、令和○年4月20日に相手方の住所地において死亡し、相続が開始しました。相続人は、被相続人の長男である申立人だけです。
2．被相続人は、別添の財産目録記載の土地及び建物を相手方に遺贈する旨の令和○年2月1日付自筆証書による遺言書（令和○年2月10日検認済）を作成しており、相手方はこの遺言に基づき、令和○年4月20日付遺贈を原因とする所有権移転登記手続をしています。
3．被相続人の遺産は、別添の財産目録記載の土地及び建物だけであり、他に遺産及び負債はありません。また、前記遺言の他に遺贈や生前贈与をした事実はありません。
4．申立人は、相手方に対し、前記遺贈が申立人の遺留分を侵害するものであるから、遺産の2分の1に相当する金銭の支払を求めましたが、相手方はその支払に応じようとしないので、申立ての趣旨のとおりの調停を求めます。

別表第二，調停（　/　）

⑵ 遺留分侵害額の請求に基づく資産の移転と譲渡所得課税

遺留分制度について、平成30年７月の改正民法は、遺留分侵害額請求権を金銭債権化しました。このため、その請求を受けた受遺者又は受贈者は、遺留分権利者に対し、原則として金銭の支払をすることになります。ただし、当事者双方が合意すれば、金銭の支払に代えて現物の資産で弁済することも可能であると考えられます。

注意したいのは、金銭債務の履行に代えて資産を交付すると、いわゆる代物弁済となり、譲渡所得課税が生じることです。この場合の譲渡所得の収入金額は、その履行により消滅した債務の額に相当する金額となります（所基通33－１の６）。

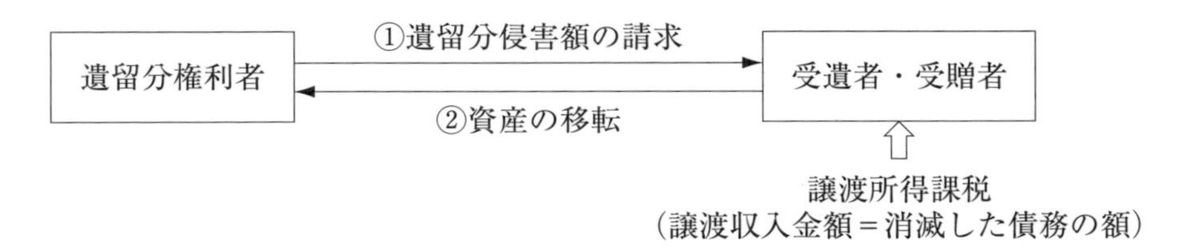

なお、遺留分権利者に移転させた資産が相続又は遺贈により取得した資産の場合には、譲渡所得の課税上の取得費及び取得時期は、被相続人のものを引き継ぐことになります（所法60①）。

一方、金銭の支払に代えて、その債務の履行として資産の移転があったときのその履行を受けた者のその資産の取得費は、その履行により消滅した債務の額に相当する価額となります（所基通38－７の２）。

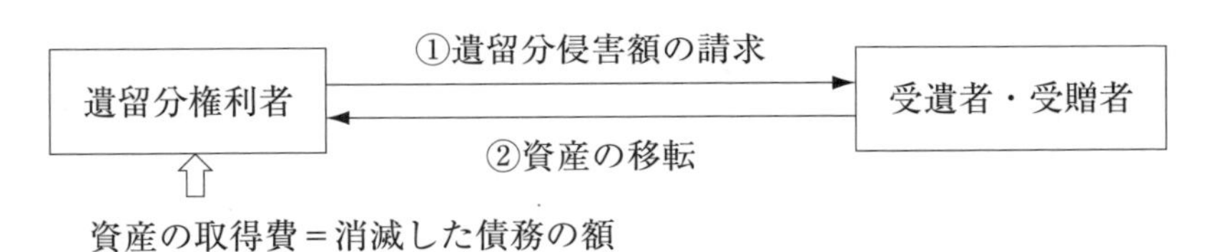

4. 遺留分の放棄

相続開始後の遺留分をめぐるトラブルは少なくないのですが、こうした紛争を避けるために、相続開始前に遺留分を放棄するということも考えられます。もちろん、その放棄は遺留分を有する者が自ら行うものであり、他の相続人が放棄させることはできません。

実際に遺留分を放棄するためには、遺留分権利者が家庭裁判所に申立てをすることが必要で、かつ、家庭裁判所の許可を受けたときに限り、放棄の効力が生じます（民1043①）。家庭裁判所の許可を要件としているのは、被相続人や他の相続人の強制など本人の意思に反する放棄が行われないようにしているためです。

このため、遺留分放棄は実際にはきわめて少ないと思われます。いずれにしても、遺留分は、遺留分権利者の絶対的な権利であることを踏まえて相続実務に対処する必要があるでしょう。

第2章

遺産分割と分割協議書作成の実務

Ⅰ　遺産分割の方法

1.　遺産分割の意義と基準

(1)　遺産分割の意義と効果

相続とは、被相続人の死亡と同時に債務を含めた被相続人の財産が相続人に承継されることをいい、その承継については何らの手続を要しません。

この場合、相続人が1人（単独相続）のときは、全ての財産債務がその相続人に移転しますが、相続人が複数（共同相続）のときは、被相続人の財産債務を全ての相続人が共有することになります。このような共有状態を解消し、個別の財産や債務をそれぞれの相続人に具体的に帰属させるための手続が「遺産分割」です。

遺産分割によって各相続人が取得した財産は、相続開始時にさかのぼって被相続人から直接承継したことになります（民909）。

(注) 遺産分割が確定した場合に、相続開始の時にさかのぼって効力が生じるというのは、遺産そのものに対する民法の規定であり、相続開始後の遺産から生じる果実（収益）は、遺産とは別のものと考えられています（最高裁平成17.9.8判決）。

　したがって、相続開始時から遺産分割が確定するまでの間の果実（たとえば、遺産である賃貸不動産から生じる地代収入や家賃収入）は、共同相続人の全員について、それぞれの相続分に応じて帰属することになります。この場合の果実は、共同相続人に確定的に帰属することになりますから、その後に行われた遺産分割により、その遺産（賃貸不動産）を特定の相続人が取得した場合であっても、未分割であった期間中に生じた果実（地代収入や家賃収入）について、共同相続人間で移動することはありません。

　このような考え方によれば、未分割であった期間中に生じた所得（不動産所得）が一定額以上であれば、共同相続人の全員が相続分に応じた金額について所得税の確定申告を行う必要があります。

　また、所得税の申告後に相続分と異なる遺産分割が行われたとしても、申告済の所得税について、修正申告は不要であり、更正の請求もできないことになります。

(2)　遺産分割の基準と時期

民法は、遺産分割について、遺産の種類や性質、各相続人の年齢、職業、心身の状態、生活の状況など一切の事情を考慮して行うことと定め（民906）、一応の分割の基準を設けています。ただし、これは指針を示しているにすぎませんから、実際には各相続人の協議により具体的な分割方法等が決定されます。

また、遺産分割の時期についても民法上の定めはなく、相続開始後はいつでも分割を行うことができるとされているだけです（民907①）。ただ、相続開始から長期間にわたって未分割の状態に置くのは不安定ですし、ことに相続税が課税される場合、未分割状態では税務上の問題が数多く生じます。このため、実務的には相続税の申告期限（相続開始から

10か月以内）が一応の分割時期の目途となっています。

なお、遺産の評価の時期について、相続税の課税上は相続開始時とされていますが、遺産分割では分割時とするのが一般的な解釈です。この点は、民法と税法に考え方の相違があります。

2. 遺産分割の方法と調停・審判分割の手続

⑴ 分割の具体的方法

遺産分割の具体的な方法としては、共同相続人間の協議によることが原則ですが、被相続人の遺言による指示があれば、それが優先されます（指定分割）。また、相続人間で協議が調わないときは、相続人が家庭裁判所に請求を行うことができます（民907②）。いわゆる調停分割や審判による分割です。

一方、それぞれの方法について、分割の態様としては、現物分割、代償分割、換価分割などがあり、また、これらの組み合わせも可能です。したがって、遺産分割の方法は、次図のようにきわめて多様であるということができます。

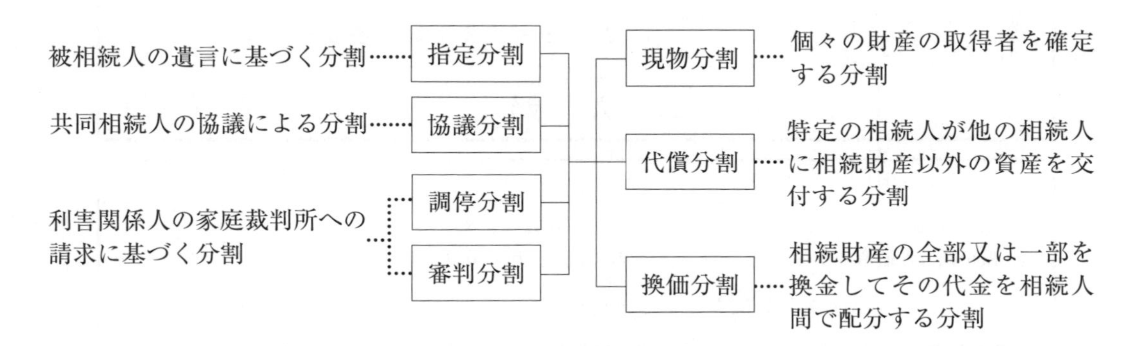

⑵ 遺産分割の調停と審判

遺産の分割は、共同相続人の協議により決定することが原則ですが、協議が成立しないときは、家庭裁判所に分割を請求することができます（民907②）。

その請求は、審判と調停の２つがあり、いずれの申立ても可能です。ただ、実際には当初から審判の申立てを行うことは少なく、ほとんどが調停です〔書式26〕（次ページ）。また、仮に審判事件として申し立てた場合でも、家庭裁判所の職権で調停に付されるケースがほとんどです。

なお、調停が成立すると調停調書が作成され、その記載は確定判決と同一の効力を有することとされ（家事事件手続法268①）、調停が成立しないときは、とくに手続がなくても審判手続が開始されます。

〔書式26〕

この申立書の写しは，法律の定めるところにより，申立ての内容を知らせるため，相手方に送付されます。

受付印	**遺産分割** ☑ **調停** ☐ **審判** **申立書**
収入印紙　円 予納郵便切手　円	（この欄に申立て１件あたり収入印紙１，２００円分を貼ってください。） （貼った印紙に押印しないでください。）

東京　家庭裁判所 御中 令和　○　年　11　月　10　日	申立人 （又は法定代理人など） の記名押印	乙川春子　印

添付書類	（審理のために必要な場合は，追加書類の提出をお願いすることがあります。） ☑ 戸籍（除籍・改製原戸籍）謄本（全部事項証明書）合計 5 通 ☑ 住民票又は戸籍附票　合計 4 通　☑ 不動産登記事項証明書　合計 4 通 ☑ 固定資産評価証明書　合計 4 通　☑ 預貯金通帳写し又は残高証明書　合計 1 通 ☑ 有価証券写し　合計 1 通　☐	準口頭

当事者		別紙当事者目録記載のとおり	
被相続人	最後の住所	東京　㊞都道府県　品川区大崎２丁目８番６号	
	フリガナ 氏名	コウ　ヤマ　タ　ロウ 甲山太郎	平成 （令和） ○ 年 3 月 10 日死亡

申立ての趣旨
☐ 被相続人の遺産の全部の分割の（☑ 調停 ／ ☐審判）を求める。
☐ 被相続人の遺産のうち，別紙遺産目録記載の次の遺産の分割の（☐ 調停 ／ ☐ 審判）を求める。※1 【土地】　　　【建物】 【現金，預・貯金，株式等】

申立ての理由			
遺産の種類及び内容	別紙遺産目録記載のとおり		
特別受益 ※2	☑ 有	☐ 無	☐ 不明
事前の遺産の一部分割 ※3	☐ 有	☑ 無	☐ 不明
事前の預貯金債権の行使 ※4	☐ 有	☑ 無	☐ 不明
申立ての動機	☐ 分割の方法が決まらない。 ☐ 相続人の資格に争いがある。 ☑ 遺産の範囲に争いがある。 ☑ その他（相手方（丙川秋子）は、申立人の再三にわたる遺産分割協議に応じないばかりか遺産である土地を自己所有の物件であると主張している）		

（注）太枠の中だけ記入してください。☐の部分は該当するものにチェックしてください。

※１　一部の分割を求める場合は，分割の対象とする各遺産目録記載の遺産の番号を記入してください。

※２　被相続人から生前に贈与を受けている等特別な利益を受けている者の有無を選択してください。「有」を選択した場合には，遺産目録のほかに，特別受益目録を作成の上，別紙として添付してください。

※３　この申立てまでにした被相続人の遺産の一部の分割の有無を選択してください。「有」を選択した場合には，遺産目録のほかに，分割済遺産目録を作成の上，別紙として添付してください。

※４　相続開始時からこの申立てまでに各共同相続人が民法９０９条の２に基づいて単独でした預貯金債権の行使の有無を選択してください。「有」を選択した場合には，遺産目録【現金，預・貯金，株式等】に記載されている当該預貯金債権の欄の備考欄に権利行使の内容を記入してください。

遺産（1/　）

この申立書の写しは，法律の定めるところにより，申立ての内容を知らせるため，相手方に送付されます。

当　事　者　目　録

☑申立人 □相手方	住所	〒 194 － 0012 東京都町田市金森1786番地112　（　　方）	
	フリガナ 氏名	オツ カワ ハル コ 乙　川　春　子	大正 (昭和) 平成 令和 ○○年 4月 5日生（ ○○ 歳）
	被相続人との続柄	長女	
□申立人 ☑相手方	住所	〒 141 － 0032 東京都品川区大崎2丁目8番6号　（　　方）	
	フリガナ 氏名	コウ ヤマ ハナ コ 甲　山　花　子	大正 (昭和) 平成 令和 ○○年 1月10日生（ ○○ 歳）
	被相続人との続柄	妻	
□申立人 ☑相手方	住所	〒 167 － 0051 東京都杉並区荻窪4丁目10番5号　（　　方）	
	フリガナ 氏名	コウ ヤマ ナツ オ 甲　山　夏　男	大正 (昭和) 平成 令和 ○○年 10月20日生（ ○○ 歳）
	被相続人との続柄	長男	
□申立人 ☑相手方	住所	〒 352 － 0006 埼玉県新座市新堀3丁目3番6号　（　　方）	
	フリガナ 氏名	ヘイ カワ アキ コ 丙　川　秋　子	大正 (昭和) 平成 令和 ○○年 12月20日生（ ○○ 歳）
	被相続人との続柄	二女	
□申立人 □相手方	住所	〒　　－ （　　方）	
	フリガナ 氏名		大正 昭和 平成 令和 年 月 日生（ 歳）
	被相続人との続柄		

(注) □の部分は該当するものにチェックしてください。

遺産（　/　）

遺　産　目　録（□特別受益目録，□分割済遺産目録）

【土　地】

番号	所　　在	地　番		地目	地　積		備　考
			番		平方メートル		
1	品川区大崎２丁目	86	2	宅地	296	32	建物１の敷地
2	新座市新堀３丁目	3		宅地	187	67	建物２の敷地

（注）この目録を特別受益目録又は分割済遺産目録として使用する場合には，（□特別受益目録又は□分割済遺産目録）の□の部分をチェックしてください。また，備考欄には，特別受益目録として使用する場合は被相続人から生前に贈与を受けた相続人の氏名，分割済遺産目録として使用する場合は遺産を取得した相続人の氏名を記載してください。

遺産（　／　）

遺　産　目　録（□特別受益目録，□分割済遺産目録）

【建　物】

番号	所　在	家屋番号	種類	構造	床面積（平方メートル）		備考
1	品川区大崎２丁目８番地	8番1	居宅	木造スレート葺２階建	211	65	甲山花子が居住
2	新座市新堀３丁目３番地	3番2	居宅	木造瓦葺平家建	105	43	丙川秋子が居住

（注）この目録を特別受益目録又は分割済遺産目録として使用する場合には，（□特別受益目録又は□分割済遺産目録）の□の部分をチェックしてください。また，備考欄には，特別受益目録として使用する場合は被相続人から生前に贈与を受けた相続人の氏名，分割済遺産目録として使用する場合は遺産を取得した相続人の氏名を記載してください。

遺産（　/　）

遺　産　目　録（□特別受益目録，□分割済遺産目録）

【現金，預・貯金，株式等】

番号	品　　　目	単　位	数　量（金　額）	備　考
1	○○銀行××支店 定期預金 （口座番号　1234567）		20,000,000円	甲山花子が保管
2	株式会社○○の株式	50円	15,000株	甲山花子が保管

（注）この目録を特別受益目録又は分割済遺産目録として使用する場合には，（□特別受益目録又は□分割済遺産目録）の□の部分をチェックしてください。また，備考欄には，特別受益目録として使用する場合は被相続人から生前に贈与を受けた相続人の氏名，分割済遺産目録として使用する場合は遺産を取得した相続人の氏名を記載してください。

遺産（　／　）

Ⅱ　現物分割の手続と分割協議書の作成

1.　現物分割の手続

⑴　現物分割の意義

遺産分割の方法として、最も原則的で、かつ、シンプルな形態が現物分割であり、実際には、ほとんどがこれによっているところです。遺産の分割とは、相続財産全体に対する共同相続人の共有状態を解消する手続ですから、個々の財産についてその取得者を個別に決定する現物分割は、基本的な分割方法といえます。

⑵　一部分割を行う場合の留意点

現物分割では、全ての財産について取得者を確定するのが原則であり、最も望ましいことです。しかしながら、相続人間での協議がまとまらず、一部の財産について現物分割を行い、残りの財産は未分割として後日に改めて協議を行うということもあり得ますし、また、その方法も可能です。

なお、平成30年７月に成立した改正民法は、「共同相続人は、次条の規定により被相続人が遺言で禁じた場合を除き、いつでも、その協議により、遺産の全部又は一部の分割をすることができる。」として、一部分割が可能であることを法文によって明確化しました（民907①）。

(注) 相続税における配偶者の税額軽減規定は、配偶者が分割により実際に取得した財産に適用され、未分割の場合は軽減の対象になりません（相法19の２②）。このため、配偶者の取得する財産のみを確定させる一部分割を行い、軽減規定の適用を受けるという方法も実務で行われています。

ただし、一部分割を行う際は、後日の紛争を防止するため、残りの財産についての分割の時期や一部分割とその後の分割との関係（残りの部分の分割に際して、一部分割による取得分を考慮するのか、あるいは一部分割を除いたところで残りの財産を法定相続分で分割するのかといった内容）を明確にしておいた方がよいでしょう。

⑶　一部分割が認められない場合

共同相続人による協議分割が調わない場合には、家庭裁判所に分割の請求をすることができますが、遺産の一部を分割することにより他の共同相続人の利益を害するおそれがあるときは、家庭裁判所に一部分割の請求はできないこととされています（民907②ただし書）。次のような例です。

＜設 例＞

① 相続人……子Ａ、子Ｂ及び子Ｃの３人

② 相続財産……事業用の土地2,000万円とその他の財産3,000万円

③ 生前贈与（特別受益）……Ａに対して1,000万円

④ 一部分割……事業の後継者であるＡが事業用の土地を取得することにＡとＢは同調しているが、Ｃはこれに反対している。

この例の場合、特別受益を勘案した各相続人の具体的相続分の額は、次のようになります。

2,000万円＋3,000万円＋1,000万円（特別受益）＝6,000万円

子Ａ……6,000万円×$\frac{1}{3}$－1,000万円（特別受益）＝1,000万円

子Ｂ……6,000万円×$\frac{1}{3}$＝2,000万円

子Ｃ……6,000万円×$\frac{1}{3}$＝2,000万円

ここで、事業用の土地（2,000万円）をＡが取得すれば、分割できる残余の財産は、その他の財産（3,000万円）となります。この場合に、ＢとＣの相続分は対等であり、それぞれ1,500万円を取得することができますが、Ａが2,000万円の事業用の土地を一部分割により取得することに反対しているＣは、具体的相続分の額（2,000万円）に足りない500万円を代償金としてＡに請求することができます。

ただし、Ａが500万円の代償金の支払う資力がないとすれば、一部分割を行うことによって、ＣにＡの無資力の負担を負わせることになり、結果として一部分割をすることが他の相続人（Ｃ）の利益を害することになります。このような場合には、家庭裁判所は一部分割の申立ては不適当であるとして却下することになると考えられます。

2. 現物分割と分割協議書の作成

(1) 分割協議書の作成上の留意点

遺産分割協議は、共同相続人の合意で成立し、必ずしも書面を作成することは要しません。ただし、協議内容を明確にして後日の紛争を防止するためには、協議書の作成は不可欠です。また、実務的には、不動産の相続登記手続には「登記原因証明情報」（相続証明書）として遺産分割協議書が必要になりますし、預金などの名義変更の際に提示を求められるとともに、相続税の申告書の添付書類にもなります。

これらの点を考慮し、とくに不動産の相続登記を前提とすると、分割協議書の作成に当たっては、次の点に注意しなければなりません。

〔遺産分割協議書作成上の留意点〕

① 被相続人を特定する（被相続人の氏名のほか、本籍、最後の住所、生年月日、死亡年月日を記載することが望ましい）。

② 相続人を特定する（相続人全員の氏名のほか、各人の本籍、住所、生年月日、被相続人との続柄を記載することが望ましい）。

③ 不動産の表示は、不動産の登記事項証明書（登記簿謄本）の記載のとおりとする（所在、地番、地目、地積、家屋番号、構造、床面積を記載する）。

④ 株式、公社債、預貯金等についても、銘柄、株数、金額、金融機関名のほか、証券番号、口座番号等を記載する。

⑤ 各相続人は、氏名を自署し、実印で押捺する（分割協議書が複数枚にわたるときは、各人が契印をする）。

（注）財産をまったく取得しなかった相続人（事実上の相続放棄をした者）がいる場合でも、その者は分割協議書に署名押印する。

⑥ 分割協議書は、共同相続人の数分を作成し、各人の印鑑証明書を添付して、それぞれが保有する。

なお、遺産分割協議書の様式は自由ですから、タテ書でもヨコ書でもかまいませんし、ワープロによる作成でも手書きによることでも任意です。

⑵ 遺産分割協議書の作成例

上記の留意点を考慮した遺産分割協議書の作成例を示すと、次のとおりです〔書式27〕（次ページ）。

⑶ 分割協議の対象とならなかった財産への対処の仕方

遺産分割協議書には、相続財産をモレなく記載し、取得者を明記することが原則であり、望ましいことですが、現実問題とすると完全を期すのは容易ではありません。この結果、相続実務では、分割協議の成立後に新たに相続財産が発見されることが少なくありません。

このような問題は、その分割対象外財産をめぐる相続人間のトラブルも生じかねません。このため、こうした財産についてどのように処理するかを分割協議書で明らかにしておくべきでしょう。具体的には、その財産について改めて分割協議を行うとする方法〔書式28〕（105ページ）か、再度の分割協議を行わずに特定の相続人が取得することを合意する方法〔書式29〕（105ページ）のいずれかになるでしょう。

（注）相続税の申告後に新たな財産が発見された場合には、修正申告等の税務問題が生じますが、この点は後述（722ページ）します。

〔書式27〕

遺産分割協議書

（被相続人の表示）
氏　　名　　甲野太郎
本　　籍　　埼玉県川口市栄町２丁目325番地
最後の住所　　東京都北区赤羽３丁目７番８号
生 年 月 日　　昭和○○年９月15日
死亡年月日　　令和○年８月23日

上記の者の遺産について、相続人甲野花子、同甲野一郎、同乙山咲子は、分割協議を行った結果、本日次のとおり分割し、取得することを合意した。

第一　遺産の分割
一　相続人甲野花子が取得する遺産
（一）後記不動産目録一記載の土地
（二）後記不動産目録二記載の建物
（三）東京都北区赤羽３丁目７番８号所在の居宅内にある家財一式

二　相続人甲野一郎が取得する遺産
（一）東京商事株式会社の株式　　34,000株（株式に係る配当受領権を含む）
（二）山川カントリー倶楽部のゴルフ会員権　　一口（会員権証書番号　1234番）
（三）関東銀行赤羽支店の普通預金（口座番号　123456）相続開始日の残高　9,782,348円

三　相続人乙山咲子が取得する遺産
（一）第35回利付国庫債券（証書番号　5678番）　額面　5,000万円
（二）関東銀行赤羽支店の定期預金（口座番号　234567）　相続開始日の残高　3,000万円

第二　債務の負担
関東銀行赤羽支店からの証書借入金（相続開始日の残高8,654,234円）は、相続人甲野一郎が負担し、被相続人に係る未納の公租公課は、相続人乙山咲子が負担するものとする。

以上の遺産分割協議の合意を証するため、本書３通を作成し、各相続人が署名押印のうえ、各自１通を所持するものとする。

令和○年５月15日

本　　籍　　埼玉県川口市栄町２丁目325番地
住　　所　　東京都北区赤羽３丁目７番８号
生年月日　　昭和○○年10月28日
相続人（ 妻 ）　　甲野花子　　㊞

本　　籍　　埼玉県川口市栄町２丁目325番地
住　　所　　東京都北区赤羽３丁目７番８号
生年月日　　昭和○○年11月18日
相続人（長男）　　甲野一郎　　㊞

本　　籍　　東京都中野区野方２丁目234番地
住　　所　　東京都中野区野方２丁目２番３号
生年月日　　昭和○○年３月21日
相続人（長女）　　乙山咲子　　㊞

（不動産目録）
一　所　　在　　北区赤羽３丁目
　　地　　番　　78番２
　　地　　目　　宅地
　　地　　積　　345.43平方メートル
二　所　　在　　北区赤羽３丁目７番地
　　家屋番号　　８番１
　　種　　類　　居宅
　　構　　造　　木造スレート葺２階建
　　床 面 積　　１階　189.45平方メートル
　　　　　　　　２階　103.21平方メートル

〔書式28〕

遺 産 分 割 協 議 書

（被相続人の表示）

第一　遺産の分割

第二　債務の負担

第三　分割協議対象外の遺産

本遺産分割協議の対象にならなかった被相続人の遺産が後日に確認又は発見された場合は、その遺産について、相続人間で改めて協議し、分割を行うこととする。

〔書式29〕

遺 産 分 割 協 議 書

（被相続人の表示）

第一　遺産の分割

一　相続人甲山花子が取得する遺産

(一) --

(二) --

(三) --

(四) 上記のほか、相続人甲山太郎、同甲山次郎が取得する遺産以外の一切の遺産

二　--

3. 遺言と異なる遺産分割の可否

(1) 遺言の効力と遺贈の放棄

遺産分割など相続財産の承継に関する被相続人の遺言がある場合は、その遺言内容に従って遺産分割を行うのが原則です。

ただし、相続人と受遺者の全員の同意があれば、遺言内容と異なる遺産分割が可能です。遺言は、遺言者の死亡の時に効力が生じますが（民985①）、一方で民法は、受遺者に対し相続開始後の遺贈の放棄を認めています（民986①）。

したがって、遺言と異なる遺産分割は、受遺者がいったん遺贈の放棄をし、その後に相続人間で分割協議が成立したと考えることができるわけです。

(2) 遺言執行者がいる場合の問題

受遺者を含めた相続人の全員が合意すれば、いわば遺言を無視した遺産分割が可能ですが、多少の問題があるとすれば、遺言執行者がいる場合です。遺言執行者は、相続財産の管理処分について絶対的な権限があり、相続人は遺言の執行を妨げることはできません（民1012、1013）。このため、遺言を無視した遺産分割は、遺言執行者の職務権限や任務違反との関係で問題がないとはいえません。

ただ、遺言執行者の同意のもとで相続人と受遺者が合意した遺産の処分は有効とされた裁判例があります。いずれにしても、遺言執行者がいる場合は、相続人と受遺者は遺言執行者を加えた上で遺産分割協議を行うべきでしょう。

Ⅲ　代償分割の手続と分割協議書の作成

1. 代償分割の意義と分割協議書の作成

(1) 代償分割の意義

相続財産となったひとつの土地が財産価額の大部分であったり、被相続人の事業を承継する相続人が取得すべき財産が大半を占めるなど、相続財産の種類や性質によっては現物分割が困難であることが少なくありません。

このため、特定の相続人が相続財産の全部又は大部分を取得し、その相続人から他の相続人に金銭等の資産を交付する、という遺産分割が利用されています。特定の相続人が他の相続人に代償金を支払うという意味で、一般に代償分割とよばれています。

代償分割は、もともと家事事件手続法第195条における「家庭裁判所は、遺産の分割の審判をする場合において、特別の事由があると認めるときは、遺産の分割の方法として、共同相続人の１人又は数人に他の共同相続人に対する債務を負担させて、現物の分割に代えることができる」という規定を根拠とし、審判分割で採用される分割方法です。ただ、実務的には相続人間の利害の調整に有効なため、協議分割においても利用例が多く見られます。

⑵ 代償分割の実務上の留意点

相続人間の協議で代償分割を行う場合は、代償金額の決定はもちろんのこと、その代償金を支払う相続人（代償債務の負担者）の支払能力を検討することが重要です。分割協議が成立しても、代償金の支払が不能の場合は後日にトラブルが生じかねません。

実務的には、代償金の支払能力を見極めた上で実行することとし、代償金の支払期日や支払方法等を遺産分割協議書に明記しておくべきでしょう。この場合、代償金の支払期日までの期間の設定や支払を分割払いとすることも合意すれば可能ですが、トラブルを回避するためには、なるべく短期日のうちに一括払いとすることが望まれます。

なお、支払いが長期間にわたる場合は、代償債務の履行を担保するための措置（代償金支払者の資産に対する抵当権の設定など）も考慮する必要があるでしょう。

⑶ 代償分割の場合の遺産分割協議書の作成例

遺産分割協議書の作成上の留意点は、前述した現物分割の場合と同じです。代償分割では、協議書において、代償金額とその支払方法などの条項が加わるだけです。その例を示すと、〔書式30〕（次ページ）のとおりです。

2. 代償分割の税務問題

⑴ 代償分割と相続税の課税価格計算

相続税は、遺産分割により取得した各相続人の財産価額をもとに課税することを原則としており、この点は現物分割でも代償分割でも変わりません。ただ、代償分割については、相続税の課税価格の計算に特別な取扱いが定められています。

代償分割を簡略化していえば、共同相続人がAとBの２人（相続分はいずれも２分の１）、相続財産は土地のみ２億円、という場合に、土地の全部を相続人Aが取得し、AからBに１億円の金銭を支払うという方法です。

この場合、相続人BがAから取得する金銭１億円は、被相続人から相続により取得した財産ではありませんが、相続税の課税上は相続財産とみることが適当であり、一方の相続人Aの相続財産は、実質的には土地２億円から代償金１億円を控除した１億円とするのが自

〔書式30〕

> **遺　産　分　割　協　議　書**
>
> （被相続人の表示）
> 　　- -
>
> 第一　遺産の分割
> 　　- -
>
> 第二　債務の負担
> 　　- -
>
> 第三　代償財産
> 　上記の遺産分割について、各相続人の相続分を調整するため、相続人甲山一郎は、他の相続人に対し、それぞれ次の金額を令和○年９月30日までに金銭をもって交付するものとする。
>
> 相続人甲山二郎に対し　　　金２，０００万円
> 　同　甲山三郎に対し　　　金１，５００万円
>
> 　　- -

然です。このため、相続税の課税価格の計算では次のように取り扱うこととしています（相基通11の２－９）。

①　代償財産の交付を受けた者

課税価格＝〈相続又は遺贈により取得した財産の価額〉＋〈代償財産の価額〉

②　代償財産の交付をした者

課税価格＝〈相続又は遺贈により取得した財産の価額〉－〈代償財産の価額〉

なお、この算式における「代償財産の価額」は、代償債務の額の相続開始時の金額によります（相基通11の２－10）。これは、代償分割により交付する資産が金銭（現金）ではなく、土地などの現物である場合には、遺産分割時ではなく相続開始時の価額で上記の「代償財産の価額」を算定するという意味です。たとえば、相続人Aが相続人Bに、A所有の土地をもって代償する場合、土地の評価額が相続開始時で１億円、遺産分割時で１億2,000万円というときは、上記算式の「代償財産の価額」を１億円とするということです。

(注) 代償分割の場合の相続税の申告書の作成方法については後述（449ページ）します。
　このほか、相続税の延納期間の判定に際し、代償分割が行われた場合の不動産等の割合の計算方法が問題になりますが、これについては634ページを、また、相続後に相続財産を

譲渡した場合の取得費加算の特例において代償分割が行われた場合の特別の取扱いがありますが、これについては758ページを参照してください。

(2) 代償財産の価額の調整計算

ところで、代償分割が行われた場合の相続税の課税価格の計算について、上記の「代償財産の価額」の算定上、「時価」と「相続税評価額」の開差に関する問題があります。

たとえば、相続税評価額2億円の土地全部を取得した相続人Aから相続人Bに代償金1億円が交付されるという場合、Aの取得した土地の「時価」が2億5,000万円であるとすれば、Aは実質的に、〈2億5,000万円－1億円＝1億5,000万円〉の財産を取得したことになります。

この場合、土地の相続税評価額2億円をもとに、

Aの課税価格……………………2億円－1億円＝1億円（あん分割合 0.5）
Bの課税価格………………………………………………1億円（あん分割合 0.5）

とすると、相対的にAは税負担が軽減され、Bは過重となります。このため、時価と相続税評価額の開差を調整するため、代償財産の価額（Aが交付し、Bが取得する1億円の金銭）を次により算定している場合は、その価額をもととして課税価格を計算することができます（相基通11の2－10ただし書）。

① 共同相続人等の全員の協議に基づいて代償財産の価額を次の②の算式に準じて、又は合理的と認められる方法によって計算して申告した場合……その申告があった金額
② ①以外の場合で、代償債務の額が、代償分割の対象となった財産が特定され、かつ、その財産の代償分割の時における通常の取引価額（時価）を基として決定されているとき……次の算式により計算した金額

$$代償財産の価額＝代償債務の額\times\frac{\left(\begin{array}{l}代償分割の対象となった財産の相続開始時の\\相続税評価額\end{array}\right)}{\left(\begin{array}{l}代償債務の額の決定の基となった代償分割\\対象財産の代償分割の時の時価\end{array}\right)}$$

このうち②の算式について、前述の相続人AとBの例で示すと、次のようになります。

・代償財産（金銭1億円）の価額

（代償債務の額）（分母の土地の相続開始時の相続税評価額）

$$1億円\times\frac{2億円}{2億5{,}000万円}＝8{,}000万円$$

（Aの取得した土地の分割時の時価）

・各相続人の課税価格

相続人A……2億円－8,000万円＝1億2,000万円（あん分割合 0.6）
相続人B……………………………………8,000万円（あん分割合 0.4）

注意したいのは上記①における「合理的と認められる方法」です。取扱いの主旨は、納

税者の意思を尊重し、任意の申告額も認めるということです。これは、代償財産の価額をどのように算定しても、課税価格の合計額や相続税の総額は変わらない、という考え方があるからです。

問題は、共同相続人中に配偶者がいる場合です。配偶者には税額軽減規定が適用されますが、軽減額を引き上げるために代償財産の価額を不合理な方法で算定すると、その申告は否認されるおそれがあるということです。

なお、上記②の算式の分子の金額（代償分割の対象となった財産の相続開始時の相続税評価額）の算定上、その財産について「小規模宅地等の特例」（措法69の4）が適用される場合は、その特例適用前の評価額による必要があります。

⑶ 代償財産が現物である場合の譲渡所得課税

代償分割により交付する資産が金銭（現金）の場合は問題ありませんが、土地など譲渡所得の基因となる資産の場合は、譲渡益に対する課税問題が生じます。

代償財産の交付は、代償債務の消滅という対価性のある譲渡に該当します。したがって、代償財産を交付する相続人がもともと所有していた土地等の資産で代償すると、その時の時価で譲渡したものとみなされます。

Ⅳ 換価分割の手続と分割協議書の作成

1. 換価分割の意義と分割協議書の作成

⑴ 換価分割の意義

相続財産のなかに相続人の全員が取得を希望しない資産があったり、あるいは代償分割を行おうとしても代償金の支払能力がない、といったケースでは、遺産分割の形態として換価分割が採用されることがあります。

換価分割とは、文字どおり相続財産を売却換金して、その売却代金を相続人間で分配する遺産分割をいいます。なお、この方法はあくまで遺産分割の一形態ですから、共同相続人の協議によるときは、換価代金を必ずしも法定相続分で配分する必要はなく、任意に分配割合を決めることができます。

⑵ 換価分割と相続登記

土地などの不動産を換価分割の対象とする場合は、いったん相続登記を行わなければ処分することができません。この場合の登記の方法については、次の２つが考えられます。

① 換価代金を法定相続分に従って分配する場合

② 換価代金を法定相続分と異なる割合で分配する場合

これらの前提となる相続登記は、いずれの場合も共有とするための登記です。両者の違いは、①が遺産分割前の相続共有登記として行えるため、登記申請に際して遺産分割協議書の添付は要しません。これに対し、②によるときは、換価代金の分配割合（不動産の共有割合）を明記した遺産分割協議書を添付して登記申請を行うことになります。

(注) いずれの登記方法によっても、登録免許税（税率は不動産の価額に対し1,000分の４）は変わりません。

(3) 換価分割の場合の遺産分割協議書の作成例

換価分割の場合の遺産分割協議書には、〔書式31〕のような条項を記載しておくことになります。なお、分割協議書に記載した分配割合（換価財産の共有割合）と異なる割合で売却代金を分配すると、新たに贈与税の課税問題が生じます。

〔書式31〕

遺 産 分 割 協 議 書

（被相続人の表示）

第一

第二　換価分割

共同相続人の全員は、後記不動産目録一記載の土地を相続人甲野一郎が持分２分の１、同甲野二郎及び同甲野三郎がそれぞれ持分４分の１あて取得し、次の条件で売却した後、その売却代金から売却費用を控除した金員につき、各持分の割合で分配するものとする。

最低売却価額　　７，０００万円

売却期限　　　　令和○年１２月３１日

なお、当該条件で売却することが不可能となった場合は、共同相続人間で改めてその処分方法を協議することとする。

----

2. 換価分割の税務問題

(1) 換価分割と相続税課税

相続税の課税は、相続財産の相続開始時の評価額をもとに、各相続人の取得額に対して行われることはいうまでもありません。

したがって、換価分割の場合、売却価額と相続税とは無関係であり、その財産の評価額について、分配割合（共有割合）に応じた価額がそれぞれの相続人の課税価格算入額となります。

⑵　換価分割と譲渡所得課税

換価分割の対象となった相続財産が譲渡所得の基因となる資産の場合は、売却等の処分によって譲渡所得課税が生じます。譲渡価額について各相続人の分配割合（共有割合）に応じた金額が譲渡収入金額となります。

なお、換価分割のための譲渡が相続開始の翌日から相続税の申告期限の翌日以後３年以内に行われた場合は、譲渡所得の課税上、相続税額の取得費加算の特例（措法39）の適用を受けることができます。

⑶　共有相続登記と共有物分割の税務

相続財産を共有とする不動産登記には、遺産分割前の相続共有登記（法定相続分による共有登記）と、換価分割のための遺産分割協議にもとづく共有登記の２つがあることは前述したとおりです。このうち前者は、分割協議成立後に特定の相続人の所有とすることを前提とするもので、通常の意味での「共有」ではありません。

(注) 相続共有登記後に特定の相続人の所有とする登記には、「遺産分割」を原因とする登記と「更正登記」の２とおりがあります（772ページ参照）。

これに対し、遺産分割協議の結果として相続財産を共有とした場合は、通常の共有になります。したがって、その後に共有状態を解消するには、「共有物の分割」の手続によらざるを得ません。

土地等の不動産が共有である場合に、共有物の分割を行うと、共有者相互間でそれぞれの持分を交換又は売買をしたとみることができます。このため、共有物の分割を行うと譲渡所得課税の問題が生じることになります。

もっとも、共有物の分割は、共有者が所有していたその資産全体に対する持分権をその資産の一部に集約したにすぎないものであり、経済的実態からみると譲渡の実現とはいえません。そこで、税務の取扱いとして、共有物の分割をしても持分の交換・譲渡はなかったものとして譲渡所得課税は行わないこととされています（所基通33－１の６）。

ただし、分割された資産が土地等で、分割後のそれぞれの土地等の価額の比が共有持分の割合と著しく異なるときは、共有者相互間で財産価値が移転したことになります。したがって、その価額差に見合う対価の授受がなければ贈与となり、また、実際に対価を授受すれば譲渡所得としての課税関係が生じます。

Ⅴ　未成年者、行方不明者、国外居住者がいる場合の相続手続

1.　未成年者がいる場合の遺産分割手続

(1)　未成年者の法的能力と特別代理人の選任

相続人のうちに未成年者がいる場合には、その親権者が法定代理人となり、その未成年者に代わって遺産分割協議に加わり、分割協議書の署名・押印も親権者が行うことになります（民824）。

ただし、次の場合はいわゆる利益相反行為に当たるため、親権者は未成年者の代理をすることができません。これらの場合には、その未成年者のために「特別代理人」を選任する必要があります（民826）。

①　被相続人（父親）の遺産分割に当たり、親権者（母親）と未成年者（子）が共に相続人である場合

②　親権者（母親）を同じくする複数の未成年者である相続人（子）がおり、その親権者が未成年者の代理人となる場合

このうち②は、次図のようなケースをいいます。この場合の母親は、２人の子のうちいずれか１人の代理人となることはできますが、他の一方の子については代理人となることはできず、その子のために特別代理人を選任しなければなりません。

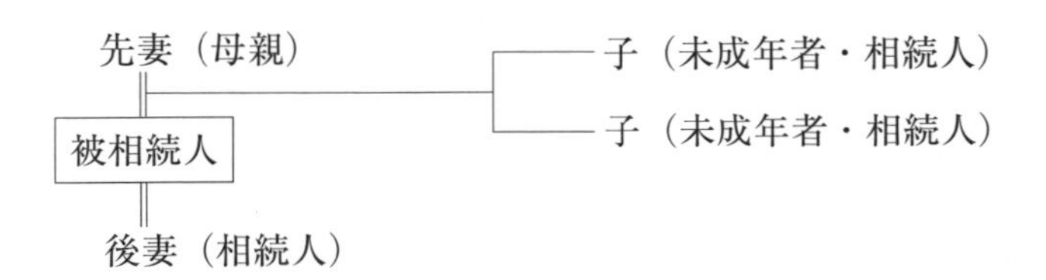

特別代理人の選任の申立ては、親権者が申立人となり、未成年者の住所地の家庭裁判所に「特別代理人選任申立書」〔書式32〕（次ページ）を提出して行います。この場合の特別代理人の候補者は、第三者はもちろん、利益相反がなければ未成年者の親族（叔父や叔母など）でもかまいません。

いずれにしても、上記のような場合には、家庭裁判所の審判によって特別代理人が決定されるまで遺産分割協議はできません。なお、登記実務においては、法定代理人又は特別代理人の署名・押印のない遺産分割協議書を相続を証明する書面とした相続登記申請は、受理されないこととされています。したがって、遺産分割協議書には、未成年者に代わって法定代理人又は特別代理人が署名・押印を行います〔書式33〕（116ページ）。

(注) 胎児の相続権については前述（57ページ）したとおりですが、相続人である胎児が出生した場合には当然に未成年者ですから、その者の相続手続のために特別代理人の選任を要します。

〔書式32〕

受付印	特別代理人選任申立書
	（この欄に収入印紙800円分を貼ってください。） （貼った印紙に押印しないでください。）
収入印紙　円	
予納郵便切手　円	

準口頭		関連事件番号　平成・令和　年（家　）第　号

東京　家庭裁判所　御中 令和 ○ 年 5 月 10 日	申立人の記名押印	山川花子　印

添付書類	（同じ書類は1通で足ります。審理のために必要な場合は，追加書類の提出をお願いすることがあります。） ☑ 未成年者の戸籍謄本（全部事項証明書）　☑ 親権者又は未成年後見人の戸籍謄本（全部事項証明書） ☑ 特別代理人候補者の住民票又は戸籍附票　☑ 利益相反に関する資料（遺産分割協議書案）契約書案等） ☐（利害関係人からの申立ての場合）利害関係を証する資料 ☐

申立人	住所	〒113－0033　東京都文京区本郷3丁目3番8号　（　方）	電話 03（3814）××××		
	フリガナ 氏名	ヤマ カワ ハナ コ 山川花子	（昭和）平成 令和 ○○年 9 月 10 日生（○○歳）	職業	なし
	フリガナ 氏名		昭和 平成 令和　年　月　日生（　歳）	職業	
	未成年者との関係	※ 1 父母　2 父　③ 母　4 後見人　5 利害関係人			
未成年者	本籍（国籍）	新潟 都道府（県） 長岡市南町2丁目16番			
	住所	〒　－　申立人の住所と同じ　（　方）	電話（　）		
	フリガナ 氏名	ヤマ カワ ジ ロウ 山川次郎	（平成）令和 ○○年 7 月 25 日生（○○歳）		
	職業又は在校名	○○中学校			

（注）　太枠の中だけ記入してください。　※の部分は，当てはまる番号を○で囲んでください。

特代（1/2）

(942060)

申　立　て　の　趣　旨
特別代理人の選任を求める。

申　立　て　の　理　由	
利益相反する者	利益相反行為の内容
※ ① 親権者と未成年者との間で利益が相反する。 2 同一親権に服する他の子と未成年者との間で利益が相反する。 3 後見人と未成年者との間で利益が相反する。 4 その他（　　　）	※ ① 被相続人亡　山川太郎　の遺産を分割するため 2 被相続人亡＿＿＿＿の相続を放棄するため 3 身分関係存否確定の調停・訴訟の申立てをするため 4 未成年者の所有する物件に　1 抵当権　2 根抵当権　を設定するため 5 その他（　　　） （その詳細） 申立人の夫、未成年者の父である被相続人　山川太郎の遺産につき、遺産分割の協議を行うにあたり、未成年者とその親権者が共同相続人となるため。

特別代理人候補者					
住所	〒 332 － 0032　埼玉県川口市中青木１丁目１番１号　（　　方）		電話　048（251）××××		
フリガナ 氏名	山川三郎	昭和（○）平成 ○○年 2月10日生（○○歳）		職業	会社役員
未成年者との関係	父方の叔父				

（注）　太枠の中だけ記入してください。　※の部分については，当てはまる番号を○で囲み，利益相反する者欄の４及び利益相反行為の内容欄の５を選んだ場合には，（　　）内に具体的に記入してください。

特代（2/2）

〔書式33〕

<table>
<tr><td>
遺　産　分　割　協　議　書

以上の遺産分割協議の合意を証するため、本書２通を作成し、各相続人が署名押印のうえ、各自１通を所持するものとする。
令和○年○月○日
本　　籍　　埼玉県川口市栄町２丁目３２５番地
住　　所　　東京都北区滝野川４丁目７番５号
生年月日　　昭和○○年○月○日
相 続 人（妻）　甲　野　花　子　㊞
本　　籍　　埼玉県川口市栄町２丁目３２５番地
住　　所　　東京都北区滝野川４丁目７番５号
生年月日　　昭和○○年○月○日
相 続 人（長男）　甲　野　一　郎
相続人甲野一郎の特別代理人
乙　山　五　郎　㊞
</td></tr>
</table>

⑵　未成年者の相続税の申告方法

上記によって選任された未成年者の特別代理人は、相続税の申告等の税務手続においても、当然にその未成年者の代理を行います。したがって、相続税の申告書や延納・物納の申請書には、特別代理人が押印することになります。

(注) 未成年者が法定相続人であり、かつ、無制限納税義務者である場合は、相続税額の計算において「未成年者控除」が適用され、その未成年者の税額から次の算式で計算した金額が控除されます（相法19の３①）。

未成年者控除額＝（20歳－相続開始時のその者の年齢）×10万円

なお、令和４年４月１日以後の相続から「20歳」は「18歳」になります。

2.　行方不明者がいる場合の遺産分割手続

⑴　行方不明者がいる場合の財産管理人の選任

相続人であることは確認されているが、その者の所在が不明という場合は、その者を除いて遺産分割を行うことはできませんし、仮にその者以外の共同相続人で遺産分割を行ったとしても、その分割協議は無効です。

この場合は、不在者としての措置をとる必要がありますが、具体的にはその者の親族など利害関係人が不在者の住所地（といっても、本人の住所地が不明ですから、実際にはその時までに知れている最後の住所地）の家庭裁判所に財産管理人の選任を請求することになります。その手続は、「不在者の財産管理人選任申立書」〔書式34〕（次ページ）を提出して行います（民25①、家事事件手続法145、別表第１－55）。

〔書式34〕

受付印	家事審判申立書　事件名（不在者財産管理人選任）
収入印紙　円 予納郵便切手　円 予納収入印紙　円	（この欄に申立手数料として１件について８００円分の収入印紙を貼ってください。） （貼った印紙に押印しないでください。） （注意）登記手数料としての収入印紙を納付する場合は，登記手数料としての収入印紙は貼らずにそのまま提出してください。

準口頭		関連事件番号　平成・令和　年（家　）第　号

東京　家庭裁判所 御中 令和 ○ 年 9 月 10 日	申立人 （又は法定代理人など） の記名押印	甲 野 二 郎　印

添付書類	（審理のために必要な場合は，追加書類の提出をお願いすることがあります。） 申立人の戸籍謄本　1通　　不在者の戸籍謄本　1通 財産管理人候補者の戸籍謄本及び住民票の写し　各1通

申立人	本籍（国籍）	（戸籍の添付が必要とされていない申立ての場合は，記入する必要はありません。） 静岡 都道府(県) 藤枝市青木3丁目900番地
	住所	〒 151 － 0051　電話 03 （3356）×××× 東京都渋谷区千駄ヶ谷5丁目6番7号 （　方）
	連絡先	〒　－　電話（　） （　方）
	フリガナ 氏名	コウ ノ ジ ロウ 甲 野 二 郎 ｜ (昭和)・平成・令和 ○○ 年 12 月 15 日生（○○ 歳）
	職業	会社員
※ 不在者	本籍（国籍）	（戸籍の添付が必要とされていない申立ての場合は，記入する必要はありません。） 静岡 都道府(県) 藤枝市青木3丁目900番地
	住所	〒 136 － 0071　電話（　） 東京都江東区亀戸2丁目3番4号 （　方）
	連絡先	〒　－　電話（　） （　方）
	フリガナ 氏名	コウ ノ イチ ロウ 甲 野 一 郎 ｜ (昭和)・平成・令和 ○○ 年 6 月 25 日生（○○ 歳）
	職業	

（注）　太枠の中だけ記入してください。
※の部分は，申立人，法定代理人，成年被後見人となるべき者，不在者，共同相続人，被相続人等の区別を記入してください。

別表第一（1/　）

申立ての趣旨

不在者の財産管理人を選任するとの審判を求めます。

申立ての理由

1　申立人は不在者の弟であり、不在者とともに被相続人甲野太郎（令和○年6月5日死亡）の共同相続人です。不在者が行方不明であるため、遺産分割にあたり、不在者の財産管理人が必要です。

2　不在者は個人で飲食店業を営んでいましたが、経営状態が悪化したため、平成○○年10月頃（当時45歳）、その事業を放置して行方不明になったものと思われます。

3　このたび、亡太郎の共同相続人間で遺産分割することとなりましたので、申立ての趣旨のとおりの審判を求めます。なお、財産管理人として不在者の叔父（亡太郎の兄）である次の者を選任することを希望します。

本籍　静岡県掛川市緑ヶ丘1丁目1010番地

住所　神奈川県横浜市中区麦田町2丁目52番地

（電話番号　045－641－××××）

氏名　甲野五郎（昭和○○年5月15日生　職業　会社員）

別表第一（　／　）

なお、遺産分割協議は、財産管理人を加えて行うことになりますが、財産管理人は、分割協議の成立に際して、その協議事項について家庭裁判所の許可を受けることとされています（民28、家事事件手続法146）。

⑵ 相続人の生死が不明の場合の遺産分割手続

相続人のなかに不在者がいる場合において、その不在者の生死が不明で失踪宣告の申立てが可能なときは、その利害関係人は、家庭裁判所に失踪宣告を求めることができます。失踪宣告の申立ては、生死不明の状態が一定期間（通常は、最後に生存が確認された時から７年間）経過したときに行うことができます（民30①）。

不在者について失踪宣告が行われると、その者は死亡したものとみなされ（民31）、相続が開始します。したがって、その不在者が相続人となる相続については、その者の相続人（配偶者や代襲相続人）が遺産分割協議に参画することになります。また、失踪宣告を受けた者に相続人があることが明らかでない場合は、家庭裁判所で選任された財産管理人が遺産分割協議を行うことになります。

⑶ 相続人がいない場合の特別縁故者への財産分与

上記の⑴と⑵は、相続人の所在が不明という場合ですが、いずれにしても相続権者はいるというケースです。これに対し、相続人が存在しない（相続人があることが明らかでない）ことがあります（戸籍からみて相続人が存在しない場合と、戸籍上は相続人が存在するが、その相続人が相続の放棄、相続欠格、相続廃除によって相続人がいない場合とがあります）。

この場合の相続財産は、法人とされます（民951）。これは、相続財産の所有主が不存在となることを防止する法技術的な措置です。相続人がいることが明らかであれば、その者が相続の開始を知ったか否かにかかわらず、相続財産は被相続人の死亡と同時に相続人の所有物となります。しかし、相続人がいない場合には何らかの法的手当を講じないと、相続財産は所有主のないものとなってしまいます。このようないわば真空状態を回避させるための擬制として民法は、相続財産を法人としたわけです。

相続財産法人となった場合は、財産の管理、相続人の捜索等の手続を経て、その全部又は一部が被相続人の特別縁故者に分与されることがあります。その手続は、おおむね次のとおりです。

① 相続人の存在が明らかでない場合は相続財産法人となり、家庭裁判所は相続財産の管理人を選任し、その旨を公告する（民952）。

② その後２か月以内に相続人のあることが明らかにならなかったときは、管理人は最低２か月の期間を定めて相続債権者及び受遺者に対し、その請求の申出をすべき旨を公告する（民957）。

③　上記②の期間満了後、なお相続人のあることが明らかでないときは、家庭裁判所は、最低6か月の期間を定めて相続人捜索の公告をする（民958）。

④　上記③の期間満了後3か月以内に家庭裁判所は、特別縁故者からの請求を受け、その者に対して、相続財産の全部又は一部を与えることができる（民958の3）。なお、特別縁故者への財産分与を行った後に残余財産があれば、最終的にその財産は国庫に帰属する。

この場合の特別縁故者とは、被相続人と生計を同じくしていた者、被相続人の療養看護に努めた者、その他被相続人と特別に縁故があった者とされていますが（民958の3①）、具体的には、被相続人の内縁の配偶者、同一生計であった親族、未認知の非嫡出子、被相続人の子の配偶者などですが、もちろん被相続人の親族など血縁関係者に限られません。特別縁故者に当たるかどうかは、家庭裁判所の判断に委ねられていますが、いずれにしても財産分与を求めるには、書面による請求を要します〔書式35〕（次ページ）。

なお、相続財産法人から特別縁故者に財産分与があった場合には、その特別縁故者は被相続人から遺贈により財産を取得したものとみなされて相続税の納税義務が生じます（相法4①）。この場合、課税上は次のように取り扱われます。

①　分与を受けた財産は、相続開始時ではなく、その分与時の時価で評価する。

②　相続税の課税上の基礎控除額や税率等は、相続開始時から分与時までの間に税法改正があっても、相続開始時に施行されていた規定を適用する。

3.　国外居住者がいる場合の相続実務

(1)　国外居住者の遺産分割手続

相続人のなかに日本に住所を有しない者がある場合の問題は、遺産分割協議書の押印に際していわゆる実印がなく、印鑑証明書の添付ができないことです。

この場合の手続は、その者の居住地国によって多少の違いはありますが、アメリカの場合は、その者の居住地を管轄する日本領事館で「在留証明」を受け〔書式36〕（123ページ）、その領事館で署名と拇印による押捺をし、その署名及び拇印が本人のものであることの証明書（いわゆるサイン証明書）〔書式37〕（124ページ）の交付を受けて、その証明書を分割協議書に添付することになります。また、日本領事館等で印鑑登録をして、印鑑証明書の交付を受けられる場合もあります。

(2)　国外居住者に対する相続税法の適用

相続人のなかに国外居住者がいる場合には、相続税法の適用に当たっても注意が必要です。現行の相続税法は、相続税の納税義務者を125ページの4つに区分しており（相法1の3、相基通1の3・1の4共－3）、それぞれについて課税関係が異なる場合があります。

〔書式35〕

受付印	家事審判申立書　事件名（特別縁故者に対する財産分与）
	（この欄に申立手数料として１件について８００円分の収入印紙を貼ってください。） （貼った印紙に押印しないでください。） （注意）登記手数料としての収入印紙を納付する場合は，登記手数料としての収入印紙は貼らずにそのまま提出してください。
収入印紙　円 予納郵便切手　円 予納収入印紙　円	

準口頭		関連事件番号　平成・令和　年（家　）第　号

東京 家庭裁判所 御中 令和 ○ 年 7 月 5 日	申立人 （又は法定代理人など） の記名押印	乙川花子　印

添付書類	（審理のために必要な場合は，追加書類の提出をお願いすることがあります。） 申立人の戸籍謄本　1通　被相続人の戸籍謄本及び除籍謄本　1通 財産目録　1通

申立人	本籍（国籍）	（戸籍の添付が必要とされていない申立ての場合は，記入する必要はありません。） 東京 都（○）道府県 小平市小川町２丁目1298番地
	住所	〒176－0005　電話 03（3951）×××× 東京都練馬区旭丘２丁目３番８号 （　方）
	連絡先	〒　－　電話（　） （　方）
	フリガナ 氏名	オツカワ　ハナコ 乙川花子　（昭和）・平成・令和 ○○年 9月 20日生（○○歳）
	職業	なし
※ 被相続人	本籍（国籍）	（戸籍の添付が必要とされていない申立ての場合は，記入する必要はありません。） 熊本 都道府県（○） 熊本市東町３丁目18番地
	住所	〒176－0005　電話（　） 東京都練馬区旭丘２丁目３番８号 （　方）
	連絡先	〒　－　電話（　） （　方）
	フリガナ 氏名	コウヤマ　イチロウ 甲山一郎　（昭和）・平成・令和 ○○年 6月 15日生（○○歳）
	職業	不動産貸付

（注）　太枠の中だけ記入してください。
※の部分は，申立人，法定代理人，成年被後見人となるべき者，不在者，共同相続人，被相続人等の区別を記入してください。

別表第一（1/　）

申　立　て　の　趣　旨
申立人に対し、被相続人の相続財産を分与するとの審判を求めます。

申　立　て　の　理　由
1　申立人は、平成○○年10月から被相続人の内縁の妻として同居してきましたが、被相続人の死亡前5年間は、同人の療養看護に努めたものです。
2　被相続人は、令和○年6月5日死亡しましたが、相続人がないので、私の申立てにより、令和○年7月10日東京家庭裁判所において相続財産管理人として丙野五郎が選任され、同裁判所は相続財産管理人の申立てに基づき相続人捜索の公告をし、令和○年4月10日に公告期間が満了しましたが、権利の申出はありませんでした。
3　被相続人には、別添財産目録のとおり不動産があり、この財産は申立人の協力寄与によって得たものですが、被相続人に遺言はありません。
4　よって、相続債務清算後の残余財産は、被相続人と特別縁故関係にある申立人に分与されたく、この申立てをします。

別表第一（　／　）

〔書式36〕

在留証明願

令和 ○ 年 ○ 月 ○○ 日

在ホノルル日本国総領事 殿

申請者氏名 証明書を 使う人	甲野太郎	生年 月日	明・大 (昭)・平・令 ○○ 年 10 月 18 日
代理人氏名 （※1）		申請者との関係 （※1）	
申請者の 本籍地 （※2）	東京 (都)・道・府・県	千代田区三崎町2丁目16番地 （市区郡以下を記入してください。※2）	
提出理由	遺産分割協議書に署名が必要なため	提出先	

私（申請者）が現在、下記の住所に在住していることを証明してください。

申請者（代理人）署名＿＿＿＿＿＿＿＿＿＿

現住所	日本語	アメリカ合衆国ハワイ州 ホノルル市○○○○ 3214
	外国語	3214 ○○○○, HONOLULU, H.I U.S.A.
上記の場所に住所（又は居所）を定めた年月日（※2）		（令和・(平成)・昭和）○○ 年 6 月

（※1） 本人申請の場合は記入不要です。
（※2） 申請理由が恩給、年金受給手続きのとき、及び提出先が同欄の記載を必要としないときは記入を省略することができます。

在留証明

証第BW　－　　号

上記申請者の在留の事実を証明します。

令和 ○ 年 ○ 月 ○○ 日

在ホノルル日本国総領事館　　公印

（手数料：　　　　）

〔書式37〕

署名（および拇印）証明申請書

○○　年　○　月　○　日

在ホノルル日本国総領事殿

以下の目的のため私の署名（及び拇印）証明を申請します。

●必要な証明形式（「形式1」または「形式2」）にチェックを入れてください。

☑「形式1」（貼付型）	□「形式2」（単独型）
署名をする必要のある書類に、申請人が署名したことを証明する形式です。お手持ちの書類に、大使館（総領事館）の証明が貼付されます。	市区町村役場で発行される印鑑証明のように申請人の署名および拇印であることを、一枚の証明書として発行します。
必要通数　1　通	必要通数　　通
合　計　1　通	

申請人氏名	（※読みやすい字体で原則として戸籍上の氏名を記入してください。） 甲　野　太　郎		
アルファベット	TARO　KONO		
生年月日（明・大・㊐昭・平・令）	○○　年　10　月　18　日	日本旅券番号	TF○○○○○○○
現住所	外国語：3214　○○○○, HONOLULU, H.I		
私は、日本の住民登録を、〔（抹消しています。）〕〔抹消していません。〕			
住民登録市区町村役場名：〔都・道／府・県〕　（郡）〔市・区／町・村〕 ← 抹消していない場合			
使用目的	（遺産分割協議書への署名、不動産登記、車の名義変更、銀行手続き等） 遺産分割協議書への署名		
提出先	（○○法務局、○○運輸支局、○○銀行、司法書士、行政書士等） ○○法務局		
日本の住民登録（印鑑登録）を抹消していない方の場合、提出先関係機関が、日本国大使館（総領事館）の証明を要求していますか？	有	無	
連絡先	（㊀自宅・勤務先・携帯）　○○○－○○－○○○○		
備　考			

申請人署名　　甲　野　太　郎

①　居住無制限納税義務者（財産を取得した時において国内に住所を有する者）

②　非居住無制限納税義務者（財産を取得した時において国内に住所を有しない者で一定の要件に該当する者）

③　居住制限納税義務者（財産を取得した時において国内に住所を有する者で①に該当する者以外のもの）

④　非居住制限納税義務者（財産を取得した時において国内に住所を有しない者で②に該当する者以外のもの）

このうち①と②に該当する者の場合には、国内に所在する財産のほか、国外に所在する財産についても相続税が課税され、③と④に該当する者の場合には、国内に所在する財産のみが課税対象になります。

納税義務者の区分		課税財産の範囲	
		国内に所在する財産	国外に所在する財産
無制限納税義務者	居住無制限納税義務者	○	○
	非居住無制限納税義務者	○	○
制限納税義務者	居住制限納税義務者	○	×
	非居住制限納税義務者	○	×

相続税の納税義務者について、このように区分されているのは、相続人及び被相続人が一時的に国外に居住することによって、国外財産に対する課税を免れることを防止する必要があること（上記の非居住無制限納税義務者の区分）と、わが国に短期間だけ滞在する外国人に対する課税が過重にならないようにするためです。

相続税の納税義務者の区分と課税財産の範囲をイメージすると、次ページの表のようになります。表中の「(無)」の部分は無制限納税義務者に該当し、「(制)」の部分は制限納税義務者に当たるという意味です。また、上表との関係は、次のようになります。

イ　表中の相続人について「国内に住所あり」の「(無)」の部分が上表の「居住無制限納税義務者」となる。

ロ　表中の相続人について「国内に住所あり」の「(制)」の部分が上表の「居住制限納税義務者」となる。

ハ　表中の相続人について「国内に住所なし」の「(無)」の部分が上表の「非居住無制限納税義務者」となる。

ニ　表中の相続人について「国内に住所なし」の「(制)」の部分が上表の「非居住制限納税義務者」となる。

なお、財産の所在について、動産及び不動産はその所在より、預貯金等はその受入れをした金融機関の営業所の所在により、また、有価証券はその発行法人の本店又は主たる事務所の所在により判定することとされています（相法10、相令１の７～１の９）。

<table>
<tr><th colspan="3" rowspan="3">相続人
被相続人</th><th colspan="2" rowspan="2">国内に住所あり</th><th colspan="3">国内に住所なし</th></tr>
<tr><th colspan="2">日本国籍あり</th><th rowspan="2">日本国籍なし</th></tr>
<tr><th></th><th>一時居住者（短期滞在の外国人）</th><th>10年以内に住所あり</th><th>10年以内に住所なし</th></tr>
<tr><td colspan="3">国内に住所あり</td><td>(無)</td><td>(無)</td><td>(無)</td><td>(無)</td><td>(無)</td></tr>
<tr><td></td><td colspan="2">一時居住被相続人（短期滞在の外国人）</td><td>(無)</td><td>(制)</td><td>(無)</td><td>(制)</td><td>(制)</td></tr>
<tr><td rowspan="3">国内に住所なし</td><td colspan="2">10年以内に住所あり</td><td>(無)</td><td>(無)</td><td>(無)</td><td>(無)</td><td>(無)</td></tr>
<tr><td></td><td>非居住被相続人（外国人）</td><td>(無)</td><td>(制)</td><td>(無)</td><td>(制)</td><td>(制)</td></tr>
<tr><td colspan="2">10年以内に住所なし</td><td>(無)</td><td>(制)</td><td>(無)</td><td>(制)</td><td>(制)</td></tr>
</table>

(注1) 表中の「一時居住者」及び「一時居住被相続人」（短期滞在の外国人）とは、在留資格（出入国管理及び難民認定法別表第１）を有する者で、相続開始前15年以内において国内に住所を有していた期間の合計が10年以下であるものをいいます。

(注2) 表中の「非居住被相続人」とは、国内に住所を有していた期間において引き続き日本国籍を有していない者及び相続の開始前10年以内のいずれの時においても国内に住所を有したことがない者をいいます。

この結果、相続の開始前10年以内に、被相続人と相続人のいずれかが国内に住所を有していたことがある場合には、相続開始の時に国内に住所を有していなくても無制限納税義務者（非居住無制限納税義務者）になります。

なお、納税義務者の区分判定における「住所」について、相続開始時に日本を離れている場合であっても、次の者は国内に住所があるものとして取り扱われます（相基通１の３・１の４共－６）。

① 学術、技芸の習得のため留学している者で国内にいる者の扶養親族となっている者

② 国外において勤務等をする者で国外におけるその勤務等の期間が短期間（おおむね１年以内）であると見込まれる者（その者の配偶者その他生計を一にする親族でその者と同居している者を含む）

⑶ 被相続人が外国籍である場合の相続法の適用

国外居住者の相続とは異なりますが、日本に居住していた被相続人が外国人（日本国籍を有していない者）である場合の相続関係法がどのように適用されるかという問題があります。いわゆる相続準拠法の問題ですが、この点について「相続は、被相続人の本国法による。」と定められており（法の適用に関する通則法36）、被相続人が外国籍の場合は、その国の相続法に準拠するのが原則です。したがって、法定相続人の範囲や順位、相続分や遺産の承継方法など、全てその国の相続関係法に従って処理することになります。

このようないわゆる渉外相続に際しては、被相続人の本国における相続法の内容と適用関係を検討する必要が生じます。

Ⅵ 父母の相続が続いて発生した場合の遺産分割手続

1. 被相続人の遺産分割前に配偶者に相続が開始した場合の手続

(1) 一次相続と二次相続の遺産分割

被相続人（父）に相続が開始した後、短期間のうちに配偶者（母）に相続が開始するということもあり得ることです。この場合、一次相続（父の相続）の手続が完了した後に二次相続が開始したときは、通常の相続と変わりません。しかし、一次相続の遺産分割や相続税の申告が終わらないうちに二次相続があると、相続手続が重畳することになります。

このような場合、実務では一次相続と二次相続の遺産分割を同時に行う例が多くみられます。また、遺産分割協議書をそれぞれ別に作成することはもちろんかまいませんが、一次相続の分割内容と二次相続の分割内容を併せて１通の遺産分割協議書として作成することも可能です。その例を次の相続人関係で示すと〔書式38〕（次ページ）のとおりです。

〔相続人関係〕

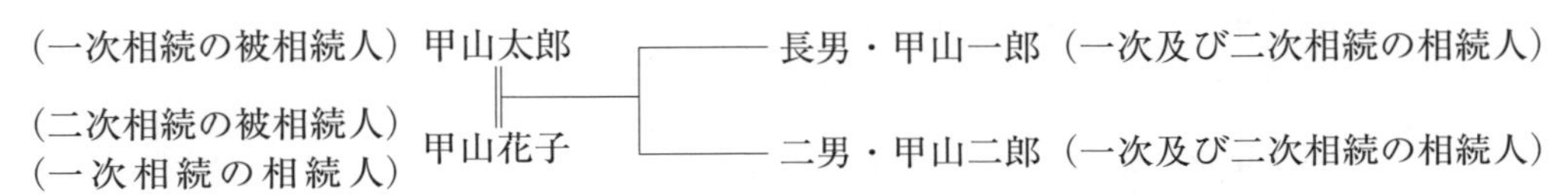

このように、一次相続の相続人である配偶者（上例の甲山花子）は、一次相続の遺産分割時に死亡しているため、その取得財産は、同人以外の相続人（上例の甲山一郎と甲山二郎）が自由に決定できるということです。もちろん、その配偶者の取得財産はないものとすることも自由です。ただし、配偶者の取得財産価額によっては、後述のように相続税の負担に影響することに注意する必要があります。

〔書式38〕

遺 産 分 割 協 議 書

（被相続人の表示）
第一次相続
氏　　　名　　甲 山 太 郎
本　　　籍　　……………………………………
最後の住所　　……………………………………
生 年 月 日　　……………………
死亡年月日　　令和○年２月８日

第二次相続
氏　　　名　　甲 山 花 子
本　　　籍　　……………………………………
最後の住所　　……………………………………
生 年 月 日　　……………………
死亡年月日　　令和○年４月３日

上記の者の遺産については、第一次相続及び第二次相続の共同相続人である甲山一郎及び甲山二郎の間で協議した結果、次のとおり分割することで合意した。

第一次相続に係る遺産分割
一　相続人甲山花子が取得する遺産
（一）……………………………………
（二）……………………………………
二　相続人甲山一郎が取得する遺産
（一）……………………………………
（二）……………………………………
三　相続人甲山二郎が取得する遺産
（一）……………………………………
（二）……………………………………

第二次相続に係る遺産分割
一　相続人甲山一郎が取得する遺産
（一）……………………………………
（二）……………………………………
二　相続人甲山二郎が取得する遺産
（一）……………………………………
（二）……………………………………

以上の遺産分割協議の合意を証するため、本書２通を作成し、各相続人が署名押印のうえ、各自１通を所持するものとする。

令和○年11月22日

本　　籍　……………………………
住　　所　……………………………
生年月日　………………
相 続 人（長男）　甲 山 一 郎 ㊞

本　　籍　……………………………
住　　所　……………………………
生年月日　………………
相 続 人（二男）　甲 山 二 郎 ㊞

⑵　一次相続と二次相続の相続人が異なる場合の手続

上記〔書式38〕（前ページ）のような分割協議ができるのは、一次相続の相続人と二次相続の相続人の範囲が同じであるからです。一次相続の被相続人に先妻の子がある場合や死亡した配偶者にいわゆる連れ子がいる場合などでは、次のように一次相続の相続人と二次相続の相続人の範囲が異なります。

このような場合は、いったん一次相続の遺産分割を行い、二次相続の被相続人である配偶者の取得財産を確定した後に、二次相続の遺産分割を行うことになります。

《例》

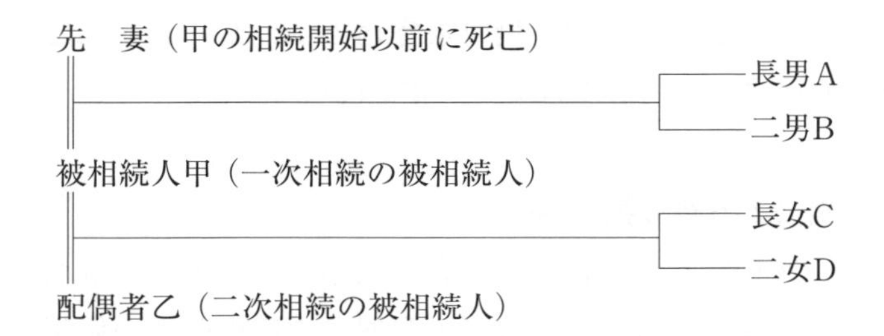

○　この場合、一次相続について遺産分割を確定できる（配偶者乙の取得財産を決定できる）のは、長男A、二男B、長女C及び二女Dの４人ですが、二次相続の相続人は、長女Cと二女Dの２人になります。

2.　父母の相次相続と相続税

⑴　配偶者が遺産分割前に死亡した場合の配偶者の税額軽減の適用

相続税の税額控除のうち、配偶者に対する税額軽減規定（相法19の２）は、遺産分割等により配偶者が実際に取得した財産を対象として適用されます（相法19の２①二ロ、②、相基通19の２－４）。このため、配偶者が遺産分割協議の成立前に死亡すると、厳密には分割によって取得した財産がないこととなり、軽減制度の適用の余地がなくなってしまいます。

しかしながら、この場合に軽減規定を適用しないとすると、遺産分割が確定した後に配偶者が死亡した場合と比較し、著しく不公平というべきです。そこで、相続税の取扱いとして、配偶者以外の相続人が一次相続による配偶者の取得財産を確定させたときは、その財産は配偶者が取得したものとして、税額軽減の対象とすることとしています（相基通19の２－５）。

(注) 家庭裁判所における調停又は審判による遺産分割の場合には、一次相続に係る遺産は、分割前に死亡した配偶者の相続人に直接その遺産を帰属させ、死亡した配偶者には、「遺産のうち１億円」又は「遺産に対して２分の１」を取得させるというように具体的相続分（民法第900条から第904条の２までの規定による相続分）のみが金額又は割合で決定され、個々の遺産を特定しない方法がみられます。この場合であっても、配偶者以外の共同相続人に

よって配偶者の取得する財産を特定させたときは、その特定した財産について、配偶者の税額軽減規定が適用されます（相基通19の２－５（注））。

⑵　遺産分割前に死亡した者に対する小規模宅地等の特例の適用

小規模宅地等の特例は、適用対象者が遺産分割により取得した宅地等に適用されます（措法69の４①）。ただし、一次相続に係る遺産が分割される前に共同相続人のいずれかが死亡した場合において、小規模宅地等の特例の対象となる宅地等について、死亡した者以外の共同相続人によって分割され、その分割により死亡した者の取得した特例対象宅地等として確定させたものがあるときは、その特例対象宅地等は分割により死亡した者が取得したものとして、特例を適用することができます（措通69の４－25）。

⑶　一次相続の遺産分割による税負担の相違

上記の取扱いにより、一次相続時における配偶者の税額軽減規定の適用上の問題は解決されているのですが、実務上は、一次相続における配偶者の取得財産の価額によって、一次相続と二次相続を通じた全体の税負担に相違が生ずることに注意が必要です。これを設例で示すと、次のとおりです。

＜設　例＞

○　一次相続の被相続人甲の相続財産……………………………………４億円
○　二次相続の被相続人乙（一次相続の相続人）の固有財産……１億円
○　一次相続・二次相続の相続人（甲及び乙の子）……………………長男A、二男Bの２人

＜ケース１＞　一次相続、二次相続とも被相続人の財産を法定相続分どおり分割して取得した場合

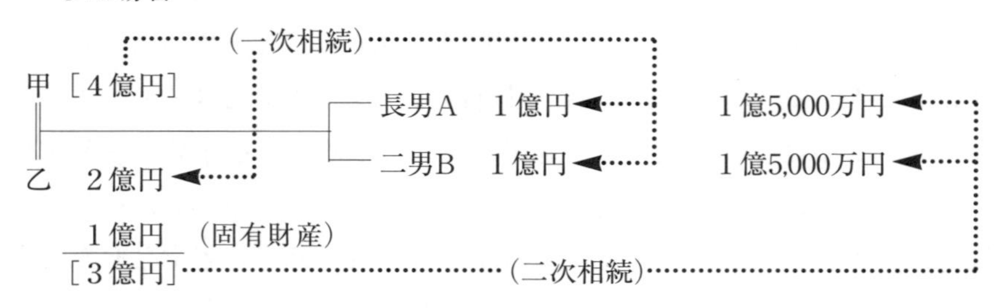

○　各人の納付税額

	配偶者乙	長男A	二男B	合　計
一次相続	ゼロ（軽減規定適用）	2,305万円	2,305万円	4,610万円
二次相続	—	3,460万円	3,460万円	6,920万円
合　計	ゼロ	5,765万円	5,765万円	１億1,530万円

<ケース２>　一次相続による配偶者の取得財産はないものとし、一次相続、二次相続とも被相続人の財産を子のみが取得した場合

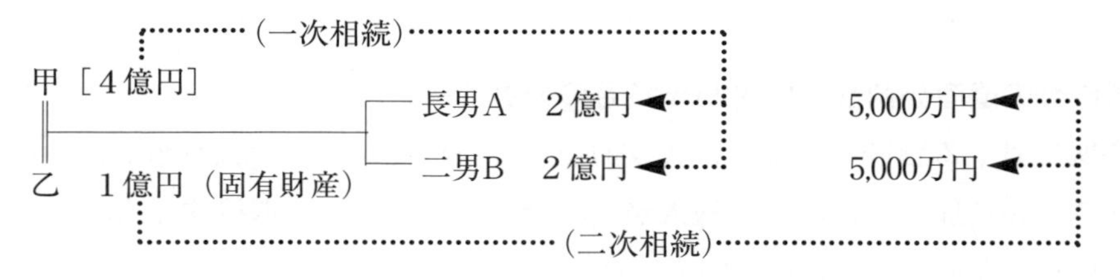

○　各人の納付税額

	配偶者乙	長男Ａ	二男Ｂ	合　計
一次相続	―	4,610万円	4,610万円	9,220万円
二次相続	―	385万円	385万円	770万円
合　　計	―	4,995万円	4,995万円	9,990万円

この結果、上例の場合は、一次相続における配偶者の取得財産をゼロとし、税額軽減規定の適用を受けない方が税負担面では有利になるのですが、もちろんこの方法が全てのケースに当てはまるわけではありません。一次相続時の財産価額、配偶者固有の財産価額、相続人の数などによりケース・バイ・ケースです。いずれにしても、慎重に試算したうえで最も有利な方法を選択することが重要です。

なお、ここでは一次相続の遺産分割前に配偶者に二次相続が開始した場合を取り上げましたが、通常の相続（一次相続後、ある程度の年数を経て二次相続が開始する場合）でも上記と同様の問題が生じます。一次相続で配偶者の取得した財産は、相当程度の額が配偶者の二次相続時の財産として遺るのが通常です。したがって、一次相続時の遺産分割に当たっては、二次相続時の相続税を想定して行うことがポイントです。配偶者に対する税額軽減制度は、非課税ではなく、二次相続時までの「税の繰延べ」であると考えるべきでしょう。

Ⅶ　遺産分割の対象となる財産とならない財産の範囲
―相続財産の分割性と税務の取扱い―

被相続人が所有していた財産と債務は、全て遺産分割協議の対象になるのが原則ですが、金銭債権・金銭債務の分割の可否や生命保険金等の税法上の「みなし相続財産」の分割性など、その取扱いに疑問や誤解のあるものも少なくありません。

そこで、民法・税法の考え方と実務の取扱いをみておきましょう。

1.　預貯金債権

(1)　預貯金の遺産分割性と平成28年12月の最高裁決定

金融機関に対する預貯金債権は、代表的な金銭債権ですが、金銭債権は、いわゆる可分債権であり、相続開始と同時に相続人が相続分に従って当然に取得するものとして遺産分割の対象にならないこととされていました。

この考え方によれば、相続人は、金融機関に対し、自己の相続分に応ずる預貯金の額の払戻し請求ができることになりますが、金融機関は、共同相続人間の相続をめぐる紛争に巻き込まれることをおそれ、共同相続人の全員の合意がないと払戻し請求に応じていなかったというのが実状でした。

なお、相続の実務では、預貯金等の金銭債権を共同相続人の協議により分割を行う例が多くみられましたが、これは、金銭債権を遺産分割の対象とすることについて、共同相続人の全員が合意した場合の例外的な方法と位置付けられていました。

この問題について、平成28年12月19日に最高裁大法廷は、従前の判例を変更し、次のとおり判示しました。

①　預貯金債権は、共同相続人間において遺産分割協議の対象になる財産に該当する。

②　共同相続人間で遺産分割協議が成立するまでは、相続人による預貯金債権の行使はできないものとする。

この結果、被相続人の遺産である預貯金については、遺産分割の対象になることが明確になったわけですが、一方で、遺産分割協議が成立しない限り、相続人は、自己の相続分に応じる額であっても、その払戻し請求をすることができないこととなりました。

(2)　預貯金の仮払い制度

相続財産としての預貯金債権について、上記のようになったため、相続開始後、遺産分割が成立するまでの間が長期にわたる場合には、預貯金の払戻しができないため、相続人は生活その他に必要な資金が調達できないという現実的な問題が生じるおそれがあります。

そこで、平成30年７月に成立した改正民法は、預貯金の仮払い制度を創設しました。その方法としては、家事事件手続法に基づいて家庭裁判所の判断で払戻しができる方策と家庭裁判所の判断を経ないで払戻しができる方策があります。

①　家事事件手続法による仮払い制度

遺産分割の審判又は調停の申立てがされている場合には、家庭裁判所は、相続財産に属する債務の弁済、相続人の生活費の支弁その他の事情により、遺産である預貯金の払戻しの必要があるときは、相続人の申立てにより、その全部又は一部を仮に取得させることができることとされました（家事事件手続法200③）。

注意したいのは、この方法は、遺産分割の審判又は調停の申立てがされていることが前提であり、その申立てがされていない場合には、預貯金の払戻しの申立てもできないことです。

なお、この方策により払戻しを受けた預貯金は、遺産分割の対象になるとされています。

②　家庭裁判所の判断を経ないで預貯金の払戻しができる場合

共同相続人は、遺産分割が成立しない場合であっても、次の算式で計算した金額の範囲内で、金融機関に対し、預貯金の払戻しを受けることができることとされました（民909の２）。

相続開始時の預貯金の額$\times\frac{1}{3}\times$その相続人の法定相続分

ただし、この場合は、預貯金の債務者（金融機関）ごとに150万円が払戻し請求の限度額になります（平成30年法務省令29）。したがって、小口の資金需要の場合には、この方法によることができますが、それ以上の資金を要する場合には、上記の家庭裁判所の判断による仮払い制度を利用することになると考えられます。

③　金融機関に対する払戻し請求の場合の限度額

上記のとおり、各共同相続人が金融機関に対して単独で払戻し請求ができる金額は、相続開始時の債権額の３分の１に、その払戻し請求をする共同相続人の法定相続分を乗じた額です。また、同一の金融機関から払戻しを受けることができる額は150万円が限度となります。この場合の権利行使をすることができる預貯金債権の割合及びその額は、個々の預貯金債権ごとに判定することとされています。

＜例＞

・払戻し請求をする相続人の法定相続分……２分の１

・相続開始時の預貯金の額

　Ａ銀行……普通預金720万円

　Ｂ銀行……普通預金600万円、定期預金1,200万円

イ　Ａ銀行から払戻しができる額

$$720万円\times\frac{1}{3}\times\frac{1}{2}=120万円<150万円$$

したがって、120万円が払戻し請求をすることができる限度額になります。

ロ　Ｂ銀行から払戻しができる額

$$(600万円+1,200万円)\times\frac{1}{3}\times\frac{1}{2}=300万円>150万円$$

したがって、150万円が払戻し請求をすることができる限度額になります。

(注)　Ｂ銀行の払戻し請求について、150万円の範囲内であれば、どの口座から払戻しを受けるかは、その請求をする相続人の判断によります。したがって、次のいずれでもよいことに

なります。もっとも、定期預金については満期が到来していることが前提です。

・普通預金から80万円、定期預金から70万円の合計150万円

・普通預金から60万円、定期預金から90万円の合計150万円

ただし、普通預金から150万円の払戻しを受けることはできません（150万円＞600万円×1/3×1/2＝100万円）。

④　金融機関からの預貯金の払戻しと遺産分割との関係

共同相続人の権利行使により金融機関から払戻しを受けた預貯金債権については、その権利行使をした共同相続人が遺産の一部分割によりその預貯金を取得したものとみなされます（民909の２後段）。

なお、家事事件手続法200条３項の規定により、家庭裁判所の判断によって申立人に預貯金債権の一部を仮に取得させたとしても、遺産分割においては、その事実は考慮されません。したがって、仮分割された預貯金債権を含めて遺産分割の調停又は審判が行われることになります。

(注) 預貯金の財産評価については後述（345ページ）します。

2.　預貯金以外の金銭債権

⑴　金銭債権の性格と遺産分割の可否

相続財産である金銭債権のうち預貯金債権については、前項で説明したとおりですが、預貯金債権以外にもさまざまな金銭債権があります。たとえば、貸付金債権、損害賠償請求権、不動産の賃料債権、被相続人が事業者であった場合の売掛金債権などです。

これらの金銭債権については、預貯金債権と異なり、可分債権として、相続開始とともに当然に分割され、共同相続人間で遺産分割を行うまでもなく、各相続人がその相続分に応じて承継することとされています。この考え方は、従来から変わっておらず、前項で触れた平成28年12月19日の最高裁の決定後も同じです。

なお、金銭債権が遺産分割の対象にならない理由としては、主として次の点にあると考えられています。

①　債務者の資力喪失によるリスク……金銭債権は、債務者の資力によって経済的価値が変動することが多い。その危険を相続人が平等に負担すべきである。

②　債権額が不確定の場合の遺産分割の長期化……不法行為による損害賠償請求権などは、当事者間でその存否や金額について争いになることが多い。その債権が遺産分割の対象になるとすれば、その金額等が確定しない限り遺産分割ができないこととなり、相続手続が長期化するおそれがある。

金銭債権に対する考え方は、上記のとおりですが、預貯金債権の項で述べたとおり、共同相続人の全員が合意した場合には、遺産分割の対象とすることができます。したがっ

て、その合意の下で、金銭債権を特定の相続人に承継させることは可能であり、実務においてもそのように取り扱っている例がほとんどです。

(2) 貸付金債権等と相続税課税

金銭債権には、金融機関の預貯金のほか、貸付金や被相続人が個人事業者であった場合の売掛金、事業上の未収入金等が含まれます。これらのうち、相続税の実務では、貸付金債権の回収可能性が問題となりやすいところです。債務者の状況からみて、債権の回収が不可能又は著しく困難であれば、いわゆる貸倒れとして債権元本は相続税の課税財産から除外することができます。

これについて、相続税の取扱いでは、次の金額に該当する場合、その金額は元本から除外し、相続税を課税しないこととしています（評基通205）。

① 債務者について次に掲げる事実が発生している場合におけるその債務者に対して有する貸付金債権等の金額（その金額のうち、質権及び抵当権によって担保されている部分の金額を除く。）
　イ　手形交換所（これに準ずる機関を含む。）において取引の停止処分を受けたとき
　ロ　会社更生法の規定による更生手続の開始の決定があったとき
　ハ　民事再生法の規定による再生手続開始の決定があったとき
　ニ　会社法の規定による特別清算の開始の命令があったとき
　ホ　破産法の規定による破産手続開始の決定があったとき
　ヘ　業況不振のため又はその営む事業について重大な損失を受けたため、その事業を廃止し又は６か月以上休業しているとき
② 更生計画認可の決定、再生計画認可の決定、特別清算に係る協定の認可の決定又は法律の定める整理手続によらないいわゆる債権者集会の協議により、債権の切捨て、棚上げ、年賦償還等の決定があった場合において、これらの決定のあった日現在におけるその債務者に対して有する債権のうち、その決定により切り捨てられる部分の債権の金額及び次に掲げる金額
　イ　弁済までの据置期間が決定後５年を超える場合におけるその債権の金額
　ロ　年賦償還等の決定により割賦弁済されることとなった債権の金額のうち、課税時期後５年を経過した日後に弁済されることとなる部分の金額
③ 当事者間の契約により債権の切捨て、棚上げ、年賦償還等が行われた場合において、それが金融機関のあっせんに基づくものであるなど真正に成立したものと認めるものであるときにおけるその債権の金額のうち②に掲げる金額に準ずる金額

これらのなかでは、法的な整理、清算、破産等のほか、債務者について業況不振等のための事業の廃止や６か月以上の休業といった、事実上の倒産や廃業も含まれていることに注意すべきでしょう。また、上記の各事項に該当しない場合でも、事実認定として債権の回収が不可能か著しく困難であれば、貸倒債権として処理することができます。

なお、同族会社の代表者等の会社に対する貸付金もこれと同様に取り扱われます。

(3)　同族会社に対する金銭債権の放棄と同族会社の行為計算の否認規定との関係

相続の開始前において、同族会社の経営者が会社に対する貸付金等の金銭債権を放棄した場合には、その貸付金債権等は相続税の課税財産から除外することができます。ただし、その債権放棄によって、相続税の負担が不当に減少したと認定されると、相続税法64条１項に規定する同族会社等の行為計算の否認規定が適用されるおそれがないとはいえません。

この問題について、裁判例は「同族会社の行為とは、その文理上、自己あるいは第三者に対する関係において法律行為を伴うところのその同族会社が行う行為を指すものと解される。そうだとすると、同族会社以外の者が行う単独行為は、その第三者が同族会社と行う契約や合同行為とは異なり、同族会社の法律行為が介在する余地のないものである。」とし、個人の行う債権放棄は「単独行為」であり、「同族会社の行為」ではないから、相続税法64条１項の規定の適用はないとしたものがあります（浦和地判昭和56.2.25）。

この裁判例からみると、同族会社の経営者が行う生前の債権放棄に対しては、同族会社等の行為計算否認規定の適用はないと考えられますが、債権放棄をするに至った経緯や事実関係は明確にしておく必要があります。

なお、経営者等からの債権放棄があれば、同族会社において債務免除益が計上されるため、法人税の課税関係に留意する必要があります。また、法人が債務免除を受けると、その同族会社の純資産価額が増加することによって株式の価額が上昇することになりますが、その株価の変動分について、同族株主間のみなし贈与の問題が生じるおそれがあることにも注意する必要があります（相法９、相基通９－２）。

3.　建物賃借権（借家権）

(1)　借家権の相続性

被相続人が借家をして、いわゆる内縁の配偶者と同居していた、という場合の建物賃借権（借家権）については、相続に際して多少の問題があります。賃借権そのものは財産的権利ですから相続財産に含まれるのですが、その借家に居住していた者（内縁の配偶者）の居住権をどのように扱うかということです。

これについての法的な考え方は、借家権自体は相続人が承継し、居住の権利は実際に居住していた者に帰属する、とされているようです。

したがって、相続後の相続人と実際の居住者との関係など、解決すべき問題はありますが、借家権そのものは相続財産として遺産分割の対象になります。

⑵　借家権と相続税課税

相続税では借家権について、次の算式でその価額を評価することとされています（評基通94）。

借家権の価額＝（借家権の目的となっている家屋の価額）×（借家権割合）×（賃借割合）

もっとも、借家権が権利金等の名称で取引される慣行のある地域を除き、相続税は課税しないことに取り扱われています（評基通94ただし書）。このため、借家権が課税対象になる例は、ほとんどないといってよいでしょう。

4.　配偶者居住権

⑴　配偶者居住権制度の意義

わが国では急速に高齢化が進展しており、配偶者が相続後に長期にわたって生活を継続する例が少なくありません。相続後の生活を考慮すると、配偶者には、相続後も住み慣れた居住環境を維持した上で、相続後の生活資金として一定程度の相続財産も確保したいという要望があります。

しかし、近年では、高齢者の再婚が増加するなど、社会状況が変化し、配偶者と子など他の相続人との関係が必ずしも良好とはいえないケースがあります。このようなケースでは、それぞれの意見が対立し、互いに相続分を譲らないことになります。

こうした状況の下で、配偶者が居住していた土地建物の所有権を取得すると、それだけで相続分に達し、預貯金など他の相続財産を取得することができないことになります。このため、相続後の生活に支障が生ずるおそれがあります。

こうした問題に対処するための方策として、平成30年７月６日に成立した改正民法は、遺産分割の方法に一つの選択肢を加え、土地建物の所有権より評価額の低い「配偶者居住権」を配偶者に付与し、同時に生活資金を相続させて配偶者を保護することとしました。

配偶者居住権が設定された場合の土地建物の権利関係は、次図のようになります。

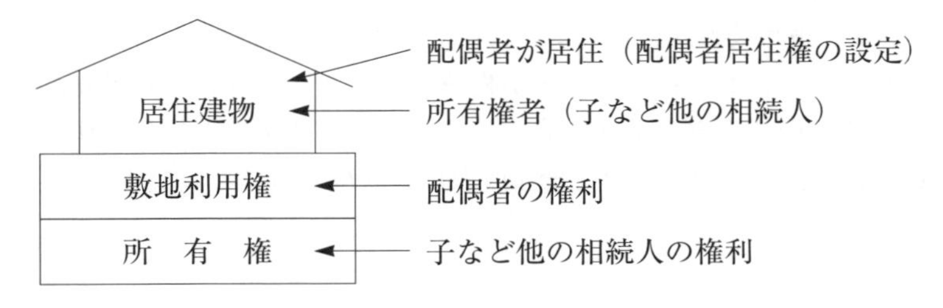

⑵　配偶者居住権制度の目的と利用例

相続後の配偶者の居住権と生活資金の確保という問題は、相続人が配偶者と子で、共同相続人間に対立がなく、かつ、子が相続後の親（配偶者）の生活を支援するという通常の相続においてはほとんど生じないと考えられます。

問題になりやすいのは、共同相続人が互いに自己の相続分を主張し合う次のようなケースです。

・相続関係

（先妻）══被相続人══配偶者（法定相続分２分の１）
　　　┬
　　　子（法定相続分２分の１）

・相続財産……居住用の土地建物5,000万円と預貯金5,000万円

このケースで、配偶者が居住用の土地建物の全部を取得すれば、その居住権は確保できますが、その取得額のみで法定相続分を満たすため、預貯金は取得できないことになります。この場合に、配偶者居住権を設定し、土地建物について、次のような価額になるとすれば、配偶者の法定相続分に満たない遺産額として3,000万円の預貯金を取得することができます。その結果、配偶者は、居住権と生活資金の双方が確保できることになります。

土地建物（5,000万円）｛ 配偶者居住権の価額　2,000万円
　　　　　　　　　　　　権利付の所有権の価額　3,000万円

配偶者居住権の制度がどのような場面で利用されるかは、今後の実務の中で検討されると思われます。この点について、民法改正に先立って、法制審議会の民法（相続関係）部会は、平成28年６月12日に「民法（相続関係）等の改正に関する中間試案」を公表していました。その「補足説明」において、次のような高齢者同士の再婚の例が紹介されています。

○　自宅建物を所有する被相続人は、遺言によって配偶者に配偶者居住権を取得させてその居住権を確保し、その建物の所有権を自分の子Ａに取得させることができる。

（先妻）══被相続人══配偶者══（前夫）
　　　┬　　　　　　　　　┬
　　　子Ａ　　　　　　　　子Ｂ

（注）このケースで、被相続人が遺言によって自宅の所有権を配偶者に取得させた場合には、配偶者が死亡すると、その自宅は子Ｂが相続することになるが、被相続人が遺言によって配偶者に配偶者居住権を、子Ａにその所有権を取得させることとすれば、子Ａは、配偶者の死亡後に、何ら制限のない完全な所有権を取得することになる。

⑶　配偶者居住権制度の概要

配偶者居住権は、一身専属権であり、配偶者はその権利を譲渡することができず（民1032②）、配偶者が死亡した場合には消滅して相続の対象にはなりません（民1036、597

③)。また、存続期間中は賃料の支払義務はなく、無償で使用することができます。

ただし、被相続人がその居住建物を配偶者以外の者と共有していた場合には、配偶者居住権を設定することはできないことに注意する必要があります（民1028①ただし書)。配偶者居住権は、配偶者が建物を無償で使用収益できる権利ですが、被相続人が建物を配偶者以外の者と共有していた場合には、その共有持分権者は、共有持分に応じてその建物を使用収益できる権利を有しているため、配偶者居住権の成立を認めると、その共有持分権者の利益が不当に害されるおそれがあるからです。したがって、たとえば、その居住建物を被相続人と子が共有していたような場合には、配偶者居住権を設定することはできないことになります。なお、居住建物を被相続人と配偶者が共有していた場合には、その居住建物に配偶者居住権を設定することは可能です。

配偶者居住権の制度について、民法の規定をまとめると、次表のとおりです（同制度は、令和２年４月１日から施行されています)。

	制度の概要
配偶者居住権の内容・成立要件等	①　配偶者居住権の内容等 配偶者は、被相続人の有していた建物に相続開始の時に居住していた場合において、次のいずれかに掲げるときは、被相続人が相続開始の時にその居住建物を配偶者以外の者と共有していた場合を除き、その居住建物の全部について無償で使用及び収益をする権利（配偶者居住権）を取得する（民1028①)。 イ　遺産の分割によって配偶者居住権を取得するものとされたとき ロ　配偶者居住権が遺贈の目的とされたとき ②　審判による配偶者居住権の取得 遺産分割の請求を受けた家庭裁判所は、次に掲げる場合に限り、配偶者が配偶者居住権を取得する旨を定めることができる（民1029)。 イ　共同相続人間に配偶者が配偶者居住権を取得することについて合意が成立しているとき ロ　配偶者が家庭裁判所に対して配偶者居住権の取得を希望する旨を申し出た場合において、居住建物の所有者の受ける不利益の程度を考慮してもなお配偶者の生活を維持するために特に必要があると認めるとき ③　配偶者居住権の存続期間 配偶者居住権の存続期間は、配偶者の終身の間とする。ただし、遺産の分割の協議若しくは遺言に別段の定めがあるとき、又は家庭裁判所が遺産の分割の審判において別段の定めをしたときは、その定めるところによる（民1030)。
配偶者居住権の効力等	①　配偶者居住権の登記等 イ　登記請求権……居住建物の所有者は、配偶者に対し、配偶者居住権の設定の登記を備えさせる義務を負う（民1031①)。 ロ　第三者対抗要件……配偶者居住権を登記したときは、居住建物について物権を取得した者その他第三者に対抗することができる（民1031②)。 ②　配偶者による使用及び収益

	イ　配偶者は、従前の用法に従い、善良な管理者の注意をもって、居住建物の使用及び収益をしなければならない。ただし、従前居住の用に供されていなかった部分について、これを居住の用に供することを妨げない（民1032①）。 ロ　配偶者居住権は、譲渡することができない（民1032②）。 ハ　配偶者は、居住建物の所有者の承諾を得ずして、居住建物の改築若しくは増築をし、又は第三者に居住建物の使用若しくは収益をさせることができない（同法1032③）。 ③　居住建物の修繕等 イ　配偶者は、居住建物の使用及び収益に必要な修繕をすることができる（民1033①）。 ロ　居住建物の修繕が必要である場合において、配偶者が相当の期間内に必要な修繕をしないときは、居住建物の所有者は、その修繕をすることができる（民1033②）。 ハ　居住建物の修繕を要するとき（イの規定により配偶者が自らその修繕をするときを除く）、又は居住建物について権利を主張する者があるときは、配偶者は、居住建物の所有者に対し、遅滞なくその旨を通知しなければならない。ただし、居住建物の所有者が既にこれを知っているときは、この限りでない（民1033③）。 ④　居住建物の費用の負担 イ　配偶者は、居住建物の通常の必要費を負担する（民1034①）。 ロ　配偶者が居住建物について通常の必要費以外の費用を支出したときは、居住建物の所有者は、民法196条（占有者による費用の償還請求）の規定に従い、その償還をしなければならない。ただし、有益費については、裁判所は、居住建物の所有者の請求により、その償還について相当の期限を許与することができる（民1034②）。
配偶者居住権の消滅及び居住建物の返還	①　配偶者居住権の消滅 イ　配偶者居住権は、その存続期間の満了前であっても、配偶者が死亡したときは、消滅する（民1030）。 ロ　配偶者が上記〔配偶者居住権の効力等〕の「配偶者による使用及び収益」におけるイ又はハの規定に違反した場合において、居住建物の所有者が相当の期間を定めてその是正の勧告をし、その期間内に是正されないときは、居住建物の所有者は、当該配偶者に対する意思表示によって配偶者居住権を消滅させることができる（民1032④）。 ②　居住建物の返還等 イ　配偶者は、配偶者居住権が消滅したときは、居住建物の返還をしなければならない。ただし、配偶者が居住建物について共有持分を有する場合は、居住建物の所有者は、配偶者居住権が消滅したことを理由として居住建物の返還を求めることができない（民1035①）。 ロ　配偶者は、イ本文の規定により居住建物を返還するときは、次の義務を負う（民1035②）。 (1)　相続開始の後に居住建物に生じた損傷（通常の使用及び収益によって生じた経年変化を除く）の現状回復 (2)　相続開始の後に居住建物に附属させた物の収去

(4)　配偶者居住権の財産評価

配偶者居住権の価額の評価に関して、遺産分割等を行うに際し、共同相続人間で配偶者居住権の価額について争いがある場合には、鑑定評価等を利用することになると考えられますが、当事者間の合意があれば、その合意した価額を基として遺産分割等を行うことに問題はありません。

ただし、相続税法では、建物とその敷地に区分し、それぞれについて、次のようにその所有権者が取得する財産価額と配偶者が取得する財産価額を評価することとしています（相法23の２、相令５の８、相規12の２～12の４）。

【建　物】

① 配偶者居住権付建物の価額（所有権者の取得財産価額）

建物の固定資産税評価額×$\dfrac{(\text{耐用年数}-\text{築後経過年数})-\text{存続年数}}{\text{耐用年数}-\text{築後経過年数}}$

×存続年数に応じた民法の法定利率（年３％）による複利現価率

② 配偶者居住権の価額（配偶者の取得財産価額）

建物の固定資産税評価額－配偶者居住権付建物の価額

上記の算式における「耐用年数」は、減価償却資産の耐用年数等に関する省令に定められている耐用年数（住宅用）に1.5を乗じた年数とします。また、「存続年数」は、次に掲げる場合の区分に応じ、それぞれ次に定める年数をいいます。

イ　配偶者居住権の存続期間が配偶者の終身の間である場合……配偶者の平均余命年数

ロ　イ以外の場合……遺産分割協議等により定められた配偶者居住権の存続期間の年数（配偶者の平均余命年数を上限とする）

この場合の配偶者の「平均余命年数」は、厚生労働省の作成に係る「完全生命表」で定められたものによります。その一部を示すと、次のとおりです。

年齢	平均余命年数		年齢	平均余命年数		年齢	平均余命年数	
	男	女		男	女		男	女
65歳	19年	24年	70歳	16年	20年	75歳	12年	16年
80歳	9年	12年	85歳	6年	8年	90歳	4年	6年

また、民法の法定利率である年３％の複利現価率の一部を示すと、次のとおりです。

存続年数	複利現価率	存続年数	複利現価率	存続年数	複利現価率
1年	0.971	9年	0.766	17年	0.605
2年	0.943	10年	0.744	18年	0.587
3年	0.915	11年	0.722	19年	0.570
4年	0.888	12年	0.701	20年	0.554

5年	0.863	13年	0.681	21年	0.538
6年	0.837	14年	0.661	22年	0.522
7年	0.813	15年	0.642	23年	0.507
8年	0.789	16年	0.623	24年	0.492

（注1）上記の計算における「耐用年数に（住宅用）1.5を乗じた年数」、建物の「築後経過年数」及び「存続年数」のそれぞれの「年数」の1年未満の端数については、6か月以上の端数は1年とし、6か月未満の端数は切り捨てます。

なお、厚生労働省が公表している「完全生命表」に示された平均余命年数には1年未満の端数がありますが、前記の平均余命年数は、上記の端数処理をした年数を表示しています。

（注2）上記の計算における建物の「築後経過年数」、配偶者の年齢及びその年齢に応じた「存続年数」は、いずれも配偶者居住権が設定された時を基準として算定しますが、この場合の「配偶者居住権が設定された時」とは、次の区分に応じ、それぞれ次に定める時をいいます（相基通23の2－2）。

①　遺産の分割によって配偶者居住権を取得するものとされたとき……遺産の分割が行われた時

②　配偶者居住権が遺贈の目的とされたとき……相続開始の時

このうち①について、相続開始の時と遺産分割が行われる時との間には一定のタイムラグがあるため、遺産分割により配偶者居住権を設定する場合には、相続開始の時より後の時点でその効力が生じます。このため、存続期間の起算点は、配偶者居住権が設定された時となり、また、建物の築後経過年数もその時までの年数により計算することになります。

（注3）建物の「築後経過年数」について、相続開始前に増改築がされた場合であっても、増改築部分を区分することなく、新築時からの経過年数によります（相基通23の2－3）。

（注4）上記の算式における「法定利率」は、民法第404条《法定利率》の規定に基づく利率をいいます。法定利率は3年ごとに見直されることになっていますが（同条③）、配偶者居住権の評価においては、配偶者居住権が設定された時における法定利率によります（相基通23の2－4）。

（注5）厚生労働省の作成に係る「完全生命表」は、5年ごとに改訂されますが、配偶者居住権の評価に際しては、配偶者居住権が設定された時の属する年の1月1日現在において公表されている最新のものによります（相基通23の2－5）。

【土　地】

①　配偶者居住権付敷地の価額（所有権者の取得財産価額）
土地の相続税評価額×存続年数に応じた民法の法定利率（年3％）による複利現価率

②　配偶者居住権に基づく敷地利用権の価額（配偶者の取得財産価額）
土地の相続税評価額－配偶者居住権付敷地の価額

上記の評価方法について、具体的に数値をあてはめると次ページのようになります。また、この設例に基づいて評価明細書の記載例を示すと〔書式39〕（144ページ）とおりです。

＜設　例＞

配偶者（配偶者居住権が設定された時の年齢70歳）が居住していた被相続人の所有する建物に存続期間を配偶者の終身の間とする配偶者居住権を設定した。建物と土地の価額等は、次のとおりである。

〔建　物〕

・固定資産税評価額　500万円

・法定耐用年数　22年（配偶者居住権の評価上の耐用年数22年×1.5＝33年）

・建物の築後経過年数　10年

〔土　地〕

・相続税評価額　3,000万円

〔計　算〕

〔建　物〕

①　配偶者居住権付建物の価額（所有権者の取得財産価額）

$$500\text{万円} \times \frac{(33\text{年}-10\text{年})-20\text{年}}{33\text{年}-10\text{年}} \times 0.554 = 361{,}304\text{円}$$

②　配偶者居住権の価額（配偶者の取得財産価額）

500万円－361,304円＝4,638,696円

〔土　地〕

①　配偶者居住権付敷地の価額（所有権者の取得財産価額）

3,000万円×0.554＝1,662万円

②　配偶者居住権に基づく敷地利用権の価額（配偶者の取得財産価額）

3,000万円－1,662万円＝1,338万円

（注１） この例では、4,638,696円（建物部分）＋1,338万円（敷地利用権）＝18,018,696円を配偶者が取得します。完全所有権の価額は、500万円（建物）＋3,000万円（土地）＝3,500万円であるため、配偶者は、その価額の約51％（＝18,018,696円 ÷3,500万円）を取得します。

（注２） 上記①の「配偶者居住権付建物の価額」の計算において、分数式の部分がマイナスになる場合には、分数式の数値をゼロとします。

なお、上記のとおり、配偶者居住権の価額等は、原則として配偶者の平均余命年数を配偶居住権の存続年数として算定することとしていますが、配偶者が平均余命年数より短期間のうちに死亡する場合もあれば、それより長く生存する場合もあります。この場合には、配偶者の死亡時までの期間と平均余命年数との間に差異が生じることになりますが、配偶者が短期間で死亡し又は長期間生存としても、それをもって租税回避的な問題が生じたとはいえません。したがって、配偶者の平均余命年数と実際の生存年数に差異が生じたとしても、当初の配偶者居住権の価額を修正する必要はありません。

〔書式39〕

配偶者居住権等の評価明細書

(令和二年四月一日以降用)

所有者				
建物	(被相続人氏名) 甲山太郎 ① 持分割合 1/1	(配偶者氏名) 持分割合	所在地番(住居表示)	○○市○○町1−2 (○○市○○町1−2−3)
土地	(被相続人氏名) 甲山太郎 ② 持分割合 1/1	(共有者氏名) 持分割合	(共有者氏名) 持分割合	

居住建物の内容				
建物の耐用年数	(建物の構造) ※裏面《参考1》参照 木造		33 年	③
建築後の経過年数	(建築年月日) X1年10月10日 から (配偶者居住権が設定された日) X10年8月8日 … 10年 〔6月以上の端数は1年 6月未満の端数は切捨て〕		10 年	④
建物の利用状況等	建物のうち賃貸の用に供されている部分以外の部分の床面積の合計		220.00 ㎡	⑤
	建物の床面積の合計		220.00 ㎡	⑥

配偶者居住権等の存続年数			
	〔存続期間が終身以外の場合の存続年数〕 (配偶者居住権が設定された日) 年 月 日 から (存続期間満了日) 年 月 日 … Ⓐ 年 〔6月以上の端数は1年 6月未満の端数は切捨て〕	存続年数(Ⓒ) 20 年	⑦
	〔存続期間が終身の場合の存続年数〕 (配偶者居住権が設定された日における配偶者の満年齢) 70歳(生年月日 00年7月23日、性別 女) … (平均余命)Ⓑ ※裏面《参考2》参照 20年 Ⓒ〔ⒶとⒷのいずれか短い年とし、Ⓐがない場合はⒷの年数〕 20年	複利現価率 ※裏面《参考3》参照 0.554	⑧

評価の基礎となる価額				
建物	賃貸の用に供されておらず、かつ、共有でないものとした場合の相続税評価額		5,000,000 円	⑨
	共有でないものとした場合の相続税評価額		5,000,000 円	⑩
	相続税評価額	(⑩の相続税評価額) 5,000,000円 × (①持分割合) 1/1	5,000,000 円 (円未満切捨て)	⑪
土地	建物が賃貸の用に供されておらず、かつ、土地が共有でないものとした場合の相続税評価額		30,000,000 円	⑫
	共有でないものとした場合の相続税評価額		30,000,000 円	⑬
	相続税評価額	(⑬の相続税評価額) 30,000,000円 × (②持分割合) 1/1	30,000,000 円 (円未満切捨て)	⑭

○配偶者居住権の価額

計算	価額	
(⑨の相続税評価額) 5,000,000円 × 〔⑤賃貸以外の床面積 / ⑥居住建物の床面積〕 220.00㎡ / 220.00㎡ × (①持分割合) 1/1	5,000,000 円 (円未満四捨五入)	⑮
(⑮の金額) 5,000,000円 − (⑮の金額) 5,000,000円 × 〔(③耐用年数−④経過年数−⑦存続年数) / (③耐用年数−④経過年数)〕 (33 − 10 − 20) / (33 − 10) (注)分子又は分母が零以下の場合は零。 × (⑧複利現価率) 0.554	(配偶者居住権の価額) 361,304 円 (円未満四捨五入)	⑯

○居住建物の価額

計算	価額	
(⑪の相続税評価額) 5,000,000円 − (⑯配偶者居住権の価額) 361,304円	4,638,696 円	⑰

○配偶者居住権に基づく敷地利用権の価額

計算	価額	
(⑫の相続税評価額) 30,000,000円 × 〔⑤賃貸以外の床面積 / ⑥居住建物の床面積〕 220.00㎡ / 220.00㎡ × 〔①と②のいずれか低い持分割合〕 1/1	30,000,000 円 (円未満四捨五入)	⑱
(⑱の金額) 30,000,000円 − (⑱の金額) 30,000,000円 × (⑧複利現価率) 0.554	(敷地利用権の価額) 16,620,000 円 (円未満四捨五入)	⑲

○居住建物の敷地の用に供される土地の価額

計算	価額	
(⑭の相続税評価額) 30,000,000円 − (⑲敷地利用権の価額) 16,620,000円	13,380,000 円	⑳

備考	

(注) 土地には、土地の上に存する権利を含みます。

⑸ 居住建物の一部が賃貸の用に供されている場合又は共有の場合の評価

配偶者居住権の目的とされた建物の一部が賃貸の用に供されている場合又は被相続人が相続開始の直前において建物を配偶者と共有していた場合には、前記の評価の計算式における建物の時価（固定資産税評価額）は、次の算式により計算した金額とします（相法23の２①一）。

$$\text{建物が賃貸の用に供されておらず、かつ、共有でないものとした場合の時価} \times \frac{\text{賃貸の用に供されている部分以外の部分の床面積}}{\text{建物の床面積}} \times \text{被相続人の持分割合}$$

また、建物の一部が賃貸の用に供されている場合又は被相続人が相続開始の直前において建物の敷地を他の者と共有し、若しくは建物を配偶者と共有していた場合には、前記の評価の計算式における土地の時価（相続税評価額）は、次の算式により計算した金額とします（相法23の２③一）。

$$\text{建物が賃貸の用に供されておらず、かつ、土地が共有でないものとした場合の土地の時価} \times \frac{\text{賃貸の用に供されている部分以外の部分の床面積}}{\text{建物の床面積}} \times \text{被相続人の有する土地の持分割合と建物の持分割合のいずれか低い割合}$$

（注）一棟の賃貸建物の各独立部分について、課税時期において一時的に空室となっていたにすぎないと認められるもの部分は、課税時期において賃貸されていたものとして取り扱うこととされています（評基通26⑵（注）２）。配偶者居住権の目的となっている建物に賃貸部分がある場合にも、これと同様に取り扱われます（相基通23の２－１）。

⑹ 配偶者居住権の時価評価の可否

配偶者居住権の価額について、財産評価基本通達ではなく、「法定評価」とされていることからみて、その評価方法に基づく価額と異なる価額で申告することが認められるかどうかという問題があります。

相続財産の評価に関する原則規定は、相続税法22条であり、その財産の価額は「時価」によることとし、時価に関する解釈指針が財産評価基本通達です。ただし、配偶者居住権が通達評価ではなく、法定評価とされたことから、同法22条の「時価」の解釈問題ではないこととなりました。このため、相続税の計算においては、その法定評価によることが強制されることになり、いわゆる鑑定評価等に基づく時価申告は認められません。

⑺ 配偶者居住権に対する小規模宅地等の特例の適用

被相続人等の居住用宅地等が「特定居住用宅地等」の要件を満たせば、小規模宅地等の特例が適用され、330㎡を限度として、その価額から80％減額した金額が相続税の課税価格に算入されます（措法69の４①、②二）。この場合において、配偶者が被相続人等の居住用宅地等を取得したときは、無条件で特定居住用宅地等に該当することとされています（同条③二)。

小規模宅地等の特例の対象になるのは、「土地又は土地の上に存する権利」とされています(同条①かっこ書)。配偶者居住権における敷地利用権は、土地の上に存する権利であることから、小規模宅地等の特例の対象になります。

(8) 配偶者居住権の設定の登記と登録免許税

配偶者居住権の設定の登記は、建物に対して行います。その場合の登録免許税は、建物の価額(固定資産税評価額)に対し、1,000分の2の税率によります(登免法別表第一の1(三の二))。

なお、配偶者居住権の設定の仮登記に係る税率は、1,000分の1です(同法別表第一の1(十二))。

(9) 配偶者居住権が消滅した場合の相続税・贈与税の課税関係

配偶者居住権を設定した後、配偶者が死亡すると、その時点で配偶者居住権は消滅することとされており(民1030)、配偶者居住権が消滅すれば、その目的とされた土地建物は、何らの制限のない完全所有権になります。

配偶者居住権は、配偶者の一身専属権であり、相続性はありません。また、配偶者の死亡により配偶者居住権が消滅しても、配偶者からその土地建物の所有者に財産的価値が移転したことにはならないと考えられます。したがって、配偶者が死亡したことにより配偶者居住権が消滅したとしても、その時点で相続税の課税関係は生じません。

この点は、配偶者居住権の存続期間が終身ではなく、たとえば10年といった有期で設定された後、その存続期間が満了して配偶者居住権が消滅した場合も同様に贈与税等の課税関係は生じません。

一方、民法は、配偶者居住権を譲渡することができないこととされていますが(民1032②)、その存続期間の中途で配偶者がその権利を放棄することや居住建物の所有者との間で合意解除することは可能であると解されています。また、配偶者が民法1032条1項の用法遵守義務に違反した場合には、居住建物の所有者は、配偶者居住権を消滅させることができることとされています(民1032④)。

このように配偶者居住権の存続期間の満了前に配偶者居住権が消滅することがありますが、そのことによって居住建物の所有者は、その居住建物の使用収益ができることになります。この場合には、配偶者から居住建物の所有者に財産的価値(使用収益する権利)が移転したとみることができます。したがって、居住建物の所有者から配偶者に配偶者居住権の価額に相当する金銭の支払がない場合には、相続税法9条の規定により、配偶者から居住建物の所有者に贈与があったものとみなされてその所有者に贈与税が課税されることになります(相基通9－13の2)。

（注）配偶者が死亡したことにより配偶者居住権が消滅した場合に相続税の課税がないことは上記のとおりです。したがって、前述（143ページ）の設例では、土地建物の完全所有権の価額（3,500万円）のうち約51％相当額（約1,800万円）を配偶者が取得しますが、その後に配偶者が死亡しても、その取得分に相続税課税はありません。
一方、同設例の場合に、配偶者居住権の設定ではなく、土地建物のうち配偶者が約51％、他の相続人が残余の部分を「共有」で取得したとすると、配偶者の死亡時には、配偶者の共有持分の価額が相続税の課税財産になります。
配偶者居住権については、このような課税関係に留意して実務に対処する必要があります。

5. 損害賠償金

⑴ 損害賠償金の性格と分割の可否

被相続人は交通事故により重傷を負い、意識不明のまま3日後に死亡した。そこで相続人は加害者に損害賠償請求を行い、被相続人の逸失利益として8,000万円、遺族に対する慰謝料として2,000万円の支払いを受けた――この場合、民法・税法はどのような扱いになるのでしょうか。

被相続人自身が相続開始前に何らかの危害を受け、損害賠償請求を行っていたところ、その賠償金を受け取る前に死亡した、というケースでは、被相続人自身に請求権が帰属していますから、その損害賠償請求権は、当然に相続財産に含まれます。

問題は、上述の交通事故のように被相続人が生命の侵害を受けた場合の取扱いです。このようなケースでの被害者の損害は、一般に財産的損害と非財産的損害に区分されているようです。前者はいわゆる逸失利益（本人が生存していれば得られたであろう収入）であり、後者は慰謝料（精神的な被害に対する賠償）です。

このような損害賠償金については、いったん被相続人に帰属した後に相続人に承継されるという考え方と、被相続人の一身専属権であるという考え方があり、前者であれば相続財産となりますが、後者の場合は相続性がないことになります。

これについて、学説上は意見が分かれるようですが、最高裁の判例などにより、現在は逸失利益と慰謝料のいずれも相続の対象になるとされています。

⑵ 損害賠償金の課税区分

一方、税務の取扱いについて、損害賠償請求権のうち慰謝料部分（上述した例の2,000万円）は、相続税も所得税も非課税と考えられます（所法9①十七、所令30）。わかりにくいのは、逸失利益部分（上例の8,000万円）で、現在のところ明確な税法規定や通達の取扱いはありません。この点について、国税庁の「タックスアンサー（No.4111）」では、「被相続人が損害賠償金を受け取ることに生存中決まっていたが、受け取らないうちに死亡してしまった場合」に相続税の課税対象になるとしています。この回答は、損害賠償金を受け取ることが生存中に決まっていた場合としていますから、相続後に損害賠償金を取得することとなったという上記の逸失利益部分は非課税になると考えられます。

6. ゴルフ会員権

(1) ゴルフ会員権の性格と相続性

ゴルフ会員権には、預託金形態、株主形態、社団法人形態の３種類があるといわれています（預託金形態のものがほとんどのようです）。これらについて、ゴルフクラブの会則等で相続を認めないこととしているものがありますが、相続ができないものは被相続人の一身専属的な会員権です。したがって、相続財産には含まれず、遺産分割協議の対象にもなりません。

相続による承継が可能な会員権は、遺産分割により取得者を確定しますが、ゴルフ会員権の法的性格は、ゴルフ場施設利用権（プレー権）、入会保証金（預託金）返還請求権、年会費等の納入義務が一体となった債権債務関係と考えられています。したがって、これらの権利等を分割して複数の相続人が取得するということはあり得ません。

なお、社団法人制のゴルフ会員権は、通常の場合、相続が認められていません。

(2) ゴルフ会員権と相続税課税

相続が可能なゴルフ会員権に対して、相続税が課税されることはいうまでもありませんが、多少の注意が必要なのは、ゴルフ場経営会社の倒産等によって、プレーが不可能になっている場合です。

ゴルフ会員権は、前述したとおり、施設利用権（プレー権）と預託金返還請求権が一体となったものですが、プレーが不可能になれば、預託金返還請求権のみとなります。このため、預託金の返還を求める金銭債権に化すと考えられますから、前記2の金銭債権と同様に取り扱うことになります。したがって、債権の回収が不可能又は著しく困難であると認められるときは、相続税の課税財産から除外することができます。

この考え方は、ゴルフ場会社の倒産等の場合のほか、会員であった被相続人が会員権を返還（ゴルフ場を脱退）した後、預託金の返還を受ける前に相続が開始したときも同様です。

なお、相続が可能なゴルフ会員権については、通常の場合、相続人名義に変更する際に手数料を要しますが、その費用は被相続人の債務でありません。したがって、名義変更料について相続税の債務控除は適用できません。

(注) ゴルフ会員権の相続税評価については後述（346ページ）します。

7. 不動産の売買契約上の地位

(1) 売買契約履行途中の相続と地位の承継

土地等の不動産の売買契約をしたところ、その土地等の引渡し前に売主又は買主に相続が開始するということもあり得ます。通常の不動産売買の取引は、契約と同時に手付金を授受し、売買代金の全額を授受した時に所有権移転登記を行い、引渡しが完了します。したがって、契約時と引渡し時の間に相続が開始したときは、売買契約上の地位の相続ということになります。

この場合の売主側は、その地位（内容は、売買残代金請求権と所有権移転義務）を特定の相続人が取得できることはもちろん、２人以上で承継することもできます。いずれにしても遺産分割協議で決定することになりますが、２人以上の相続人が取得した場合は、相続後に買主から受領した売買残代金を遺産分割の内容に応じて分配することになります。

買主側に相続が開始した場合は、その地位（内容は、売買物件の引渡請求権と売買残代金の支払義務）が相続の対象となり、これについても相続人間で遺産分割協議を行い、承継者を決める必要があります。

(2) 売買契約の地位の相続と相続税課税

ところで、少しわかりにくいのは、このような地位の承継があった場合の相続税の取扱いで、課税財産は何か、その評価をどうするかという問題です。この点について、現在の課税実務は、下の表のように取り扱うこととされています。

(注) 下表の取扱いは、過去の判例によって形成され、現行の課税実務とされているものです。詳しくは、売主の相続について昭和61年12月５日最高裁判決（税務訴訟資料154号781ページ）を、買主の相続について昭和61年12月５日最高裁判決（最高裁判所民事判例集149号263ページ）をそれぞれ参照してください。

	課税財産	課税財産の評価額
売主に相続が開始した場合	・売買契約に基づく残代金請求権	・売買契約に基づく土地等の対価のうち相続開始時の未収入金相当額
買主に相続が開始した場合	・原則として、売買契約に係る土地等の引渡請求権（売買代金のうち未払金は債務） (注) ただし、土地等を相続財産として申告した場合は、それが認められる。	・売買契約に基づく土地等の対価 (注１) 売買契約の日から相続開始の日までの間が長期間で、契約の対価が相続開始時の引渡請求権の価格として適当でない場合は、別途に個別評価する。 (注２) 土地等として申告した場合にその土地等が「小規模宅地等の特例」（措法69の４）の要件に該当すれば、この特例を適用できる。

これを具体的な数値で説明すると、次のようになります。

＜設　例＞

○土地の売買価額……５億円

○この土地の相続税評価額……４億円

○相続開始時までに売主・買主間で授受した金銭の額……１億円

①　売主に相続が開始した場合

（課税財産）	未収入金（残代金）	４億円
	現金（受領済額）	１億円
	合　　計	５億円

②　買主に相続が開始した場合

（課税財産）	土地引渡請求権	５億円
（債務控除）	未払金（売買残代金）	４億円
	差　　引	１億円

（注）買主については、土地（評価額４億円）を相続財産として申告することもできます。なお、この例で買主が当初５億円の現金を所有していたとすれば、相続開始時までに１億円を支払っているため、相続財産となる手持現金は４億円となります。したがって、課税財産を引渡請求権として申告すれば、上記の１億円（債務控除後の金額）に手持現金４億円を加算した５億円が課税財産価額となります。また、土地を相続財産として申告すると、土地評価額４億円と手持現金４億円の合計８億円から未払金４億円を債務控除した４億円が課税財産価額になります。

8.　生命保険金

(1)　生命保険金の分割性

被相続人の死亡を保険事故として、相続人が生命保険契約に基づく保険金を取得した場合、その保険金収入は、保険者（保険会社）から直接に受けるものであり、相続という法律効果によって被相続人から承継する財産ではありません。

このため、その生命保険金は、受取人の固有財産となり、遺産分割協議の対象になる遺産には含まれません。したがって、保険金の受取りに関する内容が分割協議書に記載されることはありません（保険金の受取りという事実を分割協議書に記載してもかまいませんが、その記載は無意味なものです）。

なお、保険契約上、保険金の受取人が「相続人」とされているときは、その保険金を各相続人が法定相続分で取得することになり、この場合も上記と同様に遺産分割の対象にはなりません。また、受取人が２人以上の場合は、保険契約上で各人の受取割合を指定することになっており、各受取人の取得額はその割合で自動的に決まりますから、この場合も上記と同様です。

一方、被相続人が契約者で、被保険者も受取人も被相続人という場合は、いったん被相続人が保険金を受け取り、それが相続されたとみることができます。したがって、この場合の保険金は相続人間で分割することになりますし、その分割内容を分割協議書に記載する必要があります。

以上をまとめると、次のようになります。

保険契約の内容			相続手続上の取扱い	
保険契約者（保険料負担者）	被保険者	保険金受取人	保険金の性格	遺産分割の可否等
被相続人	被相続人	相　続　人	受取人の固有財産	○遺産分割の対象にならない。(注) ○受取人の固有財産のため、受取人が相続の放棄をしても保険金を取得する。 ○受取人が限定承認した場合でも、その保険金をもって相続債務を弁済する義務はない。
被相続人	被相続人	被 相 続 人	被相続人の遺産	○遺産分割の対象になる。

(注) 保険金の受取人が２人以上で、その受取割合が指定されている場合は、その割合に応じて取得します。また、受取人が「相続人」とされている場合は、保険金を各相続人が法定相続分に応じて取得します。

⑵　生命保険金の相続税務

ところで、被相続人の死亡を保険事故として相続人その他の者が取得する保険金は、上述のとおり被相続人の遺産ではありません。ただし、相続税法上は相続財産（相続人以外の者が取得する保険金は遺贈財産）とみなして相続税の課税対象になります（相法3①一）。いわゆる「みなし取得財産」です。

なお、みなし取得財産として相続税が課税されるのは、いわゆる死亡保険金に限られます。したがって、被保険者の障害、疾病その他これらに類するもので死亡を伴わないものを保険事故として被保険者に支払われる保険金が、その被保険者の死亡後に支払われた場合には、その被保険者である被相続人の本来の相続財産になります（相基通３－７）。本来の相続財産とされる場合には、次ページの非課税規定は適用されません。

(注) 保険金の受取時にその保険契約に基づいて剰余金や前払保険料の支払いを受けることがありますが、これらもみなし取得財産としての保険金扱いになります（相基通３－８）。

この場合、保険金の受取人が「相続人」（相続の放棄者を除きます）であるときは、取得した保険金のうち、次の算式で計算される金額が非課税になります（相法12①五、相基通12－９）。

<生命保険金の非課税金額>

① （相続人の全員が取得した保険金の合計額）≦（保険金の非課税限度額）の場合……取得した保険金の全額

② （相続人の全員が取得した保険金の合計額）＞（保険金の非課税限度額）の場合……次の算式による金額

$$\text{保険金の非課税限度額} \times \frac{\text{その相続人が取得した保険金の額}}{\text{全ての相続人が取得した保険金の合計額}}$$

（注）保険金の非課税限度額＝500万円×法定相続人の数

これを計算例で示すと、次のとおりです。

<設　例>

被相続人の死亡により、相続人等が取得した生命保険契約に係る保険金は、次のとおりである。

被相続人
‖
配偶者（1,800万円）

長男（1,200万円）
長女（1,000万円）
二男（　800万円）

各人のカッコ内の金額が取得した保険金額で、これらの契約に係る保険料は、全て被相続人が負担していたものである。

なお、二男は家庭裁判所に申述して正式に相続の放棄をしている。

〔計　算〕

① 非課税限度額……500万円×４人（法定相続人数）＝2,000万円

② 相続人が取得した保険金の合計額……1,800万円（配偶者）＋1,200万円（長男）＋1,000万円（長女）＝4,000万円＞2,000万円（非課税限度額）

③ 各相続人の非課税金額

配偶者……$2{,}000\text{万円} \times \frac{1{,}800\text{万円}}{4{,}000\text{万円}} = 900\text{万円}$

長　男……$2{,}000\text{万円} \times \frac{1{,}200\text{万円}}{4{,}000\text{万円}} = 600\text{万円}$

長　女……$2{,}000\text{万円} \times \frac{1{,}000\text{万円}}{4{,}000\text{万円}} = 500\text{万円}$

（注）二男は相続の放棄をしているため、非課税規定は適用されません。

④ 各人の保険金の相続税の課税価格算入額

配偶者……1,800万円－900万円＝900万円

長　男……1,200万円－600万円＝600万円

長　女……1,000万円－500万円＝500万円

二　男………………………………800万円

(注) 生命保険金について相続税の申告を行う場合は「明細書」の添付を要しますが、その記載方法は後述（429ページ）します。

9. 生命保険契約の権利

(1) 保険契約の権利の相続と相続税の扱い

相続の実務で失念しがちなのは「生命保険契約に関する権利」の処理です。被相続人を被保険者とする生命保険契約の場合は、被相続人の死亡によって現実に保険金が支払われるため、実務処理の必要性が理解できます。これに対し、被保険者が被相続人以外の者となっている生命保険契約の場合は、被相続人に相続が開始しても、何らの金銭的収入はありません。しかしながら、その生命保険契約の保険料を被相続人が負担していたときは、生命保険契約に関する権利として相続財産となり、また、相続税の課税対象にも取り込まれます。

実務処理で注意したいのは、生命保険契約の権利が民法上の遺産を構成するものと、相続税法上の「みなし取得財産」となるものの２つがあることです。前者であれば、共同相続人間での遺産分割の対象になりますが、後者の場合は相続人（保険契約者）の固有財産に該当するため、遺産分割の対象にはなりません。その区分は次のとおりです。

保険契約者	保険料の負担者	相続財産性
被相続人	被相続人	民法上の遺産となる（遺産分割の対象となる）。
被相続人以外の者	被相続人	相続人（保険契約者）の固有財産であり、相続税法上のみなし取得財産になる（遺産分割の対象にはならない）。

もっとも、これらのいずれについても、その生命保険契約がいわゆる掛け捨てのものであれば、財産性はありません。生命保険契約に関する権利とは、被相続人が払い込んだ保険料について貯蓄性がある、換言すれば、保険契約の満期又は中途解約時に返戻金があるために相続財産となるわけです。したがって、貯蓄性のない掛け捨て保険については遺産分割に際しても、また、相続税の申告上も考慮する必要はありません。

(注) 相続税法上、みなし取得財産となる生命保険契約に関する権利の規定はありますが（相法３①三）、損害保険契約に関する権利については特別の定めがありません。ただし、解約返戻金のある損害保険契約の場合は、上記と同様に相続財産となり、また、相続税の課税財産として扱われます。したがって、貸家等を共済目的とする建物更生共済契約は、通常の場合、相続財産となります（被相続人が契約者で、かつ、掛金を負担している場合は、民法上の遺産に含まれます）。

(2) 生命保険契約に関する権利の評価

ところで、生命保険契約に関する権利は、文字どおり権利であり、相続開始時には金銭的収入はありません。このため、権利の評価を要することになりますが、現行の相続税法には、その評価に関する規定がありません。財産評価基本通達では、個々の保険契約に係る解約返戻金相当額で評価することとされています（評基通214）。実務的には、保険者（生命保険会社）にその算定を依頼することになるでしょう。

(注) 建物更生共済等の損害保険契約の権利についての評価方法の定めはありません。したがって、相続開始時の解約返戻金相当額が相続税の課税対象となりますが、実務的には被共済者（農業協同組合等）にその価額の算定を依頼した方がよいでしょう。

10. 死亡退職金

(1) 死亡退職金の性格

被相続人が企業等に在職中に死亡した場合の退職金は、相続後にその遺族に支給されるのが通常です。このような死亡退職金は、その支払者から遺族が直接的に取得するものであり、民法上の遺産でなく、受給者の固有財産とみることができます。したがって、死亡退職金は、遺産分割の対象となる財産には含まれません。

この場合、一般の企業では退職金規程や労働協約等において、死亡退職金の受給者の順序を定めていることがほとんどです。このため、その受給権者は自動的に確定するのが通常です。

ただし、企業側に死亡退職金の受給者を定める規程がない場合には、実務として遺産分割協議の対象にせざるを得ないでしょう。ちなみに、死亡退職金の「支給を受けた者」に関して、相続税では次のような取扱いがあります（相基通３－25）。

① 退職給与規程等の定めにより、その支給を受ける者が具体的に定められている場合……その退職給与規程等により支給を受けることとなる者

② 退職給与規程等により支給を受ける者が具体的に定められていない場合、又はその被相続人が退職給与規程等の適用を受けない者である場合

ア 相続税の申告書を提出する時又は国税通則法による決定、更正までにその被相続人に係る退職手当金等を現実に取得した者があるとき……その取得した者

イ 相続人全員の協議によりその相続人に係る退職手当金等の支給を受ける者を定めたとき……その定められた者

ウ ア及びイ以外のとき……その被相続人に係る相続人の全員（この場合には、各相続人は、その被相続人に係る退職手当金等を各人均等に取得したものとして取り扱うものとする。）

ところで、死亡退職金は、上述のとおり受給者の固有財産であり、相続税法上も「みな

し取得財産」になりますが（相法３①二）、これは文字どおり「死亡退職」に該当する場合です。被相続人が生前に退職し、相続開始後に退職金の支給を受ける場合は、みなし取得財産ではなく、未収の退職金として民法上の遺産となります。したがって、この場合は相続人間で分割しなければなりません。

また、相続人が取得した「みなし取得財産」としての死亡退職金には、相続税の課税上、下記の非課税規定の適用がありますが、民法上の遺産に該当する場合は、非課税規定が適用されません。死亡退職金の性格によって課税上も異なった扱いになることに注意してください。この関係を図示すると、次のとおりです。

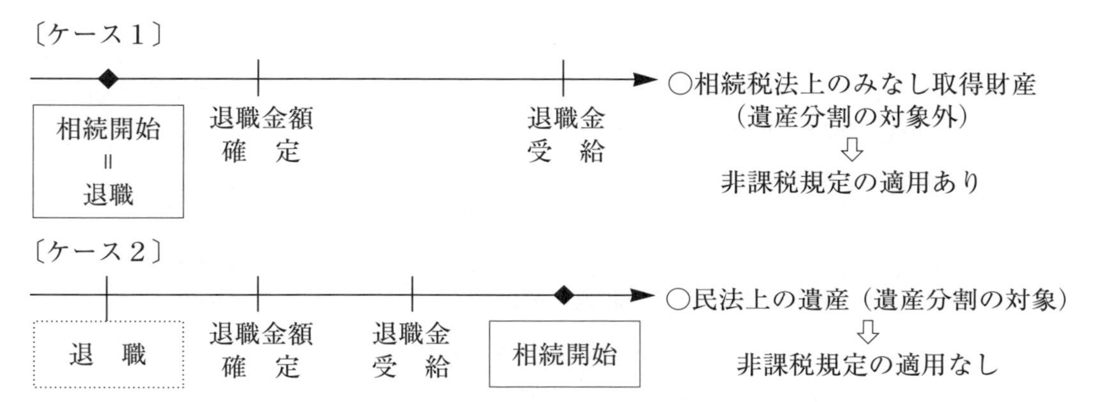

(注) このケースは、被相続人が生前退職し、相続開始前に退職金を受給しているため、現金預金が分割対象遺産になります。

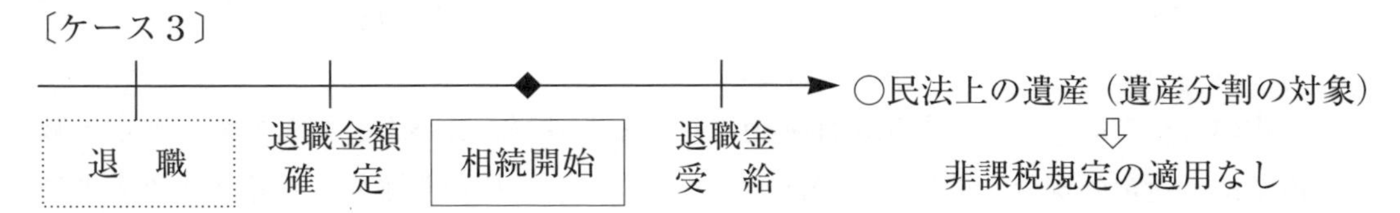

(注) このケースは、被相続人が生前退職し、相続開始前に退職金額が確定しているため、「未収退職金」が分割対象遺産になります。

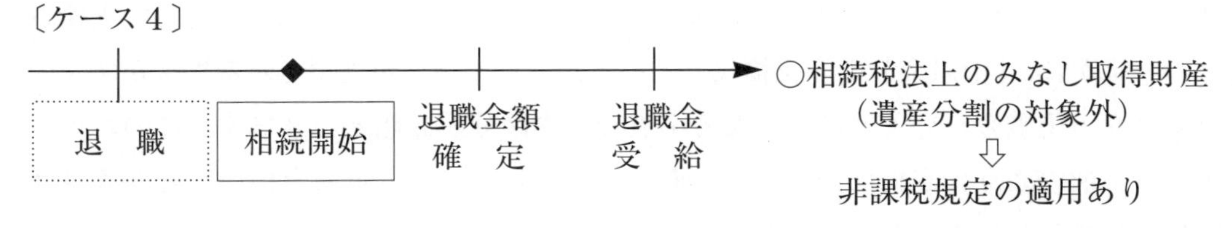

(注) このケースは、生前退職ですが、相続税法上はみなし取得財産として取り扱うこととされています（相基通３－31）。したがって、相続税の非課税規定が適用されます。

なお、退職金の受給が相続開始以後の場合は、所得税及び住民税の課税はありませんが、相続開始前のときは、これらの課税対象となります（退職金額が所得税法上の退職所得控除額を超える場合には、支払者において源泉徴収が行われます）。

したがって、前ページの〔ケース2〕では、所得税と住民税の控除後の金額（現金預金）が相続財産となります。

（注）相続税の課税対象になる死亡退職金は、相続開始後3年以内に支給が確定するものに限られます（相法3①二）。相続開始から3年を経過した後に支給が確定するものは、一時所得としてその受給者に所得税・住民税が課税されます。

⑵ 死亡退職金に対する相続税の非課税

上述した死亡退職金に対する非課税規定は、受給者が「相続人」（相続放棄者を除く民法上の相続人）の場合に適用され、非課税額は次の算式で求められます（相法12①六、相基通12－10）。

<死亡退職金の非課税金額>

①	相続人の全員が取得した死亡退職金の合計額	≦	死亡退職金の非課税限度額	の場合……	取得した死亡退職金の全額
②	相続人の全員が取得した死亡退職金の合計額	＞	死亡退職金の非課税限度額	の場合……	次の算式による金額

$$死亡退職金の非課税限度額 \times \frac{その相続人が取得した死亡退職金の額}{全ての相続人が取得した死亡退職金の合計額}$$

（注）死亡退職金の非課税限度額＝500万円×法定相続人の数

この算式の考え方は、前述した生命保険金に対する非課税とまったく同じです。死亡退職金の受給者は、通常の場合、被相続人の配偶者など特定の者になります。受給者が1人の場合は、要するに、<500万円×法定相続人の数>による金額が非課税になるということです。

ところで、相続税法上のみなし取得財産には、「死亡退職金」のほか、「退職功労金」、「退職慰労金」などが含まれ、その名目は関係ありません。ただし、これらの名目で支給されるもののほかに、「弔慰金」や「花輪代」といった名目で金銭が支給される場合があり、課税対象となる退職金部分と非課税となる弔慰金等の区分が問題となります。このため、相続税では、次のように課税部分（みなし取得財産としての死亡退職金扱い）と非課税部分に区分することとしています（相基通3－20）。

① 被相続人の死亡が業務上の死亡である場合……弔慰金等のうち、死亡時の普通給与の月額の3年分を弔慰金とし、それを超える部分は死亡退職金として課税する。

② 被相続人の死亡が業務上の死亡でない場合……弔慰金等のうち、死亡時の普通給与の月額の半年分を弔慰金とし、それを超える部分は死亡退職金として課税する。

したがって、被相続人の死亡時の給与（月額）が80万円で、相続人に支給された死亡退

職金が3,000万円、弔慰金が700万円という場合、被相続人の死亡が業務上の死亡でないとすれば、

○ 80万円×６か月＝480万円……課税されない弔慰金の額

○ 3,000万円＋(700万円－480万円)＝3,220万円……みなし取得財産になる死亡退職金の額

となります（取得者が相続人であれば、3,220万円から非課税金額が控除されます）。

なお、この取扱いにおける「業務上の死亡」とは、直接業務に起因する死亡又は業務と相当因果関係があると認められる死亡をいうものとされていますが（相基通３－22）、一般的には、労働者災害補償保険法におけるいわゆる労災認定の有無により判断すればよいと思われます。

（注）従業員（役員を除きます）の業務上の死亡に伴い、雇用主からその遺族に支給された労働協約、就業規則等に基づいて支給される災害補償金、遺族見舞金、その他の弔慰金等の遺族給付金は、退職金に代えて支給される部分を除き、非課税とされています。また、いわゆる労災保険法に基づく遺族給付や葬祭給付も非課税です（相基通３－23）。

11. 年金受給権

(1) 年金受給権の性格と遺産分割の可否

被相続人が掛金又は保険料を負担した後に被相続人が死亡し、相続後にその遺族が年金の支払いを受けることがありますが、それが公的年金であっても、いわゆる私的年金の場合でも、その受給権は遺族が原始的に取得するものです。

したがって、いずれも民法上の遺産ではなく、相続人間で分割対象になるものではありません。また、被相続人が支給を受けていた退職年金について、相続後に継続して遺族が支給を受ける場合も同様です。

(2) 年金受給権に対する相続税の課税

上記の年金受給権は、被相続人の死亡により相続人等が取得するものであり、いわゆる「みなし取得財産」として相続税の課税対象になるべきものです。ただし、次のものはそれぞれの法律に非課税とする定めがあるため、相続税は課税されません。また、所得税についても非課税とされています。

① 厚生年金保険法の規定による遺族年金

② 国民年金法の規定による遺族年金

③ 国家公務員共済組合法の規定による遺族年金

④ 地方公務員等共済組合法の規定による遺族年金

⑤ 船員保険法の規定による遺族年金

（注）これらについては、厚生年金保険法第41条第２項、国民年金法第25条、国家公務員共済組合法第49条、地方公務員等共済組合法第52条、船員保険法第52条にそれぞれ非課税規定

があります。

なお、国民年金や厚生年金の給付を受けている受給者が死亡した場合において、その受給者に支給されるべきであった年金で、まだ支給されていないものがあるときは、その遺族がその未支給分を請求できることとされていますが（国民年金法19①、厚生年金保険法37①）、その年金請求権は、受給者の遺族の固有の権利です。したがって、未支給分に相続税の課税はなく、実際に支給を受けた者の一時所得とされています（所法34①、所基通34－2）。

(3) 退職年金受給権の課税関係

みなし取得財産として相続税が課税される年金受給権について、少しわかりにくいのは退職年金の取扱いです。

被相続人が死亡退職したため、その被相続人に支給されるべきであった退職手当金等をその相続人が取得した場合には、前述した相続税法第３条第１項第２号の「退職手当金等」（死亡退職金）として「みなし相続財産」になるのですが、これは、その退職手当金等を年金（定期金）として支給される場合も同様です。

（注）退職手当金等について、非課税控除（相法12①六）の規定が適用される場合には、その退職手当金等（退職年金）を定期金受給権として相続税法第24条の規定により評価した後の金額から非課税控除が適用されます。

このような退職年金の受給権について、いわゆる保証期間付の場合には、その受給権者である相続人等に再び相続があると、その相続人等の相続人に継続して退職年金が支給されます。この場合の継続受取人の受給権は、相続税法第３条第１項第２号の退職手当金等ではなく、同条同項第６号の「契約に基づかない定期金に関する権利」として相続税が課税されます（相基通３－29、３－46）。

注意したいのは、相続税法第３条第１項第２号に該当する場合には、退職手当金等の非課税規定（相法12①六）が適用されるのに対し、同条同項第６号に該当する場合には、非課税規定が適用されないことです。

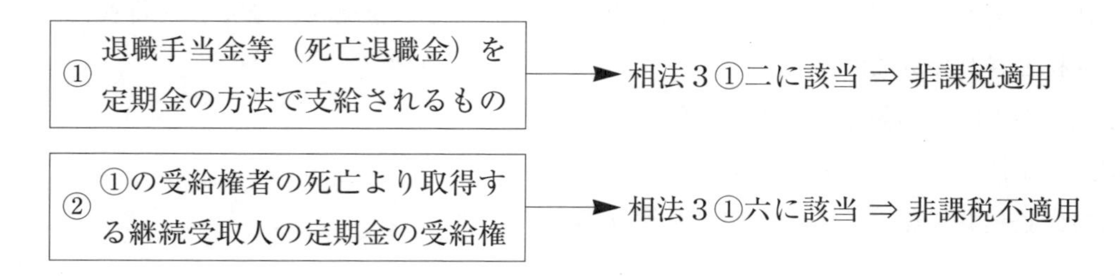

年金受給権の価額は、定期金に関する権利の評価の規定（相法24）によって評価します。一般には、有期定期金に該当する例が多いと思われますので、その評価方法を示すと

下記のとおりです。

なお、年金の受給権がいわゆる保証期間付のもので、受給権者が死亡しても、その相続人等に継続して支給されるものであれば、有期定期金として算出した金額と終身定期金（相法24①三）として算出した金額のいずれか多い金額により評価します（相法24④）。

有期定期金の評価額＝次に掲げる金額のうちいずれか多い金額

① 定期金給付契約に関する権利を取得した時においてその契約を解約するとした場合に支払いを受けることができる解約返戻金の額

② 定期金に代えて一時金の給付を受けることができる契約については、定期金給付契約に関する権利を取得した時において一時金の給付を受けるとした場合に給付を受けることができる一時金の額

③ 定期金給付契約に関する権利を取得した時におけるその契約に基づいて給付を受けるべき残りの期間に応じ、次により計算した金額

（その給付を受ける金額の１年当たりの平均額）×（その契約に係る予定利率による複利年金現価率）

（参考）複利年金現価率

年＼予定利率（%）	0.5	1	1.5	2	2.5	3	3.5	4	4.5	5	5.5	6
1	0.995	0.990	0.985	0.980	0.976	0.971	0.966	0.962	0.957	0.952	0.948	0.943
2	1.985	1.970	1.956	1.942	1.927	1.913	1.900	1.886	1.873	1.859	1.846	1.833
3	2.970	2.941	2.912	2.884	2.856	2.829	2.802	2.775	2.749	2.723	2.698	2.673
4	3.950	3.902	3.854	3.808	3.762	3.717	3.673	3.630	3.588	3.546	3.505	3.465
5	4.926	4.853	4.783	4.713	4.646	4.580	4.515	4.452	4.390	4.329	4.270	4.212
6	5.896	5.795	5.697	5.601	5.508	5.417	5.329	5.242	5.158	5.076	4.996	4.917
7	6.862	6.728	6.598	6.472	6.349	6.230	6.115	6.002	5.893	5.786	5.683	5.582
8	7.823	7.652	7.486	7.325	7.170	7.020	6.874	6.733	6.596	6.463	6.335	6.210
9	8.779	8.566	8.361	8.162	7.971	7.786	7.608	7.435	7.269	7.108	6.952	6.802
10	9.730	9.471	9.222	8.983	8.752	8.530	8.317	8.111	7.913	7.722	7.538	7.360
11	10.677	10.368	10.071	9.787	9.514	9.253	9.002	8.760	8.529	8.306	8.093	7.887
12	11.619	11.255	10.908	10.575	10.258	9.954	9.663	9.385	9.119	8.863	8.619	8.384
13	12.556	12.134	11.732	11.348	10.983	10.635	10.303	9.986	9.683	9.394	9.117	8.853
14	13.489	13.004	12.543	12.106	11.691	11.296	10.921	10.563	10.223	9.899	9.590	9.295
15	14.417	13.865	13.343	12.849	12.381	11.938	11.517	11.118	10.740	10.380	10.038	9.712
16	15.340	14.718	14.131	13.578	13.055	12.561	12.094	11.652	11.234	10.838	10.462	10.106
17	16.259	15.562	14.908	14.292	13.712	13.166	12.651	12.166	11.707	11.274	10.865	10.477
18	17.173	16.398	15.673	14.992	14.353	13.754	13.190	12.659	12.160	11.690	11.246	10.828
19	18.082	17.226	16.426	15.678	14.979	14.324	13.710	13.134	12.593	12.085	11.608	11.158
20	18.987	18.046	17.169	16.351	15.589	14.877	14.212	13.590	13.008	12.462	11.950	11.470

退職年金の場合は、上記①における契約返戻金のある例は少なく、また、②の一時金として支給を受けられる場合も通常はないものと思われます。この場合には、上記の③によ

ることになります。仮に、毎年100万円の給付を受ける権利（期間５年に応ずる予定利率1.5％）を取得したとすれば、100万円×4.783（1.5％の複利年金現価率）＝4,783,000円がその権利の評価額になります。

（注） 生命保険契約に係る保険金を年金の方法で支払を受ける場合にも、定期金の評価の規定によりその金額を算定します。なお、相続開始時に年金の種類、その受給期間等が定まっていない生命保険契約であっても、被相続人の死亡後に受取人が受給期間等を指定することが契約により予定されているものは、その指定により確定した受給期間等を基礎として相続税法第24条によりその金額を算定します。

12.　祭祀財産

⑴　祭祀財産の承継者

被相続人に帰属していた財産と債務は、いわゆる一身専属権を除き、全て相続人に承継され（民896）、共同相続人間で遺産分割の対象になるのが原則です。ただし、民法は、祭祀財産については特別の規定を設け、慣習に従って祖先の祭祀を主宰すべき者が承継することとしています（民897①）。したがって、一般の相続財産と異なり、祭祀財産について遺産分割が行われることはありません（祭祀財産の承継者を遺産分割協議書に記載することはかまいませんが、通常は記載しません）。

この場合、祖先の祭祀を主宰すべき者について、被相続人の指定があればその者が祭祀財産を承継し、指定がないときはその地方の慣習によって決められ、その慣習が明らかでないときは、家庭裁判所の調停又は審判で決められます（民897①ただし書、②、家事事件手続法190、同別表２十一）。

なお、祭祀財産とは、祖先からの家系を表わす系譜、位牌、仏壇などの祭具、遺体や遺骨を埋葬している墓地、墓石等をいいます。

⑵　祭祀財産に対する相続税の非課税

墓所、霊びょう、祭具等については、相続税法も特別の定めを置き、これらの祭祀財産は非課税としています（相法12①二）。この場合の「墓所、霊びょう」には、墓地、墓石及びおたまやのようなもののほか、これらを維持するための土地等を含むものとし（相基通12－１）、庭内神し、神だな、神体、神具、仏壇、位牌、仏具、古墳等で日常礼拝の用に供されているものが非課税となります（相基通12－２）。

ただし、これらのものを商品や骨とう品として、また、投資の対象として所有している場合は非課税にはなりません。

なお、相続税が非課税になる祭祀財産の取得、維持又は管理のために生じた債務の金額は、債務控除の適用はありません（相法13②、相基通13－６）。

13. 家族名義の預金等

⑴ 財産の名義と相続性

遺産の分割や相続税の申告などの相続実務では、被相続人の家族や親族の名義となっている預貯金や有価証券などの扱いが問題になりやすいところです。

被相続人の遺産に属するか否かは、実質で判断すべきですから、たとえ被相続人以外の者の名義になっている財産でも、その管理者が被相続人であり、かつ、その財産の取得資金が被相続人によって支出されている場合は、被相続人の遺産です。したがって、その名義にかかわらず、共同相続人間で分割対象になると考えられます。

その財産の形成過程からみて、被相続人の遺産と判断されるものは、その旨を遺産分割協議書に記載して、その取得者を決定することになります〔書式40〕（下記参照）。

なお、この場合には遺産分割の確定後、速やかにその預貯金や有価証券等を解約又は換金して、相続による取得者名義に変更しておくべきです。

〔書式40〕

遺　産　分　割　協　議　書

1．……………………………………………………………………………

2．……………………………………………………………………………

3．次の預金は、乙野一郎（被相続人の孫）名義であるが、被相続人の遺産であることを確認し、相続人甲山花子が取得する。

○○銀行○○支店　定期預金（口座番号　123456）　2,000万円

……………………………………………………………………………

⑵ 家族名義預金等と相続税の申告

被相続人以外の名義となっている財産について、相続税の課税対象になるか否かは、上記と同様に事実認定の問題ですが、実務では、その財産が被相続人から名義人に対して生前に贈与されたものであるかどうかが問題になるところです。贈与事実が証明できれば相続財産から除外できますが、そうでなければ相続税の課税財産に含まれます。次のような事項を勘案して判断すべきでしょう。

① 被相続人と財産の名義人との間で贈与契約書が作成されているかどうか。

② 受贈者の年齢からみて、贈与契約が成立するかどうか。

③ 被相続人や財産の名義人の記録（預金通帳など）から、財産移転の事実が確認できるかどうか。

④ その預金等の金融機関に対する届出住所は、どのようになされているか。

⑤　その預金等に使用されている印鑑は誰のものか。

⑥　その印鑑や預金通帳等は誰が管理していたか。

⑦　贈与税の基礎控除額を超える財産移転があった年分について、贈与税の申告が行われているかどうか。

もっとも、⑦について、贈与税の基礎控除額である110万円（平成12年分以前は60万円）以下の贈与の場合は、もともと申告義務はありません。この場合は、①から⑥までの事実関係がより重要な判断材料となるでしょう。

なお、こうした判断の結果、贈与事実が明らかとなり、被相続人の遺産から除外されたとしても、受贈者が相続か遺贈で財産を取得し、かつ、その贈与が相続開始前３年以内の場合は、その贈与財産の価額が相続税の課税価格に加算されます（相法19）。

また、被相続人からの受贈財産であっても、その贈与について受贈者が相続時精算課税の適用を受けた場合は、それ以後のその被相続人からの贈与財産は全て同制度が適用され、その贈与財産の贈与時の価額が受贈者の相続税の課税価格に加算されます（相法21の15①、21の16①）。

（注） 家族名義の預金等について、相続税の申告に際し、被相続人の財産であることを認識した上で相続税の申告から除外すると、重加算税の対象になることに注意を要します（735ページ参照）。

14.　金銭債務

⑴　金銭債務の承継と分割の可否

被相続人の銀行借入金1,000万円について、相続人ＡとＢ（法定相続分は各２分の１）が協議のうえ、その借入金債務の承継者をＡのみとした場合、その分割は有効か――という問題があります。

この点について、過去の裁判例は、借入金のような金銭債務（可分債務）は、遺産分割を行うまでもなく、相続開始と同時に各相続人の相続分に応じて当然に分割承継されるとしています。要するに、金銭債務は遺産分割の対象にならず、相続開始とともに相続人AとBは、それぞれの法定相続分に応じた500万円の債務を承継するということです。

もっとも、相続の実務では、遺産分割協議において「銀行借入金1,000万円は、相続人Aの負担とする」という合意がなされることがあります。これは、相続分を超える債務についての「債務引受契約」の成立と考えられます。相続人Aは自己の負担すべき500万円のほか、相続人Bの負担すべき500万円の債務を引き受けたとみるわけです。

ただ、この場合の債務引受契約は、相続人間でのみ有効であり、第三者である債権者に対抗することはできません。したがって、遺産分割協議が成立しても、債権者である銀行は、相続人Bに対しても500万円の請求が可能であり、Bもこれを拒否することはできません。結局、遺産分割協議の内容を実現するためには、債権者である銀行の同意を得て、債務者の名義をＡに変更する必要があるということです。

(2) 金銭債務の分割と相続税の債務控除

金銭債務についてはその性質上、上述のような多少の議論はありますが、相続税の実務では、債務の負担について相続人間で決定されたところに従って債務控除の規定（相法13）を適用しています。したがって、債務の負担者をどのように決定しても問題になることはありません。特定の相続人が債務を承継すると、理論的には、上述のように他の相続人との間で債務引受が行われたことになりますが、これについて贈与税等の課税問題は生じません。

ところで、国税通則法は、被相続人に未納の国税があった場合、その納税義務は相続人が承継するものとし（通則法５①）、相続人が２人以上あるときは、民法の相続分によってあん分すると定めています（通則法５②）。したがって、被相続人の未納の国税について、遺産分割協議で特定の相続人が承継することとしても、債権者（国）は、相続分に応じた額を各相続人から徴収できることになります。

ただ、実際には未納の公租公課も相続人間で負担者と負担額を自由に決定しており、相続税でもその合意に基づいた負担額で債務控除を行っています。この点も上述した金銭債務の問題と同様に考えるべきでしょう。相続人間の合意は債務引受とみて、事実上の債務分割は認められます（相続税の債務控除も申告どおり認められます）が、債権者（国）が各相続人に対し、相続分に応じた国税の請求をした場合は、相続人間の合意をもってその徴収を拒否することはできないということです。もっとも、分割協議によって債務の負担をした者が納税を済ませれば、何らの問題も生じません。

(注) 遺産分割によって債務の分割を確定した場合に、債務の負担者の相続税の課税価格がマイナスになったとしても、そのマイナスの金額を他の納税義務者の課税価格から控除することは認められません。たとえば、次のような例です。

	相続人A	相続人B	合　計
分割による取得財産価額	6,000	4,000	10,000
債務の負担額（債務控除）	△1,000	△5,000	△6,000
課　税　価　格	5,000	△1,000	5,000

この場合、相続人Ｂのマイナス1,000は、相続人Ａの課税価格5,000と「損益通算」することはできず、課税価格の合計額を5,000として、相続税の総額を計算することになります（納付税額はＡのみが負担します）。

なお、被相続人からの相続開始前３年以内の贈与財産価額の加算（相法19）が適用される場合でも、その加算額から債務控除は適用できません（相基通19－５）。したがって、上記の場合、相続人Ｂについて生前贈与加算額が2,000であるとしても、その額からマイナス分の1,000は控除できず、Bの課税価格は2,000となります。

ただし、相続時精算課税の適用を受けた贈与財産の価額が相続税の課税価格に加算される場合は、その加算額（贈与財産価額）から債務控除の規定が適用されます（相法21の15②）。

15. 保証債務（連帯保証債務）

(1) 保証債務の相続性

被相続人が他の者の債務を保証していた場合、その保証債務も相続人に承継されます。この場合、主たる債務が借入金などの金銭債務であるときの保証債務は、前述の金銭債務と同様に、遺産分割を待たず相続開始と同時に各相続人の相続分に応じて当然に承継されます。したがって、保証債務は相続人間で分割するという性質のものではありません。

ただし、実務では特定の相続人が保証債務を承継することが行われています。この点も前述の金銭債務の相続と同じで、債権者の了承を得れば特定の相続人が保証人となることが可能です。

なお、保証債務と称しているのは、通常は連帯保証のことで、主たる債務者と連帯して債務を負うものです。

(注) 保証債務であっても、いわゆる身元保証債務は、被保証者との信頼関係に基づいて成立すると考えられますから、一身専属権に該当します。したがって、身元保証人の地位は原則として相続されません。

(2) 保証債務と相続税の債務控除

保証債務は、主たる債務者が債務を履行しなかった場合に、その主たる債務者に代わって債務の履行義務が生じるものであり（民446）、主たる債務者が債務の履行をしている限り、保証人には何らの義務も生じません。このため、保証債務は確実な債務とはいえず、相続税では債務控除が認められません（相基通14－3(1)）。

ただし、相続開始時において主たる債務者が弁済不能の状態であれば、保証債務者に履行の義務が生じるため、債務控除が可能です。もっとも、主たる債務者に代わって弁済すると、保証債務者は主たる債務者に対する求償権を取得します。したがって、その求償をしても返還を受ける見込みがない場合に限り、債務控除の適用を受けることができます（相基通14－3(1)ただし書）。

(注) 身元保証債務は、上述のとおり原則として相続性がないものとされています。このため、相続税でも債務控除の対象にはなりません。

ところで、所得税法には、保証債務の履行のために資産を譲渡した場合、一定の要件の下で、譲渡所得課税をしない特例が設けられています（所法64②）。被相続人の保証債務を相続人が承継した後に、その相続人が保証債務の履行のために資産を譲渡することも考えられますが、要件を満たせば譲渡所得課税の特例が適用されます。

この場合、相続税の債務控除と譲渡所得課税の特例とは、直接的には関係ありません。保証債務について相続税で債務控除が適用されたか否かにはかかわりなく、資産の譲渡時に所得税の特例の要件を判断して、その適用を考えればよいわけです。

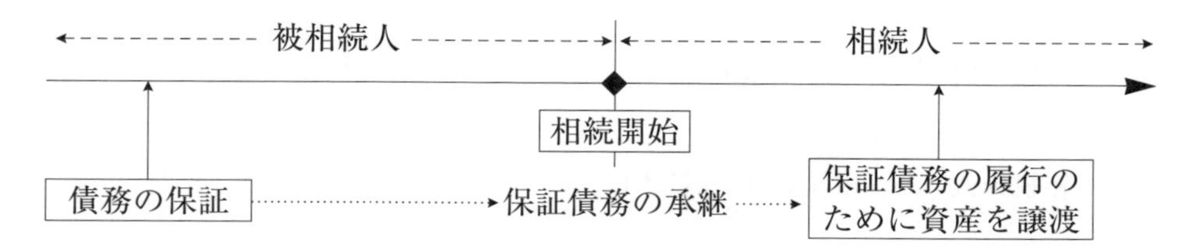

○　譲渡所得課税の特例の適用は、相続税の債務控除の有無には関係しません。

なお、被相続人が生前に借入金で保証債務の履行をした場合において、その借入金を承継した相続人が、相続開始後にその借入金を弁済するために資産を譲渡したときも要件を満たせば譲渡所得課税の特例を受けられます（所基通64－５）。

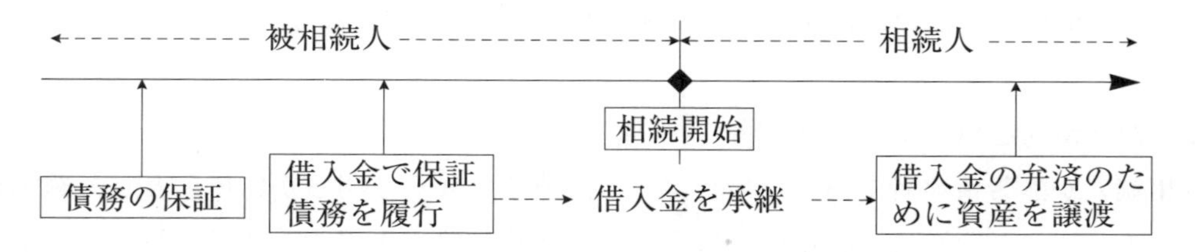

○　この場合の借入金の承継については、当然に相続税で債務控除が適用されます。

16. 連帯債務

⑴　連帯債務の相続性

連帯債務とは、同一の債務について、複数の債務者がそれぞれ独立してその全部を弁済する義務を負い、そのうちの１人が債務を履行すれば債務が消滅するものをいいます。各債務者の債務は独立しており、主従の関係がないことが保証債務と異なります。もっとも、連帯債務者の１人が債務の全部を弁済したときは、他の債務者に対してその負担部分に応じた償還を求めることができます。この場合の各債務者の負担部分は、連帯債務者間で特約（合意）があればそれに従いますが、特約がないときは均等とされます。

連帯債務者の１人に相続が開始した場合、連帯債務の全額負担の原則と債務の分割の可否が問題になります。ただ、この点はすでに述べた金銭債務や保証債務と同様です。被相続人が負っていた連帯債務は、相続の開始と同時に各相続人の相続分に応じて承継され、各相続人は、他の連帯債務者とともに連帯責任を負うことになります。ただし、相続人の相互間に連帯関係は生じません。

したがって、連帯債務者が甲と乙の２人（負担割合は各２分の１）で、甲に相続が開始した場合、甲の相続人がA（相続分２分の１）、B（同４分の１）、C（同４分の１）の３人とすれば、Aは甲の２分の１に対する相続分２分の１相当（４分の１）の債務を承継し、BとCは同様に２分の１に対する相続分４分の１相当（８分の１）の連帯債務者となります。

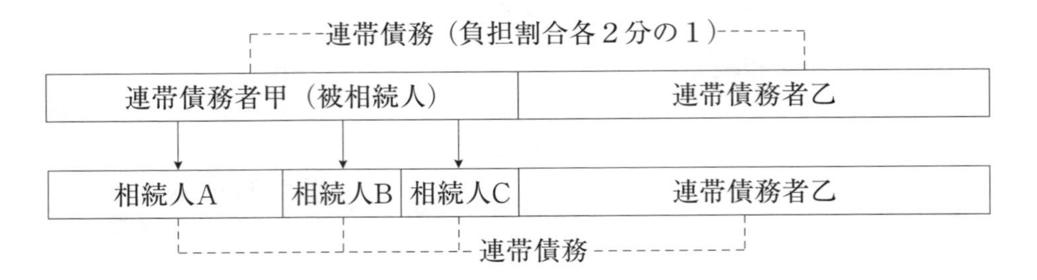

（注）相続人A、B及びCの間に連帯関係は生じません。

連帯債務の民法上の考え方は上述のとおりですが、相続人間で事実上の分割が可能であり、特定の相続人のみが連帯債務を承継できる点も前述の金銭債務や保証債務と同様です。もちろん、債権者と他の連帯債務者の同意を得ることが前提になります。

⑵　連帯債務と相続税の債務控除

被相続人が連帯債務者であった場合は、保証債務と異なり明らかに債務として確定しているものです。このため、相続税では次により債務控除を適用することとしています（相基通14－３⑵）。

①　連帯債務者のうちで債務控除を受けようとする者の負担すべき金額が明らかとなっている場合は、その負担金額を控除する。

②　連帯債務者のうちに弁済不能の状態にある者があり、かつ、求償して弁済を受ける見込みがなく、その弁済不能者の負担部分をも負担しなければならないと認められる場合は、その負担しなければならないと認められる部分の金額も控除する。

（注）連帯債務についての債務控除の原則は、①のとおりですが、債務の全てが被相続人に帰属すると認められる場合は、その全額を債務控除の対象にできると考えられます。ちなみに、次のような裁決事例があります。

「原処分においては、本件借入金は被相続人と受遺者（被相続人の孫）との連帯債務であるとし、その負担割合は被相続人と受遺者とが等分であって、当該借入金につき相続税の課税価格の計算上債務控除すべき金額は、当該借入金の２分の１相当額であるとしているが、本件の場合、当該借入金の運用状況をみると、すべて被相続人が運用し、その運用で得た財産はほとんどが相続財産として申告されており、また受遺者が運用した事実は認められず、実際に連帯債務による利益を享受したのは被相続人であると認められるから、当該借入金の全額は、被相続人の債務として債務控除するのが相当である。」（国税不服審判所・昭57.１.14裁決）

第3章

相続財産の評価と明細書作成の実務

Ⅰ　土地と土地の上に存する権利の評価

財産課税である相続税の実務において、財産評価が重要事項であることはいうまでもありません。評価額は、納税額に直接的な影響を及ぼすことはもちろん、相続税が課税されない場合でも、共同相続人間で遺産分割を行う際の指針にもなります。

以下、相続税実務で重要と思われる財産や評価計算で誤りが生じやすい財産について、財産評価基本通達の取扱いを中心に、実務上の留意点をまとめておくことにします。

1.　土地等の評価と評価資料・時価申告

(1)　評価資料の収集と現地確認

まず、土地や借地権等の評価について、その手順と評価に必要な資料をまとめると、おおむね次のようになります。

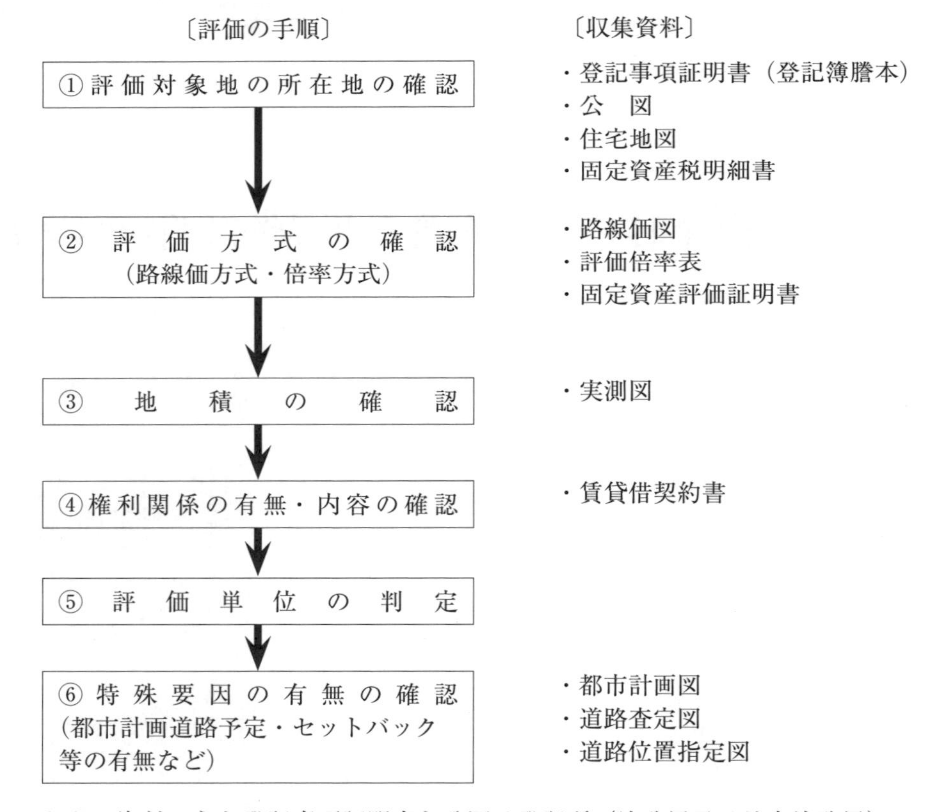

(注)　これらの資料のうち登記事項証明書と公図は登記所（法務局又は地方法務局）で、固定資産評価証明書は各市町村（東京都の場合は都税事務所）の固定資産税課でそれぞれ交付を受けられます。また、路線価図と評価倍率表は税務署で閲覧（コピー）できますし（国税庁のホームページにも掲載）、都市計画図や道路査定図等は市区町村の都市計画課（道路課）に備えてあります。

土地等の評価にあたって重要なことは、必ず現地調査を行い、現況を確認することです。前面道路の幅員、隣接地との境界石の有無などのほか、騒音や震動、評価対象地と道路との高低差、電線や樹木など越境物の有無などの状況は、書面による資料だけで把握することは困難です。

したがって、現地調査が必要になるわけですが、現場確認によって評価上の減額要因が明らかになることが少なくありません。また、同一敷地内に自宅と貸家がある場合などの評価単位を判定する上でも現地調査は重要な実務といえるでしょう。

(2) 通達評価と鑑定評価

ところで、相続財産の評価は、課税時期の「時価」によることとされています（相法22）。相続税の財産評価は、国税庁の「財産評価基本通達」に基づいて行うのが一般的であり、かつ、それに従った評価であれば申告是認となるのが通常です。

しかしながら、財産評価基本通達は、「時価」の解釈指針を示したものにすぎず、それによる評価額が「時価」を反映したものであるという保証はありません。とりわけ土地等は個別性の強い財産であり、また、財産評価基本通達に基づく路線価格等の評価基準が１年間固定されているため、地価の変動時には、評価基準による価額が「時価」を上回るおそれがないとはいえません（この問題に対処するため、路線価格は地価公示価格の80％の水準とされているようです）。

土地等の評価にあたり、その「時価」が財産評価基本通達による評価額を下回ることが明らかであれば、いわゆる時価申告が可能であり、また、申告後にそのことが明らかになれば、相続税について更正の請求を行うことも可能です。この場合の「時価」の立証手段として最も有力なのは、いわゆる鑑定評価ですが、もちろん、鑑定評価額は適正と認められるものでなければ、税務上容認されないことはいうまでもありません。

税務当局における鑑定評価額の適否の判断は、鑑定条件の確認、試算価格（取引事例比較法による「比準価格」と収益還元法による「収益価格」をいいます）等の検討を中心として行い、算定根拠が適正と認められるものに限り、申告等を容認し、そうでなければ、たとえ不動産鑑定士等による鑑定価格であっても否認されます。たとえば、次のような鑑定価格は、否認の対象となるでしょう。

① 価格時点（鑑定時点）が相続時と異なるもの
② 評価対象土地等の評価単位が財産評価基本通達に定める評価単位と異なる画地で鑑定しているもの
③ 鑑定評価額が収益価格だけで評価するなど、偏った鑑定方法によっているもの
④ 鑑定の際に採用している取引事例が付近の売買実例でなく、遠隔地の低い価格の取引事例のみによっているもの

鑑定評価に基づく方法は、納税者からみれば有力な時価申告の手段であることは間違い

ありませんが、上記のように一定の条件ないし制約があることも十分に承知しておく必要があります。

なお、不動産業者のいわゆる査定価格は、適正な時価とは認められません。また、相続した土地等をその後に売却した場合、その売却価額を時価として申告等を行う方法もありますが、売却時点が課税時期の直後で、かつ、収用等の買取りなど、売却価額が適正と認められるものに限り、税務上も容認されます。したがって、課税時期から売却時点までの期間が長期にわたるもので、その間の地価下落、あるいは売急ぎによって路線価等を下回る価格のものは、適正な時価とは認められないことになります。

2. 土地の評価上の区分と地積

⑴ 土地の評価上の区分

土地の価額について、財産評価基本通達は、次の９種類の地目に区分し、地目別に評価することとしています（評基通７）。

① 宅地
② 田
③ 畑
④ 山林
⑤ 原野
⑥ 牧場
⑦ 池沼
⑧ 鉱泉地
⑨ 雑種地

この場合の地目は、登記上の地目ではなく、課税時期の現況によることとされています（評基通７）。したがって、登記上の地目が農地であっても課税時期に家屋が建っているなど、現況が宅地であれば宅地として評価することになります。

なお、２以上の地目を一体として利用している場合は、そのうち主たる地目からなるものとして、その一団の土地ごとに評価することとされています（評基通７ただし書）。したがって、次図の場合、建物の敷地部分は宅地ですが、ゴルフ練習場及び駐車場（いずれも雑種地）と一体として利用し、かつ、建物の敷地以外の土地利用が主たるものと認められるため、全体を雑種地として評価することになります。

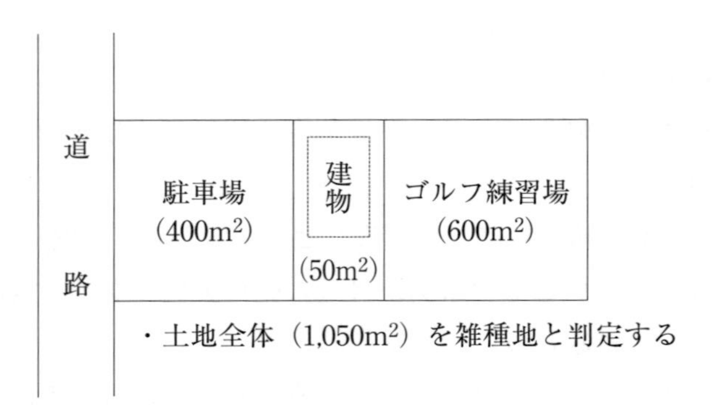

⑵ 土地の評価上の地積

土地を評価する際の地積は、課税時期の実際の地積によることとされていますが（評基通８）、これはある意味で当然のことを定めたものと考えられます。

しかし、現実には、いわゆる縄延び等で登記簿上の地積と実際の地積が異なることが少なくありません。この場合に、全ての土地等について実測が必要になるか否かという問題は、実務的な負担からみれば重要なことです。

この点について、国税庁は、次のように説明しています（北村厚編『財産評価基本通達逐条解説』大蔵財務協会、42ページ）。

> 本項において、土地の地積を「実際の面積」によることとしているのは、固定資産税の土地課税台帳地積と実際地積とが異なるものについて、実際地積によることとする基本的な考え方を打ち出したものであって、すべての土地について、実測を要求しているものではない。
>
> 実務上の取扱いとしては、特に縄延の多い山林等について、航空写真による地積の測定、その地域における平均的な縄延割合の適用等の方法によって、実際地積を把握することとし、それらの方法によっても、その把握ができないもので、台帳地積によることが他の土地との評価の均衡を著しく失すると認められるものについて、実測を行うことになる。

これによれば、縄延びがあってもごく僅少と思われる宅地等については、登記上の地積によって評価することも認められると解することができます。

もっとも、実際に実測図等が存在し、登記上の地積と実際の地積が異なることが確認できるときは実際の地積に基づいて評価すべきです。また、相続税等の申告後に土地等を売却することとなったため、その際に実際の地積が判明することがありますが、申告した地積が実際の地積と異なることが明らかになれば、税務当局によって更正されることになるでしょう。

なお、相続により取得した土地について、物納の申請を行う場合は全て実測図が必要になります。

3. 土地等の評価単位

⑴ 地目による評価単位

土地等の評価にあたっては、評価単位の判定を慎重に行う必要があります。財産評価基本通達では、宅地については、１画地の宅地（利用の単位となっている１区画の宅地）を評価単位とし、田及び畑は１枚の農地（耕作の単位となっている１区画の農地）を、山林については１筆の山林を評価単位としています。また、雑種地の場合は、利用の単位となっている一団の雑種地（同一の目的に供されている雑種地）が評価単位となります（評基通７－２）。

⑵　宅地の評価単位の判定

土地等の評価単位について、宅地の場合の基本的な考え方と具体的な例を示すと、次のとおりです。

①　利用の単位（自用地、貸宅地、貸家建付地など）に区分して評価する。
②　自用地については、居住用か事業用かにかかわらず、全体を１画地とする。
③　貸宅地は、借地人の異なるごとに１画地とする。
④　貸家建付地は、貸家の各棟の敷地ごとに１画地とする。

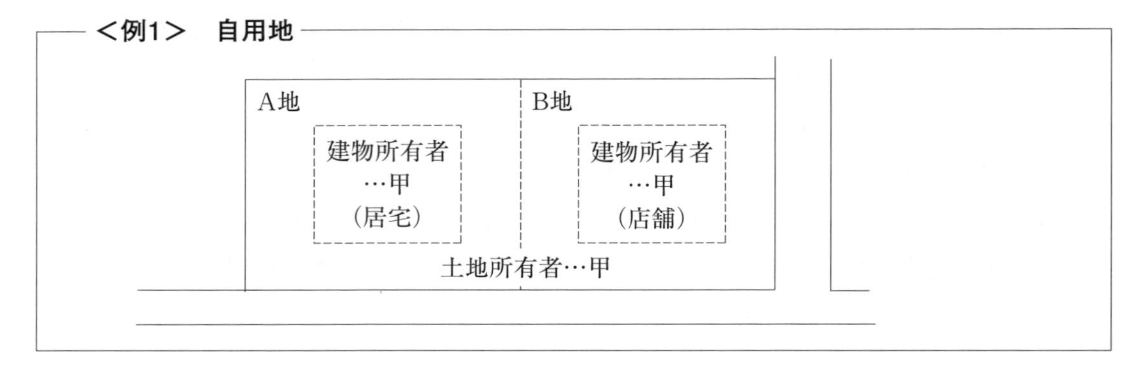

この例は、A地、B地とも自用地であるため、全体を１画地の宅地として評価します（A地も角地として側方路線影響加算が及びます）。

ただし、B地上の建物の１階が店舗（自用家屋）で、２階が貸事務所（貸家）となっているような場合は、利用単位が異なるため、A地、B地をそれぞれ１画地として評価することができます。

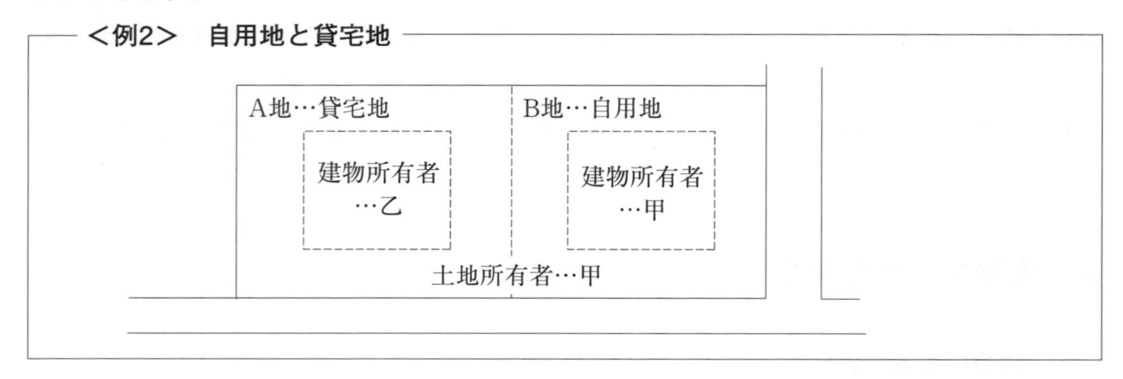

この例のA地（貸宅地）とB地（自用地）は明らかに利用状況が異なります。したがって、A地、B地をそれぞれ１画地として評価します。

このため、角地として側方路線影響加算が行われるのはB地のみとなります。

＜例3＞ 自用地と使用貸借地

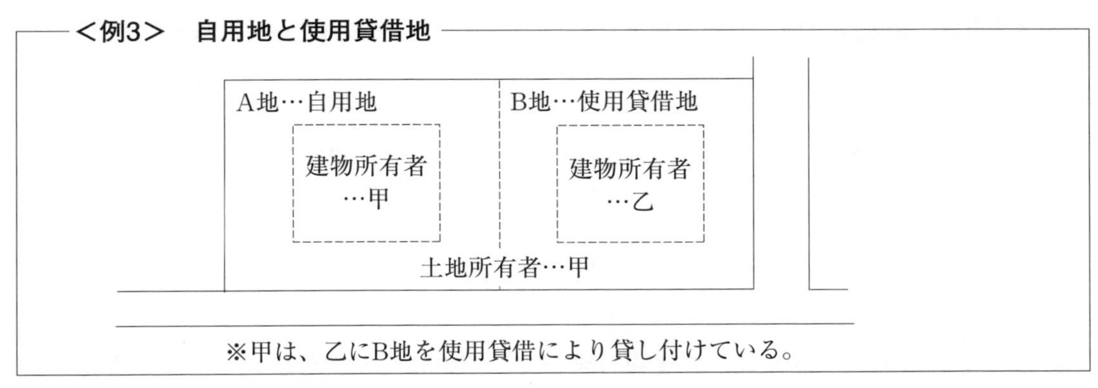

この例のB地は貸付けの用に供されていますが、使用貸借に係る土地の使用権（使用借権）の価額は評価しません。このため、A地とB地はいずれも自用地となりますから、その全体を１画地として評価することになります。

＜例4＞ 貸宅地

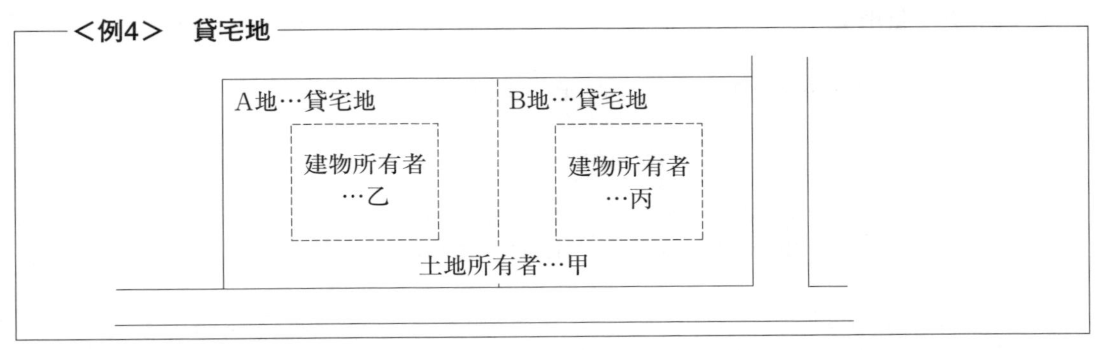

この例の場合、A地とB地の借地人が異なるため、A地、B地のそれぞれを１画地として評価することができます。

したがって、角地として評価するのはB地のみとなります。

＜例5＞ 貸家建付地

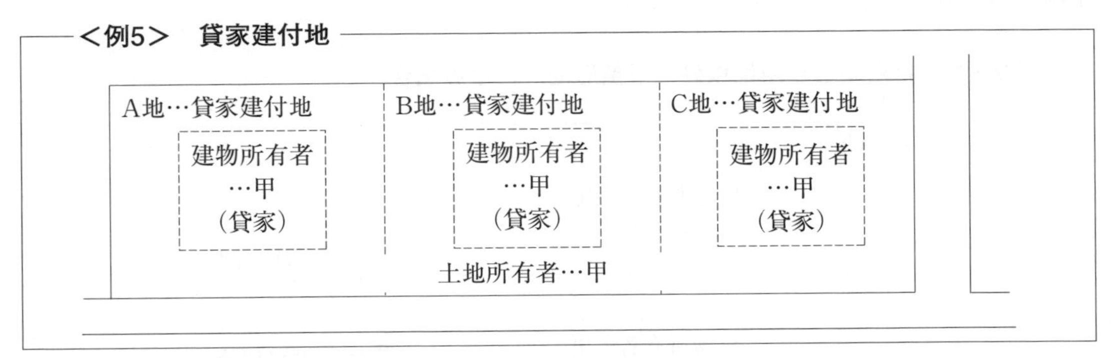

この例のように貸家が２棟以上あるときは、各棟の敷地ごとに評価することができます。したがって、A地、B地、C地はいずれも貸家建付地ですが、それぞれを１画地として評価します。

このため、角地として評価するのはC地のみとなります。

<例6> 貸家建付地（連棟式貸家）

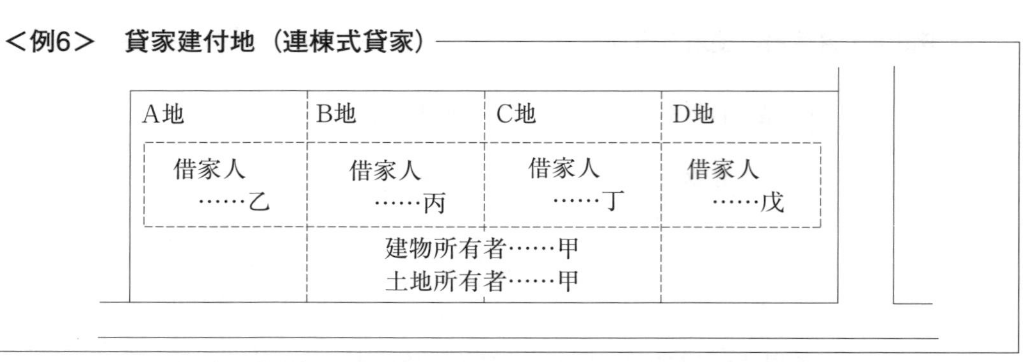

いわゆる長屋形式（連棟式）の建物の場合で、その建物が区分所有の対象となるもの（実際に区分所有されているか否かを問わない）は、その貸付先ごとに区分することができます。したがって、A地、B地、C地、D地は、それぞれを1画地として評価することになります。

<例7> 借地権

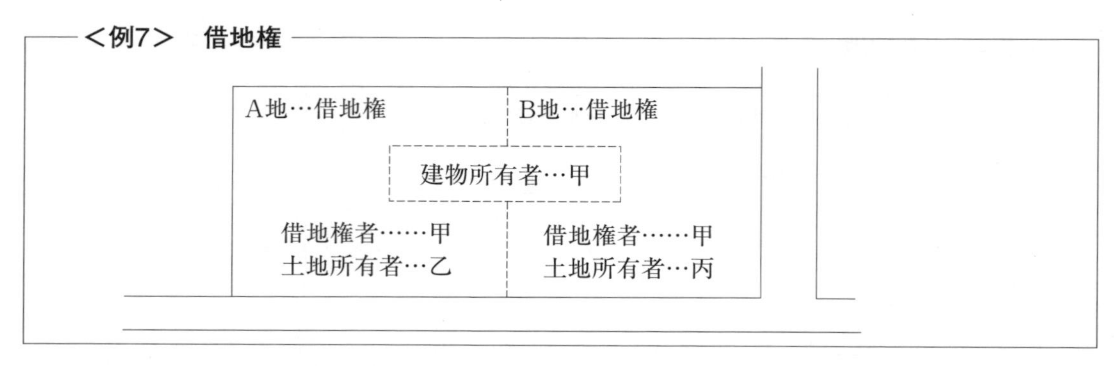

この例のA地とB地の借地人は同一ですから、借地権者甲の借地権の評価にあたっては、A地とB地を合わせて1画地の宅地として評価します。

なお、土地所有者乙と丙の貸宅地の評価をする場合は、それぞれの所有する土地ごとに1画地の宅地として評価することになります。

<例8> 自用地と自用地以外（不整形地）となる場合

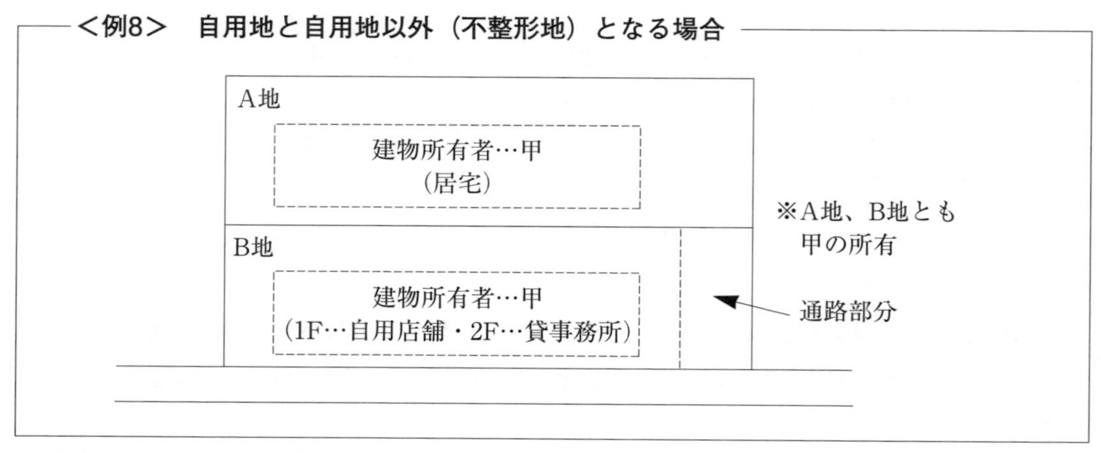

土地全体は同一人の所有ですが、A地とB地とは利用の単位が異なることからそれぞれを1画地とします。この場合、それぞれの土地は、次のように評価します。

① A地

(イ) 通路部分が明確に区分されている場合……その通路部分を含めて不整形地として評価します。

(ロ) 通路部分が明確に区分されていない場合……幅員2メートルの通路が設置されている土地（不整形地）として評価します（通路部分の面積はA地に算入せず、また、無道路地としての補正は行いません）。

② B地

B地全体を1画地として評価した上で、建物の自用部分と貸付部分との床面積の比であん分し、自用地と貸家建付地の価額として評価します。

(3) 取得者単位の評価と不合理分割

ところで、「1画地の宅地」の判定は、相続等による取得者ごとに行うのが原則です。したがって、1筆の宅地であっても、遺産分割によって2以上の相続人が取得したときは、その分割された各土地を1画地の宅地として評価できることになります。

ただし、その分割後の画地が宅地として通常の用途に供することができないなど、その分割が著しく不合理であると認められるときは、その分割前の画地を1画地の宅地として評価することに取り扱われています（評基通7－2(1)注）。

この場合、どのような分割が不合理分割となるかは、個々の事例ごとの事実認定の問題ですが、おおむね次の3点で判断することになり、これらに該当すればいずれも不合理分割とされます。

① 分割後の宅地が無道路地となる場合

② その地域の標準的な宅地の面積からみて著しく狭あいな宅地となる場合

③ 現在及び将来において、有効な土地利用が不可能と認められる場合

これを例示すれば次ページの図のとおりで、A地とB地をそれぞれ異なる相続人が分割で取得したとしても、全体を1画地と評価することになります（各相続人の課税価格算入額は、全体を1画地として評価し、それぞれの土地の価額であん分した金額になります）。

もっとも、分割後の画地が不整形地等となる場合でも、その面積がその地域における標準的なものであり、かつ、土地利用からみて妥当性があれば、分割後の宅地を1画地として評価することができます。

なお、次図の(6)のB地の間口が建築基準法又は各市町村の条例等による接道制限より広く、B地に建物の建築ができるような場合は、不合理分割とはならず、A地、B地のそれぞれを1画地として評価することができます。

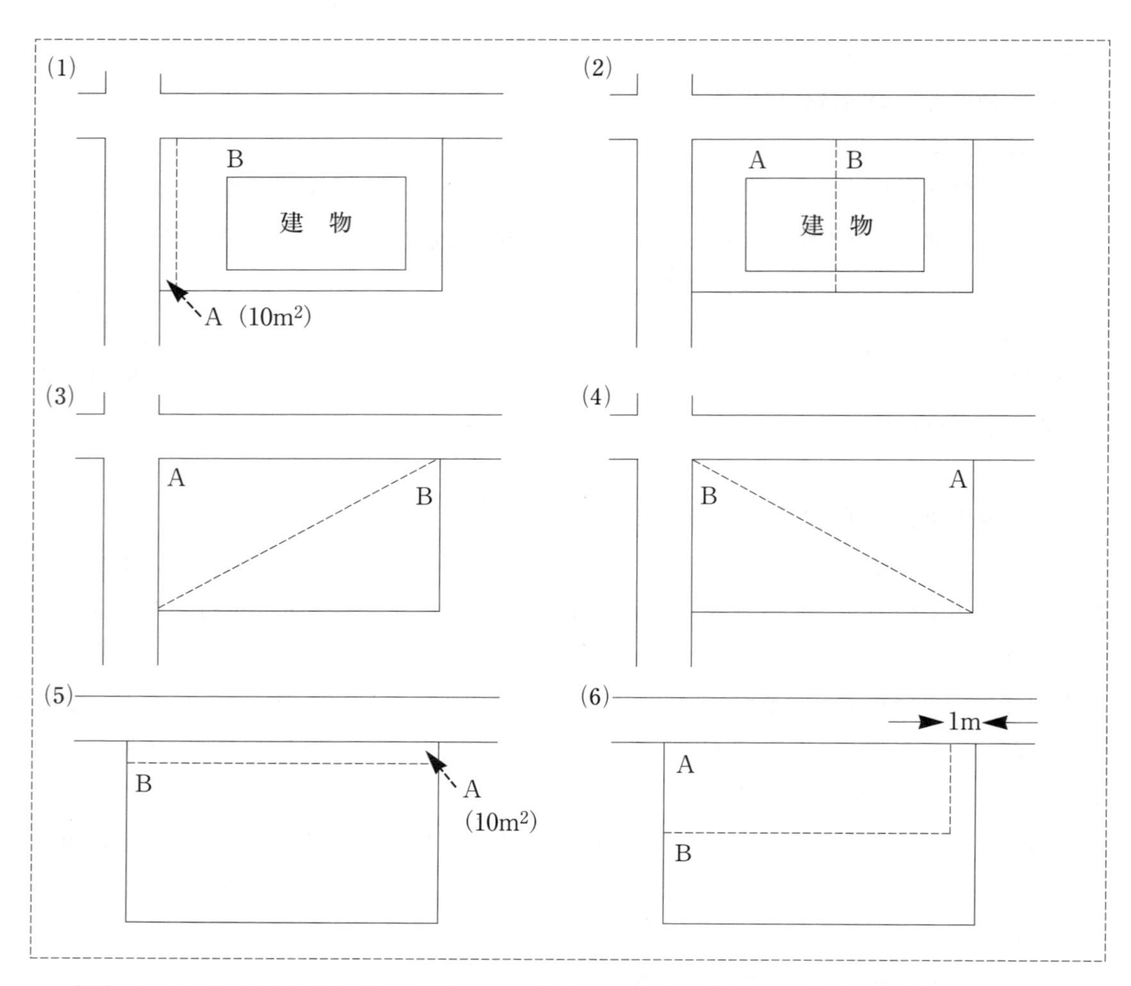

(注) このような不合理分割の取扱いは、農地、山林及び雑種地の場合にも適用されます（評基通７－２(2)(3)(7)）。

なお、市街化調整区域以外の都市計画区域で市街地的形態を形成する地域にある雑種地で、宅地と状況が類似するものについて、その形状、地積の大小、位置等からみて一団の土地として評価することが合理的であると認められるものは、その全体を１画地として評価します。たとえば、次図のような場合です。

宅地
(200m²)
A　資材置場
(60m²)
B　未利用の雑種地
(40m²)
C　駐車場
(70m²)
宅地
(180m²)

この場合、雑種地であるA地、B地、C地はそれぞれ利用状況が異なりますが、各土地を別個のものとすると、その形状や地積等からみて宅地としての効用を有しないと考えられます。このため、A地、B地及びC地は一の評価単位として扱われます。

4.　路線価方式による宅地の評価手順

宅地の評価方法は、「路線価方式」と「倍率方式」の２つで、いずれかが適用されます（評基通11）。まず、路線価方式について、評価の手順をまとめると、おおむね次のようになるでしょう。

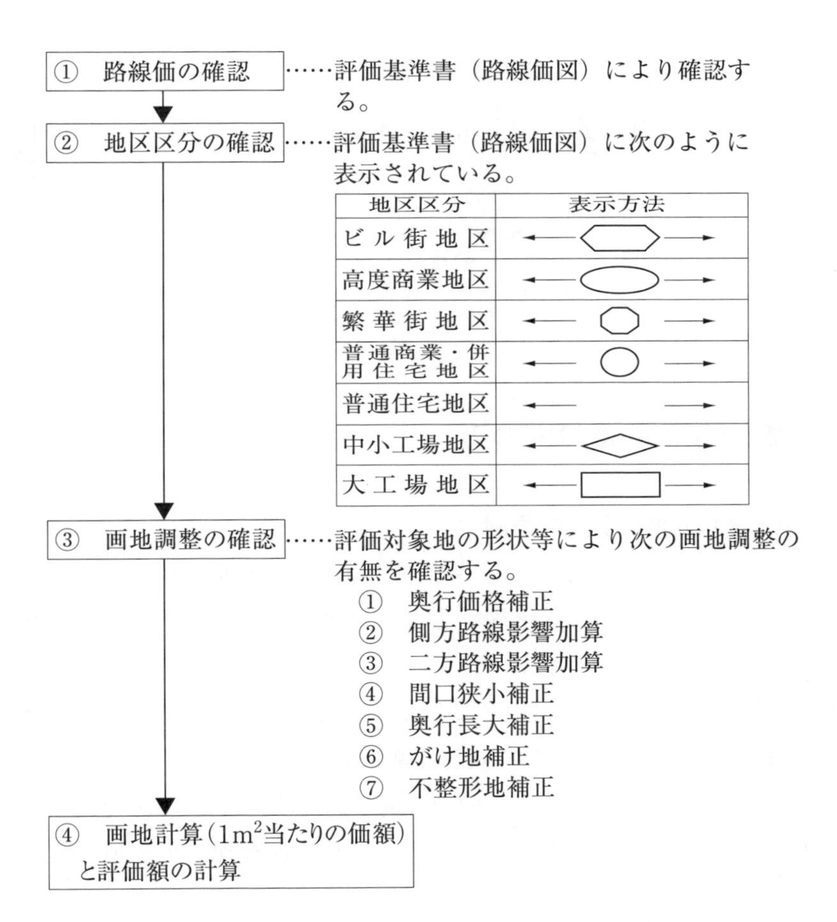

(注) 路線価図をみると、「地区区分」について、次のような表示説明があります。

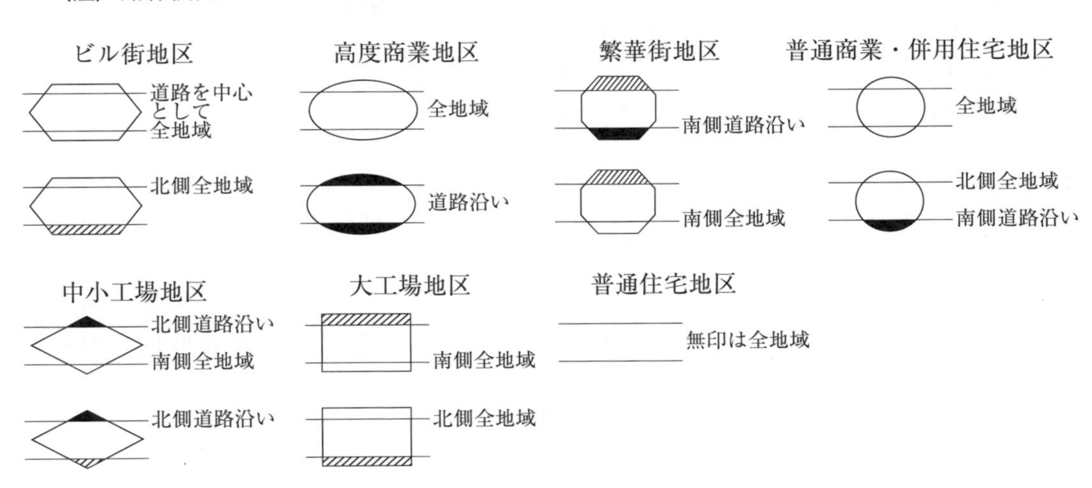

この表示の白抜き（普通住宅地区の場合は無印）は、道路を中心としてその全域に適用しますが、黒塗りは道路沿いのみに適用することを示しています。また、斜線表示はその記号を表す地区には該当しないという意味です。したがって、次の〔図1〕の場合は、A、C及びDの各宅地は「普通商業・併用住宅地区」になりますが、B宅地は「普通住宅地区」として評価します。また、〔図2〕の場合は、A宅地は「普通商業・併用住宅地区」ですが、B宅地とC宅地はこれに該当せず、「普通住宅地区」として扱うことになります。

〔図1〕

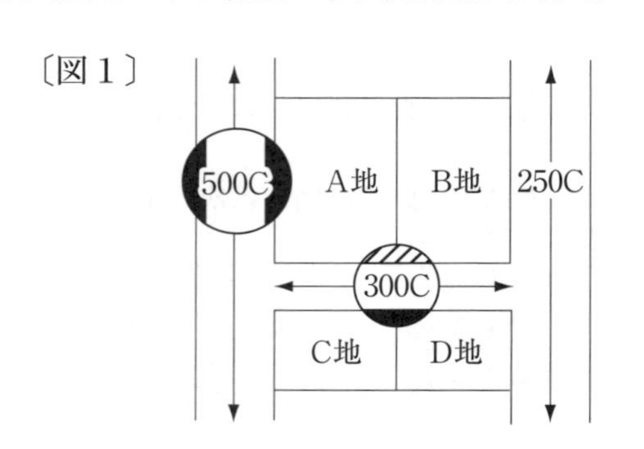

〔図2〕

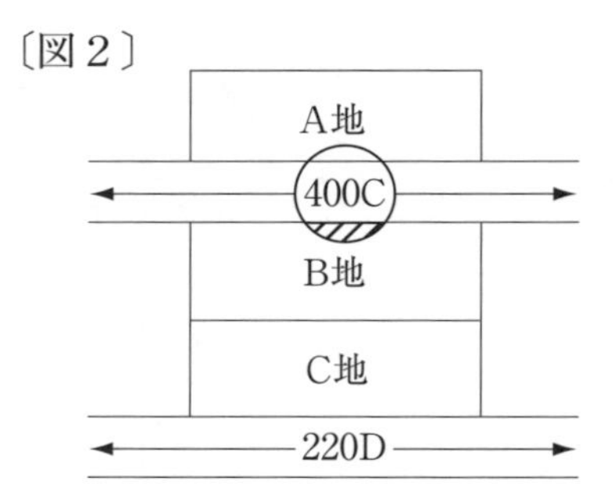

5. 奥行距離と間口距離の求め方

(1) 奥行距離と間口距離の算定の原則

路線価方式による宅地等の評価では、さまざまな画地調整が必要になりますが、その基本は「奥行価格補正」です。したがって、評価する宅地等の奥行距離の算定方法が重要になります。

奥行距離の求め方を示すと、下図のとおりで、各図の矢印の距離を奥行距離とします。この場合の基本的な考え方は、平均的な奥行距離によるということであり、原則として<宅地の面積÷間口距離>により求めます（図の<例４>及び<例５>）。ただし、次図の<例６>のように、宅地の面積を間口距離で除して得た奥行距離がその宅地の実際の奥行距離を超える場合は、実際の奥行距離によります。

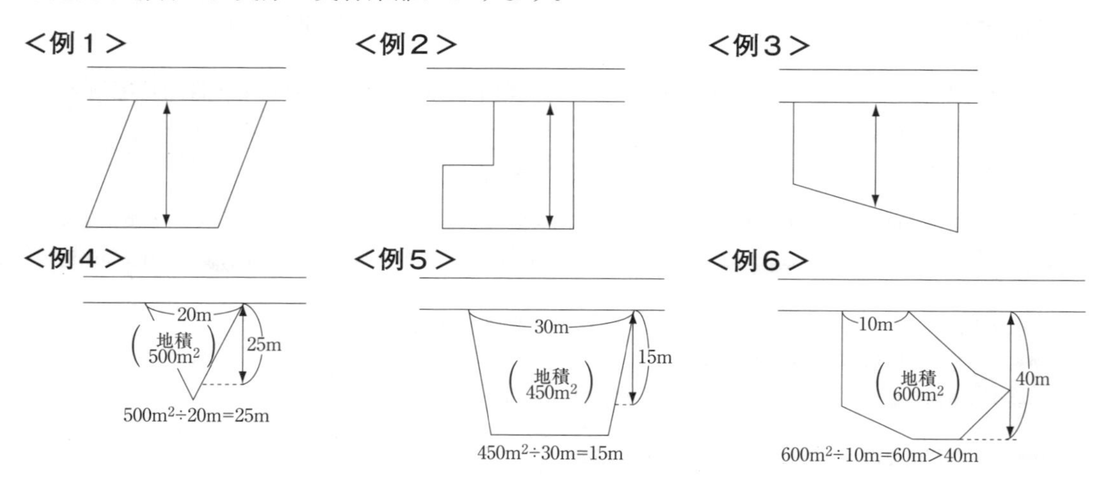

なお、奥行距離を算定する場合の間口距離は、その路線に面している距離によります。ただし、次図のような場合、<例１>と<例３>については「a」の距離により、<例２>については、「a＋c」によります。

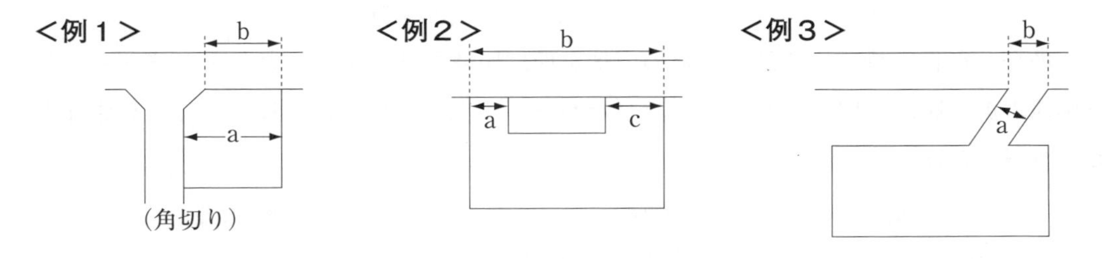

⑵　**不整形地の場合の奥行距離等の求め方**

評価する宅地等が不整形である場合の間口距離と奥行距離については、想定整形地による次のような方法があります。

《屈接路に内接する場合》

次図のように屈接路の内側に位置する宅地（角地に該当する場合を除きます）を例にみると、まず、A路線を基とした想定整形地〔図１〕とB路線を基とした想定整形地〔図２〕を描きます。

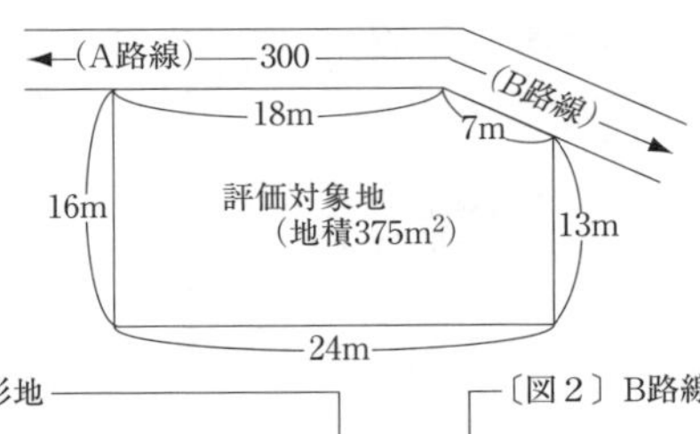

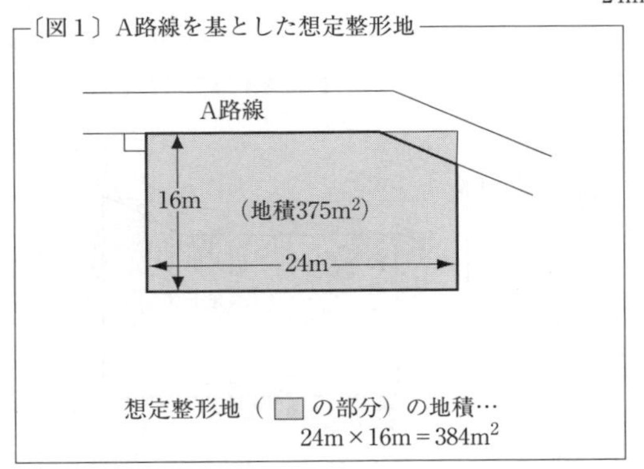

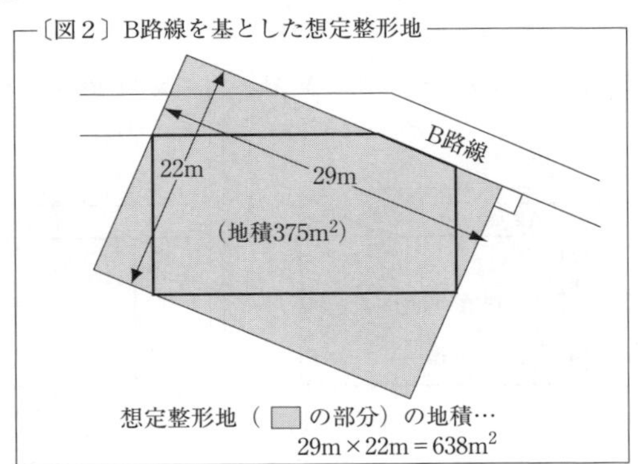

これら２つの想定整形地のうち、いずれか面積の小さい方〔図１〕を採用し、その想定整形地を基に、次のように間口距離と奥行距離を求めます。

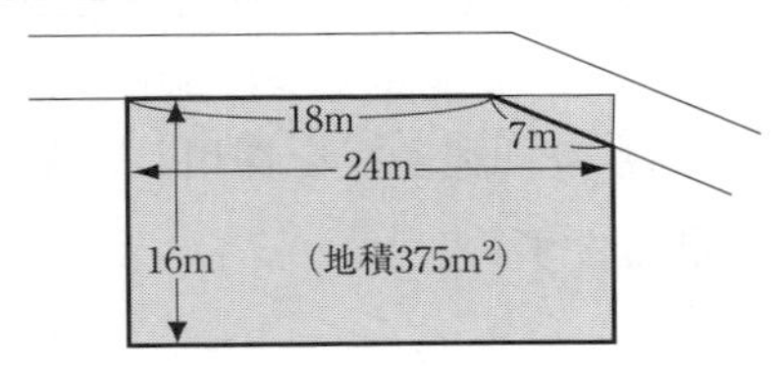

間口距離は、想定整形地の間口に相当する間口距離と屈折路に実際に面している距離とのいずれか短い距離とします。したがって、この例の場合は、24mが間口距離になります。

（想定整形地の間口距離）		（実際に路線に面する間口距離）
24m	<	25m（＝18m＋7m）

この場合の奥行距離は、評価対象地の面積を間口距離で除して得た数値としますが、想定整形地の奥行距離が限度になります。したがって、上例の場合は、15.62mを奥行距離として画地調整を行うことになります。

（評価対象地の面積）		（間口距離）				想定整形地の奥行距離
$375m^2$	÷	24m	＝	15.62m	<	16m

《屈接路に外接する場合》

次図のように屈接路の外側に位置する宅地の場合は、A路線を基とした想定整形地〔図1〕、B路線からみた想定整形地〔図2〕、さらに、A路線に接する「a」点とB路線に接する「b」点を結ぶ直線を基とした想定整形地〔図3〕の３つの想定整形地を描きます。

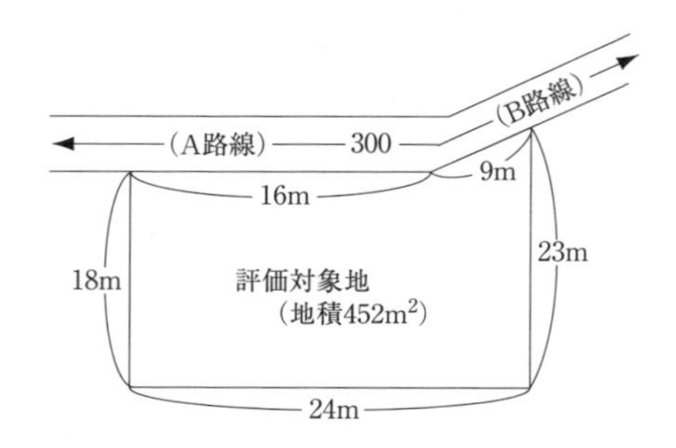

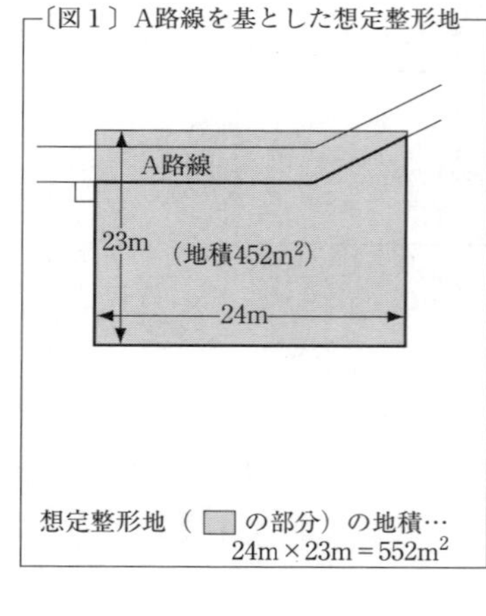

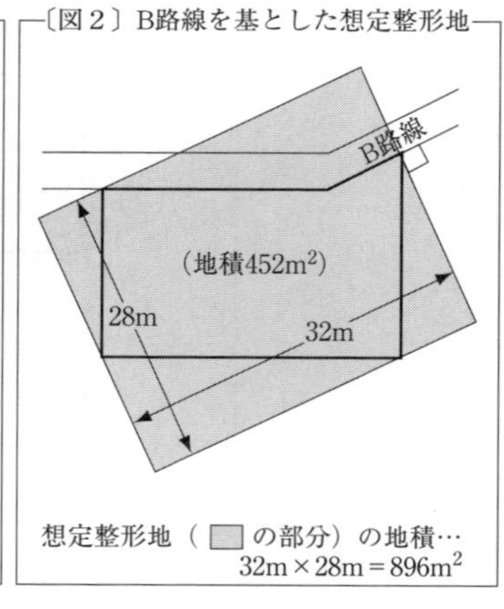

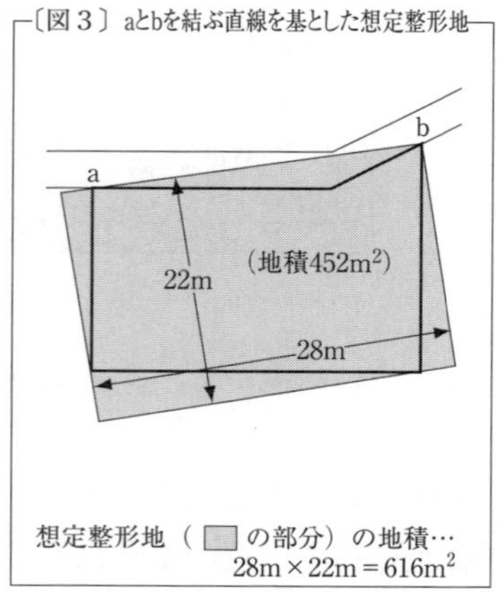

これらの３つの想定整形地のうち、最も面積の小さいもの〔図1〕を採用し、その想定整形地を基に、上記と同様に間口距離と奥行距離を算定します。

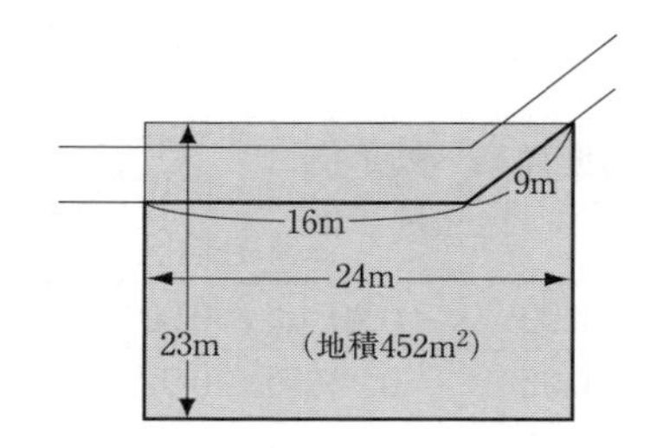

したがって、次によりいずれか短い距離の24mが間口距離になります。

（想定整形地の間口距離）　　（実際に路線に接する間口距離）
24m　　＜　　25m（＝16m＋9m）

また、奥行距離は、次により18.83mと算定できます。

（評価対象地の面積）　（間口距離）　　（想定整形地の奥行距離）
452m²　÷　24m　＝　18.83m　＜　23m

（注） 下図のような袋地状の不整形地の評価に際して、評価対象地と図のA部分を合わせて全体の整形地としての価額を算出し、その価額からA部分の価額を控除して不整形地の価額を求める方法があります。

この場合、A部分の評価上の「*a*」の奥行距離が短いため、奥行価格補正率が1.00未満となるときは、奥行価格補正率表に定める率にかかわらず、1.00を補正率としてA部分を評価します。

ただし、「*b*」の距離が短いため、奥行価格補正率が1.00未満となる場合は、A部分の価額を評価するときの奥行価格補正率を「*b*」の距離に対する補正率とします。

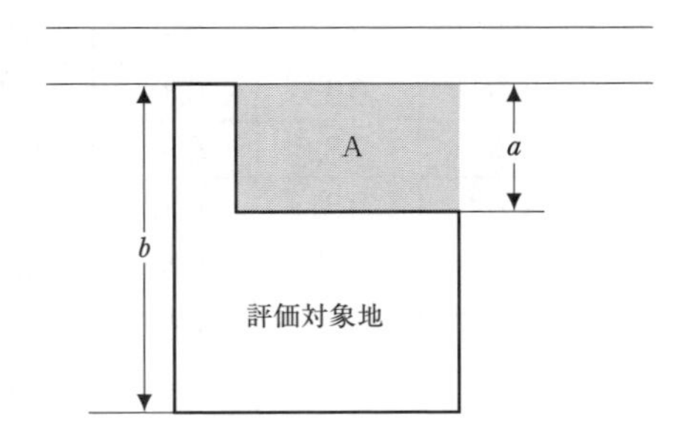

6.　路線価方式と各種の画地調整

⑴　奥行価格補正

宅地等の価額を路線価方式で評価する場合の画地調整では、奥行価格補正が基本となり、一方のみが路線に接する宅地の価額は、次により計算します（評基通15）。

〔路線価〕×〔奥行価格補正率〕＝１m²当たりの価額

〔1m²当たりの価額〕×〔地積〕＝評価額

この場合の「奥行価格補正率」（評基通付表１）は、次ページのとおりです。

奥行価格補正率表

地区区分 奥行距離 （メートル）	ビル街 地区	高度商業 地区	繁華街 地区	普通商業 ・併用住 宅地区	普通住宅 地区	中小工場 地区	大工場 地区
4未満	0.80	0.90	0.90	0.90	0.90	0.85	0.85
4以上　6未満		0.92	0.92	0.92	0.92	0.90	0.90
6　〃　8　〃	0.84	0.94	0.95	0.95	0.95	0.93	0.93
8　〃　10　〃	0.88	0.96	0.97	0.97	0.97	0.95	0.95
10　〃　12　〃	0.90	0.98	0.99	0.99	1.00	0.96	0.96
12　〃　14　〃	0.91	0.99	1.00	1.00		0.97	0.97
14　〃　16　〃	0.92	1.00				0.98	0.98
16　〃　20　〃	0.93					0.99	0.99
20　〃　24　〃	0.94					1.00	1.00
24　〃　28　〃	0.95				0.97		
28　〃　32　〃	0.96		0.98		0.95		
32　〃　36　〃	0.97		0.96	0.97	0.93		
36　〃　40　〃	0.98		0.94	0.95	0.92		
40　〃　44　〃	0.99		0.92	0.93	0.91		
44　〃　48　〃	1.00		0.90	0.91	0.90		
48　〃　52　〃		0.99	0.88	0.89	0.89		
52　〃　56　〃		0.98	0.87	0.88	0.88		
56　〃　60　〃		0.97	0.86	0.87	0.87		
60　〃　64　〃		0.96	0.85	0.86	0.86	0.99	
64　〃　68　〃		0.95	0.84	0.85	0.85	0.98	
68　〃　72　〃		0.94	0.83	0.84	0.84	0.97	
72　〃　76　〃		0.93	0.82	0.83	0.83	0.96	
76　〃　80　〃		0.92	0.81	0.82			
80　〃　84　〃		0.90	0.80	0.81	0.82	0.93	
84　〃　88　〃		0.88		0.80			
88　〃　92　〃		0.86			0.81	0.90	
92　〃　96　〃	0.99	0.84					
96　〃　100　〃	0.97	0.82					
100　〃	0.95	0.80			0.80		

なお、評価対象地が面する一つの路線に２以上の路線価が設定されている場合は、間口距離に応じて路線価格を加重平均して評価します。この例を示せば184ページのとおりで、「評価明細書」は〔書式41〕（次ページ）のように記載します。

〔書式41〕

土地及び土地の上に存する権利の評価明細書（第１表）　東京 局(所) ○○ 署　○○ 年分　××××ページ

(住居表示)	(○○区××4−2−3)	所有者	住所(所在地)	○○区××4−2−3	使用者	住所(所在地)	同　左
所在地番	○○区××4−10		氏名(法人名)	甲野一郎		氏名(法人名)	同　左

地目	地積	路線価 正面	側方	側方	裏面	地形図及び参考事項
(宅地) 山林 田 雑種地 畑 (　)	700 ㎡	500,000 円 450,000	円	円	円	500 → ← 450　15m　5m　35m

間口距離	20 m	利用区分	(自用地) 私道 貸宅地 貸家建付借地権 貸家建付地 転貸借地権 借地権 (　)	地区区分	ビル街地区 普通住宅地区 高度商業地区 中小工場地区 繁華街地区 大工場地区 (普通商業・併用住宅地区)
奥行距離	35 m				

	項目	(1㎡当たりの価額) 円	
自用地1平方メートル当たりの価額	1 一路線に面する宅地 (正面路線価) 487,500 円 × (奥行価格補正率) 0.97　$\left(\frac{500,000\times15m+450,000\times5m}{15m+5m}\right)$	472,875	A
	2 二路線に面する宅地 (A) 円 ＋ ([側方・裏面 路線価] 円 × (奥行価格補正率) . × [側方・二方 路線影響加算率] 0.　)		B
	3 三路線に面する宅地 (B) 円 ＋ ([側方・裏面 路線価] 円 × (奥行価格補正率) . × [側方・二方 路線影響加算率] 0.　)		C
	4 四路線に面する宅地 (C) 円 ＋ ([側方・裏面 路線価] 円 × (奥行価格補正率) . × [側方・二方 路線影響加算率] 0.　)		D
	5-1 間口が狭小な宅地等 (AからDまでのうち該当するもの) 円 × ((間口狭小補正率) . × (奥行長大補正率) .　)		E
	5-2 不整形地 (AからDまでのうち該当するもの) 円 × 不整形地補正率※ 0. ※不整形地補正率の計算 (想定整形地の間口距離) m × (想定整形地の奥行距離) m ＝ (想定整形地の地積) ㎡ ((想定整形地の地積) ㎡ − (不整形地の地積) ㎡) ÷ (想定整形地の地積) ㎡ ＝ (かげ地割合) % (不整形地補正率表の補正率) 0. × (間口狭小補正率) . ＝ (小数点以下2位未満切捨て) 0.　① (奥行長大補正率) . × (間口狭小補正率) . ＝ 0.　② ［不整形地補正率 (①、②のいずれか低い率、0.6を下限とする。)］ 0.		F
	6 地積規模の大きな宅地 (AからFまでのうち該当するもの) 円 × 規模格差補正率※ 0. ※規模格差補正率の計算 {((地積(Ⓐ)) ㎡× (Ⓑ) ＋ (Ⓒ)) ÷ (地積(Ⓐ)) ㎡} × 0.8 ＝ 0. (小数点以下2位未満切捨て)		G
	7 無道路地 (F又はGのうち該当するもの) 円 × (1 − 0.　) (※) ※割合の計算（0.4を上限とする。） ((正面路線価) 円 × (通路部分の地積) ㎡) ÷ ((F又はGのうち該当するもの) 円 × (評価対象地の地積) ㎡) ＝ 0.		H
	8-1 がけ地等を有する宅地 〔南、東、西、北〕 (AからHまでのうち該当するもの) 円 × (がけ地補正率) 0.		I
	8-2 土砂災害特別警戒区域内にある宅地 (AからHまでのうち該当するもの) 円 × 特別警戒区域補正率※ 0. ※がけ地補正率の適用がある場合の特別警戒区域補正率の計算（0.5を下限とする。）〔南、東、西、北〕 (特別警戒区域補正率表の補正率) 0. × (がけ地補正率) 0. ＝ (小数点以下2位未満切捨て) 0.		J
	9 容積率の異なる2以上の地域にわたる宅地 (AからJまでのうち該当するもの) 円 × (1 − (控除割合（小数点以下3位未満四捨五入）) 0.　)		K
	10 私道 (AからKまでのうち該当するもの) 円 × 0.3		L

自用地の評価額	自用地1平方メートル当たりの価額 (AからLまでのうちの該当記号)	地積	総額 (自用地1㎡当たりの価額)×(地積)	
	(A) 472,875 円	700 ㎡	331,012,500 円	M

(注) 1 5-1の「間口が狭小な宅地等」と5-2の「不整形地」は重複して適用できません。
2 5-2の「不整形地」の「AからDまでのうち該当するもの」欄の価額について、AからDまでの欄で計算できない場合には、（第2表）の「備考」欄等で計算してください。
3 「がけ地等を有する宅地」であり、かつ、「土砂災害特別警戒区域内にある宅地」である場合については、8-1の「がけ地等を有する宅地」欄ではなく、8-2の「土砂災害特別警戒区域内にある宅地」欄で計算してください。

<設　例>

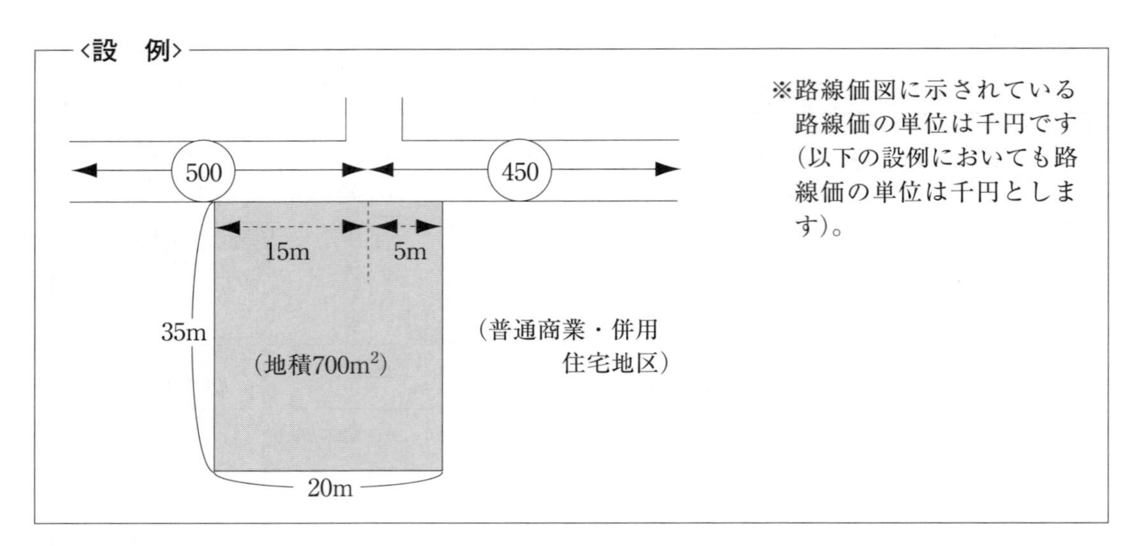

【計　算】

① 路線価の加重平均額

$$\frac{500{,}000\text{円}\times 15\text{m}+450{,}000\text{円}\times 5\text{m}}{15\text{m}+5\text{m}}=487{,}500\text{円}$$

② 1m²当たりの価額

（路線価）　（奥行35mに応ずる奥行価格補正率）

487,500円　×　0.97　＝472,875円

③ 評価額

（1m²当たりの価額）　（地積）

472,875円　×　700m²＝331,012,500円

(2) 側方路線影響加算

正面と側方に路線がある宅地（角地）は、1m²当たりの価額を次により算出し、評価します（評基通16）。

$$\left(\text{正面路線価}\times\text{奥行価格補正率}\right)+\left(\text{側方路線価}\times\text{奥行価格補正率}\times\text{側方路線影響加算率}\right)=1\text{m}^2\text{当たりの価額}$$

この場合の「側方路線影響加算率」（評基通付表２）は、次のとおりです。

側方路線影響加算率表

地区区分	加算率	
	角地の場合	準角地の場合
ビル街地区	0.07	0.03
高度商業地区 繁華街地区	0.10	0.05
普通商業・併用住宅地区	0.08	0.04
普通住宅地区 中小工場地区	0.03	0.02
大工場地区	0.02	0.01

（注） 準角地とは、次図のように一系統の路線の屈折部の内側に位置するものをいいます。

なお、上記の算式における「正面路線価」とは、２つの路線価について、原則として奥行価格補正率を乗じた１平方メートル当たりの価額の高い方の路線価をいいます。ただし、次図のA地やB地のように高い方の路線価（60万円）の影響を受ける度合いが著しく低い宅地の場合は、低い方の路線価（40万円）が接する路線を正面路線として評価することができます。

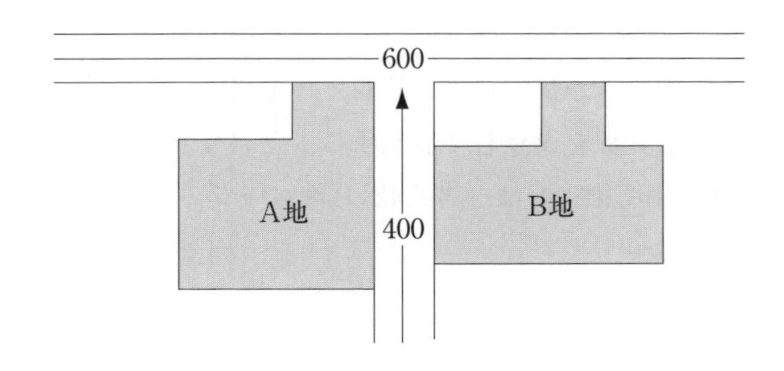

ところで、次の設例の場合、２つの路線についての地区区分が異なっています。この場合は、正面路線の地区が「普通商業・併用住宅地区」のため、側方路線が「普通住宅地区」であっても、すべて「普通商業・併用住宅地区」の奥行価格補正率及び側方路線影響加算率を適用して、その価額を評価することになります。

＜設　例＞

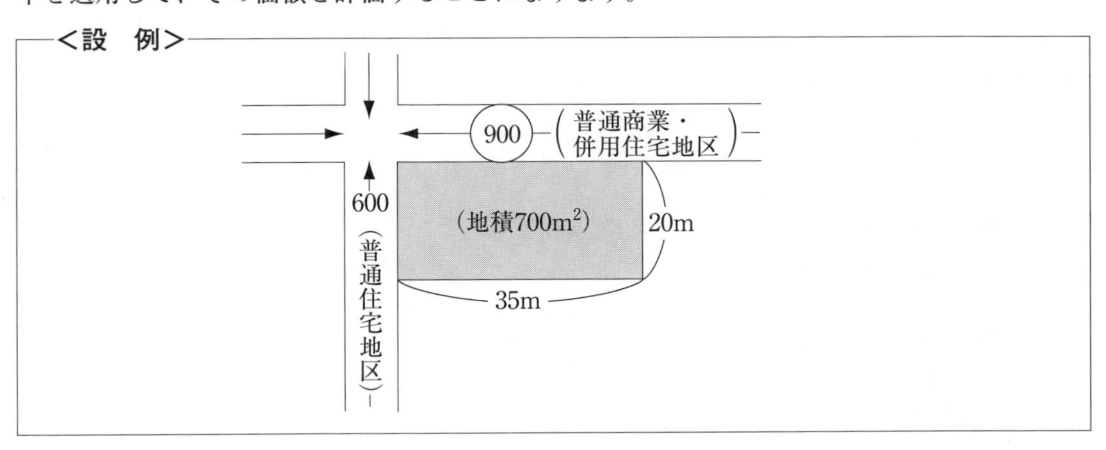

【計　算】

①　基本価額

（正面路線価）　（奥行20mに応ずる奥行価格補正率）

900,000円 × 1.00 ＝900,000円

② 側方路線影響加算額

(側方路線価)		(奥行35mに応ずる奥行価格補正率)		(側方路線影響加算率)	
600,000円	×	0.97（注）	×	0.08（注）	＝46,560円

(注) いずれも「普通商業・併用住宅地区」のものを適用します。

③ 1 m²当たりの価額

(①)　(②)
900,000円＋46,560円＝946,560円

④ 評価額

(1 m²当たりの価額)　(地積)
946,560円　× 700m²　＝662,592,000円

また、評価する宅地の一部のみが側方路線に接している場合は、宅地に接する部分に対応する側方路線について、加算額を調整して評価することになります。これを設例で示せば、次のとおりであり、「評価明細書」は〔書式42〕(次ページ) のように記載します。

<設　例>

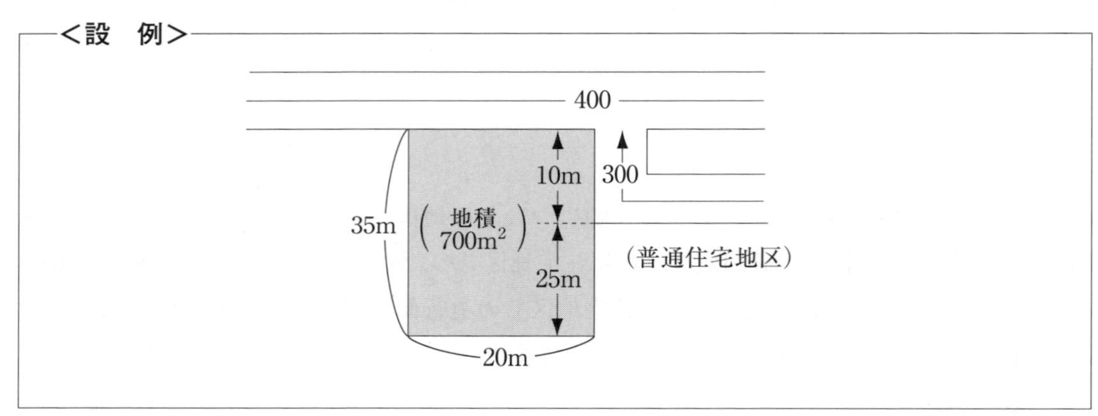

【計　算】

① 基本価額

(正面路線価)		(奥行35mに応ずる奥行価格補正率)	
400,000円	×	0.93	＝372,000円

② 側方路線影響加算額

(側方路線価)		(奥行20mに応ずる奥行価格補正率)		(側方路線影響加算率)		(側方路線に接している部分)	
300,000円	×	1.00	×	0.03	×	$\frac{10m}{35m}$	＝2,571円

③ 1 m²当たりの価額

(①)　(②)
372,000円 ＋ 2,571円 ＝374,571円

④ 評価額

(1 m²当たりの価額)　(地積)
374,571円　× 700m² ＝262,199,700円

〔書式42〕

土地及び土地の上に存する権利の評価明細書（第１表）　東京 局(所) ○○ 署　○○ 年分　××××ページ

(住居表示)	(○○区××6−5−4)	所有者	住所(所在地)	○○区××6−5−4	使用者	住所(所在地)	同　左
所在地番	○○区××6−51		氏名(法人名)	乙川次郎		氏名(法人名)	同　左

地目	地積	路線価 正面	路線価 側方	路線価 側方	路線価 裏面	地形図及び参考事項
(宅地) 山林 田 雑種地 畑 (　)	700 ㎡	400,000円	300,000円	円	円	400 / 300 / 10m / 35m / 25m / 20m

間口距離	20 m	利用区分	(自用地) 私道 貸宅地 貸家建付借地権 貸家建付地 転貸借地権 借地権 (　)	地区区分	ビル街地区 (普通住宅地区) 高度商業地区 中小工場地区 繁華街地区 大工場地区 普通商業・併用住宅地区
奥行距離	35 m				

自用地１平方メートル当たりの価額

区分	計算	(1㎡当たりの価額) 円	記号
1 一路線に面する宅地	(正面路線価) 400,000円 × (奥行価格補正率) 0.93	372,000	A
2 二路線に面する宅地	(A) 372,000円 ＋ ［(側方)・裏面 路線価］(300,000円 × (奥行価格補正率) 1.00 × ［(側方)・二方 路線影響加算率］ 0.03×$\frac{10m}{35m}$)	374,571	B
3 三路線に面する宅地	(B) 円 ＋ ［側方・裏面 路線価］(円 × (奥行価格補正率) . × ［側方・二方 路線影響加算率］ 0.)		C
4 四路線に面する宅地	(C) 円 ＋ ［側方・裏面 路線価］(円 × (奥行価格補正率) . × ［側方・二方 路線影響加算率］ 0.)		D
5-1 間口が狭小な宅地等	(AからDまでのうち該当するもの) 円 × ((間口狭小補正率) . × (奥行長大補正率) .)		E
5-2 不整形地	(AからDまでのうち該当するもの) 円 × 不整形地補正率※ 0. ※不整形地補正率の計算 (想定整形地の間口距離) m × (想定整形地の奥行距離) m ＝ (想定整形地の地積) ㎡ ((想定整形地の地積) ㎡ − (不整形地の地積) ㎡) ÷ (想定整形地の地積) ㎡ ＝ (かげ地割合) % (不整形地補正率表の補正率) 0. × (間口狭小補正率) . ＝ (小数点以下2位未満切捨て) 0.　① (奥行長大補正率) . × (間口狭小補正率) . ＝ 0.　② ［不整形地補正率（①、②のいずれか低い率、0.6を下限とする。）］ 0.		F
6 地積規模の大きな宅地	(AからFまでのうち該当するもの) 円 × 規模格差補正率※ 0. ※規模格差補正率の計算 {((地積(Ⓐ)) ㎡× (Ⓑ) ＋ (Ⓒ)) ÷ (地積(Ⓐ)) ㎡} × 0.8 ＝ 0. (小数点以下2位未満切捨て)		G
7 無道路地	(F又はGのうち該当するもの) 円 × (1 − 0.(※)) ※割合の計算（0.4を上限とする。） ((正面路線価) 円 × (通路部分の地積) ㎡) ÷ ((F又はGのうち該当するもの) 円 × (評価対象地の地積) ㎡) ＝ 0.		H
8-1 がけ地等を有する宅地 ［南、東、西、北］	(AからHまでのうち該当するもの) 円 × (がけ地補正率) 0.		I
8-2 土砂災害特別警戒区域内にある宅地	(AからHまでのうち該当するもの) 円 × 特別警戒区域補正率※ 0. ※がけ地補正率の適用がある場合の特別警戒区域補正率の計算（0.5を下限とする。） ［南、東、西、北］ (特別警戒区域補正率表の補正率) 0. × (がけ地補正率) 0. ＝ (小数点以下2位未満切捨て) 0.		J
9 容積率の異なる2以上の地域にわたる宅地	(AからJまでのうち該当するもの) 円 × (1 − (控除割合（小数点以下3位未満四捨五入）) 0.)		K
10 私道	(AからKまでのうち該当するもの) 円 × 0.3		L

自用地の評価額	自用地1平方メートル当たりの価額 (AからLまでのうちの該当記号)	地積	総額 (自用地1㎡当たりの価額) × (地積)	
	(B) 374,571 円	700 ㎡	262,199,700 円	M

(注) 1 5-1の「間口が狭小な宅地等」と5-2の「不整形地」は重複して適用できません。
2 5-2の「不整形地」の「AからDまでのうち該当するもの」欄の価額について、AからDまでの欄で計算できない場合には、（第2表）の「備考」欄等で計算してください。
3 「がけ地等を有する宅地」であり、かつ、「土砂災害特別警戒区域内にある宅地」である場合については、8-1の「がけ地等を有する宅地」欄ではなく、8-2の「土砂災害特別警戒区域内にある宅地」欄で計算してください。

⑶ 二方路線影響加算

正面と裏面に路線のある宅地は、次の算式による1m²当たりの価額を基に評価します(評基通17)。この場合の正面路線価は、いずれか高い方の路線価をいいます。

$$\left(\text{正面路線価} \times \text{奥行価格補正率}\right) + \left(\text{裏面路線価} \times \text{奥行価格補正率} \times \text{二方路線影響加算率}\right) = \text{1m}^2\text{当たりの価額}$$

この算式における「二方路線影響加算率」(評基通付表3)は、次のとおりです。

二方路線影響加算率表

地区区分	加算率
ビル街地区	0.03
高度商業地区 繁華街地区	0.07
普通商業・併用住宅地区	0.05
普通住宅地区 中小工場地区 大工場地区	0.02

なお、次図のように、裏面路線の接する部分がその宅地の間口距離より短い場合は、裏面路線に接する部分が間口距離に占める割合により二方路線影響加算額を調整することができます。

$$\text{二方路線影響加算額} = \left(\text{裏面路線価}\right) \times \left(\text{奥行価格補正率}\right) \times \left(\text{二方路線影響加算率}\right) \times \frac{B}{A}$$

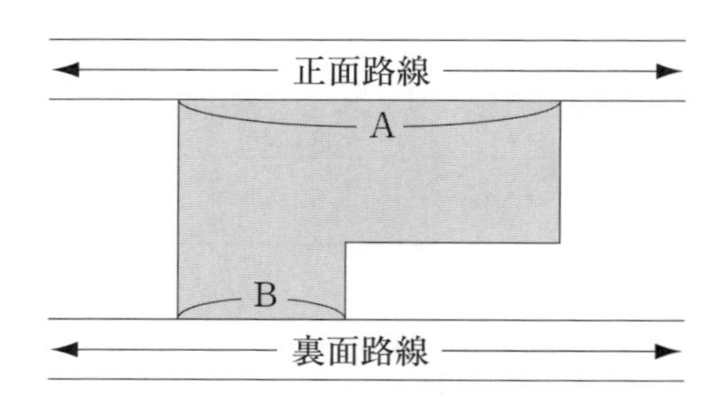

また、次ページの図のように側方路線に接していても、現実には角地としての効用を有していない場合は、二方路線影響加算率によって側方路線影響加算額を計算することも認められます。この場合も宅地の一部しか側方路線に接していないため、加算額は次の算式により調整する必要があります。

$$\text{側方路線影響加算額} = \left(\text{側方路線価}\right) \times \left(\text{奥行価格補正率}\right) \times \left(\text{二方路線影響加算率}\right) \times \frac{B}{A}$$

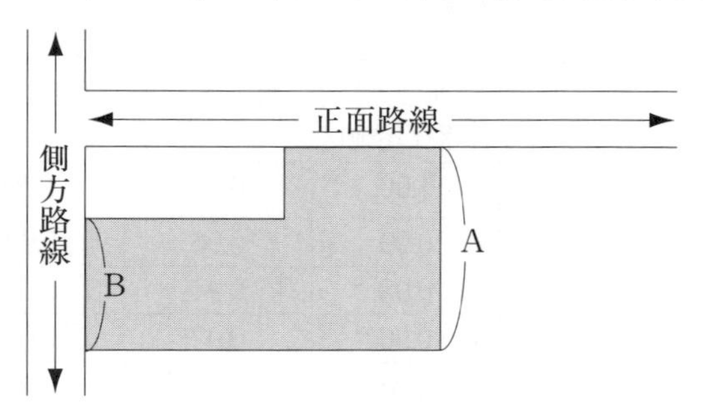

（注） 上記２つの場合、評価対象地が不整形なため、別途に不整形地補正が適用できます。

⑷ 間口狭小補正と奥行長大補正

間口の狭小な宅地の価額は、奥行価格補正のほか、間口が狭小であることの減価要因を考慮して「間口狭小補正率」（評基通付表６）を適用して評価します（評基通20－３）。

$$\left(\text{路線価}\right) \times \left(\text{奥行価格補正率}\right) \times \left(\text{間口狭小補正率}\right) = 1\,\text{m}^2\text{当たりの価額}$$

間 口 狭 小 補 正 率 表

地区区分 間口距離（メートル）	ビル街地区	高度商業地区	繁華街地区	普通商業・併用住宅地区	普通住宅地区	中小工場地区	大工場地区
４未満	－	0.85	0.90	0.90	0.90	0.80	0.80
４以上　６未満	－	0.94	1.00	0.97	0.94	0.85	0.85
６　〃　８　〃	－	0.97		1.00	0.97	0.90	0.90
８　〃　10　〃	0.95	1.00			1.00	0.95	0.95
10　〃　16　〃	0.97					1.00	0.97
16　〃　22　〃	0.98						0.98
22　〃　28　〃	0.99						0.99
28　〃	1.00						1.00

一方、間口距離に比して奥行が長大な宅地は、「奥行長大補正率」（評基通付表７）を適用して、その価額を評価します（評基通20－３）。

$$\left(\text{路線価}\right) \times \left(\text{奥行価格補正率}\right) \times \left(\text{奥行長大補正率}\right) = 1\,\text{m}^2\text{当たりの価額}$$

奥行が長大かどうかは、間口距離との相対的な関係で判断されるため、奥行長大補正率は、次ページのように間口距離と奥行距離との割合に応じて定められています。

なお、「ビル街地区」と「大工場地区」の奥行長大補正率は1.00とされており、これらの地区にある宅地については、奥行長大か否かにかかわらず、この補正はありません。

奥 行 長 大 補 正 率 表

地区区分 / 奥行距離・間口距離	ビル街地区	高度商業地区 繁華街地区 普通商業・併用住宅地区	普通住宅地区	中小工場地区	大工場地区
2以上　3未満	1.00	1.00	0.98	1.00	1.00
3 〃　4 〃		0.99	0.96	0.99	
4 〃　5 〃		0.98	0.94	0.98	
5 〃　6 〃		0.96	0.92	0.96	
6 〃　7 〃		0.94	0.90	0.94	
7 〃　8 〃		0.92		0.92	
8 〃		0.90		0.90	

ところで、間口が狭小な宅地の評価について、間口狭小補正と奥行長大補正との同時適用は認められています。その例を示すと、次のとおりです。

＜設　例＞

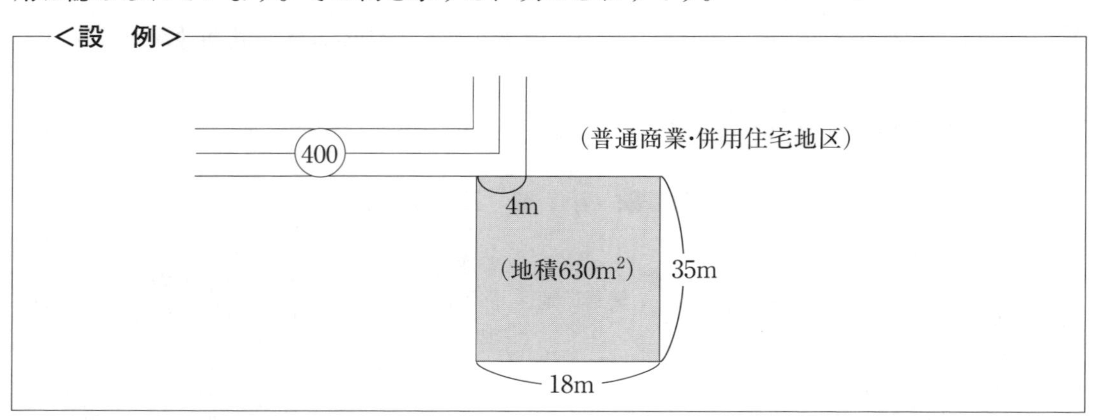

【計　算】

①　1m²当たりの価額

（路線価）400,000円 ×（奥行35mに応ずる奥行価格補正率）0.97 ×（間口狭小補正率）0.97 ×（奥行長大補正率）0.90 ＝338,724円

（注）奥行長大補正率…$\frac{\text{奥行35m}}{\text{間口4m}}$ ＝8.75 ⟶ 0.90

②　評価額

（1m²当たりの価額）338,724円 ×（地積）630m² ＝213,396,120円

なお、間口狭小補正と奥行長大補正は、上述のとおりいずれか一方が適用される場合と双方が適用される場合がありますが、2つの補正率からみると、両者の適用範囲は次ページのようになります。

地区区分	間口狭小補正率が適用される宅地	奥行長大補正率が適用される宅地
	間口距離	奥行距離÷間口距離
ビル街地区	28m未満	（適用なし）
高度商業地区	8m未満	3以上
繁華街地区	4m未満	3以上
普通商業・併用住宅地区	6m未満	3以上
普通住宅地区	8m未満	2以上
中小工場地区	10m未満	3以上
大工場地区	28m未満	（適用なし）

(注) 間口狭小補正率（189ページ）をみると、間口距離が4m未満の場合はそれぞれの地区区分について、すべて同一の補正率とされています。しかし、次図のＡ宅地の場合は2m以上（東京都建築安全条例の場合）という接道義務を満たしているため、住宅の建築が可能です。これに対しＢ宅地の場合は接道義務を満たしていません。このような場合、両者の土地を同額で評価するのは不合理ですから、Ｂ宅地については、後述（199ページ）の無道路地の取扱いに準じた評価の斟酌をすることができます。

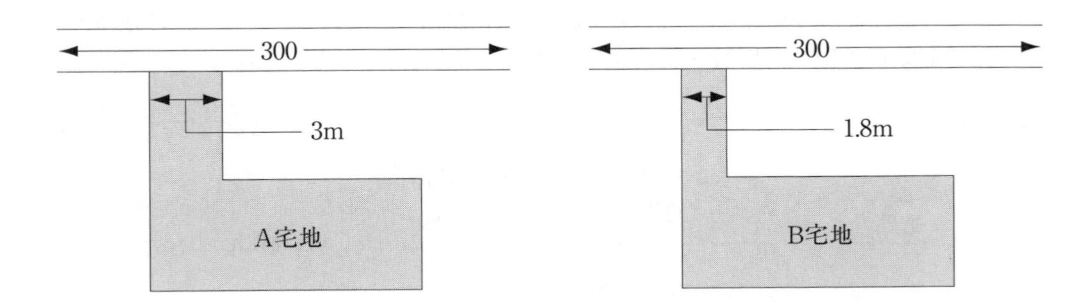

⑸　がけ地補正

宅地の一部ががけ地となっている場合のそのがけ地部分は、当然に評価上の減価要因となります。このため、がけ地部分を有する宅地の価額は、次の算式により評価します（評基通20－４）。

$$\left(\text{路線価}\right)\times\left(\begin{array}{c}\text{奥行価格}\\\text{補正率}\end{array}\right)\times\left(\begin{array}{c}\text{がけ地}\\\text{補正率}\end{array}\right)=1\,\text{m}^2\text{当たりの価額}$$

この場合の「がけ地補正率」（評基通付表８）は、次ページのように総面積に対するがけ地部分の面積割合とがけ地部分が面する方位に応じて定められています。

が　け　地　補　正　率　表

がけ地の方位 / がけ地地積÷総地積	南	東	西	北
0.10以上	0.96	0.95	0.94	0.93
0.20 〃	0.92	0.91	0.90	0.88
0.30 〃	0.88	0.87	0.86	0.83
0.40 〃	0.85	0.84	0.82	0.78
0.50 〃	0.82	0.81	0.78	0.73
0.60 〃	0.79	0.77	0.74	0.68
0.70 〃	0.76	0.74	0.70	0.63
0.80 〃	0.73	0.70	0.66	0.58
0.90 〃	0.70	0.65	0.60	0.53

(注) がけ地の方位については次により判定する。

1　がけ地の方位は、斜面の向きによる。

2　2方位以上のがけ地がある場合は、次の算式により計算した割合をがけ地補正率とする。

$$\frac{\left(\text{総地積に対するがけ地部分の全地積の割合に応ずるA方位のがけ地補正率} \times \text{A方位のがけ地の地積} + \text{総地積に対するがけ地部分の全地積の割合に応ずるB方位のがけ地補正率} \times \text{B方位のがけ地の地積} + \cdots\right)}{\text{がけ地部分の全地積}}$$

3　この表に定められた方位に該当しない「東南斜面」などについては、がけ地の方位の東と南に応ずるがけ地補正率を平均して求めることとして差し支えない。

<設　例>

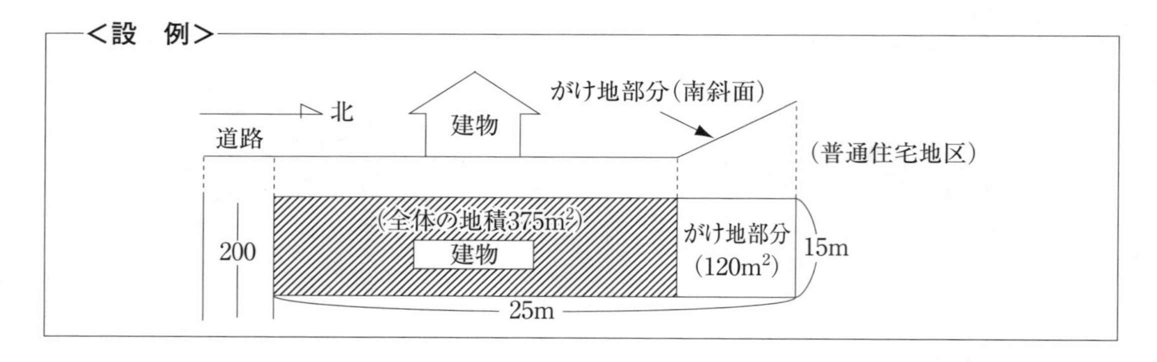

【計　算】

①　1 m²当たりの価額

（路線価）200,000円 × （奥行25mに応ずる奥行価格補正率）0.97 × （がけ地補正率）0.88 ＝170,720円

(注) がけ地補正率…$\frac{\text{がけ地地積}120\text{m}^2}{\text{総地積}375\text{m}^2}$ ＝0.32 ⟶ （南斜面）0.88

②　評価額

（1m²当たりの価額）170,720円 × （地積）375m² ＝64,020,000円

(6)　不整形地補正

不整形な宅地について財産評価基本通達は、次の算式により評価することとしています（評基通20）。

〔不整形地に近似する整形地としての価額〕×〔不整形地補正率〕＝評価額

この場合の整形地としての価額は、不整形地に多種多様なものがあるため、一律にその評価方法を定めることは困難です。財産評価基本通達では、次の４つの方法が示されています。

①　次図のように不整形地を区分して求めた整形地を基として計算する方法

②　次図のように不整形地の地積を間口距離で除して算出した計算上の奥行距離を基として求めた整形地により計算する方法

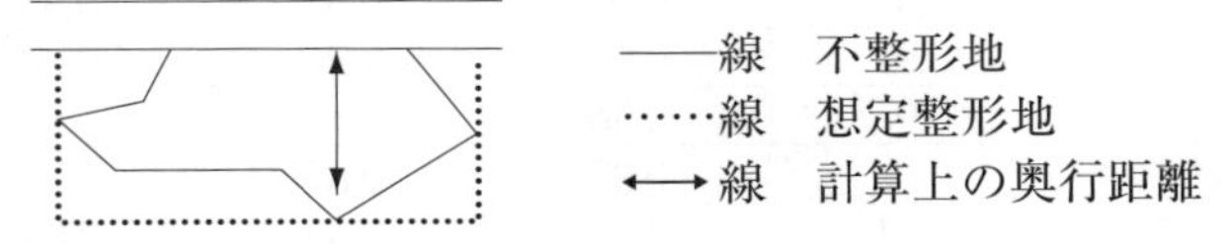

(注) ただし、計算上の奥行距離は、不整形地の全域を囲む、正面路線に面するく形又は正方形の土地（以下「想定整形地」という）の奥行距離を限度とする。

③　次図のように不整形地に近似する整形地（以下「近似整形地」という）を求め、その設定した近似整形地を基として計算する方法

(注) 近似整形地は、近似整形地からはみ出す不整形地の部分の地積と近似整形地に含まれる不整形地以外の部分の地積がおおむね等しく、かつ、その合計地積ができるだけ小さくなるように求める（④において同じ）。

④　次図のように近似整形地（A）を求め、隣接する整形地（B）と合わせて全体の整形地の価額の計算をしてから、隣接する整形地（B）の価額を差し引いた価額を基として計算する方法

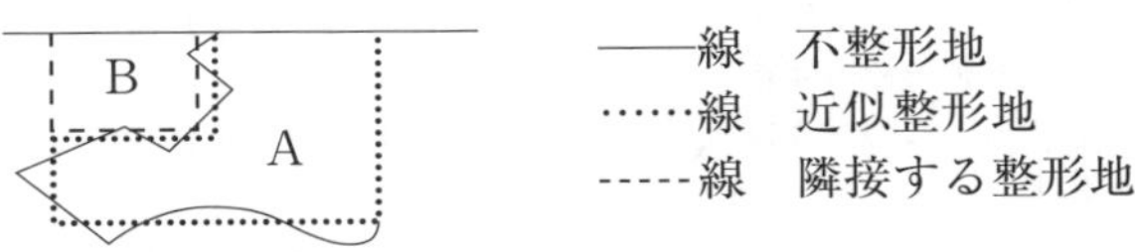

一方、上記の評価計算式における「不整形地補正率」（評基通付表４、付表５）は、次ページのとおりです。

不整形地補正率表

(1) 地積区分表

地区区分＼地積区分	A	B	C
高度商業地区	1,000m²未満	1,000m²以上 1,500m²未満	1,500m²以上
繁華街地区	450m²未満	450m²以上 700m²未満	700m²以上
普通商業・併用住宅地区	650m²未満	650m²以上 1,000m²未満	1,000m²以上
普通住宅地区	500m²未満	500m²以上 750m²未満	750m²以上
中小工場地区	3,500m²未満	3,500m²以上 5,000m²未満	5,000m²以上

(2) 不整形地補正率表

地区区分	高度商業地区、繁華街地区、普通商業・併用住宅地区、中小工場地区			普通住宅地区		
かげ地割合＼地積区分	A	B	C	A	B	C
10% 以上	0.99	0.99	1.00	0.98	0.99	0.99
15% 〃	0.98	0.99	0.99	0.96	0.98	0.99
20% 〃	0.97	0.98	0.99	0.94	0.97	0.98
25% 〃	0.96	0.98	0.99	0.92	0.95	0.97
30% 〃	0.94	0.97	0.98	0.90	0.93	0.96
35% 〃	0.92	0.95	0.98	0.88	0.91	0.94
40% 〃	0.90	0.93	0.97	0.85	0.88	0.92
45% 〃	0.87	0.91	0.95	0.82	0.85	0.90
50% 〃	0.84	0.89	0.93	0.79	0.82	0.87
55% 〃	0.80	0.87	0.90	0.75	0.78	0.83
60% 〃	0.76	0.84	0.86	0.70	0.73	0.78
65% 〃	0.70	0.75	0.80	0.60	0.65	0.70

(注)

1　不整形地補正率は、次により求める。

イ　評価する不整形地（以下「評価対象地」という。）の地区及び地積の別を上記「(1)地積区分表」に当てはめ、A、B又はCのいずれの地積区分に該当するかを判定する。

ロ　評価対象地の画地全域を囲む正面路線に面するく形又は正方形の土地（以下「想定整形地」という。）の地積を算出し、次の算式により「かげ地割合」を算出する。

$$「かげ地割合」=\frac{想定整形地の地積-評価対象地の地積}{想定整形地の地積}$$

ハ　イの地積区分とロの「かげ地割合」を上記「(2)不整形地補正率表」に当てはめ、不整形地補正率を求める。

ニ　「間口狭小補正率表」に定める間口狭小補正率の適用がある評価対象地については、ハで求めた不整形地補正率に間口狭小補正率を乗じて得た数値をその評価対象地の不整形地補正率とする（ただし、この場合の不整形地補正率の下限は60%である。）。

2　不整形地補正率を求める上での留意事項

イ　大工場地区にある不整形地については、原則として不整形地補正を行わないが、地積がおおむね9,000m²程度までのものについては、「(1)地積区分表」及び「(2)不整形地補正率表」に掲げる中小工場地区の区分により不整形地としての補正を行って差し支えない。

ロ　次の図のような帯状部分を有するもの又はこれに類似する不整形地については、帯状部分「A」とその他の部分「B」とに分割し、それぞれについて奥行価格補正等の画地調整を行って評価し、不整形地としての減額を行わない。

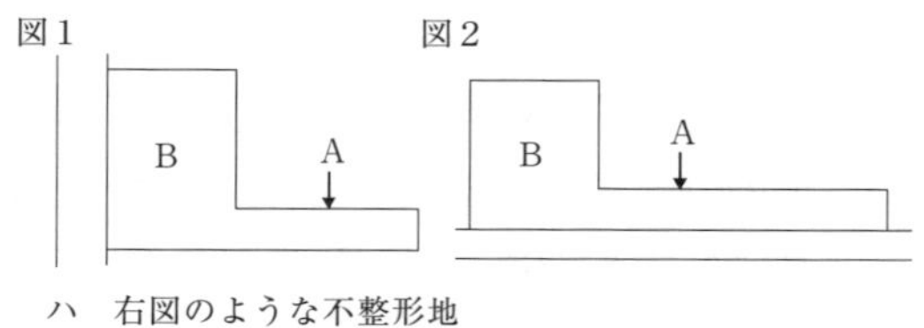

ハ　右図のような不整形地については、a不整形地補正率を適用して評価する方法、b間口狭小補正率と奥行長大補正率を適用して評価する方法のいずれかを選択して評価することができる。

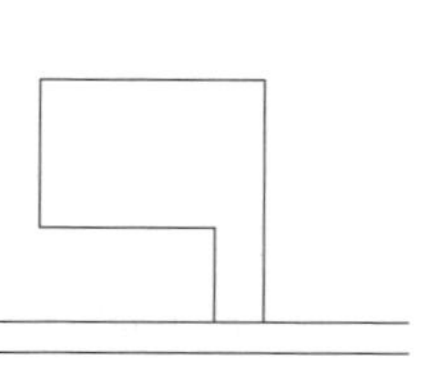

不整形地評価における実務上のポイントは、不整形地補正率の算定上の「かげ地割合」を求める際の想定整形地の取り方です。その取扱いを例示すると次のようになりますが、要は、正面路線に面する長方形又は正方形を描くことです。したがって、次図の⑬から⑯の場合、「－２」は正面路線を基に想定整形地を描いていないため不適当とされます。

○想定整形地の取り方

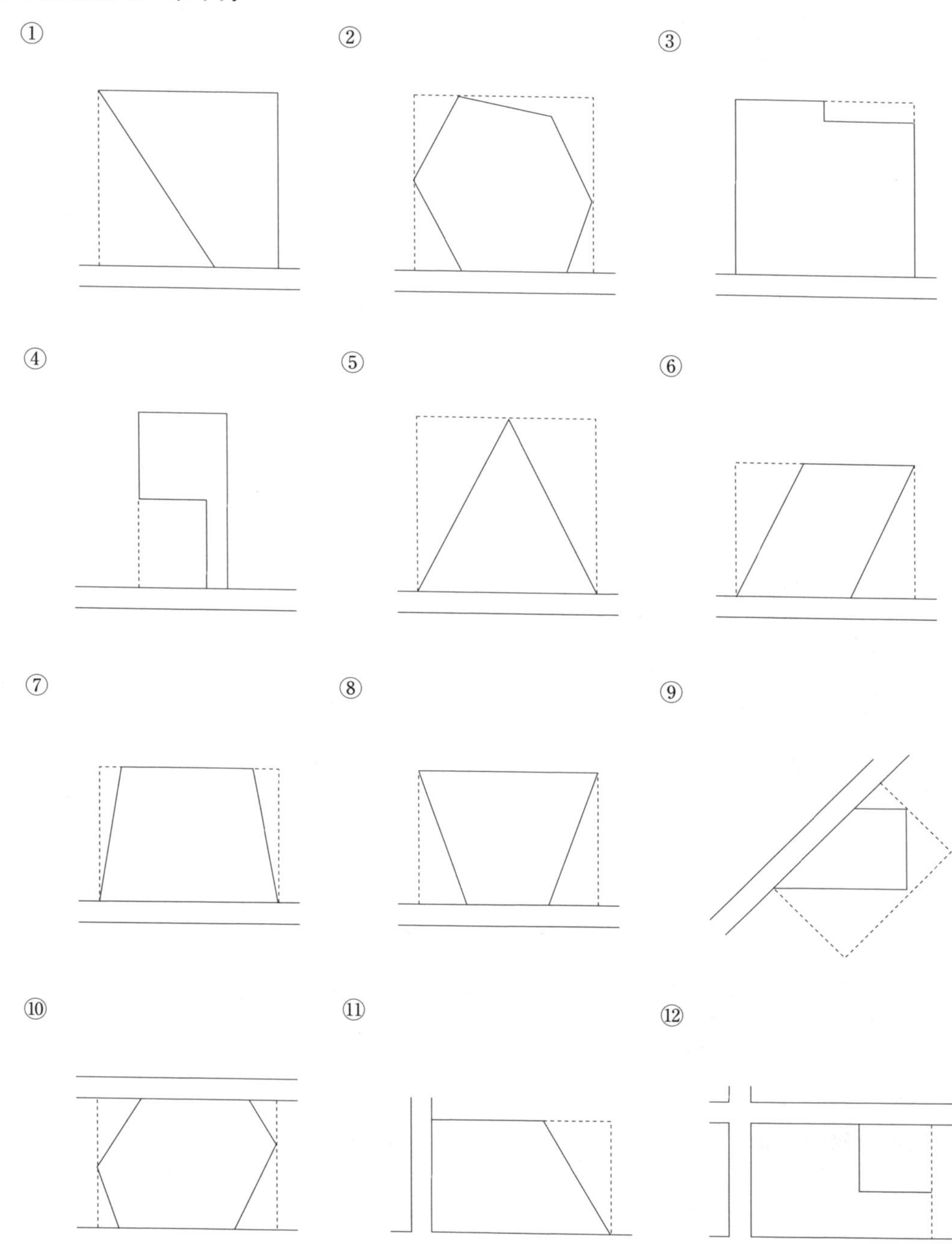

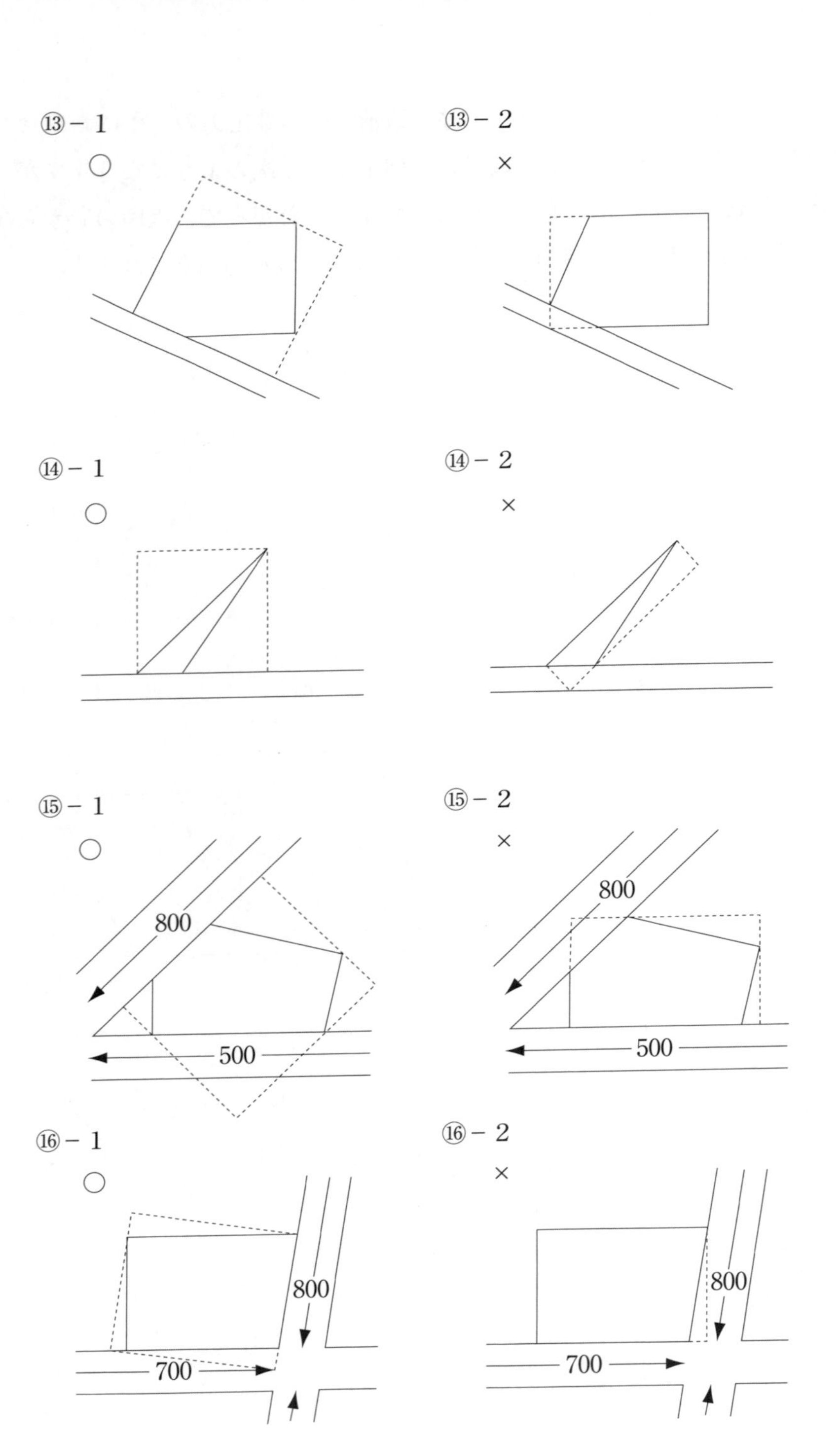

※　上記の⑬から⑯までは、－1の例（○）が相当、－2の例（×）は不相当。

不整形地の評価方法について、設例で確認すると、次のとおりです。

＜設例１＞

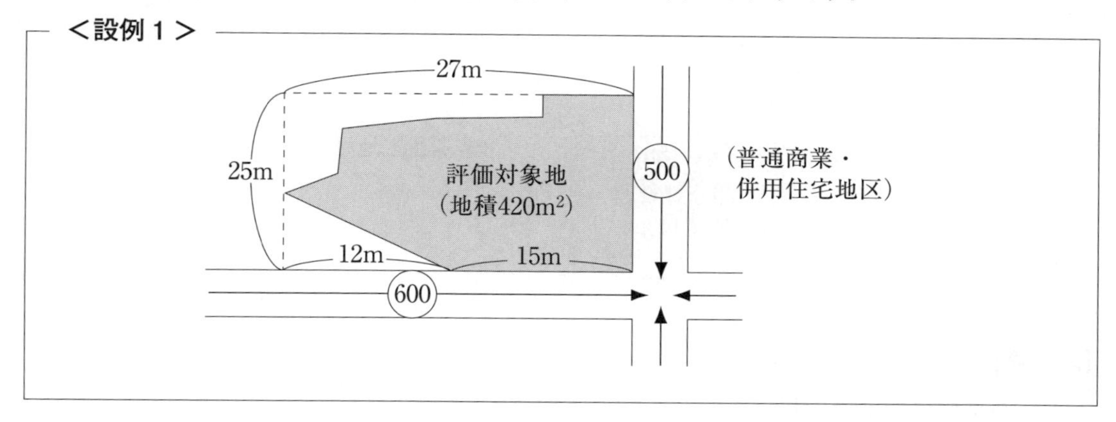

【計　算】

①　不整形地補正率の判定

・想定整形地の地積　27m×25m＝675m²

・かげ地割合　$\frac{675m^2-420m^2}{675m^2}$ ≒37.77％

・不整形地補正率　0.92 〔地積区分　A（普通商業・併用住宅地区）／かげ地割合　37.77％〕

②　評価額の計算

・奥行価格補正率適用上の奥行距離

正面路線……$\frac{420m^2}{15m}$＝28m＞25m　→25m

側方路線……$\frac{420m^2}{25m}$＝16.8m

・1m²当たりの価額

基本価額　600,000円（正面路線価）×1.00（奥行25mに応ずる奥行価格補正率）＝600,000円

側方路線影響加算額　500,000円（側方路線価）×1.00（奥行16.8mに応ずる奥行価格補正率）×0.08（側方路線影響加算率）
＝40,000円

1m²当たりの価額　（600,000円＋40,000円）×0.92（不整形地補正率）＝588,800円

・評価額

588,800円（1m²当たりの価額）×420m²（地積）＝247,296,000円

＜設例２＞

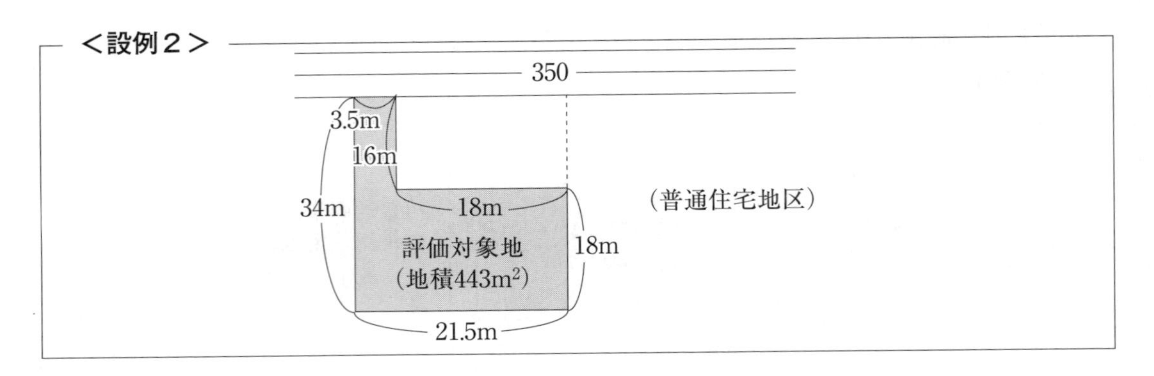

【計　算】

①　不整形地補正率の判定

・想定整形地の地積　　34m × 21.5m = 731m²

・かげ地割合　$\dfrac{731\text{m}^2 - 443\text{m}^2}{731\text{m}^2} \fallingdotseq 39.39\%$

・不整形地補正率

A　不整形地補正率と間口狭小補正率を適用する場合

（不整形地補正率）		（間口狭小補正率）		
0.88	×	0.90	= 0.79	（小数点第2位未満切捨て）

↑ 地積区分　A（普通住宅地区）
かげ地割合　39.39%

B　間口狭小補正率と奥行長大補正率を適用する場合

（間口狭小補正率）		（奥行長大補正率）	
0.90	×	0.90	= 0.81

↑ $\left(\dfrac{\text{奥行}34\text{m}}{\text{間口}3.5\text{m}} \fallingdotseq 9.71\right)$

C　不整形地補正率（AとBのいずれか低い率）

0.79 < 0.81 ──→ 0.79

（注） 上記のような袋地の場合、不整形地補正率とともに間口狭小補正率も合わせて適用することができます。また、奥行長大補正率を適用することもできます。ただし、奥行長大補正率を適用する場合は、間口狭小補正率と併用することはできますが、不整形地補正率と併用することはできません。

②　評価額の計算

・1m²当たりの価額

（路線価）		（奥行34mに応ずる奥行価格補正率）		（不整形地補正率）	
350,000円	×	0.93	×	0.79	= 257,145円

・評価額

（1m²当たりの価額）		（地積）	
257,145円	×	443m²	= 113,915,235円

⑺ 無道路地

下図のA地のように、道路に接していない土地のことを「無道路地」といいます。要するに、他人の土地に周囲をとり囲まれている土地のことをいうわけですが、評価上は、私道によって公道に通じているものは間口が狭小な宅地（前ページの設例の袋地）、そうでないものを無道路地として区別しています。また、他人の土地に周囲をとり囲まれていても、その他人の土地を通行の用に供する権利（地役権等）がある場合は、無道路地とはなりません。

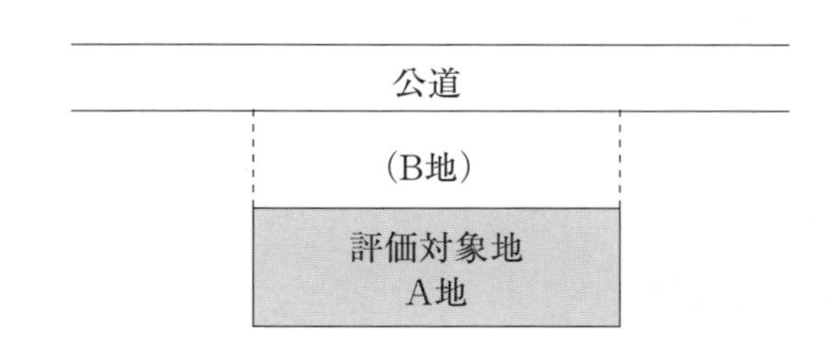

無道路地の価額について、財産評価基本通達は、原則として実際に利用している路線に接する宅地（上図のB地）と合わせて評価した価額から無道路地以外の宅地の価額（B地の価額）を控除し、その近傍の宅地との均衡を考慮して、その価額から40％の範囲内で減額して評価する、と定めています（評基通20－２）。これを算式で表わすと、次のようになります。

（整形地としての価額※1）×（不整形地補正率※2）×（1－無道路地の斟酌率※3）＝評価額

※１　整形地としての評価額

〔（A地＋B地）の評価額〕－〔B地の評価額〕

※２　不整形地補正率

いずれか低い率（0.6を限度とする）
- イ　不整形地補正率表の補正率×間口狭小補正率
- ロ　奥行長大補正率×間口狭小補正率

(注) 間口狭小補正率等を判定する場合の間口距離は、接道義務（建築基準法その他の法令に規定されている建築物を建築するために必要な道路に接すべき最小限の間口距離の要件）に基づく最小限度の距離によります。ちなみに、東京都建築安全条例では、次のように定められています。

道路までの距離が20m以下……道路幅　２ｍ
〃　20m超　……　〃　３ｍ

※３　無道路地の斟酌率

$$\frac{\text{通路に相当する部分の価額}}{\text{不整形地としての価額}}$$（0.4を限度とする）

無道路地の評価例を示すと、次ページのとおりです。

＜設　例＞

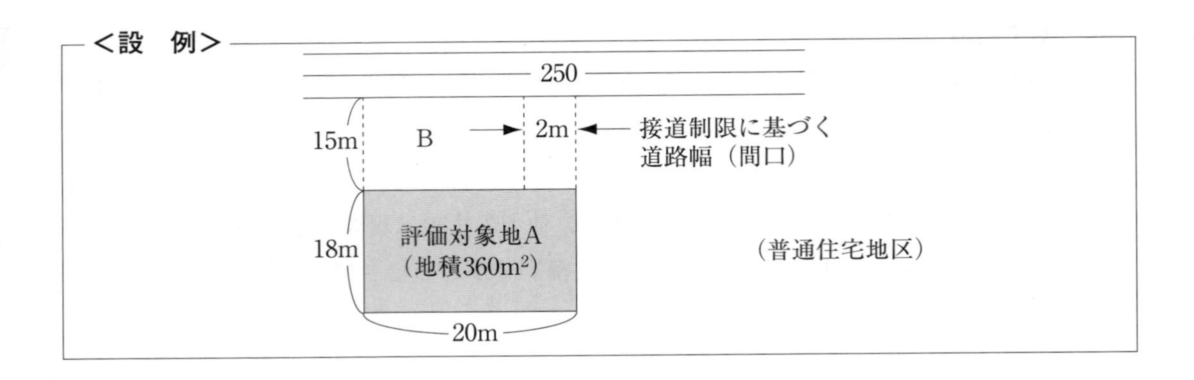

【計　算】

①　整形地としての価額

(イ)　A地とB地を合わせた価額

（路線価）　（奥行33mに応ずる奥行価格補正率）　（1m²当たりの価額）

250,000円 × 0.93 = 232,500円

（1m²当たりの価額）　（地積）

232,500円 × 660m²（20m×33m）＝153,450,000円

(ロ)　B地の価額

（路線価）　（奥行15mに応ずる奥行価格補正率）　（1m²当たりの価額）

250,000円 × 1.00 = 250,000円

(注) B地の奥行距離が短いため奥行価格補正率が1.00未満となる場合は、奥行価格補正率表の補正率にかかわらず、1.00として計算します（181ページ）。

（1m²当たりの価額）　（地積）

250,000円 × 300m²（20m×15m）＝75,000,000円

(ハ)　整形地としての価額

153,450,000円 － 75,000,000円 ＝ 78,450,000円

（1m²当たりの価額……$\frac{78,450,000円}{360m^2}$＝217,916円）

②　不整形地補正率

(イ)　不整形地補正率の判定

・想定整形地の地積　20m×33m＝660m²

・かげ地割合　$\frac{660m^2-360m^2}{660m^2}$ ≒45.45%

・不整形地補正率　0.82（地積区分　A（普通住宅地区）／かげ地割合　45.45%）

・道路に接する部分が最低2m必要であるとした場合の間口狭小補正率──→0.90

・奥行長大補正率　$\frac{33m（奥行距離）}{2m（間口距離）}$＝16.5──→0.90

(ロ) 不整形地補正率

（不整形地補正率）（間口狭小補正率）
0.82 × 0.90 ＝0.73（小数点第2位未満切捨て）

（奥行長大補正率）（間口狭小補正率）
0.90 × 0.90 ＝0.81

0.73＜0.81⟶0.73

③ 無道路地の斟酌率

(イ) 通路に相当する部分の価額

（路線価）（通路相当部分の地積）
250,000円 × 30m^2（2m×15m）＝7,500,000円

(ロ) 不整形地としての価額

（整形地としての1m^2当たりの価額）（不整形地補正率）
217,916円 × 0.73 ＝159,078円

159,078円×360m^2＝57,268,080円

(ハ) 無道路地の斟酌率

$$\frac{7,500,000円}{57,268,080円}=0.130963$$

④ 評価額

（不整形地としての1m^2当たりの価額）（無道路地の斟酌率）
159,078円 ×（1－0.130963）＝138,244円

138,244円×360m^2＝49,767,840円

この設例による無道路地の評価計算を「評価明細書」に記載すると、〔書式43〕（次ページ）のようになります。

7. 私道に面する宅地と特定路線価による評価

(1) 私道に面する宅地の評価

次図のC地、D地、E地及びF地は、私道に面した宅地ですが、通常の場合、私道には路線価が設定されていません。また、これらの宅地の評価にあたり、公道に付された路線価によることが適当でない場合がほとんどです。

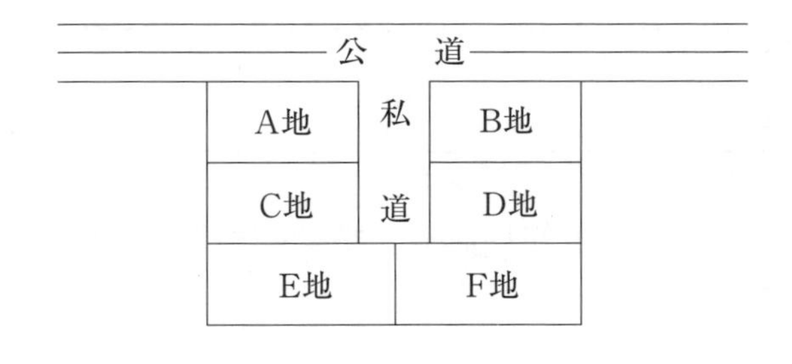

〔書式43〕

土地及び土地の上に存する権利の評価明細書（第１表）

東京 局(所) ○○ 署	○○ 年分	××××ページ

(住居表示)	(○○区××3−6−10)	所有者	住所(所在地)	○○区××3−6−10	使用者	住所(所在地)	同 左
所在地番	○○区××3−6		氏名(法人名)	甲山太郎		氏名(法人名)	同 左

地目	地積	路線価 正面	側方	側方	裏面	地形図及び参考事項
(宅地) 山林 田 雑種地 畑 （ ）	360 ㎡	250,000円	円	円	円	250／15m B／18m A／20m

間口距離	(2) m	利用区分	(自用地) 私道 貸宅地 貸家建付借地権 貸家建付地 転貸借地権 借地権 （ ）	地区区分	ビル街地区 (普通住宅地区) 高度商業地区 中小工場地区 繁華街地区 大工場地区 普通商業・併用住宅地区
奥行距離	33 m				

		(1㎡当たりの価額) 円	
自用地1平方メートル当たりの価額	1 ~~一路線に面する宅地~~ A+B （正面路線価） （奥行価格補正率） 250,000 円 × 0.93 × 660㎡	~~(1㎡当たりの価額)~~ 153,450,000	A
	2 ~~二路線に面する宅地~~ B （A） [~~側方・裏面 路線価~~] （奥行価格補正率） [~~側方・二方 路線影響加算率~~] 250,000 円 ＋ （ 円 × 1.00 × 0. 地積300㎡ ）	~~(1㎡当たりの価額)~~ 75,000,000	B
	3 ~~三路線に面する宅地~~ ~~(B)~~ [側方・裏面 路線価] （奥行価格補正率） [側方・二方 路線影響加算率] A−B 円 ＋ （ 円 × . × 0. ）	(1㎡当たりの価額) (78,450,000) 217,916	C
	4 四路線に面する宅地 （C） [側方・裏面 路線価] （奥行価格補正率） [側方・二方 路線影響加算率] 円 ＋ （ 円 × . × 0. ）	(1㎡当たりの価額) 円	D
	5-1 間口が狭小な宅地等 （AからDまでのうち該当するもの） （間口狭小補正率） （奥行長大補正率） 円 × （ . × . ）	(1㎡当たりの価額) 円	E
	5-2 不整形地 （AからDまでのうち該当するもの） 不整形地補正率※ 217,916 円 × 0.73 ※不整形地補正率の計算 （想定整形地の間口距離） （想定整形地の奥行距離） （想定整形地の地積） m × m ＝ ㎡ （想定整形地の地積） （不整形地の地積） （想定整形地の地積） （かげ地割合） （ ㎡ − ㎡） ÷ ㎡ ＝ % （不整形地補正率表の補正率） （間口狭小補正率） (小数点以下2位未満切捨て) 0.82 × 0.90 ＝ 0.73 ① （奥行長大補正率） （間口狭小補正率） 0.90 × 0.90 ＝ 0.81 ② [不整形地補正率 (①、②のいずれか低い率、0.6を下限とする。)] 0.73	(1㎡当たりの価額) 円 159,078	F
	6 地積規模の大きな宅地 （AからFまでのうち該当するもの） 規模格差補正率※ 円 × 0. ※規模格差補正率の計算 （地積（Ⓐ）） （Ⓑ） （Ⓒ） （地積（Ⓐ）） （小数点以下2位未満切捨て） {（ ㎡× ＋ ）÷ ㎡} × 0.8 ＝ 0.	(1㎡当たりの価額) 円	G
	7 無道路地 （F又はGのうち該当するもの） （※） 159,078 円 × （ 1 − 0.130963 ） ※割合の計算（0.4を上限とする。） （正面路線価） （通路部分の地積） (F又はGのうち該当するもの) （評価対象地の地積） （ 250,000 円 × 30 ㎡） ÷ （ 159,078 円 × 360 ㎡） ＝ 0.130963	(1㎡当たりの価額) 円 138,244	H
	8-1 がけ地等を有する宅地 〔南、東、西、北〕 （AからHまでのうち該当するもの） （がけ地補正率） 円 × 0.	(1㎡当たりの価額) 円	I
	8-2 土砂災害特別警戒区域内にある宅地 （AからHまでのうち該当するもの） 特別警戒区域補正率※ 円 × 0. ※がけ地補正率の適用がある場合の特別警戒区域補正率の計算（0.5を下限とする。） 〔南、東、西、北〕 （特別警戒区域補正率表の補正率） （がけ地補正率） （小数点以下2位未満切捨て） 0. × 0. ＝ 0.	(1㎡当たりの価額) 円	J
	9 容積率の異なる2以上の地域にわたる宅地 （AからJまでのうち該当するもの） （控除割合（小数点以下3位未満四捨五入）） 円 × （ 1 − 0. ）	(1㎡当たりの価額) 円	K
	10 私道 （AからKまでのうち該当するもの） 円 × 0.3	(1㎡当たりの価額) 円	L

自用地の評価額	自用地1平方メートル当たりの価額 （AからLまでのうちの該当記号）	地積	総額 （自用地1㎡当たりの価額）×（地積）	
	（F） 138,244 円	360 ㎡	49,767,840 円	M

（注）1 5-1の「間口が狭小な宅地等」と5-2の「不整形地」は重複して適用できません。
2 5-2の「不整形地」の「AからDまでのうち該当するもの」欄の価額について、AからDまでの欄で計算できない場合には、（第2表）の「備考」欄等で計算してください。
3 「がけ地等を有する宅地」であり、かつ、「土砂災害特別警戒区域内にある宅地」である場合については、8-1の「がけ地等を有する宅地」欄ではなく、8-2の「土砂災害特別警戒区域内にある宅地」欄で計算してください。

このような場合は、納税地の所轄税務署に私道の「特定路線価」の設定を申し出て、その特定路線価を基に評価することができます（評基通14－3）。「特定路線価の設定申出書」は、〔書式44〕（次ページ）のとおりです。

（注） 201ページの図の場合、私道に設定された特定路線価は、C地～F地を評価するためのものですから、路線価が設定されている公道に面するA地及びB地を特定路線価で評価することはできません。
　なお、A地又はB地を評価する場合に、特定路線価について側方路線影響加算を行う必要はありません。

⑵　私道の評価

201ページに示した図のような私道に面する宅地については、各宅地の所有者に私道部分の所有権があるのが通常です。財産評価基本通達では、私道の評価方法を次のように定めています（評基通24）。

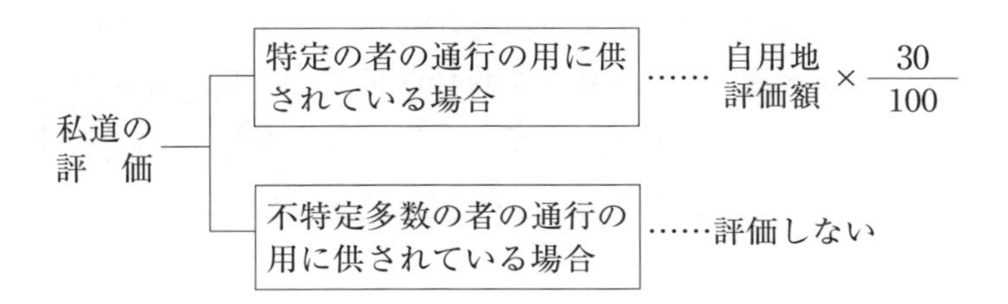

このうち、「不特定多数の者」とは、どの程度の範囲をいうのかについて財産評価基本通達は明らかにしていませんが、一般には、いわゆる通抜けの道路をいうものと解されています。なお、私道の評価にあたっては、次の点にも留意してください。

①　私道とは、複数の者の用に供されている宅地をいい、自己（宅地の所有者）の通行の用のみに供されているものは、ここにいう私道には該当しない。したがって、次図のような場合は、A部分とB部分を合わせて自用地の評価を行うことになる（この場合は、いわゆる袋地として不整形地補正等の画地調整が適用される）。

②　貸宅地内にある私道は、貸宅地として評価した価額に、さらに私道としての斟酌割合100分の30を乗じて評価する。

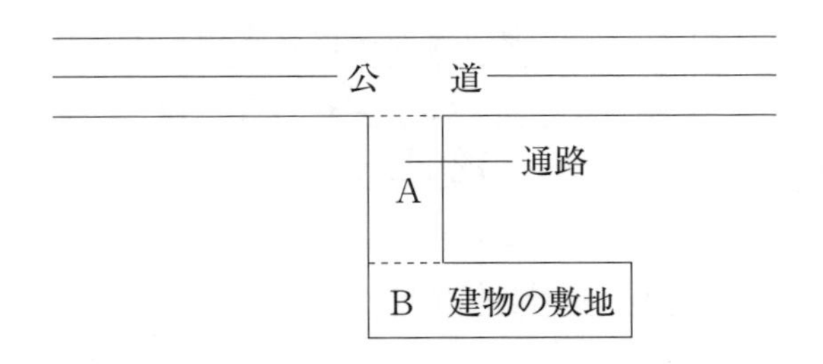

特定路線価に基づく宅地と私道の評価例を示すと、206ページのとおりです。

〔書式44〕

整理簿
※

平成／令和（○印）○年分　特定路線価設定申出書

税務署受付印

板橋　税務署長

令和○年9月15日

申出者（納税義務者）　住所（所在地）〒173-0004 東京都板橋区板橋○丁目△番×号

氏名（名称）甲野一郎　印

職業（業種）会社員　電話番号03(3961)××××

相続税等の申告のため、路線価の設定されていない道路のみに接している土地等を評価する必要があるので、特定路線価の設定について、次のとおり申し出ます。

1　特定路線価の設定を必要とする理由	☑ 相続税申告のため（相続開始日○○年6月10日） 被相続人（住所 東京都板橋区板橋○丁目△番×号 氏名 甲野太郎 職業 会社役員） □ 贈与税申告のため（受贈日　年　月　日）
2　評価する土地等及び特定路線価を設定する道路の所在地、状況等	「別紙　特定路線価により評価する土地等及び特定路線価を設定する道路の所在地、状況等の明細書」のとおり
3　添付資料	(1) 物件案内図（住宅地図の写し） (2) 地形図（公図、実測図の写し） (3) 写真　撮影日○○年9月5日 (4) その他（　）
4　連絡先	〒103-0027 住　所 東京都中央区日本橋○丁目△番×号 氏　名 乙山次郎 職　業 税理士　電話番号03(3242)××××
5　送付先	□ 申出者に送付 ☑ 連絡先に送付

＊　□欄には、該当するものにレ点を付してください。

※印欄は記入しないでください。

別紙　特定路線価により評価する土地等及び特定路線価を設定する道路の所在地、状況等の明細書

土地等の所在地 （住居表示）	川口市前川町○丁目××番 〔川口市前川町○丁目△番×号〕		〔　　〕	
土地等の利用者名、利用状況及び地積	（利用者名）丙山三郎 （利用状況）貸宅地	174.39 m²	（利用者名） （利用状況）	m²
道路の所在地	川口市前川町○丁目××番			
道路の幅員及び奥行	（幅員）3.6　m	（奥行）16.7　m	（幅員）　m	（奥行）　m
舗装の状況	☑舗装済　・　□未舗装		□舗装済　・　□未舗装	
道路の連続性	□通抜け可能 （□車の進入可能・□不可能） ☑行止まり （☑車の進入可能・□不可能）		□通抜け可能 （□車の進入可能・□不可能） □行止まり （□車の進入可能・□不可能）	
道路のこう配	0　度		度	
上　水　道	☑有 □無（□引込み可能・□不可能）		□有 □無（□引込み可能・□不可能）	
下　水　道	☑有 □無（□引込み可能・□不可能）		□有 □無（□引込み可能・□不可能）	
都 市 ガ ス	☑有 □無（□引込み可能・□不可能）		□有 □無（□引込み可能・□不可能）	
用途地域等の制限	（第２種低層住宅専用）地域 建蔽率（50）％ 容積率（80）％		（　　）地域 建蔽率（　　）％ 容積率（　　）％	
その他（参考事項）				

＜設　例＞

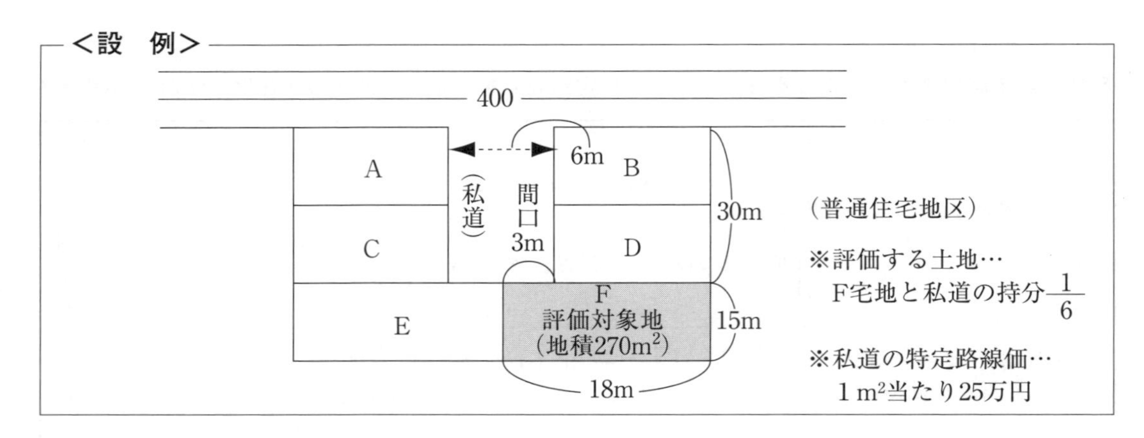

【計　算】

(1)　F宅地の評価額

①　1m²当たりの価額

(特定路線価)		(奥行15mに応ずる奥行価格補正率)		(間口3mに応ずる間口狭小補正率)		($\frac{15m}{3m}$=5に応ずる奥行長大補正率)
250,000円	×	1.00	×	0.90	×	0.92

＝207,000円

②　評価額

(1m²当たりの価額)		(地積)	
207,000円	×	270m²	＝55,890,000円

(2)　私道持分の評価

①　公道の路線価を基とする方法

(路線価)		(奥行30mに応ずる奥行価格補正率)		(間口6mに応ずる間口狭小補正率)		($\frac{30m}{6m}$=5に応ずる奥行長大補正率)
400,000円	×	0.95	×	0.97	×	0.92

＝339,112円

(自用地価額)		(私道の減額)		(1m²当たりの価額)
339,112円	×	0.3	＝	101,733円

(1m²当たりの価額)	(地積)	(持分)	
101,733円	×(6m×30m)×	$\frac{1}{6}$	＝3,051,990円

②　特定路線価を基とする方法

(特定路線価)		(私道の減額)		(1m²当たりの価額)
250,000円	×	0.3	＝	75,000円

(1m²当たりの価額)	(地積)	(持分)	
75,000円	×(6m×30m)×	$\frac{1}{6}$	＝2,250,000円

(注)　特定路線価を基として評価する場合は、奥行価格補正や間口狭小補正などは適用できません。

③　評価額（(2)の①による価額と②による価額のうち、いずれか低い価額によることができる）

(①)		(②)	
3,051,990円	＞	2,250,000円	⟶2,250,000円

8. 特殊な状況にある宅地の評価

(1) 容積率の異なる２以上の地域にわたる宅地

評価する１画地の宅地が表道路と裏道路に面している場合、通常は表道路に適用される容積率を基に路線価が設定されています。容積率とは、建築物の延べ床面積の敷地面積に対する割合ですから、容積率が高ければ土地の効用価値も高くなりますが、容積率が低ければ、その分だけ土地の利用価値は下がると考えられます。したがって、次図のA地とB地を比較すれば、正面路線価と地積は同じであっても、B地の評価上は裏部分の容積率が低いことを斟酌することが適当です。

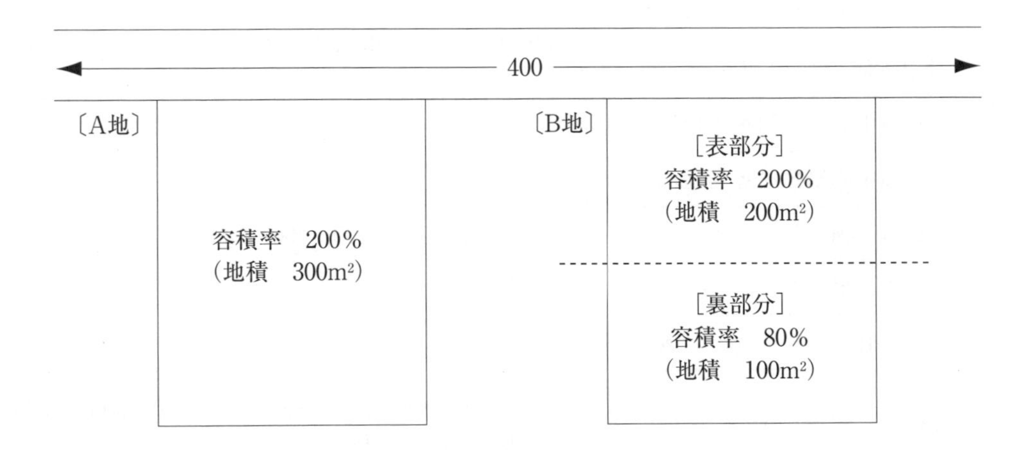

そこで、路線価方式で評価するにあたり、１画地の宅地が容積率の異なる２以上の地域にわたる場合は、

（路線価）×（奥行価格補正等の画地調整）×〔１－減額割合〕

によって評価することとし、この場合の「減額割合」は、次の算式で求めることとされています（評基通20－６）。

$$\left\{1-\frac{\text{容積率の異なる部分の各部分に適用される容積率にその各部分の地積を乗じて計算した数値の合計}}{\text{正面路線に接する部分の容積率}\times\text{宅地の総地積}}\right\}\times\text{容積率が価額に及ぼす影響度}\quad\left(\text{小数点以下第3位未満四捨五入}\right)$$

○容積率が価額に及ぼす影響度

地区区分	影響度
高度商業地区、繁華街地区	0.8
普通商業・併用住宅地区	0.5
普通住宅地区	0.1

なお、１画地の宅地のうち正面路線に接する部分の容積率が他の部分の容積率より低い場合など、上記算式による割合が負数（マイナス）になるときは、この取扱いによる減額調整は適用されません。

（注）容積率には、都市計画によって定められる「指定容積率」と、建築基準法による「基準容積率」があり、いずれか厳しい方の容積率が適用されます。この取扱いにおける容積率も指定容積率と基準容積率とのうちいずれか厳しい方によることとされ、この場合の基準容積率は、建築基準法第52条第１項（容積率）の規定による基準容積率をいいます。

① 基準容積率は、次の割合のうち都市計画で定められます。

用途地域	容積率（単位；％）
第1種低層住居専用地域	50、60、80、100、150、200
第2種低層住居専用地域	
第1種中高層住居専用地域	100、150、200、300、400、500
第2種中高層住居専用地域	
第１種住居地域	
第２種住居地域	
準住居地域	
商業地域	200、300、400、500、600、700、800、900、1,000 1,100、1,200、1,300
近隣商業地域	100、150、200、300、400、500
準工業地域	
工業地域	100、150、200、300、400
工業専用地域	
用途地域の指定のない地域	50、80、100、200、300、400

② 基準容積率(建築基準法第52条第２項の前面道路による制限)は、次のとおりです。

イ　前面道路の幅員が12メートル未満の場合は、その道路幅員のメートルの数値に、住居系の地域内では4/10、その他の地域内では6/10を乗じたもの以下とする。

ロ　前面道路が２以上あるときは、最大幅員のメートルの数値による。

なお、イにおける「住居系の地域」とは、第１種低層住居専用地域、第２種低層住居専用地域、第１種中高層住居専用地域、第２種中高層住居専用地域、第１種住居地域、第２種住居地域、準住居地域及び特定行政庁が都市計画地方審議会の議を経て指定する区域をいいます。

容積率の異なる２以上の地域にわたる宅地の評価例を示すと、次ページのとおりです。

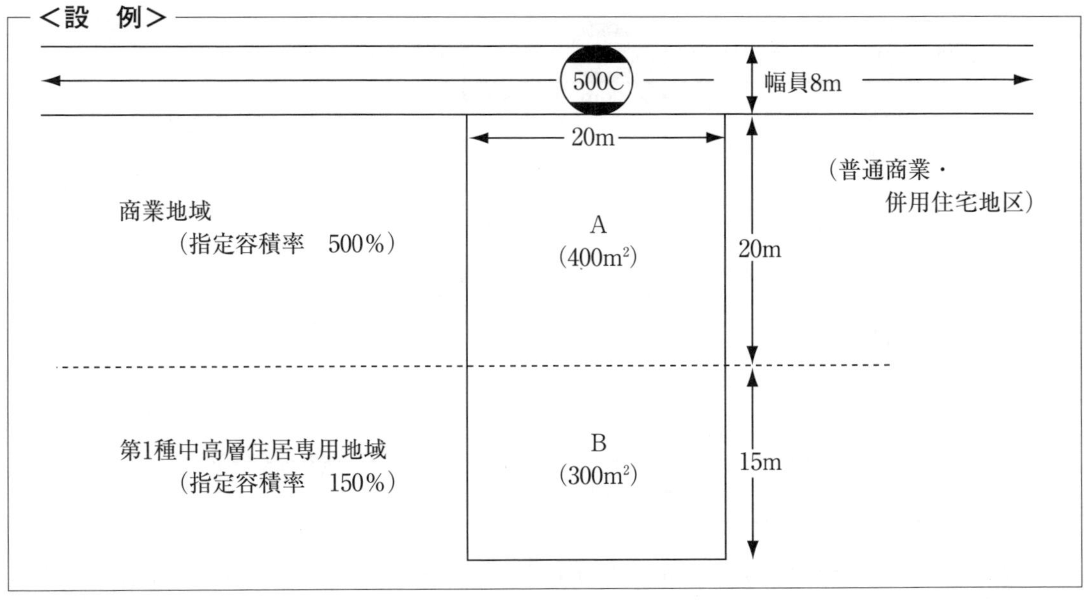

【計　算】

①　画地調整後の１m²当たりの価額

$$\underset{\text{(路線価)}}{500{,}000\text{円}} \times \underset{\text{(奥行35mに応ずる奥行価格補正率)}}{0.97} = 485{,}000\text{円}$$

②　減額割合

イ　容積率の算定

A部分――指定容積率　500％＞基準容積率　$\underset{\text{(道路幅員)}}{8\text{m}} \times \underset{\text{(前面道路による制限)}}{\frac{6}{10}} = 480\% \rightarrow 480\%$

B部分――指定容積率　150％＜基準容積率　$\underset{\text{(道路幅員)}}{8\text{m}} \times \underset{\text{(前面道路による制限)}}{\frac{4}{10}} = 320\% \rightarrow 150\%$

ロ　減額割合

$$\left(1 - \frac{\overset{\text{(A部分)}}{480\% \times 400\text{m}^2} + \overset{\text{(B部分)}}{150\% \times 300\text{m}^2}}{\underset{\text{(正面路線に接する部分の容積率)}}{480\%} \times \underset{\text{(宅地の面積)}}{700\text{m}^2}}\right) \times 0.5 = 0.1473\cdots \rightarrow 0.147$$

③　評価額

485,000円×（1－0.147）＝413,705円

413,705円×700m²＝289,593,500円

ところで、この設例の場合、次ページの図のように容積率が150％のB部分についても路線価（裏面路線価）が設定されているとすれば、その裏面路線価は150％の容積率を勘案して評定されていると考えられます。

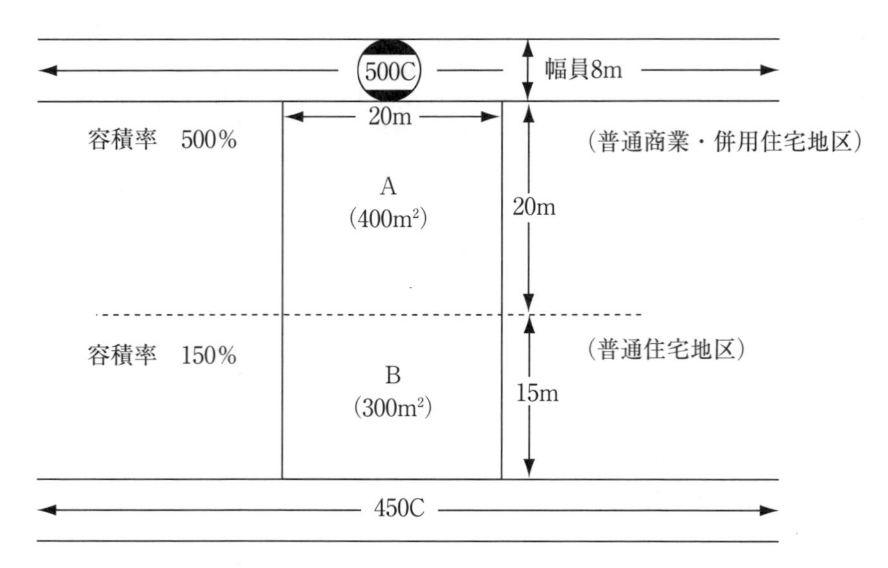

この場合は、次の計算のように正面路線価を基に容積率の格差による減額割合を適用して計算した価額が、裏面路線価について奥行価格補正をして求めた価額を下回ることとなり、容積率の格差による減額割合を適用する必要がなくなります。このため、裏面路線を正面路線とみなして、奥行価格補正や二方路線影響加算を適用した価額で評価します。

なお、この場合には、正面路線とみなした路線価に付された地区に応じた画地調整率を適用します。

① 容積率の格差に基づく減額割合を適用した１m²当たりの価額

（上記設例の計算のとおり）　413,705円

② 裏面路線価に奥行価格補正を適用した1m²当たりの価額

（裏面路線価）　（奥行35mに応ずる奥行価格補正率）

450,000円 × 0.93 ＝418,500円

③ 減額割合の適用の有無

413,705円＜418,500円　適用なし（裏面路線を正面路線とみなして評価する）

④ 評価額

（裏面路線価）　（正面路線価）　（奥行35mに応ずる奥行価格補正率）　（二方路線影響加算率）

418,500円＋（500,000円 × 0.93 × 0.05）＝441,750円

441,750円×700m²＝309,225,000円

（注） 次ページの図のように１画地の宅地の正面路線に接する部分の容積率が２以上で、その正面路線と接する部分の容積率と異なる容積率の部分がない場合は、容積率の格差による減額調整はありません。

ただし、次図の場合、300%の容積率に接する部分の路線価は、400%の容積率に接する部分の路線価（500千円）より低額になるのではないか、という疑問が生じます。その場合は、容積率の違いを考慮して路線価が設定されているか否かについて、所轄税務署に確認した方がよいでしょう。

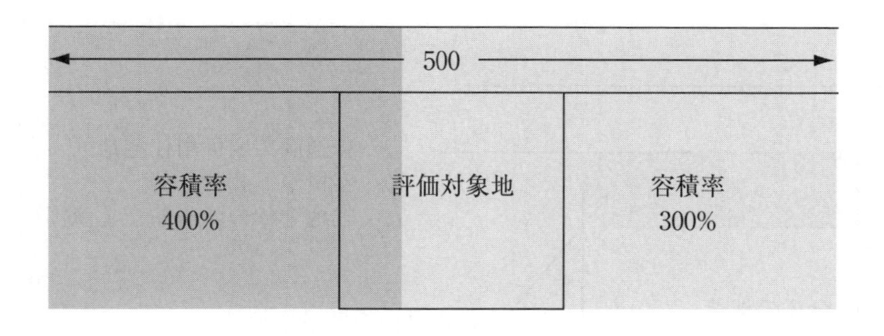

⑵ 都市計画道路予定地の区域内にある宅地

評価する宅地が都市計画道路予定地にある場合は、建物の建築に制限を受けるなど、その宅地を通常の用途に供することができません。この場合、その宅地に付された路線価又は倍率が都市計画道路予定地であることを勘案して評定されているときはともかく、そうでないときは、一定の斟酌が必要です。

このため、都市計画道路予定地の区域内となる部分を有する宅地の価額は、次の算式で評価することとされており、この場合の補正率は、下表のとおりです（評基通24－7）。

都市計画道路予定地の区域内にある宅地の価額 ＝ 都市計画道路予定地の区域内となる部分がないものとした場合のその宅地の価額 × 補正率

地区区分 ＼ 容積率 ＼ 地積割合	ビル街地区、高度商業地区			繁華街地区、普通商業・併用住宅地区			普通住宅地区、中小工場地区、大工場地区	
	600％未満	600％以上700％未満	700％以上	300％未満	300％以上400％未満	400％以上	200％未満	200％以上
30％未満	0.91	0.88	0.85	0.97	0.94	0.91	0.99	0.97
30％以上60％未満	0.82	0.76	0.70	0.94	0.88	0.82	0.98	0.94
60％以上	0.70	0.60	0.50	0.90	0.80	0.70	0.97	0.90

(注) 地積割合とは、その宅地の総地積に対する都市計画道路予定地の部分の地積の割合をいう。

なお、都市計画道路予定地の区域内にある宅地が倍率方式の適用地域にあるときは、「普通住宅地区」内にあるものとした場合の上記の補正率を適用して評価することができます。

(注) 都市計画道路予定地とは、都市計画法第４条第６項に定める都市計画施設のうちの道路の予定地をいいます。都市計画道路予定地に当たるかどうかは、市区町村等の都市計画課等で確認することができます。

＜設　例＞

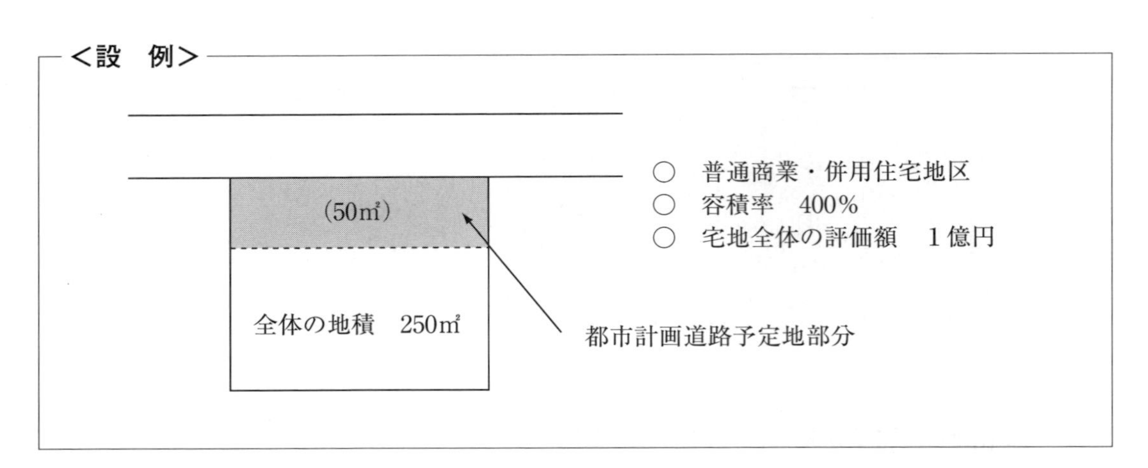

【計　算】

・地積割合……$\dfrac{50㎡}{250㎡}$＝20％──→補正率0.91

・評価額………1億円×0.91＝9,100万円

(3)　セットバックを要する宅地

建築基準法第42条第2項の道路に面する宅地は、その道路の中心線から水平距離2ｍずつ後退した線が道路の境界線とみなされます。このため、将来、建築物の建替えを行う場合には、その境界線まで後退して道路敷として提供しなければなりません。一般にセットバックと呼ばれるものです。

このような宅地は、現在の利用には特別な支障はありませんが、評価上は価額の減価要因となります。そこで、セットバック部分を有する宅地の価額は、評価通達の定めにより評価した価額から、将来、道路敷として提供する部分の価額の70％相当額を控除して評価することとされています（評基通24－6）。

＜設　例＞

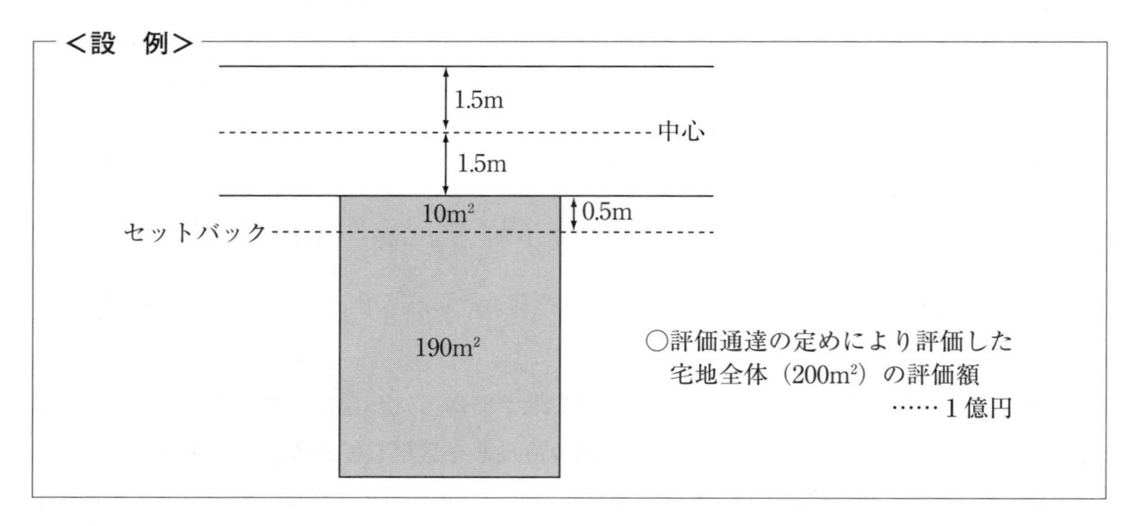

【計　算】

1億円－〔1億円×$\dfrac{10m^2}{200m^2}$×0.7〕＝9,650万円

⑷　地積規模の大きな宅地

①　地積規模の大きな宅地の減価要因

不動産の鑑定価額や不動産業者の宅地の買取価額は、その地域の標準的な宅地に比して地積が大きい場合には、次のような理由から一定の減価を行うのが通常です。

イ　戸建住宅用地としての分割分譲に伴う潰れ地の負担……地積規模の大きな宅地を戸建住宅用地として分割分譲する場合には、道路や公園などの公共公益的施設用地の負担を要する例が多く、戸建住宅用地として有効利用できる部分の面積が減少することになるため、その負担が減価要因となる。

ロ　戸建住宅用地としての分割分譲に伴う工事・整備費用等の負担……地積規模の大きな宅地を戸建住宅用地として分割分譲する場合には、上下水道等の供給処理施設の工事費用や道路等の公共公益的施設の整備費用の負担が生じるため、その負担が減価要因となる。

ハ　開発分譲業者の事業リスク等の負担……地積規模の大きな宅地を戸建住宅用地として分割分譲する場合には、開発分譲業者は、開発利益を確保する必要があるが、販売区画数の増加は、売れ残りリスクが生じるとともに、工事期間が長期にわたるほど借入金の金利負担が大きくなる。これらを勘案して宅地の仕入値を決定するため減価要因となる。

②　地積規模の大きな宅地の意義と評価の適用対象

上記のような宅地取引の実態を踏まえて、財産評価基本通達は、「地積規模の大きな宅地」について、特別に評価方法を定めています（評基通20－２）。

この取扱いにおける「地積規模の大きな宅地」とは、三大都市圏においては、500㎡以上の地積の宅地、その他の地域においては、1,000㎡以上の宅地をいいます。

この場合において、「地積規模の大きな宅地の評価」の対象となる宅地は、路線価地域に所在するものについては、地積規模の大きな宅地のうち「普通商業・併用住宅地区」及び「普通住宅地区」に所在するものに限られます。また、倍率地域に所在するものについては、地積規模の大きな宅地に該当する宅地であれば、その対象になります。

ただし、次のイからニのいずれかに該当する宅地は、「地積規模の大きな宅地」からは除かれます。

イ　市街化調整区域（都市計画法34条10号又は11号の規定に基づき宅地分譲に係る同法４条12項に規定する開発を行うことができる区域を除く）に所在する宅地

ロ　都市計画法の用途地域が工業専用地域に指定されている地域に所在する宅地

ハ　指定容積率が400％（東京都の特別区においては300％）以上の地域に所在する宅地

ニ　財産評価基本通達22－２に定める大規模工場用地

このうちイの市街化調整区域は、「市街化を抑制すべき地域」であり（都市計画法７③）、原則として宅地開発ができない地域であることから「地積規模の大きな宅地」には該当しないこととされています。ロの工業専用地域は、工業の利便を増進する地域であり（都市計画法9⑫)、原則として住宅の建築はできないことから（都市計画法48⑫)、「地積規模の大きな宅地」から除外されています。

また、ハの指定容積率が400％（東京都の特別区においては300％）以上の地域に所在する宅地は、マンション敷地として一体的に利用されることが通常であり、戸建住宅用地として分割分譲が行われることがないと考えられることから「地積規模の大きな宅地」に該当しないこととされており、ニの大規模工場用地も同様に戸建住宅用地として分割分譲が行われることがないと考えられることから除外されているものです。

(注１) 上記における「三大都市圏」とは、次の地域をいいます（具体的には次ページを参照)。
① 首都圏整備法２条３項に規定する既成市街地又は同条４項に規定する近郊整備地帯
② 近畿圏整備法２条３項に規定する既成都市区域又は同条４項に規定する近郊整備区域
③ 中部圏開発整備法２条３項に規定する都市整備区域

(注２) 上記の指定容積率とは、建築基準法52条１項に規定する建築物の延べ面積の敷地面積に対する割合をいいます。

なお、評価対象となる宅地が指定容積率の異なる２以上の地域にわたる場合には、各地域の指定容積率に、その宅地の当該地域内にある各部分の面積の敷地面積に対する割合を乗じて得たものの合計により容積率を判定します。

したがって、下図の宅地（地積1,419㎡・三大都市圏以外の地域に所在）の場合には、次のように容積率が400％未満となるため、宅地全体が「地積規模の大きな宅地の評価」の適用対象になります。

$$\frac{400\% \times 891㎡ + 300\% \times 528㎡}{1,419㎡} = 362.7\%$$

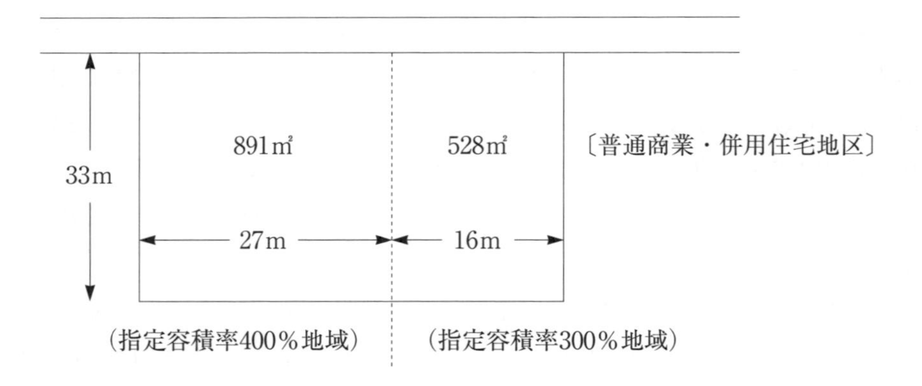

＜参考１＞　三大都市圏に該当する都市（平成28年４月１日現在）

圏　名	都府県名		都　市　名
首都圏	東京都	全域	特別区、武蔵野市、八王子市、立川市、三鷹市、青梅市、府中市、昭島市、調布市、町田市、小金井市、小平市、日野市、東村山市、国分寺市、国立市、福生市、狛江市、東大和市、清瀬市、東久留米市、武蔵村山市、多摩市、稲城市、羽村市、あきる野市、西東京市、瑞穂町、日の出町
	埼玉県	全域	さいたま市、川越市、川口市、行田市、所沢市、加須市、東松山市、春日部市、狭山市、羽生市、鴻巣市、上尾市、草加市、越谷市、蕨市、戸田市、入間市、朝霞市、志木市、和光市、新座市、桶川市、久喜市、北本市、八潮市、富士見市、三郷市、蓮田市、坂戸市、幸手市、鶴ケ島市、日高市、吉川市、ふじみ野市、白岡市、伊奈町、三芳町、毛呂山町、越生町、滑川町、嵐山町、川島町、吉見町、鳩山町、宮代町、杉戸町、松伏町
		一部	熊谷市、飯能市
	千葉県	全域	千葉市、市川市、船橋市、松戸市、野田市、佐倉市、習志野市、柏市、流山市、八千代市、我孫子市、鎌ケ谷市、浦安市、四街道市、印西市、白井市、富里市、酒々井町、栄町
		一部	木更津市、成田市、市原市、君津市、富津市、袖ケ浦市
	神奈川県	全域	横浜市、川崎市、横須賀市、平塚市、鎌倉市、藤沢市、小田原市、茅ケ崎市、逗子市、三浦市、秦野市、厚木市、大和市、伊勢原市、海老名市、座間市、南足柄市、綾瀬市、葉山町、寒川町、大磯町、二宮町、中井町、大井町、松田町、開成町、愛川町
		一部	相模原市
	茨城県	全域	龍ケ崎市、取手市、牛久市、守谷市、坂東市、つくばみらい市、五霞町、境町、利根町
		一部	常総市
近畿圏	京都府	全域	亀岡市、向日市、八幡市、京田辺市、木津川市、久御山町、井手町、精華町
		一部	京都市、宇治市、城陽市、長岡京市、南丹市、大山崎町
	大阪府	全域	大阪市、堺市、豊中市、吹田市、泉大津市、守口市、富田林市、寝屋川市、松原市、門真市、摂津市、高石市、藤井寺市、大阪狭山市、忠岡町、田尻町
		一部	岸和田市、池田市、高槻市、貝塚市、枚方市、茨木市、八尾市、泉佐野市、河内長野市、大東市、和泉市、箕面市、柏原市、羽曳野市、東大阪市、泉南市、四條畷市、交野市、阪南市、島本町、豊能町、能勢町、熊取町、岬町、太子町、河南町、千早赤阪村
	兵庫県	全域	尼崎市、伊丹市
		一部	神戸市、西宮市、芦屋市、宝塚市、川西市、三田市、猪名川町
	奈良県	全域	大和高田市、安堵町、川西町、三宅町、田原本町、上牧町、王寺町、広陵町、河合町、大淀町
		一部	奈良市、大和郡山市、天理市、橿原市、桜井市、五條市、御所市、生駒市、香芝市、葛城市、宇陀市、平群町、三郷町、斑鳩町、高取町、明日香村、吉野町、下市町
中部圏	愛知県	全域	名古屋市、一宮市、瀬戸市、半田市、春日井市、津島市、碧南市、刈谷市、安城市、西尾市、犬山市、常滑市、江南市、小牧市、稲沢市、東海市、大府市、知多市、知立市、尾張旭市、高浜市、岩倉市、豊明市、日進市、愛西市、清須市、北名古屋市、弥富市、みよし市、あま市、長久手市、東郷町、豊山町、大口町、扶桑町、大治町、蟹江町、阿久比町、東浦町、南知多町、美浜町、武豊町、幸田町、飛島村
		一部	岡崎市、豊田市
	三重県	全域	四日市市、桑名市、木曽岬町、東員町、朝日町、川越町
		一部	いなべ市

(注)「一部」の欄に表示されている市町村は、その行政区域の一部が区域指定されているものです。評価対象となる宅地等が指定された区域内に所在するか否かは、各市町村又は府県の窓口でご確認ください。

＜参考２＞　「地積規模の大きな宅地の評価」の適用対象の判定のためのフローチャート

（国税庁資料）

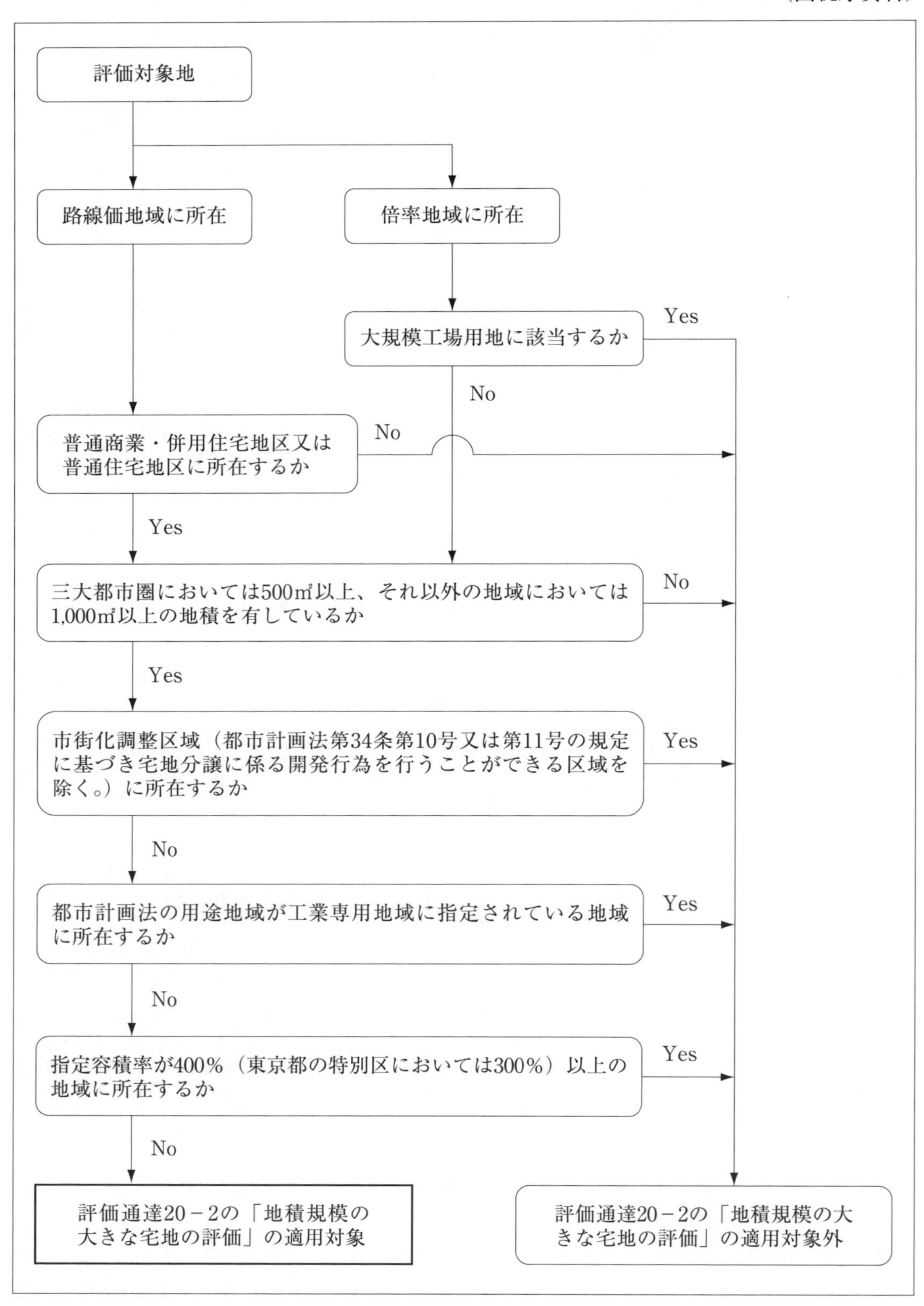

③ 地積規模の大きな宅地の評価方法

イ 路線価地域に所在する場合

路線価地域に所在する地積規模の大きな宅地に該当する宅地の価額は、次の算式により計算した金額により評価します（評基通20－２）。

評価額＝路線価×奥行価格補正率×不整形地補正率などの各種の画地補正率×規模格差補正率×地積（㎡）

（注）この算式における「不整形地補正率などの各種の画地補正率」とは、次の取扱いをいいます。
- イ 側方路線影響加算（評基通16）
- ロ 二方路線影響加算（評基通17）
- ハ 三方又は四方路線影響加算（評基通18）
- ニ 不整形地の評価（評基通20）
- ホ 無道路地の評価（評基通20－３）
- ヘ 間口が狭小な宅地等の評価（評基通20－４）
- ト がけ地等を有する宅地の評価（評基通20－５）
- チ 容積率の異なる２以上の地域にわたる宅地の評価（評基通20－６）
- リ セットバックを必要とする宅地の評価（評基通24－６）

また、上記の算式における「規模格差補正率」とは、次の算式により計算します（小数点以下第２位未満は切捨て）。

$$規模格差補正率=\frac{Ⓐ\timesⒷ+Ⓒ}{地積規模の大きな宅地の地積（Ⓐ）}\times0.8$$

※ 算式中の「Ⓑ」及び「Ⓒ」は、地積規模の大きな宅地の所在する地域に応じて、それぞれ次に掲げる表のとおりです。

①三大都市圏に所在する宅地

地　積	普通商業・併用住宅地区 普通住宅地区	
	Ⓑ	Ⓒ
500㎡以上 1,000㎡未満	0.95	25
1,000㎡以上 3,000㎡未満	0.90	75
3,000㎡以上 5,000㎡未満	0.85	225
5,000㎡以上	0.80	475

②三大都市圏以外の地域に所在する宅地

地　積	普通商業・併用住宅地区 普通住宅地区	
	Ⓑ	Ⓒ
1,000㎡以上 3,000㎡未満	0.90	100
3,000㎡以上 5,000㎡未満	0.85	250
5,000㎡以上	0.80	500

ロ　倍率地域に所在する場合

倍率地域に所在する地積規模の大きな宅地に該当する宅地の価額は、次の①により計算した価額と②により計算した価額のいずれか低い価額で評価します（評基通21－2）。

①　その宅地の固定資産税評価額×倍率

②　{その宅地が標準的な間口距離及び奥行距離を有する宅地であるとした場合の１㎡当たりの価額}×{奥行価格補正率}×{不整形補正率などの各種の画地補正率}×{規模格差補正率}×地積

④　地積規模の大きな宅地の評価の計算例

＜設例１＞　三大都市圏に所在する宅地

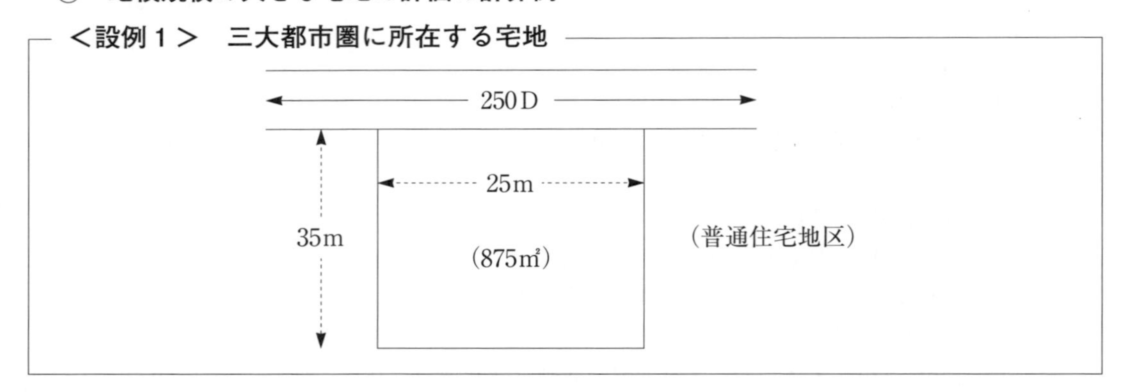

【計　算】

イ　規模格差補正率

$$\frac{875㎡\times0.95+25}{875㎡}\times0.8=0.78$$

ロ　評価額

（路線価）	（奥行35mに応ずる奥行価格補正率）	（規模格差補正率）	（地積）
250,000円×	0.93　×	0.78	×875㎡＝158,681,250円

（注）宅地が複数の者の共有となっている場合には、共有地全体の地積により地積規模の要件を判定します。この設例の宅地がＡとＢの共有で、その共有の割合が２分の１とすれば、それぞれの持分に応ずる地積は500㎡未満になりますが、宅地全体の地積は500㎡以上であるため地積規模の要件を満たすことになります。

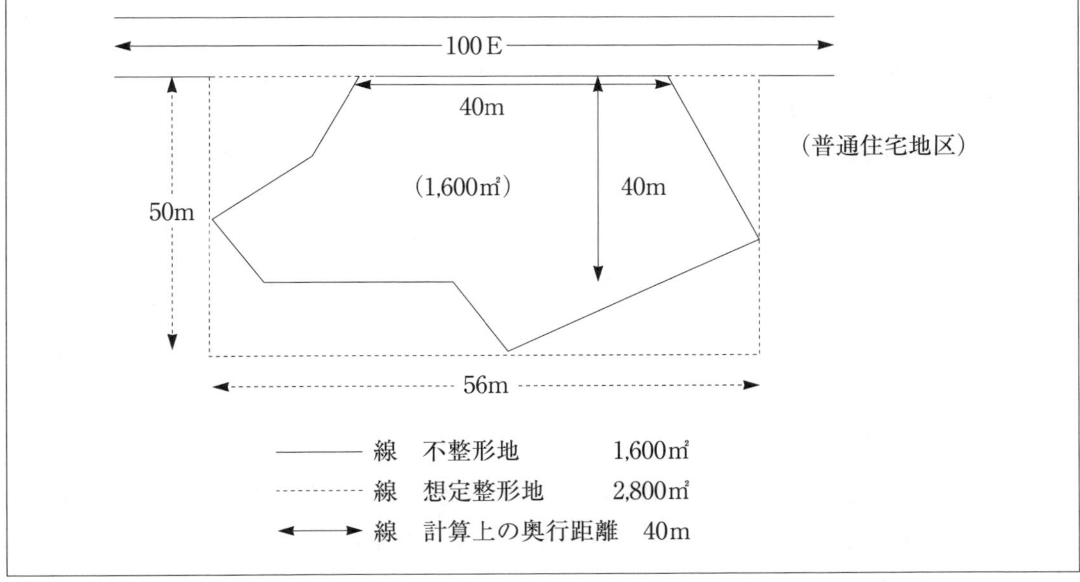

【計　算】

イ　不整形地の計算上の奥行距離による奥行価格補正と１㎡当たりの価額

（地積）（間口距離）（想定整形地の奥行距離）
1,600㎡÷　40m　＝40m　（＜50m）

（路線価）（奥行40mに応ずる奥行価格補正率）（１㎡当たりの価額）
100,000円×　0.91　＝　91,000円

ロ　不整形地補正率

不整形地補正率0.92（普通住宅地区・地区区分Ｃ・かげ地割合42.86％）

〔かげ地割合……$\dfrac{2,800㎡（想定整形地の地積）-1,600㎡（不整形地の地積）}{2,800㎡（想定整形地の地積）}$≒42.86％〕

ハ　規模格差補正率

$\dfrac{1,600㎡\times 0.90+75}{1,600㎡}\times 0.8=0.75$

ニ　評価額

（不整形地補正率）（規模格差補正率）（地積）
91,000円×　0.92　×　0.75　×1,600㎡＝100,464,000円

＜設例３＞　三大都市圏以外の地域に所在する宅地

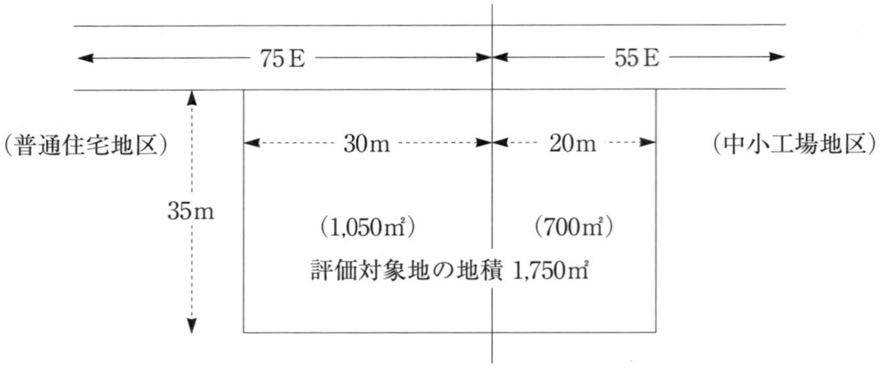

〔地区区分の判定〕

評価対象となる宅地の接する正面路線が２以上の地区にわたる場合には、その宅地の過半の属する地区をもって、その宅地の全部が属する地区とする。

この設例の場合、普通住宅地区に属する部分の地積（1,050㎡）が中小工場地区に属する分の地積（700㎡）よりも大きいため、宅地の全部が普通住宅地区に属するものと判定する（上図の宅地は、その全部が「地積規模の大きな宅地の評価」の適用対象になる)。

【計　算】

イ　規模格差補正率

$$\frac{1{,}750㎡\times0.90+100}{1{,}750㎡}\times0.8=0.76$$

ロ　路線価（路線価の加重平均の計算）

$$\frac{75{,}000円\times30m+55{,}000円\times20m}{50m}=67{,}000円$$

ハ　評価額

（路線価）　（奥行35ｍに応ずる奥行価格補正率）（規模格差補正率）　（地積）
67,000円×　0.93　×　0.76　×1,750㎡＝82,872,300円

（注） 奥行価格補正率は、上記の「地区区分の判定」に基づく地区（普通住宅地区）に係るものによります。

＜設例４＞　倍率方式が適用される三大都市圏以外の地域に所在する宅地

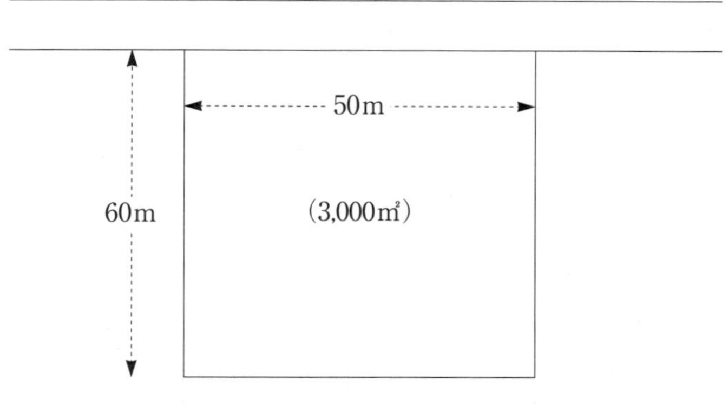

① 宅地の固定資産税評価額……98,000,000円

② 近傍の固定資産税評価に係る標準宅地の１㎡当たりの価額……45,000円

③ 倍率……1.1倍

【計　算】

イ　標準的な１㎡当たりの価額

45,000円×1.1（倍率）＝49,500円

ロ　規模格差補正率

$$\frac{3{,}000㎡ \times 0.85 + 250}{3{,}000㎡} \times 0.8 = 0.74$$

ハ　評価額

（奥行60mに応ずる奥行価格補正率）（規模格差補正率）（地積）
49,500円× 0.86 × 0.74 ×3,000㎡＝94,505,400円

（固定資産税評価額）（倍率）
98,000,000円 × 1.1 ＝107,800,000円

94,505,400円＜107,800,000円→94,505,400円

（注１）倍率地域に所在する宅地は、普通住宅地区に所在するものとして計算します。

（注２）倍率地域の所在する宅地は、その宅地の固定資産税評価額に倍率を乗じて計算した価額と「地積規模の大きな宅地の評価」により計算した価額のいずれか低い価額で評価します。

＜設例５＞　三大都市圏以外の地域に所在する市街地農地

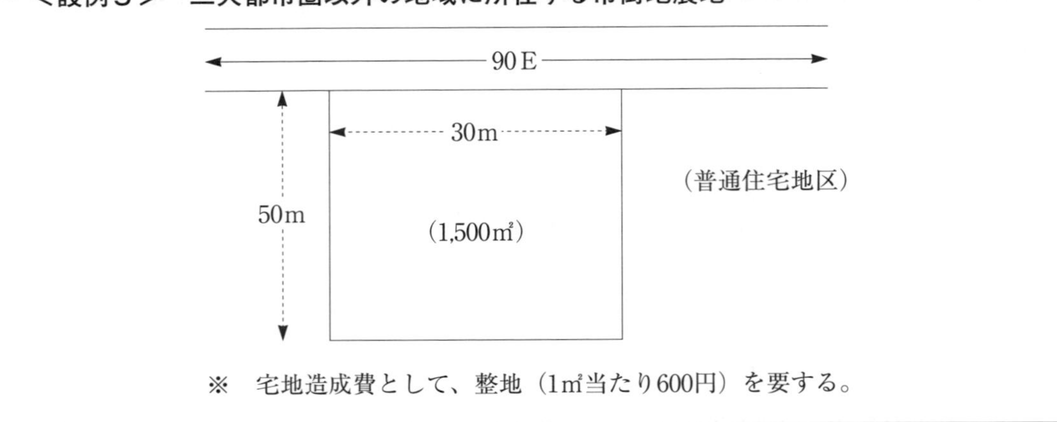

※　宅地造成費として、整地（1㎡当たり600円）を要する。

【計　算】

イ　規模格差補正率

$$\frac{1{,}500㎡ \times 0.90 + 100}{1{,}500㎡} \times 0.8 = 0.77$$

ロ　１㎡当たりの価額

（路線価）（奥行50mに応ずる奥行価格補正率）（規模格差補正率）（整地費）

(90,000円 × 0.89 × 0.77) − 600円 = 61,077円

ハ　評価額

61,077円 × 1,500㎡ = 91,615,500円

9. 倍率方式による評価

(1) 評価方法

評価する宅地が倍率方式の適用地域にある場合は、その宅地の固定資産税評価額に、評価基準書（倍率表）に定める倍率を乗じて評価します（評基通21、21－２）。

〔その宅地の固定資産税評価額〕×〔倍率〕＝評価額

なお、倍率方式においては、評価する宅地の形状等に応ずる画地調整は行いません。これは、固定資産税評価額の算定においてすでに画地調整が行われているためです。

(2) 倍率方式における評価単位と地積

ところで、相続税等の課税における宅地の評価単位は１画地であり、必ずしも１筆の宅地が１画地になるわけではありません（171ページ参照）。これに対し、固定資産税において土地課税台帳又は土地補充課税台帳に登録されている単位は、１筆とされています。

したがって、宅地の利用状況によっては、固定資産税評価額に倍率を乗じても相続税評

価額にならない場合があり、評価上の画地に相応したものに置き換える必要が生ずることがあります。この場合は、固定資産税評価額について、次のような調整を行います。

① 1画地が数筆の宅地からなっている場合……各筆の固定資産税の評価額を合計するなど、その1画地を形成する各筆の状況を勘案して固定資産税評価額とする。

② 1筆の宅地が複数の画地として利用されている場合……その1筆の固定資産税評価額を各画地の地積比によりあん分するなど、それぞれの画地に相応する固定資産税評価額を算定する。

また、固定資産税評価額は、原則として土地の登記事項証明書に登記されている地積に基づいて評定されていますが、相続税等の評価額は、原則として実際の地積に基づいて算定することとされています（評基通8）。

このため、実際の地積と登記上の地積が異なるときは、次の算式によって相続税評価額を求めることになります。

$$\text{その宅地の固定資産税評価額} \times \frac{\text{実際の地積}}{\text{固定資産税評価額の基となる地積}} \times \text{評価倍率}$$

10. 貸宅地の評価

(1) 貸宅地の意義と評価方法

貸宅地とは、文字どおり貸し付けられている宅地のことですが、借地権の目的となっている宅地のことをいいます。借地権は、「建物の所有を目的とする地上権又は土地の賃借権をいう」（借地借家法2）ものとされ、地上権としての借地権と賃借権が設定されている借地権の2つがありますが、財産評価上はいずれも借地権であり、これらが設定されている宅地が貸宅地となります。

貸宅地の価額は、その宅地の自用地としての価額から借地権の価額を控除して評価します（評基通25(1)）。算式で表わせば、次のとおりです。

貸宅地の価額＝自用地としての価額－〔自用地としての価額×借地権割合〕

＝自用地としての価額×〔1－借地権割合〕

この場合の借地権割合は、路線価地域については、路線価図に次のA～Gの記号で表示されています。また、倍率地域については、評価倍率表にその割合がパーセントで示されています。

記　　号	A	B	C	D	E	F	G
借地権割合	90%	80%	70%	60%	50%	40%	30%

⑵　借地権慣行のない地域の貸宅地の評価

いわゆる借地権慣行のない地域では、借地権に財産的価値がないものとしてその借地権は評価しないこととされていますが（評基通27ただし書）、このような地域にある貸宅地の価額を評価する場合は、借地権割合を20％として貸宅地の価額を計算することとされています（評基通25⑴カッコ書）。

これは、借地権の価額そのものは評価しないとしても、土地所有者からみればその宅地上に他人の建物が存在するため、宅地の使用収益に制約があることを考慮した取扱いです。

⑶　正面路線の接続する他の貸宅地の正面路線価及び借地権割合による評価

ところで、下図のように借地権割合を異にする路線が接続する場合に、貸宅地Aの１m²当たりの価額が路線価の高い貸宅地Bの１m²当たりの価額を上回るときでも、通常どおりの方法で評価しなければならないか、という疑問が生じます。

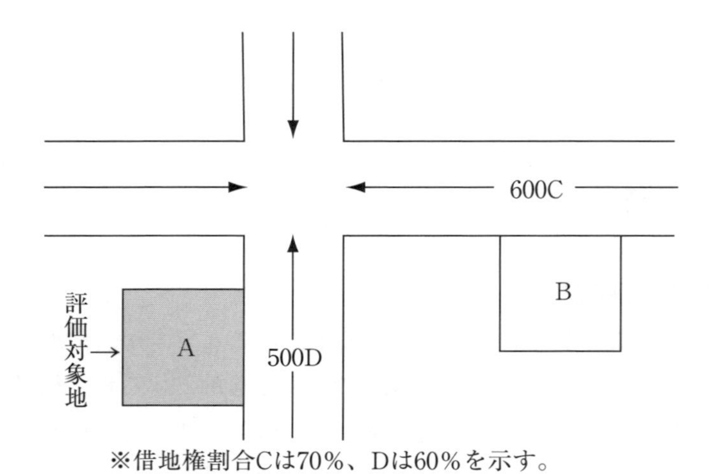

※借地権割合Cは70％、Dは60％を示す。

この場合、通常の方法で貸宅地評価を行うと、A地とB地の１m²当たりの価額は、次のようになります。

○　A貸宅地の価額

（路線価）　（借地権割合）　（1m²当たりの価額）
500,000円×〔1－　0.6　〕＝200,000円

○　B貸宅地の価額

（路線価）　（借地権割合）　（1m²当たりの価額）
600,000円×〔1－　0.7　〕＝180,000円

この結果、路線価の低い方の貸宅地の価額が路線価の高い方の貸宅地の価額より高くなるという、いわば逆転現象が生ずることになるわけですが、このような場合は、A貸宅地の価額は、正面路線の接続する他の貸宅地（B地）の正面路線価（600,000円）及び借地権割合（上記の場合は70％で、直近上位の借地権割合を適用したものに限る）を基として計

算した1m²当たりの価額（180,000円）を基に評価できることとされています。

なお、A貸宅地について奥行価格補正等の画地調整を行う場合は、A地の画地調整後の自用地価額を基に、次のように計算します。

$$\text{A貸宅地の価額} = \begin{matrix}\text{A地の画地調整}\\\text{後の自用地価額}\end{matrix} \times \left(1 - \overset{\text{(借地権割合)}}{0.6}\right) \times \frac{180{,}000\text{円}}{200{,}000\text{円}}$$

11. 貸家建付地の評価

(1) 貸家建付地の意義と評価方法

貸家の目的に供されている宅地、すなわち貸家の敷地となっている宅地を貸家建付地といいます。貸家建付地は、貸宅地のように土地そのものに他人の権利が付着しているわけではありませんが、家屋に借家権が生じていることから土地所有者の土地処分や利用にはそれなりの制限があります。

そこで貸家建付地は、その地域に適用される借地権割合と借家権割合によって、次のように評価することとされています（評基通26）。

$$\begin{matrix}\text{貸家建付地}\\\text{の価額}\end{matrix} = \begin{matrix}\text{自用地として}\\\text{の価額}\end{matrix} \times \left(1 - \begin{matrix}\text{借地権}\\\text{割合}\end{matrix} \times \begin{matrix}\text{借家権}\\\text{割合}\end{matrix} \times \begin{matrix}\text{賃貸}\\\text{割合}\end{matrix}\right)$$

この場合の借家権割合は、各国税局ごとの財産評価基準書に示されていますが、その割合は30％（全国一律）とされています。ちなみに、借家権割合が30％の場合の自用地価額に対する貸家建付地の割合は、次のようになります。

借地権割合	90%	80%	70%	60%	50%	40%	30%
貸家建付地割合〔1－借地権割合×借家権割合〕	73%	76%	79%	82%	85%	88%	91%

借地権割合60％、借家権割合30％の地域の貸家建付地の評価方法を設例で示すと、次ページのとおりです。

なお、上記の算式の「賃貸割合」は、その家屋の床面積に対する課税時期における賃貸面積の割合ですが、具体的な取扱いについては、229ページをご覧ください。

(注) 被相続人が土地を賃借して、その借地上に貸家を有していた場合の借地権は、「貸家建付借地権」として、次の算式でその価額を評価します（評基通28）。

貸家建付借地権の価額＝借地権の価額×〔1－借家権割合×賃貸割合〕

なお、この算式における「賃貸割合」についても229ページをご覧ください。このほか、区分地上権の目的となっている貸家建付地については財産評価基本通達26－2に、貸家建付転借権については同通達30に、それぞれ評価方法が定められています。

＜設　例＞

賃貸アパートの敷地となっている評価対象地の路線価等は、次のとおりであり、この地域の借家権割合は30%である。なお、課税時期における賃貸割合は100%である。

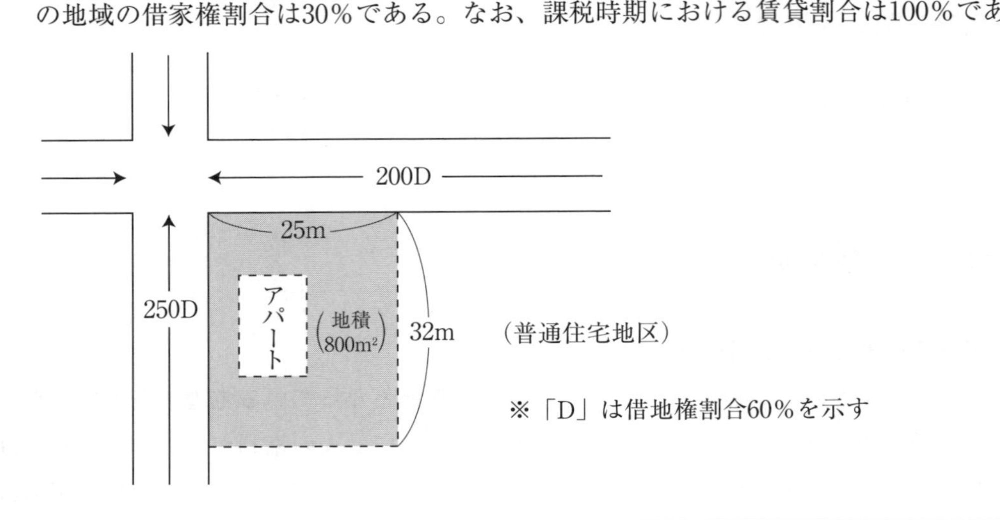

【計　算】

①　自用地としての価額

（正面路線価）250,000円 ×（奥行25mに応ずる奥行価格補正率）0.97 ＝242,500円

（側方路線価）200,000円 ×（奥行32mに応ずる奥行価格補正率）0.93 ×（側方路線影響加算率）0.03 ＝5,580円

（242,500円＋5,580円）×（地積）800m² ＝198,464,000円

②　貸家建付地の評価額

$$198{,}464{,}000\text{円} \times \left[1 - \underset{\text{（借地権割合）}}{0.6} \times \underset{\text{（借家権割合）}}{0.3} \times \underset{\text{（賃貸割合）}}{\frac{800\text{m}^2}{800\text{m}^2}}\right] = 162{,}740{,}480\text{円}$$

この設例による評価計算を「評価明細書」に記載すると、〔書式45〕（次ページ）のとおりです。

（注）229ページの図のように貸家（賃貸マンション）とその敷地内にある駐車場とに区分されている場合の駐車場用地も貸家建付地として評価できるか否かという問題がありますが、これについては、次のように取り扱われます。

①　駐車場の利用者がマンションの賃借人とは別の者であるときは、駐車場部分については自用地として評価する。

②　マンションの賃借人が全てその駐車場の利用者である場合は、マンションの賃貸契約と駐車場の利用契約が別であっても、駐車場部分も貸家建付地（全体を１画地とする）として評価できる。

〔書式45〕

土地及び土地の上に存する権利の評価明細書（第１表）

東京 局(所) ○○ 署	○○ 年分	××××ページ

（住居表示）	（○○区××8−7−6）	所有者	住所（所在地）	○○区××4−5−6	使用者	住所（所在地）	同　左
所在地番	○○区××8−17		氏名（法人名）	甲川一郎		氏名（法人名）	同　左

地目	地積	路線価 正面	側方	側方	裏面	地形図及び参考事項
(宅地) 山林 田 雑種地 畑（　）	800 ㎡	250,000円	200,000円	円	円	200D／25m／250D／32m

間口距離	32 m	利用区分	自用地　私道 貸宅地　貸家建付借地権 貸家建付地　転貸借地権 借地権（　）	地区区分	ビル街地区　(普通住宅地区) 高度商業地区　中小工場地区 繁華街地区　大工場地区 普通商業・併用住宅地区
奥行距離	25 m				

区分	計算	（1㎡当たりの価額）円	記号
自用地1平方メートル当たりの価額	1 一路線に面する宅地 （正面路線価）　（奥行価格補正率） 250,000円 × 0.97	242,500	A
	2 二路線に面する宅地 （A）　[(側方)・裏面 路線価]　（奥行価格補正率）　[(側方)・二方 路線影響加算率] 242,500円 ＋ （200,000円 × 0.93 × 0.03）	248,080	B
	3 三路線に面する宅地 （B）　[側方・裏面 路線価]　（奥行価格補正率）　[側方・二方 路線影響加算率] 円 ＋ （　円 × .　× 0.　）		C
	4 四路線に面する宅地 （C）　[側方・裏面 路線価]　（奥行価格補正率）　[側方・二方 路線影響加算率] 円 ＋ （　円 × .　× 0.　）		D
	5-1 間口が狭小な宅地等 （AからDまでのうち該当するもの）　（間口狭小補正率）　（奥行長大補正率） 円 × （ .　× .　）		E
	5-2 不整形地 （AからDまでのうち該当するもの）　不整形地補正率※ 円 × 0. ※不整形地補正率の計算 （想定整形地の間口距離）　（想定整形地の奥行距離）　（想定整形地の地積） m × m ＝ ㎡ （想定整形地の地積）　（不整形地の地積）　（想定整形地の地積）　（かげ地割合） （　㎡ − ㎡）÷ ㎡ ＝ % （不整形地補正率表の補正率）（間口狭小補正率）（小数点以下2位未満切捨て） 0.　× .　＝ 0.　① （奥行長大補正率）　（間口狭小補正率） .　× .　＝ 0.　② [不整形地補正率（①、②のいずれか低い率、0.6を下限とする。）] 0.		F
	6 地積規模の大きな宅地 （AからFまでのうち該当するもの）　規模格差補正率※ 円 × 0. ※規模格差補正率の計算 （地積（Ⓐ））（Ⓑ）（Ⓒ）（地積（Ⓐ））（小数点以下2位未満切捨て） {（　㎡× ＋ ）÷ ㎡} × 0.8 ＝ 0.		G
	7 無道路地 （F又はGのうち該当するもの）　（※） 円 × （1 − 0.　） ※割合の計算（0.4を上限とする。） （正面路線価）（通路部分の地積）（F又はGのうち該当するもの）（評価対象地の地積） （　円 × ㎡）÷（　円 × ㎡）＝ 0.		H
	8-1 がけ地等を有する宅地〔南、東、西、北〕 （AからHまでのうち該当するもの）　（がけ地補正率） 円 × 0.		I
	8-2 土砂災害特別警戒区域内にある宅地 （AからHまでのうち該当するもの）　特別警戒区域補正率※ 円 × 0. ※がけ地補正率の適用がある場合の特別警戒区域補正率の計算（0.5を下限とする。） 〔南、東、西、北〕 （特別警戒区域補正率表の補正率）（がけ地補正率）（小数点以下2位未満切捨て） 0.　× 0.　＝ 0.		J
	9 容積率の異なる2以上の地域にわたる宅地 （AからJまでのうち該当するもの）　（控除割合（小数点以下3位未満四捨五入）） 円 × （1 − 0.　）		K
	10 私道 （AからKまでのうち該当するもの） 円 × 0.3		L

自用地の評価額	自用地1平方メートル当たりの価額（AからLまでのうちの該当記号）	地積	総額（自用地1㎡当たりの価額）×（地積）	
	（B）248,080円	800㎡	198,464,000円	M

（注）1　5-1の「間口が狭小な宅地等」と5-2の「不整形地」は重複して適用できません。
2　5-2の「不整形地」の「AからDまでのうち該当するもの」欄の価額について、AからDまでの欄で計算できない場合には、（第2表）の「備考」欄等で計算してください。
3　「がけ地等を有する宅地」であり、かつ、「土砂災害特別警戒区域内にある宅地」である場合については、8-1の「がけ地等を有する宅地」欄ではなく、8-2の「土砂災害特別警戒区域内にある宅地」欄で計算してください。

土地及び土地の上に存する権利の評価明細書（第２表）

（平成三十一年一月分以降用）

セットバックを必要とする宅地の評価額	（自用地の評価額）　円 －（（自用地の評価額）　円 ×（該当地積）㎡／（総地積）㎡ × 0.7）	（自用地の評価額）　円	N
都市計画道路予定地の区域内にある宅地の評価額	（自用地の評価額）　円 × 0.（補正率）	（自用地の評価額）　円	O

大規模工場用地等の評価額	○　大規模工場用地等 （正面路線価）　円 ×（地積）㎡ ×（地積が20万㎡以上の場合は0.95）	円	P
	○　ゴルフ場用地等 （宅地とした場合の価額）（地積）（円 × ㎡×0.6）－（（1㎡当たりの造成費）　円×（地積）㎡）	円	Q

	利用区分	算式	総額	記号
総額計算による価額	貸宅地	（自用地の評価額）　円 ×（1－ 0.（借地権割合））	円	R
	貸家建付地	（自用地の評価額又はT）（借地権割合）（借家権割合）（賃貸割合） 198,464,000円 ×（1－ 0.6 ×0.3 ×800㎡／800㎡）	162,740,800円	S
	（　）権の目的となっている土地	（自用地の評価額）（　割合）　円 ×（1－ 0.　）	円	T
	借地権	（自用地の評価額）（借地権割合）　円 × 0.	円	U
	貸家建付借地権	（U,ABのうちの該当記号）（　）（借家権割合）（賃貸割合）　円 ×（1－ 0.　× ㎡／㎡）	円	V
	転貸借地権	（U,ABのうちの該当記号）（　）（借地権割合）　円 ×（1－ 0.　）	円	W
	転借権	（U,V,ABのうちの該当記号）（　）（借地権割合）　円 × 0.	円	X
	借家人の有する権利	（U,X,ABのうちの該当記号）（　）（借家権割合）（賃借割合）　円 × 0.　× ㎡／㎡	円	Y
	（　）権	（自用地の評価額）（　割合）　円 × 0.	円	Z
	権利が競合する場合の土地	（R,Tのうちの該当記号）（　）（　割合）　円 ×（1－ 0.　）	円	AA
	他の権利と競合する場合の権利	（U,Zのうちの該当記号）（　）（　割合）　円 ×（1－ 0.　）	円	AB
備考				

（注）　区分地上権と区分地上権に準ずる地役権とが競合する場合については、備考欄等で計算してください。

（資4－25－2－A4統一）

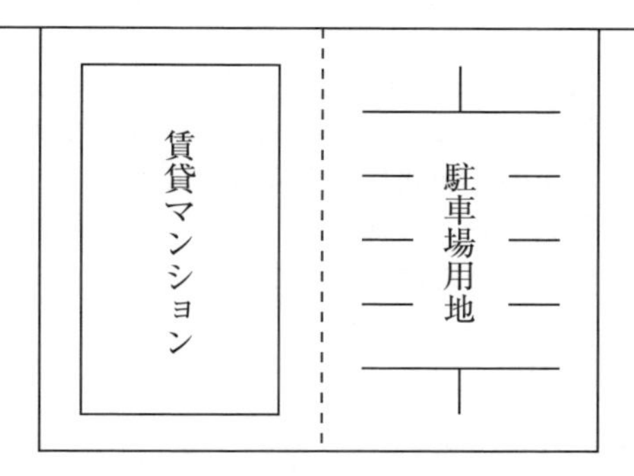

⑵ 貸家に空室がある場合の貸家建付地評価

貸家建付地の評価にあたり、実務的に問題になりやすいのは、その宅地の上に存する家屋が「貸家」に該当するか否かの事実認定です。

貸家とは、借家権の目的となっている家屋をいい、借家権とは、借地借家法の適用のある家屋賃借人の有する賃借権をいいます。

したがって、次のようなものは貸家に該当せず、その敷地は貸家建付地でなく自用地として評価することになります。

① 家屋が使用貸借（無償）により貸し付けられている場合

② 従業員宿舎のように従業員の資格に基づいて賃借することができるような場合

ところで、賃貸マンションや賃貸アパートの一部に空室がある場合、その空室部分の家屋とそれに対応する敷地について、貸家及び貸家建付地として評価できるか、という問題があります。この点に関して、上記⑴に示した貸家建付地の評価計算式における「賃貸割合」は、貸家の一部に空室がある場合、その空室に対応する部分の敷地は貸家建付地として評価しないことを明らかにしたものです。

この場合の「賃貸割合」について、財産評価基本通達は、次のように定めています（評基通26⑵）。

「賃貸割合」は、その貸家に係る各独立部分（構造上区分された数個の部分の各部分をいう。以下同じ。）がある場合に、その各独立部分の賃貸の状況に基づいて、次の算式により計算した割合による。

$$\frac{\text{Aのうち課税時期において賃貸されている各独立部分の床面積の合計}}{\text{当該家屋の各独立部分の床面積の合計（A）}}$$

(注) 1　上記算式の「各独立部分」とは、建物の構成部分である隔壁、扉、階層（天井及び床）等によって他の部分と完全に遮断されている部分で、独立した出入口を有するなど独立して賃貸その他の用に供することができるものをいう。したがって、例えば、

ふすま、障子又はベニヤ板等の堅固でないものによって仕切られている部分及び階層で区分されていても、独立した出入口を有しない部分は「各独立部分」には該当しない。

なお、外部に接する出入口を有しない部分であっても、共同で使用すべき廊下、階段、エレベーター等の共用部分のみを通って外部と出入りすることができる構造となっているものは、上記の「独立した出入口を有するもの」に該当する。

2　前記算式の「賃貸されている各独立部分」には、継続的に賃貸されていた各独立部分で、課税時期において、一時的に賃貸されていなかったと認められるものを含むこととして差し支えない。

この取扱いにおける実務上の留意点は、上記の注書きの2の「継続的に賃貸されていた各独立部分で、課税時期において、一時的に賃貸されていなかったと認められるものを含む」とする箇所で、要するに、一時的な空室であれば貸家として取り扱い、その敷地部分は貸家建付地として評価することができるということです。この場合の一時的な空室については､次のような事実関係から判断することになります。

①　各独立部分が課税時期前に継続的に賃貸されてきたものであること。

②　賃借人の退去後速やかに新たな賃借人の募集が行われ、空室の期間中、他の用途に供されていないこと。

③　賃貸されていない時期が、課税時期の前後のたとえば1か月程度であるなど一時的な期間であること。

④　課税時期後の賃貸が一時的なものではないこと。

なお、この一時的な空室の取扱いの適用範囲は、上記の通達からみて賃貸アパートや賃貸マンションに限られると解されます。したがって、戸建住宅の場合は、課税時期に空室であれば、貸家にはならず、その敷地を貸家建付地として評価することはできないものと思われます。

12.　借地権の評価

(1)　借地権の意義と範囲

借地権とは、借地借家法第2条《定義》に規定する建物の所有を目的とする地上権と賃借権をいいます（評基通9）。したがって、ここでいう借地権の範囲については、次の点に留意する必要があります。

①　建物以外の工作物の所有を目的とする地上権や賃借権は、ここでいう借地権には該当しない。

②　建物の所有を目的とする土地の賃貸であっても、使用貸借によるものは借地借家法の適用がなく、借地権には該当しない。

(注) 使用貸借に係る土地の評価については、後述（231ページ）します。

③ 建設現場、博覧会場などの一時的な事業に必要とされる臨時的な設備の所有を目的とするいわゆる一時使用のための借地権に借地借家法の適用はなく、ここにいう借地権には該当しない。

(注) これらは雑種地の賃借権に準じて評価しますが、その評価方法は後述（236ページ以下）します。

なお、借地借家法に規定する借地権でも、定期借地権等については別途に評価方法が定められており（評基通27－2、27－3）、また、いわゆる相当の地代を支払っている場合の借地権についても、評価上は別の取扱い（昭60.6.5付直資2－58ほか通達）となっています。

⑵ 借地権の評価方法

借地権の価額は、次の算式により評価します（評基通27）。

借地権の価額＝〔その宅地の自用地としての価額〕×〔借地権割合〕

この場合の借地権割合は、前述のとおり、路線価地域では路線価図に次の記号により表示され、倍率地域については評価倍率表にパーセントで表示されています。

記　　号	A	B	C	D	E	F	G
借地権割合	90%	80%	70%	60%	50%	40%	30%

なお、借地権の設定に際して権利金等の授受がないなど、いわゆる借地権慣行がないと認められる地域にある借地権の価額は評価しないこととされています（評基通27ただし書）。

(注) 借地権慣行の有無は、その地域の借地取引の実態から判断すべきものですが、路線価図では、借地権慣行がないと認められる地域の路線価の数値の後が無表示となっています。

13. 使用貸借に係る土地の評価

建物の所有を目的として借地をする場合には、借地人が土地所有者に対し、借地権設定の対価として権利金等の一時金を支払うのが通常の第三者間での取引です。

ところが、夫婦、親子等の親族間における土地貸借では、権利金はもとより地代の支払いもないのが通常です。この場合の貸借関係を賃貸借とみれば権利金相当額の贈与があったことになりますが、それが使用貸借に基づくものであれば、必ずしも課税関係を生じさせるのは適当ではありません。そこで、特殊関係者間の土地貸借の実態に即して以下のように取り扱われています（昭48.11.1直資2－189ほか通達（以下「使用貸借通達」といいます))。

⑴　使用貸借の開始時の取扱い

建物又は構築物の所有を目的として使用貸借による土地の借受けがあった場合において、借地権の設定に際し、その対価として権利金等の一時金を支払う慣行のある地域においても、その土地の使用貸借に係る使用権の価額はゼロとして取り扱われ、借地人に対して贈与税は課税されません（使用貸借通達１）。

(注) 使用貸借とは、無償により物を借り受ける契約をいい（民593)、有償による賃貸借と対比されます。なお、その物に係る公租公課（たとえば土地についての固定資産税）程度を借受者が負担していても使用貸借とされます。

⑵　使用貸借に係る土地の所有者に相続があった場合の取扱い

上記⑴の取扱いにより、土地の使用貸借に係る使用権の価額はゼロとして取り扱われるため、使用貸借により貸し付けられている土地を相続、遺贈又は贈与により取得した場合における相続税又は贈与税の課税価格に算入すべき価額は、その土地が自用のものであるとした場合の価額、すなわち更地価額とされます（使用貸借通達３）。

⑶　使用貸借に係る土地上の建物所有者に相続があった場合の取扱い

使用貸借に係る土地の上に存する建物等の所有者が死亡し、相続があった場合、又は、その建物等が贈与された場合におけるその建物等について、相続税又は贈与税の課税価格に算入すべき価額はその建物等の自用又は貸付けの区分に応じ、それぞれの建物等が自用又は貸付けのものであるとした場合の価額とされます（使用貸借通達４）。

⑷　借地権の目的となっている土地（底地）を借地権者以外の者が取得した場合の取扱い

借地権の目的となっている土地（底地）を借地権者以外の者が取得し、その土地の取得者と借地権者との間で地代の授受が行われないこととなった場合は、従来の賃貸借契約が使用貸借契約に変わったとみることもできますから、借地権価額がゼロとなって消滅してしまうことになります。

そこで、この場合は、原則として土地の取得者に対し借地権部分の贈与があったものとされます。ただし、土地の取得者から、その借地権者との連署による「借地権者の地位に変更がない旨の申出書」が提出された場合は、贈与税は課税されません（使用貸借通達５）。

⑸　使用貸借に係る土地に貸家がある場合の評価

使用貸借に係る土地の上に建物が建築され、その建物が貸家となっている場合でも、上記⑵と同様に、その土地は自用地として評価されます。これは、その建物の賃借人の敷地利用権は、建物所有者（使用貸借による土地の借受者）の敷地利用権から独立したものではなく、建物所有者の敷地利用権の範囲内に従属したものと解されていることによります。

しかし、貸家とその敷地を所有する者が、建物のみを贈与し、その建物の敷地を無償で貸し付けており、その後に、その建物の敷地である土地を贈与したような場合は、その敷地の価額は、建物の贈与後においても、贈与前と同様に貸家建付地として評価した価額によります。これは、建物の贈与以前に有していた建物賃借人の敷地利用権の権能には変動はなく、依然として土地所有者の権能に属する使用権を有していると考えられるからです。

したがって、たとえば、子が親から土地を無償で借り受けて賃貸アパート等を所有している場合で、その敷地である土地の贈与を受けるに際し、次の①のケースは土地を自用地として評価しなければなりませんが、②のケースは、貸家建付地として評価することができます。

① 子が無償で土地を借り受け、その土地上に子が建物を建て、他人に賃貸している場合

② 以前に、他人に賃貸している親所有の建物の贈与を受け、その建物の敷地については親から無償で借り受けている場合

このうち②は、親が所有する賃貸建物を子が贈与により取得し（敷地である土地は親が所有）、その後は子が親から建物の敷地である土地を使用貸借により借り受けるという場合ですが、その敷地部分は貸家建付地として評価するということです。

14. 農地・山林の評価

宅地以外の土地のうち、農地と山林について評価方法の概略を説明しておきます。なお、これらの土地の評価上は、宅地造成費の控除がありますが、その額は各国税局ごとに定められていますから、評価年分の「財産評価基準書」で確認してください。

(1) 農地の分類と評価方式

農地の価額は、その農地の転用許可等の可能性に応じて相当程度の格差が生じます。このため、評価上は、農地法その他の法令との関係から次の四つに区分して、それぞれ次のような評価方式によることとしています（評基通34、37～40）。

① 純農地………………倍率方式

② 中間農地……………倍率方式

③ 市街地周辺農地……宅地比準方式又は倍率方式

④ 市街地農地…………宅地比準方式又は倍率方式

(注) 農地の評価上の分類と法令等との関係は、次のとおりです。

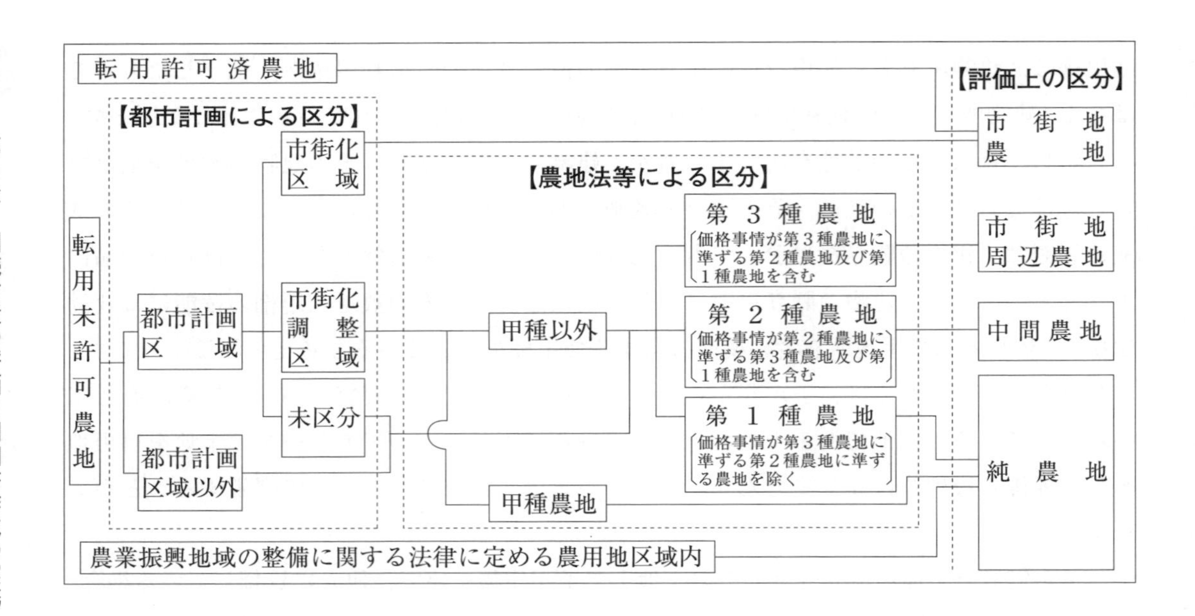

⑵　農地の評価方法

①　純農地及び中間農地

純農地及び中間農地は、倍率方式により評価します。この場合の評価方法は、宅地の倍率方式と同様であり、その農地の固定資産税評価額に、国税局長の定める倍率を乗じて計算した金額によります（評基通37、38）。

純農地・中間農地の価額＝固定資産税評価額×倍率

②　市街地周辺農地

市街地周辺農地の価額は、その農地が宅地であるとした場合の１m²当たりの価額からその農地を宅地に転用する場合において通常必要と認められる１m²当たりの造成費に相当する金額を控除した金額に、その農地の地積を乗じて計算した金額の80％相当額によって評価します（評基通39）。

$$\text{市街地周辺農地の価額} = \left(\text{その農地が宅地であるとした場合の１m}^2\text{当たりの価額} - \text{１m}^2\text{当たりの造成費} \right) \times \text{地積} \times 0.8$$

この算式における「その農地が宅地であるとした場合の１m²当たりの価額」は、路線価地域ではその路線価を基に評価しますが、倍率地域では評価する農地に最も近接し、かつ、道路からの位置、形状等が最も類似する宅地の評価額を基として計算することになります。

この場合、路線価地域では、評価する農地の所在する地区区分について定められている画地調整率を参考として宅地比準価額を計算します。また、倍率地域にあるものについては、付近の標準的な宅地の価格を基に、評価する農地の形状等に応じて普通住宅地区の画地調整率を参考として計算することができます。

なお、上記の算式において、80％相当額に減額するのは、宅地転用が許可される地域の農地ではあっても、まだ現実に許可を受けていないことを考慮したものです。

③ 市街地農地

市街地農地の価額は、その農地が宅地であるとした場合の1㎡当たりの価額からその農地を宅地に転用する場合において通常必要と認められる1㎡当たりの造成費に相当する金額として、整地、土盛り又は土止めに要する費用の額がおおむね同一と認められる地域ごとに国税局長の定める金額を控除した金額に、その農地の地積を乗じて計算した金額によって評価します。

$$\text{市街地農地の価額} = \left(\text{その農地が宅地であるとした場合の1m}^2\text{当たりの価額} - \text{1m}^2\text{当たりの造成費} \right) \times \text{地積}$$

ただし、市街化区域内にある市街地農地のうち、倍率方式により評価することとされている地域にある市街地農地の価額は、その農地の固定資産税評価額にその倍率を乗じて計算した金額によって評価します（評基通40）。

なお、宅地造成費として控除する金額が、その土地の宅地造成費の額を控除する前の価額の100分の50に相当する金額を超える場合には、その100分の50に相当する金額を限度として控除することとされています。

⑶ 山林の評価上の区分と評価方法

山林の価額は、①純山林、②中間山林、③市街地山林の三つに区分し、それぞれ次のように評価することとされています。

① 純山林及び中間山林

純山林と中間山林の価額は、固定資産税評価額を基とした倍率方式により評価します（評基通47、48）。なお、中間山林とは、市街地付近又は別荘地帯等にある山林で、通常の純山林と状況を異にするため、純山林として評価することが不適当と認められるものをいいます（評基通45⑴）。

② 市街地山林

市街地山林は、宅地のうちに介在する山林や市街化区域内にある山林などをいい、その価額は、宅地比準方式又は倍率方式によって評価します（評基通45）。

この場合の宅地比準方式は、前述の市街地周辺農地や市街地農地の評価方法と同様で、付近にある宅地の価額を基とし、その宅地とその山林との位置や形状等の条件の差を考慮して、その山林が宅地であるとした場合の1㎡当たりの価額を求め、その価額からその山林を宅地に転用するとした場合に通常必要と認められる1㎡当たりの造成費相当額を控除し、その控除後の価額に地積を乗じて評価額を算出する方法です。

ただし、市街地山林については、農地における宅地転用への制限がないため、市街地周辺農地における80％の評価は行いません。

なお、市街化区域内にある市街地山林のうち、倍率地域にある市街地山林の価額は、その山林の固定資産税評価額を基とした倍率方式により評価します（評基通49）。

15. 雑種地と雑種地に係る賃借権の評価

(1) 雑種地の評価方法

雑種地とは、宅地、田、畑、山林等の他の地目に属さない土地をいい、ゴルフ場、遊園地、運動場、野球場、テニスコート、鉄軌道用地などがこれに該当します。

雑種地の価額は、原則として、その雑種地と状況が類似する付近の土地の１m²当たりの価額を基とし、その土地とその雑種地の位置、形状等の条件の差を考慮して評定した価額に、その雑種地の地積を乗じて計算した金額によって評価します。

ただし、雑種地を倍率方式により評価することとしてその倍率が定められている雑種地の価額は、その雑種地の固定資産税評価額に定められた倍率を乗じて計算した金額によって評価することができます（評基通82）。

なお、いわゆる青空駐車場として利用されている土地は、登記上の地目が宅地であっても雑種地に該当します。この場合、その現状が宅地と変わらない青空駐車場は、宅地と同様に評価することとなり、路線価地域にある場合は、宅地と同様の路線価方式によりその価額を評価することになります。

（注１） いわゆる月極め駐車場等として利用している土地は、自動車の保管のための土地の貸付けですが、借地権等とは異なり、土地に対して権利の生ずる土地の賃貸借ではありません。したがって、駐車場用地は自用地として評価することになります。

なお、雑種地について宅地造成を要する場合は、路線価方式又は倍率方式によって評価した宅地評価額から各国税局ごとに定められた宅地造成費を控除して評価することができます。ただし、駐車場のように宅地造成費が不要と認められるものは、その控除はできません。

（注２） 雑種地のうちゴルフ場用地、遊園地等の用地、鉄軌道用地については、上記とは別にその評価方法が定められています（評基通83～84）。

(2) 雑種地に係る賃借権の評価

土地を賃借して駐車場、運動場、ゴルフ場等として利用する場合の土地の権利は、雑種地に係る賃借権となります。

雑種地に係る賃借権の価額は、原則として、その賃貸借契約の内容、利用の状況等を勘案した価額によって評価しますが、次の区分に従い、それぞれ次のように評価することができます（評基通87）。

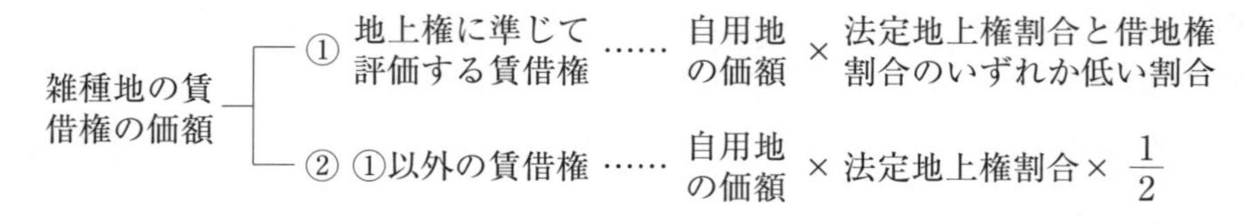

この場合の法定地上権割合は、次のように定められています（相法23）。

○法定地上権割合

残存期間	法定地上権割合	残存期間	法定地上権割合
10年以下	5%	30年超35年以下	50%
10年超15年以下	10	35年超40年以下	60
15年超20年以下	20	40年超45年以下	70
20年超25年以下	30	45年超50年以下	80
25年超30年以下	40	50年超	90

(注) 地上権で存続期間の定めのないものの地上権割合は、40%とされています。

このうち、①の地上権に準じて評価する賃借権とは、賃借権が登記されているもの、賃借権の設定の対価として権利金その他の一時金の授受のあるもの、堅固な構築物の所有を目的とするものなどが該当します。

(3) 賃借権の目的となっている雑種地の評価

賃借権の目的となっている土地の価額は、原則として、その土地の自用地としての価額から賃借権の価額を控除した金額によって評価します（評基通51(1)、59(1)、86(1))。賃借権の目的となっている土地が雑種地である場合も、原則として、雑種地の自用地としての価額から賃借権の価額を控除して評価することになります。

ただし、この原則により評価した価額と、次に掲げる賃借権の区分に従い、自用地価額に次の割合を乗じて計算した金額を自用地価額から控除した金額を比較し、この金額の方が低い場合には、低い方の金額によって評価することができることとされています（評基通86(1)ただし書)。

① 地上権に準ずる権利として評価することが相当と認められる賃借権

・残存期間が５年以下のもの……………………………100分の５
・残存期間が５年を超え10年以下のもの……………100分の10
・残存期間が10年を超え15年以下のもの……………100分の15
・残存期間が15年を超えるもの…………………………100分の20

② ①に該当する賃借権以外の賃借権

その賃借権の残存期間に応じ①に掲げる割合の２分の１に相当する割合

なお、臨時的な使用に係る賃借権及び賃貸借契約期間が１年以下の賃借権（賃借権の利用状況に照らし賃貸借契約の更新が見込まれるものを除く）については、その経済的価値が極めて小さいことから、その賃借権は評価しないこととし、この場合の賃借権の目的となっている雑種地の価額は、自用地価額で評価することとされています。

Ⅱ　小規模宅地等の課税価格算入額の特例

1.　特例の適用要件と減額割合

(1)　特例の概要

個人が相続又は遺贈により取得した財産のうちに、被相続人等の事業用の宅地等又は居住用の宅地等がある場合に、その宅地等の「限度面積要件」（200m²、330m²又は400m²）を満たす部分については、一定の要件の下に、その宅地等の相続税の課税価格に算入する金額は、その宅地等の相続税評価額から50％又は80％の割合で減額した金額となります（措法69の４①）。

これを「小規模宅地等についての相続税の課税価格の計算の特例」といいますが、土地に対する相続税課税の軽減措置として、実務上はきわめて重要な位置を占めています。

なお、この特例にはいわゆる申告要件があり（措法69の４⑥）、原則として、一定の書類を添付して相続税の申告書を提出した場合に限り適用されますが、申告手続や添付書類については、414ページで説明します（この特例を適用した結果、納付すべき相続税額がない場合でも、申告をしないと特例の適用を受けられないことに注意してください）。

＜例＞

・相続財産となった宅地……400m²

・路線価評価額……１億2,000万円（1m²当たり30万円）

○特定事業用等宅地等に該当する場合

特例による減額……１億2,000万円×$\frac{400m^2}{400m^2}$×80％＝9,600万円

課税価格算入額……１億2,000万円－9,600万円＝2,400万円

○特定居住用宅地等に該当する場合

特例による減額……１億2,000万円×$\frac{330m^2}{400m^2}$×80％＝7,920万円

課税価格算入額……１億2,000万円－7,920万円＝4,080万円

○貸付事業用宅地等に該当する場合

特例による減額……１億2,000万円×$\frac{200m^2}{400m^2}$×50％＝3,000万円

課税価格算入額……１億2,000万円－3,000万円＝9,000万円

(2)　特例の適用対象者

この特例の適用を受けることができる者は、相続又は遺贈により特例の対象となる宅地等を取得した個人です（措法69の４①）。したがって、相続人はもちろんのこと、相続人以外の者が遺贈により取得した宅地等についても特例の適用を受けることができます。

なお、この特例は相続税のみで、贈与により取得した宅地等には適用されません。

⑶　特例の対象となる宅地等の範囲

特例の対象となる宅地等とは、次の①から③までの全ての要件に該当するものをいいます（措法69の４①、措令40の２①～③、措規23の２①～③）。

①　次の⑴と⑵のいずれかに該当する宅地等であること

⑴　被相続人等の事業用宅地等（相続開始の直前において、被相続人等の事業の用に供されていた宅地等で、一定の建物又は構築物の敷地の用に供されていたもの）

⑵　被相続人等の居住用宅地等（相続開始の直前において、被相続人等の居住の用に供されていた宅地等で、一定の建物又は構築物の敷地の用に供されていたもの）

②　棚卸資産又はこれに準ずるものとされる雑所得の基因となる宅地等に該当しないもの

③　被相続人から相続等によって財産を取得した全ての個人の取得した上記①に該当する宅地等のうち「限度面積要件」を満たす部分として、その個人が一定の方法により選択した宅地等であること

このうち、①における「被相続人等」とは、「被相続人若しくは被相続人と生計を一にしていた親族」（措法69の４①）のことですから、被相続人のみならず、被相続人と生計を一にしていた親族の事業用又は居住用宅地等についてもこの特例の適用を受けることができます。

したがって、次図のA宅地とB宅地は適用対象になりますが、C宅地はその宅地上の建物が被相続人のものであっても特例の対象にはなりません。

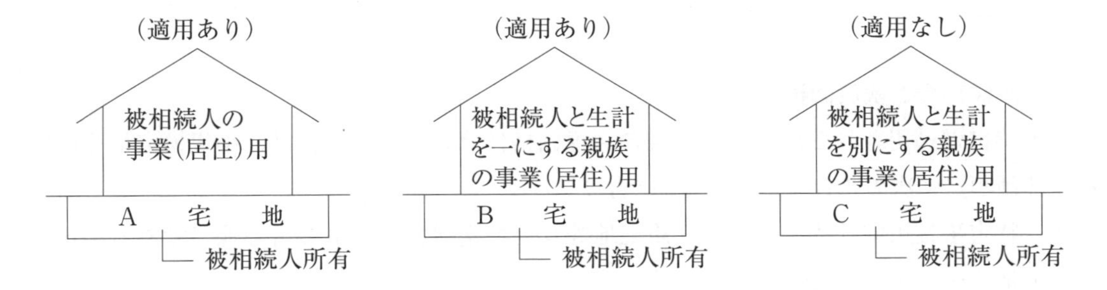

なお、上記①の⑴及び⑵における「一定の建物又は構築物の敷地」とは、次の建物又は構築物以外の建物又は構築物の敷地をいいます（措規23の２①）。

①　温室その他の建物で、その敷地が耕作の用に供されるもの

②　暗渠その他の構築物で、その敷地が耕作の用又は耕作若しくは養畜のための採草若しくは家畜の放牧の用に供されるもの

（注１）　この特例において、「宅地等」というのは、宅地のほか、宅地の上に存する権利（借地権）を含むという意味であり、要件に該当する事業用借地権や居住用借地権についても、その借地権の評価額から一定の減額ができます。

（注２）　この特例における「事業」には、不動産の貸付けも含まれますが、後述のとおり、その宅地等について、80％減額は適用されません。

（注３）　被相続人等の事業用宅地等又は居住用宅地等であっても、相続税の申告期限までに共同相続人間で分割されていないものは、特例の対象にはなりませんが（措法69の４④）、

この場合の手続等については、456ページを参照してください。

（注４）　この特例における「被相続人等」とは、被相続人のほか被相続人と生計を一にする親族を含むという意味ですが、この場合の「生計を一にする」の意義について、相続税の法令通達等に規定はありません。次の所得税基本通達の取扱いと同義に解すると考えられます。

〔参考〕　所得税基本通達

（生計を一にするの意義）

２－47　法に規定する「生計を一にする」とは、必ずしも同一の家屋に起居していることをいうものではないから、次のような場合には、それぞれ次による。

⑴　勤務、修学、療養等の都合上他の親族と日常の起居を共にしていない親族がいる場合であっても、次に掲げる場合に該当するときは、これらの親族は生計を一にするものとする。

イ　当該他の親族と日常の起居を共にしていない親族が、勤務、修学等の余暇には当該他の親族のもとで起居を共にすることを常例としている場合

ロ　これらの親族間において、常に生活費、学資金、療養費等の送金が行われている場合

⑵　親族が同一の家屋に起居している場合には、明らかに互いに独立した生活を営んでいると認められる場合を除き、これらの親族は生計を一にするものとする。

⑷　減額割合と限度面積要件

この特例が適用される場合の相続税の課税価格に算入される金額は、小規模宅地等の価額（評価額）に次の割合を乗じた金額です。

①　特定事業用宅地等、特定居住用宅地等及び特定同族会社事業用宅地等である小規模宅地等……100分の20

②　貸付事業用宅地等………100分の50

要するに、①に該当する小規模宅地等は通常の評価額から80％減額、また、②の場合は50％減額されるということです。

一方、この特例の適用により減額される宅地等の面積（限度面積要件）は、次のように定められています（措法69の４②、措通69の４－10）。

イ　この特例の適用を受けるものとして選択した宅地等（選択特例対象宅地等）が「特定事業用等宅地等」の場合……400m²まで

ロ　選択特例対象宅地等が「特定居住用宅地等」の場合……330m²まで

ハ　選択特例対象宅地等が「貸付事業用宅地等」の場合……次の算式により計算した面積まで

$$\left(\text{特定事業用等宅地等の合計面積} \times \frac{200}{400}\right) + \left(\text{特定居住用宅地等の合計面積} \times \frac{200}{330}\right) + \left(\text{貸付事業用宅地等の合計面積}\right) \leqq 200\text{m}^2$$

この特例の限度面積（適用対象面積の上限）と減額割合をまとめると、下表のようになります。この場合、特定事業用等宅地と特定居住用宅地等の双方を選択特例対象宅地等とする場合には、それぞれの限度面積まで特例が適用されますから、前者について400m²まで、後者について330m²までの併せて730m²まで特例による減額が可能です。

これに対し、貸付事業用宅地等のみを選択特例対象宅地等とする場合の限度面積は200m²となり、貸付事業用宅地等と他の宅地等を併用適用する場合には、上記ハの算式による限度面積要件を満たす必要があります（次項(5)参照）。

小規模宅地等の種類		限度面積	減額割合
特定事業用等宅地等	特定事業用宅地等	400m²	80%
	特定同族会社事業用宅地等	400m²	80%
特定居住用宅地等		330m²	80%
貸付事業用宅地等		200m²	50%

（注）特定事業用宅地等と特定同族会社事業用宅地等を併せて「特定事業用等宅地等」といいます。

(5) 貸付事業用宅地等と他の宅地等を併用適用する場合の限度面積の調整

ところで、上記(4)のハの算式は、貸付事業用宅地等と他の宅地等（特定事業用宅地等、特定同族会社事業用宅地等又は特定居住用宅地等）を選択し、併用適用する場合の限度面積の調整計算を示したものですが、上記の算式は、次のように書き直すことができます。

〈算式１〉

選択特例対象宅地等が特定事業用等宅地等と貸付事業用宅地等で、特定事業用等宅地等を優先して選択した場合の貸付事業用宅地等の適用面積

$$\text{貸付事業用宅地等の適用面積} = 200\text{m}^2 - \left(\text{選択特例対象宅地等とした特定事業用等宅地等の面積} \times \frac{200}{400}\right)$$

〈算式２〉

選択特例対象宅地等が特定事業用等宅地等と貸付事業用宅地等で、貸付事業用宅地等を優先して選択した場合の特定事業用等宅地等の適用面積

$$\text{特定事業用等宅地等の適用面積} = 400\text{m}^2 - \left(\text{選択特例対象宅地等とした貸付事業用宅地等の面積} \times 2\right)$$

〈算式３〉

選択特例対象宅地等が特定居住用宅地等と貸付事業用宅地等で、特定居住用宅地等を優先して選択した場合の貸付事業用宅地等の適用面積

$$\text{貸付事業用宅地等の適用面積} = 200\text{m}^2 - \left(\text{選択特例対象宅地等とした特定居住用宅地等の面積} \times \frac{200}{330}\right)$$

〈算式４〉

選択特例対象宅地等が特定居住用宅地等と貸付事業用宅地等で、貸付事業用宅地等を優先して選択した場合の特定居住用宅地等の適用面積

$$\text{特定居住用宅地等の適用面積} = 330m^2 - \left[\text{選択特例対象宅地等とした貸付事業用宅地等の面積} \times \frac{330}{200}\right]$$

〈算式５〉

選択特例対象宅地等が特定事業用等宅地等、特定居住用宅地等及び貸付事業用宅地等で、特定事業用等宅地等と特定居住用宅地等を優先して選択した場合の貸付事業用宅地等の適用面積

$$\text{貸付事業用宅地等の適用面積} = 200m^2 - \left[\text{選択特例対象宅地等とした特定事業用等宅地等の面積} \times \frac{1}{2}\right] - \left[\text{選択特例対象宅地等とした特定居住用宅地等の面積} \times \frac{200}{330}\right]$$

〈算式６〉

選択特例対象宅地等が特定事業用等宅地等、特定居住用宅地等及び貸付事業用宅地等で、特定事業用等宅地等と貸付事業用宅地等を優先して選択した場合の特定居住用宅地等の適用面積

$$\text{特定居住用宅地等の適用面積} = \left\{200m^2 - \left[\text{選択特例対象宅地等とした特定事業用等宅地等の面積} \times \frac{1}{2}\right] - \left[\text{選択特例対象宅地等とした貸付事業用宅地等の面積}\right]\right\} \times \frac{330}{200}$$

〈算式７〉

選択特例対象宅地等が特定事業用等宅地等、特定居住用宅地等及び貸付事業用宅地等で、特定居住用宅地等と貸付事業用宅地等を優先して選択した場合の特定事業用等宅地等の適用面積

$$\text{特定事業用等宅地等の適用面積} = \left\{200m^2 - \left[\text{選択特例対象宅地等とした特定居住用等宅地等の面積} \times \frac{200}{330}\right] - \left[\text{選択特例対象宅地等とした貸付事業用宅地等の面積}\right]\right\} \times 2$$

これらの各算式に基づく限度面積の計算例を示すと、次ページのようになりますが、このような限度面積の調整計算が必要になるのは、貸付事業用宅地等を選択特例対象宅地等とし、他の宅地等と併用適用する場合です。貸付事業用宅地等を選択しない場合には、このような調整計算は一切不要です（次ページの計算例における各ケースの〈算式１〉等は、上記の〈算式１〉等を示します)。

なお、特定事業用等宅地等と特定居住用宅地等を選択特例対象宅地等とする場合には、前述したとおり両者は完全併用適用が認められていますから、限度面積の調整は要しません。

	ケース１－１〈算式１〉	ケース１－２〈算式２〉
特例対象宅地等 （相続財産）	○特定事業用等宅地等……$300m^2$ ○貸付事業用宅地等………$150m^2$	
特例適用宅地等の選択	特定事業用等宅地等（$300m^2$）を優先的に選択	貸付事業用宅地等（$150m^2$）を優先的に選択
特例の適用面積	○特定事業用等宅地等……$300m^2$ ○貸付事業用宅地等……… $200m^2 - \left(300m^2 \times \frac{200}{400}\right) = 50m^2$	○貸付事業用宅地等………$150m^2$ ○特定事業用等宅地等…… $400m^2 - \left(150m^2 \times 2\right) = 100m^2$

	ケース２－１〈算式３〉	ケース２－１〈算式４〉
特例対象宅地等 （相続財産）	○特定居住用宅地等………$250m^2$ ○貸付事業用宅地等………$150m^2$	
特例適用宅地等の選択	特定居住用宅地等（$250m^2$）を優先的に選択	貸付事業用宅地等（$150m^2$）を優先的に選択
特例の適用面積	○特定居住用宅地等……$250m^2$ ○貸付事業用宅地等……… $200m^2 - \left(250m^2 \times \frac{200}{330}\right) \fallingdotseq 48.48m^2$	○貸付事業用宅地等…………$150m^2$ ○特定居住用宅地等………… $330m^2 - \left(150m^2 \times \frac{330}{200}\right) = 82.5m^2$

	ケース３－１〈算式５〉	ケース３－２〈算式６〉	ケース３－３〈算式７〉
特例対象宅地等 （相続財産）	○特定事業用等宅地等……$150m^2$ ○特定居住用宅地等………$120m^2$ ○貸付事業用宅地等………$100m^2$		
特例適用宅地等の選択	次の２つを優先的に選択 ・特定事業用等宅地等……$150m^2$ ・特定居住用宅地等……$120m^2$	次の２つを優先的に選択 ・特定事業用等宅地等……$150m^2$ ・貸付事業用宅地等……$100m^2$	次の２つを優先的に選択 ・特定居住用宅地等……$120m^2$ ・貸付事業用宅地等……$100m^2$
特例の適用面積	○特定事業用等宅地等………$150m^2$ ○特定居住用宅地等………$120m^2$ ○貸付事業用宅地等… $200m^2 - \left(150m^2 \times \frac{1}{2}\right) - \left(120m^2 \times \frac{200}{330}\right) \fallingdotseq 52.27m^2$	○特定事業用等宅地等………$150m^2$ ○貸付事業用宅地等………$100m^2$ ○特定居住用宅地等… $\left\{200m^2 - \left(150m^2 \times \frac{1}{2}\right) - \left(100m^2\right)\right\} \times \frac{330}{200} = 41.25m^2$	○特定居住用宅地等………$120m^2$ ○貸付事業用宅地等………$100m^2$ ○特定事業用等宅地等… $\left\{200m^2 - \left(120m^2 \times \frac{200}{330}\right) - \left(100m^2\right)\right\} \times 2 \fallingdotseq 54.54m^2$

参考までに、上記の限度面積の調整を行った場合の選択特例対象宅地等の適用面積の関係をまとめると、以下のようになります。

《特定事業用等宅地等と貸付事業用宅地等を併用適用する場合》

併用適用する選択特例対象宅地等		特例対象面積の上限（適用対象合計面積）
特定事業用等宅地等	貸付事業用宅地等	
400m²	（適用なし）	400m²
350m²	25m²	375m²
300m²	50m²	350m²
250m²	75m²	325m²
200m²	100m²	300m²
150m²	125m²	275m²
100m²	150m²	250m²
50m²	175m²	225m²
（適用なし）	200m²	200m²

《特定居住用宅地等と貸付事業用宅地等を併用適用する場合》

併用適用する選択特例対象宅地等		特例対象面積の上限（適用対象合計面積）
特定居住用宅地等	貸付事業用宅地等	
330m²	（適用なし）	330m²
300m²	18.18m²	318.18m²
250m²	48.48m²	298.48m²
200m²	78.78m²	278.78m²
165m²	100m²	265m²
150m²	109.09m²	259.09m²
100m²	139.39m²	239.39m²
50m²	169.69m²	219.69m²
（適用なし）	200m²	200m²

（注） 表中の適用面積は、表示の都合で端数処理をしていますが、特例の適用上は端数処理を行わない面積について減額の計算をします。

ところで、特定事業用等宅地等又は特定居住用宅地と貸付事業用宅地等を併用適用する場合には、いずれの宅地等を選択することが有利になるかという問題があります。この場合、特定事業用等宅地等又は特定居住用宅地等の減額割合は80％ですが、貸付事業用宅地等では50％の減額割合とされています。したがって、通常は、減額割合の大きい特定事業用等宅地等又は特定居住用宅地等を優先的に選択することが有利になります。

ただし、貸付事業用宅地等の評価額が高い場合には、50％の減額割合であっても、特例による減額が大きくなり、課税上は有利になります。次の〔**例１**〕は、特定居住用宅地等を優先的に選択することが納税者有利になりますが、〔**例２**〕の場合には、貸付事業用宅地等を優先的に選択することが有利に作用します。

なお、次の計算例における貸付事業用宅地等の評価額は、貸家建付地又は貸宅地等として評価した後の金額であることに注意してください。

［例1］

相続財産となった宅地
- 特定居住用宅地等……220m²（1m²当たりの評価額　30万円）
- 貸付事業用宅地等……150m²（1m²当たりの評価額　70万円）

	ケース1	ケース2
適用宅地の選択	特定居住用宅地等の全部（220m²）を優先的に選択	貸付事業用宅地等の全部（150m²）を優先的に選択
特例の適用面積	○特定居住用宅地等…………220m² ○貸付事業用宅地等…………66m²※ ※$200m^2-〔220m^2\times\frac{200}{330}〕\fallingdotseq 66m^2$	○貸付事業用宅地等…………150m² ○特定居住用宅地等…………82m²※ ※$330m^2-〔150m^2\times\frac{330}{200}〕\fallingdotseq 82m^2$
特例による減額	○特定居住用宅地等…… 220m²×30万円×80%＝5,280万円 ○貸付事業用宅地等…… 66m²×70万円×50%＝2,310万円 ○合計　5,280万円＋2,310万円 ＝7,590万円	○貸付事業用宅地等…… 150m²×70万円×50%＝5,250万円 ○特定居住用宅地等…… 82m²×30万円×80%＝1,968万円 ○合計　5,250万円＋1,968万円 ＝7,218万円

［例2］

相続財産となった宅地
- 特定居住用宅地等……220m²（1m²当たりの評価額　30万円）
- 貸付事業用宅地等……150m²（1m²当たりの評価額　90万円）

	ケース1	ケース2
適用宅地の選択	特定居住用宅地等の全部（220m²）を優先的に選択	貸付事業用宅地等の全部（150m²）を優先的に選択
特例の適用面積	○特定居住用宅地等…………220m² ○貸付事業用宅地等…………66m²※ ※$200m^2-〔220m^2\times\frac{200}{330}〕\fallingdotseq 66m^2$	○貸付事業用宅地等…………150m² ○特定居住用宅地等…………82m²※ ※$330m^2-〔150m^2\times\frac{330}{200}〕\fallingdotseq 82m^2$
特例による減額	○特定居住用宅地等…… 220m²×30万円×80%＝5,280万円 ○貸付事業用宅地等…… 66m²×90万円×50%＝2,970万円 ○合計　5,280万円＋2,970万円 ＝8,250万円	○貸付事業用宅地等…… 150m²×90万円×50%＝6,750万円 ○特定居住用宅地等…… 82m²×30万円×80%＝1,968万円 ○合計　6,750万円＋1,968万円 ＝8,718万円

なお、特例対象宅地等の選択は、当初の申告によって確定しますから、申告後の選択替えは認められず、更正の請求をすることもできません。

(6) 共有宅地等の限度面積

小規模宅地等の特例の対象になる宅地等を被相続人と被相続人以外の者が共有していた場合には、被相続人の持分に応ずる部分により限度面積要件を判定します。したがって、次ページのような場合には、300㎡の居住用宅地等のうち200㎡部分に特例が適用されます。

被相続人等の居住用宅地等300㎡

被相続人の持分３分の２	相続人の持分３分の１

$$300㎡ \times \frac{2}{3}（被相続人の持分）= 200㎡ < 330㎡（特定居住用宅地等の限度面積）$$

(注) この宅地等の全部が被相続人の所有で、その面積が450㎡であるとし、相続人Ａが３分の２（300㎡）、相続人Ｂが３分の１（150㎡）の持分を取得したような場合において、ＡとＢがいずれも特定居住用宅地等の要件を満たすときは、330㎡の範囲内でＡとＢの適用面積を任意に配分できます。

ところで、共有となっている土地に対する共有持分者の権利は、その土地の全部に均等に及ぶと考えられます。したがって、下図のような場合には、敷地である宅地のうち居住用宅地と貸家建付地がそれぞれ２分の１となり、被相続人の居住用宅地は、その２分の１（宅地全体の４分の１）部分となります。同様に、被相続人の有する貸家の敷地（貸家建付地）は、宅地全体の４分の１となります。

なお、共有持分者の子は、被相続人と生計を別にしているため、子の持分に対応する部分（宅地の４分の１）は、小規模宅地等の特例の対象になる居住用宅地には該当しません。

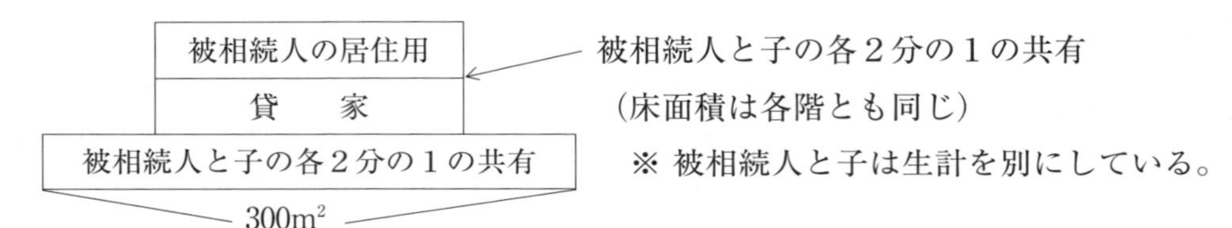

・被相続人の居住用宅地 ……$300m^2 \times \frac{1}{2}$（床面積あん分）$\times \frac{1}{2}$（被相続人の持分）$= 75m^2$
→ 特定居住用宅地等の要件を満たす場合に特例適用

・被相続人の貸家建付地 ……$300m^2 \times \frac{1}{2}$（床面積あん分）$\times \frac{1}{2}$（被相続人の持分）$= 75m^2$
→ 貸付事業用宅地等の要件を満たす場合に特例適用

2.　事業用宅地等の意義と特例の適用関係

⑴　「事業」の意義と減額割合の区分

小規模宅地等の特例の対象になる「事業用宅地等」とは、相続開始の直前において、被相続人等の事業の用に供されていた宅地等をいいますが、この場合の「事業」の意義について、法令上は、「事業（事業に準ずるものとして政令で定めるものを含む）」とし（措法69の４①）、政令で定めるものとは、「事業と称するに至らない不動産の貸付けその他これに類する行為で相当の対価を得て継続的に行うもの」（準事業）と規定されています（措令40の２①）。このような規定からみると、次のように考えることができます。

①　事業そのものの規模や種類は問わず、一般に「事業」と思われるものは全て小規模宅地等の特例における「事業」に該当する。

② 不動産の貸付けも小規模なものを含めて「事業」であり、その宅地等は特例の対象となる「事業用宅地等」になる。

もっとも、次項で説明するとおり、不動産の貸付けは、80％の減額割合が適用される「特定事業用宅地等」における「事業」から除かれています。したがって、不動産の貸付けに関する事業用宅地等は、50％の減額割合が適用される「貸付事業用宅地等」に該当する場合に限り、特例が適用されることになります。

ところで、後述の「特定同族会社事業用宅地等」とは、被相続人の宅地等が一定の同族会社の事業の用に供されていたものですから、土地の所有者である被相続人からみれば、同族会社に対する宅地等（又は建物等）の貸付けになります。したがって、形式的には不動産の貸付けに該当することとなりますが、一定の要件を満たせば、「特定同族会社事業用宅地等」として80％減額を適用することとしています。

事業用宅地等について、特例の減額割合をまとめておくと、次のとおりです。なお、「不動産貸付業等」における「準事業」とは、前述した「事業と称するに至らない不動産の貸付けその他これに類する行為で相当の対価を得て継続的に行うもの」をいいます。

<table>
<tr><th colspan="3">相続開始直前の状況</th><th>要　　件</th><th>減額割合</th></tr>
<tr><td rowspan="7">相続開始の直前において被相続人等の事業の用に供されていた宅地等</td><td rowspan="4">不動産貸付業等以外の事業</td><td rowspan="2">被相続人の事業用</td><td>特定事業用宅地等に該当</td><td>80％減額</td></tr>
<tr><td>特定事業用宅地等に非該当</td><td>特例適用なし</td></tr>
<tr><td rowspan="2">被相続人と生計を一にしていた親族の事業用</td><td>特定事業用宅地等に該当</td><td>80％減額</td></tr>
<tr><td>特定事業用宅地等に非該当</td><td>特例適用なし</td></tr>
<tr><td colspan="2" rowspan="3">不動産貸付業等の事業
(注)「不動産貸付業等」とは、不動産貸付業、駐車場業、自転車駐車場業及び準事業をいう（措令40の2①⑥）。</td><td>特定同族会社事業用宅地等に該当</td><td>80％減額</td></tr>
<tr><td>貸付事業用宅地等に該当</td><td>50％減額</td></tr>
<tr><td>特定同族会社事業用宅地等及び貸付事業用宅地等のいずれにも非該当</td><td>特例適用なし</td></tr>
</table>

(2) 事業用宅地等の範囲――土地建物の貸借関係と特例の適用関係

ところで、小規模宅地等の特例の対象となる宅地等は、建物等（建物又は構築物）の敷地の用に供されていることが最低条件ですが、これを前提として、事業用宅地等とは、次のものをいうとされています（措通69の4－4）。

① 他に貸し付けられていた宅地等（その貸付けが事業に該当する場合に限る）

② 被相続人等の事業の用に供されていた建物等で、被相続人等が所有していたもの又は被相続人の親族（被相続人と生計を一にしていた親族を除く）が所有していたもの（被相続人等がその建物等を無償で借り受けていた場合におけるその建物等に限る）の敷地の用に供されていたもの

このうち①は、いわゆる貸宅地のことであり、その貸付けが「事業」（相当の対価を得て継続的に行われるもの）であれば、事業用宅地等として取り扱うということです。

注意したいのは、上記の②で、特例の対象になる事業用宅地等に該当するためには、次の2つの要件を満たす必要があるということです。

イ　宅地等の上に存する事業用の「建物等」は、被相続人又はその親族（被相続人と生計を一にしているか否かは問わない）が所有するものであること。

ロ　建物等の所有者が、事業を行っていた被相続人等（被相続人又は被相続人と生計を一にする親族）でない場合には、被相続人等が建物等の所有者である親族からその建物等を無償で借り受けていたこと。

事業用宅地等に対する小規模宅地等の特例は、被相続人又は被相続人と生計を一にする親族の事業の用に供されている宅地等に適用されるところ、建物等の敷地に対する特例という性格からみれば、建物等の所有者がどのように利用していたかという観点から特例の適用関係を判断すべきことになります。

そうすると、建物等の所有者が、被相続人又は被相続人と生計を一にする親族のいずれでもない場合には、その宅地等は、被相続人等の事業用宅地等とはいえないと考えることができます。しかしながら、建物等の所有者が生計別とはいえ、宅地等の所有者である被相続人とは親族関係にあることに鑑みて、被相続人等がその建物等を無償で借り受けて事業の用に供している場合には、その敷地を被相続人等の事業用宅地等として取り扱うこととしています。上記のロは、この点を明らかにしたものです。

なお、宅地等の所有者と建物等の所有者が異なる場合、あるいは建物等の所有者と事業を行っている者が異なる場合に、それぞれの間の貸借関係が有償であるとき（地代又は家賃の授受があるとき）は、不動産の貸付けが行われていたことになりますから、「特定事業用宅地等」として80％減額は適用されず、「貸付事業用宅地等」に該当した場合にのみ50％減額が適用されます。この関係をまとめると、次表のようになります。

①宅地所有者	②建物所有者	③事業を行っている者	①と②の間の宅地の貸借関係	②と③の間の建物の貸借関係	減額割合
	被相続人	被相続人			80%
		被相続人と生計一の親族		有　償	50%
				無　償	80%
	被相続人と生計一の親族	被相続人	有　償	有　償	50%
				無　償	50%
			無　償	有　償	50%
				無　償	80%
		被相続人と生計一の親族	有　償		50%
			無　償		80%

<table>
<tr><td rowspan="7">被相続人</td><td rowspan="6">被相続人と生計別の親族</td><td rowspan="4">被相続人又は被相続人と生計一の親族</td><td rowspan="2">有　償</td><td>有　償</td><td>50%</td></tr>
<tr><td>無　償</td><td>50%</td></tr>
<tr><td rowspan="2">無　償</td><td>有　償</td><td>非適用</td></tr>
<tr><td>無　償</td><td>80%</td></tr>
<tr><td rowspan="2">被相続人と生計別の親族</td><td>有　償</td><td></td><td>50%</td></tr>
<tr><td>無　償</td><td></td><td>非適用</td></tr>
<tr><td>上記以外の者（同族会社を含む）</td><td></td><td></td><td></td><td>非適用</td></tr>
</table>

(注) 表中の説明は次のとおりです。
「有　償」…… 相当の対価を得て継続的に行う貸付けをいう。
「無　償」…… 相当の対価に至らない程度の対価の授受がある場合を含む。
「 80% 」…… 特定事業用宅地等の要件を満たす場合に適用される。
「 50% 」…… 貸付事業用宅地等の要件を満たす場合に適用される。
「非適用」…… 小規模宅地等の特例の適用はない。

⑶　個人事業者の事業用資産に係る納税猶予制度との適用関係

事業用宅地等に対する小規模宅地等の特例は、中小事業者を支援する事業承継税制のひとつですが、同様の目的で措置されているのが個人事業者の事業用資産に係る納税猶予制度です（措法70の６の10）。

個人事業者の事業用資産のうち事業用の宅地等については、400㎡を限度として納税猶予の対象になるのですが（第６章の562ページ）、趣旨を同じくする特例措置を重複して適用することは適当とはいえませんから、特定事業用宅地等に対する小規模宅地等の特例と個人事業者の事業用資産に対する納税猶予制度とは選択適用とされています（措法69の４⑥）。

⑷　特定事業用宅地等の意義

小規模宅地等の特例が適用される「特定事業用宅地等」の意義については、次のように規定されています（措法69の４③一）。

被相続人等の事業（不動産貸付業その他政令で定めるものを除く）の用に供されていた宅地等で、次に掲げる要件のいずれかを満たす当該被相続人の親族が相続又は遺贈により取得したもの（相続開始前３年以内に新たに事業の用に供された宅地等（政令で定める規模以上の事業を行っていた被相続人等の当該事業の用に供されたものを除く。）を除き、政令で定める部分に限る）をいう。

イ　当該親族が、相続開始時から相続税の申告期限までの間に当該宅地等の上で営まれていた被相続人の事業を引き継ぎ、申告期限まで引き続き当該宅地等を有し、かつ、当該事業を営んでいること。

ロ　当該被相続人の親族が当該被相続人と生計を一にしていた親族であって、相続開始時から申告期限まで引き続き当該宅地等を有し、かつ、相続開始前から申告期限まで引き続き当該宅地等を自己の事業の用に供していること。

このうち、「イ」は、相続開始の直前において、被相続人が事業を行っていた場合であり、「ロ」は、被相続人と生計を一にしていた親族が事業を行っていた場合です。したがって、特定事業用宅地等は２つの類型があるわけですが、これらをまとめると次のようになります。

〔被相続人が事業を行っていた場合〕

宅地等の取得者	80%減額の要件
被相続人の親族	①　その宅地等の上で行われていた被相続人の事業を相続税の申告期限までに承継し、かつ、相続税の申告期限までその事業を継続して行っていること。 ②　その宅地等を相続税の申告期限まで所有していること。

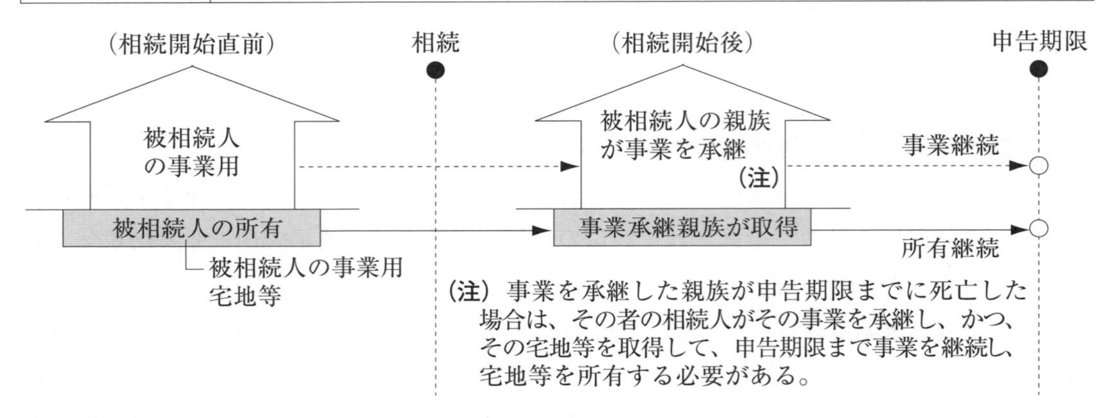

〔被相続人と生計を一にしていた親族が事業を行っていた場合〕

宅地等の取得者	80%減額の要件
被相続人と生計を一にしていた親族	①　その生計一の親族が、相続開始前から相続税の申告期限まで、その宅地等の上で事業を行っていること。 ②　その宅地等を相続税の申告期限まで所有していること。

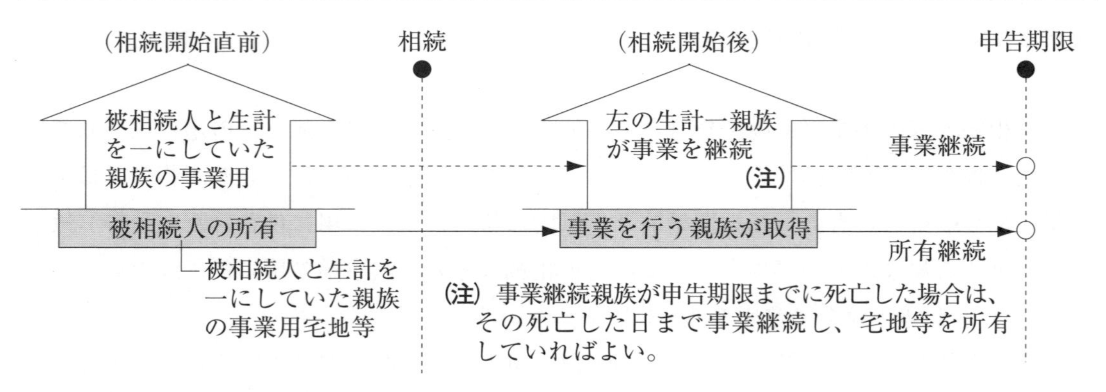

これら２つの類型のうち、最初の「被相続人が事業を行っていた場合」とは、相続の開

始後に相続人等が被相続人の事業を承継するということですが、２つ目の「被相続人と生計を一にしていた親族が事業を行っていた場合」は、特定事業用宅地等の規定にあるとおり、その生計一の親族が「相続開始前から」被相続人の宅地等の上で事業を行っていたということです。

なお、前記の特定事業用宅地等の規定における「政令で定める部分に限る」とは、被相続人等の事業用宅地等のうちに特定事業用宅地等の要件に該当する部分と該当しない部分がある場合には、その要件に該当部分に特例が適用されるということです（措令40の２④）。また、２人以上の相続人等が共有により宅地等を取得した場合には、特定事業用宅地等の要件を満たす親族が取得した持分の割合に応ずる部分に特例が適用されます（措令40の２⑦）。

ところで、相続開始前３年以内に新たに事業の用に供された宅地等は、一定規模以上の事業を行っていた場合を除き、特定事業用宅地等からは除外され、小規模宅地等の特例は適用できません（措法69の４③一かっこ書）。

この場合の「新たに事業の用に供された宅地等」とは、事業の用以外の用に供されていた宅地等が事業の用に供された場合の当該宅地等又は宅地等若しくはその上にある建物等につき「何らの利用がされていない場合」の宅地等が事業の用に供された場合の当該宅地等をいいます。したがって、次の①については「新たに事業の用に供された宅地等」に該当しますが、②については、これに該当しません（措通69の４－20の２）。

①　居住の用又は貸付事業の用に供されていた宅地等が事業の用に供された場合の当該事業の用に供された部分

②　事業の用に供されていた宅地等が他の事業の用に供された場合の当該他の事業の用に供された部分

また、次のような場合には、事業用の建物等が一時的に事業の用に供されていなかったにすぎませんから、その建物に係る宅地等は「新たに事業の用に供された宅地等」には該当しないことに取り扱われています。

イ　継続的に事業の用に供されていた建物等について建替えが行われた場合……建物等の建替え後速やかに事業の用に供されたその建物等に係る宅地等

ロ　継続的に事業の用に供されていた建物等が災害により損害を受けたため、当該建物等に係る事業を休業した場合……事業の再開のための当該建物等の修繕その他の準備が行われ、事業が再開したときのその建物等に係る宅地等

一方、相続開始前３年以内に事業の用に供された宅地等であっても、一定規模以上の事業を行っていた場合には、小規模宅地等の特例の対象から除外されませんが、この場合の一定規模以上の事業とは、宅地等の相続開始の時における価額に対する事業の用に供されていた減価償却資産の価額の合計額の割合が15％以上である場合のその事業をいいます（措令40の２⑧、措通69の４－20の３）。

この場合の減価償却資産とは、建物（その附属設備を含む）と所得税法２条１項19号に規定する減価償却資産で、その宅地等の上で行われる事業に係る業務の用に供されていたものをいいます。

$$\frac{\text{事業の用に供されていた減価償却資産のうち被相続人等が有していたものの相続開始の時における価額}}{\text{新たに事業の用に供された宅地等の相続の開始の時における価額}} \geqq 15\%$$

この場合の「15％以上」であるかどうかは、その宅地等を新たに事業の用に供した時ではなく、相続開始の直前の現況によって判定します。また、上記の算式における「被相続人等が有していたもの」は、被相続人のほか、被相続人と生計を一にする親族が自己の事業の用に供し、所有していた減価償却資産も含まれます。

なお、相続開始前３年以内に新たに事業の用に供された宅地等に特例の適用を受けようとする場合には、事業の用に供されていた上記の減価償却資産の種類、数量、価額及びその所在場所等を記載した明細書で、その資産の相続開始の時の価額がその宅地等の価額の15％以上であることを明らかにするものを相続税の申告書に添付しなければなりません（措規23の２⑧）。

(5)　事業用宅地等の判断事例

事業用宅地等に対する小規模宅地等の特例の適用関係は、おおむね以上のとおりですが、これらの内容を確認するために事例でみておくことにします。

<事例１>　事業用宅地等の範囲

相続人（子A）は、被相続人（父）と生計を一にし、同人の所有する土地建物において、建築業を営んでいた。Aは、相続開始時まで父に近隣相場並みの家賃を支払っていた（ただし、当該家賃は所得税法第56条の規定により、Aの事業所得の計算上必要経費の額に算入されていない）。

Aは、父からこの土地建物を相続により取得し、その後も継続して事業を行うこととしているが、土地について事業用宅地等として特例を受けることができるか。

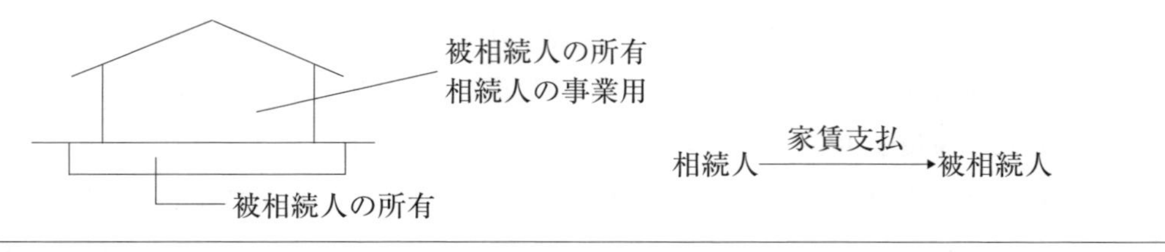

<ポイント>

この事例は、被相続人と生計を一にしていた親族の事業用宅地等に関するものですが、建物の所有者（被相続人）とその建物を借り受けて事業を行っている親族（相続人）の間の建物の貸借関係が有償である場合は、事業者が被相続人と生計を一にする親族であっても、建物の所有者（被相続人）の不動産貸付業（又は準事業）に該当します。

したがって、「特定事業用宅地等」には該当せず、80％減額は適用されません（所得税法第56条の規定とこの特例の規定とは関係しません）。

なお、上例における被相続人の建物の貸付けが「貸付事業用宅地等」に該当すれば、減額割合を50％として特例の適用を受けることができます。ただし、上例の場合には、土地と建物を子Ａが相続により取得しており、相続開始後も貸付事業を継続することは不可能です。したがって、貸付事業用宅地等に該当する余地はないものと思われます。

<事例２>　使用人の寄宿舎の敷地の取扱い

被相続人甲は、印刷業を営んでおり、甲が所有する建物（１棟・10室）をその従業員の社宅として使用していた。

社宅の家賃は、通常の家賃の半額程度を徴収していたが、小規模宅地等の特例の適用上、この社宅の敷地は不動産の貸付けとして取り扱われるのか。

なお、社宅の入居者（10人）のうち１人は、甲の親族である。

<ポイント>

被相続人等の営む事業に従事する使用人の寄宿舎等（被相続人等の親族のみが使用していたものを除く）の敷地の用に供されていた宅地等は、被相続人等の当該事業に係る事業用宅地等に当たるものとする、という取扱いがあります（措通69の４－６）。要するに、社宅としての建物の貸付けは不動産貸付業とはみないで、被相続人等が営むその事業に係る事業用の施設として取り扱うということです。

したがって、被相続人等の行っていた事業が不動産貸付業でない限り、社宅の敷地は事業用宅地等として、一定の要件を満たせば80％減額が適用されます（この判定は、社宅家賃の有無、家賃の多寡等には関係しません）。

なお、社宅の入居者がその被相続人等の親族のみの場合は、この取扱いは適用されませんが、社宅の利用者の一部に被相続人等の親族が含まれていたとしても、その社宅の敷地全体が事業用宅地等となります。

<事例３>　事業用建物の建築中に相続が開始した場合の取扱い

被相続人甲は、化粧品小売業を営んでいたが、店舗の建替え中に死亡した。建替え中の建物とその敷地は、甲の長男Ａが相続により取得し、Ａの妻Ｂが化粧品小売業を引き継ぐこととした（Ａ及びＢは、甲と生計を一にしていた）。

この場合、建替え中の建物の敷地について、小規模宅地等の特例の適用関係はどのようになるか。

＜ポイント＞

被相続人等の事業用建物の建築中に相続が開始した場合、その敷地は、厳密にいえば、相続開始の直前において事業の用に供されていた宅地等とはいえません。しかし、事業の継続性という観点からみると、この場合の宅地等に小規模宅地等の特例を認めないのは不合理です。

そこで、建築中の建物が次の全てに該当する場合は、その敷地である宅地等は、被相続人等の事業用宅地等として取り扱われます（措通69の４－５）。また、一定の要件を満たせば、特定事業用宅地等に該当します。

①　事業場の移転又は建替えのため、事業用建物を取り壊したり、あるいは譲渡したことによる従前の事業用建物に代わるべき建物であること。

②　被相続人又は被相続人の親族の所有する建物であること。

③　完成後、被相続人等の事業用と認められる建物であること。

④　相続開始の直前において被相続人等のその建物に係る事業の準備行為の状況からみて、その建物を速やかに事業の用に供することが確実であったと認められること。

この取扱いで注意したいのは①で、建築中の建物が「従前の事業用建物に代わるべき」ものであるとされていることです。したがって、新たに事業を開始しようとして建物の建築をはじめたという例には、上記の取扱いは適用されません。従来から事業を行っており、その建物の再建築又は再取得が前提となっていることに注意を要します。

なお、次のいずれかの者が相続税の申告期限までに（ただし、その建物の規模等からみて建築に相当の期間を要するため申告期限までに建物が完成していない場合は、その完成後速やかに）本人の事業の用に供しているときは、上記④の「速やかに事業の用に供することが確実」に当たるものとされています。

イ　生計を一にする親族

ロ　建築中の建物を相続や遺贈で取得した被相続人の親族

ハ　建築中の建物の敷地を相続や遺贈で取得した被相続人の親族

(注) 居住用建物の建築中に相続が開始した場合もこの取扱いに準じて判定することとされています（措通69の４－８）。

ただし、居住用建物の建築中の場合は、相続開始直前に被相続人等が自己の居住用建物を所有していなかった場合に限り、上記の取扱いになることに注意を要します（措通69の４－８(注)）。要するに、被相続人が相続開始時に居住用建物を所有していたとすれば、その敷地が居住用宅地等に該当するわけですから、別の土地に建物を建築中であっても、その土地は居住用宅地等には該当しないということです。

もっとも、相続開始時に居住していた建物が建築中の一時的な住居の場合は、居住用建物を所有していたことにはなりません（措通69の４－８(注)カッコ書）。

＜事例４＞　事業用宅地等が未分割の場合の事業継続要件の判定

被相続人は、その所有する宅地で食品小売業を営んでいた。その相続人は、子Ａ、子Ｂ及び子Ｃの３人であるが、いずれも相続開始時まで他に職を有していた。

相続人のうち子Ａは、被相続人の事業を承継する意思を有していたが、相続税の申告期限までに共同相続人間で遺産の全部について分割協議が整わないため、被相続人の事業は相続開始とともに休業状態にある。

相続税の申告期限から３年以内に遺産分割が行われ、子Ａが被相続人の事業用宅地を分割により取得し、同人の行っていた食品小売業を再開・継続した場合には、その宅地について小規模宅地等の特例の適用を受けることができるか。

＜ポイント＞

小規模宅地等の特例は、相続税の申告期限までに共同相続人間で分割されていない宅地等には適用されないが、その申告期限から３年以内に分割された場合には、更正の請求をすることにより、特例の適用を受けることができることとされています（措法69の４④ただし書）。一方、被相続人等の事業用宅地等について、特定事業用宅地等として特例が適用されるのは、その宅地等を取得した相続人等が、相続開始時から相続税の申告期限までの間に被相続人の事業を引き継ぎ、かつ、その申告期限まで事業を継続していることが要件とされています（措法69の４③一イ）。

上例は、事業用宅地等が未分割であるとはいえ、相続税の申告期限までの事業の承継と継続がなく、特定事業用宅地等の要件を満たしていません。したがって、申告期限から３年以内に宅地等の分割が確定し、その宅地等を取得した子Ａによって被相続人の事業が再開されたとしても、特例は適用されません。

なお、事業用宅地等が未分割であっても、上例の子Ａが事業を承継し、相続税の申告期限まで継続していた場合には、３年以内の分割確定時において特定事業用宅地等として特例の適用を受けることができます。

＜事例５＞　申告期限までの転業・廃業の取扱い

被相続人（父）は税理士であり、その所有する土地建物を税理士事務所の用に供していた。被相続人からその土地建物を相続により取得した相続人（子）は、社会保険労務士の資格のみを有しており、相続後に子は、その土地建物を社会保険労務士事務所として利用している。

この場合、事務所建物の敷地は、特定事業用宅地等として80％減額の適用を受けることができるか。

＜ポイント＞

特定事業用宅地等のうち租税特別措置法第69条の４第３項第１号イは、被相続人の事業の承継が前提要件となっており、事業用宅地等を取得した親族が相続税の申告期限までに、「当該宅地等の上で営まれていた被相続人の事業を引き継ぎ」その事業を営むことが要件とされています。したがって、その親族が被相続人の事業と異なる事業に転業した場合や廃業した場合は、特定事業用宅地等には該当しないことになります。

上記の事例は、被相続人が税理士業を営んでいたところ、事業用宅地等を取得した親族が社会保険労務士業を営むというものであり、被相続人の事業を廃止し、他の事業に転業したものと判断されます。このため、特定事業用宅地等には該当しないものと解されます。

なお、被相続人の事業が「内科医」であり、相続人が「歯科医」となった事例について、次のような課税庁の質疑応答例があります（東京国税局資産課税課長近藤光夫編『相続税小規模宅地等の特例・特定事業用資産の特例の税務』大蔵財務協会、89ページ）。

＜問＞　被相続人甲は、その所有する土地・建物で内科の病院を経営していましたが、本年５月に死亡しました。

甲の土地・建物は長男乙が相続することとなりましたが、乙は大学病院に勤務する歯科医師であったため、相続税の申告期限までにこの病院を歯科医院に改装して事業を開始しました。

この場合、被相続人の事業を引き継いだものとして80％の減額対象となりますか。

＜解説＞　特定事業用宅地等に該当するか否かは、被相続人の親族が相続税の申告期限までの間に当該宅地の上で営まれていた事業を引き継ぎ、申告期限まで引き続き当該宅地等を有し、かつ、当該事業を営んでいることが要件とされています（措法69の４③一イ）。

この場合、被相続人の親族が「被相続人の事業」を承継したといえるかどうかは、その親族が被相続人の事業をまったく内容変更せずに承継して営んでいる場合は問題ありませんが、事例の場合は、転業に当たるか否かが問題となります。事業の転業があったか否か、言い換えれば、事業の同一性が保たれているか否かの判定に当っては、日本標準産業分類の分類項目等を参考にして総合的に判断することが合理的であると思われます。

ところで、日本標準産業分類の小分類によれば、「病院」と「歯科診療所」とは別個の分類とされています。しかも、医師及び歯科医師の資格は、医師法及び歯科医師法の規定に基づく免許によるものであり、別個の法律に基づくものであることから、その事業も別個のものであると考えられます。

したがって、ご質問の場合、あなたが被相続人の事業の全部を転業したものと認められますので、小規模宅地等の特例の適用上、80％の減額対象とはなりません。

ところで、被相続人の事業の一部の転業又は廃業については、次のように取り扱われます（措通69の４－16）。

① 被相続人の事業の一部を他の事業（不動産貸付業等を除く）に転業したとき……その親族は被相続人の事業を営んでいるものとして取り扱う。

② その宅地等が被相続人の営む２以上の事業の用に供されていた場合において、その宅地等を取得した親族が申告期限までにそれらの事業の一部を廃止したとき……廃止した事業以外の事業に係る宅地等の部分は、他の要件を満たす限り、特定事業用宅地等に該当する。

この取扱いについては、次のように図解されています（前掲書86ページ・一部筆者において修正）。

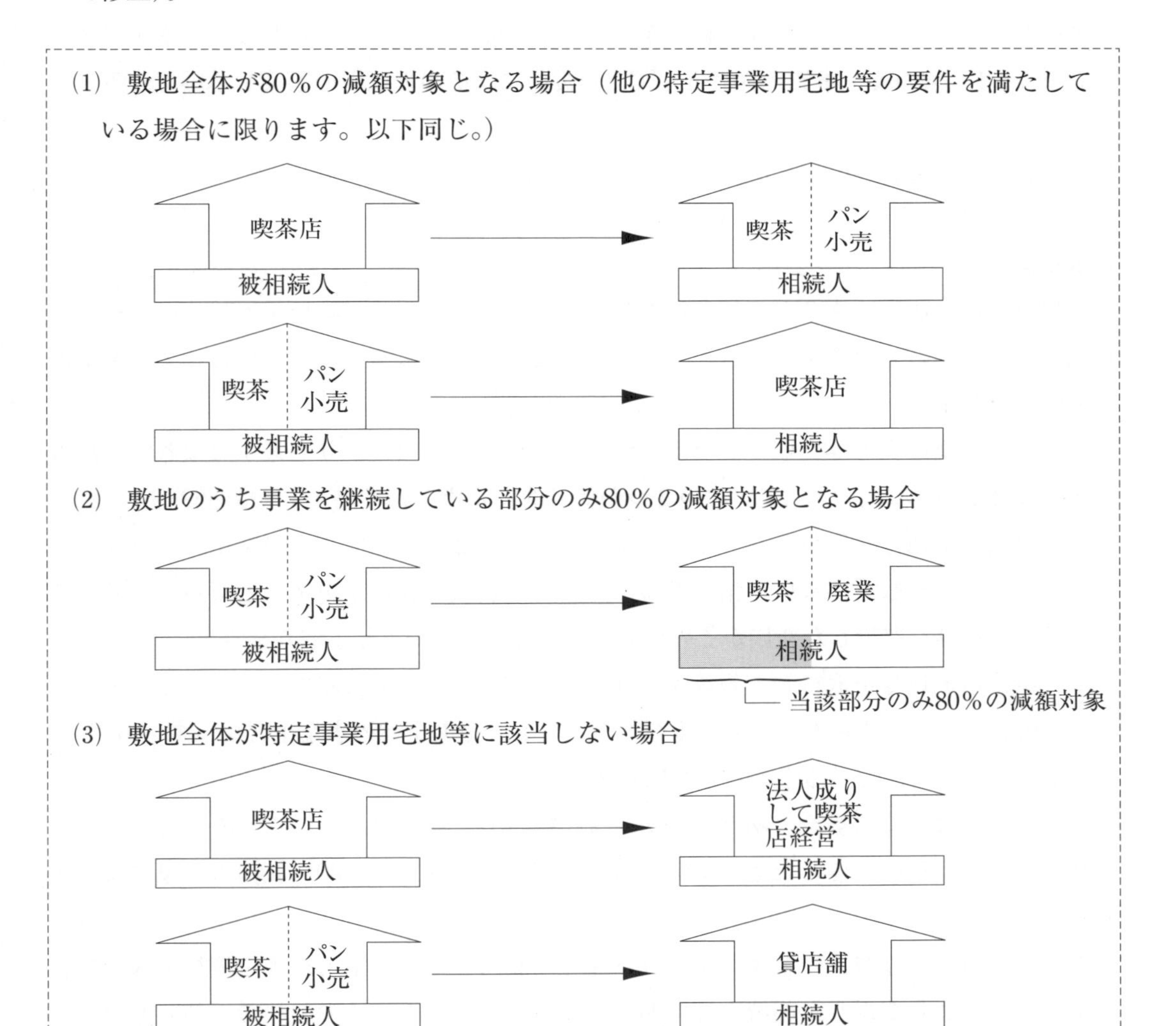

この取扱いによれば、たとえば、被相続人が酒類の小売業を営んでいた場合、その相続

人がコンビニエンスストアに転業しても、相続後に酒類の販売を行うときは、その敷地の全体が特定事業用宅地等に該当します。

ただし、相続税の申告期限までにそのコンビニエンスストアを法人化した場合は、たとえ事業の同一性が維持されているとしても特定事業用宅地等には該当せず、特例は適用されないことになります。

<事例６>　宅地等を取得した親族が事業主とならない場合

被相続人甲は、その所有する土地建物で衣料品の小売業を営んでいたが、甲が死亡したため、その土地建物は甲の長男Aが相続により取得した。

Aは、甲の営んでいた衣料品小売業を継続して行う意思があったが、会社に勤務しているため、A本人がその事業を行うことは不可能となった。このため、事業主の名義をAとし、Aの妻を事業専従者として、実質的にはその妻に甲の事業を承継させることとした。

この場合、事業に係る宅地について、80％減額の適用を受けることができるか。

<ポイント>

特定事業用宅地等に該当するための要件の一つに、被相続人の事業の承継がありますが、相続人等が被相続人の事業を営むとは、事業主としてその事業を行っていることが原則的な要件となります。

しかし、事業用宅地等を取得した親族がやむを得ない理由により事業主となれない場合もあることから、取扱いとして、次の２つが例外的に認められています（措通69の４－20）。

①　事業用宅地等を取得した親族が就学中であること、その他当面事業主となれないことについてやむを得ない事情があるため、その親族の親族が事業主となっている場合は、宅地等を取得した親族がその事業を営んでいるものとして取り扱う。

②　事業用宅地等を取得した親族が会社等に勤務するなど他に職を有し、又はその事業以外に主たる事業を有している場合であっても、その事業の事業主となっている限り、その事業を営んでいるものとして取り扱う。

上記の事例は、②の場合であり、長男Aは衣料品小売業を営んでいるものとして取り扱われますから、その取得した宅地は特定事業用宅地等に該当し、80％減額の対象になります。

なお、①の「その親族の親族」における「その親族」は事業用宅地等を被相続人から相続又は遺贈により取得した相続人等である親族のことですが、その親族の「親族」は、相続又は遺贈により財産を取得した者でない場合でも上記の取扱いになります。

<事例７>　申告期限前に事業用宅地の一部を譲渡した場合

被相続人は、その所有する宅地（400m²）で機械修理業を営んでいた。同人に相続が開始したため、その宅地は相続人である長男が取得し、被相続人の事業を承継することとした。

ただし、長男は相続税の納税のため、その宅地の一部（150m²）を相続税の申告期限までに譲渡し、残余の宅地（250m²）で事業を行うこととした。

この場合の小規模宅地等の特例は、どのように適用されるか。

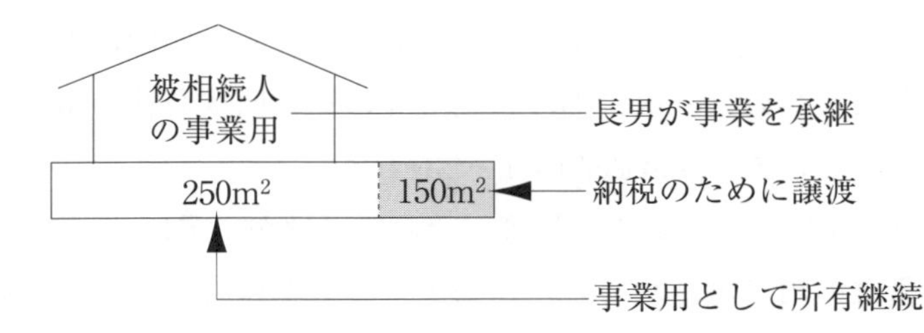

<ポイント>

特定事業用宅地等に該当するためには、事業を承継した親族がその宅地等を相続税の申告期限まで引き続き所有し、その申告期限まで事業を営んでいることが要件とされています。

ただし、被相続人等の事業用宅地等の一部を相続税の申告期限までに譲渡し、又は他に貸し付けられた場合であっても、その譲渡等をした宅地等以外の部分を事業の用に供しているときは、その部分を特定事業用宅地等として80％減額が認められます（措通69の４－18）。

したがって、上例の場合は、事業の用に供された250m²部分は特定事業用宅地等として80％減額の対象になります（譲渡した部分に特例は適用されません）。

なお、居住用宅地等の一部譲渡についての取扱いも上記と同じです。

3.　同族会社の事業用宅地等の意義と特例の適用関係

(1)　同族会社の事業用宅地等の範囲――土地建物の貸借関係と特例の適用関係

個人の所有する宅地等において、その者が主宰する同族法人が事業を行うという事例は少なくありませんが、その形態としては、おおむね次の２つがあると思われます。

①　借地方式――個人の有する宅地等を法人が借り受け、その宅地等の上に法人が建物等を保有して事業を行うケース

②　借家方式――個人の有する建物等を法人が借り受け、その建物等で法人が事業を行うケース

要するに、①の借地方式とは、宅地等は個人所有で、建物等は法人所有という形態であり、②の借家方式とは、建物等とその敷地である宅地等のいずれも個人所有ということです。

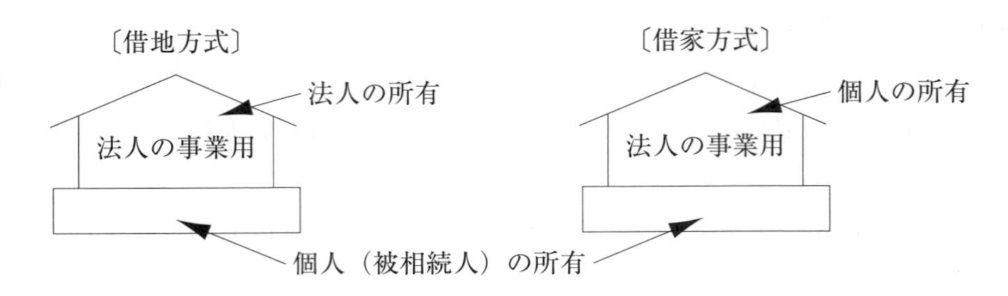

これらのいずれについても、個人に相続が開始した場合には、その宅地等について、同族会社の事業用宅地等として小規模宅地等の特例の適用関係が問題になります。この点について、特例の対象になるのは、次に掲げる宅地等のうち同族会社の事業の用に供されていたものとするとされています（措通69の４－23）。

イ　その法人に貸し付けられていた宅地等（その貸付けが事業に該当する場合に限る）

ロ　その法人の事業の用に供されていた建物等で、被相続人が所有していたもの又は被相続人と生計を一にしていたその被相続人の親族が所有していたもの（その親族がその建物等の敷地を被相続人から無償で借り受けていた場合におけるその建物等に限る）で、その法人に貸し付けられていたもの（その貸付けが事業に該当する場合に限る）の敷地の用に供されていたもの

この取扱いのイが上記の「借地方式」を、ロが「借家方式」を示しているのですが、同族会社の事業用宅地等として小規模宅地等の特例が適用されるのは、いずれについても「その貸付けが事業に該当する場合に限る」とされていることに注意する必要があります。

この場合の事業としての貸付けとは、相当の対価を得て継続的に貸し付けることをいうと解されますから、「借地方式」の場合には、個人と法人の間で地代を授受していたことが特例の適用要件となり、「借家方式」では、個人と法人の間で家賃を授受していた場合に特例が適用されるということです。換言すれば、地代又は家賃のない無償の貸借関係にあった場合には、特例は適用されないということです。

また、借家方式の場合の建物等の所有者は、被相続人と生計を一にする親族の場合もあり得ることを前提とし、上記通達のロでは、その親族と被相続人の間の宅地の貸借は無償でなければならないこととしています。

なお、80％の減額割合が適用される「特定同族会社事業用宅地等」は、後述のとおり法人の事業が不動産貸付業等でないことが要件とされています。この点を含めて上記の適用関係をまとめると、次のようになります。

〔借地方式の場合〕

①宅地所有者	②建物所有者	①と②の間の宅地の貸借関係	法人の事業	減額割合
被　相　続　人	法　　人 （同族会社）	有　　償	不動産貸付業等以外	80%
		有　　償	不動産貸付業等	50%
		無　　償		非適用

（注）表中の説明は次のとおりです（下記の「借家方式の場合」も同じです）。
「有　償」…… 相当の対価を得て継続的に行う貸付けをいう。
「無　償」…… 相当の対価に至らない程度の対価の授受がある場合を含む。
「 80% 」…… 特定同族会社事業用宅地等の要件を満たす場合に適用される。
「 50% 」…… 貸付事業用宅地等の要件を満たす場合に適用される。
「非適用」…… 小規模宅地等の特例の適用はない。

〔借家方式の場合〕

①宅地所有者	②建物所有者	①と②の間の宅地の貸借関係	②と法人の間の建物の貸借関係	法人の事業	減額割合
被相続人	被相続人		有　償	不動産貸付業等以外	80%
			有　償	不動産貸付業等	50%
			無　償		非適用
	被相続人と生計を一にする親族	無　償	有　償	不動産貸付業等以外	80%
		無　償	有　償	不動産貸付業等	50%
		有　償	有　償	（事業内容は不問）	50%
		有　償	無　償	（事業内容は不問）	50%
		無　償	無　償		非適用

ところで、個人（被相続人）と同族会社の間の宅地の貸借に当たっては、いわゆる「相当の地代方式」や借地の「無償返還の届出」を行っている例がみられます。この場合の宅地（底地）の評価方法と小規模宅地等の特例の適用関係は、おおむね次のようになります（表中の説明は上記の〔借地方式の場合〕の表の（注）と同じです）。

無償返還届	宅地の貸借形態		宅地（底地）の相続税評価方法	特例の減額割合
有	有　償	相当の地代を授受	自用地価額の80％相当額	80％又は50％
		通常の地代を授受	自用地価額の80％相当額	80％又は50％
	無　　償		自用地価額で評価	非適用
無	有　償	相当の地代を授受	自用地価額の80％相当額	80％又は50％
		通常の地代を授受	貸宅地として評価	80％又は50％
	無　　償		自用地価額で評価	非適用

（注）宅地を自用地価額の80％相当額で評価した場合の自用地価額の20％相当額及び貸宅地として評価した場合の借地権の価額に相当する金額は、被相続人の有するその同族会社の株式の評価において、純資産価額の計算上、資産に計上することとされています（昭43直資3－22通達）。

⑵ 特定同族会社事業用宅地等の意義

被相続人等の所有する宅地等をその被相続人等が同族関係者となっている同族会社の事

業の用に供されている場合は、被相続人等の同族会社に対する宅地等の貸付けであり、本来であれば不動産貸付業等に該当するものとして80％減額は適用されないことになります。

ただし、その宅地等が「特定同族会社事業用宅地等」に該当するときは、減額割合が80％となります。この場合の特定同族会社事業用宅地等の意義については、次のように規定されています（措法69の4③三）。

相続開始の直前に被相続人及び当該被相続人の親族その他当該被相続人と特別の関係がある者が有する株式の総数がその法人の発行済株式の総数の10分の５を超える法人の事業の用に供されていた宅地等で、当該宅地等を相続又は遺贈により取得した当該被相続人の親族（財務省令で定める者に限る）が相続開始時から申告期限まで引き続き有し、かつ、申告期限まで引き続き当該法人の事業の用に供されているもの（政令で定める部分に限る）をいう。

この規定における「その他その被相続人と特別の関係がある者」とは、次の者をいうこととされていますが（措令40の２⑫）、要するに、相続開始前に被相続人とその同族関係者でその法人の発行済株式数の50％超を保有していることが「特定同族会社」の要件になるということです。

① 被相続人と婚姻の届出をしていないが、事実上婚姻関係と同様の事情にある者
② 被相続人の使用人
③ 被相続人の親族及び①と②に掲げる者以外の者で被相続人から受けた金銭その他の資産によって生計を維持しているもの
④ ①から③に掲げる者と生計を一にするこれらの者の親族
⑤ 次に掲げる法人
　イ 被相続人（その被相続人の親族及びその被相続人に係る上記①から④に掲げる者を含む）が有する法人の株式の総数がその法人の発行済株式総数（自己株式を除く）の10分の５を超える数の株式に相当する場合におけるその法人
　ロ 被相続人及びこれとイの関係がある法人が有する他の法人の株式の総数が当該他の法人の発行済株式総数の10分の５を超える数の株式に相当する場合における当該他の法人
　ハ 被相続人及びこれとイ又はロの関係がある法人が有する他の法人の株式の総数が当該他の法人の発行済株式総数の10分の５を超える数の株式に相当する場合における当該他の法人

（注） 上記の10分の５を超えるかどうかの判定に当たり、その法人の発行する株式のうちに、議決権に制限のある株式や議決権のない株式（会社法108①三、308①）がある場合は、被

相続人及びその同族関係者の保有する株式から除外されるとともに、発行済株式数にも含まれません（措令40の2⑬、措規23の2⑥）。

また、上記の規定のカッコ書の財務省令は、「法第69条の4第3項第3号に規定する財務省令で定める者は、同号に規定する申告期限において同号に規定する法人の法人税法第2条第15号に規定する役員（清算人を除く）である者とする」と定められています（措規23の2⑤）。

（注） 法人税法第2条第15号に規定する役員とは、次のとおりです。ただし、特定同族会社事業用宅地等の規定が適用される法人については、相続税の申告期限において清算中の法人が除かれているため（措令40の2⑭カッコ書）、①の役員のうち清算人は除かれます。

① 取締役、執行役、会計参与、監査役、理事、監事及び清算人
② 法人の使用人（使用人としての地位のみを有するものに限る）以外の者でその法人の経営に従事しているもの
③ 同族会社の使用人（使用人としての地位のみを有するものに限る）のうち次のイからハまでの要件の全てを満たすものでその会社の経営に従事しているもの
　イ 持株割合が最も大きい株主グループから順次その順位を付し、その第1順位の株主グループの持株割合を算定し、又はこれに順次第2順位及び第3順位の株主グループの持株割合を加算したときに、その持株割合が全体の50％をはじめて超える場合のそれらの株主グループに属するものであること
　ロ その使用人の属する株主グループの持株割合が10％を超えていること
　ハ その使用人（配偶者及び50％以上の出資持分を有する他の会社を含む）の持株割合が5％を超えていること

上記の「特定同族会社事業用宅地等」の要件を図にまとめると、次のようになります。

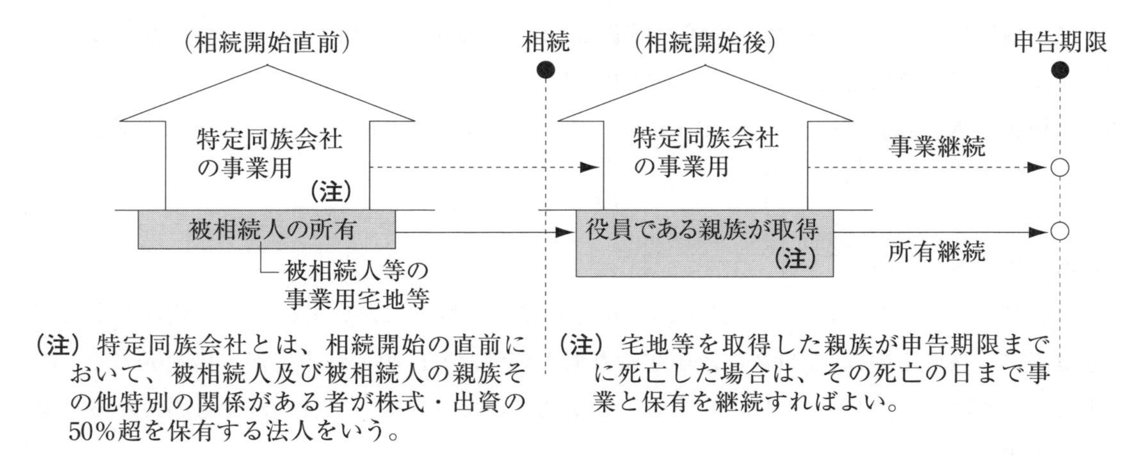

注意したいのは、特定同族会社事業用宅地等における法人の「事業」からは不動産貸付業等が除かれていることです（措法69の4③一カッコ書）。したがって、前述したとおり、その同族会社が不動産貸付業等を営んでいる場合には、80％減額は適用されません。

これは、法人の有する賃貸用不動産の敷地部分に80％減額を適用しないという意味ではなく、その法人が事業として不動産貸付業等を営んでいる場合に適用しないということで

す。したがって、その法人の本社や事務所用の建物の敷地であっても、その法人の事業が不動産貸付業等である限り、特定同族会社事業用宅地等には該当しません（その法人が不動産貸付業等とそれ以外の業種を兼業しているような場合の事務所等の敷地については、建物等の利用状況や従業員の従事状況などを総合的に勘案して、80％減額対象になる部分を合理的に区分します）。

なお、前記した特定同族会社事業用宅地等の意義を定めた規定中、「法人の事業の用に供されているもの（政令で定める部分に限る）をいう」の政令で定める部分とは、法人の事業の用に供されていた宅地等のうちに特定同族会社事業用宅地等の要件に該当する部分と該当しない部分がある場合には、その要件に該当する部分にのみ特例が適用されるということです。また、２人以上の相続人等が共有によりその宅地等を取得した場合には、特定同族会社事業用宅地等の要件を満たす相続人等が取得した持分の割合に応ずる部分に特例が適用されます（措令40の２⑭カッコ書）。

⑶　同族会社の事業用宅地等の判断事例

＜事例１＞　同族会社への土地の貸付けについて無償契約から有償契約に変更した場合

被相続人の所有する宅地は、同人が60％の株式を保有する同族会社（家電品販売業）に貸し付けられており、同宅地上には同族会社が店舗用建物を所有している。

被相続人と会社との宅地の貸借関係は、これまで使用貸借で地代の授受はなく、所轄税務署に「無償返還の届出書」が提出されていた。

そこで、被相続人と会社は、相続開始の１か月前に従来の使用貸借を解除し、新たに土地賃貸借契約を締結し（地代の年額は土地の時価の２％相当額）、同時に改めて所轄税務署に「無償返還の届出書」を提出した。

被相続人の相続により、当該宅地はその子（同族会社の役員）が取得し、継続して会社の事業の用に供している。

＜ポイント＞

被相続人の宅地等が法人の事業の用に供されていた場合において、その宅地等が事業用宅地等に該当するのは、「事業に該当する有償の貸付け」に限られますが（措通69の４－23⑴）、この場合の「事業」とは、相当程度の期間にわたり継続して行われるものであると解されます。

したがって、上例の「相続開始の１か月前」の有償契約への変更は、「事業」に該当しないと認定される可能性が高いと思われます。この場合は、特定同族会社事業用宅地等には該当しません。

<事例２>　法人所有の建物の一部が役員社宅の場合

被相続人甲は、その所有する宅地を同人が100％の株式を保有する同族会社（機械器具販売業）に相当の対価で貸し付け、同社は、その宅地上に３階建ての建物を所有している。

この建物は、１階と２階が会社の事業用（店舗及び事務所）となっているが、３階は被相続人甲とその長男が居住していた。

この宅地は、その長男が相続により取得し、同人は相続税の申告期限までにその法人の役員（代表者）となっているが、この宅地は、「特定同族会社事業用宅地等」に該当するか。

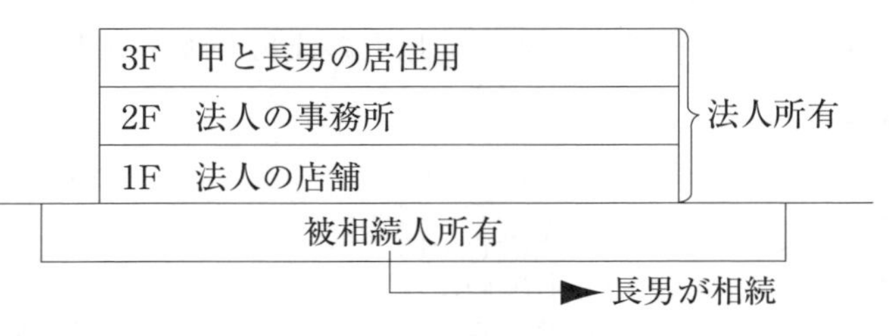

<ポイント>

被相続人が相続開始の直前において、その法人の発行済株式等の50％超（事例では100％）を所有し、宅地等を取得した長男が相続税の申告期限において役員となっていることから、上記の同族会社が「特定同族会社」であることは明らかです。また、被相続人は、相当の対価で宅地を貸し付け、同族会社の営む事業は不動産貸付業ではありません。

したがって、上例の宅地のうち、法人が事業の用に供している建物の１階と２階に対応する部分の敷地が「特定同族会社事業用宅地等」に該当し、80％減額が適用されることに問題はありません。

問題は、３階の居住用部分に対応する敷地の取扱いですが、法人の社宅について、被相続人等の親族のみが使用している場合は、法人の事業の用に供されている宅地等には該当しないこととされています（措通69の４－24カッコ書）。このため、３階に対応する部分の敷地について、80％減額は適用されません（被相続人が宅地を相当の対価で法人に貸し付けていることから、貸付事業用宅地等の要件に該当すれば50％減額の対象にはなります）。

4.　居住用宅地等の意義と特例の適用関係

⑴　居住用宅地等の減額割合の区分

相続開始の直前において、被相続人等の居住の用に供されていた宅地等について、小規模宅地等の特例が適用される場合の減額割合は、次のとおりですが、要するに、「特定居住用宅地等」に該当した場合にのみ特例が適用できるということです。

相続開始直前の状況		要　　件	減額割合
相続開始の直前において被相続人等の居住の用に供されていた宅地等	被相続人の居住用	特定居住用宅地等に該当	80%
		特定居住用宅地等に非該当	特例適用なし
	被相続人と生計を一にしていた親族の居住用	特定居住用宅地等に該当	80%
		特定居住用宅地等に非該当	特例適用なし

⑵　居住用宅地等の範囲――土地建物の貸借関係と特例の適用関係

上記のように被相続人の居住用宅地等と被相続人と生計を一にしていた親族の居住用宅地等については、いずれも特例の対象となりますから、次図のA宅地はもちろん、B宅地もこれに含まれます。ただし、C宅地は、その宅地上の建物が被相続人の所有であっても、特例の適用はありません。

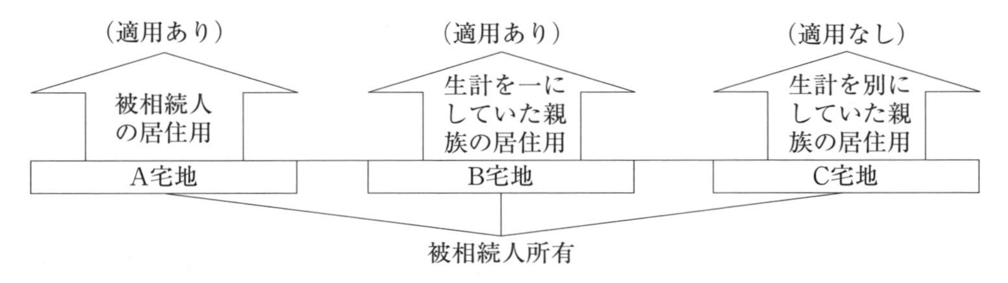

ところで、宅地等と建物の所有者が異なる場合、あるいは建物の所有者と居住していた者が異なる場合に、それぞれの者の間で地代又は家賃が授受されていたとすれば、宅地等の所有者又は建物の所有者からみると、不動産の貸付けが行われていたとみることができます。このような場合には、居住用宅地等に該当しないことになるのですが、この点について、居住用宅地等とは、次のものをいうとする取扱いがあります（措通69の４－７）。

①　被相続人等の居住の用に供されていた家屋で、被相続人が所有していたもの（被相続人と生計を一にしていたその被相続人の親族が居住の用に供していたものである場合には、その親族が被相続人から無償で借り受けていたものに限る）

②　被相続人の親族が所有していた家屋（その家屋を所有していた被相続人の親族がその家屋の敷地を被相続人から無償で借り受けており、かつ、被相続人等がその家屋をその親族から借り受けていた場合には、無償で借り受けていたときにおけるその家屋に限る）の敷地の用に供されていた宅地等

このうち①について、上図の例でいえば、Ｂ宅地上の建物が被相続人の所有であれば、居住していた生計一の親族は、被相続人からＢ宅地を無償で借り受けていた場合にＢ宅地が特例の対象になる居住用宅地等に該当するということです。

また、上図のＡ宅地上の建物の所有者が被相続人とは生計別の親族であったとすれば、その建物所有者（生計別の親族）は、被相続人から無償でＡ宅地を借り受け、かつ、居住していた被相続人は、その建物所有者である生計別の親族から無償で建物を借り受けてい

た場合にA宅地が特例の対象になるということです。

宅地等と建物の所有者の所有と貸借の形態に応じて特例の適用関係をまとめると、次のようになります。

<table>
<tr><th>①宅地所有者</th><th>②建物所有者</th><th>③居住していた者</th><th>①と②の間の宅地の貸借関係</th><th>②と③の間の建物の貸借関係</th><th>減額割合</th></tr>
<tr><td rowspan="22">被相続人</td><td rowspan="3">被相続人</td><td>被相続人</td><td></td><td></td><td>80%</td></tr>
<tr><td rowspan="2">被相続人と生計一の親族</td><td rowspan="2"></td><td>有償</td><td>50%</td></tr>
<tr><td>無償</td><td>80%</td></tr>
<tr><td rowspan="10">被相続人と生計一の親族</td><td rowspan="4">被相続人</td><td rowspan="2">有償</td><td>有償</td><td>50%</td></tr>
<tr><td>無償</td><td>50%</td></tr>
<tr><td rowspan="2">無償</td><td>有償</td><td>50%</td></tr>
<tr><td>無償</td><td>80%</td></tr>
<tr><td rowspan="2">建物所有者である生計一の親族</td><td>有償</td><td></td><td>50%</td></tr>
<tr><td>無償</td><td></td><td>80%</td></tr>
<tr><td rowspan="4">建物所有者でない生計一の親族</td><td rowspan="2">有償</td><td>有償</td><td>50%</td></tr>
<tr><td>無償</td><td>50%</td></tr>
<tr><td rowspan="2">無償</td><td>有償</td><td>50%</td></tr>
<tr><td>無償</td><td>80%</td></tr>
<tr><td rowspan="8">被相続人と生計別の親族</td><td rowspan="4">被相続人</td><td rowspan="2">有償</td><td>有償</td><td>50%</td></tr>
<tr><td>無償</td><td>50%</td></tr>
<tr><td rowspan="2">無償</td><td>有償</td><td>非適用</td></tr>
<tr><td>無償</td><td>80%</td></tr>
<tr><td rowspan="4">被相続人と生計一の親族</td><td rowspan="2">有償</td><td>有償</td><td>50%</td></tr>
<tr><td>無償</td><td>50%</td></tr>
<tr><td rowspan="2">無償</td><td>有償</td><td>非適用</td></tr>
<tr><td>無償</td><td>80%</td></tr>
<tr><td>上記以外の者（同族会社を含む）</td><td></td><td></td><td></td><td>非適用</td></tr>
</table>

(注) 表中の説明は次のとおりです。

「有　償」…… 相当の対価を得て継続的に行う貸付けをいう。
「無　償」…… 相当の対価に至らない程度の対価の授受がある場合を含む。
「 80% 」…… 特定居住用宅地等の要件を満たす場合に適用される。
「 50% 」…… 貸付事業用宅地等の要件を満たす場合に適用される。
「非適用」…… 小規模宅地等の特例の適用はない。

なお、居住用宅地等として減額特例の対象になるのは、その宅地上の建物が被相続人又は被相続人の親族（被相続人と生計を一にする親族又は生計を別にする親族）が所有している場合に限られます（措通69の4－7）。

したがって、被相続人等が居住していた建物が被相続人の親族以外の者である場合は、土地の貸借や建物の貸借が有償であるか無償であるかに関係なく、減額特例の適用はありません。もちろん、次図のように、建物の所有者が被相続人の同族会社である場合も、その宅地等について、特例は適用されません。

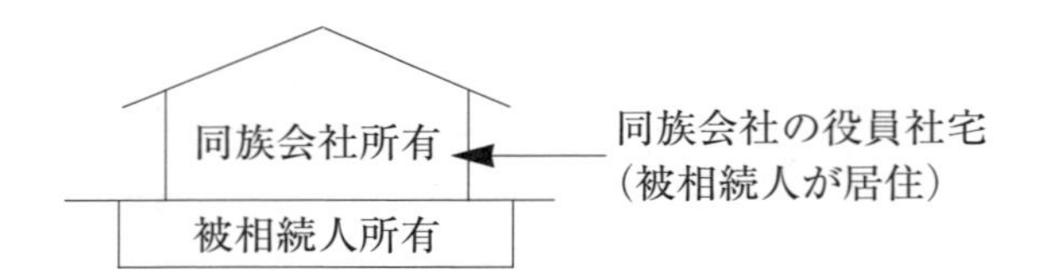

(3) 特定居住用宅地等の意義

被相続人等の居住用宅地等が「特定居住用宅地等」に該当する場合は、80%の減額割合により特例が適用されますが、この場合の特定居住用宅地等の意義については、次のように規定されています（措法69の4③二、措法40の2⑪～⑯、措規23の2④）。

被相続人等の居住の用に供されていた宅地等（当該宅地等が2以上ある場合には、政令で定める宅地等に限る）で、当該被相続人の配偶者又は次に掲げる要件のいずれかを満たす当該被相続人の親族が相続又は遺贈により取得したもの（政令で定める部分に限る）をいう。

イ　当該親族が相続開始の直前において当該宅地等の上に存する当該被相続人の居住の用に供されていた1棟の建物（当該被相続人、当該被相続人の配偶者又は当該親族の居住の用に供されていた部分として政令で定める部分に限る）に居住していた者であって、相続開始時から申告期限まで引き続き当該宅地等を有し、かつ、当該家屋に居住していること。

ロ　当該親族（当該被相続人の居住の用に供されていた宅地等を取得した者に限る）が次に掲げる要件の全てを満たすこと（当該被相続人の配偶者又は相続開始の直前において当該被相続人の居住の用に供されていた家屋に居住していた親族で政令で定める者がいない場合に限る）。

(1) 相続開始前3年以内に相続税法の施行地内にある当該親族、当該親族の配偶者、当該親族の三親等内の親族又は当該親族と特別の関係のある法人として政令で定める法人が所有する家屋に居住したことがないこと。

(2) 当該被相続人の相続開始時に当該親族が居住している家屋を相続開始前のいずれの時においても所有していたことがないこと。

(3) 相続開始時から申告期限まで引き続き当該宅地等を有していること。

ハ　当該親族が当該被相続人と生計を一にしていた者であって、相続開始時から申告期限まで引き続き当該宅地等を有し、かつ、相続開始前から申告期限まで引き続き当該宅地等を自己の居住の用に供していること。

この規定からみると、特定居住用宅地等とは、次の４つの類型があることがわかります。

① 配偶者が取得した場合 （上記規定の本文）
② 同居の親族が取得した場合 （上記規定のイ）
③ 同居以外の親族が取得した場合（上記規定のロ）
④ 生計一親族が取得した場合 （上記規定のハ）

特定居住用宅地等の法令上の区分は以上のとおりですが、実務的には、「被相続人の居住用宅地等」と「被相続人と生計を一にしていた親族の居住用宅地等」とに二分して整理した方がわかりやすいでしょう。そこで、これらに二分して特定居住用宅地等の要件をまとめると、次のようになります。

〔被相続人の居住用宅地等〕

宅地等の取得者		80％減額の要件
配偶者		（条件なし）
配偶者以外の被相続人の親族	同居の親族	① 相続開始の直前において、その宅地等の上にある被相続人の居住用家屋に居住しており、かつ、相続税の申告期限までその家屋に居住していること。 ② その宅地等を相続税の申告期限まで所有していること。
	同居以外の親族	① 相続税の無制限納税義務者又は非居住制限納税義務者のうち日本国籍を有する者 ② 相続開始前３年以内に国内にあるその者、その者の配偶者、その者の三親等内の親族又は特別の関係のある法人の所有する家屋（相続開始直前の被相続人の居住用家屋を除く）に居住したことがないこと。 ③ 相続開始時にその者が居住している家屋を過去に所有していたことがないこと。 ④ 被相続人の配偶者がいないこと。 ⑤ 相続開始の直前において被相続人の居住用家屋に同居していた被相続人の法定相続人がいないこと。

これらの内容を図示すると、以下のようになります。

＜配偶者が取得した場合＞

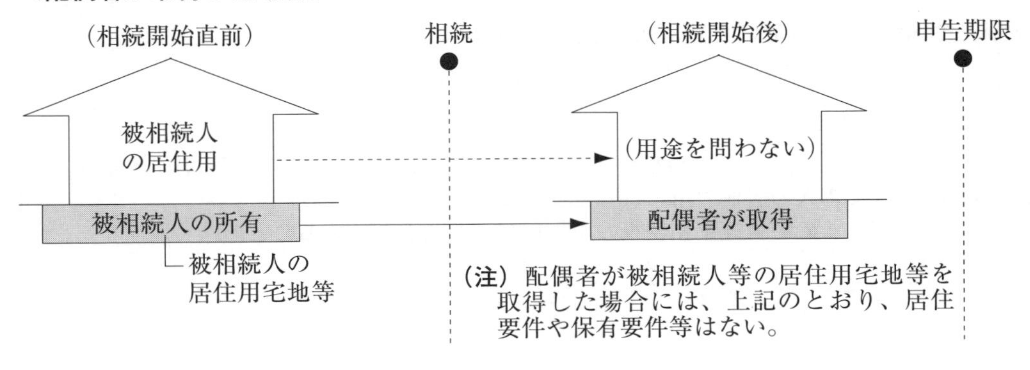

<同居親族が取得した場合>

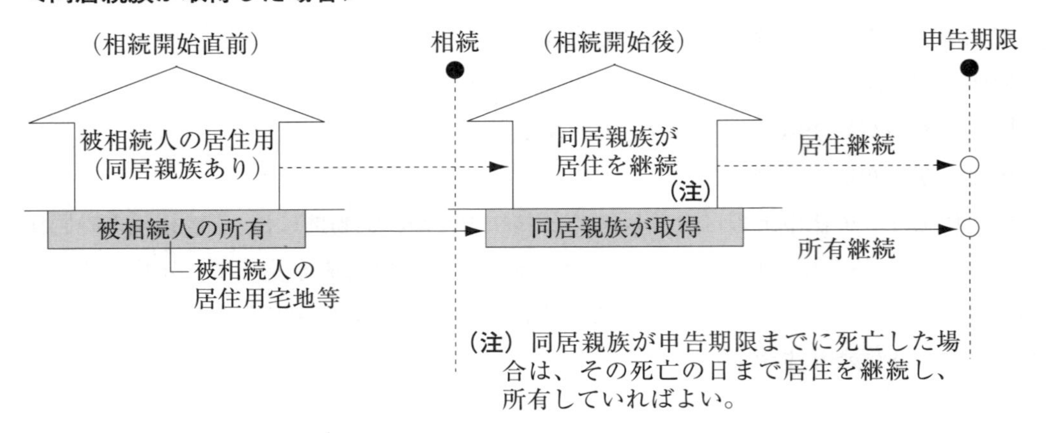

<同居親族以外の親族が取得した場合>

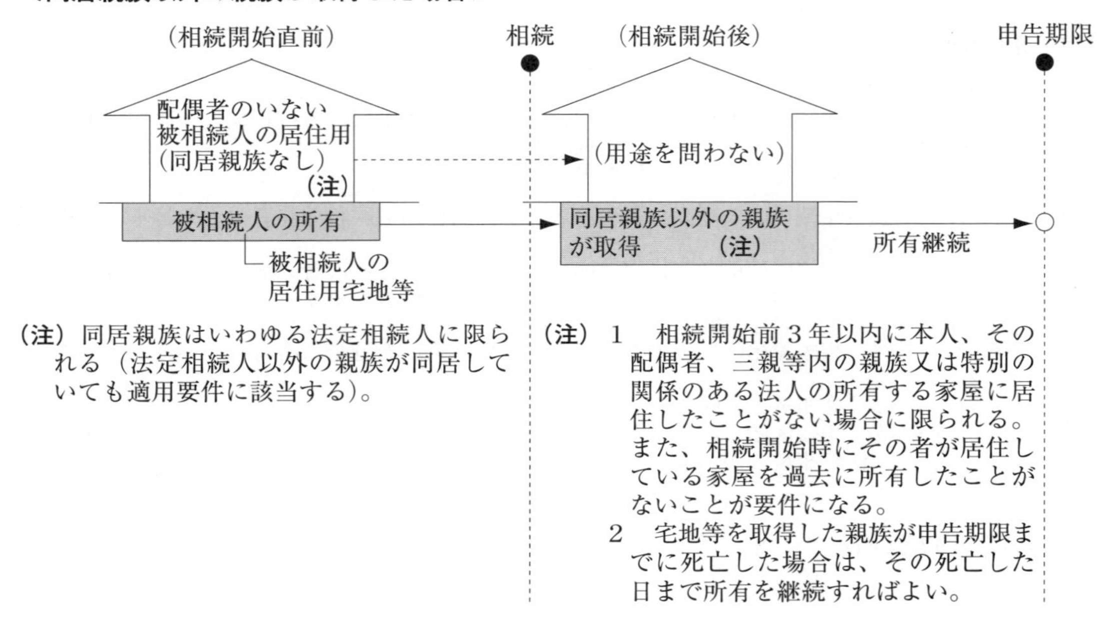

〔被相続人と生計を一にしていた親族の居住用宅地等〕

宅地等の取得者	80％減額の要件
配偶者	（条件なし）
生計一親族	①　その生計一の親族が、その宅地等を相続開始前から相続税の申告期限まで本人の居住の用に供していること。 ②　その宅地等を相続税の申告期限まで所有していること。

＜配偶者が取得した場合＞

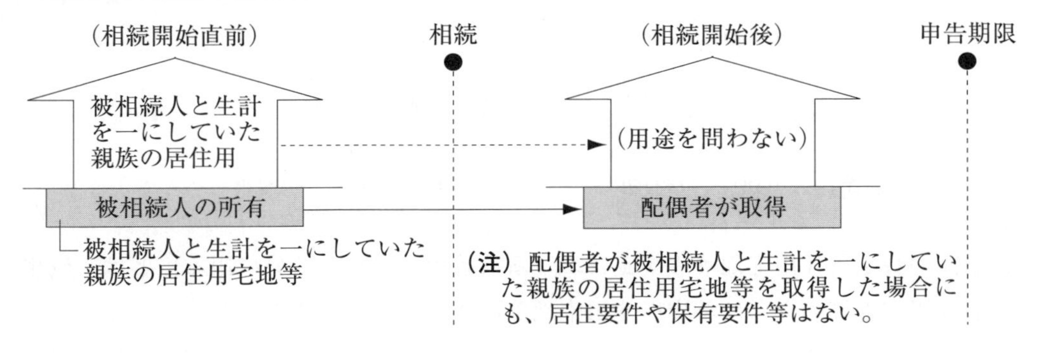

＜生計一親族が取得した場合＞

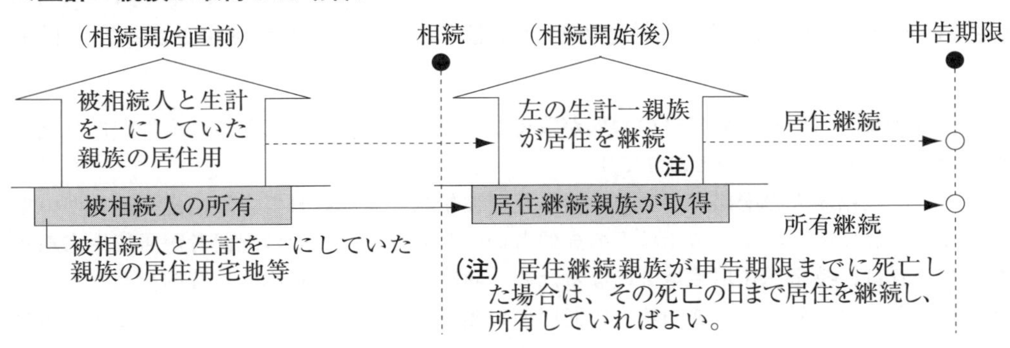

上記の内容をみると、特定居住用宅地等の範囲については、次のように要約することができます。

① 配偶者が取得した場合は、無条件で特定居住用宅地等となる。

② 同居の親族及び生計一親族が取得した場合は、居住と保有の継続を条件として特定居住用宅地等となる。

③ 同居以外の親族（相続開始前３年以内にその者、その者の配偶者、三親等以内の親族又は特別の関係のある法人の所有する家屋に居住したことがない者）が取得した場合は、保有の継続を条件として特定居住用宅地等になるが、居住要件はない。ただし、相続開始時にその者が居住している家屋を過去に所有したことがないこと、被相続人の配偶者がいないこと及び被相続人と同居していた法定相続人がいないことが条件になる。

注意したいのは、③の「同居以外の親族」については、「被相続人の居住用宅地等」を取得した場合に限り80％の減額となることと、②の「生計一親族」の場合は、その宅地等に相続前から居住していることが特定居住用宅地等の条件になることです。したがって、次図のような場合は、いずれも特例は適用されません。

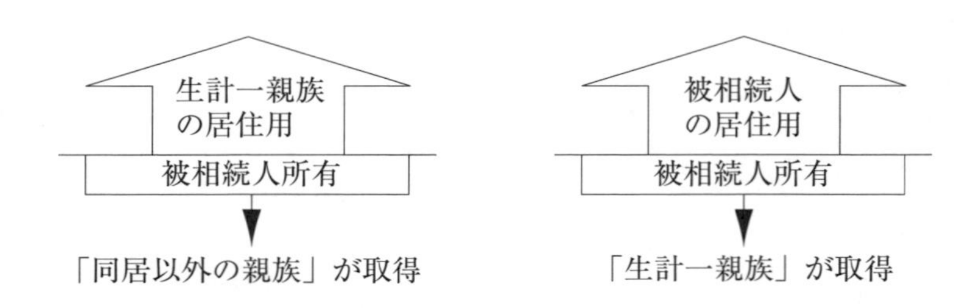

なお、前記の特定居住用宅地等の規定における「政令で定める部分に限る」とは、被相続人等の居住用宅地等のうちに特定居住用宅地等の要件に該当する部分と該当しない部分がある場合には、その要件に該当する部分に特例が適用されるということです（措令40の２④）。また、２人以上の相続人等が共有により宅地等を取得した場合には、特定居住用宅地等の要件を満たす親族が取得した持分の割合に応ずる部分に特例が適用されます（措令40の２⑨）。

（注） 上記③の場合（同居親族以外の親族が取得した場合）には、さまざまな要件がありますが、その考え方は、以下のとおりです。

第一に、被相続人の配偶者がいないこと及び被相続人と同居していた法定相続人がいないこととされていますが、被相続人の配偶者がいる場合には、その配偶者が居住用宅地等を取得すれば、特定居住用宅地等になるため、同居親族以外の親族には特例を適用しないということです。同様に、被相続人に同居の親族があれば、その同居親族が居住用宅地等を取得すれば、その同居の親族に特例が適用されるため、同居親族以外の親族には特例を適用しないということです。

第二に、相続開始前３年以内にその者、その者の配偶者、三親等以内の親族又は特別の関係のある法人の所有する家屋に居住したことがないことが要件になりますが、これは、次のように被相続人から孫に居住用宅地等を遺贈して特例の適用を受けるという制度の趣旨からみて適当とはいえない事例に歯止めをかけるための要件です。次図の孫は親の家屋に居住しており、遺贈で取得した宅地等に特例を適用する必要はないと考えられます。

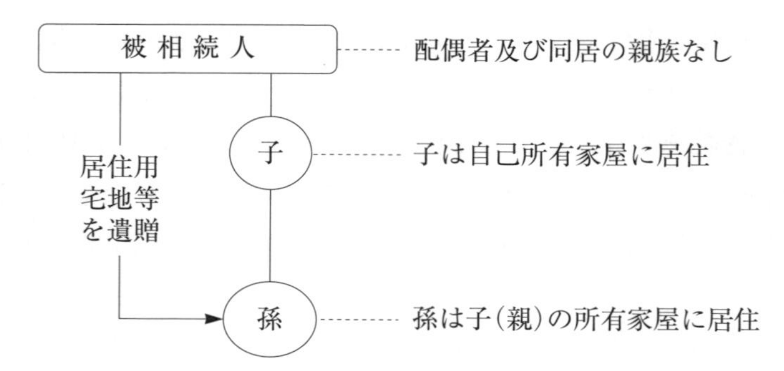

第三に、相続開始時にその者が居住している家屋を過去に所有したことがないことが要件とされていますが、これは、自己の居住用家屋を有していた相続人が、相続開始の３年超前にその家屋を他の者の名義に変更し、居住関係は変えないまま、持ち家がない状況を作出して、この特例の適用を受けるという脱法的な行為に規制をかけているものです。次図の場合は、相続人である子が過去に居住用家屋を所有し、かつ、相続開始時にその家屋

に居住しているため、被相続人から居住用宅地等を取得しても、特例は適用されないことになります。

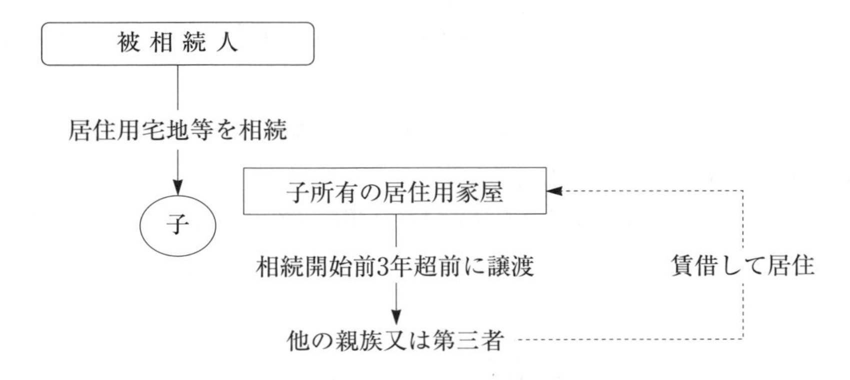

⑷　居住用宅地等が２以上ある場合の特例対象宅地等

被相続人等の居住の用に供されていた宅地等が２以上ある場合には、そのうち主として居住の用に供していた一の宅地等に特例が適用されます（措法69の４③二カッコ書）。この点に関する法令の規定をまとめると、次のようになります（措令40の２⑧）。

なお、次のように区分して規定されているのは、被相続人の居住用宅地等とその生計一の親族の居住用宅地等のいずれについても特例が適用されるため、それぞれについて適用対象宅地等を定める必要があるからです。

<table>
<tr><th colspan="2">区　　分</th><th>特例の対象となる居住用宅地等</th></tr>
<tr><td colspan="2">①　被相続人の居住用宅地等が２以上ある場合</td><td>その被相続人が主としてその居住の用に供していた一の宅地等</td></tr>
<tr><td colspan="2">②　被相続人と生計を一にしていた親族の居住用宅地等が２以上ある場合</td><td>その親族が主としてその居住の用に供していた一の宅地等（その親族が２人以上ある場合には、その親族ごとにそれぞれ主としてその居住の用に供していた一の宅地等）</td></tr>
<tr><td rowspan="2">③　被相続人及びその生計一の親族の居住用宅地等が２以上ある場合</td><td>イ　被相続人が主として居住していた一の宅地等とその親族が主として居住していた一の宅地等とが同一である場合</td><td>その一の宅地等</td></tr>
<tr><td>ロ　イ以外の場合</td><td>被相続人が主として居住の用に供していた一の宅地等及びその親族が主として居住の用に供していた一の宅地等</td></tr>
</table>

(注) 居住用宅地等が２以上ある場合の適用対象宅地等について、「主として」の具体的な判定基準や指針は法令通達において明らかにされていません。居住の実態等から判断すべきですが、事実認定の問題といえるでしょう。

⑸　居住用宅地等の判断事例

<事例１>　居住用建物の敷地の判定

被相続人甲の居住用宅地は下図のとおりであり、A部分は居住用建物の敷地として、また、B部分は庭として利用されていた。

甲の相続開始に伴い、A部分とB部分を分筆し、長男と二男がそれぞれの部分を遺産分割により取得することとした。

この場合、庭として利用されていたB部分も被相続人の居住用宅地等として特例の対象になるか。

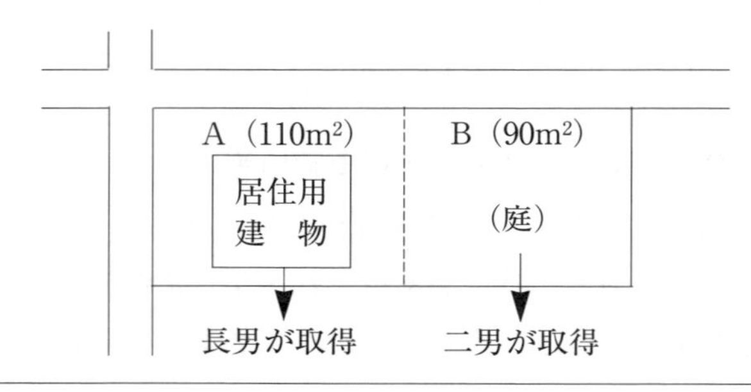

<ポイント>

建物の敷地として利用されていたか否かの判断は、いわゆる事実認定の問題であり、社会通念に従って判断せざるを得ませんが、一般には庭の部分も居住用の一部と考えられますから居住用宅地等になると判断されます。

ただし、特例の適用上は、それぞれの相続人ごとに特定居住用宅地等に該当するかどうかを判定する必要があります。長男が被相続人と同居又は生計を一にしていた者であり、取得したA部分の宅地に居住を継続するなど特定居住用宅地等の要件を満たす場合には、特例が適用されますが、二男がB部分に居住しない場合には、その部分に特例は適用されません。

<事例２>　私道に対する特例適用の可否

被相続人の居住用宅地は、下図のA部分であるが、私道についても４分の１の所有持分があり、相続税の課税対象になる。

この場合、私道の持分も居住用宅地等として小規模宅地等の特例が受けられるか。

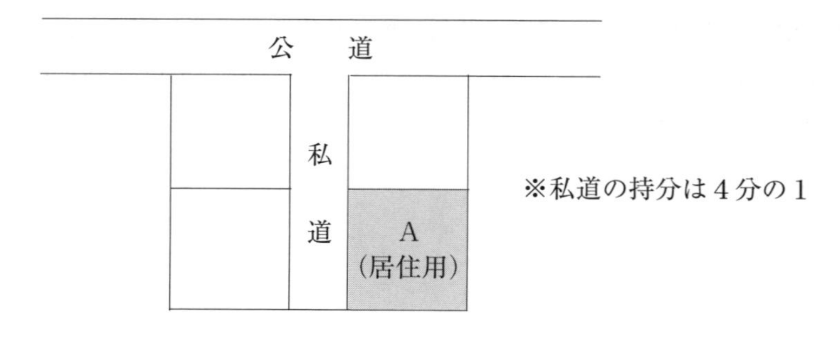

<ポイント>

私道は、建物の敷地に付随するものであり、その維持・効用を果たすために必要不可欠なものです。したがって、A部分を取得した者が特定居住用宅地等の要件を満たす場合には、私道についても居住用宅地等として小規模宅地等の特例の対象になります。

（注）宅地の評価上は、居住用宅地（A部分）と私道の持分を別に評価します（私道の評価方法については、前述（203ページ）したとおりです）。

<事例３>　入院等により空家となっていた場合の居住用の判定

被相続人は、一人暮らしであったが、相続が開始する２年ほど前から病気のため入院生活をしていた。

このため、被相続人が入院するまで居住していた建物は、相続開始時に空家となっていた。この場合でも、その建物の敷地は被相続人の居住用宅地等として小規模宅地等の特例の対象になるか。

<ポイント>

居住用の宅地等といえるかどうかは、その者の日常生活の状況、建物への入居目的等を総合的に勘案し、宅地上にあるその建物に生活の拠点を置いていたかどうかにより判定することになります。

上例の場合は、病気治療のために入院したため建物が空家となっていたものですが、入院という事実をもって生活の拠点を変えたものとはいえず、入院後にその建物を貸付け等の用に供さない限り、その者の生活拠点はその建物にあると考えるのが自然です。

したがって、その敷地は被相続人の居住用宅地等となり、特定居住用宅地等の要件に該当すれば小規模宅地等の特例の対象になります。

<事例４>　老人ホームに入所したことにより空家となっていた場合の居住用の判定

被相続人は、居住用の土地建物を有していたが、高齢のため心身ともに障害の程度が著しく進行した。そこで、介護保険制度を利用して特別養護老人ホームに入所することを希望したが、直ちに入所できる施設がなかったため、一般の有料老人ホームに入所した。

その老人ホームに３年間入所した後、病状が悪化し死亡した。被相続人が老人ホームに入所する前に居住していた建物は、相続開始時まで空家となっていたが、その敷地である宅地を特定居住用宅地等の要件に該当する親族が取得した場合に、小規模宅地等の特例の適用を受けることができるか。

<ポイント>

一般に老人ホームと称されるものには種々のものがありますが、病院のように病気の治療のための施設とは性格的に異なるものであり、入院中に相続が開始した＜事例３＞と同様に取り扱うことが適当かどうかという問題があります。

この問題について、法令は「居住の用（居住の用に供することができない事由として政令で定める事由により相続の開始の直前において当該被相続人の居住の用に供されていなかった場合（政令で定める用途に供されている場合を除く）における当該事由により居住の用に供されなくなる直前の当該被相続人の居住の用を含む。）」とし、一定の要件を満たす場合には、特定居住用宅地等に該当することを前提として、老人ホームに入所する前の居住用宅地等についても特例を適用することとされています（措法69の４①カッコ書）。

この規定における政令事項の１つは、「居住の用に供することができない事由として政令で定める事由」ですが、次のように定められています（措令40の２②）。

①　介護保険法に規定する要介護認定又は要支援認定を受けていた被相続人が次に掲げる住居又は施設に入居又は入所していたこと。

イ　老人福祉法に規定する認知症対応型老人共同生活援助事業が行われる住居、養護老人ホーム、特別養護老人ホーム、軽費老人ホーム又は有料老人ホーム

ロ　介護保険法に規定する介護老人保健施設又は介護医療院

ハ　高齢者の居住の安定確保に関する法律に規定するサービス付き高齢者向け住宅

②　障害者の日常生活及び社会生活を総合的に支援するための法律に規定する障害支援区分の認定を受けていた被相続人が同法に規定する障害者支援施設又は共同生活援助を行う住居に入所又は入居していたこと。

なお、①の「要介護認定又は要支援認定を受けていた」、あるいは②の「障害者支援区分の認定を受けていた」かどうかは、その被相続人の相続開始時点で判定することとされています（措通69の４－７の２）。したがって、老人ホーム等に入所する前に要介護認定等を受けていなかったとしても、相続開始時にその認定を受けていれば、上記の要件を満たすことになります。また、国税庁の「質疑応答事例」では、老人ホームに入所していた被相続人が要介護認定等の申請中に相続が開始した場合で、相続開始の日以後に要介護認定等があったときでも、その被相続人は相続開始の直前において要介護認定等を受けていた者に該当することとされています。

上記の政令事項の２つ目は、被相続人の居住の用に供されていなかった場合であっても、「政令で定める用途に供されている場合を除く」とされていることです。この場合の用途は、「事業の用又は被相続人等（被相続人と上記の老人ホーム等の入居又は入所の直前において生計を一にし、かつ、被相続人がその入居又は入所前に居住していた建物に引き続き居住している当該被相続人の親族を含む）以外の者の居住の用とする。」とされています（措令40の２③）。

したがって、被相続人が老人ホーム等に入所する前の居住用建物が次のような状況にあれば、その敷地は特例の対象となる宅地等には該当しないことになります。

イ　その建物が貸付けその他の事業の用に供されていたこと。

ロ　その建物が被相続人と生計を別にする親族の居住の用に供されていたこと。

注意したいのは、被相続人が老人ホーム等に入所した場合において、これらの要件に該当したとしても、直ちに特例が適用されるとは限らないことです。特例の適用に際しては、「特定居住用宅地等」の要件を満たすかどうかを確認する必要があります。

なお、老人ホーム等に入所していた場合にこの特例の適用を受けるためには、特例適用上の添付書類（416ページ）のほか、次の書類を申告書に添付して提出する必要があります（措規23の２⑧三）。

①　その相続開始の日以後に作成された被相続人の戸籍の附票の写し

②　介護保険の被保険者証の写し又は障害福祉サービス受給者証の写しその他の書類で、その被相続人がその相続開始の直前において介護保険法に規定する要介護認定若しくは要支援認定又は障害者支援区分の認定を受けていたことを明らかにするもの

③　その被相続人がその相続開始の直前において入居又は入所していた住居又は施設の名称及び所在地並びにこれらの住居又は施設が上記のいずれの住居又は施設に該当するかを明らかにする書類

＜事例５＞　店舗兼住宅の敷地の持分の贈与について贈与税の配偶者控除を受けた場合

被相続人は、店舗兼住宅となっている建物に居住していたが、建物とその敷地である土地は、被相続人とその配偶者の各２分の１による共有である。

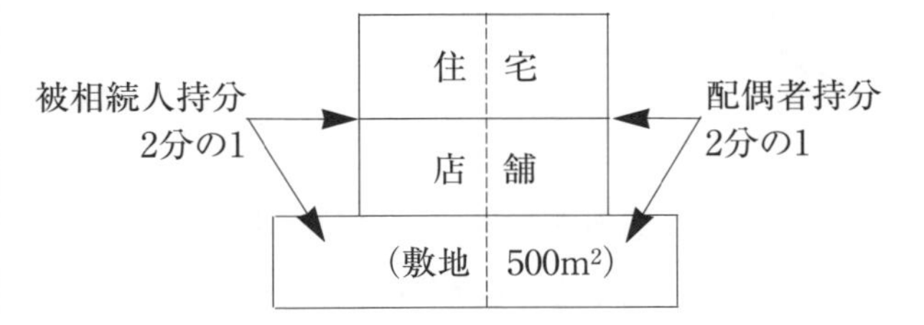

※建物の床面積は、住宅部分と店舗部分が同一であり、それぞれに対応する敷地も同一面積である。

この土地建物の配偶者の持分は、相続開始の５年前に配偶者が被相続人から贈与により取得したものであり、贈与時に相続税法21条の６《贈与税の配偶者控除》の規定の適用を受けている。なお、贈与税の配偶者控除の適用を受けるに当たっては、相続税法基本通達21の６－３の「ただし書」により、贈与財産は、すべて居住用であるものとして贈与税の申告が行われている。

被相続人の敷地持分２分の１（250m²相当）について、小規模宅地等の特例の適用上、居住用宅地等（住宅に対応する敷地）の面積及び事業用宅地等（店舗に対応する敷地）の面積は、それぞれいくらになるか。

<ポイント>

店舗兼住宅の敷地の用に供されていた宅地等で、相続開始前に被相続人からのその持分の贈与について、「贈与税の配偶者控除」の適用を受け、相続税法基本通達21の６－３の「ただし書」の取扱いを適用して申告したものであっても、被相続人等の居住の用に供されていた部分の判定は、その相続開始の直前における現況により行うこととされています（措通69の４－９）。

したがって、上例の被相続人の持分に相当する250m²は、その２分の１相当の125m²が居住用宅地等となり、同125m²が店舗部分に対応する敷地として事業用宅地等となります。

なお、小規模宅地の特例が適用されるかどうかは、それぞれの部分を取得した者について、特定居住用宅地等又は特定事業用宅地等の要件を判定する必要があります。

<事例６>　配偶者以外の親族が居住用宅地等を取得した場合の特例の適用判定

被相続人の宅地等の所有及び相続開始直前の利用状況等は、下図のとおりである。この場合、相続財産であるＡ宅地及びＢ宅地を下記の①から④のように相続で取得すると、特定居住用宅地等として小規模宅地等の特例が適用されるのはどの場合か。

なお、被相続人と長男は生計を一にしていたが、被相続人と二男（相続開始前３年以内に自己、配偶者及び三親等内の親族等の所有家屋に居住した事実はない）は生計が別であった。また、Ｂ宅地について、長男は被相続人から使用貸借により借り受けていた。

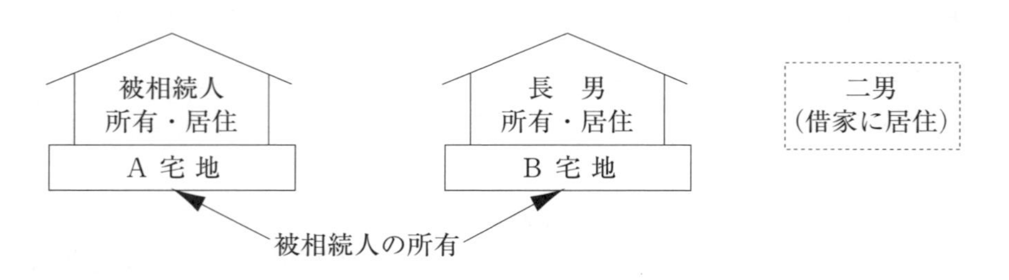

①　Ａ宅地を長男が取得した場合　　②　Ａ宅地を二男が取得した場合
③　Ｂ宅地を長男が取得した場合　　④　Ｂ宅地を二男が取得した場合

<ポイント>

被相続人等の居住用宅地等を配偶者が取得した場合には、無条件で「特定居住用宅地等」に該当しますが、配偶者以外の親族が取得した場合には、次のいずれかに該当する場合に限り、特例が適用されます。それぞれについての特例の適用要件は、すでに説明したとおりです（265ページ以下）。

イ　被相続人と同居していた親族が取得した場合（措法69の４③二イ）
ロ　被相続人とは非同居であった親族が取得した場合（措法69の４③二ロ）

ハ　被相続人と生計を一にしていた親族が取得した場合（措法69の４③二ハ）

上例の①から④の場合に、それぞれについて、イからハの要件を満たすかどうかをチェックし、いずれかに該当すれば、「特定居住用宅地等」として特例が適用されます。上例の場合は、次のように判定されます。

	同居の親族	非同居の親族	生計一の親族	判　　定
①　Ａ宅地を長男が取得	×	×	×	特例の適用なし
②　Ａ宅地を二男が取得	×	○	×	80％減額適用可
③　Ｂ宅地を長男が取得	×	×	○	80％減額適用可
④　Ｂ宅地を二男が取得	×	×	×	特例の適用なし

(注) 表中の「同居の親族」は上記イ、「非同居の親族」は上記ロ、「生計一の親族」は上記ハのことで、○は要件に該当、×は非該当という意味です。

この判定に際してのポイントは、次のとおりです。

ⅰ）長男は、被相続人と別の家屋に居住しており、二男とともに「同居の親族」には該当しない。

ⅱ）長男は自己所有家屋に居住しているため、「非同居の親族」の要件を満たさない。二男は、自己所有家屋がないため、Ａ宅地を取得した場合には、特定居住用宅地等の要件に該当する。ただし、二男に対するＡ宅地の特例の適用は、被相続人に配偶者又はＡ宅地上の家屋に被相続人と同居していた法定相続人がいない場合に限られる（措法69の４③二ロカッコ書、措令40の２⑪）。

一方、二男がＢ宅地を取得した場合には、「非同居の親族」の要件である「当該被相続人の居住の用に供されていた宅地等を取得した者に限る」（措法69の４③二ロカッコ書）に該当しない（Ｂ宅地は長男が居住の用に供していたものである）ため、特例の適用はない。

ⅲ）長男がＢ宅地を取得した場合には「生計一の親族」の要件に該当するため、特例が適用されるが、Ａ宅地を取得した場合には、「生計一の親族」の要件である「相続開始前から申告期限まで引き続き当該宅地等を自己の居住の用に供していること」（措法69の４③二ハ）に該当しないため、特例は適用されない。

＜事例７＞　相続後の転勤と居住継続要件の判定

被相続人と同居していた長男は、被相続人が居住の用に供していた宅地と建物を相続により取得した。長男は、その後も継続してその宅地と建物に居住するつもりであったが、相続税の申告期限の２か月前に勤務先から転勤命令を受け、転居した。

特定居住用宅地等について、同居の親族が取得した場合には、相続税の申告期限まで引き続き居住することが要件とされているが、転勤の場合にはどのように取り扱われるか。

<ポイント>

特定居住用宅地等における「同居の親族」と「生計一親族」の場合には、相続税の申告期限までの居住継続要件があります。

上例の長男の場合、文理解釈上は法令の要件を満たしていないことになるが、長男がいわゆる単身赴任で、その配偶者等がその宅地及び建物に継続して居住している場合には、長男も居住を継続しているものとして取り扱われます。したがって、上例の長男が取得した宅地は、特定居住用宅地等として特例の適用を受けることができます。

なお、相続税の申告期限前に長男とともにその配偶者等も転居した場合には、居住継続要件を満たさないことになります。

<事例８>　共同住宅の場合の「同居」の意義

被相続人は、下図のマンションのA部分を所有し、配偶者と居住していた。被相続人の長男は、同マンションのB部分（他人の所有）を賃借して居住し、両親の世話をしていた。

被相続人の相続により、その財産であるA部分の区分所有権は、長男が取得した。

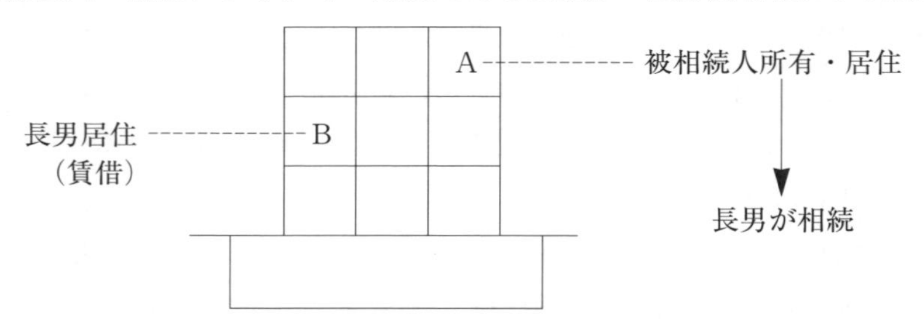

この場合、長男は、租税特別措置法第69条の４第３項第２号イの「同居の親族」に該当するものとしてA部分の敷地に特例の適用を受けることができるか。

<ポイント>

被相続人の居住用宅地等について、80％減額の対象となる特定居住用宅地等の要件として、相続開始直前においてその宅地上にある被相続人の居住用の家屋に居住していた親族（同居の親族）があります（措法69の４③二イ）。

特定居住用宅地等における「同居」とは、その家屋で被相続人と共に起居していたものをいい、共同住宅の場合は、各独立部分（各室）の一に起居していたかどうかにより判定することとされています（措通69の４－21）。

したがって、上例の長男は、被相続人と同居していたとはいえず、A部分の敷地は、特定居住用宅地等には該当しません（長男が特定居住用宅地等の要件のうち、「同居親族」以外の他の条項に該当すれば、特例の適用を受けられます）。

<事例９>　二世帯住宅における「同居」の取扱い

被相続人とその長男は、次図のようないわゆる二世帯住宅に居住し、生計を別にしていた。なお、被相続人に配偶者はなく、１階部分に被相続人と同居していた子はなかった。

被相続人に相続が開始したため、長男は建物と敷地を相続により取得した。

この場合の長男は「同居の親族」として、その敷地である宅地について特例の適用を受けることができるか。

2F 長男の居住用
1F 被相続人の居住用
被相続人の所有

<ポイント>

特定居住用宅地等の意義については、前述（268ページ）したとおりですが、いわゆる「同居の親族」に関しては、「被相続人の居住の用に供されていた１棟の建物（当該被相続人、当該被相続人の配偶者又は当該親族の居住の用に供されていた部分として政令で定める部分に限る）に居住していた者」とされています（措法69の４③二イ）。

この規定における「政令で定める部分」とは、次のように定められており、①と②のいずれかの部分に居住している者が「同居の親族」として、特例の対象になることとされています（措令40の２④カッコ書、⑩）。

①　被相続人の居住の用に供されていた１棟の建物が建物の区分所有等に関する法律第１条の規定に該当する建物である場合……その被相続人の居住の用に供されていた部分

②　①以外の場合……被相続人又はその被相続人の親族の居住の用に供されていた部分

このうち①は、被相続人の居住の用に供されていた１棟の建物が建物の区分所有等に関する法律に規定する建物に該当する場合には、その被相続人が居住していた部分に居住していた親族を「同居の親族」として扱うということです。

したがって、事例の建物が建物の区分所有等に関する法律に規定する建物に該当する場合には、被相続人と共に１階部分に居住していた親族が「同居の親族」となり、その宅地を取得すれば、特定居住用宅地等に該当することになります。この場合には、２階に居住していた相続人は、同居の親族にはなりませんから、その宅地を取得しても特例は適用されないことになります。

一方、上記の②は、その１棟の建物が建物の区分所有等に関する法律に規定する建物に該当しない場合であり、この場合には、「被相続人又はその被相続人の親族の居住の用に供されていた部分」に居住していれば、「同居の親族」に該当しますから、事例の相続人は同居の親族となり、その宅地は特定居住用宅地等として特例が適用されることになります。

この規定において、「建物の区分所有等に関する法律に規定する建物」とは、区分所有建物である旨の登記がされている建物をいうことに取り扱われています（措通69の４－７の３）。

要するに、事例の建物の１階部分と２階部分が区分所有登記されている場合には、２階に居住する相続人は、同居の親族に該当しないため特例の適用はないが、その建物が共有登記など、区分所有登記されていなければ、同居の親族として特例の対象になるということです。

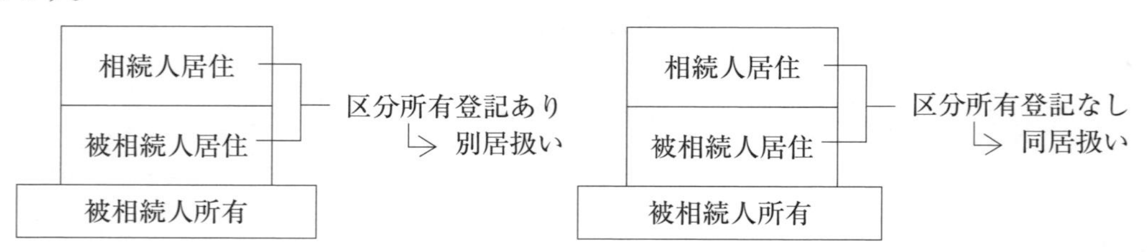

（注）相続人が被相続人の同居の親族である場合には、その相続人が被相続人と生計を一にしていかどうかにかかわらず、上図の建物の敷地の全部が特定居住用宅地等に該当しますから、330m²を上限として特例が適用されます（措法69の４③二イ）。

一方、相続人が被相続人の同居の親族に該当しない場合（建物が区分所有登記されている場合）において、その相続人が被相続人と生計を一にしていたときは、相続人の居住部分に対応する敷地部分（上図の建物の１階部分と２階部分の床面積が同じである場合には、敷地の２分の１相当）が特定居住用宅地等として特例の対象になります（措法69の４③二ハ）。

＜事例10＞　建物を被相続人と法人が区分所有している場合

被相続人の所有する宅地（300m²）上には、３階建ての建物があり、被相続人（３階部分）と同人が主宰する同族法人（１階と２階部分）が区分所有している。

被相続人の所有する３階部分の建物は、同人とその長男が居住の用に供し、法人の所有する１階と２階部分は法人の事業用（店舗及び事務所）として利用されている。

被相続人の相続開始に伴い、長男は当該宅地を取得し、相続税の申告期限までに法人の役員となり、事業を承継した（居住も継続している）。

被相続人の法人に対する土地の貸付けが次の形態である場合、小規模宅地等の特例の適用はどのように異なるか。

①　１階と２階の敷地に対応する部分の宅地を地代を収受して継続的に貸付け

②　使用貸借による無償の貸付け

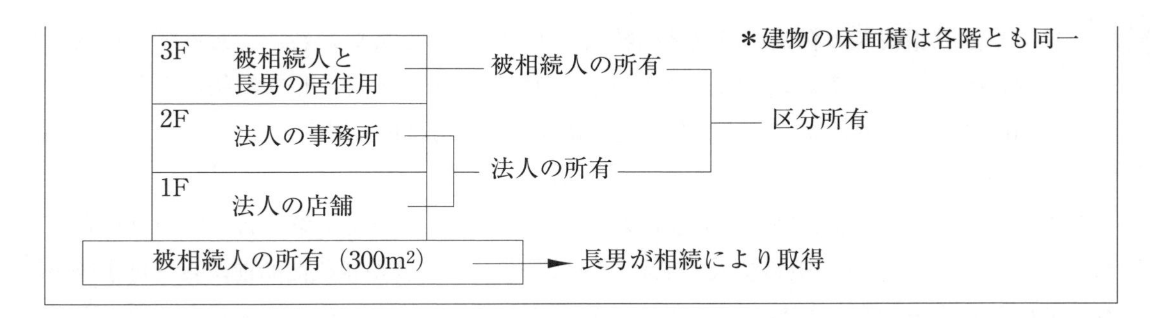

＜ポイント＞

① 法人所有建物に対応する敷地が有償貸付けの場合

　１階及び２階に対応する宅地（200m²）は「特定同族会社事業用宅地等」に該当し、３階に対応する宅地（100m²）は「特定居住用宅地等」に該当します。

　この場合、特定同族会社事業用宅地等と特定居住用宅地等のそれぞれについて限度面積まで特例が適用されるため、上例の場合には、前者について200m²、後者について100m²となります。

② 法人所有建物に対応する敷地が無償貸付けの場合

　法人の所有する建物の敷地（建物の１階と２階に対応する部分の敷地）が無償で貸し付けられていた場合には、「事業に該当する貸付け」に当たらないため、特例は適用されません（３階に対応する敷地部分は、特定居住用宅地等に該当します）。

5. 貸付事業用宅地等の意義と特例の適用関係

(1) 貸付事業用宅地等の意義

不動産の貸付けに関する事業用宅地等については、「貸付事業用宅地等」に該当する場合にのみ、限度面積を200㎡として50％の減額が認められます。この場合の「貸付事業用宅地等」の意義については、次のように規定されています（措法69の４③四）。

　被相続人等の事業（不動産貸付業その他政令で定めるものに限る）の用に供されていた宅地等で、次に掲げる要件のいずれかを満たす当該被相続人の親族が相続又は遺贈により取得したもの（特定同族会社事業用宅地等及び相続開始前３年以内に新たに貸付事業の用に供された宅地等（相続開始の日まで３年を超えて引き続き政令で定める貸付事業を行っていた被相続人等の当該貸付事業の用に供されたものを除く）を除き、政令で定める部分に限る）をいう。

イ　当該親族が、相続開始時から相続税の申告期限までの間に当該宅地等に係る被相続人の貸付事業を引き継ぎ、申告期限まで引き続き当該宅地等を有し、かつ、当該貸付事業の用に供していること。

ロ　当該被相続人の親族が当該被相続人と生計を一にしていた親族であって、相続開始時から申告期限まで引き続き当該宅地等を有し、かつ、相続開始前から申告期限まで引き続き当該宅地等を自己の貸付事業の用に供していること。

このうち「イ」は、相続開始の直前において、被相続人が貸付事業を行っていた場合であるのに対し、「ロ」は、被相続人と生計を一にしていた親族が相続開始前から貸付事業を行っていた場合です。したがって、貸付事業用宅地等には2つの類型があり、これらをまとめると下記のようになります。

なお、これらのパターンは、前述した「特定事業用宅地等」(249ページ) と同じです。この場合に、相続開始前3年以内に新たに事業 (貸付事業) の用に供された宅地等について、原則として特例の対象外とする点も同じです。特定事業用宅地等の「事業」からは「不動産貸付業その他政令で定めるもの」が除かれていましたが、上記の貸付事業用宅地等では、「不動産貸付業その他政令で定めるものに限る」という違いがあるだけです。要するに、被相続人の「事業」が不動産貸付け以外の場合には、前述した特定事業用宅地等に該当するかどうかにより小規模宅地等の特例の有無を判定し、その事業が不動産貸付けであれば、上記の貸付事業用宅地等に該当するか否かで特例の適用の可否を判定するということです。

〔被相続人が貸付事業を行っていた場合〕

宅地等の取得者	50%減額の要件
被相続人の親族	①　その宅地等に係る被相続人の貸付事業を相続税の申告期限までに承継し、かつ、相続税の申告期限までその貸付事業を継続して行っていること。 ②　その宅地等を相続税の申告期限まで保有していること。

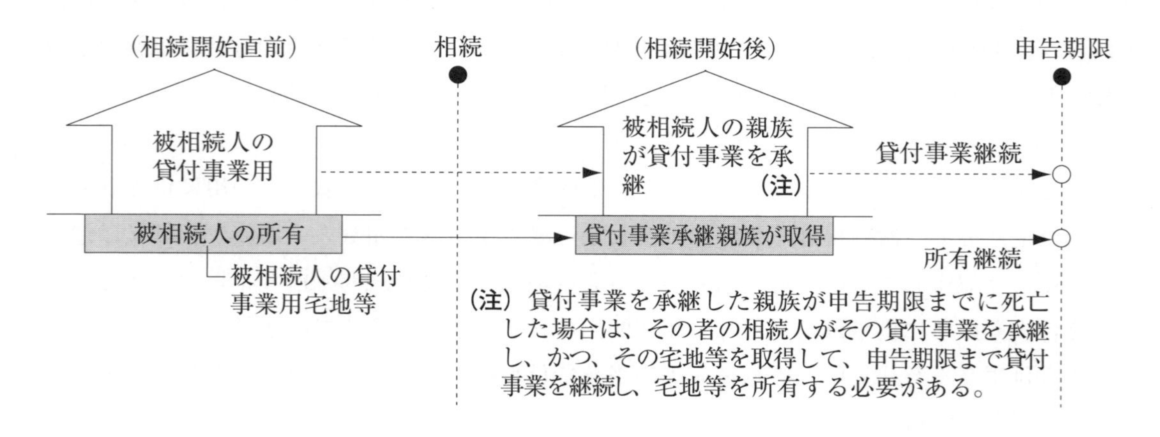

〔被相続人と生計を一にしていた親族が貸付事業を行っていた場合〕

宅地等の取得者	50％減額の要件
被相続人と生計を一にしていた親族	①　その生計一の親族が、相続開始前から相続税の申告期限まで、継続して貸付事業を行っていること。 ②　その宅地等を相続税の申告期限まで保有していること。

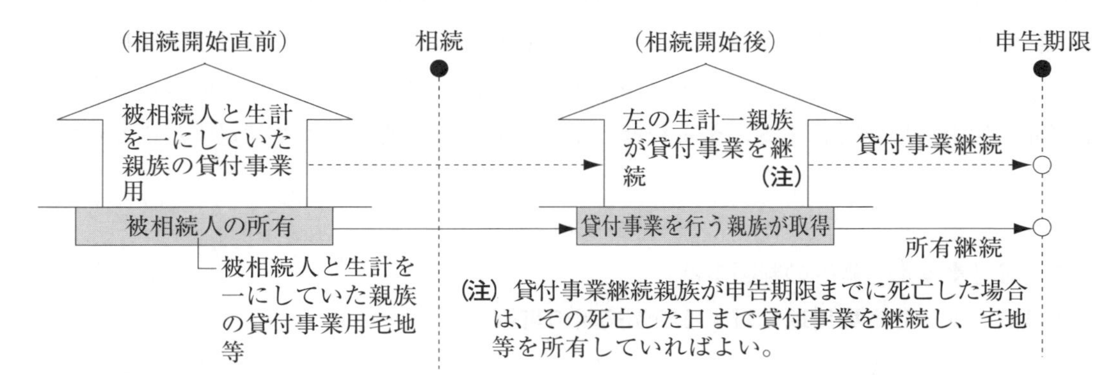

前記の貸付事業用宅地等の規定におけるカッコ書のうち、「特定同族会社事業用宅地を除き」とは、不動産貸付けであっても特定同族会社に対するもので、「特定同族会社事業用宅地」に該当する場合には、貸付事業用宅地等ではなく、特定同族会社事業用宅地として特例が適用されるということです。

なお、「政令で定める部分に限る」とは、被相続人等の貸付事業の用に供されていた宅地等のうちに貸付事業用宅地等の要件に該当する部分と該当しない部分がある場合には、その要件に該当する部分に特例が適用されるということです。また、２人以上の相続人等が共有により宅地等を取得した場合には、貸付事業用宅地等の要件を満たす親族が取得した持分の割合に応ずる部分に特例が適用されます（措令40の２⑮）。

ところで、貸付事業用宅地等からは、相続開始前３年以内に新たに貸付事業の用に供された宅地等が除かれていますが、相続開始の日まで３年を超えて引き続き準事業以外の貸付事業（特定貸付事業）を行っていた場合には、特例の対象になります（措法69の４③四、措令40の２⑯）。

要するに、相続開始前３年以内に新たに貸付事業の用に供された宅地等であっても、相続開始の日まで３年を超えて「特定貸付事業」を行っていた場合には、相続開始前３年以内に新たに貸付事業の用に供された宅地等についても特例が適用されるということです。

この場合の「特定貸付事業」とは、事業的規模の貸付事業のことであり、社会通念上事業と称するに至る程度の規模で貸付事業が行われていたかどうかで判定しますが、その判定に当たっては、次のように所得税の取扱いが準用されています（措通69の４－24の４）。

①　不動産の貸付けが所得税法上の不動産所得を生ずべき事業として行われている場合には特定貸付事業に該当し、それ以外の場合には準事業に該当する。

②　貸付事業の対象が駐車場又は自転車駐車場で、自己の責任において他人の物を保管

するものである場合において、その貸付事業が事業所得を生ずべきものとして行われているときは、特定貸付事業に該当し、その貸付事業が雑所得を生ずべきものとして行われているときは、準事業に該当する。

これらの判定に際しては、所得税基本通達26－9（建物の貸付けが事業として行われているかどうかの判定）及び27－2（有料駐車場の所得）の取扱いがあることとされています（措通69の4－24の4（注））。このため、形式基準とすれば、いわゆる「5棟10室」以上であれば、特定貸付事業となりますが、それを下回る場合であっても、いわゆる実質基準（社会通念上事業と称するに至る程度の規模での貸付事業）により判定することができます。

(2)　貸付事業用宅地等の判断事例

<事例1>　駐車場用地に対する特例適用の可否

被相続人は、その有する土地にアスファルト舗装をし、駐車場の用に供していた。相続人がその駐車場用地を取得し、継続して駐車場の用に供する場合には、小規模宅地等の特例の対象になるか。

なお、被相続人は、その駐車場に係る所得は、不動産所得として所得税の申告を行っていた。

<ポイント>

小規模宅地等の特例の適用要件として「建物又は構築物の敷地の用に供されている」こととされているところ（措法69の4①）、「舗装路面」は構築物として区分されています（耐令別表第一）。

一方、被相続人等の不動産貸付業、駐車場業、自転車駐車場業については、その規模、設備の状況、営業形態等を問わず、全て小規模宅地等の特例における不動産貸付業等に当たることとされています（措令40の2⑥、措通69の4－13）。

したがって、上例の駐車場用地は、「貸付事業用宅地等」に該当し、200㎡を限度面積として、50％減額による特例の適用を受けることができます。

（注） 有料駐車場や有料自転車置場等に係る所得について、所得税法上は、前述のとおり自己の責任において他人の物を保管する場合には事業所得又は雑所得に区分し、その他の場合には不動産所得に該当することとされていますが（所基通27－2）、所得税法における所得区分と小規模宅地等の特例とは関係しません。

ただし、相続開始前3年以内に新たに貸付事業の用に供された宅地等について、特例の対象になるための要件である「事業的規模の貸付け」かどうかを判定する場合には、所得税法における取扱いが関係しています。

<事例２> 賃貸建物の一部が空室となっている場合の取扱い

被相続人は、賃貸アパートを所有し、貸家業を営んでいたが、相続開始時において、そのアパートの貸室10室のうち３室が空室となっていた。

このアパートの敷地について、貸付事業用宅地等として小規模宅地等の特例の適用を受ける場合に、空室に対応する部分の敷地もその対象になるか。

<ポイント>

貸付事業用宅地等の要件の判定に際し、その貸付事業に係る建物等のうちに相続開始の時において、一時的に賃貸されていなかったと認められる部分がある場合であっても、その部分は貸付事業用宅地等として取り扱うこととされています（措通69の４－24の２）。

したがって、上例の賃貸アパートの３室が一時的な空室であれば、宅地等の全体が貸付事業用宅地等となります。

なお、一時的な空室であったかどうかは、事実認定の問題ですが、相続開始時において賃貸人を募集しているなどの事実があれば、一時的な空室と判断してよいと思われます。ただし、アパートを譲渡するために空室としていた場合や賃貸事業を廃止するために借家人を立ち退かせていたような場合には、その空室が一時的なものとはいえないことになります。

（注）賃貸マンションや賃貸アパートの一部に空室がある場合に、貸家及び貸家建付地として評価できるかどうかについては、前述（229ページ）したとおりです。宅地の評価において、その全体を貸家建付地として評価できる場合には、小規模宅地等の特例においても、その宅地の全体が貸付事業用宅地等に該当することになります。

Ⅲ　非上場株式の評価

1. 非上場株式の評価の概要と評価上の区分

株式について、財産評価基本通達は、「上場株式」、「気配相場等のある株式」及び「取引相場のない株式」の３つに区分し、それぞれ１株又は１個ごとに評価することとしています（評基通168）。これらのうち、上場株式（評基通169～172）は実際の取引価格に基づいて評価しますから、実務上はそれほど大きな問題はありません。また、気配相場等のある株式（評基通174～177－２）は、実務的にみれば評価事例が少ないのが実状です。

そこで、以下では実務上の問題の多い非上場株式（取引相場のない株式）について、評価方法のポイントをまとめておくことにします。

⑴　非上場株式の評価資料

まず、非上場株式の評価に際して必要となる資料を確認すると、次のとおりで、これらは最低限必要になるものです。

①　評価会社の課税時期現在の株主名簿
②　評価会社の課税時期前３年分の決算書
③　評価会社の課税時期前３年分の法人税の確定申告書
④　評価会社の課税時期の直前期分の地方税（事業税、道府県民税、市町村民税）の確定申告書
⑤　評価会社の課税時期の直前期分の消費税・地方消費税の確定申告書
⑥　課税時期の年分の「類似業種比準価額計算上の業種目及び業種目別株価等」通達（国税庁通達）

これら以外の資料は必要に応じて収集します。たとえば、類似業種比準方式による株式評価では、評価会社の「業種目」の判定を要しますが、その判別に際して「日本標準産業分類」（総務省）が必要になることがあります。また、純資産価額方式では、評価会社の資産について相続税評価をしなければなりませんが、資産として土地がある場合は、前述した土地の評価に関する資料が必要になるわけです。

⑵　評価方法の概要と評価手順

非上場株式の評価について、財産評価基本通達の取扱いの概要を図にすると、次のようにまとめることができます。

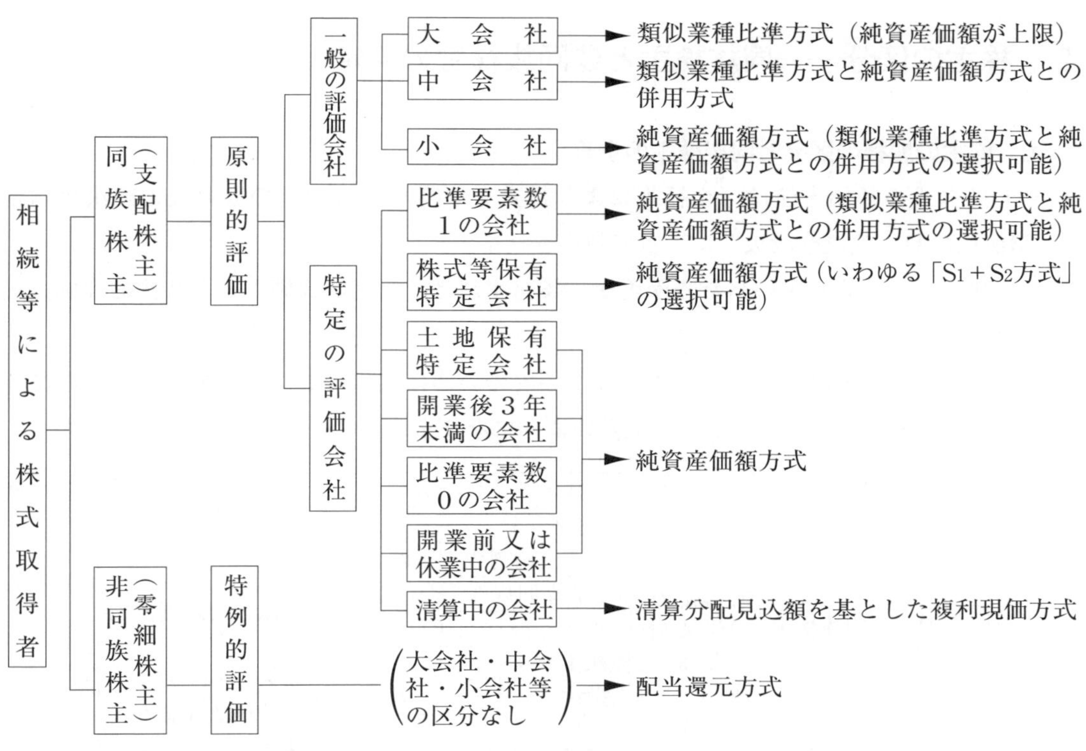

(注)「開業前又は休業中の会社」と「清算中の会社」については、非同族株主が取得した場合でも特例的評価（配当還元方式）は適用されず、原則的評価になります。

この図によると、具体的な株価の計算を行う前に、さまざまな区分判定を要することになります。上図に従って非上場株式の評価手順をまとめると、おおよそ次のようになるでしょう。

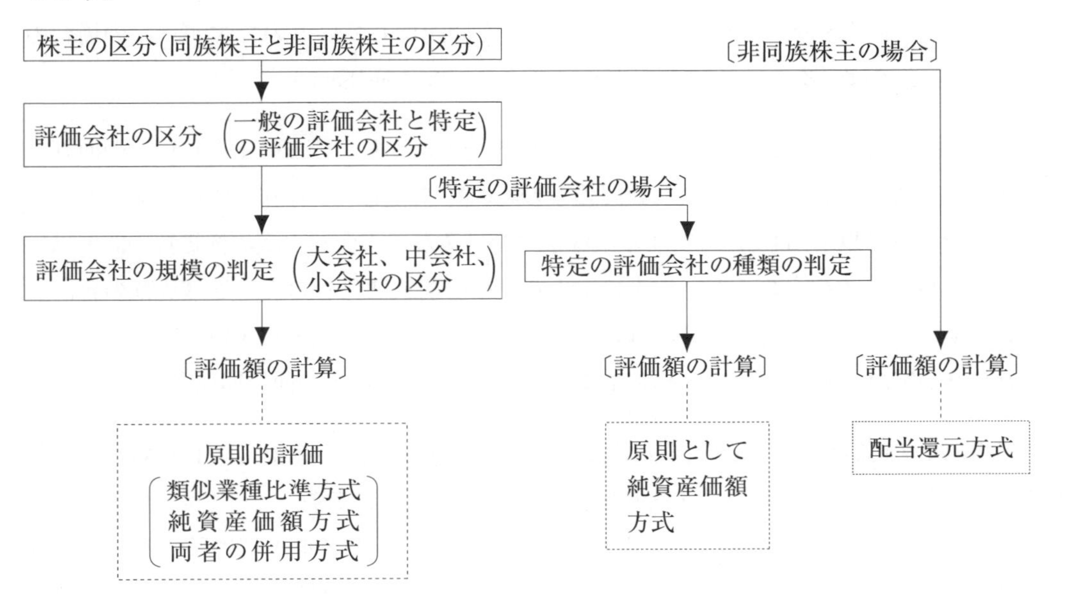

2. 株主の区分——同族株主と非同族株主の判定

(1) 株主の態様の区分と同族株主の意義

非上場株式の評価方法は、相続等により株式を取得した者のその取得後の議決権割合（＝議決権の数÷議決権総数）によって判定されます。

この判定は、同族株主に当たるか否か、換言すれば、原則的評価方式と特例的評価方式の適用関係の分別を行うものです。

この区分は、非上場株式の評価方法についてのいわば入口にあたる部分ですが、財産評価基本通達の取扱いをまとめると、次表のようになります。

<table>
<tr><th colspan="5">株主の態様による区分</th><th rowspan="2">評価方法</th></tr>
<tr><th>会社区分</th><th colspan="4">株主区分</th></tr>
<tr><td rowspan="6">同族株主のいる会社</td><td rowspan="5">同族株主</td><td colspan="3">取得後の議決権割合５％以上</td><td rowspan="4">原則的評価方式</td></tr>
<tr><td rowspan="4">取得後の議決権割合５％未満</td><td colspan="2">中心的な同族株主がいない場合</td></tr>
<tr><td rowspan="3">中心的な同族株主がいる場合</td><td>中心的な同族株主</td></tr>
<tr><td>役員</td></tr>
<tr><td>その他</td><td rowspan="2">特例的評価方式</td></tr>
<tr><td colspan="4">同族株主以外の株主</td></tr>
<tr><td rowspan="5">同族株主のいない会社</td><td rowspan="4">議決権割合の合計が15％以上のグループに属する株主</td><td colspan="3">取得後の議決権割合５％以上</td><td rowspan="3">原則的評価方式</td></tr>
<tr><td rowspan="3">取得後の議決権割合５％未満</td><td colspan="2">中心的な株主がいない場合</td></tr>
<tr><td rowspan="2">中心的な株主がいる場合</td><td>役員</td></tr>
<tr><td>その他</td><td rowspan="2">特例的評価方式</td></tr>
<tr><td colspan="4">議決権割合の合計が15％未満のグループに属する株主</td></tr>
</table>

この表では、「会社区分」として同族株主の有無を問題にしているのですが、この場合の「同族株主」の意義は、次のように定められています（評基通188(1)）。

「同族株主」とは、課税時期における評価会社の株主のうち、株主の１人及びその同族関係者（法人税法施行令第４条《同族関係者の範囲》に規定する特殊の関係のある個人又は法人をいう。以下同じ。）の有する議決権の合計数がその会社の議決権総数の30％以上（その評価会社の株主のうち、株主の１人及びその同族関係者の有する議決権の合計数が最も多いグループの有する議決権の合計数が、その会社の議決権総数の50％超である会社にあっては、50％超）である場合におけるその株主及びその同族関係者をいう。

この意味は、株主の１人とその同族関係者の議決権割合の合計が30％以上であれば、そのグループに属する株主全員が「同族株主」になるということです。

ただし、１グループだけで50％超を占めている場合は、そのグループに属する株主のみが「同族株主」に該当し、その他の株主はたとえ30％以上の議決権を有していても、その株主は同族株主にはなりません。これを具体例でみると、次のとおりです。

なお、これらの判定を行う場合の議決権割合は、相続等により株式を取得した後の割合によります。

<例１>　同族株主のいる会社（30%基準）

株主グループ	株　　主	議決権の数	議決権割合
Aグループ	A Aの配偶者 Aの子	3,000個 800個 200個	40%
Bグループ	B Bの配偶者	2,500個 700個	32%
Cグループ	C	1,800個	18%
Dグループ	D	1,000個	10%
議決権総数		10,000個	100%

このケースは､Aグループと Bグループがそれぞれ30%以上の議決権を有していますから、いずれも「同族株主」となり、「同族株主のいる会社」に該当します。

この場合には、同族株主以外の株主が取得した株式に特例的評価方式が適用されますから、C又はDの所有株式がC又はDの親族に相続等で移転した場合は、特例的評価方式である配当還元価額で評価することができます。

<例２>　同族株主のいる会社（50%基準）

株主グループ	株　　主	議決権の数	議決権割合
Aグループ	A Aの配偶者 Aの子	4,000個 1,000個 5,000個	55%
Bグループ	B Bの配偶者	2,500個 700個	32%
Cグループ	C	1,300個	13%
議決権総数		10,000個	100%

このケースのBグループは30%以上の議決権割合となっていますが、Aグループが50%を超える議決権を有していますから、Aグループだけが「同族株主」となります。

したがって、Bグループ内の株式が相続等で移転しても、その株式には特例的評価方法が適用されます。また、Cについても当然に特例的評価方式によることができます。

<例３>　同族株主のいない会社

株主グループ	株　　主	議決権の数	議決権割合
Aグループ	A Aの子	2,000個 800個	28%
Bグループ	B Bの配偶者	1,800個 700個	25%
Cグループ	C	2,000個	20%
Dグループ	D	1,800個	18%
Eグループ	E	900個	9%
議決権総数		10,000個	100%

このケースは、最も議決権割合の多いAグループでも30％未満ですから、「同族株主のいない会社」となります。

この場合は、議決権割合15％が基準となり、それ未満であれば特例的評価方式が適用されます。したがって、Eグループ（E）の所有株式がその親族内で移転したときは特例的評価となります。

（注）同族株主を判定する場合の議決権割合は、株主の１人とその同族関係者の有する議決権の数を合計したところによりますが、この場合の「同族関係者」とは、親族のほか、法人税法施行令第４条に規定する特殊関係者も含まれます（評基通188⑴）。

なお、「親族」とは、配偶者、６親等内の血族及び３親等内の姻族をいいます。その範囲は、次ページのとおりです。

なお、評価会社が自己株式を有する場合は、その株式に係る議決権の数はゼロとして議決権総数を計算し、同族株主の有無等を判定します（評基通188－３）。要するに、自己株式は発行されていないものとして議決権総数や議決権割合を算定するということですが、これは、会社法において自己株式に議決権がないこととされているためです（会社法308②）。

また、いわゆる株式の相互持合により、評価会社の株主のうちに会社法第308条第１項かっこ書の規定により評価会社の株式について議決権を有しないこととされる会社があるときもその会社が有する議決権はゼロとして議決権総数を算定します（評基通188－４）。

なお、いわゆる種類株式（会社法第108条第１項に掲げる事項について内容の異なる種類の株式）を発行している場合は、株主総会の一部の事項について議決権を行使できないだけですから（いわゆる議決権制限株式）、議決権の数や議決権総数の判定に際しては、議決権の数に含むことに取り扱われています（評基通188－５）。

（注）投資育成会社（中小企業投資育成会社法に基づいて設立された会社）が株主である場合の評価上の株主区分の判定については、次のように取り扱われています（評基通188－６）。

①　投資育成会社が同族株主に該当し、かつ、投資育成会社以外に同族株主がいない評価会社については、その投資育成会社を同族株主に該当しないものとして評価上の株主区分を判定する。

②　投資育成会社が中心的な同族株主又は中心的な株主に該当し、かつ、投資育成会社以外に中心的な同族株主又は中心的な株主がいない場合には、その投資育成会社は中心的な同族株主又は中心的な株主に該当しないものとして評価上の株主区分を判定する。

③　上記①及び②の場合に、評価会社の議決権総数から投資育成会社の有する議決権の数を控除した数をその評価会社の議決権総数として評価会社の株主区分の判定行った場合、同族株主に該当する者がいるときは、その同族株主に該当する者以外の株主については、同族株主のいる会社の同族株主以外の株主として取り扱うことができる。

○親族の範囲

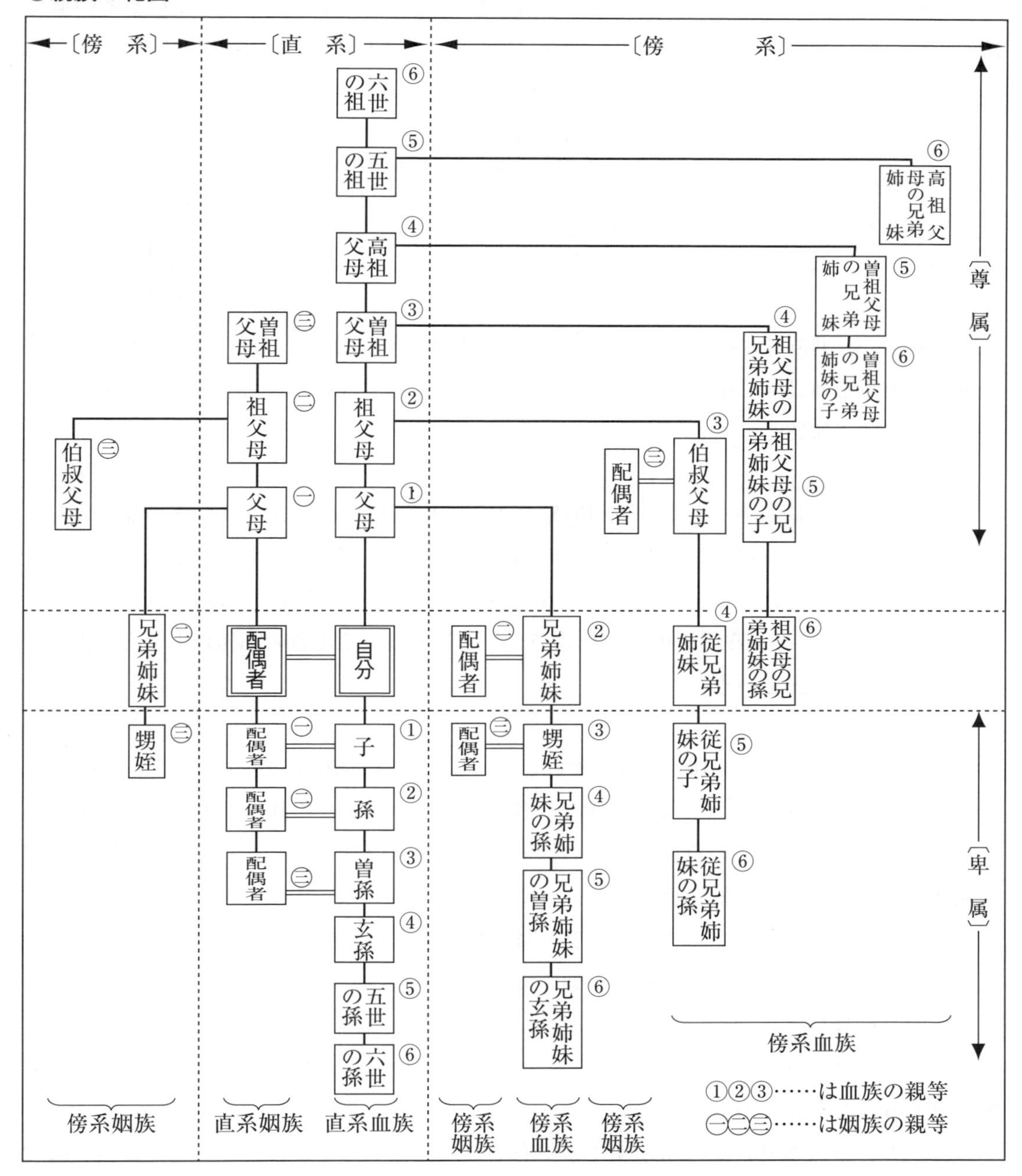

⑵ 中心的な同族株主と評価方法の区分

株式の評価方法を判定する場合の「同族株主」の意義は上述のとおりですが、30%という議決権割合基準からみると、非上場会社のほとんどが「同族株主のいる会社」に該当するものと思われます。そこで、以下では同族株主のいる会社を念頭において評価方法の区分を説明することとします。

ところで、同族株主のいる会社における同族株主のうち、相続等による取得後の議決権割合が５%以上となる者は、全て原則的評価方式によりその株式を評価します。

注意したいのは、同族株主であっても、取得後の議決権割合が５％未満となる者の取得株式について、その評価会社に「中心的な同族株主」がいる場合には特例的評価方式が適用されることです（表中の「その他」の者の取得した株式）。

<table>
<tr><td rowspan="6">同族株主のいる会社</td><td rowspan="5">同族株主</td><td colspan="3">取得後の議決権割合５％以上</td><td rowspan="4">原則的評価方式</td></tr>
<tr><td rowspan="4">取得後の議決権割合５％未満</td><td colspan="2">中心的な同族株主がいない場合</td></tr>
<tr><td rowspan="3">中心的な同族株主がいる場合</td><td>中心的な同族株主</td></tr>
<tr><td>役　　員</td></tr>
<tr><td>そ　の　他</td><td rowspan="2">特例的評価方式</td></tr>
<tr><td colspan="4">同　族　株　主　以　外　の　株　主</td></tr>
</table>

したがって、同族株主のうちに５％未満の議決権割合の者がいる場合は、「中心的な同族株主」の有無を確認する必要が生じますが、中心的な同族株主とは、次のように定義されています（評基通188⑵）。

「中心的な同族株主」とは、課税時期において同族株主の１人並びにその株主の配偶者、直系血族、兄弟姉妹及び一親等の姻族（これらの者の同族関係者である会社のうち、これらの者が有する議決権の合計数がその会社の議決権総数の25％以上である会社を含む。）の有する議決権の合計数がその会社の議決権総数の25％以上である場合におけるその株主をいう。

要するに、中心的な同族株主とは、親族という広い範囲（前ページの親族表）の中から、配偶者や直系血族など、いわばごく身内の者だけを抜き出し、これらの者の議決権割合の合計が25％以上となっている場合のその株主グループをいうわけです。中心的な同族株主の範囲は、次ページのとおりです。

同族株主によって支配されている会社では、経営者とその配偶者や直系血族など一部の親族が大半の株式を所有しているのが通常です。そうなると議決権割合が５％未満の株主で中心的な同族株主の範囲に入らない者は、同族株主といえども会社に対する実質的な支配力はほとんどありません。このため、その株主については、評価額の低い配当還元方式を適用することとしているわけです。

もっとも、議決権割合が５％未満でも中心的な同族株主に含まれる者と、その会社の役員（相続税の申告期限までに役員になる者を含む）が取得した株式については、いずれも原則的評価方式が適用されます。

(注) この場合の役員とは、次の者をいいます（評基通188⑵カッコ書、法令71）。

① 社長、理事長

② 代表取締役、代表執行役、代表理事及び清算人

③ 副社長、専務、常務その他これらに準ずる職制上の地位を有する役員

④ 取締役（委員会設置会社の取締役に限る）、会計参与、監査役及び監事

○中心的な同族株主の範囲

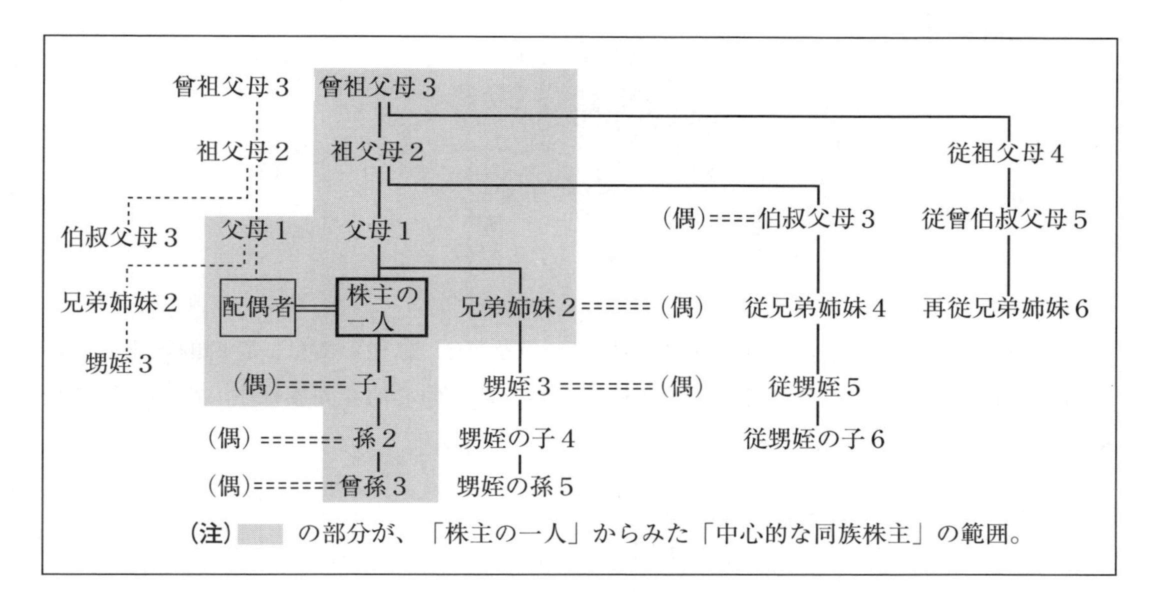

(注) ▒▒ の部分が、「株主の一人」からみた「中心的な同族株主」の範囲。

中心的な同族株主の意義と範囲は以上のとおりですが、設例で確認すると、次のとおりです。

＜例１＞　中心的な同族株主がいる場合

甲株式会社の筆頭株主グループであるＡとその親族の有する議決権の割合は、次のとおりである。なお、Ａは甲社の役員（代表取締役）であるが、Ａ以外の者に役員及び役員就任予定者はいない。

株　主	Ａとの続柄	議決権割合
A	本　人	20%
B	妻	10%
C	長　男	7%
D	父	10%
E	弟	4%
F	甥	4%
G	従兄弟	4%
合　　計		59%

この例では株主Ａとその同族関係者で59％の議決権を有していますから、上表の株主全員が「同族株主」となります。この場合、株主Ａからみた「中心的な同族株主」をとると、次ページの図のとおり、Ａ、Ｂ、Ｃ、Ｄ及びＥの５人（配偶者、直系血族、兄弟姉妹及び１親等の血族）となります。その議決権割合は51％となり、25％以上です。したがって、上記の甲社は、中心的な同族株主のいる会社と判定されます。

（注）中心的な同族株主の判定は、同族株主のなかに議決権割合が５％未満の者がいる場合に、その者について配当還元方式が適用される可能性があるために必要になります。同族株主の全員の議決権割合が５％以上であれば、配当還元方式が適用されることはありませんから、中心的な同族株主の有無の判定も不要です。

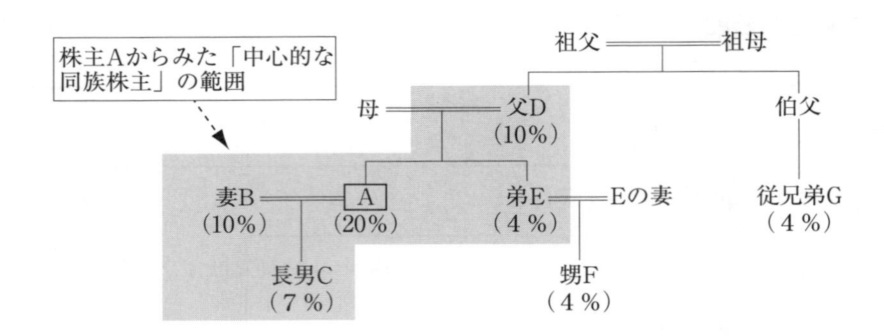

したがって、議決権割合が５％未満の者（E、F及びG）については、特例的評価方式が適用される可能性があるわけですが、各株主からみた「中心的な同族株主」の議決権割合を算定してみると、次表のようになります。

判定範囲 / 中心となる判定者	A	B	C	D	E	F	G	計
A	20%	10%	７％	10%	４％	－	－	51%
B	20%	10%	７％	10%	－	－	－	47%
C	20%	10%	７％	10%	－	－	－	47%
D	20%	10%	７％	10%	４％	４％	－	55%
E	20%	－	－	10%	４％	４％	－	38%
F	－	－	－	10%	４％	４％	－	18%
G	－	－	－	－	－	－	４％	4%

この結果、A～Eは議決権割合25％以上の「中心的な同族株主」となりますから、いずれも原則的評価方式が適用されます。これに対しF及びGは、25％未満で中心的な同族株主には該当しないため、その取得株式の評価には特例的評価方式が適用されます。

(注) 中心的な同族株主に該当するか否かは、株式を取得した者（納税義務者）を中心として判定します。したがって、他の同族株主の中心的な同族株主の判定に含まれる者であっても、その者は中心的な同族株主には該当しないこともあります。上例のFがそれに当たります。

Ｆは、Ｄ及びＥからみると「中心的な同族株主」の判定の範囲であり、上例の場合、ＤとＥはいずれも中心的な同族株主です。ただし、Ｆを中心として判定すると、その議決権割合は25％未満（18％）になりますから、中心的な同族株主には該当しません。このため、議決権割合５％未満のＦには、特例的評価方式が適用されることになります。

なお、上記の表は、株主の全員についてそれぞれの者からみた中心的な同族株主の範囲をとらえ、その議決権割合を確認しているものですが、これは、中心的な同族株主の意義からみて、判定の対象となる株主が異なればその範囲も異なるためです。上記＜例１＞は明らかに中心的な同族株主がいる例ですが、次の＜例２＞のような場合は、このような判定表を作成しないと中心的な同族株主の有無が判別しにくいでしょう。

＜例２＞　中心的な同族株主がいない場合

乙株式会社の筆頭株主グループであるAとその親族の有する議決権の割合は、次のとおりである。なお、Aは乙社の役員（代表取締役）であるが、A以外の者に役員及び役員就任予定者はいない。

株　主	Aとの続柄	議決権割合
A	本人	11%
B	妻	2%
C	長男	4%
D	兄	7%
E	甥	4%
F	伯父	4%
合　計		32%

株主Aとその同族関係者で30％以上の議決権を有していますから、A以下全員が「同族株主」となります。そこで、最も議決権割合の多いAからみた「中心的な同族株主」を判定してみると、次図の範囲の者が含まれますが、その議決権割合の合計は24％です。このため、乙社は、中心的な同族株主がいない会社と判定されます。

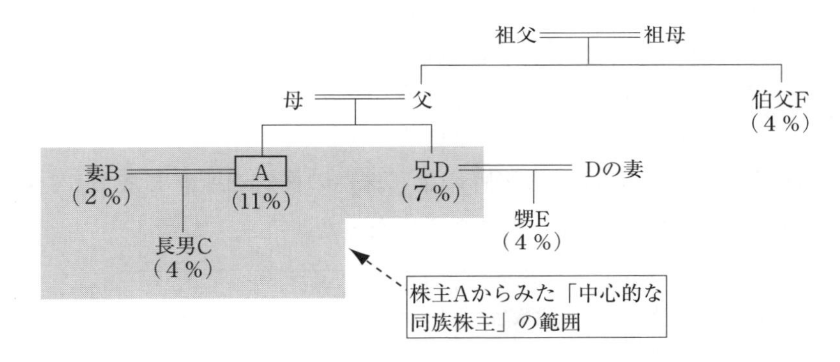

ちなみに、株主全員についてそれぞれの者からみた中心的な同族株主を判定してみると、次表のとおりになり、議決権割合が25％以上になることはありません。

判定範囲／中心となる判定者	A	B	C	D	E	F	計
A	11%	２%	４%	７%	−	−	24%
B	11%	２%	４%	−	−	−	17%
C	11%	２%	４%	−	−	−	17%
D	11%	−	−	７%	４%	−	22%
E	−	−	−	７%	４%	−	11%
F	−	−	−	−	−	４%	4%

したがって、A、B、C、D、E及びFの全員について原則的評価方式でその株式が評価されます。B、C、E及びFの４人は議決権割合が５％未満となっていますが、特例的評価方式は適用されません。

⑶　株主の区分判定と評価明細書の作成方法

相続税の申告に際しては、上記の株主の区分判定は、「取引相場のない株式（出資）の評価明細書」の「第１表の１　評価上の株主の判定及び会社規模の判定の明細書」に記載して行い、申告書に添付してください。

その記載例を次の設例に基づいて示すと、〔書式46〕（次ページ）のとおりです。

＜設　例＞

⑴　被相続人甲野太郎は、電気機械器具の卸売業を営む甲野産業（株）の代表取締役をしていたが、平成○○年６月30日死亡した。

⑵　甲野産業（株）の発行済株式数は、40,000株であるが、このうち甲野太郎は、20,000株を所有していた。

なお、甲野産業の株式は全て普通株式であり、株式１株につき議決権１個を有している。

⑶　被相続人の株式は、同人の相続人間で、次のように分割された。

甲野花子（妻）	8,000株
甲野一郎（長男）	10,000株
乙野和子（長女）	2,000株
計	20,000株

⑷　被相続人の相続人は、従前から甲野産業（株）の株式を所有しており、相続による取得後の同社の株主構成等は、次のようになった。

株主名	被相続人との続柄	役職名	相続前の所有株式数	相続による取得株式数	相続後の所有株式数
甲野花子	妻		3,000株	8,000株	11,000株
甲野一郎	長　男	代表取締役社長	4,000株	10,000株	14,000株
乙野和子	長　女		1,500株	2,000株	3,500株
甲野次郎	弟	専務取締役	10,000株	−	10,000株
乙山五郎	知　人		1,000株	−	1,000株
丙川六郎	知　人		500株	−	500株
計			20,000株	20,000株	40,000株

〔書式46〕

第１表の１　評価上の株主の判定及び会社規模の判定の明細書

整理番号　○○○○○○

（取引相場のない株式（出資）の評価明細書）

会社名	（電話3242－××××）甲野産業株式会社	本店の所在地	東京都中央区○○3－4－5		
代表者氏名	甲野一郎	事業内容	取扱品目及び製造、卸売、小売等の区分	業種目番号	取引金額の構成比
課税時期	令和○年6月30日		電気機械器具卸売業	76	100％
直前期	自△△年4月1日 至○○年3月31日				

1．株主及び評価方式の判定

判定要素（課税時期現在の株式等の所有状況）

氏名又は名称	続柄	会社における役職名	㋑株式数（株式の種類）	㋺議決権数	㋩議決権割合（㋺/④）
			株	個	％
甲野花子	納税義務者	－	11,000	11,000	27
甲野一郎	〃（長男）	代表取締役社長	14,000	14,000	35
乙野和子	〃（長女）	－	3,500	3,500	8
甲野次郎	弟	専務取締役	10,000	10,000	25
自己株式					
納税義務者の属する同族関係者グループの議決権の合計数				② 38,500	⑤（②/④） 96
筆頭株主グループの議決権の合計数				③ 38,500	⑥（③/④） 96
評価会社の発行済株式又は議決権の総数			① 40,000	④ 40,000	100

判定基準

納税義務者の属する同族関係者グループの議決権割合（⑤の割合）を基として、区分します。

区分	筆頭株主グループの議決権割合（⑥の割合）50%超の場合	30%以上50%以下の場合	30%未満の場合	株主の区分
⑤の割合	(50%超)	30%以上	15%以上	同族株主等
	50%未満	30%未満	15%未満	同族株主等以外の株主

判定	(同族株主等（原則的評価方式等）)	同族株主等以外の株主（配当還元方式）

「同族株主等」に該当する納税義務者のうち、議決権割合（㋩の割合）が5%未満の者の評価方式は、「2. 少数株式所有者の評価方式の判定」欄により判定します。

2．少数株式所有者の評価方式の判定

判定要素

項目	判定内容
氏名	
㋥役員	である〔原則的評価方式等〕・でない（次の㋭へ）
㋭納税義務者が中心的な同族株主	である〔原則的評価方式等〕・でない（次の㋬へ）
㋬納税義務者以外に中心的な同族株主（又は株主）	がいる（配当還元方式）・がいない〔原則的評価方式等〕 （氏名　　　）
判定	原則的評価方式等・配当還元方式

（注）前ページの評価明細書の「㋑株式数（株式の種類）」の各欄は、相続等による取得後の株式数を記載しますが、評価会社が普通株式のみを発行している場合は、株式の種類は記載を要しません。

また、「㋺議決権数」の各欄には、各株式数に応じた議決権数（個）を記載し、「㋩議決権割合（㋺／④）」の各欄には、議決権の総数（④欄の議決権の総数）に占める議決権数（それぞれの株主の㋺欄の議決権数）の割合を１％未満の端数を切り捨てて記載します。

なお、「納税義務者の属する同族関係者グループの議決権の合計数」欄と、「筆頭株主グループの議決権の合計数」欄も、各欄において１％未満の端数を切り捨てて記載しますが、これらの割合が50％超から51％未満までの範囲内にある場合には、１％未満の端数を切り上げて「51％」と記載します。

(4)　株式が未分割の場合の株主区分の判定

ところで、株主の区分判定は、相続や贈与による取得後の議決権割合で行うのですが、相続の場合は、相続税の申告期限までに株式を含めた被相続人の遺産が共同相続人間で分割されていないこともあります。

株式が未分割の場合、原則的評価によるか特例的評価を適用してよいかの判定方法が問題になりますが、課税実務では、相続税の納税義務者が未分割である株式の全部を取得したものとして議決権割合を算定し、株主の区分判定を行うこととされています。

したがって、298ページの設例における株式が未分割であるとすると、次のようになるわけです。

・被相続人（甲野太郎）の有する議決権数（未分割の株式数）20,000個

・共同相続人の有する相続開始直前の議決権数（所有株式数）

　　妻　（甲野花子）……………………………………………………3,000個

　　長男（甲野一郎）……………………………………………………4,000個

　　長女（乙野和子）……………………………………………………1,500個

・評価会社の議決権総数 ……………………………………………40,000個

［株主の区分上の議決権割合の算定］

妻………　$\dfrac{3{,}000\text{個}+20{,}000\text{個}}{40{,}000\text{個}}=57\%$

長男……　$\dfrac{4{,}000\text{個}+20{,}000\text{個}}{40{,}000\text{個}}=60\%$

長女……　$\dfrac{1{,}500\text{個}+20{,}000\text{個}}{40{,}000\text{個}}=53\%$

この算定方法は、議決権割合の合計が100％を超えるという意味ではなく、それぞれの納税義務者の議決権割合をどのように計算し、評価方法の適用関係を判定するかということです。

要するに、上例の場合、妻の株主区分上の議決権割合は57％（この場合は、長男と長女

は相続による取得株式はゼロと考えます）とし、長男について判定するときは60％（この場合は、妻と長女の取得はないものと考えます）とするということです。

なお、相続財産が未分割の場合の相続税の課税価格や相続税額は、その未分割財産を共同相続人が法定相続分に従って取得したものとして計算することとされていますが（相法55、449ページ）、株主区分の判定上は、これとは異なる取扱いをしています。

（注）株式が未分割である場合の299ページの評価明細書は、「1．株主及び評価方法の判定」における「㋑株式数（株式の種類）」の欄に、その納税義務者が従前から有していた株式数を記載し、その上部に、㊍と表示して未分割の全株式数を外書で記載します。

また、この場合の「㋺議決権数」の欄には、納税義務者が従前から有していた株式数と未分割の全株式数を合計した数に応じた議決権数を記載します。

なお、「納税義務者の属する同族関係者グループの議決権の合計数」欄には、納税義務者の属する同族関係者グループが有する実際の議決権数を未分割の株式に応じた議決権数を含めて記載します。

なお、評価会社が自己株式を所有している場合は、その自己株式に係る議決権の数はゼロとして計算した議決権総数を基に「同族株主」や「中心的な同族株主」の判定を行うこととされています（評基通188－3）。評価明細書では、「㋑株式数（株式の種類）」の「自己株式」欄にその数を記載します。

（注）評価会社が自己株式を有する場合には、株式評価上の次の「発行済株式数」からは、その自己株式の数を除くこととされています。それぞれの項で説明しますが、自己株式を有する場合には注意を要します。

① 類似業種比準価額の計算において、「1株当たりの資本金等の額を50円とした場合の株式数」を計算する場合の発行済株式数

② 類似業種比準価額方式の比準要素の計算において、「1株当たりの配当金額」、「1株当たりの利益金額」及び「1株当たりの純資産価額」を計算する場合の発行済株式数

③ 純資産価額方式において、1株当たりの純資産価額を計算する場合の発行済株式数

3. 一般の評価会社の会社規模の区分

⑴ 一般の評価会社の株式評価方法

株式を取得した者の評価方法を上記により判定し、いわゆる特例的評価方式が適用される場合は、「配当還元方式」で評価すれば、課税上の株価は確定します。

一方、株主の区分判定で原則的評価方式が適用されることとなった場合は、評価会社が「一般の評価会社」であるか「特定の評価会社」であるかの判定をしなければなりませんが、特定の評価会社の意義や種類については後述（331ページ）することとします。

ここで、評価会社が一般の評価会社であるとして、その場合の原則的評価方式を要約すると、次図のようになります。

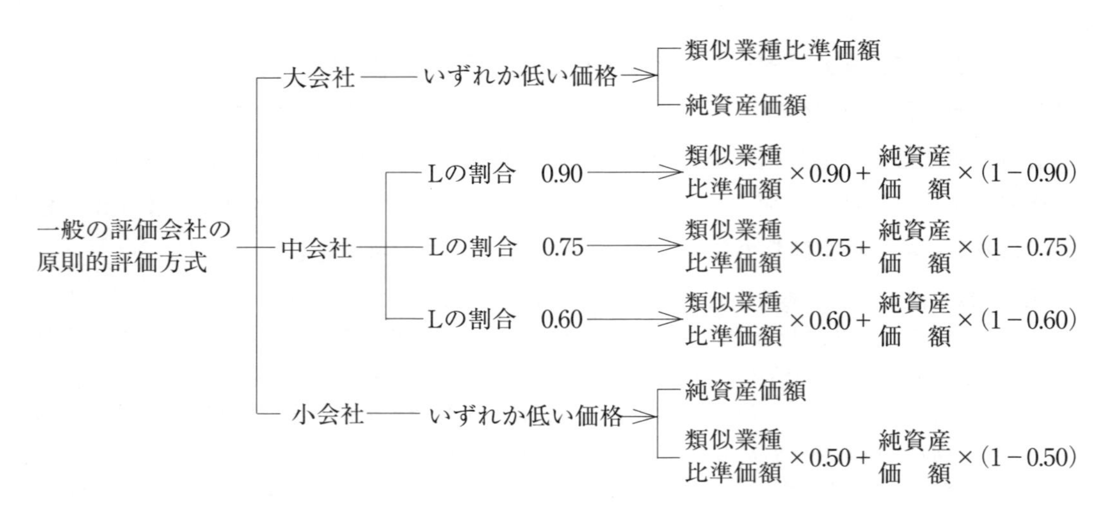

（注1） 非上場株式の価額は、純資産価額方式による評価額が上限になりますから、類似業種比準方式による株価が純資産価額方式による株価を上回る場合は、上記の算式の適用上、類似業種比準価額は純資産価額に置き代えられます。

（注2） 株式を取得した者及びその同族関係者の議決権割合が50％以下の場合の純資産価額には、20％の評価減が適用されますが（評基通185ただし書）、**（注1）**により純資産価額を類似業種比準価額に置き代えるときの純資産価額には20％の評価減は適用されません。

したがって、大会社の株式評価で純資産価額によるときは、20％評価減前の価額になります。また、中会社と小会社の「併用方式」によるときの純資産価額も同様です。たとえば、

類似業種比準価額	1,200円
純資産価額（20％評価減前）	1,000円

で、20％評価減のある小会社の場合は、

①　純資産価額……1,000円×（1－20％）＝800円

②　併用方式による価額……1,000円×0.5＋800円×0.5＝900円

となり、この場合はいずれか低い価格（800円）が評価額になります。

⑵　会社規模の判定基準

一般の評価会社の原則的評価方式では、上記のとおり評価会社について大会社、中会社、小会社の区分が行われ、また、中会社では類似業種比準価額と純資産価額との併用割合（Lの割合）が３区分となっています。要するに、評価会社をその規模に応じて５つに区分することになります。

現行の財産評価基本通達は、会社規模を次の基準で判定することとしています。

①　直前期末以前１年間の従業員数

②　直前期末における総資産価額（帳簿価額によって計算した金額）

③　直前期末以前１年間の取引金額

評価会社の規模の判定におけるこれらの基準について、その取扱いをまとめると、次図のとおりです（評基通178、179⑵）。

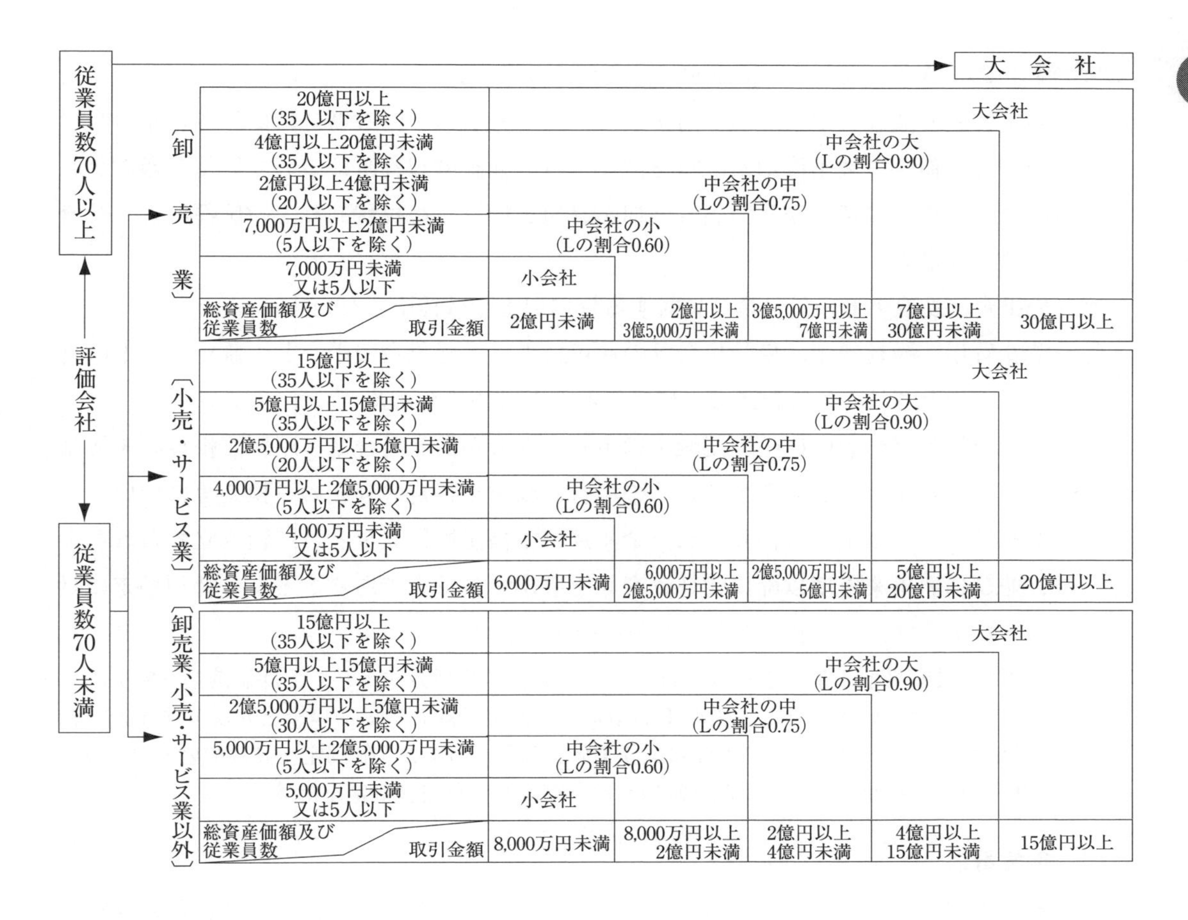

この基準によると、評価会社の従業員数が70人以上であれば、総資産価額や取引金額に関係なく「大会社」となりますが、従業員数が70人未満の場合は、総資産価額と取引金額が会社規模の判定に加わります。

この場合、総資産価額と従業員数はいずれの基準も満たさないとその会社規模になりません。したがって、卸売業では総資産価額が20億円以上で、なおかつ従業員数が35人超でないと大会社にはなりません。

ただし、取引金額基準は、それぞれの基準数値に該当すれば、その規模の会社となります。したがって、総資産価額及び従業員数基準では「小会社」でも、取引金額基準で「中会社」であれば、中会社と判定されます。

(3) 総資産価額、従業員数、取引金額の算定方法

上記の会社規模の判定上の取引金額は、直前期末以前１年間の収入金額（売上高）ですが、総資産価額と従業員数の算定方法は、それぞれ次のように取り扱われています。

① 総資産価額

総資産価額は、課税時期からみた直前期末現在の評価会社の各資産の帳簿価額の合計額によります。したがって、通常は、前期末の貸借対照表における資産の部の合計額となる

わけです。この場合、次の点に留意する必要があります。

㋑　固定資産の減価償却累計額を間接法によって表示している場合には、各資産の帳簿価額の合計額から減価償却累計額を控除する（減価償却資産について償却超過額がある場合は、その資産の帳簿価額に償却超過額を加算した税務計算上の価額により総資産価額を算定する）。

㋺　売掛金、受取手形、貸付金等に対する貸倒引当金は控除しない。

㋩　前払費用、繰延資産、税効果会計の適用による繰延税金資産など、確定決算上の資産として計上されている資産は、帳簿価額の合計額に含める。

㋥　評価会社の資産の中に圧縮記帳を適用したものがある場合は、圧縮記帳後の帳簿価額により総資産価額を算定する。この場合、収用や特定の資産の買換え等について、圧縮記帳引当金勘定等に繰り入れた金額及び圧縮記帳積立金として積み立てられた金額、並びに翌事業年度以降に代替資産等を取得する予定であることから特別勘定に繰り入れた金額は、帳簿価額の合計額から控除しない。

（注） 評価会社が受取手形の割引きを行っている場合の経理方法として、評価勘定（割引手形勘定）を設けている場合と、受取手形勘定から直接控除している場合とがありますが、総資産価額の算定上は、後者の方法によります。したがって、評価勘定を設けている場合は、帳簿価額の合計額から割引手形勘定の金額を控除して総資産価額を計算します。

②　従業員数

会社規模の判定にあたって、実務上やや煩瑣になると思われるのは、従業員数の算定です。まず、従業員の範囲について、従業員とは、勤務時間の長短あるいは常時使用される者であるか否かにかかわらず、会社に使用される者で賃金が支払われる者をいいます（労働基準法9）が、評価会社の役員は、従業員には含まれません。

この場合の役員とは、「株主の区分」（294ページ）における役員と同じで、次の者をいいますが、法人税法上のいわゆる「使用人兼務役員」と「みなし役員」は、従業員に含まれます（評基通178⑵、（注））。

㋑　社長、理事長

㋺　代表取締役、代表執行役、代表理事及び清算人

㋩　副社長、専務、常務その他これらに準ずる職制上の地位を有する役員

㋥　取締役（委員会設置会社の取締役に限る）、会計参与、監査役及び監事

次に、従業員数は、課税時期の直前期末以前１年間における評価会社の従業員の勤務状況によって判定することとされ、具体的には、次の算式により求めることになります（評基通178⑵）。

$$\text{従業員数} = \text{継続勤務従業員の数} + \frac{\text{継続勤務従業員以外の従業員の労働時間の合計時間数}}{1{,}800\text{時間}}$$

この場合の継続勤務従業員とは、課税時期の直前期末以前１年間を通じて継続して評価

会社に勤務していた従業員で、就業規則等で定められた１週間当たりの労働時間が30時間以上である者をいいます。

したがって、一般にいわれる正社員という意味ではなく、直前期末以前１年間のうちに中途入退社した者は、定時社員（いわゆるパートタイマー）などとともに従業員数１としてカウントされず、継続勤務従業員以外の従業員とされます。

なお、上記の算式によって従業員数を求め、たとえば5.1人となる場合は従業員数「５人超」に、また、4.9人となる場合は従業員数「５人以下」に該当することになります。

⑷ 会社規模の判定と評価明細書の作成方法

会社規模の判定方法は以上のとおりですが、株式の評価明細書では、「第１表の２　評価上の株主の判定及び会社規模の判定の明細書（続）」に記載し、申告書に添付します。次の設例で記載方法を示すと、〔書式47〕（次ページ）のとおりです。

＜設　例＞

⑴　評価会社の事業内容　　　電気機械器具の卸売業
⑵　前期末の総資産価額（帳簿価額）　313,027千円
⑶　前期末以前１年間の従業員数等
　継続勤務従業員数　16人
　継続勤務従業員以外の従業員の労働時間の合計時間数　5,362時間
⑷　前期末以前１年間の総売上高　682,964千円

4. 類似業種比準方式による評価

⑴ 類似業種比準価額の計算式

非上場株式の価額の具体的な算定方法について、まず、類似業種比準方式からみてみましょう。株価の計算式は、次のとおりです（評基通180）。

$$１株当たりの類似業種比準価額 = A \times \left(\frac{\frac{Ⓑ}{B} + \frac{Ⓒ}{C} + \frac{Ⓓ}{D}}{3} \right) \times 斟酌率$$

①　算式における符号は、それぞれ次による。
　A＝類似業種の株価
　B＝課税時期の属する年の類似業種の１株当たりの配当金額
　C＝課税時期の属する年の類似業種の１株当たりの年利益金額
　D＝課税時期の属する年の類似業種の１株当たりの純資産価額（帳簿価額によって計算した金額）

（取引相場のない株式（出資）の評価明細書）

〔書式47〕

第１表の２　評価上の株主の判定及び会社規模の判定の明細書（続）

会社名

３．会社の規模（Ｌの割合）の判定

	項目	金額	項目	人数
判定要素	直前期末の総資産価額（帳簿価額）	313,027 千円	直前期末以前１年間における従業員数	18.9 人 〔従業員数の内訳〕 〔継続勤務従業員数〕〔継続勤務従業員以外の従業員の労働時間の合計時間数〕 （16 人）＋（5,362 時間）／1,800時間
	直前期末以前１年間の取引金額	682,964 千円		

	㋣ 直前期末以前１年間における従業員数に応ずる区分	
判定基準		70人以上の会社は、大会社（㋠及び㋷は不要）
		70人未満の会社は、㋠及び㋷により判定

㋠ 直前期末の総資産価額（帳簿価額）及び直前期末以前１年間における従業員数に応ずる区分／㋷ 直前期末以前１年間の取引金額に応ずる区分

総資産価額（帳簿価額）卸売業	総資産価額 小売・サービス業	総資産価額 卸売業、小売・サービス業以外	従業員数	取引金額 卸売業	取引金額 小売・サービス業	取引金額 卸売業、小売・サービス業以外	会社規模とＬの割合（中会社）の区分
20億円以上	15億円以上	15億円以上	35 人 超	30億円以上	20億円以上	15億円以上	大会社
４億円以上 20億円未満	５億円以上 15億円未満	５億円以上 15億円未満	35 人 超	７億円以上 30億円未満	５億円以上 20億円未満	４億円以上 15億円未満	中会社 0.90
(２億円以上 ４億円未満)	2億5,000万円以上 ５億円未満	2億5,000万円以上 ５億円未満	20 人 超 35 人 以 下	(3億5,000万円以上 ７億円未満)	2億5,000万円以上 ５億円未満	２億円以上 ４億円未満	中会社 (0.75)
7,000万円以上 ２億円未満	4,000万円以上 2億5,000万円未満	5,000万円以上 2億5,000万円未満	(５ 人 超 20 人 以 下)	２億円以上 3億5,000万円未満	6,000万円以上 2億5,000万円未満	8,000万円以上 ２億円未満	中会社 0.60
7,000万円未満	4,000万円未満	5,000万円未満	５ 人 以 下	２億円未満	6,000万円未満	8,000万円未満	小会社

・「会社規模とＬの割合（中会社）の区分」欄は、㋠欄の区分（「総資産価額（帳簿価額）」と「従業員数」とのいずれか下位の区分）と㋷欄（取引金額）の区分とのいずれか上位の区分により判定します。

判定	大会社	中会社 Ｌの割合			小会社
		0.90	(0.75)	0.60	

４．増（減）資の状況その他評価上の参考事項

Ⓑ＝評価会社の１株当たりの配当金額
Ⓒ＝評価会社の１株当たりの利益金額
Ⓓ＝評価会社の１株当たりの純資産価額（帳簿価額によって計算した金額）

② 算式中の「斟酌率」は、次による。
大会社……0.7
中会社……0.6
小会社……0.5

この評価計算式における類似業種の「A」（株価）、「B」（配当金額）、「C」（利益金額）及び「D」（簿価純資産価額）は、国税庁が公表する「類似業種比準価額計算上の業種目及び業種目別株価等（令和○年分）」通達により求められます。

なお、国税庁の通達で公表される株価等は、１株当たりの資本金等の額を50円とした場合の価額です。また、評価会社の配当等の比準数値は、後述のように１株当たりの資本金等の額を50円とした場合の金額を算出することとされています。

したがって、評価会社の資本金等の額を発行済株式数で除した金額が50円以外の場合は、その金額に換算する必要が生じます。たとえば、評価会社の１株当たりの資本金等の額が500円のときは、

$$A \times \left(\frac{\frac{Ⓑ}{B} + \frac{Ⓒ}{C} + \frac{Ⓓ}{D}}{3} \right) \times 斟酌率 \times \frac{500円}{50円}$$

として、１株当たりの評価額とするわけです。

（注１）上記の「資本金等の額」とは、法人税法第２条第16号に規定する資本金等の額をいい、具体的には法人税申告書別表五（一）の「資本金等の額の計算に関する明細書」欄の金額となります。

（注２）上記の「発行済株式数」について、評価会社が自己株式を有する場合には、その自己株式の数を控除した株式数によります。

⑵ 類似業種の業種目の選定

国税庁の株価通達では、「業種目」は、「大分類」、「中分類」及び「小分類」により番号１（建設業）から番号113（その他の産業）までとなっています。類似業種比準方式による株価の算定に際しては、評価会社がいずれの業種目番号に該当するかの判別をしなければなりません。その判定が困難なときは、日本標準産業分類などを参考にしてください。

ところで、評価会社が２以上の業種目に該当する事業を行っている場合には、50％超の売上に係る業種目とします。ただし、一つの業種目で50％超の売上がないときは、

$$業種目別の割合 = \frac{業種目別の取引金額}{全体の取引金額}$$

により、業種目を判定することとされています（評基通181－２）。この取扱いをまとめる

と、次のとおりです。

<table>
<tr><th colspan="2">区　　分</th><th>業種目の判定</th></tr>
<tr><td colspan="2">業種目別の割合が50%を超える業種目がある場合</td><td>その50%を超える業種目</td></tr>
<tr><td rowspan="5">業種目別の割合が50%を超える業種目がない場合</td><td>①　評価会社の事業が一つの中分類の業種目中の２以上の類似する小分類の業種目に属し、それらの業種目別の割合の合計が50%を超える場合</td><td>その中分類の中にある類似する小分類の「その他の○○業」
⇒下記の<設例１></td></tr>
<tr><td>②　評価会社の事業が一つの中分類の業種目中の２以上の類似しない小分類の業種目に属し、それらの業種目別の割合の合計が50%を超える場合</td><td>その中分類の業種目
⇒下記の<設例２></td></tr>
<tr><td>③　評価会社の事業が一つの大分類の業種目中の２以上の類似する中分類の業種目に属し、それらの業種目別の割合の合計が50%を超える場合</td><td>その大分類の中にある類似する中分類の「その他の○○業」
⇒下記の<設例３></td></tr>
<tr><td>④　評価会社の事業が一つの大分類の業種目中の２以上の類似しない中分類の業種目に属し、それらの業種目別の割合の合計が50%を超える場合</td><td>その大分類の業種目
⇒下記の<設例４></td></tr>
<tr><td>⑤　上記のいずれにも該当しない場合</td><td>大分類の業種目の中の「その他の産業」　⇒下記の<設例５></td></tr>
</table>

この取扱いのうち、①から⑤について、設例で示すと次のとおりですが、設例において「……業種目中の２以上の類似する……」又は「……業種目中の２以上の類似しない……」という場合の「類似」とは、業種目の分類における「その他の○○業」までの業種目のうちに２以上が含まれていれば、「類似する」という意味です。たとえば、次ページ<設例３>の「プラスチック製品製造業」と「ゴム製品製造業」は「類似する」業種目ですが、これらと「その他の製造業」は「類似しない」業種目になります。

<設例１>

評価会社の事業が一つの中分類の業種目中の２以上の類似する小分類の業種目に属し、それらの業種目別の割合の合計が50%を超える場合⟶その中分類の中にある類似する小分類の「その他の○○業」

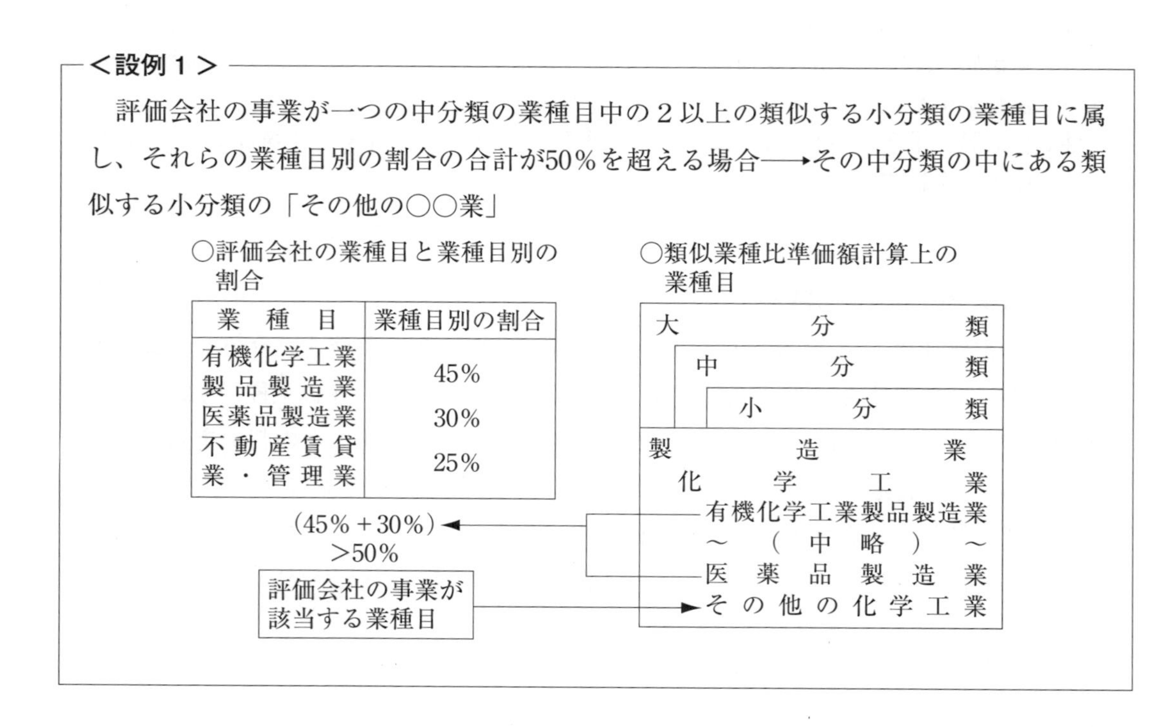

＜設例２＞

評価会社の事業が一つの中分類の業種目中の２以上の類似しない小分類の業種目に属し、それらの業種目別の割合の合計が50％を超える場合──→その中分類の業種目

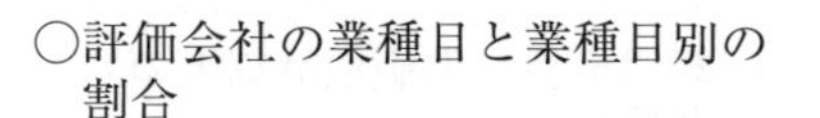
○評価会社の業種目と業種目別の割合

業　種　目	業種目別の割合
ソフトウェア業	45％
情報処理・提供サービス業	35％
娯　楽　業	20％

（45％＋35％）＞50％

評価会社の事業が該当する業種目

○類似業種比準価額計算上の業種目

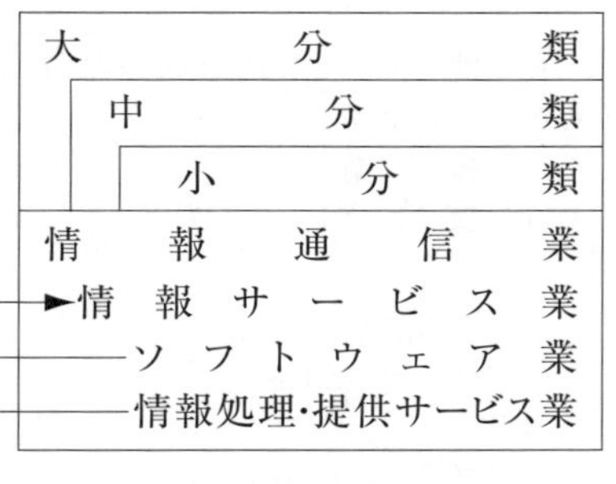

＜設例３＞

評価会社の事業が一つの大分類の業種目中の２以上の類似する中分類の業種目に属し、それらの業種目別の割合の合計が50％を超える場合──→その大分類の中にある類似する中分類の「その他の○○業」

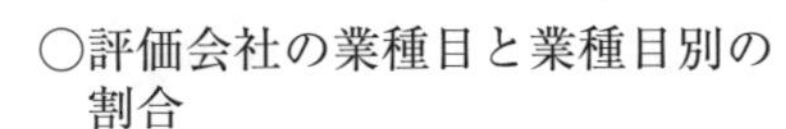
○評価会社の業種目と業種目別の割合

業　種　目	業種目別の割合
プラスチック製品製造業	45％
ゴム製品製造業	35％
不動産賃貸業・管理業	20％

（45％＋35％）＞50％

評価会社の事業が該当する業種目

○類似業種比準価額計算上の業種目

大　分　類
中　分　類
小　分　類
製　造　業
～（中略）～
プラスチック製品製造業
ゴム製品製造業
～（中略）～
その他の製造業

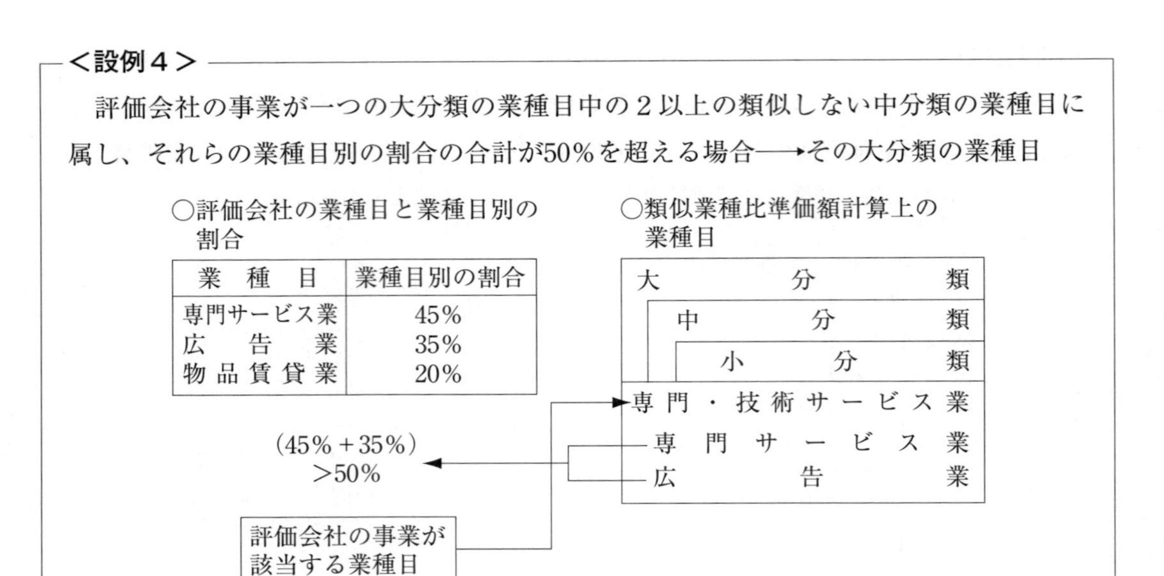
＜設例４＞
評価会社の事業が一つの大分類の業種目中の２以上の類似しない中分類の業種目に属し、それらの業種目別の割合の合計が50％を超える場合──→その大分類の業種目
○評価会社の業種目と業種目別の割合
業種目
業種目別の割合
専門サービス業 45％
広告業 35％
物品賃貸業 20％
○類似業種比準価額計算上の業種目
大分類
中分類
小分類
専門・技術サービス業
専門サービス業
広告業
（45％＋35％）＞50％
評価会社の事業が該当する業種目

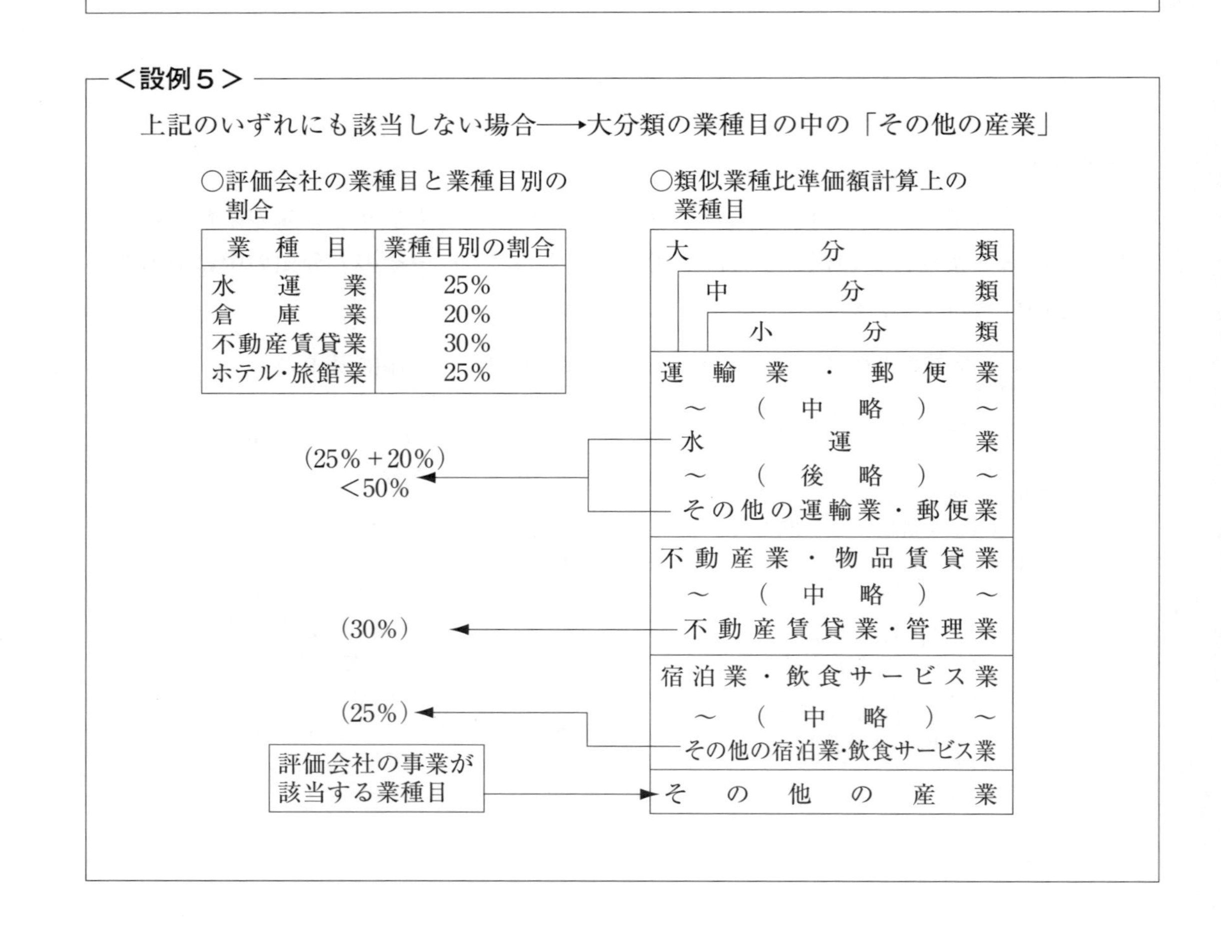
＜設例５＞
上記のいずれにも該当しない場合──→大分類の業種目の中の「その他の産業」
○評価会社の業種目と業種目別の割合
業種目
業種目別の割合
水運業 25％
倉庫業 20％
不動産賃貸業 30％
ホテル・旅館業 25％
○類似業種比準価額計算上の業種目
大分類
中分類
小分類
運輸業・郵便業
～（中略）～
水運業
～（後略）～
その他の運輸業・郵便業
（25％＋20％）＜50％
不動産業・物品賃貸業
～（中略）～
不動産賃貸業・管理業
（30％）
宿泊業・飲食サービス業
～（中略）～
その他の宿泊業・飲食サービス業
（25％）
評価会社の事業が該当する業種目
その他の産業

なお、国税庁の株価通達で小分類まで区分されている場合は、小分類の業種目として算出した株価と中分類の業種目番号による株価を算出し、いずれか低い価格を選択できます。また、中分類まで区分されている業種目については、大分類による株価との選択が可能です（評基通181）。

業種目の区分の状況	類　似　業　種
小分類まで区分されている業種目	小分類の業種目とその業種目の属する中分類の業種目とのいずれかを選択
中分類まで区分されている業種目（小分類のない業種目）	中分類の業種目とその業種目の属する大分類の業種目とのいずれかを選択
大分類のみの業種目	大分類の業種目

⑶　類似業種の株価の選択

類似業種比準価額計算上の類似業種の株価、すなわち、計算式における「A」の金額は、課税時期の属する月以前３か月間の各月の類似業種の株価のうち最も低いものとします。ただし、納税義務者の選択により、類似業種の前年平均株価によることもできます（評基通182）。

要するに、次に示すように、５つの「A」のうちから、最も低い金額を選択することができるわけです。

類似業種の株価「A」＝最も低い価額
- ①　課税時期の属する月の「A」
- ②　課税時期の属する月の前月の「A」
- ③　課税時期の属する月の前々月の「A」
- ④　前年の平均による「A」
- ⑤　課税時期の属する月以前２年間の平均による「A」

なお、国税庁通達の「B」、「C」及び「D」は１年間変わりませんから、課税時期の年分のものを適用します。

⑷　評価会社の比準要素の計算――Ⓑの計算

次に、Ⓑ、Ⓒ及びⒹの金額は、評価会社の実績値ですから、実際の評価にあたっては、それぞれの金額を計算しなければなりません。

まず、「１株当たりの配当金額」であるⒷは、評価会社の直前期末以前２年間の平均配当金額を、直前期末における発行済株式数で除して計算した金額とします（評基通183⑴）。

$$\frac{\text{直前期末以前２年間の配当金額}}{2}\div\text{発行済株式数（資本金等の額÷50円による数）}$$

これを計算例で示すと、次のとおりです。

＜設　例＞

(1) 課税時期　令和○年7月8日

(2) 評価会社の資本金等

直前期末（令和○．3．31）の資本金等の額……………………………5,000万円

直前期末における発行済株式数………………………………………………10万株

(3) 評価会社の直前期末以前2年間の配当金額

直前期	（自　令和△．4．1 至　令和○．3．31）	600万円
直前期の前期	（自　令和×．4．1 至　令和△．3．31）	700万円(注)

（注）内訳（普通配当　500万円
会社創立20周年記念配当　200万円）

《Ⓑの計算》

① 直前期末以前2年間の平均配当金額

(600万円（直前期）＋500万円（直前期の前期））÷2＝550万円

（注）記念配当200万円は、非経常的なものですから除きます。

② 1株当たりの資本金等の額を50円とした場合の発行済株式数

5,000万円÷50円＝100万株

③ 1株当たりの配当金額……Ⓑ

550万円÷100万株＝5円50銭（10銭未満の端数が生じた場合は切り捨てる）

（注1）会社法では、株主総会の決議があれば、いつでも剰余金の配当をすることが可能とされ、その回数にも制限がありません（会社法453、454)。このため、1株当たりの配当金額は、直前期以前2年間のうちに配当金交付の効力が生じた配当の全てを基に計算します。

（注2）1株当たりの配当金額の計算は、いわゆる利益の配当のみを対象として行い、「その他資本剰余金」を原資とする配当は除いて計算します（評基通183(注)1)。

（注3）1株当たりの配当金額の計算における「発行済株式数」には、評価会社が自己株式を有する場合のその自己株式の数は含まれません（1株当たりの利益金額及び1株当たりの純資産価額を計算する場合の発行済株式数も同様です)。

(5) 評価会社の比準要素の計算——Ⓒの計算

評価要素の2番目は、Ⓒ、すなわち、利益金額の算定ですが、評価会社の決算上の利益ではなく、法人税の課税所得金額を基にして計算することとされています。

Ⓒの計算方法を算式で示すと、次のようになります（評基通183⑵）。

$$\frac{\text{法人税の課税所得金額} + \text{所得の計算上益金の額に算入されなかった剰余金の配当等の金額（所得税額に相当する金額を除く。）} + \text{損金算入された繰越欠損金の控除額}}{\text{発行済株式数（資本金等の額} \div 50\text{円による数）}}$$

（注）この算式における「剰余金の配当」には、その他資本剰余金を原資とする配当（資本の払戻しに該当するもの）は含まれません（評基通183⑵カッコ書）。

なお、算式中の配当等に係る「所得税額に相当する金額」は、その配当等について実際に源泉徴収された税額であり、益金不算入額とは関係しません。たとえば、受取配当等の額が100万円（源泉徴収された所得税額は204,200円）で、そのうち益金不算入となった配当の額が60万円の場合の分子の金額は、60万円－204,200円＝395,800円となります。

この場合、課税所得金額のうちに、固定資産売却益や保険差益などの非経常的な利益が含まれているときは、これらの金額は利益の金額から除いてよいこととされています。非経常的な利益があるか否かは、決算書の「特別損益の部」により確認することになります。

（注）評価通達では、「非経常的な利益の金額を除く」としているだけで、「非経常的な損失」についてはふれていませんが、非経常的な損失がある場合は、非経常的な利益の金額からその損失の金額を控除することとされています。また、非経常的な損失の金額を控除してマイナス（負数）となる場合は、非経常的な利益の金額はゼロとします。

なお、上記の算式中の分子の金額が負数となる場合、つまり欠損となる場合は、１株当たりの年利益金額Ⓒは、ゼロとされます。

ところで、Ⓒの計算における利益金額は、評価会社の直前期末以前１年間における課税所得金額が基になりますが、納税義務者が直前期末以前２年間の利益金額の平均額によってこれを計算しているときは、その方法を選択することもできることとされています（評基通183⑵ただし書）。したがって、次のようになります。

$$\text{１株当たりの年利益金額の基となる金額} = \text{いずれか低い金額}\begin{cases} ①\quad \text{直前期の課税所得等の金額} \\ ②\quad \left(\text{直前期の課税所得等の金額＋直前期の前期の課税所得等の金額}\right) \div 2 \end{cases}$$

要するに、直前期の課税所得等の金額と直前期の前期の課税所得等の金額とを比較し、後者の金額が前者の金額を上回る場合は①によることが有利であり、その逆の場合は②によって１株当たりの年利益金額を算定する方が有利になるということです。

＜設　例＞

⑴　課税時期　令和○年７月８日

⑵　評価会社の資本金等

　　直前期末の資本金等の額……………………………………………5,000万円

発行済株式数……………………………………………………………………10万株

（１株当たりの資本金等の額を50円とした場合の発行済株式数　100万株）

(3)　直前期末以前２年間の法人税の課税所得金額等

	直　前　期 （自令和△．４．１ 至令和○．３．31）	直前期の前期 （自令和×．４．１ 至令和△．３．31）
法人税の課税所得金額	29,764,826円	21,286,613円
上記のうち非経常的な利益金額	4,254,500円	0円
受取配当等の益金不算入額	826,350円	763,480円
配当金についての所得税額	200,000円	160,000円
損金算入した繰越欠損金の控除額	0円	3,265,484円

《Ⓒの計算》

①　直前期の利益金額

29,764千円－4,254千円＋（826千円－200千円）＝26,136千円

(注) 課税所得金額等の金額の1,000円未満の端数は切り捨てて計算します。

②　直前期の前期の利益金額及び直前期との平均額

21,286千円＋（763千円－160千円）＋3,265千円＝25,154千円

（26,136千円＋25,154千円）÷２＝25,645千円

③　１株当たりの利益金額……Ⓒ

（直前期末１年間の利益金額より直前期末以前２年間の平均利益の方が下回るので、２年間の平均額を基としてⒸを計算する。）

$$\frac{25{,}645千円}{100万株}＝25円$$ （１円未満の端数は切捨て）

(6)　評価会社の比準要素の計算――Ⓓの計算

評価要素の計算の最後はⒹ、すなわち１株当たりの純資産価額（帳簿価額によって計算した金額）です。具体的な計算式を示すと、次のとおりです（評基通183(3)）。

$$\frac{資本金等の額＋法人税法に規定する利益積立金額}{発行済株式数（資本金等の額÷50円による数）}$$

この算式における分子の「法人税法に規定する利益積立金額」とは、直前期の法人税の申告書別表五(一)「利益積立金額及び資本金等の額の計算に関する明細書」の「差引翌期首現在利益積立金額の差引合計額」（別表五(一)の④の31の金額）に相当する金額をいいます（評基通183(3)カッコ書）。

なお、この利益積立金相当額がマイナスの場合は、そのマイナス金額は、資本金等の額から控除しますが、その控除後の金額がまだマイナスとなるときは、１株当たりの純資産

価額Ⓓは、ゼロとします（評基通183⑶(注) 2 ）。

＜設　例＞

⑴　課税時期　令和○年７月８日
⑵　評価会社の資本金等
　　直前期末の資本金等の額……………………………………………………………5,000万円
　　発行済株式数………………………………………………………………………………10万株
　　（１株当たりの資本金等の額を50円とした場合の発行済株式数　100万株）
⑶　直前期末における利益積立金額
　　直前期（自　令和△．４．１　至　令和○．３．31）
　　利益積立金額…………………………………………………………………124,726,310円

《Ⓓの計算》

①　直前期末における純資産価額

（資本金等の額）50,000千円 ＋ （利益積立金額）124,726千円＝174,726千円

（注） 計算項目に1,000円未満の端数があるときは切り捨てます。

②　１株当たりの純資産価額……Ⓓ

$$\frac{174,726千円}{100万株}=174円$$（１円未満の端数は切捨て）

⑺　類似業種比準価額の修正

類似業種比準価額の計算方法は以上のとおりですが、これによって計算された価額について、一定の方式により修正が必要になる場合があります。修正を要するのは、課税時期前に配当金の効力が生じた場合と増資が行われた場合です。

まず、直前期末の翌日から課税時期までの間に配当金交付の効力が発生した場合は、次の算式によって修正した金額をもって類似業種比準価額とします（評基通184⑴）。

類似業種比準価額の計算式によって計算した金額 － 株式１株に対して受けた配当の金額

要するに、類似業種比準価額から、配当金を控除した価額を株価とする、という意味ですが、これは株式と配当金との二重課税を調整するものです。

直前期末の翌日から課税時期までの間に配当金交付の効力が発生した場合とは、株主総会において配当金の支払決議が行われた後に相続が開始した場合ということです。この修正が行われるケースを図で表すと、次のようになります。

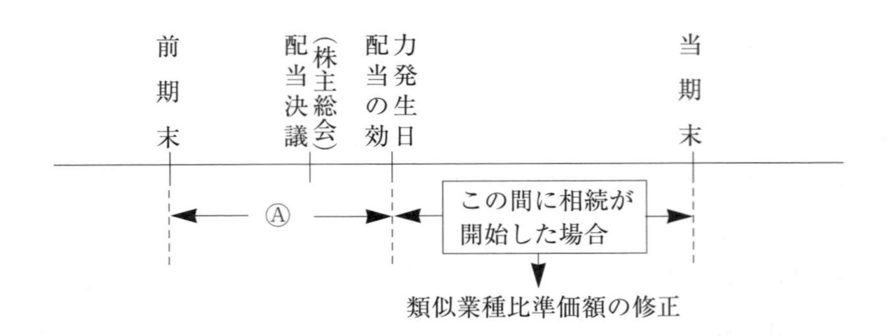

類似業種比準価額は、課税時期現在ではなく、直前期末現在の配当、利益、純資産価額を基にして計算されます。このため、その価額は、いわゆる配当含みの状態で算出されています。

一方、配当金交付の効力が生じた日以後に相続が開始した場合には、その配当金は現金（配当金が未払いであれば未収配当金）として課税財産を構成します。

したがって、類似業種比準価額の修正をしないと配当金相当額が株価に含まれていながら、別途に現金（又は未収配当金）としても課税されることになり、結果的に二重課税となってしまいます。

そこで、類似業種比準価額を配当落の金額に修正することとしているわけです。計算式そのものは極めて簡明で、たとえば、

　１株当たりの類似業種比準価額（修正前）　2,000円
　１株当たりの配当金　100円

とすれば、類似業種比準価額は、

　2,000円－100円＝1,900円

に修正されます。この場合、配当金100円は別途に課税対象になることはいうまでもありません。

(注) 課税時期が配当金支払の基準日の翌日から配当金支払の効力が発生する日までの間にある場合（前図のⒶの間に相続等があった場合）も、配当落後の株価に修正されます。
　ただし、この場合は、「配当期待権」が発生している株式として、価額修正後の株式と「配当期待権」が課税財産を構成します（329ページ参照)。

なお、直前期末の翌日から課税時期までの間に株式の割当て等の効力が生じた場合、つまり、増資が行われた場合も、次の算式により類似業種比準価額の修正を行います（評基通184(2))。

（類似業種比準価額の計算式によって計算した金額 ＋ 割当を受けた株式１株につき払い込んだ金額 × 株式１株に対する割当株式数）÷（１＋株式１株に対する割当株式数又は交付株式数）

⑻ 類似業種比準価額の計算明細書の作成

類似業種比準方式における評価会社の比準要素等の計算方法は以上のとおりです。ここで、上述した設例を基に、類似業種比準価額を次の設例を仮定して算出すると下記のようになります。また、株式の評価明細書として「第４表　類似業種比準価額等の計算明細書」を作成すると、〔書式48〕(319ページ）のようになります。

＜設　例＞

⑴　課税時期　令和○年７月８日

⑵　評価会社の事業年度　４月１日～３月31日

⑶　評価会社の資本金等の額　5,000万円（発行済株式数　10万株）

⑷　評価会社の事業内容　○○製造業（業種目番号○○に該当）

⑸　評価会社の会社規模　中会社

⑹　評価会社の１株当たりの配当金額等

１株当たりの配当金額（312ページの設例と計算）…………………Ⓑ　5.5円

〃　利益金額（313ページの設例と計算）…………………Ⓒ　25円

〃　簿価純資産価額（315ページの設例と計算）……Ⓓ　174円

⑺　課税時期前の配当金（１株当たり60円）交付の効力発生日　令和○年５月30日

⑻　類似業種の株価等

		小分類による業種目	中分類による業種目
類似業種		○○製造業 （業種目番号○○）	△△製造業 （業種目番号△△）
株価A	○年７月分	186円	336円
	○年６月分	179円	329円
	○年５月分	178円	331円
	前年平均	181円	339円
	前２年間平均	183円	341円
配当金額……………B		2.7円	4.4円
利益金額……………C		9円	23円
簿価純資産価額……D		187円	299円

《類似業種比準価額の計算》

①　小分類の業種目による価額

・比準割合

$$\frac{\dfrac{5.5円(Ⓑ)}{2.7円(B)}+\dfrac{25円(Ⓒ)}{9円(C)}+\dfrac{174円(Ⓓ)}{187円(D)}}{3}=1.91$$

(注) 要素別比準割合 $\left(\dfrac{Ⓑ}{B}、\dfrac{Ⓒ}{C}、\dfrac{Ⓓ}{D}の各割合\right)$ 及び比準割合は、それぞれ小数点以下２位

未満を切り捨てます。

・類似業種比準価額

178円(A)×1.91×0.6＝203円90銭（10銭未満切捨て）

② 中分類の業種目による価額

・比準割合

$$\frac{\frac{5.5円(Ⓑ)}{4.4円(B)}+\frac{25円(Ⓒ)}{23円(C)}+\frac{174円(Ⓓ)}{299円(D)}}{3}=0.97$$

・類似業種比準価額

329円(A)×0.97×0.6＝191円40銭

③ 1株当たりの評価額（修正前）

・ 203円90銭（小分類）＞191円40銭（中分類）→191円40銭

$$191円40銭\times\frac{500円}{50円}=1,914円$$

④ 類似業種比準価額の修正

1,914円－60円（課税時期前に支払効力が生じた1株当たりの配当金）＝1,854円

〔書式48〕

第４表　類似業種比準価額等の計算明細書

会社名

（取引相場のない株式（出資）の評価明細書）

1．1株当たりの資本金等の額等の計算	直前期末の資本金等の額	直前期末の発行済株式数	直前期末の自己株式数	1株当たりの資本金等の額（①÷（②－③））	1株当たりの資本金等の額を50円とした場合の発行済株式数（①÷50円）
	① 50,000 千円	② 100,000 株	③ 株	④ 500 円	⑤ 1,000,000 株

2．比準要素等の金額の計算

1株（50円）当たりの年配当金額

直前期末以前２（３）年間の年平均配当金額

事業年度	⑥ 年配当金額	⑦ 左のうち非経常的な配当金額	⑧ 差引経常的な年配当金額（⑥－⑦）	年平均配当金額
直前期	6,000 千円	千円	㋑ 6,000 千円	⑨（㋑＋㋺）÷2　5,500 千円
直前々期	7,000 千円	2,000 千円	㋺ 5,000 千円	
直前々期の前期	千円	千円	㋩ 千円	⑩（㋺＋㋩）÷2　千円

比準要素数1の会社・比準要素数0の会社の判定要素の金額		
⑨/⑤	Ⓑ₁ 5 円	5 0 銭
⑩/⑤	Ⓑ₂ 円	0 銭
1株（50円）当たりの年配当金額（Ⓑ₁の金額）	Ⓑ 5 円	5 銭

1株（50円）当たりの年利益金額

直前期末以前２（３）年間の利益金額

事業年度	⑪ 法人税の課税所得金額	⑫ 非経常的な利益金額	⑬ 受取配当等の益金不算入額	⑭ 左の所得税額	⑮ 損金算入した繰越欠損金の控除額	⑯ 差引利益金額（⑪－⑫＋⑬－⑭＋⑮）
直前期	29,764 千円	4,254 千円	826 千円	200 千円	千円	㋥ 26,136 千円
直前々期	21,286 千円	千円	763 千円	160 千円	3,265 千円	㋭ 25,154 千円
直前々期の前期	千円	千円	千円	千円	千円	㋬ 千円

比準要素数1の会社・比準要素数0の会社の判定要素の金額	
㋥/⑤ 又は （㋥＋㋭）÷2/⑤	Ⓒ₁ 25 円
㋭/⑤ 又は （㋭＋㋬）÷2/⑤	Ⓒ₂ 円
1株（50円）当たりの年利益金額〔㋥/⑤ 又は （㋥＋㋭）÷2/⑤ の金額〕	Ⓒ 25 円

1株（50円）当たりの純資産価額

直前期末（直前々期末）の純資産価額

事業年度	⑰ 資本金等の額	⑱ 利益積立金額	⑲ 純資産価額（⑰＋⑱）
直前期	50,000 千円	124,726 千円	㋣ 174,726 千円
直前々期	千円	千円	㋠ 千円

比準要素数1の会社・比準要素数0の会社の判定要素の金額	
㋣/⑤	Ⓓ₁ 174 円
㋠/⑤	Ⓓ₂ 円
1株（50円）当たりの純資産価額（Ⓓ₁の金額）	Ⓓ 174 円

3．類似業種比準価額の計算

1株（50円）当たりの比準価額の計算

類似業種と業種目番号：○○製造業（No. ○○）

類似業種の株価		
課税時期の属する月	7 月	㋷ 186 円
課税時期の属する月の前月	6 月	㋦ 179 円
課税時期の属する月の前々月	5 月	㋸ 178 円
前年平均株価		㋾ 181 円
課税時期の属する月以前2年間の平均株価		㋻ 183 円
A（㋷、㋦、㋸、㋾及び㋻のうち最も低いもの）		⑳ 178 円

比準割合の計算　区分	1株（50円）当たりの年配当金額	1株（50円）当たりの年利益金額	1株（50円）当たりの純資産価額	1株（50円）当たりの比準価額
評価会社	Ⓑ 5 円 5 0 銭	Ⓒ 25 円	Ⓓ 174 円	⑳×㉑×0.7 ※
類似業種	B 2 円 7 0 銭	C 9 円	D 187 円	※中会社は0.6 小会社は0.5 とします。
要素別比準割合	Ⓑ/B 2.03	Ⓒ/C 2.77	Ⓓ/D 0.93	
比準割合	（Ⓑ/B＋Ⓒ/C＋Ⓓ/D）/3 ＝ ㉑ 1.91			㉒ 203 円 9 0 銭

類似業種と業種目番号：△△製造業（No. △△）

類似業種の株価		
課税時期の属する月	7 月	㋕ 336 円
課税時期の属する月の前月	6 月	㋵ 329 円
課税時期の属する月の前々月	5 月	㋟ 331 円
前年平均株価		㋹ 339 円
課税時期の属する月以前2年間の平均株価		㋞ 341 円
A（㋕、㋵、㋟、㋹及び㋞のうち最も低いもの）		㉓ 329 円

比準割合の計算　区分	1株（50円）当たりの年配当金額	1株（50円）当たりの年利益金額	1株（50円）当たりの純資産価額	1株（50円）当たりの比準価額
評価会社	Ⓑ 5 円 5 0 銭	Ⓒ 25 円	Ⓓ 174 円	㉓×㉔×0.7 ※
類似業種	B 4 円 4 0 銭	C 23 円	D 299 円	※中会社は0.6 小会社は0.5 とします。
要素別比準割合	Ⓑ/B 1.25	Ⓒ/C 1.08	Ⓓ/D 0.58	
比準割合	（Ⓑ/B＋Ⓒ/C＋Ⓓ/D）/3 ＝ ㉔ 0.97			㉕ 191 円 4 0 銭

1株当たりの比準価額	比準価額（㉒と㉕とのいずれか低い方）191 円 4 0 銭 × ④の金額 500 円 / 50円	㉖ 1,914 円

比準価額の修正		修正比準価額
直前期末の翌日から課税時期までの間に配当金交付の効力が発生した場合	比準価額（㉖）1,914 円 － 1株当たりの配当金額 60 円 00 銭	㉗ 1,854 円
直前期末の翌日から課税時期までの間に株式の割当て等の効力が発生した場合	比準価額（㉖）（㉗があるときは㉗）（　円＋ 割当株式1株当たりの払込金額　円　銭× 1株当たりの割当株式数　株）÷（1株＋ 1株当たりの割当株式数又は交付株式数　株）	㉘ 円

5.　純資産価額方式による評価

(1)　純資産価額の計算式

株式の評価が原則的評価方式による場合は、いわゆる純資産価額方式による評価額も算出しなければなりません。その計算式は、次のように表されます（評基通185）。

$$1株当たりの純資産価額＝\frac{総資産価額\left(\begin{array}{l}相続税評価額によっ\\て計算した金額\end{array}\right)－\begin{array}{l}負債の\\合計額\end{array}－\begin{array}{l}評価差額に対する\\法人税等相当額\end{array}}{課税時期における発行済株式数（注）}$$

（注） 発行済株式数は、直前期末ではなく、課税時期現在の実際の発行済株式数（評価会社が自己株式を有している場合にはその自己株式の数を控除した株式数）です。

なお、株式の評価を直前期末の資産・負債に基づいて行う場合に、直前期末から課税時期までの間に増資（無償増資は除きます）があった場合は、直前期末の純資産価額に増資払込金額を加算し、増資後の発行済株式数で除して１株当たりの純資産価額を計算します。

上記算式中の分子の「評価差額に対する法人税等相当額」は、次により計算されます（評基通186－２）。

$$\begin{array}{l}評価差額に対する\\法人税等相当額\end{array}＝\left(\begin{array}{l}相続税評価額に\\よる純資産価額\end{array}－\begin{array}{l}帳簿価額によ\\る純資産価額\end{array}\right)\times 37\%$$

純資産価額方式による評価額の計算式は、上記のように表すことができますが、実務では「第５表　１株当たりの純資産価額（相続税評価額）の計算明細書」〔書式49〕（328ページ）により計算されます。

（注） 評価差額に対する法人税等相当額を計算する場合の評価差額とは、相続税評価額による純資産価額から帳簿価額による純資産価額を控除した残額ですが、この場合に、帳簿価額による総資産価額が負債の金額を下回る場合（帳簿価額による純資産価額がマイナスになる場合）は、そのマイナスの金額はゼロとして計算します。したがって、たとえば、

資　産　の　部		負　債　の　部	
相続税評価額	帳簿価額	相続税評価額	帳簿価額
80,000千円	30,000千円	40,000千円	40,000千円

の場合は、次のように計算します。

相続税評価額による純資産価額　80,000千円－40,000千円＝40,000千円

帳簿価額による純資産価額　30,000千円－40,000千円＝△10,000千円→ゼロ

評価差額に相当する金額　（40,000千円－０）＝40,000千円

法人税等相当額　40,000千円×37％＝14,800千円

なお、評価差額に相当する金額がマイナスになる場合もゼロとすることとされています。

⑵　純資産価額の計算時期

純資産価額方式による株式評価に際しては、評価会社の資産と負債について、相続税評価額を求めなければなりません。その評価は、課税時期現在の資産及び負債について行うのが原則ですから、本来であれば、課税時期に仮決算を行う必要があります。

ただし、実務上の便宜を考慮して直前期末から課税時期までの間に資産・負債について著しい増減がないと認められる場合は、直前期末の資産・負債の金額を基として評価しても差し支えないものとされています。このため、実務はほとんどが前期の確定した決算を基に評価しています。

(注) 直前期末の資産・負債によって評価するときでも、資産の評価は課税時期の年分の相続税の評価基準によります。したがって、評価会社が所有する土地の評価に際し、直前期末がχ_0年であっても、課税時期がχ_1年であれば、χ_1年分の路線価格等によって評価します。

なお、課税時期が直後期末に著しく近い場合は、直後期末の資産・負債を基に評価することもできます。

⑶　資産科目の評価と科目別にみた留意点

評価会社の資産については、原則として全て相続税評価を要しますが、その内容によっては、次のように扱われるものがあります。

①　決算上の帳簿価額がないものでも評価上は資産計上を要するもの

②　決算上は資産計上されていても評価上は資産計上を要しないもの

このうち、①に属するものとしては、被相続人（経営者等）の死亡を保険事故として相続後に評価会社が取得する生命保険金（未収保険金）が代表的なものです。

また、②に属するものとしては、前払費用と繰延資産が代表的なものです。これらは、決算書上に資産計上されていても、いずれは費用化されるため、財産性がないものとして評価上は資産計上を要しません。いわゆる税効果会計を適用した場合の「繰延税金資産」もこれらと同様です。

資産科目別にみた株式評価上の留意点を次ページ以下にまとめておきますから参考にして下さい。

なお、次ページの表の「決算上の帳簿価額」とは、前期末現在の確定した決算における帳簿価額又は課税時期現在の仮決算に係る資産又は負債の帳簿価額をいいます。また、「評価明細書」とは、328ページの「第５表　１株当たりの純資産価額（相続税評価額）の計算明細書」のことで、「相続税評価額」と「帳簿価額」は、同明細書のそれぞれの欄の金額を指します。

科　　目	決算上の帳簿価額	評価明細書		留　意　点
		相続税評価額	帳簿価額	
現　　金	800	800	800	
預　　金	45,500	46,100	45,500	定期預金等については、預入日から課税時期までの既経過利子の額（源泉税相当額は控除）を帳簿価額に加算して相続税評価額とする（評基通203）。
受取手形	29,000	28,500	29,000	支払期日までの間が6か月以上のものは、割引料相当額を控除して相続税評価額とする（評基通206）。
売掛金	62,000	62,000	62,000	通常は、相続税評価額と帳簿価額は一致する。ただし、回収不能分があれば相続税評価額から控除する（評基通205）。
未収入金	1,500	1,500	1,500	
貸付金	3,000	3,040	3,000	課税時期までの既経過利息の額は相続税評価額に加算する（評基通204）。ただし、回収不能分は控除する（評基通205）。
有価証券（投資有価証券）	8,000	9,200	8,000	全ての有価証券について、相続税評価を要する。 上場株式（評基通169～172）、公社債（評基通197－2～197－4）、転換社債（評基通197－5）、貸付信託受益証券（評基通198）、証券投資信託受益証券（評基通199）など。
非上場株式	5,000	9,600	5,000	取引相場のない株式として相続税評価額を算出する。この場合、純資産価額方式による評価上は、評価差額に対する法人税等相当額の控除（37％控除）は適用されない（評基通186－3）。
売買目的有価証券	5,000	4,000	5,000	法人税法上は「時価評価」が強制されるが、純資産価額方式による株式評価では評価通達により評価する。
ゴルフ会員権	5,000	8,600	5,000	相続税評価額は、評基通211により評価する。
商　　品	18,000	18,000	18,000	棚卸商品等の評価方法（評基通133）により相続税評価額とするが、通常は、帳簿価額と同額になる。
製　　品	26,000	26,000	26,000	
仕掛品	2,700	2,700	2,700	
原材料	16,000	16,000	16,000	
前渡金	800	800	800	
仮払金	700	300	300	旅費未精算など費用化されるものは相続税評価額、帳簿価額のいずれからも控除する。
前払費用	400	—	—	未経過保険料、前払家賃などは、財産性がないため、相続税評価額、帳簿価額のいずれもゼロとする。
繰延税金資産	2,000	—	—	税効果会計を適用した場合の繰延税金資産は、相続税評価額、帳簿価額のいずれもゼロとする。
建　　物	12,000	6,500	8,000	帳簿価額は、減価償却累計額を控除し、相続税評価額は固定資産税評価額（貸家の場合は借家権価額を控除）とする（評基通89、93）。

				ただし、課税時期前３年以内に取得したものは、課税時期における通常の取引価額（帳簿価額が通常の取引価額に相当すると認められる場合は、その帳簿価額）とする（評基通185カッコ書）。
機械装置	59,000	27,000	27,000	売買実例価額、精通者意見価格等を参酌して評価するが、これらの価額が明らかでない場合には、その動産の同種及び同規格の新品の小売価額から、その動産の製造の時から課税時期までの期間の償却費の合計額を控除した金額とする（評基通129）。 この場合の償却費の額は、定率法により計算する（評基通130）。
車両運搬具	13,000	8,700	8,700	
工具器具備品	9,600	6,000	6,000	
土地	18,000	173,000	18,000	路線価方式又は倍率方式等によって評価し、相続税評価額とする（評基通７以下）。 ただし、課税時期前３年以内に取得した土地は、建物の場合と同じ。
借地権	—	28,000	0	有償取得のものはその取得価額を帳簿価額とし、無償取得のものは帳簿価額をゼロとする。相続税評価額は借地権割合等を基に評価する（評基通27～30）。 ただし、課税時期前３年以内に取得した借地権は、建物の場合と同じ。
未収保険金（保険金請求権）	—	50,000	50,000	保険事故が発生している生命保険契約に係る保険金で、評価会社が取得するものは、相続税評価額、帳簿価額とも同額を計上する（保険金を原資として死亡退職金を支払う場合の処理は、325ページ参照）。
生命保険契約に関する権利（保険積立金）	4,500	3,000	4,500	課税時期に保険事故の発生していない生命保険契約で、支払保険料が資産計上されているものは、「生命保険契約に関する権利」として個々の契約に係る解約返戻金相当額により評価する（評基通214）。
電話加入権	450	9	450	相続税評価額は、国税局長の定める標準価額によって評価する（評基通161）。
創立費	800	—	—	繰延資産は財産性がないため、決算上の帳簿残高があっても、相続税評価額、帳簿価額ともゼロとする。
開発費	1,500	—	—	
株式交付費	700	—	—	
社債発行費	600	—	—	

（注１） 建物、土地及び借地権で、課税時期前３年以内に取得したものは、上記のとおり、相続税評価額によらず通常の取引価額により評価することとされています。この場合の「３年以内」は、直前期末現在の資産及び負債を基として評価するときでも、課税時期からみて３年以内かどうかを判定します。

（注２） 資産計上を要しない繰延資産には、企業会計上の繰延資産のほか、資産を賃借するための権利金など法人税法上の繰延資産も含まれます。

（注３） 資産の計上に関しては、次の点にも注意してください。

① 同族会社が被相続人から土地を賃借し、「相当の地代」を支払っている場合には、その土地の自用地として価額の20％相当額を借地権の価額として資産計上する。

② 課税時期が直前期の法人税の申告書の提出前である場合に、直前期の法人税ついて欠損金の繰戻し還付請求をした場合であっても、その還付金相当額は資産計上を要しない。ただし、課税時期が法人税の申告書の提出後の場合には資産計上を要する。

⑷ 負債科目の取扱いと科目別にみた留意点

株式評価上の負債についても資産と同様に次の２つがあることに留意する必要があります。

① 決算上は負債とされていても評価上は負債計上ができないもの

② 決算上は負債計上されていなくても評価上は負債計上ができるもの

このうち、①に属するものは、各種引当金や準備金です。なお、納税引当金（納税充当金）も負債から除かれますが、前期分の確定法人税等の額は別途に負債に計上することができます。

上記の②に属するものとしては、課税時期の年分の未納固定資産税（都市計画税を含む）が該当します。また、被相続人（経営者等）の死亡により課税時期後に支払われる死亡退職金や被相続人に係る社葬費用も負債とすることができます。

なお、被相続人の死亡により遺族に支払われる弔慰金については、相続税の取扱いにより非課税となる部分の金額（相基通３－20）は負債に計上できませんが、それを超える部分の金額で死亡退職金に含まれるものは負債に計上することができます（死亡退職金に係る非課税金額は控除する必要はありません）。

科　目	決算上の帳簿価額	評価明細書		留　意　点
		相続税評価額	帳簿価額	
支払手形	18,000	18,000	18,000	これらの負債は通常は、決算残高、相続税評価額、帳簿価額のいずれも同額となる。
買掛金	32,000	32,000	32,000	
借入金	67,000	67,000	67,000	
未払金	2,700	2,700	2,700	
未払費用	1,000	1,000	1,000	
前受金	4,500	4,500	4,500	
預り金	1,600	1,600	1,600	
社債	10,000	10,000	10,000	
貸倒引当金	1,200	—	—	引当金、準備金は、相続税評価額、帳簿価額とも負債に計上しない（借方勘定に控除科目として計上されている場合は、資産計上から除外する）。
特別修繕準備金	1,000	—	—	
退職給付引当金	35,000	—	—	
固定資産圧縮引当金	4,000	—	—	それぞれに対応する資産の帳簿価額から控除するため、相続税評価額、帳簿価額とも負債に計上しない。
減価償却累計額	12,000	—	—	
特別償却準備金	1,000	—	—	
繰延税金負債	1,000	—	—	税効果会計を適用した場合の繰延税金負債は、相続税評価額、帳簿価額とも負債に計上しない。

未納法人税	—	9,800	9,800	課税時期の属する事業年度開始の日から課税時期までの期間の利益に対応する税額で課税時期において未払いのものを負債とする（ただし、仮決算を行わない場合は、前期分の確定した法人税等を負債とする）。この場合に、法人税等の額を未払経理しているかどうかを問わない。
未納住民税	—	1,800	1,800	
未納事業税	—	3,000	3,000	
未払消費税等	—	4,500	4,500	課税時期の属する事業年度開始の日から課税時までの期間に対応する納付すべき消費税額、地方消費税額で課税時期において未払いのものを負債とする（仮決算を行わない場合は、前期末の決算において未払金計上されているか否かにかかわらず、前期の確定分の消費税額等を負債に計上する）。
未納固定資産税	—	900	900	課税時期以前に賦課期日のあった税額のうち、未納分を負債とする。
未払配当金	—	3,000	3,000	剰余金の処分として確定した金額で未払いのもの（課税時期において配当期待権が発生している場合の配当金を除く）を負債とする（仮決算を行わない場合は、前期末から課税時期までの間に確定した配当金を負債とする）。
未払退職手当金	—	30,000	30,000	被相続人の死亡後に支給される死亡退職金等（弔慰金については、みなし相続財産としての退職手当金とされた金額に限る）を負債とする。
未払弔慰金	—	3,000	3,000	
社葬費用	—	1,500	1,500	被相続人に係る葬式費用を会社が負担した場合のその金額を負債とする。

（注） 課税時期の直前期末の決算に基づいて評価する場合でも、被相続人の死亡により評価会社に保険金収入があるときは、その保険金請求権（未収保険金）を資産計上しなければならないことは、前述のとおりです。

ただし、この保険金収入に対する課税も考慮しなければなりませんから、保険差益に対する法人税等は別途に計算して負債に計上することができます。

この場合の保険差益とは、保険金収入から、「保険積立金」があれば、これを控除し、さらに、受取保険金を原資として死亡退職金を支払う場合は、これも控除した金額となります。そして、これに対応する法人税等の額は、評価差額に対する法人税等の計算上の税率（37％）としてよいこととされています。たとえば、

受取保険金額　8,000万円
保険積立金　1,000万円
死亡退職金　5,000万円

とすると、次のようになります。

・保険差益　8,000万円－1,000万円－5,000万円＝2,000万円
・保険差益に対する法人税等　2,000万円×37％＝740万円

なお、評価明細書の「資産の部」において、保険積立金は、相続税評価額及び帳簿価額のいずれもゼロとして計上しません。評価明細書の記載は下のようになりますが、この場合の「保険差益に対する法人税等」（740万円）は、「評価差額に対する法人税額等相当額」の控除（37％控除）とは別に負債に計上できます（ただし、評価会社に欠損金があるため、保険差益に法人税課税がない場合は負債に計上できません）。

資産の部				負債の部			
科目	相続税評価額	帳簿価額	備考	科目	相続税評価額	帳簿価額	備考
	千円	千円			千円	千円	
保険金請求権	80,000	80,000		死亡退職金	50,000	50,000	
保険積立金	0	0		保険差益に対する法人税等	7,400	7,400	

⑸　議決権割合50％以下の場合の評価減

純資産価額方式による株式の評価上、同族株主等の議決権割合が50％以下の場合は、上記により計算した１株当たりの純資産価額の80％相当額によって評価することとしています（評基通185ただし書）。

なお、この20％評価減の取扱いは、「同族株主のいない会社」の株主が取得した株式を純資産価額方式で評価する場合は当然に適用されます。「同族株主」とは、前述（290ページ）したように、同族関係者の議決権割合が30％以上の株主グループをいいますから、同族株主のいない会社では、筆頭株主グループでも議決権割合が30％以上になることはありません。したがって、同族株主のいない会社の株式について純資産価額方式で評価するときは、必然的に20％評価減が適用されます。

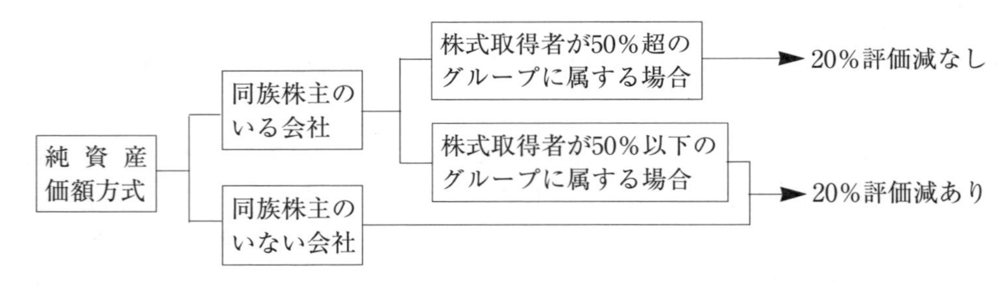

⑹　純資産価額の計算明細書の作成

純資産価額方式による評価の取扱いは、おおむね以上のとおりです。これを次の設例をもとに「第５表　１株当たりの純資産価額（相続税評価額）の計算明細書」を作成すると、〔書式49〕（328ページ）のようになります。

＜設　例＞

⑴　課税時期　　令和○年８月10日

⑵ 直前期　　自令和△年４月１日　至令和○年３月31日

⑶ 課税時期現在の資本金額等

資本金……………………………………………………20,000千円

発行済株式数……………………………………………40,000株

⑷ 直前期末における評価会社の貸借対照表

貸借対照表

（令和○年３月31日現在）

（単位：円）

資　産　の　部		負債及び資本の部	
（資　産　の　部）		（負　債　の　部）	
現金預金	55,166,893	支払手形	33,405,000
受取手形	52,500,200	買掛金	39,769,765
売掛金	42,600,624	短期借入金	42,000,000
貸付金	13,200,000	未払金	18,437,478
貸倒引当金	△800,000	未払法人税等	15,320,000
有価証券	2,000,000	預り金	1,200,650
前払費用	270,000	賞与引当金	1,800,000
製品	37,600,500	長期借入金	114,900,000
原材料	28,950,000	退職給付引当金	18,500,000
建物	20,725,320	負債合計	285,332,893
機械装置	146,720,460	（純資産の部）	
車両運搬具	19,640,320	資本金	20,000,000
土地	20,900,000	利益剰余金	
電話加入権	242,000	利益準備金	1,900,000
差入保証金	1,000,000	別途積立金	109,000,000
試験研究費	4,800,000	繰越利益剰余金	29,283,424
		純資産合計	160,183,424
合計	445,516,317	合計	445,516,317

⑸ 当期確定申告分法人税等

法人税　7,225,000円

事業税　2,870,000円

住民税　1,950,000円

消費税　3,275,000円

⑹ 資産の相続税評価額等

① 定期預金の既経過利息（源泉税控除後）　32,300円

② 有価証券　評価額　3,050,000円（全て上場株式であり、現物出資又は合併等に

〔書式49〕

第5表　1株当たりの純資産価額(相続税評価額)の計算明細書

会社名

1. 資産及び負債の金額(課税時期現在)

資産の部				負債の部			
科目	相続税評価額	帳簿価額	備考	科目	相続税評価額	帳簿価額	備考
	千円	千円			千円	千円	
現金預金	55,199	55,166		支払手形	33,405	33,405	
受取手形	52,500	52,500		買掛金	39,769	39,769	
売掛金	42,600	42,600		短期借入金	42,000	42,000	
貸付金	13,200	13,200		未払金	18,437	18,437	
有価証券	3,050	2,000		預り金	1,200	1,200	
前払費用	—	—		長期借入金	114,900	114,900	
製品	37,600	37,600		未納法人税	7,225	7,225	
原材料	28,950	28,950		未納事業税	2,870	2,870	
建物	17,500	20,725		未納住民税	1,950	1,950	
機械装置	146,720	146,720		未納消費税	3,275	3,275	
車両運搬具	19,640	19,640		未納固定資産税	1,850	1,850	
土地	98,000	20,900		死亡退職金	30,000	30,000	
借地権	13,500	0					
電話加入権	10	242					
差入保証金	1,000	1,000					
試験研究費	—	—					
合計	① 529,469	② 441,243		合計	③ 296,881	④ 296,881	
株式等の価額の合計額	㋑ 3,050	㋺ 2,000					
土地等の価額の合計額	㋩ 111,500						
現物出資等受入れ資産の価額の合計額	㊁	㋭					

2. 評価差額に対する法人税額等相当額の計算		3. 1株当たりの純資産価額の計算	
相続税評価額による純資産価額 (①－③)	⑤ 232,588 千円	課税時期現在の純資産価額(相続税評価額) (⑤－⑧)	⑨ 199,945 千円
帳簿価額による純資産価額 ((②＋(㊁－㋭)－④)、マイナスの場合は0)	⑥ 144,362 千円	課税時期現在の発行済株式数 ((第1表の1の①)－自己株式数)	⑩ 40,000 株
評価差額に相当する金額 (⑤－⑥、マイナスの場合は0)	⑦ 88,226 千円	課税時期現在の1株当たりの純資産価額(相続税評価額) (⑨÷⑩)	⑪ 4,998 円
評価差額に対する法人税額等相当額 (⑦×37%)	⑧ 32,643 千円	同族株主等の議決権割合(第1表の1の⑤の割合)が50% 以下の場合 (⑪×80%)	⑫ 円

より受け入れたものはない）
③　建物　評価額　17,500,000円（課税時期前３年以内に取得したものはない）
④　土地　評価額　98,000,000円（課税時期前３年以内に取得したものはない）
⑤　電話加入権　評価額　10,500円
⑥　無償取得の借地権　評価額　13,500,000円（課税時期前３年以内に取得したものはない）
(7)　その他の事項
①　決算期末以前に賦課期日のあった固定資産税（令和○年分）1,850,000円
②　課税時期以後に支払われた被相続人の死亡退職金　30,000,000円
③　直前期末から課税時期までの間に資産及び負債の金額について著しく増減がないと認められるため、直前期末の資産及び負債の金額に基づいて評価する。

6.　株式に関する権利と原則的評価額の修正

(1)　株式と株式に関する権利との関係

現行の財産評価基本通達における株式評価では、株式そのものと「株式に関する権利」とを分離し、それぞれ独立した財産として評価し、課税することとしています。この場合の株式に関する権利とは、次の４種類です（評基通168(4)〜(7)）。

①　株式の割当てを受ける権利
②　株主となる権利
③　株式無償交付期待権
④　配当期待権

財産評価上、株式に関する権利を株式とは別に評価しているため、株式に関する権利が発生している場合には、株式の価額とそれに付随した権利とが二重に課税される例も想定されます。

たとえば「配当期待権」についてみると、この権利が課税対象になるのは、課税時期が配当金交付の基準日の翌日から、配当金交付の効力が発生する日までの間にあるときです。

この場合、課税対象となる株式がいわゆる配当落の状態で評価されていれば、配当期待権が課税財産となっても二重課税の問題は生じません。しかし、類似業種比準価額は、課税時期の直前期末における資産価額等に基づいて評価されていますから、いわゆる配当含みの状態となっており、この点は、純資産価額方式で評価した場合も同じです。

このため、非上場株式の評価にあたって、配当期待権を課税財産とする場合は、一方で、株式の価額からその配当期待権部分を控除して評価する必要があるわけです。

この修正は、一般の評価会社の場合はもちろん、特定の評価会社の場合も純資産価額方

式による評価額（比準要素数１の会社がいわゆる併用方式を適用した場合はその評価額、株式等保有特定会社が「S_1+S_2方式」を選択した場合はその評価額）について行われます。

ちなみに、配当金の支払い前後に相続等があった場合の課税財産は、観念的には次のように整理することができます。

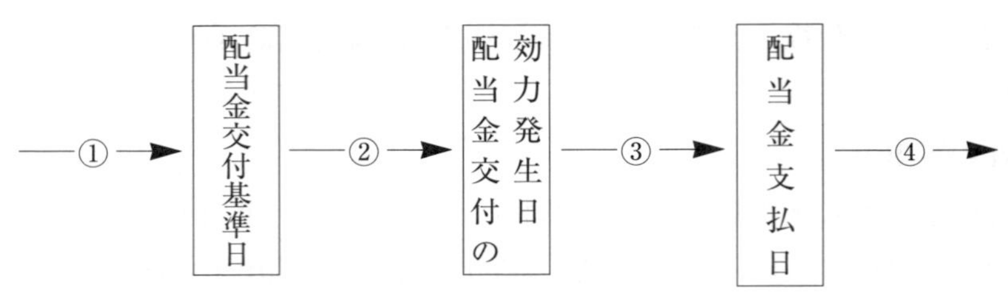

<課税時期>

①の間……株式（配当含みの価額）

②の間……株式（配当落後の価額）＋配当期待権

③の間……株式（配当落後の価額）＋未収配当金

④の間……株式（配当落後の価額）＋現金預金

(注) ③及び④の間に課税時期がある場合は、類似業種比準方式では比準価額の修正（315ページ参照）が行われ、また、純資産価額方式では、配当金が未払いの場合に負債に計上される（③の場合）か、あるいは評価会社の資産が配当金に見合うだけ減少している（④の場合）ため、この項で説明する修正は要しません。

以上の関係は、評価会社が増資を行う場合に生ずる株式の割当てを受ける権利についても同様のことがいえます。評価しようとする株式について株式の割当てを受ける権利が発生しているときは、その株式の割当てを受ける権利が課税財産に取り込まれますから、株式自体はいわゆる権利落のものとしなければなりません。しかし、類似業種比準方式や純資産価額方式による評価額は、権利含みのものとして算出されています。このため、上述した配当期待権の場合と同様の理由により評価額の修正をする必要があるわけです。

⑵　原則的評価額の修正方法

課税時期が、配当金交付の基準日の翌日から配当金交付の効力が発生する日までの間にある場合には、原則的評価方式によって評価した株式の価額は、次の算式によって修正した金額を評価額とします（評基通187⑴）。

原則的評価方式による評価額－株式１株に対して受ける予想現金配当の金額

通常の場合、「予想現金配当」と実際の配当とが異なることはまずありませんから、要するに、原則的評価額から配当金相当額を控除した価額を株式の評価額とするということです。

<設　例>

⑴　課税時期　　令和○年４月12日

⑵　直前期　　　自令和△年４月１日　至令和○年３月31日
⑶　直前期末の資本金の額　　2,000万円（発行済株式数４万株）
⑷　配当金交付の基準日　　令和○年３月31日
⑸　配当金交付の効力発生日　　令和○年５月30日
⑹　１株当たりの（予想）配当金額　　75円
⑺　原則的評価方式による評価額
　　　１株当たりの類似業種比準価額…………4,350円
　　　１株当たりの純資産価額…………………6,410円
⑻　評価会社の規模 ………………中会社（Lの割合0.75）
⑼　株式取得者とその同族関係者の議決権割合 ……40％

《評価額の計算》

⑴　原則的評価方式による評価額

（類似業種比準価額）　（純資産価額）
（4,350円×0.75）＋（6,410円×80％×（1－0.75））＝4,544円

⑵　修正後の株式の価額

4,544円－75円＝4,469円

（注） 配当期待権の価額は、株式１株当たり75円になりますが、課税対象となる金額は、配当金についての源泉所得税相当額を控除した金額とされます（評基通193）。

この設例に基づく計算を「第３表　一般の評価会社の株式及び株式に関する権利の価額の計算明細書」に記載すると、〔書式50〕（次ページ）のようになります。

なお、課税時期が、株式の割当ての基準日、株式の割当てのあった日、又は株式の無償交付の基準日のそれぞれの翌日から、これらのものに対する払込期日又は無償交付効力が発生する日までの間にある場合には、原則的評価方式によって評価した株式の価額は、次の算式によって修正した金額により評価されます（評基通187⑵）。

（原則的評価方式による評価額 ＋ 割当を受けた株式１株につき払い込むべき金額 × 株式１株に対する割当株式数）÷（１＋株式１株に対する割当株式数又は交付株式数）

7.　特定の評価会社の種類と株式評価

⑴　特定の評価会社の種類と判定の順序

これまでに説明した原則的評価方式は、いわゆる一般の評価会社の場合ですが、「特定の評価会社」に該当するときは、評価会社の規模にかかわらず、その株式の価額は、原則として、純資産価額方式によることとされています。評価会社がたとえ大会社であっても、

〔書式50〕

第3表 一般の評価会社の株式及び株式に関する権利の価額の計算明細書 会社名

1. 原則的評価方式による価額

1株当たりの価額の計算の基となる金額	類似業種比準価額（第4表の㉖、㉗又は㉘の金額）	1株当たりの純資産価額（第5表の⑪の金額）	1株当たりの純資産価額の80%相当額（第5表の⑫の記載がある場合のその金額）
	① 4,350 円	② 6,410 円	③ 5,128 円

1株当たりの価額の計算 区分	1株当たりの価額の算定方法	1株当たりの価額
大会社の株式の価額	①の金額と②の金額とのいずれか低い方の金額（②の記載がないときは①の金額）	④ 円
中会社の株式の価額	①と②とのいずれか低い方の金額 Lの割合 ②の金額（③の金額があるときは③の金額） Lの割合 （4,350 円×0.75）＋（5,128 円×（1－0.75））	⑤ 4,544 円
小会社の株式の価額	②の金額（③の金額があるときは③の金額）と次の算式によって計算した金額とのいずれか低い方の金額 ①の金額 ②の金額（③の金額があるときは③の金額） （ 円×0.50）＋（ 円×0.50）＝ 円	⑥ 円

株式の価額の修正			修正後の株式の価額
課税時期において配当期待権の発生している場合	株式の価額（④、⑤又は⑥） 4,544 円－	1株当たりの配当金額 75 円 00 銭	⑦ 4,469 円
課税時期において株式の割当てを受ける権利、株主となる権利又は株式無償交付期待権の発生している場合	株式の価額〔④、⑤又は⑥（⑦があるときは⑦）〕 割当株式1株当たりの払込金額 1株当たりの割当株式数 1株当たりの割当株式数又は交付株式数 （ 円＋ 円× 株）÷（1株＋ 株）		⑧ 円

2. 配当還元方式による価額

1株当たりの資本金等の額、発行済株式数等	直前期末の資本金等の額	直前期末の発行済株式数	直前期末の自己株式数	1株当たりの資本金等の額を50円とした場合の発行済株式数（⑨÷50円）	1株当たりの資本金等の額（⑨÷（⑩－⑪））
	⑨ 千円	⑩ 株	⑪ 株	⑫ 株	⑬ 円

直前期末以前2年間の配当金額 事業年度	⑭ 年配当金額	⑮ 左のうち非経常的な配当金額	⑯ 差引経常的な年配当金額（⑭－⑮）	年平均配当金額
直前期	千円	千円	㋑ 千円	⑰（㋑＋㋺）÷2 千円
直前々期	千円	千円	㋺ 千円	

1株（50円）当たりの年配当金額	年平均配当金額（⑰） 千円 ÷ ⑫の株式数 株 ＝ ⑱ 円 銭	（この金額が2円50銭未満の場合は2円50銭とします。）
配当還元価額	⑱の金額 円 銭／10% × ⑬の金額 円／50円 ＝ ⑲ 円	⑳ 円（⑲の金額が、原則的評価方式により計算した価額を超える場合には、原則的評価方式により計算した価額とします。）

3. 株式に関する権利の価額（1. 及び2. に共通）

配当期待権	1株当たりの予想配当金額 源泉徴収されるべき所得税相当額 （75 円 00 銭）－（15 円 00 銭）	㉑ 60 円 00 銭
株式の割当てを受ける権利（割当株式1株当たりの価額）	⑧（配当還元方式の場合は⑳）の金額 割当株式1株当たりの払込金額 円－ 円	㉒ 円
株主となる権利（割当株式1株当たりの価額）	⑧（配当還元方式の場合は⑳）の金額（課税時期後にその株主となる権利につき払い込むべき金額があるときは、その金額を控除した金額）	㉓ 円
株式無償交付期待権（交付される株式1株当たりの価額）	⑧（配当還元方式の場合は⑳）の金額	㉔ 円

4. 株式及び株式に関する権利の価額（1. 及び2. に共通）	
株式の評価額	4,469 円
株式に関する権利の評価額	60 円（円 銭）

類似業種比準方式は認められず、また、中会社や小会社についても類似業種比準価額との併用方式は認められないわけです（特定の評価会社のうち、「比準要素数１の会社」については、Lの割合を0.25とした併用方式が、また「株式等保有特定会社」については、「S_1+S_2方式」が適用できます）。ここにいう特定の評価会社とは、289ページの図に示した７つをいいます（評基通189）。

（注）特定の評価会社における「株式等特定保有会社」の範囲は、財産評価基本通達189(2)に、また、「土地保有特定会社」については、財産評価基本通達189(3)にそれぞれ示されています。

特定の評価会社に該当するか否か、また、該当する場合にいずれの特定の評価会社とするかは、次の順序により判定することとされています。したがって、開業後３年未満の会社や比準要素数０の会社は、土地保有割合や株式保有割合を判定するまでもなく特定の評価会社とされます。

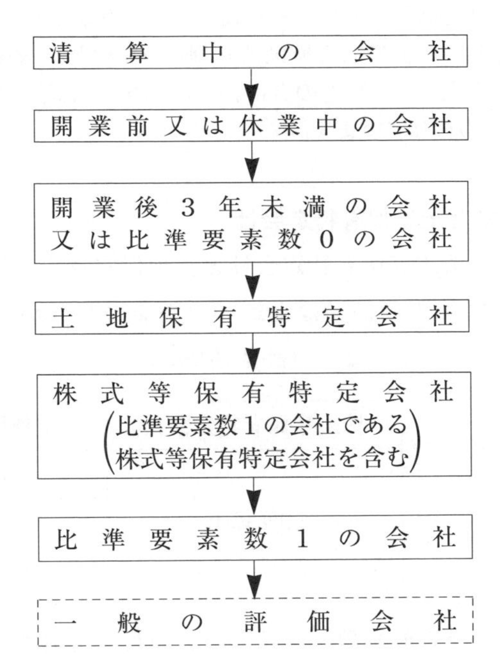

(2) 特定の評価会社の評価方式

特定の評価会社に該当する場合は、純資産価額方式による評価が強制されるのですが、比準要素数１の会社については、類似業種比準価額と純資産価額との併用方式（併用の割合は0.25）が適用され、また、株式等保有特定会社については、株式と株式以外の資産を分離して株価を計算する、いわゆる「S_1+S_2方式」を選択することもできます。

特定の評価会社の株式評価方法をまとめると、次のようになります。

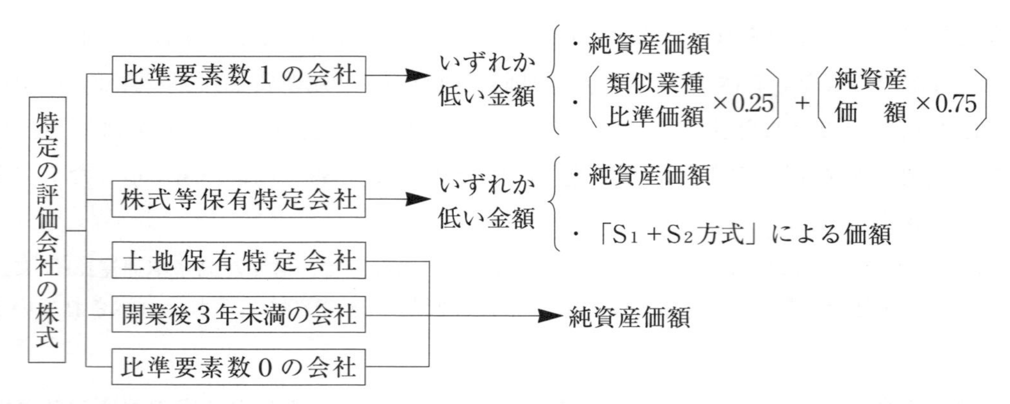

(注) 上記の純資産価額については、いずれも同族株主等の議決権割合が50％以下の場合の20％評価減（評基通185ただし書）が適用されます。ただし、比準要素数１の会社の併用方式において、類似業種比準価額に代えて純資産価額とする場合の純資産価額に20％評価減は適用されません。

なお、株式等保有特定会社の「S_1＋S_2方式」とは、評価会社の有する株式とその株式に係る受取配当収入を除いて計算した原則的評価額（S_1）と、株式の部分についてのみ純資産価額方式で評価した金額（S_2）との合計額で評価する方式ですが、具体的には財産評価基本通達189－３に定められています。

⑶　株式等保有特定会社と土地保有特定会社

特定の評価会社のうち、株式等保有特定会社と土地保有特定会社とは、評価会社の総資産価額のうちに占める株式等の価額又は土地等の価額の割合が一定以上であるものをいい、次の基準によることとされています（評基通189⑵⑶）。

	株式等保有特定会社	土地保有特定会社
大　会　社	50％以上	70％以上
中　会　社		90％以上
小　会　社		適用なし（注）

これらの判定に際しての総資産価額、株式等の価額及び土地等の価額は、いずれも財産評価基本通達に基づいて評価した価額であり、前記した評価明細書の第５表にその価額の記載欄があります（第５表の純資産価額方式による評価において、その資産価額を直前期末の資産・負債に基づく場合には、その直前期末における総資産価額、株式等の価額及び土地等の価額によって判定することになります）。

なお、株式等及び土地等の割合の算定上、１％未満の端数は切り捨てることとされています。

(注) 土地保有特定会社とされない「小会社」は、303ページの会社規模の区分表における総資産価額基準のみで小会社に該当するものに限られます。したがって、従業員数が５人以下の場合でも、次に該当する会社は、評価上の区分は小会社であっても、土地保有特定会社

とされます（評基通189(3)カッコ書）。

① 総資産価額が大会社基準に該当する会社（総資産価額が卸売業で20億円以上、卸売業以外で15億円以上の会社）…… 土地保有割合70％以上

② 総資産価額が中会社基準に該当する会社（総資産価額が卸売業で7,000万円以上20億円未満、小売・サービス業で4,000万円以上15億円未満、その他の業種で5,000万円以上15億円未満の会社）…… 土地保有割合90％以上

(4) 比準要素数１の会社と比準要素数０の会社

特定の評価会社の取扱いにおいて、実務上注意したいのは、「比準要素数１の会社」と「比準要素数０の会社」で、いずれかに該当する評価会社は相当数にのぼると考えられます。

これらは、類似業種比準方式における３つの比準要素（配当、利益、簿価純資産）について、比準値の算出される要素の数により区分され、財産評価基本通達では、次のように定義されています（評基通189(1)、(4)ロ）。

・**比準要素数１の会社**……類似業種比準方式における１株当たりの配当金額、利益金額、簿価純資産価額のそれぞれの金額のうち、いずれか２が０であり、かつ、直前々期末基準によるそれぞれの金額のうち、いずれか２以上が０である評価会社をいう。

・**比準要素数０の会社**……類似業種比準方式における１株当たりの配当金額、利益金額、簿価純資産価額のそれぞれの金額がいずれも０である評価会社をいう。

これらに該当するか否かは、配当（Ⓑ）、利益（Ⓒ）及び簿価純資産（Ⓓ）について、次の各符号による金額を基に判定することになります。

	直前期末を基とした判定要素	直前々期末を基とした判定要素
配当	$Ⓑ_1$	$Ⓑ_2$
利益	$Ⓒ_1$	$Ⓒ_2$
簿価純資産	$Ⓓ_1$	$Ⓓ_2$

この場合の各符号の金額は、「第４表 類似業種比準価額等の計算明細書」〔書式48〕（319ページ）に該当欄があり、また、特定の評価会社の判定は、「第２表 特定の評価会社の判定の明細書」〔書式51〕（次ページ）により行います。判定に際しての基本的留意事項は、次の２点です。

① 比準要素数１の会社の判定は、直前期末を基とした判定要素（$Ⓑ_1$、$Ⓒ_1$、$Ⓓ_1$）と直前々期末を基とした判定要素（$Ⓑ_2$、$Ⓒ_2$、$Ⓓ_2$）の合わせて６要素を基に行う。

② 比準要素数０の会社の判定は、直前期末を基とした判定要素（$Ⓑ_1$、$Ⓒ_1$、$Ⓓ_1$）により行い、直前々期末を基とした判定要素は関わらない。

これによって、比準要素数１の会社は「直前期末を基とした判定要素（$Ⓑ_1$、$Ⓒ_1$、$Ⓓ_1$）のいずれか２が０であり、かつ、直前々期末を基とした判定要素（$Ⓑ_2$、$Ⓒ_2$、$Ⓓ_2$）のいずれか２以上が０である」もの、また、比準要素数０の会社は「直前期末を基とした判定要

〔書式51〕

第２表　特定の評価会社の判定の明細書

会社名

1．比準要素数１の会社	判定要素						判定基準	⑴欄のいずれか２の判定要素が０であり、かつ、⑵欄のいずれか２以上の判定要素が０
	（1）直前期末を基とした判定要素			（2）直前々期末を基とした判定要素				である（該当）・でない（非該当）
	第４表のⒷ1の金額	第４表のⒸ1の金額	第４表のⒹ1の金額	第４表のⒷ2の金額	第４表のⒸ2の金額	第４表のⒹ2の金額		
	円　銭 0	円	円	円　銭 0	円	円	判定	該当 ／ 非該当

2．株式等保有特定会社	判定要素			判定基準	③の割合が50%以上である	③の割合が50%未満である
	総資産価額（第５表の①の金額）	株式等の価額の合計額（第５表の㋑の金額）	株式等保有割合（②／①）			
	①　千円	②　千円	③　%	判定	該当	非該当

3．土地保有特定会社	判定要素			
	総資産価額（第５表の①の金額）	土地等の価額の合計額（第５表の㋩の金額）	土地保有割合（⑤／④）	会社の規模の判定（該当する文字を○で囲んで表示します。）
	④　千円	⑤　千円	⑥　%	大会社・中会社・小会社

判定基準	会社の規模	大会社		中会社		小会社（総資産価額（帳簿価額）が次の基準に該当する会社）			
						・卸売業 20億円以上 ・小売・サービス業 15億円以上 ・上記以外の業種 15億円以上		・卸売業 7,000万円以上20億円未満 ・小売・サービス業 4,000万円以上15億円未満 ・上記以外の業種 5,000万円以上15億円未満	
	⑥の割合	70%以上	70%未満	90%以上	90%未満	70%以上	70%未満	90%以上	90%未満
判定		該当	非該当	該当	非該当	該当	非該当	該当	非該当

4．開業後３年未満の会社等						
⑴ 開業後３年未満の会社	判定要素		判定基準	課税時期において開業後３年未満である	課税時期において開業後３年未満でない	
	開業年月日	年　月　日	判定	該当	非該当	
⑵ 比準要素数０の会社	判定要素	直前期末を基とした判定要素			判定基準	直前期末を基とした判定要素がいずれも０ である（該当）・でない（非該当）
		第４表のⒷ1の金額	第４表のⒸ1の金額	第４表のⒹ1の金額		
		円　銭 0	円	円	判定	該当 ／ 非該当

5．開業前又は休業中の会社	開業前の会社の判定		休業中の会社の判定		6．清算中の会社	判定	
	該当	非該当	該当	非該当		該当	非該当

7．特定の評価会社の判定結果

1．比準要素数１の会社　　2．株式等保有特定会社

3．土地保有特定会社　　4．開業後３年未満の会社等

5．開業前又は休業中の会社　　6．清算中の会社

（該当する番号を○で囲んでください。なお、上記の「1．比準要素数１の会社」欄から「6．清算中の会社」欄の判定において２以上に該当する場合には、後の番号の判定によります。）

素がいずれも０である」ものが該当します。もちろん、これらいずれにも該当しない場合は、「一般の評価会社」として評価することができます。

これをケース別に整理すると、次のようになります（表中の「５円」、「10円」又は「100円」は仮定の数値で、評価要素がプラスの金額で算出されるという意味です）。

	直前期末基準			直前々期末基準			判定
	Ⓑ$_1$	Ⓒ$_1$	Ⓓ$_1$	Ⓑ$_2$	Ⓒ$_2$	Ⓓ$_2$	
ケース１	0円	0円	0円	—	—	—	比準要素数０の会社
ケース２	0	0	100	0	0	0	比準要素数１の会社
ケース３	0	0	100	0	0	100	
ケース４	0	10	0	0	10	0	
ケース５	5	0	0	0	0	100	
ケース６	0	0	100	0	10	100	一般の評価会社
ケース７	0	10	100	0	0	0	
ケース８	0	10	100	0	0	100	
ケース９	0	10	0	5	10	0	
ケース10	0	10	0	5	10	100	

この判定は、まず直前期基準の判定要素により、全てゼロの場合は比準要素数０の会社とし（ケース１）、次に、直前期基準の比準要素のいずれか１以上がプラスの金額の場合（ケース２以下）に比準要素数１の会社と一般の評価会社の判別を行うということです。この際に次の点に留意して下さい。

① 配当……Ⓑ$_1$及びⒷ$_2$とも直前期と直前々期の２年間の平均配当金額を基に算定する（したがって、直前期末前３年間の配当が反映する）。

② 利益……Ⓒ$_1$及びⒸ$_2$とも、直前期のみの利益金額により算定した比準値と直前期と直前々期の２期間の平均利益金額との選択ができる（したがって、配当と同様に直前期以前３年間の利益が反映する）。

③ 簿価純資産……Ⓓ$_1$及びⒹ$_2$は、それぞれの直前期の純資産価額のみにより算定する（直前期以前２年間の純資産価額による）。

ところで、319ページに示した類似業種比準価額の計算明細書の記載にあたっては、各欄の表示単位未満の端数は切り捨てることとされています。このため、少額な配当や少額な利益の場合は、株式の評価上、比準要素がゼロになってしまうこともあります。たとえば、

- 資本金……1,000万円
- 発行済株式数……２万株
- １株当たりの資本金等の額を50円とした場合の発行済株式数……20万株
- 利益（法人税の課税所得）……前３年間とも199,000円

とすると、上記のⒸ$_1$とⒸ$_2$の金額は、ともに、

$$\frac{199{,}000\text{円}}{200{,}000\text{株}}=0.995\text{円}$$

となりますが、計算明細書の利益金額は円単位で、１円未満が切り捨てられてしまうため、比準要素はゼロとされてしまうのです。要するに、資本金1,000万円の会社の場合は、20万円以上の利益（法人税の課税所得）がないと、比準要素の一つがゼロになるということです。

8.　配当還元方式による評価

(1)　配当還元方式の計算式

相続・贈与によって取得した非上場株式の評価方式について、最後に、配当還元方式についてみておきましょう。

この評価方式は、株主の区分（290ページ以下）で説明したように、相続・贈与による株式取得者が、同族株主以外の株主（零細株主）に該当した場合に適用されるものです。また、その適用にあたっては、会社の規模は関係ありません。

配当還元方式による評価方法を計算式で示すと、次のようになります（評基通188－２）。

$$\frac{\text{その株式に係る年配当金額}}{10\%} \times \frac{\text{その株式の１株当たりの資本金等の額}}{50\text{円}}$$

この場合の「年配当金額」とは、下記の算式のように評価会社の直前期末以前２年間の平均配当金額を直前期末における発行済株式数（１株当たりの資本金等の額を50円とした場合の数）で除して計算した金額です。

したがって、類似業種比準方式における１株当たりの配当金額（Ⓑの金額）と同様になるわけです。ただし、Ⓑの計算上は、無配の場合はゼロとしますが、配当還元方式では、その金額が２円50銭未満のもの及び無配のものについては、２円50銭として計算することとしています（評基通188－２カッコ書）。

$$\frac{\text{直前期末以前２年間の配当金額}}{2} \div \begin{matrix}\text{１株当たりの資本金等の額を50}\\\text{円とした場合の発行済株式数}\\\text{（資本金等の額÷50円）}\end{matrix} = \begin{matrix}\text{年　配　当　金　額}\\\left(\begin{matrix}\text{２円50銭未満の場合}\\\text{は２円50銭とする}\end{matrix}\right)\end{matrix}$$

（注１）直前期末以前２年間の配当金額の算定上は、特別配当、記念配当等の名称による配当金額のうち、将来毎期継続することが予想できないものは除きます（評基通183(1)）。

（注２）評価会社の事業年度が６か月の場合は、直前期末以前４事業年度分の配当合計が前２年間の配当金額となります。

なお、評価した配当還元価額が、その株式について原則的評価方式により計算した価額を超えることとなる場合は、原則的評価方式による価額がその評価額となります（評基通188－２ただし書）。

(2)　配当還元方式による計算例と評価明細書の作成

配当還元価額の計算方法を設例で示すと、次のとおりです。また、この設例について評価明細書を作成すると、〔書式52〕（次ページ）のようになります。

＜設　例＞

⑴　評価会社の資本金等の額等

資本金……………………………………………………………………30,000千円

発行済株式総数…………………………………………………………60,000株

⑵　直前期末以前２年間の配当金額

直前期……………3,600千円（１株当たり60円）

直前期の前期…4,500千円（１株当たり75円）

（ただし、直前期の前期分には、会社創立20周年記念配当1,500千円が含まれている）

《評価額の計算》

①　年平均配当金額　　（3,600千円＋3,000千円）÷２＝3,300千円

（注）直前期の前期の記念配当は除きます。

②　１株（50円）当たりの配当金額　　$3,300千円 \div \frac{30,000千円}{50円} = ５円50銭$

③　１株当たりの資本金等の額　　$\frac{30,000千円}{60,000株} = 500円$

④　配当還元価額　　$\frac{5円50銭}{10\%} \times \frac{500円}{50円} = 550円$

（注）非上場株式の評価で配当還元方式が適用できるのは、いわゆる非同族株主が取得した場合であり、同族株主が取得した株式は、いわゆる原則的評価方式になります（290ページ）。相続税・贈与税の株式の評価におけるこのような「株主の区分」は、相続又は贈与による株式の「取得後」の議決権割合により判定することとされています。

ところで、個人が法人に対して資産を時価の２分の１未満の対価で譲渡した場合又は贈与をした場合には、その資産の時価で譲渡したものとみなして譲渡所得課税を行うこととされています（所法59①）。

この場合に譲渡又は贈与をした資産が非上場株式であるときの時価の２分の１未満であるかどうかの判定上の株式の「時価」について、所得税の取扱いでは、その株式の「譲渡前」の議決権割合により判定することとしています（所基通59－６）。

非上場株式のみなし譲渡に関して、株式の評価方法が争われた事案について、東京高裁（平成30年７月19日判決）は、相続税・贈与税と同様に、株式の「取得後」の議決権割合で判定する判示しましたが、最高裁（令和２年３月24日判決）は、現行の所得税の取扱いのとおり「譲渡前」の議決権割合によって判定するとして、東京高裁判決を破棄しました。

このように、相続税・贈与税の取扱いと所得税の取扱いに差異があることに注意する必要があります。

〔書式52〕

第3表　一般の評価会社の株式及び株式に関する権利の価額の計算明細書 会社名

1．原則的評価方式による価額

1株当たりの価額の計算の基となる金額	類似業種比準価額（第4表の㉖、㉗又は㉘の金額）	1株当たりの純資産価額（第5表の⑪の金額）	1株当たりの純資産価額の80%相当額（第5表の⑫の記載がある場合のその金額）
	① 円	② 円	③ 円

1株当たりの価額の計算 区分	1株当たりの価額の算定方法	1株当たりの価額
大会社の株式の価額	①の金額と②の金額とのいずれか低い方の金額（②の記載がないときは①の金額）	④ 円
中会社の株式の価額	①と②とのいずれか低い方の金額　Lの割合　②の金額（③の金額があるときは③の金額）　Lの割合 （　円×0.　）＋（　円×（1－0.　））	⑤ 円
小会社の株式の価額	②の金額（③の金額があるときは③の金額）と次の算式によって計算した金額とのいずれか低い方の金額 ①の金額　②の金額（③の金額があるときは③の金額） （　円×0.50）＋（　円×0.50）＝　円	⑥ 円

株式の価額の修正			修正後の株式の価額
課税時期において配当期待権の発生している場合	株式の価額（④、⑤又は⑥）　円－	1株当たりの配当金額　円　銭	⑦ 円
課税時期において株式の割当てを受ける権利、株主となる権利又は株式無償交付期待権の発生している場合	株式の価額（④、⑤又は⑥（⑦があるときは⑦））　割当株式1株当たりの払込金額　1株当たりの割当株式数	1株当たりの割当株式数又は交付株式数 （　円＋　円×　株）÷（1株＋　株）	⑧ 円

2．配当還元方式による価額

1株当たりの資本金等の額、発行済株式数等	直前期末の資本金等の額	直前期末の発行済株式数	直前期末の自己株式数	1株当たりの資本金等の額を50円とした場合の発行済株式数（⑨÷50円）	1株当たりの資本金等の額（⑨÷（⑩－⑪））
	⑨ 30,000 千円	⑩ 60,000 株	⑪ 株	⑫ 600,000 株	⑬ 500 円

直前期末以前2年間の配当金額 事業年度	⑭ 年配当金額	⑮ 左のうち非経常的な配当金額	⑯ 差引経常的な年配当金額（⑭－⑮）	年平均配当金額
直前期	3,600 千円	千円	㋑ 3,600 千円	⑰ （㋑＋㋺）÷2　3,300 千円
直前々期	4,500 千円	1,500 千円	㋺ 3,000 千円	

1株（50円）当たりの年配当金額	年平均配当金額（⑰）3,300 千円 ÷ ⑫の株式数 600,000 株 ＝ ⑱ 5 円 50 銭	この金額が2円50銭未満の場合は2円50銭とします。

配当還元価額	⑱の金額 5円50銭 / 10% × ⑬の金額 500円 / 50円 ＝ ⑲ 550 円	⑳ 円	⑲の金額が、原則的評価方式により計算した価額を超える場合には、原則的評価方式により計算した価額とします。

3．株式に関する権利の価額（1．及び2．に共通）

配当期待権	1株当たりの予想配当金額　源泉徴収されるべき所得税相当額 （　円　銭）－（　円　銭）	㉑ 円　銭
株式の割当てを受ける権利（割当株式1株当たりの価額）	⑧（配当還元方式の場合は⑳）の金額　割当株式1株当たりの払込金額 円－　円	㉒ 円
株主となる権利（割当株式1株当たりの価額）	⑧（配当還元方式の場合は⑳）の金額（課税時期後にその株主となる権利につき払い込むべき金額があるときは、その金額を控除した金額）	㉓ 円
株式無償交付期待権（交付される株式1株当たりの価額）	⑧（配当還元方式の場合は⑳）の金額	㉔ 円

4．株式及び株式に関する権利の価額（1．及び2．に共通）

株式の評価額	550 円
株式に関する権利の評価額	（円　銭）円

Ⅳ　金融資産その他の財産の評価

1.　公社債の評価

公社債は、国債（利付国債、割引国債）、地方債、政府保証債（元利金について政府が保証するもの）、事業債（一般の事業会社が発行するもの）、金融債（社債等のうち特定の金融機関が発行するもの）、円貨建外国債（外国政府等が発行するもの）などに区分できます。

財産評価上は、次の４つに区分され、それぞれ銘柄の異なるごとに券面額100円当たりの価額にその公社債の券面額を100で除した数を乗じて計算した金額によって評価することとされています（評基通197）。

①　利付公社債

②　割引公社債

③　元利均等償還が行われる公社債

④　転換社債型新株予約権付社債

これらのうち、利付公社債と割引公社債について、その評価方法を説明しておくこととします。なお、公社債の価額を券面額100円当たりの価額を基にして評価するのは、金融商品取引所に上場されている公社債の公表価額が券面額100円当たりの価額とされているためです。

⑴　利付公社債の評価

利付公社債は、毎年一定の期日（通常は年２回）に利息が支払われます。発行価額は、券面額100円に対して、100円又はこれをやや下回る価額が多いようです。また、利付公社債の市場価額は、既経過利息を含まない金額（いわゆる裸相場）で公表されています。

そこで、利付公社債の価額は、公表される市場価額を基に、課税時期現在の既経過利息相当額（利息に対する源泉所得税・復興特別所得税及び道府県民税の利子割相当額は控除する）を加算して評価することとされています（評基通197－２⑴）。ただし、市場性のない利付公社債については、発行価額を基に評価します（評基通197－２⑶）。算式で示すと次のとおりです。

①　金融商品取引所に上場されている利付公社債

$$\left(\text{金融商品取引所の公表する課税時期の最終価格（券面額100円当たりの金額）} + \text{源泉所得税等相当額控除後の既経過利息の額}\right) \times \frac{\text{公社債の券面額}}{\text{100円}}$$

②　日本証券業協会において売買参考統計値が公表される銘柄として選定された利付公社債

$$\left(\text{日本証券業協会から公表された課税時期の平均値（券面額100円当たりの金額）} + \text{源泉所得税等相当額控除後の既経過利息の額}\right) \times \frac{\text{公社債の券面額}}{\text{100円}}$$

③　上記①及び②以外の利付公社債

$$\left(\text{発行価額（券面額100円当たりの金額）}+\begin{matrix}\text{源泉所得税等相当額控}\\\text{除後の既経過利息の額}\end{matrix}\right)\times\frac{\text{公社債の券面額}}{\text{100円}}$$

（注）既経過利息に対する源泉所得税等相当額の計算上の利子所得の課税関係は、預貯金の場合と同様、相続人について適用される方法によります。

＜設　例＞

⑴　評価する利付公社債

・銘　　柄………第○○回長期利付国債

・発行価額………券面額100円につき　99円

・利　　率………年1.5％

・利払期日………３月25日及び９月25日（年２回）

・償還期日………令和X_5年９月25日

・金融商品取引所から公表された課税時期の最終価格……103円80銭

・券面額…………1,000万円

⑵　課税時期…………令和X_1年２月18日

⑶　利子所得の課税方法……20.315％の源泉徴収税率による申告分離課税

【計　算】

①　課税時期の取引価格　　103.80円

②　既経過利息の額

・既経過利息の計算期間　　令和X年９月26日～令和X_1年２月18日→146日

・既経過利息の額（券面額100円当たり）

$$100円\times0.015\times\frac{146日}{365日}=0.6円$$

（注）既経過利息の計算期間は、直前の利払期日の翌日から課税時期までの日数（いわゆる片落し）により計算し、１年の日数は、平年、うるう年とも365日とします。

③　評価額

$$\left\{103.80円+0.6円\times(1-0.20315)\right\}\times\frac{1{,}000万円}{100円}=10{,}427{,}811円$$

⑵　割引公社債の評価

割引発行の公社債は、定期的な利払いはありませんが、発行価額は券面額より低く、発行価額と券面額との差額が「償還差益」として実質的な利息に相当するものです。期間５年の割引国債や期間１年の割引金融債が代表的なものです。

割引公社債の価額は、市場性のあるものとないものとに区分し、それぞれ次のように評価することとされています（評基通197－3）。

① 金融商品取引所に上場されている割引公社債

$$\text{金融商品取引所の公表する課税時期の最終価格（券面額100円当たりの金額）} \times \frac{\text{公社債の券面額}}{\text{100円}}$$

② 日本証券業協会において売買参考統計値が公表される銘柄として選定された割引公社債

$$\text{日本証券業協会の公表する課税時期の平均値（券面額100円当たりの金額）} \times \frac{\text{公社債の券面額}}{\text{100円}}$$

③ 上記①及び②以外の割引債

$$\text{発行価額} + (\text{券面額} - \text{発行価額}) \times \frac{\text{発行日から課税時期までの日数}}{\text{発行日から償還期限までの日数}}$$

＜設　例＞

⑴ 評価する割引公社債
- 銘　　柄…第○○回　割引国債
- 発行価額…券面額100円につき　98円10銭
- 発 行 日…令和X_0年４月30日
- 償還期限…令和X_1年４月30日
- 金融商品取引所から公表された課税時期の最終価格……99円20銭
- 券 面 額…500万円

⑵ 課税時期……令和X_0年９月16日

【計　算】

$$99.20\text{円} \times \frac{\text{500万円}}{\text{100円}} = \text{496万円}$$

（注） この割引公社債が金融商品取引所に上場されていない場合で、かつ、日本証券業協会において売買参考統計値が公表される銘柄として選定されていない場合には、次のように評価します。

① 発行価額に加算する金額

$$(\text{100円} - \text{98円10銭}) \times \frac{\text{140日※1}}{\text{366日※2}} = \text{72銭}$$

※１　令和X_0年４月30日から令和X_0年９月16日までの日数……140日

※２　令和X_0年４月30日から令和X_1年４月30日までの日数……366日（割引料の計算は発行日と償還期日の両日を算入するため、366日とする）

② 評価額

$$(\text{98円10銭} + \text{72銭}) \times \frac{\text{500万円}}{\text{100円}} = 4{,}941{,}000\text{円}$$

2. 貸付信託受益証券の評価

貸付信託の受益証券とは、貸付信託法第２条に基づく信託で、信託財産を運用することにより得られた利益を受けることができる権利（受益権）を表示する有価証券をいいます。実際に発行されている受益証券は、期間が２年ものと５年ものがあり、主として信託銀行で取り扱っています。

貸付信託の受益証券は、株式等と異なり市場性がありません。したがって、換金する場合は、その証券の受託者（信託銀行等）に買い取ってもらうことになります。このため、貸付信託の受益証券の価額は、課税時期においてその証券を受託者が買い取るとした場合の買取価額を基に、次の算式で評価することとされています（評基通198）。

評価額＝〔元本の額〕＋〔既経過収益の額〕－〔既経過収益の額について源泉徴収されるべき所得税相当額〕－〔買取割引料〕

なお、貸付信託の募集期間は、前月21日からその月５日までとその月６日からその月20日までの月２回で、収益の計算は、設定日（５日及び20日）から６か月ごとの年２回行われることになっています。したがって、評価上の「既経過収益の額」は、課税時期の属する収益計算期間の始期（設定日又は設定日から６か月ごとの５日又は20日）から課税時期の前日までの期間（片落し）により計算することになります。

もっとも、納税者において既経過収益の額の計算をすることは、実際問題とすると困難ですから、実務的には受託者である信託銀行等に依頼した方がよいでしょう。また、買取割引料も受託者に確認してください。

3. 証券投資信託受益証券の評価

証券投資信託とは、投資信託法（投資信託及び投資法人に関する法律）第２条第１項に基づく信託で、証券会社が窓口となり、不特定多数の投資家から集めた資金を投資信託委託会社が公社債や株式などに分散投資し、その運用利益を投資家に分配する制度をいいます。この場合の運用利益の分配を受ける権利を表示する有価証券が証券投資信託受益証券です。もっとも、実際には証券会社で無記名の保護預りとし、預り証が発行される例がほとんどです。

証券投資信託は、主たる投資対象によって公社債投資信託、株式投資信託などに区分され、また、一部解約の可否でオープン・エンド型とクローズ・エンド型に、追加設定の有無によって単位型と追加型に分類されます。いわゆる長期国債ファンドは単位型の公社債投資信託であり、中期国債ファンドやMMF（マネー・マネージメント・ファンド）は追加型の公社債投資信託です。

証券投資信託の受益証券の価額は、１口当たりの基準価額によって評価しますが、課税時期において解約請求又は買取請求を行ったとした場合に、証券会社等から支払いを受けることができる金額として、次の算式で計算した金額で評価することとされています（評基通199）。

① 中期国債ファンド、MMF等の日々決算型のもの

評価額＝（１口当たりの基準価額×口数）＋（再投資されていない未収分配金（A））－（Aに対する源泉所得税相当額）－（信託財産留保額及び解約手数料）

② その他のもの

評価額＝（１口当たりの基準価額×口数）－（課税時期に解約請求等をした場合の源泉所得税相当額）－（信託財産留保額及び解約手数料）

なお、①の証券投資信託の基準価額は１口１円で、月末に収益分配金が再投資され、その再投資分が口数として増加します。基準価額が一定であるため、予想収益率が公表されています。また、②の証券投資信託の基準価額も日刊新聞等に掲載されますが、１万口当たりの基準価額として公表されるものは、上記算式の「１口当たり」を「１万口当たり」とし、「口数」を「口数を１万で除した数」とします。

（注） 上記の算式における信託財産留保額とは、中途解約時に投資家から徴収する費用をいいますが、証券投資信託によっては徴収されないものもありますので、証券会社で確認してください。

4. 預貯金の評価

預貯金の価額は、定期性預貯金（定期預金、定期郵便貯金、定額郵便貯金など）とその他の預貯金とに区分し、次により評価します（評基通203）。

預貯金の価額
- 定期性預貯金 ―（課税時期の預入高）＋（課税時期における期限前解約利率による既経過利子の額）－（既経過利子に対する源泉所得税等相当額）
- その他の預貯金 ―― 課税時期の預入高

（注１） ２年定期預金などで中間払利子が支払われているものについては、次の算式で評価します。この場合、既経過利子の額（算式のカッコ内の金額）がマイナスになるときは、ゼロとします。

課税時期の預入高＋（課税時期における期限前解約利率による既経過利子の額－中間払利子の額）－既経過利子（中間払利子控除後）に対する源泉所得税等相当額

（注２） 既経過利子の額に対する源泉所得税等相当額の計算上の利子所得の課税関係は、預貯金の取得者である相続人に適用される方法によります。

この場合、障害者等の少額貯蓄利子非課税制度（預金者の死亡により失効）の適用を

受けている預貯金については、課税時期までの利子に対する所得税等は非課税となるため、課税時期の預入高と既経過利子の額の合計額が評価額になります。

預貯金のうち定期郵便貯金と定額郵便貯金の利子は、月を単位として預入日の属する月から課税時期の月の前月までの月数による複利計算になります。いずれにしても、既経過利子の額を計算する場合の期限前解約利率は、金融機関や預貯金の預入期間によって変わりますので、それぞれの金融機関で確認してください。

なお、外貨預金の場合は円換算を要しますが、預入金融機関が公表する課税時期の最終の為替相場（いわゆる対顧客直物電信買相場（T.T.B.））によります。この場合、課税時期に売買相場がないときは、課税時期前の相場のうち、課税時期に最も近い日の相場により邦貨換算を行います（評基通４－３）。

＜設　例＞

(1)　評価する定期預金
- 預　入　高　……………3,000万円（１年定期）
- 預　入　日　……………令和X年11月15日
- 約定利率　……………年0.40％
- 預入期間６か月以上１年未満の期限前解約利率……年0.28％

(2)　課 税 時 期　……………令和X_1年６月５日

(3)　利子所得の課税方法……20.315％の税率による源泉分離課税

【計　算】

①　既経過利子の額
- 既経過利子の計算期間　　令和X年11月15日～令和X_1年６月４日──→202日
- 既経過利子の額

$$30,000,000円 \times 0.28\% \times \frac{202日}{365日} = 46,487円$$

（注） 既経過利子の計算期間は、預入日から課税時期の前日までの日数（いわゆる片落し）によります。

②　既経過利子に対する源泉所得税等相当額

46,487円×20.315％＝9,443円

③　評価額

30,000,000円＋46,487円－9,443円＝30,037,044円

5.　ゴルフ会員権の評価

ゴルフ会員権の法的性格と相続性については、前述（148ページ）したとおりです。相続が

可能な会員権について、財産評価基本通達は、取引相場のあるものと取引相場のないものに区分し、後者については、株式形態と預託金形態に区分して評価方法を定めています。その内容をまとめると次のとおりです（評基通211）。

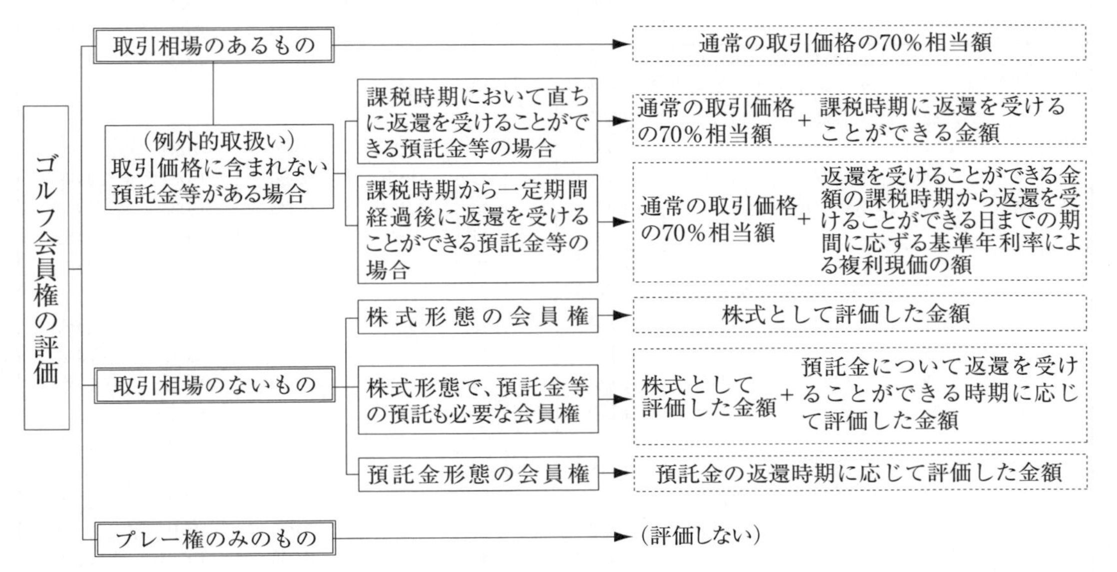

(注) 預託金の評価において、課税時期から返還を受けることができる日までの期間が１年未満であるとき又は１年未満の端数があるときは、１年とします。なお、基準年利率は、次ページを参照してください。

上記のうち、取引相場のある会員権の「例外的取扱い」は、ゴルフ会員権の取得に際して、名義変更料のほかにゴルフ場会社に対して追加の預託金を支払う形態の場合に適用されます。この場合の預託金は、新たな入会者がゴルフ場会社に直接預託するものであり、ゴルフ会員権取引業者はこれに関与せず、会員権そのものの取引価格には含まれていません。このため、取引価格とは別に預託金を評価することになります。

なお、オープン前又はオープン後の期間が短期のゴルフクラブの会員権は、通常の場合、取引が行われていません。このような会員権は、取引相場のないものとして評価します。たとえば、預託金500万円（ほかに返還されない入会金100万円）で取得した会員権で、課税時期から預託金の返還時期までの期間が８年とすれば、基準年利率が年0.01％の場合、

500万円×0.999（期間８年に応ずる年0.75％の複利現価率）＝499.5万円

が評価額になります。

複　利　表（令和元年７月～11月分）

区分	年数	年0.01％の複利年金現価率	年0.01％の複利現価率	年0.01％の年賦償還率	年1.5％の複利終価率
短期	1	1.000	1.000	1.000	1.015
短期	2	2.000	1.000	0.500	1.030
中期	3	2.999	1.000	0.333	1.045
中期	4	3.999	1.000	0.250	1.061
中期	5	4.999	1.000	0.200	1.077
中期	6	5.998	0.999	0.167	1.093
長期	7	6.997	0.999	0.143	1.109
長期	8	7.996	0.999	0.125	1.126
長期	9	8.996	0.999	0.111	1.143
長期	10	9.995	0.999	0.100	1.160
長期	11	10.993	0.999	0.091	1.177
長期	12	11.992	0.999	0.083	1.195
長期	13	12.991	0.999	0.077	1.213
長期	14	13.990	0.999	0.071	1.231
長期	15	14.988	0.999	0.067	1.250
長期	16	15.986	0.998	0.063	1.268
長期	17	16.985	0.998	0.059	1.288
長期	18	17.983	0.998	0.056	1.307
長期	19	18.981	0.998	0.053	1.326
長期	20	19.979	0.998	0.050	1.346
長期	21	20.977	0.998	0.048	1.367
長期	22	21.975	0.998	0.046	1.387
長期	23	22.972	0.998	0.044	1.408
長期	24	23.970	0.998	0.042	1.429
長期	25	24.968	0.998	0.040	1.450
長期	26	25.965	0.997	0.039	1.472
長期	27	26.962	0.997	0.037	1.494
長期	28	27.959	0.997	0.036	1.517
長期	29	28.957	0.997	0.035	1.539
長期	30	29.954	0.997	0.033	1.563
長期	31	30.950	0.997	0.032	1.586
長期	32	31.947	0.997	0.031	1.610
長期	33	32.944	0.997	0.030	1.634
長期	34	33.941	0.997	0.029	1.658
長期	35	34.937	0.997	0.029	1.683
長期	36	35.933	0.996	0.028	1.709
長期	37	36.930	0.996	0.027	1.734
長期	38	37.926	0.996	0.026	1.760
長期	39	38.922	0.996	0.026	1.787
長期	40	39.918	0.996	0.025	1.814
長期	41	40.914	0.996	0.024	1.841
長期	42	41.910	0.996	0.024	1.868
長期	43	42.906	0.996	0.023	1.896
長期	44	43.901	0.996	0.023	1.925
長期	45	44.897	0.996	0.022	1.954
長期	46	45.892	0.995	0.022	1.983
長期	47	46.887	0.995	0.021	2.013
長期	48	47.883	0.995	0.021	2.043
長期	49	48.878	0.995	0.020	2.074
長期	50	49.873	0.995	0.020	2.105
長期	51	50.868	0.995	0.020	2.136
長期	52	51.862	0.995	0.019	2.168
長期	53	52.857	0.995	0.019	2.201
長期	54	53.852	0.995	0.019	2.234
長期	55	54.846	0.995	0.018	2.267
長期	56	55.841	0.994	0.018	2.301
長期	57	56.835	0.994	0.018	2.336
長期	58	57.829	0.994	0.017	2.371
長期	59	58.823	0.994	0.017	2.407
長期	60	59.817	0.994	0.017	2.443
長期	61	60.811	0.994	0.016	2.479
長期	62	61.805	0.994	0.016	2.517
長期	63	62.799	0.994	0.016	2.554
長期	64	63.792	0.994	0.016	2.593
長期	65	64.786	0.994	0.015	2.632
長期	66	65.779	0.993	0.015	2.671
長期	67	66.773	0.993	0.015	2.711
長期	68	67.766	0.993	0.015	2.752
長期	69	68.759	0.993	0.015	2.793
長期	70	69.752	0.993	0.014	2.835

（注）1　複利年金現価率、複利現価率及び年賦償還率は小数点以下第４位を四捨五入により、複利終価率は小数点以下第４位を切捨てにより作成している。

2　複利年金現価率は、定期借地権等、著作権、営業権、鉱業権等の評価に使用する。

3　複利現価率は、定期借地権等の評価における経済的利益（保証金等によるもの）の計算並びに特許権、信託受益権、清算中の会社の株式及び無利息債務等の評価に使用する。

4　年賦償還率は、定期借地権等の評価における経済的利益（差額地代）の計算に使用する。

5　複利終価率は、標準伐期齢を超える立木の評価に使用する。

第4章

相続税のしくみと申告書作成の実務

I　相続税のしくみと計算体系

1.　相続税の納税義務者の区分

(1)　相続税の課税原因と納税義務者

相続の実務は、財産の評価と遺産分割の手続を前提として、相続税の申告と納税が重要なテーマになります。この章では、申告手続について実務上の留意点を含めて説明しますが、その前に現行の相続税の基本的なしくみを確認しておくことにします。

相続税の課税原因は、「相続」、「遺贈」及び「死因贈与」による財産の取得とされていますから、相続税の納税義務者は、次の者になります（相法１の３）。

①　相続により財産を取得した者（相続人）

②　遺贈により財産を取得した者（受遺者）

③　死因贈与により財産を取得した者（受贈者）

(注) このほか、贈与により財産を取得した者で、その贈与について相続時精算課税制度の適用を受けたものは、贈与者の相続時に課税の精算が行われるため相続税の納税義務者になります。

このうち「相続」と「遺贈」については第１章で説明したとおりですが、③の「死因贈与」とは、贈与者の死亡によって贈与契約が有効となる贈与で、民法は、遺贈に関する規定に従う旨を定めています（民554）。このため、相続税法も死因贈与を遺贈に含めて取り扱うこととしています（相法１の３①一カッコ書）。

(注) 相続や遺贈と異なり、贈与は「契約」ですから、贈与者と受贈者の間で財産移転に関する合意が成立していることが条件となります。この場合、契約は書面がなくても成立しますが、死因贈与のように当事者の一方が死亡した後に財産移転が行われるものは、口頭による契約の成立を第三者に主張することはかなり困難です。したがって、死因贈与を利用する場合は、実務的には書面が必要であり、できれば公正証書で作成しておくことが望まれます。

もっとも、相続人以外の者に死後に財産を与える意向がある場合は、遺言による方が現実的といえるでしょう。

相続税の納税義務者は、上述のとおりですが、これらはいずれも個人であり、法人が納税義務者になることは、通常はありません。法人に対して遺贈又は死因贈与が行われたとすれば、法人側に受贈益が計上され、法人税の課税対象となります。

ただし、人格のない社団に対して遺贈又は死因贈与があれば、その人格のない社団は個人とみなされて、例外的に相続税の納税義務が生じます（相法66①）。

持分の定めのない法人（一般社団法人、一般財団法人、持分の定めのない医療法人、学校法人、社会福祉法人など）については、純然たる法人であることから、相続税の納税義務を負わないのが原則です。また、公益社団法人等は、収益事業から生じた所得についてのみ法人税が課税されますから、遺贈財産や死因贈与財産を収益事業の用に供さない限り、法人税の課税対象にもなりません。

したがって、公益事業のみを営む公益社団法人等については、相続税も法人税も課税されないことになります。ただし、その遺贈等により個人の相続税の負担が不当に軽減されると認められる場合――たとえば、土地を公益社団法人等に遺贈した後に、その土地を公益社団法人等の主宰者が私的に使用収益する場合――は、その公益社団法人等に相続税が課税されます（相法66④）。

ところで、一般社団法人等については、持分がなく、登記だけで設立できるとともに、行政庁の監督がなく、また、役員の人数や親族の割合に関する規制もないという特徴があります。このため、個人の資産を一般社団法人等に移転させて相続税を回避することが可能になります。

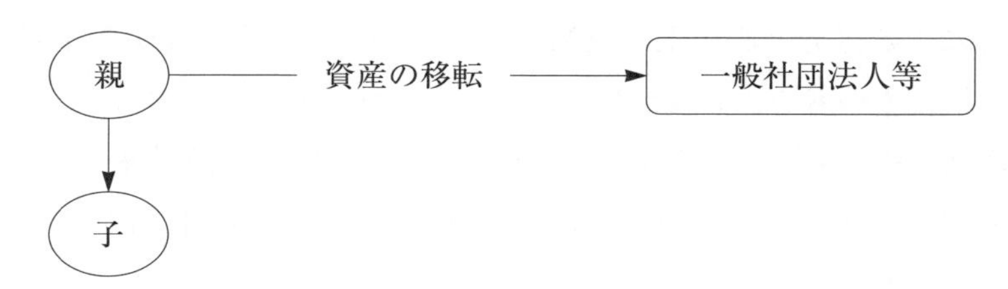

このようなケースで、親が一般社団法人等の理事（役員）である場合に、一般社団法人等に持分があれば、親の相続時にその持分に応じて子に相続税を課税することができます。しかしながら、一般社団法人等に持分の定めがないため、特別の規定を設けない限り相続税を課税することはできません。

そこで、一般社団法人等の理事である者（一般社団法人等の理事でなくなった日から５年を経過していない者を含む）が死亡した場合において、その一般社団法人等が「特定一般社団法人等」に該当するときは、その一般社団法人等を個人とみなして相続税を課税することとされています。その概要は、次表のとおりです（相法66の２、相令34）。

	制度の概要
特定一般社団法人等の意義	特定一般社団法人等とは、次の要件のいずれかを満たす一般社団法人等をいう。 ①　被相続人（死亡した理事）の相続開始の直前におけるその被相続人に係る同族理事の数の理事の総数に占める割合が２分の１を超えること。 ②　被相続人の相続の開始前５年以内において、その被相続人に係る同族理事の数の理事の総数に占める割合が２分の１を超える期間の合計が３年以上であること。
同族理事の範囲	同族理事とは、一般社団法人等の理事のうち、被相続人又はその配偶者、三親等内の親族その他被相続人と特殊の関係にある者をいう。
課税対象額	特定一般社団法人等が、次の算式で計算される金額を被相続人から遺贈により取得したものとみなす。 $\text{課税対象額}=\dfrac{\text{相続開始時の特定一般社団法人等の純資産額}}{\text{特定一般社団法人等の理事の数}+1}$

(注) 上記の課税対象額の計算における純資産価額とは、次の①の金額から②の金額を控除した残額をいいます（相令34①）。

① 被相続人の相続開始の時において、その特定一般社団法人等が有する財産（信託の受託者として有する財産及び被相続人からの遺贈財産は除く）の価額の合計額

② 次に係る金額の合計額

イ 特定一般社団法人等の債務で被相続人の相続開始の際に現に存するものの金額

ロ 特定一般社団法人等に課される国税又は地方税で、被相続人の相続開始以前に納税義務が成立したものの額

ハ 被相続人の死亡により支給する退職手当金等の額

ニ 被相続人の相続開始時におけるその特定一般社団法人等の基金の額

(2) 無制限納税義務者と制限納税義務者の区分

相続の実務では、通常の場合は個人が納税義務者になると考えればよいのですが、その個人の住所地等による区分と課税上の取扱いは、確認しておく必要があるでしょう。現行の相続税では、納税義務者を次の４つに区分しています（相法１の３）。

① 居住無制限納税義務者（財産を取得した時において国内に住所を有する者）

② 非居住無制限納税義務者（財産を取得した時において国内に住所を有しない者で一定の要件に該当する者）

③ 居住制限納税義務者（財産を取得した時において国内に住所を有する者で①に該当する者以外のもの）

④ 非居住制限納税義務者（財産を取得した時において国内に住所を有しない者で②に該当する者以外のもの）

これらの区分については、第２章（120ページ）で説明したとおりですが、課税財産の範囲や債務控除の適用範囲のほか、未成年者控除や障害者控除の適用関係にも差異があります。おおむね次表のとおりです。

	無制限納税義務者		制限納税義務者	
	居住無制限納税義務者	非居住無制限納税義務者	居住制限納税義務者	非居住制限納税義務者
課税財産の範囲（相法２、11の2）	財産の所在（国内・国外）を問わず、相続又は遺贈により取得した全ての財産に対して相続税課税		相続又は遺贈により取得した財産のうち、国内に所在するもののみに相続税課税	
債務控除の範囲（相法13）	被相続人の債務（未納の公租公課を含む）と被相続人に係る葬式費用		納税義務者が取得した課税財産に関する債務（葬式費用は控除不可）	
未成年者控除（相法19の３）	適用あり		適用なし	
障害者控除（相法19の４）	適用あり	適用なし		

⑶　財産の所在

上記のような納税義務者の区分があると、相続財産が国内にあるか国外に所在するか、という問題が生じます。このため、財産の所在場所に関する規定が設けられており、その概要をまとめると、次表のとおりです（相法10、相令１の13～１の15）。

財産の種類	所在場所
①　動産、不動産、不動産の上に存する権利	その動産又は不動産の所在による。
②　船舶、航空機	船籍又は航空機の登録をした機関の所在による。
③　鉱業権、租鉱権、採石権	鉱区又は採石場の所在による。
④　漁業権、入漁権	漁場に最も近い沿岸の属する市町村又はこれに相当する行政区画による。
⑤　銀行、農業協同組合、信用金庫などに対する預貯金等	その預貯金等の受入れをした営業所又は事業所の所在による。
⑥　生命保険金、損害保険金	これらの契約に係る保険会社の本店又は主たる事務所の所在による。
⑦　退職手当金等	その支払者の住所、本店又は主たる事務所の所在による。
⑧　貸付金債権	その債務者の住所、本店又は主たる事務所の所在による。
⑨　社債、株式、法人に対する出資、外国預託証券	その社債・株式の発行法人、その出資のされている法人又は外国預託証券に係る株式の発行法人の本店又は主たる事務所の所在による（国債又は地方債は国内にあるものとし、外国又は外国の地方公共団体等が発行するものは、当該外国にあるものとする）。
⑩　集団投資信託、法人課税信託に関する権利	信託の引受をした営業所、事務所等の所在による。
⑪　特許権、実用新案権、意匠権、商標権	その登録をした機関の所在による。
⑫　著作権、出版権、著作隣接権で、これらの権利の目的物である著作物が発行されているもの	その著作物を発行する営業所又は事業所の所在による。
⑬　営業所又は事業所を有する者のその営業上又は事業上の権利（①から⑫までの財産を除く）	その営業所又は事業所の所在による。
⑭　国債、地方債	日本国内にあるものとする（外国又は外国の地方公共団体等が発行する公債は、その発行国にあるものとする）。
⑮　①から⑭までの財産以外の財産	その財産の権利者であった被相続人の住所の所在による。

2.　相続税の課税方式と計算のしくみ

⑴　相続税の計算方法と法定相続分課税方式

遺産に課税するか、相続財産に課税するか——相続税の課税方式には、「遺産課税方式」と「遺産取得課税方式」の２つがあるといわれています。前者は、被相続人の遺産額を課税標準として、その額に直接的に課税する方法であり、この方式では、その遺産を相続人間でどのように配分したか、相続人のそれぞれの取得額はいくらであるかといったことは課税額に影響しません。ちなみに、アメリカの遺産税は、この方式で、被相続人の遺産から税額が支出され（納税義務者は相続財産の管理人)、税引後の財産が相続人に配分されます。

これに対し、遺産取得課税方式では、相続人が取得した財産額が課税標準となりますから、相続人間での遺産分割の方法で課税額が異なります。遺産額が10億円で共同相続人が２人の場合、５億円ずつ配分した場合の２人分の税額と、８億円と２億円に分割した場合の税額とでは差異が生じるということです。

わが国の相続税法は、「相続又は遺贈による取得財産」に課税する旨を規定していますから（相法１の３①、11の２)、遺産取得課税方式であることは明らかです。この点は、次ページの図のように財産取得者の各人ごとに課税標準である「課税価格」を算出するしくみに表われています。

ただし、現行の課税方式の特徴は、「相続税の総額」の計算方法にみられます。各人ごとの課税価格を合計して、被相続人ベースの遺産総額（課税価格の合計額）を求め、ここから「遺産に係る基礎控除」を適用することからみると、遺産課税方式の考え方も取り込んでいるわけです。

さらに、基礎控除後の課税遺産額を法定相続分によって配分し、法定相続人数分の税額を求めることとされていますが、これは、被相続人の遺産を相続人間でどのように分割しても相続税の総額に変化はなく、また、相続放棄の有無によっても相続税の総額が変わらないように仕組まれたものです。これを一般に「法定相続分課税方式」とよんでいます。

⑵　相続税の計算のしくみ

上記のような特徴をもつわが国の相続税は、その計算のしくみとして、次の３つに区分することができます。

①　課税価格の計算（納税義務者ごとの個別計算）

②　相続税の総額の計算（納税義務者全員の課税価格に基づく全体的計算）

③　納付税額の計算（納税義務者ごとの個別計算）

このしくみを図式化すると、次ページのようになります。

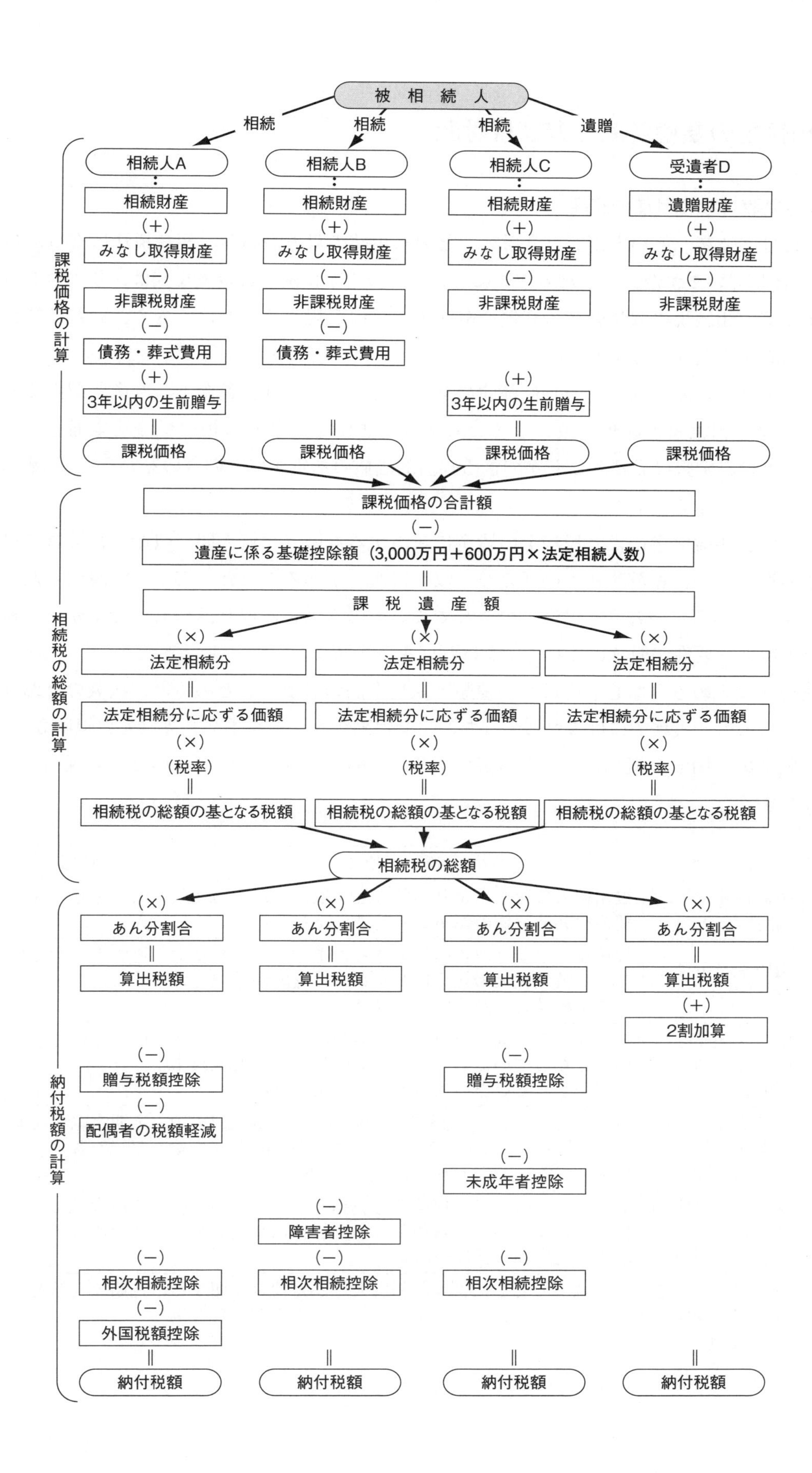
被相続人
相続
相続
相続
遺贈
相続人A
相続人B
相続人C
受遺者D
相続財産
相続財産
相続財産
遺贈財産
(+)
みなし取得財産
みなし取得財産
みなし取得財産
みなし取得財産
(−)
非課税財産
非課税財産
非課税財産
非課税財産
(−)
債務・葬式費用
債務・葬式費用
(+)
3年以内の生前贈与
3年以内の生前贈与
課税価格
課税価格
課税価格
課税価格
課税価格の計算
課税価格の合計額
(−)
遺産に係る基礎控除額（3,000万円＋600万円×法定相続人数）
課税遺産額
(×)
法定相続分
法定相続分
法定相続分
法定相続分に応ずる価額
法定相続分に応ずる価額
法定相続分に応ずる価額
(×)
(税率)
相続税の総額の基となる税額
相続税の総額の基となる税額
相続税の総額の基となる税額
相続税の総額
相続税の総額の計算
(×)
あん分割合
あん分割合
あん分割合
あん分割合
算出税額
算出税額
算出税額
算出税額
(+)
2割加算
(−)
贈与税額控除
贈与税額控除
配偶者の税額軽減
未成年者控除
障害者控除
相次相続控除
相次相続控除
相次相続控除
外国税額控除
納付税額
納付税額
納付税額
納付税額
納付税額の計算

3. 相続税の課税財産と非課税財産

(1) 相続税の課税財産の範囲

民法には「遺産」という用語と「財産」という用語の双方があり、相続税法はもっぱら「財産」としていますが、いずれの法律にもこれらの用語に関する定義規定はありません。したがって、相続税の課税財産の意義や範囲を正確に表現することはできず、いわば社会通念で判断する以外にありません。

要は、前章の財産評価で説明した範囲の財産はもちろん、社会通念上、財産と認識できるものは全て相続税の課税対象になると考えられます。ちなみに相続税法基本通達は、「「財産」とは、金銭に見積ることができる経済的価値のあるすべてのものをいう」(相基通11の2－1)としています。

ところで、相続財産には、民法上の遺産に該当するもの(相続人間で遺産分割協議の対象になる財産)と、相続税法上の「みなし取得財産」があることは、第2章で説明したとおりです。このうち後者は、民法上の遺産でないものを課税に取り込むものですから、税法でその範囲や要件が明確にされていなければなりません。

相続税法が定めるみなし取得財産の種類と課税方法の概要をまとめると、次表のとおりです。もっとも、実務的にはこれらのうち、生命保険金等、退職手当金等(死亡退職金)、生命保険契約に関する権利の3つが重要であり、その内容等については第2章で説明したとおりです。

	種　類	概　要	課税対象者
相続又は遺贈により取得したものとみなされるもの	生命保険金等 (相法3①一)	被相続人の死亡により相続人等が取得した生命保険契約や共済契約の保険金・共済金など	保険金等の受取人
	退職手当金等 (相法3①二)	被相続人が受け取るべきであった退職手当金や功労金で、被相続人の死亡後3年以内に支給が確定したものを相続人等が受給した場合	退職手当金等の受取人
	生命保険契約に関する権利 (相法3①三)	被相続人が保険料を負担し、被相続人以外の者が契約者となっているもので、相続開始時にまだ保険事故が発生していない生命保険契約がある場合	保険契約者
	定期金給付契約に関する権利 (相法3①四)	被相続人が掛金又は保険料を負担し、被相続人以外の者が契約者となっているもので、相続開始時にまだ給付事由が発生していない定期金給付契約がある場合	定期金給付契約の契約者
	保証期間付定期金受給権 (相法3①五)	被相続人が掛金又は保険料を負担していた定期金給付契約に基づいて、被相続人の死亡後に相続人等が取得した定期金又は一時金	定期金又は一時金受取人
	契約に基づかない定期金受給権 (相法3①六)	被相続人の死亡により、相続人等が定期金に関する権利で、契約に基づくもの以外のものを取得した場合	定期金受給者

遺贈により取得したものとみなされるもの	特別縁故者への分与財産 （相法４）	相続人が存在しない場合において、民法の規定により被相続人と生前に特別縁故があった者に財産分与が行われたとき	財産分与を受ける者
	特別寄与料 （法４②）	民法の規定により被相続人の療養・看護等をした相続人以外の者が相続人から特別寄与料の支払を受けることが確定したとき	特別寄与料の支払を受ける者
	信託の受益権 （相法９の２）	委託者の死亡に基因して信託の効力が生じた場合において、適正な対価を負担せずにその信託の受益者となる者があるとき	信託の受益者
	低額譲受の利益 （相法７）	遺言によって時価より著しく低い価額で財産の譲渡を受けた場合	財産の譲受者
	債務免除益等 （相法８）	遺言によって債務の免除、引受け、弁済による利益を受けた場合	債権免除等の利益を受けた者
	その他の利益 （相法９）	信託の受益権から債務免除益までの場合以外で、遺言による利益を受けた場合	利益を受けた者

なお、これらの財産は、その課税対象者が「相続人」であるときは「相続により取得したものとみなす」ことになりますが、相続放棄者やもともと相続権のない者が取得したときは「遺贈により取得したものとみなす」こととされています。

いずれの場合であっても相続税が課税されることに変わりはありませんが、生命保険金や死亡退職金については「相続人」についてのみ非課税規定が適用されます。

（注１） 生命保険金及び退職手当金については、その支払時に保険会社又は支払者から所轄税務署に、〔書式53〕（360ページ）又は〔書式54〕（361ページ）による支払調書が提出されることになっています（相法59①）。

これらの支払調書が受給者に交付された場合は、相続税の申告の際に参考にしてください。なお、いずれの支払調書も支払額が100万円を超える場合に提出されることになっています（相規30①）。

（注２） 平成18年12月８日に成立した「信託法」は、信託制度について全面的な見直しを行いましたが、平成19年度の税制改正では、これに対応するための税制の整備が図られました。

遺産の相続に関しては、信託法において「受益者連続型信託」が創設されたことに伴い、相続税法においてもその課税の取扱いが規定されました。信託法第91条には、「受益者の死亡により他の者が新たに受益権を取得する旨の定めのある信託の特例」の規定が設けられており、一般に受益者連続型信託といいます。

信託の基本的なしくみは、委託者の有する財産を受託者に移転させ、その財産の管理・運用を委任し、その収益又は元本を受益者に帰属させるものです。信託法では、受益者の死亡によってその受益権が消滅し、他の者が新たに受益権を取得する旨の定めのある信託を受益者連続型信託とし、その効力の有する期間を30年としています。

要するに、委託者甲が信託会社等にその所有財産を信託し、甲の死亡後はAが受益者となり、Aの死亡によりBが受益者となる信託をいいます。この場合のAはいわば第１次受益者であり、Bは第２次受益者ということになりますが、このような信託について、信託法は、第１次受益者であるAの死亡により、第２次受益者であるBは、委託者である甲から信託の受益権を取得したものとしています。

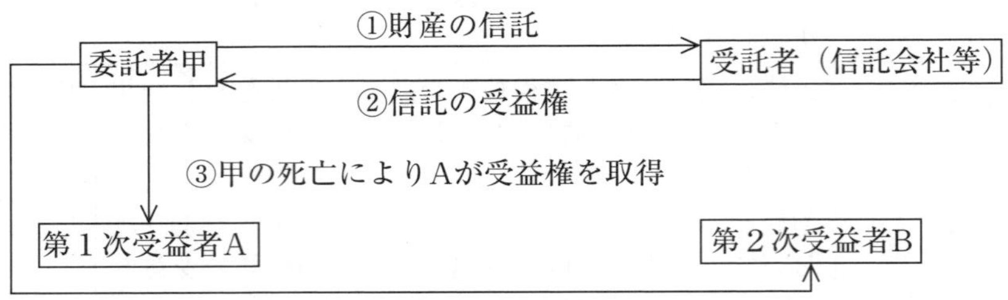

このような受益者連続型信託は、次のような例に活用できると考えられています。

イ　後妻との間に子がない場合に、第１次受益者を妻とし、妻の死亡後は先妻との間の子を第２次受益者として財産を承継させる（第２次受益者を指定しないと、妻の死亡後に妻が再婚した相手に財産が承継されるおそれがある）。

ロ　事業の後継者を長男（第１次受益者）とし、長男の死亡後は、その子ではなく二男（第２次受益者）に事業用資産を承継させる。

信託法の概略は以上のとおりですが、信託法における権利移転の考え方では課税もれが生じるおそれがあるため、相続税法では、上記のような場合には、第１次受益者（A）が死亡した時に第２次受益者（Ｂ）は、第１次受益者（A）から信託に関する権利を遺贈により取得したものとみなすこととされています（相法９の２、９の３）。

（注３） 上表の遺贈により取得したとみなされるもののうち、「特別寄与料」は、平成30年７月に成立した改正民法において創設された制度です。

同年の改正前の民法には、こうした制度がなかったため、被相続人の相続人以外の者（たとえば、被相続人の子の配偶者）が献身的に被相続人の療養看護をしたとしても、相続権がないため、被相続人に相続が開始したとしても、遺贈がない限り財産を取得することはできないという問題がありました。

こうした問題に対処するため、改正民法は、相続人以外の者の貢献を考慮するための方策として、特別寄与者が相続人に対して金銭（特別寄与料）を請求できる制度を創設しました。制度の概要は次のとおりです。

	制度の概要
特別寄与料制度の内容	○　被相続人に対して無償で療養看護その他の労務を提供したことにより被相続人の財産の維持又は増加について特別の寄与をした被相続人の親族（相続人、相続の放棄をした者、相続人の欠格事由に該当する者及び廃除された者を除く）は、相続の開始後、相続人に対し、特別寄与者の寄与に応じた額の金銭（特別寄与料）の支払を請求することができる（民1050①）。
家庭裁判所への特別寄与料に関する請求・請求の期限等	○　特別寄与料の支払について、当事者間に協議が調わないとき、又は協議することができないときは、特別寄与者は、家庭裁判所に対して協議に代わる処分を請求することができる。 ただし、特別寄与者が相続の開始及び相続人を知った時から６か月を経過したとき、又は相続開始の時から１年を経過したときは、この限りでない（民1050②）。

	○　上記の本文の場合には、家庭裁判所は、寄与の時期、方法及び程度、相続財産の額その他一切の事情を考慮して、特別寄与料の額を定める（民1050③）。
特別寄与料の額の限度	○　特別寄与料の額は、被相続人が相続開始の時に有した財産の価額から遺贈の価額を控除した残額を超えることができない（民1050④）。
各相続人の負担額	○　相続人が数人ある場合には、各相続人は、特別寄与料の額に当該相続人の法定相続分（相続分の指定がある場合は指定相続分）を乗じた額を負担する（民1050⑤）。 （注）特別寄与者は、一部の相続人に対し、特別寄与料（全額）のうちその相続人の法定相続分又は指定相続分に応じた額を請求することもできる。

この制度に基づき特別寄与料の額が確定した場合の課税関係は、次のようになります。

イ　特別寄与料の支払を受けた者

特別寄与料は、特別寄与者が相続人から支払を受けるものであり、被相続人からの相続又は遺贈により取得したものではありませんが、相続に関連した財産の取得であることから、被相続人から遺贈により取得したものとみなして相続税が課税されます（相法４②）。

なお、特別寄与者は、被相続人の一親等の血族でも配偶者でもありませんから、その相続税については、２割加算の規定が適用されます（相法18）。

ロ　特別寄与料の支払をした者

特別寄与料の支払をした相続人については、その支払を相続財産から行う場合と固有財産から支出する場合がありますが、いずれにせよ担税力の減殺要因になります。そこで、相続人が支払うべき特別寄与料の額は、その相続人の課税価格から控除することとされています（相法13④）。

ハ　特別寄与料の額が申告期限後に確定した場合

特別寄与料の額が相続税の申告期限後に確定し、特別寄与者について、新たに相続税の申告義務が生じた場合には、その額が確定した日の翌日から10か月以内に相続税の申告を行うことになります（相法29①）。なお、特別寄与者が被相続人から遺贈により財産を取得し、既に相続税の申告をしている場合において、その後に特別寄与料の額が確定したときは、その確定した日の翌日から10か月以内に修正申告を行うことになります（相法31②）。

一方、特別寄与料を支払う相続人が相続等により取得財産について、既に相続税の申告をしている場合には、特別寄与料の支払額が確定したことを知った日の翌日から４か月以内に更正の請求をすることができます（相法32①七）。

⑵　相続税の非課税財産の種類

相続税が課税されない財産は、２つに区分できます。ひとつは、民法上の遺産のうちのいわゆる一身専属権で、もともと相続性がありませんから相続税の課税対象にもなりません。いまひとつは、相続税法及び租税特別措置法で非課税と定められているものです。

相続税の非課税財産として税法に定められているものを列挙すると、次図のとおりです（相法12、措法70①）。

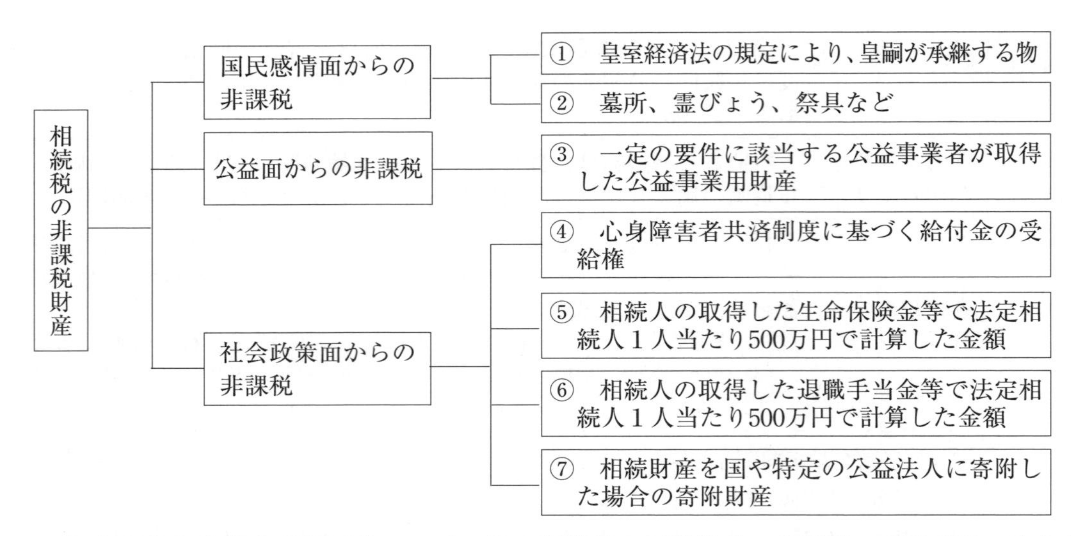

これらのうち実務上事例が多いのは、②の墓所等の祭祀財産の非課税、⑤及び⑥の生命保険金等と退職手当金等の非課税ですが、その内容については、第２章で説明したとおりです。

なお、⑦は、相続又は遺贈により取得した財産を相続税の申告期限までに国、地方公共団体又は一定の公益法人に贈与（寄附）した場合に適用されます。ただし、公益法人に対する贈与について、その贈与者又はその親族等の相続税又は贈与税の負担が不当に減少する結果となると認められる場合には非課税にはなりません（措法70の①、措令40の３）。

〔書式53〕

生命保険金・共済金受取人別支払調書

	住所（居所）又は所在地			
保険金等受取人	住所（居所）	東京都○○区○○ 1-33-4	氏名又は名称	山野花子
			個人番号又は法人番号	
保険契約者等（又は保険料等払込人）	又は	同上	氏名又は名称	山野太郎
			個人番号又は法人番号	
被保険者等	所在地	同上	氏名又は名称	同上
直前の保険契約者等				

保険金額等	増加又は割増保険金額等	未払利益配当金等	貸付金額、同未収利息
千　円 35 000 000	千　円	千　円 1 788 400	千　円
未払込保険料等	**前納保険料等払戻金**	**差引支払保険金額等**	**既払込保険料等**
千　円	千　円	千　円 36 788 400	千　円 （内　　）

保険事故等	死亡	保険事故等の発生年月日	○○年 3月20日	（摘要）
保険等の種類	定期			
契約者変更の回数		保険金等の支払年月日	○○年 6月20日	（令和 00 年 7 月 15 日提出）

保険会社等	所在地	東京都中央区○○ 2丁目8番5号		
	名称	○○生命保険相互会社 （電話）3242-XXXX	法人番号	

整理欄	①	②

323

〔書式54〕

退職手当金等受給者別支払調書

受給者	住所	東京都○○区○○ 1-33-4	氏名	山野花子
			個人番号	
退職者		同上	氏名	山野太郎
			個人番号	

退職手当金等の種類	退職手当金等の給与金額	退職年月日
死亡退職金・特別功労金	50,000,000 円	○○年 3 月 20 日
退職時の地位職務	受給者と退職者との続柄	支払年月日
代表取締役	妻	○○年 4 月 25 日

(摘要)
退職者の死亡年月日 ○年 3 月 20 日
(令和 ○○ 年 5 月 15 日 提出)

支払者	営業所又は事務所等の所在地	東京都中央区○○ 4 丁目 2 番 9 号
	営業所又は事務所等の名称又は氏名	○○産業株式会社 (電話) 3241-XXXX
	個人番号又は法人番号	

整理欄	①	②

325

4. 相続税の債務控除

(1) 控除できる債務の範囲

民法の相続制度では、相続放棄をしない限り、被相続人の債務も相続人に承継されます。このため、相続税法では、「債務控除」の規定を設け、相続人が負担することとなった債務の額を課税財産の価額から控除することとしています（相法13、14)。

債務控除の適用に当たり、控除できる債務か否かは、おおむね次ページのように判断すればよいでしょう。

債務控除の規定により控除される債務は、確実と認められるものに限られます（相法14①)。この場合に、債務が確実であるかどうかについては、必ずしも書面の証拠があることを要しないものとされ、また、債務の金額が確定していなくても、その債務の存在が確実と認められるものについては、相続開始当時の現況によって確実と認められる範囲の金額だけを控除することに取り扱われています（相基通14－１)。

この点に関し、被相続人の事業を承継した相続人において、被相続人の事業に従事していた従業員の退職金相当額が債務控除の対象になるかどうかが争われた事案について、被相続人の当時には退職給与規程がなく、また、従業員が退職した事実もないので、債務控除の対象にならないとしたものがあります（昭和48.11.28・国税不服審判所裁決)。

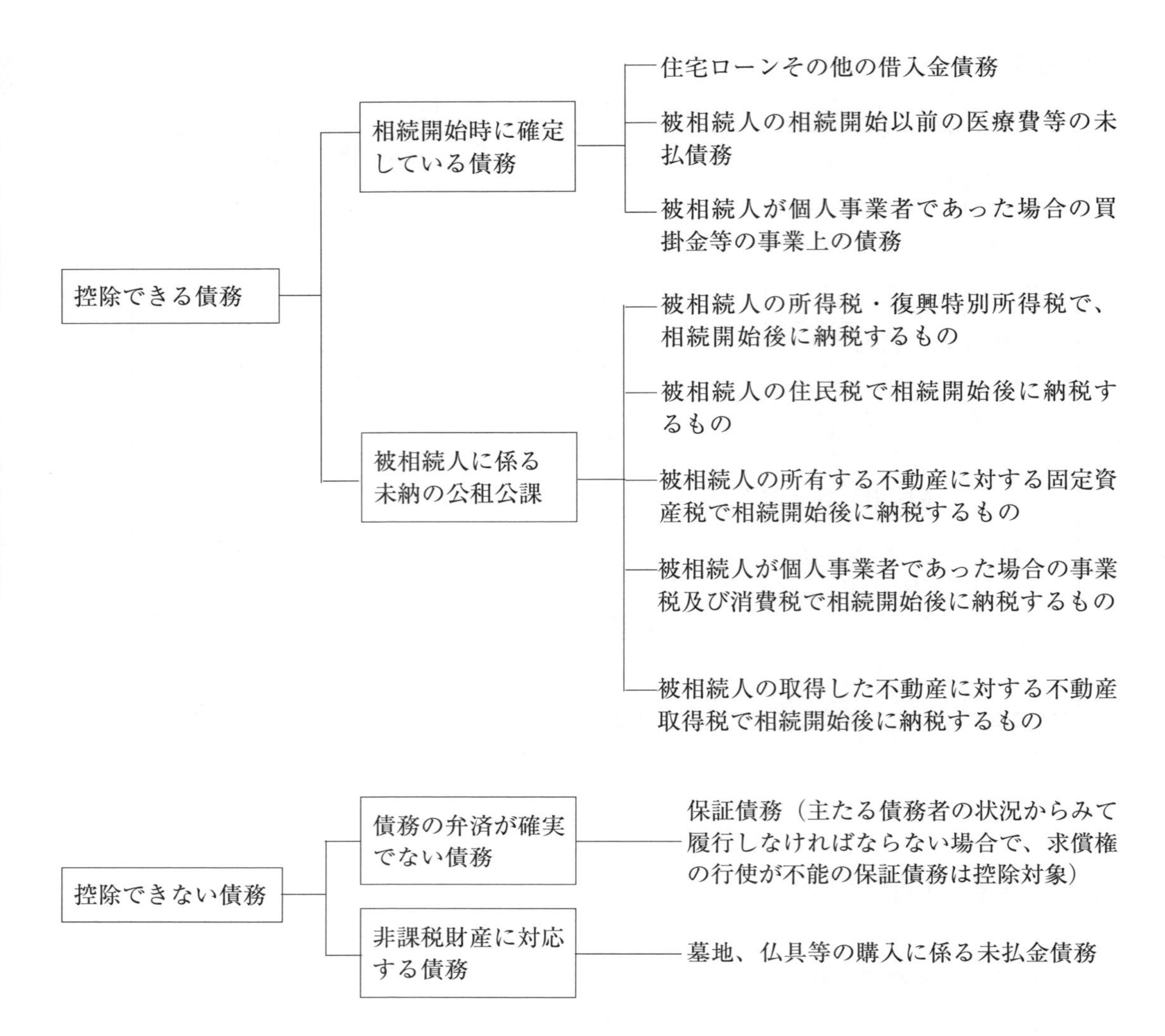

これらのうち、被相続人の生前の医療費について、相続税の債務控除と所得税の医療費控除の関係は第１章（20ページ）で説明したとおりですし、未納の公租公課についていわゆる準確定申告と消費税の取扱いも前述（17・23ページ）したとおりです。また、保証債務の取扱いについては、第２章（164ページ）で説明したとおりです。

なお、未納の公租公課のうち加算税や延滞税について、被相続人の責に帰すべき事由により課されるものは債務控除の対象になりますが、その課税責任が相続人にあるもの（たとえば、準確定申告の期限後申告や過少申告）は、債務控除の対象になりません。

(注)　相続人が制限納税義務者の場合は、次の債務に限り債務控除が可能です（相法13②）。
これは、制限納税義務者の課税財産の範囲が国内財産に限定されているため、その課税財産（制限納税義務者の取得した財産のうち課税対象となるもの）といわばヒモ付にある債務だけが控除対象になるということです。

①　国内にある課税財産に係る公租公課
②　国内にある課税財産を目的とする抵当権等で担保される債務
③　国内にある課税財産の取得、維持又は管理のために生じた債務

④　国内にある課税財産に関する贈与の義務

⑤　被相続人が死亡の際に国内に営業所又は事業所を有していた場合のその営業上又は事業上の債務

また、制限納税義務者の場合は、被相続人の葬式費用を負担しても控除できないことにも注意を要します。

なお、いわゆる非居住無制限納税義務者は無制限納税義務者と同様の扱いになります（相法13①）。

(2)　葬式費用の範囲

債務控除の適用対象者が無制限納税義務者と非居住無制限納税義務者の場合は、被相続人に係る葬式費用も控除されます（相法13①二）。ただ、葬儀の形式等は地域や慣習によって、あるいは宗教によってもかなり異なるものです。このため、どのような費用が葬式費用に含まれるかという実務上の問題が生じます。

そこで、相続税の取扱いとして次のような基準が設けられています（相基通13－4、13－5）。葬式費用とされるものとは債務控除の対象になるもの、葬式費用とされないものとは控除できない費用ということです。

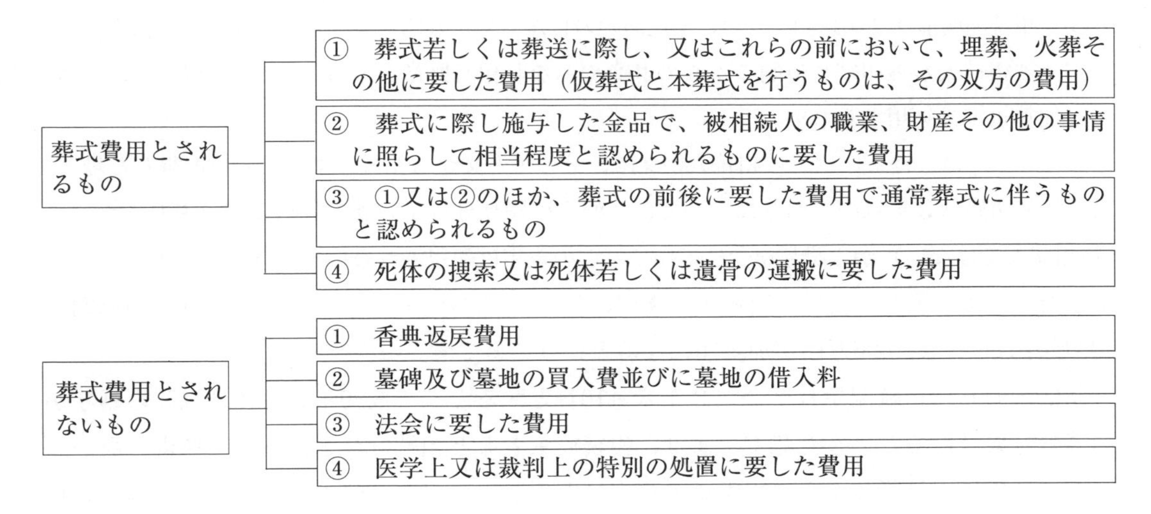

このほか実務上の問題としては、葬式費用の領収書の有無も気になるところですが、実際の葬儀の現場では、支出費用の全部に領収書の交付を求めることが困難な場合も少なくありません。このため、費用の出納記録があれば控除が可能ですが、もちろんその額は、通常要すると認められる範囲内に限られます。

(注)　上記のとおり、「初七日法要費用」や「四十九日法要費用」は控除対象になる葬式費用には含まれません。ただし、地域によっては、本葬式の当日に初七日法要と称して法要の儀式を行う慣習があります。この場合の法要は、いわば本葬式に準ずる行事とみることができますから、その費用は控除対象になると考えられます。実務的には領収書等で費用の支出日を確認し、葬儀の一環としての費用かどうかを確認することになります。

なお、債務控除を適用する場合の相続税の申告では、「第13表」（債務及び葬式費用の明細書）が必要ですが、その記載例は436ページのとおりです。

5.　相続開始前３年以内の贈与財産の相続税の課税価格加算

⑴　課税価格加算の対象となる生前贈与

贈与税は相続税の「補完税」として位置付けられていますが、その例証としての制度が生前贈与財産の加算で、被相続人からの生前贈与のうち相続開始前３年以内のものは、その受贈者の相続税の課税価格に加算することとされています。

この規定の適用上のポイントをまとめると、次のとおりです（相法19、相基通19－１～19－３）。

①　被相続人からの贈与財産のみが加算規定の対象となり、被相続人以外の者からの贈与は対象にならない。

②　相続税の課税価格に加算される価額は、その財産の相続時の価額ではなく、贈与時の価額による。

③　相続開始前「３年以内」とは、相続開始の日からさかのぼって３年目の同じ日以降をいう。

④　被相続人から相続や遺贈で本来の財産やみなし相続財産を取得しなかった者には、この加算規定は適用されない。

このうち①は、たとえば、被相続人が父で、その子が父から相続により財産を取得した場合、父の相続開始前３年以内の贈与について、父からの贈与分は子の課税価格に加算されるが、母（被相続人ではない）から贈与を受けていてもこの規定は適用されないということです。

また、②は、贈与を受けた財産の価額が、相続時に500万円であっても、贈与時の価額が400万円であれば、400万円が加算額になるということです。

③は、仮りに相続開始日が令和２年８月10日とすると、平成29年８月10日以降の贈与が加算の対象になるという意味で、④は、相続放棄者など相続財産をまったく取得しなかった者に３年以内に贈与があってもこの規定は関係しない（その時点での贈与税のみで課税関係が終了する）ということです。

注意していただきたいのは、贈与税の基礎控除額以下の生前贈与です。贈与税の非課税財産（相法21の３、21の４）は生前贈与加算制度の対象になりませんが、「現金50万円の贈与」は、贈与税が課税されないというにすぎず、非課税財産の贈与ではありません。したがって、３年以内の贈与であれば、50万円が受贈者の相続税の課税価格に加算されます。

(注) 相続時精算課税適用者が特定贈与者からの贈与により取得した財産で、相続時精算課税制度の適用を受けるものについては、本項（相続税法第19条第１項）による相続開始前３年以内の贈与財産の相続税の課税価格加算規定は適用されません（相法21の15②、21の16②）。

ただし、相続時精算課税適用者が贈与を受けた財産のうち相続時精算課税制度を選択する以前に贈与を受けた財産について、その財産が相続開始前３年以内に被相続人からの贈与を受けたものである場合は、相続税法第19条第１項の規定が適用され、その財産の価額は相続税の課税価格に加算されます（394ページ参照）。

(2) 生前贈与加算と贈与税額控除

相続税の課税価格の計算上、３年以内の生前贈与加算が適用された者については、相続税と贈与税の重複課税を排除するため、相続税額の計算上、「贈与税額控除」が適用されます。控除額は、次の算式により求められます（相法19①カッコ書、相令４①、相基通19－７）。

$$\text{贈与税額控除額} = \text{贈与を受けた年分の贈与税額} \times \frac{\text{相続税の課税価格に加算された贈与財産価額}}{\text{その年分の贈与税の課税価格}}$$

この算式は、要するに贈与を受けた年分の贈与税額のうち、相続税の課税価格に加算された贈与財産の価額に対応する金額を求めるということです。注意したいのは、次のような取扱いがあることです。

① 贈与税額控除額がその者の算出相続税額を超えることとなっても、その超える分について贈与税額の還付はない。

② 相続開始年分の被相続人からの贈与は、もともと贈与税が課税されないため（相法21の２④）、生前贈与加算が適用されても贈与税額控除はない。

③ 相続税の課税価格に加算された贈与について、贈与税の申告納付が行われていない場合は、贈与税の課税手続がとられる（相基通19－６）。

このうち②の「被相続人からの相続開始年分の贈与」は、贈与税の課税価格に算入されず、贈与税の申告は必要ありません。その贈与財産の価額は、被相続人から相続開始前３年以内の贈与として相続税の課税価格に加算されるということです。この場合は、上記のとおりその贈与財産に贈与税が課税されていませんから、贈与税額控除はなく、相続税の課税だけで課税関係を完結させることになります。

また③は、相続税における贈与税額控除と生前贈与に対する課税処分は別のものであるということで、理論的にはそれぞれ別に処理されるべきものです。ただ、実務では贈与税の申告のない生前贈与については、事実認定として贈与を否定し、被相続人の財産に含めて相続税の課税対象に取り込まれる例が多いでしょう。なお、相続税の課税対象にならない生前贈与財産か相続財産か、という問題は前述（161ページ「家族名義預金等と相続税の申告」）したところです。

(注) 参考までに贈与税の税率表を掲げておくと、次のとおりです（相法21の７、措法70の２の５①)。なお、贈与税の基礎控除額は110万円ですが、平成12年分以前の贈与は60万円です（措法70の２の４①、相法21の５）。

贈与税の速算表

1．平成15年分～平成26年分の贈与

基礎控除及び配偶者控除後の課税価格	税　率	控除額	基礎控除及び配偶者控除後の課税価格	税　率	控除額
～　200万円以下	10%	——	400万円超～　600万円以下	30%	65万円
200万円超～　300万円以下	15%	10万円	600万円超～1,000万円以下	40%	125万円
300万円超～　400万円以下	20%	25万円	1,000万円超～	50%	225万円

2．平成27年分以後の贈与

①　下記②以外の場合（一般税率）

基礎控除及び配偶者控除後の課税価格	税　率	控除額	基礎控除及び配偶者控除後の課税価格	税　率	控除額
～　200万円以下	10%	——	600万円超～1,000万円以下	40%	125万円
200万円超～　300万円以下	15%	10万円	1,000万円超～1,500万円以下	45%	175万円
300万円超～　400万円以下	20%	25万円	1,500万円超～3,000万円以下	50%	250万円
400万円超～　600万円以下	30%	65万円	3,000万円超～	55%	400万円

②　20歳以上の者が直系尊属から贈与を受けた場合（軽減税率）

基礎控除後の課税価格	税　率	控除額	基礎控除後の課税価格	税　率	控除額
～　200万円以下	10%	——	1,000万円超～1,500万円以下	40%	190万円
200万円超～　400万円以下	15%	10万円	1,500万円超～3,000万円以下	45%	265万円
400万円超～　600万円以下	20%	30万円	3,000万円超～4,500万円以下	50%	415万円
600万円超～1,000万円以下	30%	90万円	4,500万円超～	55%	640万円

⑶　特例贈与財産と一般贈与財産を取得した場合の贈与税額と贈与税額控除額の計算

ところで、贈与税の税率は、上記のとおり「一般税率」と「軽減税率」があるわけですが、同一年中に軽減税率が適用される「特例贈与財産」（20歳以上の者が直系尊属から贈与を受けた財産）と、一般税率が適用される「一般贈与財産」（特例贈与財産以外の財産）の双方の贈与を受けた場合には、その財産の合計額について、軽減税率を適用して計算した贈与税額と一般税率を適用して計算した贈与税額を算出し、それぞれの財産価額の比によりあん分した上で、その合計額をもってその年分の納付税額とすることとされています（措法70の２の５③）。

この計算方法を算式と計算例で示すと、次のとおりです。

その年分の贈与税額＝A＋B

$$A = 〔合計贈与価額 - 基礎控除額〕 \times 軽減税率 \times \frac{特例贈与財産価額}{合計贈与価額}$$

$$B = 〔合計贈与価額 - 基礎控除額〕 \times 一般税率 \times \frac{一般贈与財産価額}{合計贈与価額}$$

（注）贈与税の配偶者控除が適用される場合の一般贈与財産価額は、その配偶者控除後の価額となる。

〔計算例〕

甲は、本年中に父から500万円の財産の贈与を受け、配偶者からも300万円の財産の贈与を受けた（特例贈与財産価額500万円、一般贈与財産価額300万円、合計贈与財産価額800万円）

上記Ａの金額……〔800万円－110万円〕×30％－90万円＝117万円

$$117万円 \times \frac{500万円}{800万円} = 731{,}250円$$

上記Ｂの金額……〔800万円－110万円〕×40％－125万円＝151万円

$$151万円 \times \frac{300万円}{800万円} = 566{,}250円$$

納付すべき贈与税額…… 731,250円＋566,250円＝1,297,500円

この場合において、贈与後３年以内に贈与者に相続が開始したときは、その贈与者からの贈与財産の価額が受贈者の相続税の課税価格に加算されるのですが、贈与税額控除額は、特例贈与財産と一般贈与財産の別に、それぞれ上記「Ａの金額」か「Ｂの金額」のいずれかになります。

したがって、上記の計算例で、贈与者である父が贈与後３年以内に相続が開始したとすると、受贈者甲の相続税の課税価格には500万円が加算され、贈与税額控除額は731,250円（上記Ａの金額）となります（相基通19－７（注））。

⑷ 生前贈与加算と贈与税の配偶者控除との関係

贈与税の特例制度として、次の要件を満たす居住用財産の贈与について、最高2,000万円を控除する「贈与税の配偶者控除」（相法21の６）が設けられています。

〔贈与税の配偶者控除の適用要件〕

① 婚姻期間が20年以上である配偶者間の贈与であること。
② 贈与財産は、居住用不動産か、又は居住用不動産の取得のための金銭であること。
③ 贈与を受けた年の翌年３月15日までに、贈与を受けた居住用不動産に居住し、又は、その日までに贈与を受けた金銭で居住用不動産を取得すること。
④ その後も引き続き、居住する見込みであること。
⑤ 前年以前のいずれかの年に、その配偶者からの贈与について、すでにこの配偶者控除の適用を受けていないこと。
⑥ 一定の書類を添付して、贈与税の申告をすること。

ところで、贈与税の配偶者控除の規定の適用を受けた後、贈与者について３年以内に相続が開始した場合の相続税の扱いは、次のようになります。すなわち、被相続人からの財産の贈与で、相続開始前３年以内のものは、相続税の課税価格に加算されますが、次の金額は「特定贈与財産」として相続税の課税価格には加算されません（相法19②）。

①　居住用不動産等の贈与が相続開始の年の前年以前にされた場合で、受贈者が贈与税の配偶者控除の適用を受けているとき……適用を受けた配偶者控除額に相当する部分

②　居住用不動産等の贈与が相続開始の年にされた場合で、受贈者が既に配偶者控除の適用を受けた者でないとき……配偶者控除の適用があるものとした場合の控除額に相当する部分

要するに、相続開始の年の贈与（②）を含め、相続開始前３年以内の贈与に該当しても、配偶者控除額の部分（最高2,000万円）については、相続税の課税価格に加算されないということです。これを図示すると、次のようになります。

〔上記①〕

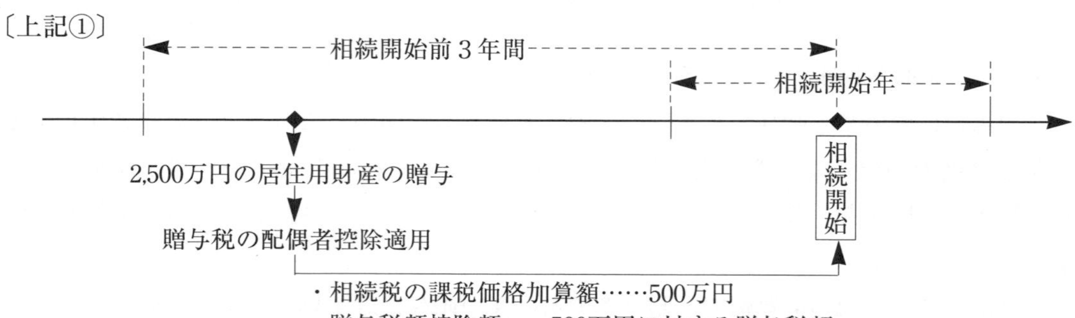

〔上記②〕

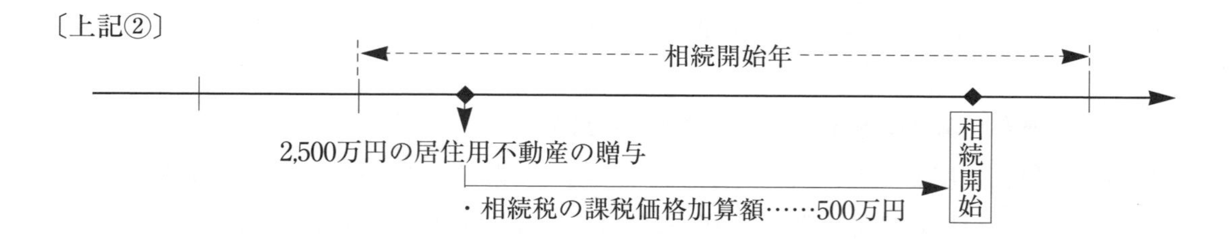

（注１） ②の場合は、贈与税の配偶者控除の適用を受ける旨の贈与税の申告が必要です。この場合、贈与税の配偶者控除の適用がない場合であっても、その財産の価額は相続税の課税価格に加算されません（相法21の４④、相基通19－９(注)）。

なお、被相続人の配偶者が被相続人から相続開始の年の前年、前々年又は前々々年に贈与を受けた居住用不動産等について、贈与税の配偶者控除の適用を受ける旨の申告をした場合において、その後にその適用が認められないこととなったときは、その贈与財産の価額は相続税の課税価格に加算されることになります。

（注２） 被相続人の配偶者が被相続人から相続開始の年の３年前の年に２回以上にわたって居住用不動産等の贈与を受け、その年分の贈与税について贈与税の配偶者控除の適用を受けている場合において、その贈与により取得した居住用不動産等の価額の合計額が2,000万円を超え、かつ、その贈与が相続開始前３年以内に該当するものと該当しないものが

あるときにおける相続税の課税価格の加算規定の適用については、納税者有利の見地から、相続開始前３年以内の贈与に該当する居住用不動産等から贈与税の配偶者控除の規定の適用を受けたものとして取り扱われます（相基通19－８）。

【例】

被相続人甲の配偶者乙は、令和２年５月に死亡した甲からの相続により財産を取得したが、乙は、相続開始の年の３年前の年（平成29年）に、甲から次の財産の贈与を受けた。

○　平成29年３月 …… 土地（評価額800万円）

○　平成29年６月 …… 現金2,200万円（乙は、当該現金をもって上記の土地に家屋を建築し、居住の用に供した）

乙は、平成29年分の贈与税について、贈与税の配偶者控除（控除額2,000万円）の適用を受けており、その年分の贈与税額は231万円である。

＜相続税の課税価格加算と贈与税額控除＞

①　平成29年分の贈与税の課税価格

800万円（土地）＋2,200万円（現金）－2,000万円（配偶者控除額）＝1,000万円

②　相続税の課税価格加算額

2,200万円（現金＝相続開始前３年以内の贈与）－2,000万円（配偶者控除額）＝200万円

③　贈与税額控除額

$$231\text{万円（29年分の贈与税額）}\times\frac{200\text{万円（②の加算額）}}{1{,}000\text{万円（①の課税価格）}}=462{,}000\text{円}$$

なお、生前贈与加算が適用される場合の相続税の申告では、「第14表」（純資産価額に加算される暦年課税分の贈与財産価額及び特定贈与財産価額・出資持分の定めのない法人などに遺贈した財産・特定の公益法人などに寄附した相続財産・特定公益信託のために支出した相続財産の明細書）に記載します（437ページ）。また、贈与税額控除は、「第４表の２」（暦年課税分の贈与税額控除額の計算書）で行います（441ページ）。

(5)　生前贈与の事実確認と贈与税の申告内容の開示請求

相続開始前３年以内の贈与財産の加算規定があるため、相続税の申告に際しては、被相続人からの生前贈与の事実を確認する必要があるのですが、このことは、全ての生前贈与財産の価額を相続税の課税価格に加算する相続時精算課税制度の適用を受けている場合も同様です。

この場合、相続税の申告者自身の生前贈与はともかく、相続人間での情報交換がないと、他の相続人等に対する生前贈与の事実が確認できないことがあります。このため、結果的に適切な相続税の申告が行えず、申告後に生前贈与の事実が明らかとなり、相続税について更正や修正申告となるケースも少なくありません。

このような事態を避けるためには、贈与税の申告内容の開示請求制度を利用することも考えるべきでしょう。この制度は、相続税の申告義務のある者が、他の共同相続人等がある場合に、その共同相続人等に対する被相続人からの贈与に係る贈与税の課税価格の合計

〔書式55〕

相続税法第49条第1項の規定に基づく開示請求書

松戸　税務署長

○○年10月15日

【代理人記入欄】
住所
氏名　㊞
連絡先

税務署受付印

開示請求者				
住所又は居所（所在地）	〒270-XXXX　℡（047－363－0000） 千葉県松戸市○○4丁目3番2号			
フリガナ	コウ　ノ　イチ　ロウ			
氏名又は名称	甲　野　一　郎　㊞			
個人番号				
生年月日	昭○○年6月7日	被相続人との続柄	長男	

私は、相続税法第49条第１項の規定に基づき、下記１の開示対象者が平成15年１月１日以後に下記２の被相続人からの贈与により取得した財産で、当該相続の開始前３年以内に取得したもの又は同法第21条の９第３項の規定を受けたものに係る贈与税の課税価格の合計額について開示の請求をします。

1　開示対象者に関する事項

住所又は居所（所在地）	千葉県船橋市○○5丁目4番3号	茨城県日立市○○6丁目7番8号		
過去の住所等	千葉県松戸市○○4丁目3番2号	千葉県松戸市○○4丁目3番2号		
フリガナ	コウ　ノ　ジ　ロウ	オツ　ノ　ハナ　コ		
氏名又は名称（旧姓）	甲　野　二　郎	乙　野　花　子（旧姓甲野）		
生年月日	昭和○○年3月15日	昭和○○年8月30日		
被相続人との続柄	二男	長女		

2　被相続人に関する事項

住所又は居所	千葉県松戸市○○4丁目3番2号
過去の住所等	
フリガナ	コウ　ノ　タ　ロウ
氏名	甲　野　太　郎
生年月日	昭和○○年10月20日
相続開始年月日	○○年2月3日

3　承継された者(相続時精算課税選択届出者)に関する事項

住所又は居所	
フリガナ	
氏名	
生年月日	
相続開始年月日	年　月　日
精算課税適用者である旨の記載	上記の者は、相続時精算課税選択届出書を＿＿＿＿署へ提出しています。

4　開示の請求をする理由（該当する□に✓印を記入してください。）

相続税の ☑ 期限内申告　□ 期限後申告　□ 修正申告　□ 更正の請求 に必要なため

5　遺産分割に関する事項（該当する□に✓印を記入してください。）

□ 相続財産の全部について分割済（遺産分割協議書又は遺言書の写しを添付してください。）
□ 相続財産の一部について分割済（遺産分割協議書又は遺言書の写しを添付してください。）
☑ 相続財産の全部について未分割

6　添付書類等（添付した書類又は該当項目の全ての□に✓印を記入してください。）

□ 遺産分割協議書の写し　☑ 戸籍の謄(抄)本　□ 遺言書の写し　□ 住民票の写し
□ その他（　）
□ 私は、相続時精算課税選択届出書を＿＿＿＿署へ提出しています。

7　開示書の受領方法（希望される□に✓印を記入してください。）

☑ 直接受領(交付時に請求者又は代理人であることを確認するものが必要となります。)　□ 送付受領(請求時に返信用切手、封筒及び住民票の写し等が必要となります。)

※　税務署整理欄（記入しないでください。）

番号確認	身元確認	確認書類	確認者
	□ 済 □ 未済	個人番号カード ／ 通知カード・運転免許証 その他（　）	
委任の確認	開示請求者への確認	（　・　・　）	
	委任状の有無	□ 有　□ 無（　）	

（資4－90－1－A4統一）　（平28.6）

額について、税務署長に対して開示の請求をすることができるものです（相法49①）。

この制度による開示請求書は〔書式55〕（前ページ）のとおりですが、共同相続人等の間で遺産分割が終わっている場合には、遺産分割協議書（又は遺言書）の写しを、また、遺産が未分割の場合は、開示請求者及び他の共同相続人等の戸籍の謄本（又は抄本）を請求書に添付する必要があります（相令27①②、相規29④⑤）。

開示の請求先は、通常の場合（被相続人の住所が国内にある場合）は、その被相続人の住所地の所轄税務署長です（相令27④、相規29⑦）。

注意したいのは、開示請求を行う時期で、被相続人の相続開始の日の属する年の３月16日以後にしなければならないこととされています（相令27③）。したがって、同日以後であればいつでも請求することができますが、税務署長の開示は、請求後２か月以内とされていますから（相法49②）、申告期限に間に合うように請求する必要があります。

なお、この制度により開示されるのは、贈与税の課税価格の合計額（相続税の課税価格加算の適用のない贈与税の配偶者控除に係る特定贈与財産の価額を除く）で、次の①及び②に掲げる金額ごとに開示されます（相令27⑤）。

① 被相続人の相続開始前３年以内にその被相続人からの贈与により取得した財産の価額の合計額

② 被相続人からの贈与により取得した財産で相続時精算課税制度の適用を受けたものの価額の合計額

6. 相続税の総額の計算

(1) 遺産に係る基礎控除額の計算

現行の相続税は、前述のとおり「法定相続分課税方式」によっています。このため、基礎控除は、納税義務者のそれぞれの課税価格に適用するのではなく、各人の課税価格の合計額から控除することとしています。単なる基礎控除ではなく、「遺産に係る基礎控除」とよばれるのはそのためです。

現行の遺産に係る基礎控除額は、次の算式により求められます（相法15①）。

遺産に係る基礎控除額＝3,000万円＋600万円×法定相続人の数

なお、この場合の法定相続人とは、相続の放棄があっても、その放棄がなかったものとした場合の相続人のことをいいます（相法15②）。

＜例１＞

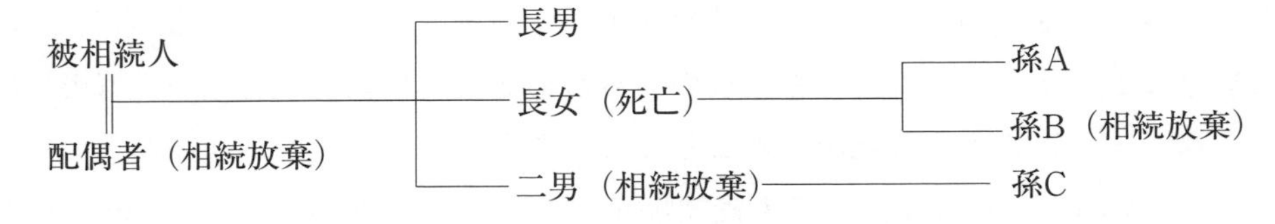

○　この場合の法定相続人は、配偶者、長男、二男、孫A及び孫Bの５人となる（民法上の相続人は、長男と孫Aの２人）。したがって、遺産に係る基礎控除額は、3,000万円＋600万円×５＝6,000万円になる。

＜例２＞

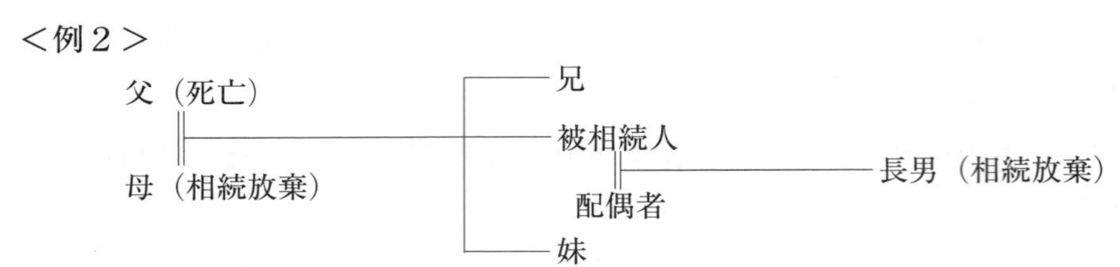

○　この場合の法定相続人は、配偶者と長男の２人となる（民法上の相続人は、配偶者、兄、妹の３人）。したがって、遺産に係る基礎控除額は、3,000万円＋600万円×２＝4,200万円になる。

⑵　養子の人数制限

ところで、被相続人に養子がある場合は、法定相続人の数の算定に注意を要します。養子は、養子縁組の時から嫡出子としての身分を取得し（民809）、民法上は、当然に相続人になります。しかし、相続税法は、養子を利用した租税回避行為に対処するため、被相続人に養子がある場合、法定相続人の数に算入する人数を次のように制限しています（相法15②）。

①　被相続人に実子がある場合又は被相続人に実子がなく、養子の数が１人である場合……１人

②　被相続人に実子がなく、養子の数が２人以上である場合……２人

要するに、被相続人に実子があるときは１人に、また、実子がないときは２人までに制限するということです。したがって、次例の場合、民法上の相続権者は４人ですが、相続税法上の法定相続人の数は３人となり、遺産に係る基礎控除額は、

3,000万円＋600万円×3人＝4,800万円

になります。

＜例＞

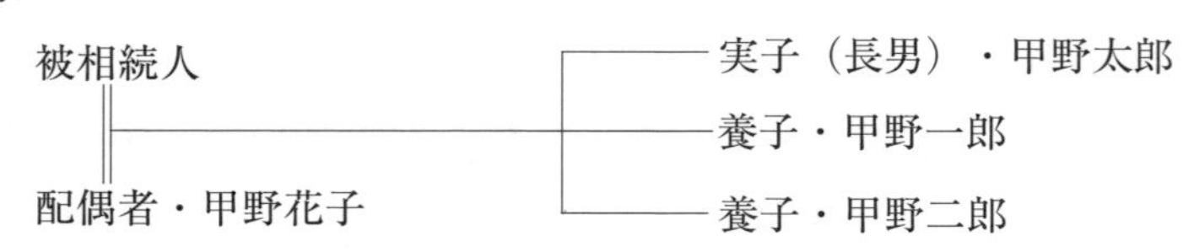

この場合の養子の人数制限は税法上の規定ですから、養子のうちいずれか１人を法定相続人として特定する必要はありません。上例の場合、２人の養子について計算上だけ１人とするということです。ちなみに、相続税の申告書第２表（相続税の総額の計算書）には、〔書式56〕（次ページ）のように記載することになります。

（注） 養子の人数制限は、遺産に係る基礎控除額の計算のほか、生命保険金等や退職手当金等の非課税限度額（相法12①五六）の計算にも適用されます。

〔書式56〕

第2表（平成27年分以降用）

相続税の総額の計算書

被相続人

この表は、第1表及び第3表の「相続税の総額」の計算のために使用します。
なお、被相続人から相続、遺贈や相続時精算課税に係る贈与によって財産を取得した人のうちに農業相続人がいない場合は、この表のㇹ欄及びㇸ欄並びに⑨欄から⑪欄までは記入する必要がありません。

○この表を修正申告書の第2表として使用するときは、㋑欄には修正申告書第1表の㋺欄の⑥Ⓐの金額を記入し、ㇹ欄には修正申告書第3表の1の㋺欄の⑥Ⓐの金額を記入します。

① 課税価格の合計額		② 遺産に係る基礎控除額	③ 課税遺産総額	
㋑（第1表⑥Ⓐ）	500,000,000円	3,000万円＋（600万円×㋺ 3人（Ⓐの法定相続人の数））＝㋩ 4,800万円	㊁（㋑－㋩）	452,000,000円
ㇹ（第3表⑥Ⓐ）	,000	㋺の人数及び㋩の金額を第1表Ⓑへ転記します。	ㇸ（ㇹ－㋩）	,000

④ 法定相続人（（注）1参照）氏名	被相続人との続柄	⑤ 左の法定相続人に応じた法定相続分	第1表の「相続税の総額⑦」の計算 ⑥ 法定相続分に応ずる取得金額（㊁×⑤）（1,000円未満切捨て）	⑦ 相続税の総額の基となる税額（下の「速算表」で計算します。）	第3表の「相続税の総額⑦」の計算 ⑨ 法定相続分に応ずる取得金額（ㇸ×⑤）（1,000円未満切捨て）	⑩ 相続税の総額の基となる税額（下の「速算表」で計算します。）
甲野花子	妻	1/2	226,000,000円	74,700,000円	,000円	円
甲野太郎	長男	1/2×1/2＝1/4	113,000,000	28,200,000	,000	
甲野一郎	養子	1/2×1/2＝1/4（甲野一郎・甲野二郎）	113,000,000	28,200,000	,000	
甲野二郎	養子		,000		,000	
			,000		,000	
			,000		,000	
			,000		,000	
			,000		,000	
			,000		,000	
法定相続人の数	Ⓐ 3人	合計 1	⑧ 相続税の総額（⑦の合計額）（100円未満切捨て）	131,100,000	⑪ 相続税の総額（⑩の合計額）（100円未満切捨て）	00

（注）1 ④欄の記入に当たっては、被相続人に養子がある場合や相続の放棄があった場合には、「相続税の申告のしかた」をご覧ください。
2 ⑧欄の金額を第1表⑦欄へ転記します。財産を取得した人のうちに農業相続人がいる場合は、⑧欄の金額を第1表⑦欄へ転記するとともに、⑪欄の金額を第3表⑦欄へ転記します。

相続税の速算表

法定相続分に応ずる取得金額	10,000千円以下	30,000千円以下	50,000千円以下	100,000千円以下	200,000千円以下	300,000千円以下	600,000千円以下	600,000千円超
税率	10%	15%	20%	30%	40%	45%	50%	55%
控除額	－ 千円	500千円	2,000千円	7,000千円	17,000千円	27,000千円	42,000千円	72,000千円

この速算表の使用方法は、次のとおりです。
⑥欄の金額×税率－控除額＝⑦欄の税額　　⑨欄の金額×税率－控除額＝⑩欄の税額
例えば、⑥欄の金額30,000千円に対する税額（⑦欄）は、30,000千円×15%－500千円＝4,000千円です。

○連帯納付義務について
相続税の納税については、各相続人等が相続、遺贈や相続時精算課税に係る贈与により受けた利益の価額を限度として、お互いに連帯して納付しなければならない義務があります。

第2表（令元.7）　　（資4－20－3－A4統一）

もっとも、次のような養子は、もともと租税回避を目的とするものではありませんから、人数制限の対象にはならず、実子とみなすこととされています（相法15③、相令３の２）。

①　特別養子縁組（民817の２①）による養子

②　被相続人の配偶者の実子でその被相続人の養子となった者（いわゆる連れ子が養子となった場合）

③　被相続人とその被相続人の配偶者との婚姻前に、その被相続人の配偶者の特別養子となった者で、その婚姻後にその被相続人の養子となった者

④　実子、養子又はその直系卑属が相続開始以前に死亡し、又は相続権を失ったため、（代襲相続によって）法定相続人となったその者の直系卑属

このうち②は、被相続人とその配偶者との婚姻期間において被相続人の養子であった者をいい、また、③の「その婚姻後にその被相続人の養子となった者」とは、その被相続人と配偶者との婚姻期間中において被相続人の養子となった者をいいます（相基通15－６）。したがって、被相続人と配偶者との婚姻前に被相続人と養子縁組をしても、その者は実子とみなされ、養子の人数制限の対象にはなりません。また、被相続人の配偶者の死亡後に、その配偶者の子と養子縁組をした場合は、民法第728条及び戸籍法第96条による婚姻関係を終了させた後の養子縁組でない限り、同様に扱われます。

なお、前述した養子の人数制限について、たとえその制限人数内の養子であっても、養子を法定相続人の数に算入することが相続税の負担を不当に減少させる結果となると認められる場合は、これを否認するという規定があります（相法63）。

この規定では、「不当に」の要件がポイントになりますが、その判断は事実認定の問題といえるでしょう。その例としては、相続開始の直前に養子縁組を行い、その養子に相続放棄をさせるなど、単に法定相続人数を増やして相続税の軽減のみを目的とする場合が考えられます。

(注) 法定相続人の数の算定上、養子の人数制限の対象になるのは、「被相続人に養子がある場合」とされています（相法15②）。したがって、次図のように相続人が被相続人の兄弟姉妹である場合において、その兄弟姉妹の中に被相続人の親と養子縁組をしたことにより相続人となる者がいても、その養子は人数制限の対象にはなりません（相基通15－５）。

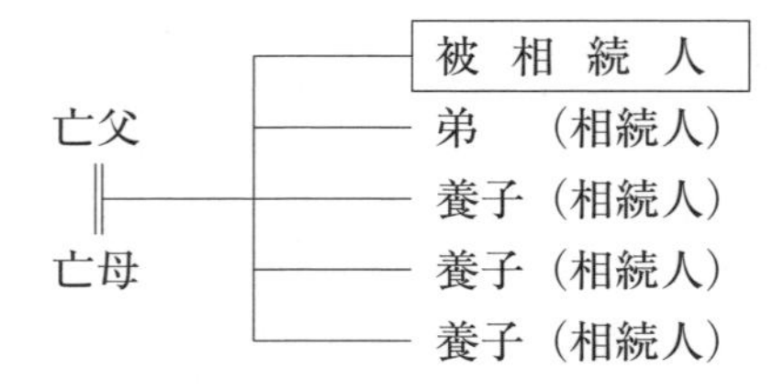

(3)　相続税の税率と相続税の総額の計算例

相続税の税率は次のとおりです（相法16）。また、相続税の総額の計算例を下記の〈設例〉に基づいて次ページに示しておくこととします。

相続税の速算表

遺産に係る基礎控除後の 各法定相続人の取得金額	税　率	控除額
～1,000万円以下	10％	——
1,000万円超～3,000万円以下	15％	50万円
3,000万円超～5,000万円以下	20％	200万円
5,000万円超～　1億円以下	30％	700万円
1億円超～　2億円以下	40％	1,700万円
2億円超～　3億円以下	45％	2,700万円
3億円超～　6億円以下	50％	4,200万円
6億円超～	55％	7,200万円

＜設　例＞

被相続人甲の相続人等は、下図のとおりであり、各人のカッコ内の金額は、取得財産価額等に基づいたそれぞれの課税価格である。

なお、甲の妹丙と孫D（長男の子）は相続人ではないが、甲から遺贈により財産を取得したものである。

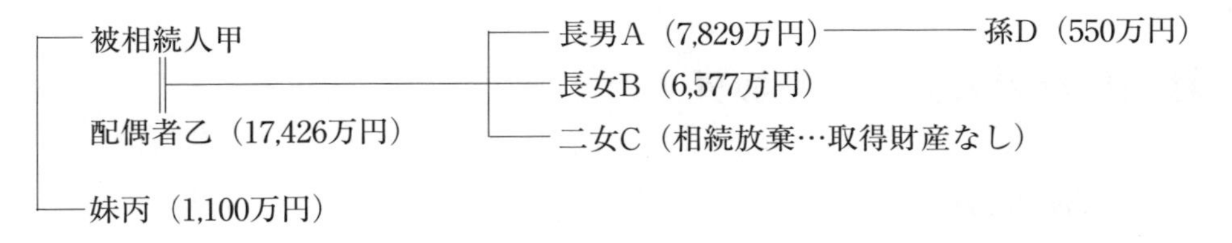

〔相続税の総額の計算〕

① 課税価格の合計額

(乙) 17,426万円＋(A) 7,829万円＋(B) 6,577万円＋(丙) 1,100万円＋(D) 550万円＝33,482万円

② 遺産に係る基礎控除額

3,000万円＋600万円× 4人（法定相続人の数）＝5,400万円

(注) 法定相続人は、乙、A、B及びCの4人。

③ 課税遺産額

33,482万円（課税価格の合計額）－ 5,400万円（遺産に係る基礎控除額）＝28,082万円

④ 法定相続人の法定相続分に応ずる各取得金額

（課税遺産額）（法定相続分）

乙……28,082万円× $\frac{1}{2}$ ＝140,410,000円

A……28,082万円× $\frac{1}{2}$ × $\frac{1}{3}$ ＝ 46,803,000円

B……28,082万円 × $\frac{1}{2}$ × $\frac{1}{3}$ ＝ 46,803,000円

C……28,082万円 × $\frac{1}{2}$ × $\frac{1}{3}$ ＝ 46,803,000円

(注) 法定相続分を乗じた各取得金額に1,000円未満の端数が生じたときは、その端数は切り捨てます（相基通16－３）。

⑤　相続税の総額の基となる税額

	(法定相続分に応ずる各取得金額)		(税率)		(速算表控除額)		
乙……	140,410,000円	×	40％	－	1,700万円	＝	39,164,000円
A……	46,803,000円	×	20％	－	200万円	＝	7,360,600円
B……	46,803,000円	×	20％	－	200万円	＝	7,360,600円
C……	46,803,000円	×	20％	－	200万円	＝	7,360,600円

⑥　相続税の総額

（乙）39,164,000円＋（A）7,360,600円＋（B）7,360,600円＋（C）7,360,600円＝61,245,800円

(注) 相続税の総額に100円未満の端数が生じたときは、その端数は切り捨てます（相基通16－３）。

7.　算出税額の計算と２割加算

(1)　納付税額の計算方法

相続税の総額が算出されると、これを基に納税義務者の各人別の納付税額を求めます。その手順のあらましは、次図のとおりです。

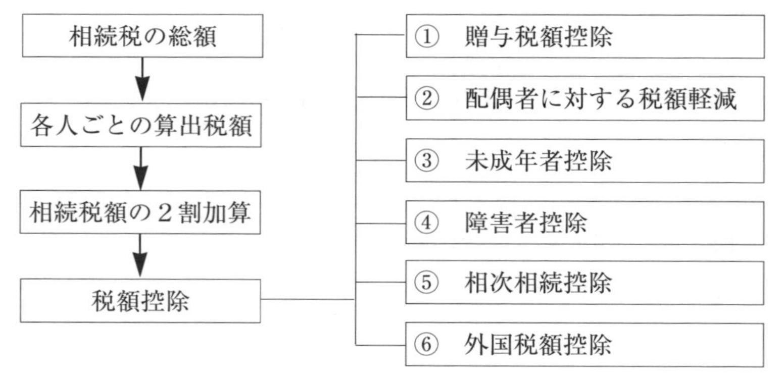

納付税額の計算における税額控除は、上記の①から⑥の順に適用することとされています（相基通20の２－４）。これは、税額控除を適用した結果、先順位の控除で納付税額がゼロとなった場合は、後順位の税額控除はたとえ適用要件を満たしても、事実上その適用がないということです。

したがって、実務上はあらかじめ適用される税額控除項目を確認し、控除切り捨てとならないような遺産分割を行うことが重要です。

(注) 相続時精算課税制度を選択適用した場合の特定贈与者からの贈与財産に対する贈与税額の控除（相法21の15③、21の16④）は、上記の外国税額控除をした後の税額から控除します（相令5の3）。

(2) あん分割合と算出税額

算出税額は、納税義務者の１人ごとに算出される相続税額という意味で、相続税の総額を課税価格の合計額に対する各人の課税価格の比で配分した金額となります。算式で示せば、次のとおりです（相法17）。

$$算出税額 = 相続税の総額 \times \frac{その者の課税価格}{課税価格の合計額}$$

この算式の分数式部分を「あん分割合」といい、計算に際しては、まず、このあん分割合を求め、相続税の総額にそのあん分割合を乗じて算出税額の計算を行います。

① $あん分割合 = \frac{その者の課税価格}{課税価格の合計額}$

② 算出税額＝相続税の総額×あん分割合

なお、あん分割合は、通常の場合、小数点以下の数値が連続し、割り切れない数値になります。このため、実務的には、「0.51」、「0.38」、「0.11」のように小数点以下第２位までの数値とする例が多いようです。ただし、財産取得者全員のあん分割合の合計値は「１」になるように端数を調整しなければなりません（相基通17－１）。

(3) あん分割合の端数調整の留意点

あん分割合の小数点以下２位未満の端数の調整について法令上の制約はありませんから、どのように調整するかは納税者の任意です。したがって、端数調整をしない（分数）という方法もありますし、小数点以下３位未満の数値を四捨五入する方法、あるいは同数値を切り捨て又は切り上げるということも可能です。要は、納税義務者の全員が合意し、かつ、＜各人の算出税額の合計額＝相続税の総額＞になればよいということです。

注意したいのは、このあと述べる「２割加算」の適用対象者がいる場合です。２割加算はいうまでもなく相続税の負担増となる規定ですから、その対象者のあん分割合の算定では、小数点以下３位未満の端数を切り捨てることが有利になります。その例を示すと、次のとおりです。

＜例＞

① 相続人関係と各人の課税価格（課税価格の合計額５億円）

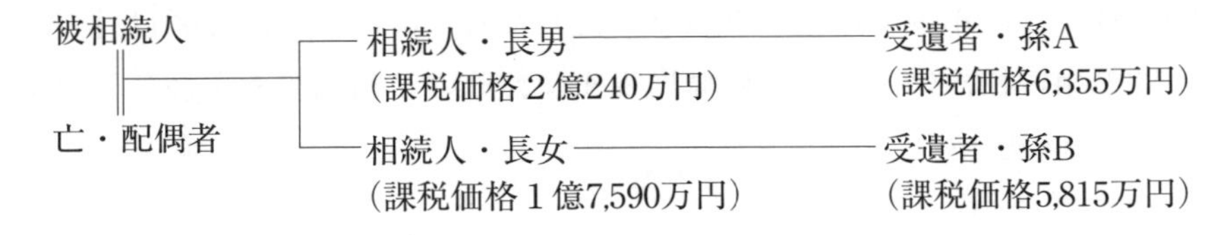

② 相続税の総額　1億5,210万円

この例では、各人のあん分割合は次のように計算されます。

長男……$\dfrac{2億240万円}{5億円}$ = 0.4048

長女……$\dfrac{1億7,590万円}{5億円}$ = 0.3518

孫A……$\dfrac{6,355万円}{5億円}$ = 0.1271

孫B……$\dfrac{5,815万円}{5億円}$ = 0.1163

ここで、小数点以下第3位を四捨五入してあん分割合を算定すると、長男は0.40、長女は0.35、孫Aは0.13、孫Bは0.12（合計1.00）となるのですが、この方法によると納付税額は、次のように求められます。

長男……	1億5,210万円×0.40	=60,840,000円
長女……	1億5,210万円×0.35	=53,235,000円
孫A……	1億5,210万円×0.13×1.2（2割加算）	=23,727,600円
孫B……	1億5,210万円×0.12×1.2（2割加算）	=21,902,400円
	合　計	159,705,000円

これに対し、孫Aと孫Bのあん分割合をそれぞれ0.12、0.11（小数点以下第3位を切捨て）とし、長男を0.41、長女を0.36（同切上げ）とすると、納付税額は次のように計算されます。

長男……	1億5,210万円×0.41	=62,361,000円
長女……	1億5,210万円×0.36	=54,756,000円
孫A……	1億5,210万円×0.12×1.2（2割加算）	=21,902,400円
孫B……	1億5,210万円×0.11×1.2（2割加算）	=20,077,200円
	合　計	159,096,600円

このようにあん分割合の端数調整によって有利不利が生ずる場合もあることに注意する必要があるでしょう。

⑷ 相続税額の加算制度（2割加算）

上記で2割加算の問題にふれましたので、その制度について確認しておくことにします。相続税の2割加算とは、相続や遺贈で財産を取得した者が、次に掲げる者以外のものである場合、その者の相続税額は、その者の算出税額に、その2割相当額を加算した金額とするというものです（相法18）。

① 被相続人の一親等の血族（その被相続人の直系卑属が相続開始以前に死亡し、又は相続権を失ったため、代襲して相続人となったその被相続人の直系卑属を含む）

② 被相続人の配偶者

この規定は、①と②以外の者を対象にするということですから、逆に言えば、被相続人の一親等の血族と配偶者に２割加算は適用されないということです。上記①のカッコ書きは、要するに代襲相続人となった孫のことです。孫は被相続人からみて二親等の血族になるわけですが、代襲相続の場合は一親等の血族とみなしてこの加算規定は適用されません。

この場合、上記①の「一親等の血族」には、被相続人の直系卑属でその被相続人の養子となっている者は含まれません（相法18②）。要するに、被相続人が孫を養子とした場合、その孫は一親等の血族ですが、代襲相続人でない限り、その養子となった孫には２割加算の規定が適用されるということです。

したがって、次図の孫Aには２割加算の規定は適用されませんが、養子（孫）Bが財産を取得し、相続税の納税があるときは、２割加算の規定が適用されます。

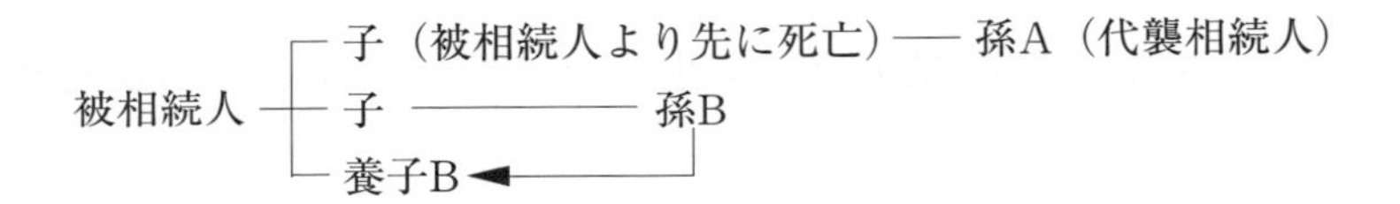

実際に２割加算が適用される例としては、被相続人の兄弟姉妹が相続や遺贈で財産を取得した場合、上述した代襲相続人でない孫などの親族が遺贈で財産を取得した場合、被相続人と血縁関係のない者が遺贈で財産を取得した場合など、が考えられます。

(注) 相続開始の時において被相続人の一親等の血族に該当しない相続時精算課税適用者については、その者の相続税額のうち、被相続人の一親等の血族であった期間内の被相続人からの贈与により取得した相続時精算課税制度の適用を受ける財産の価額に対応する相続税額は、２割加算の対象にはなりません（395ページ参照）。

8. 相続税の税額控除

(1) 配偶者に対する税額軽減

相続税の税額控除は、前述したとおり全部で６項目です。このうち、「贈与税額控除」については既に説明したとおりです（365ページ）。税額控除の２つ目は、「配偶者に対する税額軽減」ですが、これについても各所で説明しているところです。ただ、配偶者の税額控除規定の適用上は、次のようにいくつかのポイントがあります。

① 軽減規定の適用要件と適用対象者

② 軽減額の計算方法

③ いわゆる「仮装隠蔽」財産に対する不適用

④ 未分割財産に対する不適用

⑤　未分割財産が申告後に分割された場合の更正の請求

⑥　軽減規定の適用を受けるための添付書類等

これらのうち、④の財産未分割の場合の取扱いは本章のⅣ（449ページ）で、⑤の未分割財産が申告後に分割された場合の手続は第８章（745ページ）でそれぞれ説明することとします。また、⑥の添付書類については次項（415ページ）をごらんください。

ここでは、上記①から③までにふれておくことにします。まず、①の適用要件と適用対象者ですが、これについては実務上、とくに問題になることはありません。配偶者に対する軽減規定ですから、「配偶者が財産を取得したこと」が適用要件であり、適用対象者が被相続人の配偶者であることは当然のことです。

もっとも、適用要件に関しては、この規定の適用上、「申告要件」が付されていますから、税額控除を適用した結果、配偶者の納付税額がゼロの場合でも申告を要します。

なお、適用対象者について、いわゆる内縁の配偶者には適用されず、被相続人と正式な婚姻の届出が行われている配偶者に限られます（相基通19の２－２）。これ以外は適用除外になりませんから、被相続人の配偶者が相続の放棄をしても遺贈財産があれば軽減規定が適用され（相基通19の２－３）、また、配偶者が無制限納税義務者であるか制限納税義務者であるかも問われません（相基通19の２－１）。

上記②の軽減額の計算は、下記の算式により行います（相法19の２①、相基通19－８）。

〔配偶者の税額軽減額の計算式〕

軽減額＝いずれか少ない金額

① 相続税の総額 × 相続税の課税価格の合計額 × 配偶者の法定相続分（この金額が１億6,000万円未満のときは１億6,000万円） ／ 相続税の課税価格の合計額

② 相続税の総額 × 配偶者の相続税の課税価格 ／ 相続税の課税価格の合計額

（注）１　配偶者が贈与税額控除の適用を受ける場合に、その控除後の金額が「軽減額」を下回るときは、その贈与税額控除後の金額が軽減額になります。

２　算式①の分子の「配偶者の法定相続分」とは、相続人のなかに相続放棄者がいてもその放棄がなかったものとした場合の相続分をいいます。したがって、被相続人に子があれば２分の１、配偶者と兄弟姉妹が相続人の場合は４分の３となります（配偶者と子が相続人で、子の全員が相続の放棄をしたため、配偶者と兄弟姉妹が相続人となった場合でも２分の１です)。

配偶者の税額軽減額の計算式は、１億6,000万円を最低保障額として、配偶者の取得財産価額（課税価格）がそれ以下であれば、納税額はなく、また、それを超えても法定相続分に対応する課税価格まで納付税額が算出されないということです（上記算式の①)。ただし、相続税の総額のうち配偶者の実際の課税価格に対応する金額が軽減額の上限となりますか

ら（上記算式の②）、配偶者の課税価格が１億6,000万円を超え、かつ、法定相続分相当額を上回るときは、配偶者に納付税額が生じます。

（注） 配偶者の課税価格が法定相続分相当額以下であっても、「あん分割合」の端数処理によっては、納付税額が算出されます。たとえば、子と配偶者が相続人で、

$$\frac{\text{配偶者の課税価格（２億4,320万円）}}{\text{課税価格の合計額（５億円）}}=0.4864$$

という場合、配偶者の算出税額の計算上のあん分割合を「0.48」とすれば納付税額は生じませんが、「0.49」として端数を切り上げると、相続税の総額のうち、その端数切り上げ分（1－0.0064＝0.0036）に対応する金額が配偶者の納付税額として残ります。

ところで、税務調査が行われた結果、相続財産を取得した者が相続税の課税価格計算の基礎となる事実の全部又は一部について、いわゆる隠蔽・仮装の行為をしていたことが明らかとなった場合には、修正申告書の提出に際し、その隠蔽・仮装財産の価額は、配偶者の税額軽減の対象にはならないこととされています。

すなわち、隠蔽又は仮装したところに基づき相続税の期限内申告書を提出していた場合、又は申告書を提出していなかった場合において、その相続税について調査があったことにより更正又は決定があるべきことを予知して修正申告書又は期限後申告書を提出するときは、配偶者の税額軽減額の計算に当たり、上記算式の「相続税の総額」の計算の基となる財産価額、分子の「相続税の課税価格の合計額」及び「配偶者の相続税の課税価格」には、その隠蔽・仮装に基づく金額は含まれません（相法19の２⑤⑥）。

相続財産を隠蔽・仮装して申告から除外するパターンとしては、その隠蔽・仮装の行為をした者とその財産を相続する者との関係からみて、次の４つに区分できます。

	隠蔽・仮装の行為者	隠蔽・仮装した財産の取得者
①	相続人である配偶者	相続人である配偶者
②	配偶者以外の納税義務者	相続人である配偶者
③	相続人である配偶者	配偶者以外の納税義務者
④	配偶者以外の納税義務者	配偶者以外の納税義務者

現行の相続税の課税方式からみれば、課税対象となる相続財産の価額が増加すれば、その財産を取得した者のほか、財産を取得しなかった者の相続税額も増加します。したがって、上記の４つ場合は、いずれも納税義務者の全員について、当初申告の納税額よりも隠蔽・仮装した財産の価額に対応する税額が増加するのですが、①と②のパターンはもちろんのこと、③の場合においても、その増加した配偶者の税額について、配偶者の税額軽減規定は適用されません。

ただし、④の場合は、課税財産の隠蔽・仮装と配偶者が関係していませんので、修正申

告又は期限後申告によって、配偶者の税額も増加しますが、通常どおりの方法で配偶者の税額軽減額を計算してよいことになります。

なお、この隠蔽・仮装財産に対する配偶者の税額軽減規定の不適用は、税務調査後の修正申告又は期限後申告について適用することとされていますから、たとえ隠蔽・仮装したところに基づいて期限内申告書を提出し又は無申告であっても、その隠蔽・仮装した財産について、いわゆる自主的修正申告や自主的期限後申告を行うときは、その財産の価額を税額軽減額の計算の基礎に算入することができます。

(2) 未成年者控除と障害者控除

未成年者控除の概略は前述（75・116ページ）したところですが、この税額控除は、要件や計算方法が障害者控除と類似していますので、両者を対比して、その内容をまとめておくことにします。

	未成年者控除（相法19の３）	障害者控除（相法19の４）
適用対象者	相続又は遺贈により財産を取得した者が次の要件のいずれにも該当するものであること。 ① 無制限納税義務者（国内居住者）又は非居住無制限納税義務者（国外居住者）であること（注１） ② 法定相続人に該当する者であること ③ 相続開始時の年齢が20歳未満の者であること（注２）	相続又は遺贈により財産を取得した者が次の要件のいずれにも該当するものであること。 ① 無制限納税義務者（国内居住者）であること（注１） ② 法定相続人に該当する者であること ③ 相続開始時において障害者であること（注３）
控除額	10万円×（20歳－その者の年齢） ※年齢の１年未満は切り捨てる（注６）	① 一般障害者の場合（注４） 10万円×（85歳－その者の年齢） ② 特別障害者の場合（注５） 20万円×（85歳－その者の年齢） ※年齢の１年未満は切り捨てる。
控除未済額の扶養義務者からの控除	未成年者本人の相続税額から控除しきれなかった控除額は、その者の扶養義務者の相続税額から控除する。（注７）	障害者本人の相続税額から控除しきれなかった控除額は、その者の扶養義務者の相続税額から控除する。（注７）
相続税の申告書の記載	第６表「未成年者控除額・障害者控除額の計算書」に記載する。 ※記載方法は、443ページ参照	〔同　　左〕

（注１）非居住無制限納税義務者の意義については、352ページを参照してください。なお、制限納税義務者（国外居住者）であっても、アメリカ合衆国に居住する者は「日米相続税条約」により未成年者控除及び障害者控除が適用される場合があります。

（注２）令和４年４月１日以後に開始する相続に係る相続税から、相続開始時の年齢が「18歳未満の者」に適用されます。

（注３）相続開始時において、身体障害者手帳等の交付を受けていない者であっても、①相続税の期限内申告書を提出する時にその交付を受けている場合、②その交付を申請中であり、かつ、相続開始の現況において明らかに障害者に該当すると認められることがその後に交付を受け

た手帳又は手帳の交付を受けるための医師の診断書により確認できる場合は、障害者控除の適用を受けることができます（相基通19の４－３）。

（注４） 一般障害者の範囲は、次のように定められています（相法19の４②、相令４の４①、相基通19の４－１、所令10①）。

なお、障害者の範囲は、一般障害者、特別障害者とも所得税における障害者控除の場合と同じです。

① 児童相談所、精神保健福祉センターなどで知的障害者と判定された者のうち、重度の知的障害者とされた者以外の者
② 精神障害者保健福祉手帳の交付を受けている者で、障害等級が２級又は３級である者
③ 身体障害者手帳の交付を受けている者で、障害の程度が３級から６級までの者
④ 戦傷病者手帳の交付を受けている者で、障害の程度が恩給法に定める第４項症から第６項症までの者及び傷病について療養の必要がある旨の厚生労働大臣の認定を受けている者
⑤ 常に就床を要し、複雑な介護を要する者のうち、障害の程度が①又は③に準ずる者として福祉事務所長の認定を受けている者
⑥ 年齢65歳以上の者で、障害の程度が①又は③に準ずる者として福祉事務所長の認定を受けている者

（注５） 特別障害者の範囲は、次のとおりです（相法19の４②、相令４の４②、相基通19の４－２、所令10②）。

① 精神上の障害により事理を弁識する能力を欠く常況にある者又は児童相談所、精神保健福祉センターなどで重度の知的障害者と判定された者
② 精神障害者保健福祉手帳の交付を受けている者で、障害等級が１級である者
③ 身体障害者手帳の交付を受けている者で、障害の程度が１級又は２級である者
④ 戦傷病者手帳の交付を受けている者で、障害の程度が恩給法に定める特別項症から第３項症までの者
⑤ 原子爆弾被害者のうち、その負傷や疾病が原子爆弾の障害作用に起因する旨の厚生労働大臣の認定を受けている者
⑥ 常に就床を要し、複雑な介護を要する者のうち、障害の程度が①又は③に準ずる者として福祉事務所長の認定を受けている者
⑦ 年齢65歳以上の者で、障害の程度が①又は③に準ずる者として福祉事務所長の認定を受けている者

（注６） 相続開始時の年齢が、15歳３か月とすれば、控除額は次のようになります（障害者控除の場合もこれに準じて計算します）。

未成年者控除額＝10万円×（20歳－15歳）＝50万円

（注７） 扶養義務者が２人以上いる場合、それぞれの扶養義務者の相続税額からの控除は、次のいずれの方法でもかまいません（相法19の３②、19の４③、相令４の３）。

① 扶養義務者の協議により、控除する金額を定めて申告書に記載した場合は、その記載した金額（任意配分方式）
② 扶養義務者の相続税額に応じてあん分した金額（税額あん分方式）

⑶ 相次相続控除

親の相続から数年をおいて子の相続が開始すると、承継財産に対し短期間のうちに相続税が２回課税されることになりますが、このような現象は、同一財産に対する一種の二重課税といえなくもありません。

このため、前回の相続（第１次相続）から今回の相続（第２次相続）までの間が10年以

内の場合は、「相次相続控除」によって税負担の緩和が図られています。具体的には、第2次相続の被相続人が、第1次相続時に課せられた税額の一部を第2次相続の相続人の税額から控除するというものです。

相次相続控除額は、次の算式により求められます（相法20、相基通20－1）。

〔相次相続控除額の計算式〕

$$相次相続控除額 = A \times \frac{C}{B-A} \times \frac{D}{C} \times \frac{10-E}{10}$$

（注）$\frac{C}{B-A}$ が $\frac{100}{100}$ を超えるときは $\frac{100}{100}$ とする。

この算式における符号の意味は、次のとおりです。

A＝第2次相続の被相続人が、第1次相続で取得した財産に課せられた相続税額

B＝第2次相続の被相続人が、第1次相続で取得した財産の価額（債務控除後の金額）

C＝第2次相続の相続人、受遺者の全員が取得した財産の価額の合計額（債務控除後の金額）

D＝控除対象者であるその相続人が、第2次相続で取得した財産の価額（債務控除後の金額）

E＝第1次相続から第2次相続までの経過年数（1年未満の端数は切捨て）

（注）上記の「財産」には、相続時精算課税制度の適用を受けたことにより相続税の課税価格に加算される贈与財産も含まれる。

この算式は、要するに第2次相続の被相続人が第1次相続で負担した相続税額（算式の符号A）について、第1次相続からの経過年数1年につき10％ずつ減額（算式の $\frac{10-E}{10}$ ）した金額を控除総額とし、これを第2次相続の相続人が取得した財産価額の比（算式の $\frac{D}{C}$ ）であん分して、各相続人の控除額を求める、という意味です。

これを設例で示すと次のとおりです。

＜設　例＞

1　被相続人甲は、令和2年7月20日に死亡し、その相続人（子）である乙と丙は相続により財産を取得した。

2　甲の父は、平成28年9月10日に死亡しており、その際、甲に相続税が課せられている。

父（平成28年9月死亡）――被相続人甲（令和2年7月死亡）――┬相続人乙
└相続人丙

3　父の相続（第1次相続）及び甲の相続（第2次相続）に係る財産価額等は、次のとおりである。

①　第1次相続で甲が取得した財産の価額（上記算式のB）………………12,000万円

②　第1次相続で甲に課せられた相続税額（上記算式のA）　………………2,500万円

③　第２次相続により財産を取得した乙及び丙の取得財産価額の合計額
（上記算式のC）……………………………………………………………28,000万円

④　第２次相続により財産を取得した乙及び丙のそれぞれの取得財産の価額
（上記算式のD）………………………………………乙17,000万円、丙11,000万円

⑤　第１次相続（平成28年９月10日）から第２次相続（令和２年７月20日）までの期間（上記算式のE）………………………………………………３年10か月→３年

〔相次相続控除額の計算〕

①　相続人乙の控除額

$$2{,}500\text{万円} \times \frac{28{,}000\text{万円}}{12{,}000\text{万円} - 2{,}500\text{万円}} \left(> \frac{100}{100} \rightarrow \frac{100}{100} \right) \times \frac{17{,}000\text{万円}}{28{,}000\text{万円}} \times \frac{10\text{年} - 3\text{年}}{10\text{年}} = 1{,}062.5\text{万円}$$

②　相続人丙の控除額

$$2{,}500\text{万円} \times \frac{28{,}000\text{万円}}{12{,}000\text{万円} - 2{,}500\text{万円}} \left(> \frac{100}{100} \rightarrow \frac{100}{100} \right) \times \frac{11{,}000\text{万円}}{28{,}000\text{万円}} \times \frac{10\text{年} - 3\text{年}}{10\text{年}} = 687.5\text{万円}$$

なお、相次相続控除を適用する相続税の申告に際しては、「第７表（相次相続控除額の計算書)」に記載します（444ページ）。

⑷　外国税額控除

国外財産に対してもわが国で相続税が課税される無制限納税者（国内居住者）や、いわゆる非居住無制限納税義務者の場合は、その財産の所在地国でわが国の相続税に相当する税が課されることがあります。

このため、同一財産に対する国際的な二重課税の問題が生じることになりますが、これを排除するのが「在外財産に対する相続税額の控除」（外国税額控除）です。

なお、国外財産が課税除外となる制限納税義務者については、もともと国際間の二重課税の問題は生じません。したがって、外国税額控除が適用される余地はありません。

外国税額控除額は、次の①と②の金額のうち、いずれか少ない金額となります（相法20の２）。

①　課せられた外国税額相当額

②　次の算式により計算される金額

$$\text{その者の相続税額（外国税額控除適用前）} \times \frac{\text{その者が相続又は遺贈により取得した国外にある財産の価額}}{\text{その者が相続又は遺贈により取得した財産の価額}}$$

このうち、②は控除限度額を示すもので、これは、わが国の相続税の税率より外国での税率が高い場合に、その高い部分に対応する外国税額は、わが国の相続税額からは控除しないという趣旨です。

上記①の「外国税額相当額」は、その税額を納付すべき日における対顧客直物電信売相場（T.T.S）により換算した金額によります。ただし、国内からの送金日のT.T.Sによって換算することも認められています（相基通20の２－１）。

なお、外国税額控除を適用する場合は、相続税の申告書に「第８表（外国税額控除額・農地等納税猶予税額の計算書）」を添付することになります。

Ⅱ　相続時精算課税制度のしくみと選択のポイント

1.　相続時精算課税制度のしくみと意義

(1)　制度の概要

贈与税は、いわゆる暦年課税方式が採用されており、相続税とは関係なく、贈与を受けた年ごとに課税を完結させるのが原則です（ただし、被相続人からの贈与で相続開始前３年以内のものは、相続税法第19条によりその贈与財産の価額が相続税の課税価格に加算されるため、相続税の課税と関係しています）。

このような課税方式とは別に、相続税と贈与税を一体的に課税するしくみとして「相続時精算課税制度」が設けられています。これは、受贈者の選択により適用されるもので、贈与時に贈与財産に対する贈与税を申告・納付し、その贈与者の相続時に全ての贈与財産の価額を受贈者の相続税の課税価格に加算して計算した相続税額から、すでに納付した贈与税額を控除して、納付すべき相続税額とする制度です。

相続時精算課税制度における贈与税においては、複数年にわたって適用できる2,500万円の特別控除があり、これを超える贈与額に対する税率は、超過累進税率ではなく、一律20％とされています。これを図式化すると、図１のようになります（図は、受贈者及び法定相続人を子１人としている）。

また、相続時の精算課税において、相続税額から控除しきれない贈与税額がある場合は、その控除しきれない額の還付を受けられることもこの制度の特徴です（図２）。ちなみに、相続税法第19条の相続開始前３年以内の贈与財産の加算制度における贈与税額控除では、贈与税を相続税とは別の独立した税としているため、控除税額が相続税額を超えても還付はありません。

《図１》

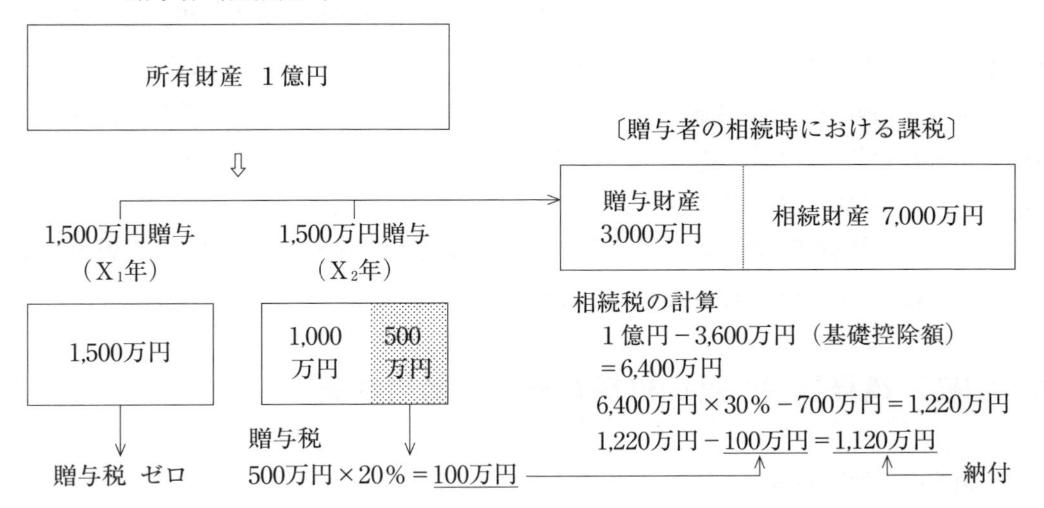

《図２》

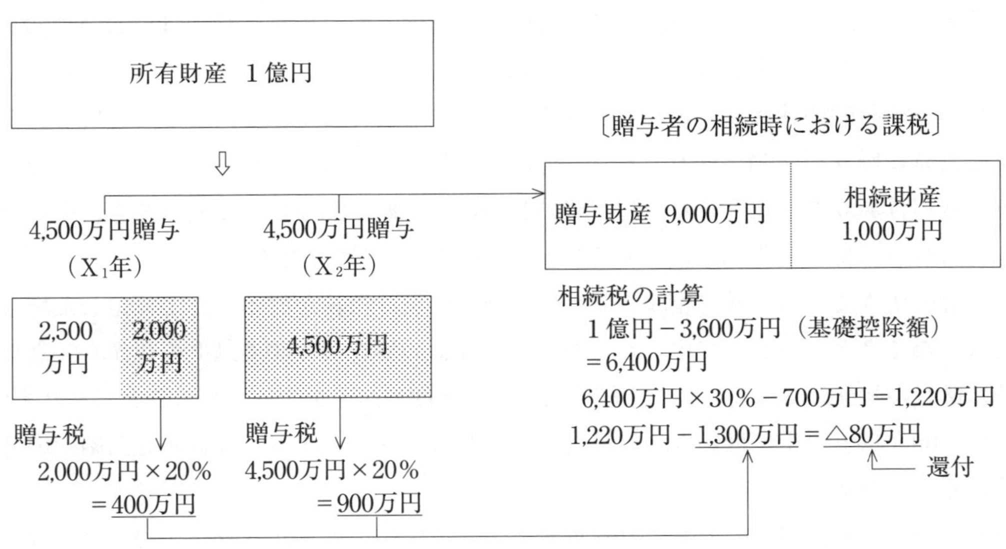

⑵　相続税と贈与税の一体化措置の意義

相続時精算課税制度では、前図の例でいえば、贈与者（被相続人）の財産価額が１億円（法定相続人は子１人）の場合、3,000万円の贈与であれば、贈与税額が100万円で相続税額が1,120万円となり、合わせて1,220万円の税額となります（図１）。また、9,000万円の贈与であれば、贈与税額が1,300万円で相続時の還付税額が80万円となり、差引1,220万円の負担税額になります（図２）。

要するに、どのように贈与をしても、また、贈与をしてもしなくても、贈与時から相続時まで財産価額が変わらない限り、贈与税と相続税を合わせれば税額が同じになるということです。したがって、財産の承継形態に対して税制が中立的である（相続による財産承継と贈与による財産承継との間に税負担の差がない）ということができます。

このような相続時精算課税制度のしくみは、財産の贈与を相続による承継の前渡し（贈与税は相続税の前払い）とみているわけで、この制度が「相続税と贈与税の一体化措置」とよばれているのはそのためです。

なお、相続時精算課税制度には、高齢者から若年者への財産移転を促進し、財産の有効活用を図るという経済政策的な趣旨も含まれています。

2.　相続時精算課税制度の適用対象者と適用手続

⑴　制度の適用対象者

相続時精算課税制度の適用対象者については、次のように定められています（相法21の９①、措法70の２の６①）。

○贈与者――贈与した年の１月１日において60歳以上の者

○受贈者――贈与者の推定相続人である直系卑属のうちその年１月１日において20歳以上の者及び同日において20歳以上の孫

この場合の年齢要件は、いずれも贈与の年の１月１日で判定することとされており、贈与をした時に贈与者が60歳以上であっても、その年１月１日において60歳未満の場合は、制度の適用はありません。また、贈与時の受贈者の年齢が20歳以上であっても、その年１月１日において20歳未満の場合も制度を選択することはできません。

受贈者の要件である「推定相続人」とは、その時点で相続が開始したと仮定した場合に相続人になる者ということです。したがって、通常の場合は、60歳以上の親から20歳以上の子に財産の贈与があった場合に相続時精算課税制度の適用を受けられることになります。

また、60歳以上の祖父母から20歳以上の孫に財産の贈与があった場合にも同制度の適用を受けることができます。

なお、養子も推定相続人である直系卑属であり、年齢要件を満たせば、制度の選択が可能です（配偶者は、推定相続人ですが、直系卑属ではないので相続時精算課税制度の受贈者になることはできません）。

（注１） 受贈者の年齢要件である上記の「20歳以上」は、令和４年４月１日以後の贈与から「18歳以上」となります。

（注２） 年の中途において贈与者の養子となったことにより推定相続人となった場合には、推定相続人となった時（養子縁組の時）より前に贈与を受けた財産については、相続時精算課

税制度の適用はありません（相法21の９④、相基通21の９－４）。

養子縁組の時以後の贈与について相続時精算課税制度を選択し、その旨の届出書を提出した場合には、その後に養子縁組が解消され、推定相続人でなくなったとしても、その贈与者からの贈与については、同制度が継続適用されます（相法21の９⑤）。

なお、推定相続人であるかどうかの判定は、贈与の日において行うこととされています（相基通21の９－１）。

⑵　制度の選択手続と選択届出書の効力

財産の贈与者が60歳以上の親又は祖父母、その受贈者が20歳以上の子又は孫という場合、贈与税の課税方法は、暦年課税方式（基礎控除額110万円、超過累進税率適用）と相続時精算課税制度とのいずれかになります。

このうち相続時精算課税制度は、受贈者の選択により適用され、その適用を受けるには、贈与税の申告期間内（贈与を受けた年の翌年２月１日から３月15日まで）に、贈与税の申告書とともに、次の書類を添付した「相続時精算課税選択届出書」〔書式57〕（次ページ）を納税地の所轄税務署長に提出する必要があります（相法21の９②、相令５①②、相規10①、11①）。

●相続時精算課税選択届出書の添付書類

①　受贈者及び贈与者の戸籍の謄本又は抄本その他の書類で、次の内容を証するもの

イ　受贈者の氏名、生年月日

ロ　受贈者が贈与者の推定相続人である子又は孫であること

②　受贈者の戸籍の附票の写しその他の書類で、受贈者が20歳に達した時以後の住所又は居所を証するもの（受贈者の平成15年１月１日以後の住所又は居所を証する書類でも差し支えない）

※　受贈者が平成７年１月３日以後に生まれた者である場合には、②の書類の添付は要しない。

（注１）マイナンバー制度の導入により、相続時精算課税選択届出書を提出する際には、個人番号カード等の一定の本人確認書類の提示又は提出を要します。

（注２）贈与税の申告期限（贈与を受けた年の翌年３月15日）までに贈与者の死亡に係る相続税の申告期限が到来する場合は、その相続税の申告期限が相続時精算課税選択届出書の提出期限となり、この場合に相続税の申告書を提出するときは、相続時精算課税選択届出書を相続税の申告書に添付して提出しなければなりません（相基通21の９－２）。

なお、相続時精算課税選択届出書を提出期限までに提出しなかった場合のいわゆる宥恕規定はありません（相基通21の９－３）。

相続時精算課税選択届出書の効力は、特定贈与者（相続時精算課税選択届出書に係る贈与者）の相続時まで継続することとされています。したがって、この制度の適用を受ける

〔書式57〕

相続時精算課税選択届出書

（令和元年分用）

税務署受付印

	受贈者		
令和〇〇年 3 月 10 日		住所又は居所	〒272-XXXX電話（047 － 000 － XXXX） 千葉県市川市〇〇3－5－7
		フリガナ	コウ　ヤマ　イチ　ロウ
市川　税務署長		氏名（生年月日）	甲山一郎　㊞ （大・㊕・平　〇〇 年 5 月 18 日）
		特定贈与者との続柄	子

私は、下記の特定贈与者から令和元年中（平成31年1月1日～令和元年12月31日）に贈与を受けた財産については、相続税法第21条の9第1項の規定の適用を受けることとしましたので、下記の書類を添えて届け出ます。

記

1　特定贈与者に関する事項

住所又は居所	東京都国分寺市XX6－8－7
フリガナ	コウ　ヤマ　タ　ロウ
氏名	甲山太郎
生年月日	明・大・㊕・平　〇 年 10 月 2 日

2　年の途中で特定贈与者の推定相続人又は孫となった場合

推定相続人又は孫となった理由	
推定相続人又は孫となった年月日	平成・令和　年　月　日

（注）孫が年の途中で特定贈与者の推定相続人となった場合で、推定相続人となった時前の特定贈与者からの贈与について相続時精算課税の適用を受けるときには、記入は要しません。

3　添付書類

次の（1）～（4）の全ての書類が必要となります。

なお、いずれの添付書類も、贈与を受けた日以後に作成されたものを提出してください。

（書類の添付がなされているか確認の上、□に✓印を記入してください。）

（1）☑　**受贈者や特定贈与者の戸籍の謄本又は抄本**その他の書類で、次の内容を証する書類

①　受贈者の氏名、生年月日

②　受贈者が特定贈与者の直系卑属である推定相続人又は孫であること

（注）次の場合の②の書類については、裏面の6をご覧ください。

・　租税特別措置法第70条の6の8（（個人の事業用資産についての贈与税の納税猶予及び免除））の適用を受ける特例事業受贈者が同法第70条の2の7（（相続時精算課税適用者の特例））の適用を受ける場合

・　租税特別措置法第70条の7の5（（非上場株式等についての贈与税の納税猶予及び免除の特例））の適用を受ける特例経営承継受贈者が同法第70条の2の8（（相続時精算課税適用者の特例））の適用を受ける場合

（2）☑　**受贈者の戸籍の附票の写し**その他の書類で、受贈者が20歳に達した時以後の住所又は居所を証する書類（受贈者の平成15年1月1日以後の住所又は居所を証する書類でも差し支えありません。）

（注）受贈者が平成7年1月3日以後に生まれた人である場合には、（2）の書類の添付を要しません。

（3）☑　**特定贈与者の住民票の写し**その他の書類で、特定贈与者の氏名、生年月日を証する書類

（注）1　添付書類として特定贈与者の住民票の写しを添付する場合には、マイナンバー（個人番号）が記載されていないものを添付してください。

2　（1）の書類として特定贈与者の戸籍の謄本又は抄本を添付するときは、（3）の書類の添付を要しません。

（4）□　**特定贈与者の戸籍の附票の写し**その他の書類で、特定贈与者が60歳に達した時以後の住所又は居所を証する書類（特定贈与者の平成15年1月1日以後の住所又は居所を証する書類でも差し支えありません。）

（注）1　租税特別措置法第70条の3（（特定の贈与者から住宅取得等資金の贈与を受けた場合の相続時精算課税の特例））の適用を受ける場合には、「平成15年1月1日以後の住所又は居所を証する書類」となります。

2　（3）の書類として特定贈与者の住民票の写しを添付する場合で、特定贈与者が60歳に達した時以後（租税特別措置法第70条の3の適用を受ける場合を除きます。）又は平成15年1月1日以後、特定贈与者の住所に変更がないときは、（4）の書類の添付を要しません。

（注）この届出書の提出により、特定贈与者からの贈与については、特定贈与者に相続が開始するまで相続時精算課税の適用が継続されるとともに、その贈与を受ける財産の価額は、相続税の課税価格に加算されます（**この届出書による相続時精算課税の選択は撤回することができません。**）。

作成税理士	㊞	電話番号	

※	税務署整理欄	届出番号	－	名簿		確認	

※欄には記入しないでください。　　（資5－42－A4統一）（令元.10）

○「相続時精算課税選択届出書」は、必要な添付書類とともに**申告書第一表及び第二表**と一緒に提出してください。

最初の贈与時に選択届出書を提出すれば、その後のその特定贈与者からのその相続時精算課税適用者（相続時精算課税選択届出書を提出した受贈者）に対する贈与は、全てこの制度の対象となります（相法21の9③）。なお、この制度は、特定贈与者ごとに適用することとされています。したがって、２人以上の特定贈与者の双方から財産の贈与を受けた場合に、そのいずれについても制度の選択をするときは、それぞれについて別の選択届出書の提出を要します（相令５①）。

ところで、いったん相続時精算課税選択届出書を提出すると、その届出書を撤回することはできないこととされています（相法21の9⑥）。要するに、いったんこの制度を選択すると、その特定贈与者からのそれ以後の贈与について、いわゆる暦年課税方式に戻ることはできないということです。

このような選択届出書の効力からみると、届出に係る特定贈与者からのその後の贈与財産の価額は、その全てが相続時に相続時精算課税適用者の相続税の課税価格に加算されることになります。このため、実務的には、この制度を選択したことに伴う贈与税のほか、贈与財産の価額が相続税の課税対象になることによる相続税の負担を考慮して、制度の選択が納税者に有利になるか否かを判断することが重要です（後述407ページ参照）。

3.　相続時精算課税制度における贈与税の計算と申告

(1)　贈与税の課税価格の計算と特別控除・税率

贈与税の課税価格について、受贈者ごとに暦年を単位として計算されることは、暦年課税方式（基礎控除110万円、超過累進税率適用）も相続時精算課税制度も同じです。

二つの課税方式で違いがあるのは、相続時精算課税制度の場合、特定贈与者ごとに課税価格を計算し、贈与税額を算出することです（相法21の10）。もちろん、特定贈与者から贈与された財産に対する贈与税額と、特定贈与者以外の者から贈与された財産に対する贈与税額は、それぞれ別に計算することになります。

この場合、相続時精算課税制度には累積で2,500万円の特別控除額があること（相法21の12①）、特別控除額を控除した後の課税価格に対する贈与税の税率は20％とされていること（相法21の13）は、前述したとおりです。

なお、相続時精算課税制度が特定贈与者ごとに適用されるため、たとえば父親と母親の双方から贈与により財産を取得し、いずれについてもこの制度を選択すれば、特別控除額は合わせて5,000万円が上限になります（２以上の贈与者からの贈与について、いずれも相続時精算課税を適用する場合には、その贈与者ごとに相続時精算課税選択届出書を提出する必要があります）。

相続時精算課税制度を選択した場合の贈与税額の計算方法と計算例を示すと、次のようになります。

贈与税額＝〔特定贈与者からの贈与財産価額－特別控除額〕×20％

特別控除額 ＝ いずれか低い金額
- 2,500万円（前年以前に控除を受けた金額を除く）
- 特定贈与者ごとの贈与税の課税価格

＜設　例＞

個人Ａ（25歳）は、本年中に次の者からそれぞれ次の価額の財産を贈与により取得した。Ａは、父からの贈与財産と母からの贈与財産について、相続時精算課税制度を選択する（祖父からの贈与については同制度を選択しない）こととした。

・父から2,800万円　　・母から1,500万円　　・祖父から600万円

〔贈与税額の計算〕

・父からの贈与分　　〔2,800万円－2,500万円（特別控除額）〕×20％＝60万円
・母からの贈与分　　1,500万円－1,500万円（特別控除額）＝ゼロ
・祖父からの贈与分　〔600万円－110万円（基礎控除額）〕×20％－30万円＝68万円
・納付する贈与税額　60万円＋68万円＝128万円

⑵　贈与税の申告要件

相続時精算課税に係る贈与税の特別控除は、贈与税の期限内申告書を提出した場合に限り適用され、特別控除の適用について期限内申告書を提出しなかった場合の宥恕規定はありません（相法21の12②、相基通21の12－１）。

また、特定贈与者から贈与を受けた財産の累積額が特別控除額（2,500万円）を超える場合は、その超える部分の金額に対し20％の税率による課税があるため、申告と納税が必要です。したがって、相続時精算課税を選択した場合には、受贈財産価額の多寡にかかわらず、贈与税の申告を行う必要があります。

（注１） 上記のとおり相続時精算課税の特別控除は、期限内申告書を提出しなかったときは適用されません。したがって、たとえば、令和２年中に2,000万円の贈与を受けて相続時精算課税の選択と期限内申告をしたところ、令和３年中に同じ贈与者から100万円の贈与を受けて期限内申告書を提出しなかったという場合には、令和３年分の贈与には特別控除は適用されません。このため、令和３年分の贈与については、100万円の20％相当額の贈与税が課せられます。

なお、令和３年分の贈与について、期限内申告書を提出しなかったことに宥恕規定はありません（相基通21の12－１（注））。

（注２） 相続時精算課税制度に係る贈与税の特別控除の翌年以降に繰り越される金額は、国税通則法の規定によりその金額が過大である場合に修正申告書を提出して修正すべき純損失等の金額とされています（通則法２六ハ⑶、19①二）。

なお、翌年以降に繰り越される特別控除額が過大である場合に、納税者が修正申告書を提出しないときは、税務署長による更正が行われます（通則法24）。

(注３) 相続時精算課税の適用と修正申告及び特別控除との関係について、次の①の場合には、申告漏れとなった200万円の贈与について特別控除が適用されません。これに対し、次の②の場合には、修正申告書を提出すれば、正当な額の特別控除が適用されます。

① 相続時精算課税を選択した後の年分について、同一の年に特定贈与者から300万円と200万円の贈与があったが、200万円の贈与について申告しなかった場合

② 相続時精算課税を選択した後の年分の贈与財産について、過少評価があった場合

4. 相続時精算課税制度における相続税の計算

(1) 相続税の課税価格の計算

相続時精算課税制度の適用を受けた贈与財産の価額は、特定贈与者の相続時において文字どおり課税の精算をしなければなりません。特定贈与者からの贈与財産の価額を相続時精算課税適用者の相続税の課税価格に加算して、その者の相続税額を計算するわけです。

注意したいのは、特定贈与者の相続時に相続財産を取得しなかった場合でも精算課税が行われることです。したがって、相続税の課税価格は次のようになります（相法21の15①、21の16①）。

① 特定贈与者から相続又は遺贈により財産を取得した相続時精算課税適用者――その特定贈与者からの贈与により取得した財産で相続時精算課税の適用を受けるものの価額を相続税の課税価格に加算した価額が相続税の課税価格となる。

② 特定贈与者から相続又は遺贈により財産を取得しなかった相続時精算課税適用者――その特定贈与者からの贈与により取得した財産で相続時精算課税の適用を受けるものの価額を相続税の課税価格とする。

なお、相続税の課税価格に加算又は算入される贈与財産の価額は、相続時の価額ではなく、その財産の贈与時の価額とされています（相法21の15①、21の16③、相基通21の15－２）。

(注) 相続税の課税価格の計算上、債務控除の規定は次のようになります（相基通13－９）。

① 無制限納税義務者（相法１の３①一二）――相続又は遺贈により取得した財産及び相続時精算課税制度の適用を受ける財産の価額から相続税法第13条第１項に規定する債務控除を適用する（相法21の15②）。

② 制限納税義務者（相法１の３①三四）――相続又は遺贈により取得した財産で国内に所在するもの及び相続時精算課税制度の適用を受ける財産の価額から相続税法第13条第２項に規定する債務控除を適用する（相法21の15②）。

③ 相続又は遺贈により財産を取得しなかった相続時精算課税適用者である納税義務者――相続時精算課税制度の適用を受ける財産の価額から、次に掲げる区分に応じそれぞれに定める債務控除を適用する（相法21の16②、相令５の４①）。

イ　その納税義務者が相続開始時に国内に住所を有する場合――相続税法第13条第１項に規定する債務控除

ロ　その納税義務者が相続開始時に国内に住所を有しない場合――相続税法第13条第２項に規定する債務控除

相続時精算課税適用者の相続税の課税価格の計算方法を図式的に示すと、次のようになります。

相続又は遺贈により財産を取得した相続時精算課税適用者	相続又は遺贈により財産を取得しなかった相続時精算課税適用者
相続（遺贈）財産	
（＋）	
みなし相続（遺贈）財産	
（－）	
非課税財産	
（＋）	
相続時精算課税に係る贈与財産	相続時精算課税に係る贈与財産
（－）	（－）
債務控除	債務控除
（＋）	（＋）
相続開始前３年以内の贈与財産	相続開始前３年以内の贈与財産
＝	＝
課税価格	課税価格

⑵　相続時精算課税と相続開始前３年以内の贈与財産の加算の関係

相続税の課税価格の計算上、相続時精算課税制度の適用を受けた贈与財産の価額は、贈与の時期にかかわらず相続税の課税価格に加算されます。したがって、上図の「相続開始前３年以内の贈与財産」からは「相続時精算課税に係る贈与財産」が除かれることはいうまでもありません。たとえば、

○被相続人（特定贈与者）の相続開始――令和X_3年５月

○被相続人（特定贈与者）からの生前贈与

・令和X_1年５月　1,000万円――相続時精算課税選択なし

・令和X_2年５月　2,000万円――相続時精算課税選択適用

とすれば、令和X_1年５月の1,000万円は、「相続開始前３年以内の贈与財産」として課税価格に加算し、令和X_2年５月の2,000万円は、「相続時精算課税に係る贈与財産」として課税価格に加算することになります（相法21の15②、21の16②、相基通19－11）。

ところで、上記のように課税価格の計算において「相続時精算課税に係る贈与財産」と「相続開始前３年以内の贈与財産」を区別して扱うのは、債務控除の適用に影響するためです。すなわち、相続開始前３年以内の贈与財産の価額を課税価格に加算した場合において

も、その加算した財産の価額からは債務控除はできないこととされています（相基通19－5）。たとえば、

相続により取得した財産の価額……………1,000万円
負担した債務の額………………………………1,500万円
相続開始前３年以内の贈与財産の価額……2,000万円

の場合、債務控除後のマイナス500万円の金額と課税価格に加算される2,000万円とを通算することはできず、課税価格を2,000万円として相続税の計算をしなければなりません。

これに対し、課税価格に加算される2,000万円が「相続時精算課税に係る贈与財産」の価額である場合は、その財産の価額から債務控除が適用できるため（相法21の15②、相令５の４①)、上例の場合、課税価格は1,500万円（＝1,000万円＋2,000万円－1,500万円）とすることができます。

（注）相続時精算課税適用者が相続開始の年に特定贈与者から贈与により取得した財産の価額は、贈与税の課税価格に算入しますが、贈与税の申告は不要とされています（相法21の10、28④)。この場合の贈与財産の価額は、相続時精算課税適用者の相続税の課税価格に加算又は算入されます（相基通11の２－５)。

(3) 相続時精算課税に係る贈与税額の控除

相続税の課税価格に加算又は算入された相続時精算課税に係る贈与財産について、課せられた贈与税があるときは、その贈与税額は、その者の相続税額から控除されます（相法21の15③、21の16④)。

相続税額の計算における税額控除の適用順序については、前述（376ページ）したとおりですが、相続時精算課税に係る贈与税額の控除は、外国税額控除の次に行うこととされています（相令５の３)。

なお、相続税額から控除しきれなかった相続時精算課税に係る贈与税額がある場合は、その控除しきれなかった税額が還付され（相法33の２①)、この場合は、納税者において還付を受けるための相続税の申告書を提出することができます（相法27③、相規15)。

（注）還付を受けるための申告書は、相続開始の日の翌日から５年を経過する日まで提出することができます（通則法74①、相基通27－８)。

(4) 相続時精算課税適用者の２割加算

相続又は遺贈により財産を取得した者が被相続人の一親等の血族及び配偶者以外の者である場合には、相続税について２割加算の規定が適用されます（相法18①)。相続開始時において、相続時精算課税適用者が特定贈与者である被相続人の一親等の血族に該当しない場合も同様です。

ただし、被相続人（特定贈与者）の養子となった者がその被相続人から贈与により財産

を取得して相続時精算課税制度の適用を受けた後に離縁したような場合は、その者の相続税額のうち被相続人の一親等の血族であった期間内に被相続人から贈与により取得した相続時精算課税制度の適用を受ける財産の価額に対応する相続税額については、２割加算の対象にはなりません（相法21の15②、21の16②、相令５の２）。

この規定により２割加算の対象にならない金額は、次の算式により求められます（相基通18－５）。

$$\text{相続時精算課税適用者の算出相続税額} \times \frac{\text{相続時精算課税適用者が被相続人の一親等の血族であった期間内にその被相続人からの贈与により取得した相続時精算課税制度の適用を受ける財産の価額の合計額}}{\text{相続時精算課税適用者が相続又は遺贈により取得した財産の合計額} + \text{相続時精算課税適用者が被相続人からの贈与により取得した相続時精算課税制度の適用を受ける財産の価額の合計額}}$$

要するに、相続開始時においては既に養子縁組が解消されているため一親等の血族に該当せず、２割加算の対象になる者が、相続時精算課税の贈与（その贈与財産の価額はその者の相続税の課税価格に加算されて相続税額が計算される）の時点では、養子として一親等の血族であったという場合は、相続税の課税価格に加算された部分に対応する相続税については、２割加算の適用はないということです。

⑸　相続時精算課税適用者がある場合の相続税の計算

相続時精算課税適用者がある場合の相続税の計算方法について、設例で確認すると、次のとおりです。

＜設　例＞

①　被相続人甲の相続人は、次図のとおりである（カッコ内は、相続開始時の年齢である）。

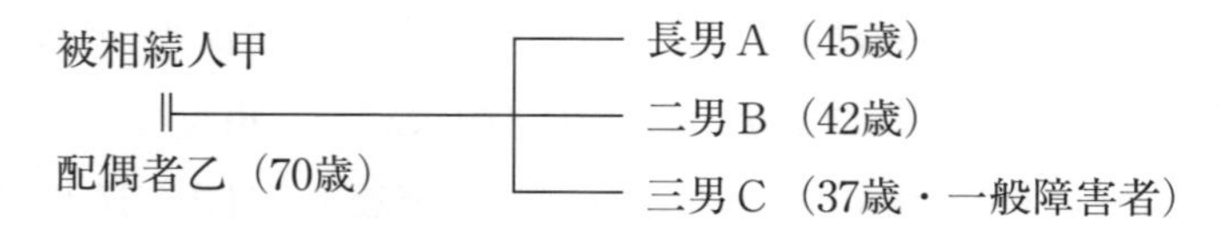

②　各相続人が遺産分割により取得した相続財産の価額と負担することが確定した債務の額は、次のとおりである。

なお、二男Ｂは、事実上の相続放棄をしたため、相続財産を取得せず、債務も負担していない。

	〔相続財産〕	〔債　務〕
配偶者乙	１億9,000万円	300万円
長　男　Ａ	8,400万円	800万円
三　男　Ｃ	3,800万円	200万円

③　各相続人は、被相続人甲からそれぞれ次のとおり財産の贈与を受けている。

	〔贈与の時期〕	〔受贈財産価額〕	〔贈与税額〕
長男Ａ	相続開始の前年	500万円	485,000円
二男Ｂ	相続開始の前年	4,500万円	400万円
三男Ｃ	相続開始の前々年	300万円	19万円
〃	相続開始の前年	2,800万円	60万円

なお、二男Ｂの相続開始の前年の贈与財産（4,500万円）と三男Ｃの相続開始の前年の贈与財産（2,800万円）は株式であるが、いずれについても所定の期限まで相続時精算課税選択届出書が提出されている。

〔相続税の計算〕

①　相続税の課税価格

（単位；円）

	配偶者乙	長男Ａ	二男Ｂ	三男Ｃ	合　計
相続財産	190,000,000	84,000,000		38,000,000	312,000,000
相続時精算課税に係る贈与財産			45,000,000	28,000,000	73,000,000
債務控除	△3,000,000	△8,000,000		△2,000,000	△13,000,000
相続開始前３年以内の贈与財産		5,000,000		3,000,000	8,000,000
課税価格	187,000,000	81,000,000	45,000,000	67,000,000	380,000,000

②　相続税の総額

イ　課税相続財産価額

380,000,000円－54,000,000円（基礎控除額）＝326,000,000円

ロ　法定相続分に応ずる取得金額

配偶者乙　326,000,000円×$\frac{1}{2}$　＝163,000,000円

長　男　Ａ　326,000,000円×$\frac{1}{2}$×$\frac{1}{3}$＝ 54,333,000円

二　男　Ｂ　326,000,000円×$\frac{1}{2}$×$\frac{1}{3}$＝ 54,333,000円

三　男　Ｃ　326,000,000円×$\frac{1}{2}$×$\frac{1}{3}$＝ 54,333,000円

ハ　ロの金額に対する税額

163,000,000円×40％－17,000,000円＝48,200,000円

54,333,000円×30％－ 7,000,000円＝ 9,299,900円

ニ　相続税の総額

48,200,000円＋9,299,900円×３＝76,099,700円

③ 納付すべき相続税額

（単位；円）

	配偶者乙	長男Ａ	二男Ｂ	三男Ｃ	合　計
あん分割合	0.49	0.21	0.12	0.18	1.00
算出相続税額	37,288,853	15,980,937	9,131,964	13,697,946	76,099,700
贈与税額控除		△485,000		△190,000	△675,000
配偶者の軽減	△37,288,853				△37,288,853
障害者控除				△4,800,000	△4,800,000
相続時精算課税に係る贈与税額控除			△4,000,000	△600,000	△4,600,000
納付相続税額	0	15,495,900	5,131,900	8,107,900	28,735,700

（注１） 配偶者に対する相続税額の軽減

$$380{,}000{,}000\text{円} \times \frac{1}{2} = 190{,}000{,}000\text{円}\ (>160{,}000{,}000\text{円})$$

187,000,000円＜190,000,000円 ──→187,000,000円

$$76{,}099{,}700\text{円} \times \frac{187{,}000{,}000\text{円}}{380{,}000{,}000\text{円}} = 37{,}449{,}062\text{円}$$

37,288,853円＜37,449,062円 ──→37,288,853円

（注２） 障害者控除

三男Ｃ　100,000円×（85歳－37歳）＝4,800,000円

⑹ 相続時精算課税制度と暦年課税方式との違い

贈与税と相続時の課税上の取扱いについて、これまでに説明した相続時精算課税制度と暦年課税方式との違いをまとめると、次表のようになります。

		暦年課税方式	相続時精算課税制度
贈与時の課税	贈与者の要件	（要件等なし）	特定贈与者――贈与の年の１月１日において60歳以上である者（相法21の９①）
	受贈者の要件	（要件等なし）	贈与の年の１月１日において20歳以上の贈与者の直系卑属である推定相続人及び同日において20歳以上の孫（相法21の９①、措法70の２の６①）
	贈与税の基礎控除・特別控除	基礎控除――受贈者１人につき年110万円（措法70の２の４①）	特別控除――受贈者及び特定贈与者ごとに累積で2,500万円（相法21の12①）
	贈与税の税率	基礎控除額を超える部分に10％～55％の超過累進税率（相法21の７、措法70の２の５①）	特別控除額を超える部分に20％の比例税率（相法21の13）
	制度選択の届出	なし（届出のない場合は暦年課税方式の適用）	「相続時精算課税選択届出書」の提出が必要（相法21の９②）

	贈与税の申告の要否	受贈財産価額が基礎控除額以下の場合は申告不要（相法28①）	受贈財産価額にかかわらず申告必要（相法28①）
相続時の課税	相続時の贈与財産価額の加算	被相続人からの相続開始前３年以内の贈与財産の価額を相続税の課税価格に加算（相法19）	特定贈与者からの贈与財産の価額を相続税の課税価格に加算（相法21の15①）
	相続税の課税価格の加算対象者	被相続人から相続又は遺贈により財産を取得した者（相続又は遺贈により財産を取得しなかった者には適用なし）（相法19）	相続時精算課税適用者（被相続人から相続又は遺贈により財産を取得しなかった者にも適用）（相法21の16①）
	相続税の課税価格の加算額	加算の対象となる贈与財産の贈与時の価額（相法19）	同左（相法21の15①、21の16③）
	贈与税額の控除	適用対象者の算出相続税額から控除（相法19）	適用対象者の相続税額（外国税額控除後の税額）から控除（相法21の15③、相令５の３）
	贈与税額の還付	贈与税額控除額が算出相続税額を超える場合でも還付なし	控除税額が相続税額を超える場合には相続税の申告により還付（相法27③、33の２①）

5. 相続時精算課税制度における相続税の納税に係る権利義務の承継

(1) 相続時精算課税適用者が特定贈与者より先に死亡した場合の精算課税

相続時精算課税制度では、相続時精算課税適用者が特定贈与者よりも先に死亡した場合でも「精算課税」を行わなければなりません。この場合は、その相続時精算課税適用者が有していた相続時精算課税制度の適用を受けていたことに伴う納税に係る権利又は義務は、その相続時精算課税適用者の相続人に承継することとされています（相法21の17①）。

要するに、相続時精算課税適用者（子）が特定贈与者（親）よりも先に死亡した場合は、特定贈与者の相続時に精算課税を行い、相続時精算課税適用者の相続人が納税するということです。

なお、相続時精算課税適用者の相続人が２人以上いるときは、遺産分割等による財産の取得額とは関係なく、各相続人（相続人のうちに特定贈与者がいる場合は、その特定贈与者を除く）が民法第900条から第902条までの規定による相続分（相続人のうちに特定贈与者がいる場合は、その特定贈与者がいないものとして計算した相続分）によってあん分した額の権利又は義務を承継します（相法21の17③、相令５の５）。これを具体例でみると、次ページのとおりです。

(注１) 上記のとおり、相続時精算課税適用者（子）が特定贈与者（親）より先に死亡した場合には、その相続時精算課税に適用に伴う権利義務は、相続時精算課税適用者の相続人に承継されますが、その承継相続人が特定贈与者より先に死亡した場合には、その承継相続人の相続人にその権利義務が承継（再承継）されます（相法21の17④）。

ただし、その再承継相続人が特定贈与者より先に死亡した場合には、相続時精算課税の適用に係る権利義務の承継の関する規定はありません。このため、その権利義務の承継はなく、消滅することになります（相基通21の17－１）。

（注２）相続時精算課税適用者が特定贈与者より先に死亡した場合の相続時精算課税に適用に係る相続人の権利義務の承継について、その相続人が限定承認をした場合には、相続により取得した財産（その相続時精算課税適用者からの遺贈又は贈与により取得した財産を含む）の限度で、その権利義務を承継します（相法21の17②）。

この規定は、国税通則法第５条第１項（相続による国税の納付義務の承継）において規定する限定承認があった場合と同じです（相基通21の17－４）。

《ケース１》

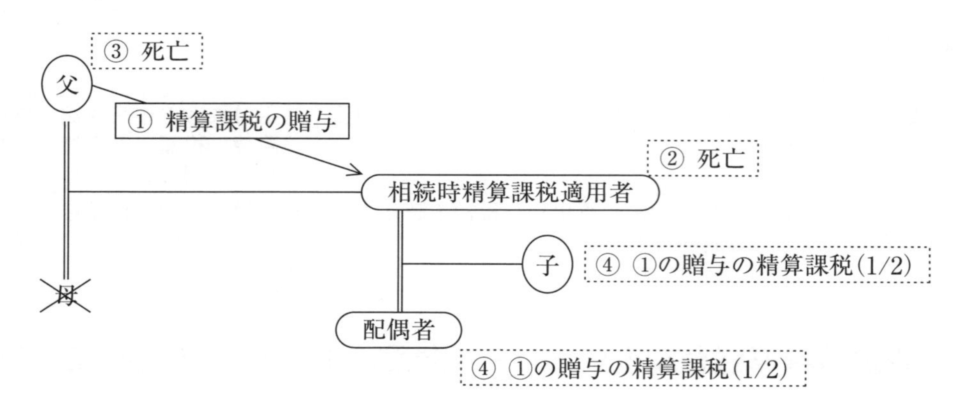

このケースにおける相続時精算課税適用者の相続人は、配偶者と子の２人で、法定相続分はそれぞれ２分の１です。したがって、配偶者と子は、相続時精算課税適用者が有していた相続時精算課税制度に係る納税義務の２分の１ずつを承継し、特定贈与者である父の相続時に精算課税に係る納税をしなければなりません。このケースで、

① X_0年――父から相続時精算課税適用者に3,000万円を贈与（相続時精算課税に係る100万円の贈与税を納付）

② X_1年――相続時精算課税適用者死亡（相続人は、配偶者と子の２人）

③ X_2年――父死亡（遺産額３億円、法定相続人である子が相続により取得）

とすれば、X_2年の父の死亡に係る相続税の計算において、次のように相続時精算課税適用者の相続税額を算出し、配偶者と子は、それぞれ２分の１の税額を納付することになります。

〔相続税の課税価格〕

	子	(亡)相続時精算課税適用者	合　計
相続による取得財産	300,000,000円		300,000,000円
精算課税に係る贈与財産		30,000,000円	30,000,000円
課税価格	300,000,000円	30,000,000円	330,000,000円

〔相続税の総額〕

330,000,000円－36,000,000円（基礎控除額）＝294,000,000円

294,000,000円×45％－27,000,000円＝105,300,000円

〔納付税額〕

	子	(亡)相続時精算課税適用者	合　　計
あん分割合	0.91	0.09	1.00
算出相続税額	95,823,000円	9,477,000円	105,300,000円
精算課税に係る贈与税額控除		△1,000,000円	△ 1,000,000円
納付相続税額	95,823,000円	8,477,000円	104,300,000円

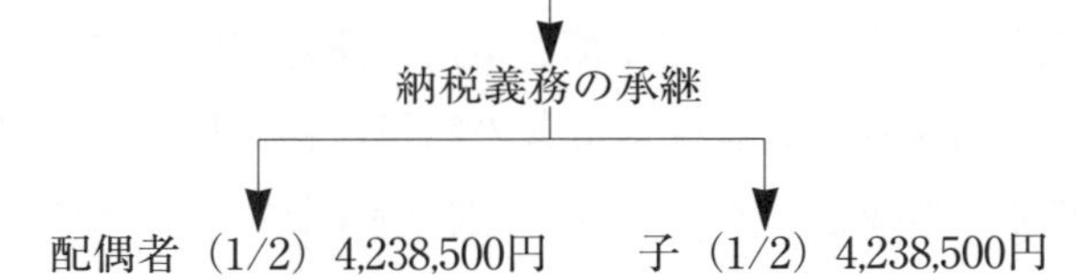

(注) このケースでは、子は100,061,500円（＝95,823,000円＋4,238,500円）を納税し、配偶者は4,238,500円を納税することになります。

注意したいのは、相続時精算課税適用者が死亡した時に、その遺産額が一定額以上であれば、その相続人（上例の場合は、配偶者と子）に対し、通常どおり相続税課税が行われることです。したがって、上例の場合に父から贈与により取得した財産が相続時精算課税適用者の遺産を構成しているとすれば、その贈与財産については、父の死亡時における上記の精算課税との一種の二重課税になると考えられます。この点は、下記の《ケース２》の場合も同様です。

(注) 特定贈与者よりも先に死亡した相続時精算課税適用者の有していた相続時精算課税の適用を受けていたことに伴う納税に係る権利義務を承継した場合に、その承継した納税に係る義務（上例でいえば、父の相続時の精算課税による納税額8,477,000円）は、相続時精算課税適用者の死亡時の相続税の計算上、債務控除の対象にすることはできません（相基通14－５）。このため、上記の二重課税的な要素は排除されていません。

なお、相続税の重複課税を調整するための措置として、相次相続控除の制度がありますが、この税額控除は、通常の場合、親の相続→子の相続という場合に適用されます（相法20）。したがって、子の相続→親の相続という上記のようなケースには適用されません。

《ケース２》

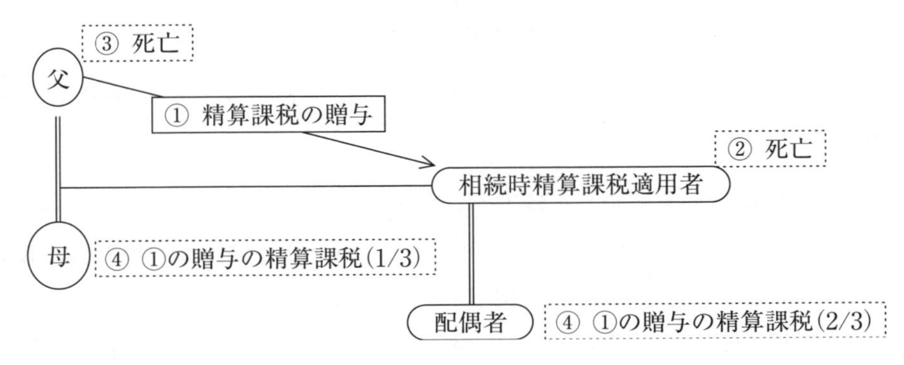

このケースにおける父（特定贈与者）は、相続時精算課税適用者の相続人ですが、特定贈与者は相続時精算課税適用者の有していた相続時精算課税の適用を受けていたことに伴

う納税に係る権利義務を承継しないこととされています（相法21の17①ただし書）。

また、相続時精算課税適用者の相続人が２人以上いる場合の権利義務の承継割合は、特定贈与者を除いて算定した相続分によります。したがって、このケースで、

① X_0年――父から相続時精算課税適用者に3,000万円を贈与（相続時精算課税に係る100万円の贈与税を納付）

② X_1年――相続時精算課税適用者死亡（相続人は、配偶者と母の２人）

③ X_2年――父死亡（遺産額３億円、法定相続人である母が相続により取得）

とすれば、相続時精算課税適用者の納税に係る権利義務は、配偶者が３分の２、母が３分の１の割合で承継し、X_2年の父の相続時において、次のように精算課税を行います。

〔相続税の課税価格〕

	母	(亡)相続時精算課税適用者	合　計
相続による取得財産	300,000,000円		300,000,000円
精算課税に係る贈与財産		30,000,000円	30,000,000円
課税価格	300,000,000円	30,000,000円	330,000,000円

〔相続税の総額〕

330,000,000円－36,000,000円（基礎控除額）＝294,000,000円

294,000,000円×45％－27,000,000円＝105,300,000円

〔納付税額〕

	母	(亡)相続時精算課税適用者	合　計
あん分割合	0.91	0.09	1.00
算出相続税額	95,823,000円	9,477,000円	105,300,000円
配偶者に対する税額の軽減	△95,727,272円		△95,727,272円
精算課税に係る贈与税額控除		△1,000,000円	△1,000,000円
納付相続税額	95,700円	8,477,000円	8,572,700円

↓

納税義務の承継

配偶者（2/3）5,651,300円　　母（1/3）2,825,600円

(注) このケースでは、母は2,921,300円（＝95,700円＋2,825,600円）を納税し、配偶者は5,651,300円を納税することになります。

なお、相続時精算課税適用者の相続人が特定贈与者しかいない場合は、相続時精算課税適用者の有していた相続時精算課税の適用を受けていたことに伴う納税に係る権利義務の承継者はいないことになりますから、相続時の精算課税は行われません。

(注) 相続時精算課税適用者の相続人が限定承認をした場合は、その相続人は、相続により取得した財産（相続時精算課税適用者からの遺贈又は贈与を含む）の限度においてのみ納税に係る権利義務を承継することとされています（相法21の17②）。

⑵ 受贈者が「相続時精算課税選択届出書」を提出する前に死亡した場合の取扱い

贈与により財産を取得した者が相続時精算課税制度の適用を受けることができる場合において、贈与税の申告期限前に「相続時精算課税選択届出書」を提出しないで死亡した場合には、その者の相続人は、その相続開始を知った日の翌日から10か月以内に「相続時精算課税選択届出書」を死亡した受贈者の納税地の所轄税務署長に共同して提出することができます（相法21の18①）。

ただし、その届出をした相続人は、被相続人（死亡した受贈者）が有することとなる相続時精算課税の適用を受けることに伴う納税に係る権利義務を承継することになります（相法21の18②）。

なお、死亡した受贈者の相続人が２人以上いる場合は、相続時精算課税選択届出書の提出は、これらの者が一の届出書に連署して行う必要があり（相令５の６③）、相続人のうち１人でもその届出に同意しないときは、相続時精算課税制度の適用を受けることはできません（相基通21の18－２）。

(注) 死亡した受贈者の相続人が贈与をした者のみの場合は、相続時精算課税の適用を受けることに伴う納税に係る権利義務の承継はなく、精算課税は行われません。したがって、この場合は相続時精算課税選択届出書を提出することはできません（相基通21の18－１）。

6. 住宅取得等資金の贈与に係る相続時精算課税制度の特例

⑴ 住宅取得等資金の贈与に係る非課税特例の概要

ところで、住宅取得等資金の贈与を受けて、一定の住宅用家屋を取得した場合には、一定額まで贈与税が非課税となる特例があり、次の２つが措置されています。

① 直系尊属から住宅取得等資金の贈与を受けた場合の贈与税の非課税（措法70の２）

② 住宅取得等資金の贈与を受けた場合の相続時精算課税の特例（措法70の３）

これらの特例における対象住宅等の範囲や非課税限度額は、後述のとおり、いずれについても同じですが、①の場合は、暦年課税の特例とされているため、110万円の基礎控除が適用されるのに対し、②の場合には、非課税限度額とともに、2,500万円の特別控除が適用されます。相続時精算課税の特例について、概要をまとめると以下のとおりです。

⑵ 適用対象者の要件

相続時精算課税制度には、贈与者について「60歳以上」という年齢要件がありますが、住宅取得等資金の贈与の特例では年齢要件はありません。したがって、贈与者が60歳未満であってもこの特例の対象になります（措法70の３①）。

一方、この特例の適用を受けることができる者（特定受贈者）は、次の要件の全てを満たす者とされています（措法70の３③一）。

① 住宅取得等資金の贈与者の直系卑属である推定相続人（孫を含む）であること。

② 住宅取得等資金の贈与を受けた年の1月1日において20歳以上の者であること。

③ 贈与税の無制限納税義務者であること。

このうち、③の無制限納税義務者は、贈与により財産を取得した時に国内に住所を有する者（相法1の4①一）といわゆる非居住無制限納税義務者（相法1の4①二）がありますが、いずれも特例の対象者です。

（注）この特例には贈与者の年齢要件はありませんが、住宅取得等資金の贈与について受贈者がこの特例の適用を受けると、その者は相続時精算課税適用者となり、贈与者は相続時精算課税制度における特定贈与者とみなされます（措法70の3②）。

　したがって、その後の両者間の贈与については、贈与者の年齢が60歳未満であっても相続時精算課税制度が強制的に継続適用され、贈与者の相続時には、非課税限度額部分を除き住宅取得等資金を含めた全ての贈与財産の価額が受贈者の相続税の課税価格に加算されます。

⑶ 特例の対象になる住宅の取得等の意義

この特例は、住宅の新築、取得又は増改築の対価に充てるための金銭が対象になりますが、この場合の新築等とは、次表の要件を満たすものをいいます。

なお、いずれの場合も住宅用家屋の敷地の用に供される土地（借地権を含む）の取得（いわゆる土地等の先行取得を含む）の対価に充てるための資金贈与も対象になります（措法70の3①一～三）。

区　分	要　件
① 住宅用家屋の新築又は建築後使用されたことのない住宅用家屋の取得	イ 住宅取得等資金を贈与により取得した年の翌年3月15日までに、その住宅取得等資金の全額により住宅用家屋を新築するか、建築後使用されたことのない住宅用家屋を取得し、同日までに特定受贈者の居住の用に供していること（この場合の新築には、いわゆる棟上げが終わった状態も含まれる）。 ロ 住宅取得等資金を贈与により取得した年の翌年3月15日までに、その住宅取得等資金の全額により住宅用家屋を新築するか、建築後使用されたことのない住宅用家屋を取得し、同日後遅滞なく特定受贈者の居住の用に供することが確実であると見込まれること。
② 既存住宅用家屋の取得	イ 住宅取得等資金を贈与により取得した年の翌年3月15日までに、その住宅取得等資金の全額により既存住宅用家屋を取得し、同日までに特定受贈者の居住の用に供していること。 ロ 住宅取得等資金を贈与により取得した年の翌年3月15日までに、その住宅取得等資金の全額により既存住宅用家屋を取得し、同日後遅滞なく特定受贈者の居住の用に供することが確実であると見込まれること。
③ 住宅用家屋について行う増改築等	イ 住宅取得等資金を贈与により取得した年の翌年3月15日までに、その住宅取得等資金の全額をもって特定受贈者が居住の用に供している家屋の増改築等を行い、同日までに特定受贈者の居住の用に供していること。 ロ 住宅取得等資金を贈与により取得した年の翌年3月15日までに、その住宅取得等資金の全額をもって特定受贈者が居住の用に供している家屋の増改築等を行い、同日後遅滞なく特定受贈者の居住の用に供することが確実であると見込まれること。

これらのうち、ロの「居住の用に供することが確実であると見込まれること」として、この特例の適用を受けて贈与税の申告をしていた場合において、その年12月31日までに特定受贈者の居住の用に供されなかったときは、同日から２か月以内に修正申告書を提出しなければなりません（措法70の３④、措通70の3－14）。

なお、この場合は相続時精算課税制度は適用されませんから、通常の暦年課税方式（基礎控除額110万円、超過累進税率適用）による贈与税の課税になります。

(注) ２か月以内に提出された修正申告書は、期限内申告書とみなされますから（措法70の３⑥）、修正申告税額に対する加算税や延滞税の課税はありません。

⑷ 特例の対象となる住宅用家屋等の範囲

この特例の対象になる住宅用家屋や増改築等の範囲については、おおむね次のように定められています（措令40の５）。

区　　分	要　　　件
① 新築又は建築後使用されたことのない住宅用家屋	イ　その家屋の床面積の２分の１以上に相当する部分が専ら住宅の用に供されるものであること。 ロ　床面積が50㎡以上であること（区分所有建物の場合は、その区分所有する床面積が50㎡以上であること）。
② 既存住宅用家屋	イ　その家屋の床面積の２分の１以上に相当する部分が専ら住宅の用に供されるものであること。 ロ　床面積が50㎡以上であること（区分所有建物の場合は、その区分所有する床面積が50㎡以上であること）。 ハ　その家屋が取得の日以前20年以内（耐火建築物の場合は25年以内）に建築されたものであること。
③ 居住用家屋について行う増改築等	イ　自己が所有し、居住の用に供している家屋について行う増改築等であること。 ロ　工事費用の額が100万円以上であること。 ハ　増改築等後の家屋の床面積の２分の１以上に相当する部分が専ら住宅の用に供されるものであること。 ニ　増改築等後の家屋の床面積が50㎡以上であること。

(注) 直系尊属からの贈与の特例の場合には、家屋の床面積の上限が240㎡とされています。

上記②の既存住宅用家屋について、ハの築後経過年数要件（20年又は25年）を満たさない場合でも、次の住宅用家屋は、この特例の適用対象となります（措法70の３③三、措令40の５②、措規23の６④一、平成30年国土交通省告示558号）。

ア　建築基準法施行令第３章及び第５章の４の規定に定められている地震に対する安全性に係る基準に適合する住宅

イ　国土交通大臣が財務大臣と協議して定める地震に対する安全性に係る基準に適合する住宅

このうちイの基準については、耐震改修促進法（建築物の耐震改修の促進に関する法律）等により、いわゆる耐震診断を行った結果、地震に対して安全な構造であることが確認されることとされています。また、住宅の品質確保の促進等に関する法律に基づく「日本住宅性能表示基準」により耐震性が確保されているものも上記イの基準として定められています。いずれにしても、実務的には、建築士等による「耐震基準適合証明書」をもって特例の対象住宅となります。

なお、耐震基準を満たさない住宅の取得であっても、一定の手続を経て、耐震工事を行い、耐震基準を満たした場合には、特例の対象となる既存住宅用家屋の取得とみなされます（措法70の３⑦、措規23の６⑥⑦、平成26年国土交通省告示440号、441号、平成30年国土交通省告示559号）。

⑸　特例における非課税限度額

住宅取得等資金の贈与の特例における「非課税限度額」は、次のように定められています（措法70の２②六）。

住宅取得等に係る契約の締結期間	特別住宅資金非課税限度額		住宅資金非課税限度額	
	良質な住宅	一般住宅	良質な住宅	一般住宅
平成31年４月～令和２年３月	3,000万円	2,500万円	1,200万円	700万円
令和２年４月～令和３年３月	1,500万円	1,000万円	1,000万円	500万円
令和３年４月～令和３年12月	1,200万円	700万円	800万円	300万円

（注１）この表の「特別住宅資金非課税限度額」は、取得する住宅の対価に含まれる消費税等に相当する額が10％の税率により課される場合に適用される非課税限度額であり、その税率が10％以外である場合には「住宅資金非課税限度額」が適用されます。

（注２）上記の「良質な住宅」とは、次のいずれかに該当するものをいいます。

①　省エネルギー性の高い住宅用家屋（断熱等性能等級４以上又は一次エネルギー消費量等級４以上のもの）

②　耐震性の高い住宅用家屋（耐震等級（構造躯体の倒壊等防止）２以上又は免震建築物のもの）

③　バリアフリー性の高い住宅用家屋（高齢者等対策等級３以上のもの）

なお、住宅取得等資金の贈与について、非課税特例とともに相続時精算課税の適用を受けた後に、その特定贈与者に相続が開始した場合の相続税課税において、非課税限度額部分は受贈者の課税価格に加算されません。

⑹　申告要件

住宅取得等資金に係る相続時精算課税の特例及び住宅資金特別控除額の特例は、これらの特例の適用を受けようとする旨を記載した贈与税の申告書に、その計算に関する明細書、特定受贈者の住民票の写しその他一定の書類を添付した場合に限り適用されます（措法70の３⑧、措規23の６⑨）。

7. 相続時精算課税制度の得失と選択のポイント

⑴ 課税のしくみと課税方式の選択の考え方

相続時精算課税制度は、相続税と贈与税を一体的に課税する方式であり、贈与時から相続時まで財産価額が変わらない限り、どのように贈与をしても相続税と贈与税を併せた税額は変わりません。したがって、相続時精算課税制度には相続税を軽減する要素は含まれていないことになります。

このような制度のしくみからみると、親子間の財産の贈与については、いわゆる暦年課税方式との比較において、次のように考えるべきでしょう。

① 財産の贈与について相続時精算課税制度を選択した場合には、同制度の特別控除額（2,500万円）の部分を含めて、特定贈与者からの贈与財産の価額は、その者の相続時に全て相続税の課税対象に取り込まれる。したがって、同制度の特別控除額部分は「非課税」ではなく、相続時までの「課税の繰延べ」となる。

② これに対し、暦年課税方式における基礎控除額部分（110万円）は、贈与者である被相続人の相続開始前３年以内の贈与に係る部分を除き、贈与税と相続税のいずれにおいても「非課税」となる。

こうした課税のしくみを理解した上で、財産移転の際の課税方式を選択すべきでしょう。

⑵ 税額試算と課税方式の選択のポイント

上記の課税のしくみと特徴を踏まえて、課税方式の選択のしかたを具体例でみておくことにします。

《試算１》

下記の表に示した税額の試算は、

○ ケース１――贈与者（被相続人となる親）の所有財産価額6,000万円、受贈者（法定相続人）子２人、各人に毎年250万円ずつ10年間贈与、11年目に相続開始と仮定、財産の評価額は贈与時から相続開始時まで不変

○ ケース２――贈与者の所有財産価額　１億円（以下ケース１と同じ）

として、暦年課税方式と相続時精算課税制度の贈与税・相続税を比較したものです。

この試算では、贈与者の所有財産価額が6,000万円の場合（ケース１）は、生前贈与に際して相続時精算課税制度を選択した方が有利になる（贈与税と相続税の合計税額が暦年課税方式より少額になる）が、その財産価額が１億円の場合（ケース２）は、相続時精算課税制度の選択が結果的に不利になるということです。

このうち＜ケース２＞は、暦年課税方式における基礎控除額部分の「非課税」が有利に作用した結果とみることができます。こうした試算からは、一定額以上の財産を所有して

いる場合の生前贈与に当たって相続時精算課税制度を選択することは、税負担の面で不利なことがわかります。

結局のところ、相続時精算課税制度は、贈与者の財産価額からみて相続税が課税されないか、課税されても比較的少額な場合において、子にまとまった金銭等が必要となったというようなケースに活用できると考えられます。

		ケース1		ケース2	
所有財産価額		6,000万円		1億円	
課税方式		暦年課税方式	相続時精算課税制度	暦年課税方式	相続時精算課税制度
生前贈与		(贈与額)(贈与税)	(贈与額)(贈与税)	(贈与額)(贈与税)	(贈与額)(贈与税)
	X_1年	500万円（28万円）	500万円（0万円）	500万円（28万円）	500万円（0万円）
	X_2年	500万円（28万円）	500万円（0万円）	500万円（28万円）	500万円（0万円）
	X_3年	500万円（28万円）	500万円（0万円）	500万円（28万円）	500万円（0万円）
	X_4年	500万円（28万円）	500万円（0万円）	500万円（28万円）	500万円（0万円）
	X_5年	500万円（28万円）	500万円（0万円）	500万円（28万円）	500万円（0万円）
	X_6年	500万円（28万円）	500万円（0万円）	500万円（28万円）	500万円（0万円）
	X_7年	500万円（28万円）	500万円（0万円）	500万円（28万円）	500万円（0万円）
	X_8年	500万円（28万円）	500万円（0万円）	500万円（28万円）	500万円（0万円）
	X_9年	500万円（28万円）	500万円（0万円）	500万円（28万円）	500万円（0万円）
	X_{10}年	500万円（28万円）	500万円（0万円）	500万円（28万円）	500万円（0万円）
	計	5,000万円(280万円)	5,000万円（0万円）	5,000万円(280万円)	5,000万円（0万円）
所有財産価額		1,000万円		5,000万円	
相続税	課税価格	1,000万円＋(500万円×3)＝2,500万円	1,000万円＋5,000万円＝6,000万円	5,000万円＋(500万円×3)＝6,500万円	5,000万円＋5,000万円＝1億円
	算出税額	0	6,000万円－4,200万円＝1,800万円 1,800万円×1／2＝900万円 900万円×10%＝90万円 90万円×2＝180万円	6,500万円－4,200万円＝2,300万円 2,300万円×1／2＝1,150万円 1,150万円×15%－50万円＝122.5万円 122.5万円×2＝245万円	1億円－4,200万円＝5,800万円 5,800万円×1／2＝2,900万円 2,900万円×15%－50万円＝385万円 385万円×2＝770万円
	納付税額	0	180万円	245万円－(28万円×3)＝161万円	770万円
相続税・贈与税の合計税額		280万円	180万円	441万円	770万円

（注）生前贈与を行わない場合の相続税は、＜ケース1＞では180万円（課税価格6,000万円）であり、＜ケース2＞では770万円（課税価格1億円）となる。

《試算２》

次ページの表は、次のような前提をおいて法定相続人が子１人の場合（ケース１）と子２人の場合（ケース２）の贈与税と相続税を試算したものです。

① 贈与者（被相続人）の所有財産５億円のうち、１億円分の財産が相続時に２億円に上昇すると仮定する。

② 価額の上昇する１億円の財産を同額のうちに子に一括して贈与する（ケース２の場合は、子２人にそれぞれ5,000万円あて贈与する）。

③ 贈与者の相続開始は、贈与時から３年を経過した後とする。

④ 贈与する財産以外の財産は、相続時まで評価額が変わらないものとする。

相続開始時までの間に価額が上昇すると見込まれる財産を早期に贈与することは、価額上昇部分に対する課税を回避するという意味では有効な方策であり、相続税対策の基本といえるでしょう。下記の試算では、いずれのケースも生前贈与を行わない場合の相続税からみると、相当額の相続税の節減になります。

ただし、その生前贈与に当たっての課税方式の選択には慎重な検討を要します。ケース１の場合は、贈与時に約4,800万円という多額の贈与税負担をしても暦年課税方式の方が相続時精算課税制度よりもわずかながら有利になることに注意する必要があります。

		ケース１（法定相続人－子１人）		ケース２（法定相続人－子２人）	
所有財産価額		５億円		５億円	
課税方式		暦年課税方式	相続時精算課税制度	暦年課税方式	相続時精算課税制度
生前贈与		（贈与額）（贈与税） １億円（4,799.5万円） ↓ （相続時　２億円）	（贈与額）（贈与税） １億円（1,500万円） ↓ （相続時　２億円）	（贈与額）（贈与税） １億円（4,099万円） ↓ （相続時　２億円）	（贈与額）（贈与税） １億円（1,000万円） ↓ （相続時　２億円）
相続財産価額		４億円		４億円	
相続税	課税価格	４億円	４億円＋１億円＝５億円	４億円	４億円＋１億円＝５億円
	算出税額	４億円－3,600万円＝３億6,400万円 ３億6,400万円×50％－4,200万円＝１億4,000万円	５億円－3,600万円＝４億6,400万円 ４億6,400万円×50％－4,200万円＝１億9,000万円	４億円－4,200万円＝３億5,800万円 ３億5,800万円×１／２＝１億7,900万円 １億7,900万円×40％－1,700万円＝5,460万円 5,460万円×２＝１億920万円	５億円－4,200万円＝４億5,800万円 ４億5,800万円×１／２＝２億2,900万円 ２億2,900万円×45％－2,700万円＝7,605万円 7,605万円×２＝１億5,210万円
	納付税額	１億4,000万円	１億9,000万円－1,500万円＝１億7,500万円	１億920万円	１億5,210万円－1,000万円＝１億4,210万円
相続税・贈与税の合計税額		4,799.5万円＋１億4,000万円＝１億8799.5万円	1,500万円＋１億7,500万円＝１億9,000万円	4,099万円＋１億920万円＝１億5,019万円	1,000万円＋１億4,210万円＝１億5,210万円
〈参考〉生前贈与をしない場合の相続税		２億4,000万円（課税価格６億円）		１億9,710万円（課税価格６億円）	

これまでにみたように、相続時精算課税制度の選択に際しては、的確な税額試算を行った上で判断する必要がありますが、実際問題とすると、その試算は容易ではありません。その理由は、第一に相続開始時を予測することが難しく、したがって、生前贈与をできる期間が判断しにくいこと、第二に相続開始時の財産価額の予測が困難なことです。上記の試算のように贈与時から相続時まで財産価額が変わらないという前提をおくのは現実的ではありません。

このため、実際に正確な税額試算をすることは不可能といえますが、できる限り的確な予測を織り込み、一定の前提条件の下にシミュレーションを行って課税方式の選択をすることが重要です。

Ⅲ　相続税の申告のしかたと申告書作成の実務

1.　相続税の申告義務と申告期限

(1)　申告義務の有無の判断

相続税は、いうまでもなく申告納税方式によっていますから、相続又は遺贈により財産を取得した者は、課税価格や納付税額を申告しなければなりません。

ただし、全ての者に申告義務があるわけではなく、相続税法は、次のいずれにも該当する場合に申告書の提出義務があるものとしています（相法27①）。

①　相続税の課税価格の合計額が遺産に係る基礎控除額を超えること。

②　納付すべき相続税額があること。

したがって、これを逆に言えば、課税価格の合計額が遺産に係る基礎控除額以下であれば申告の義務はなく、また、基礎控除額を超えても、税額控除をした結果、納付すべき税額がゼロになるときも申告を行う必要はありません。

(注) 被相続人から財産を取得した相続人がAとBの２人で、このうちAは納付税額があるが、Bに納付税額はないという場合、相続税法の規定からみれば、Aに申告義務はありますが、Bは申告書を提出する必要はないことになります。

　ただし、相続税の申告書は、実務上は後述のように共同提出を行うのが一般的であり、また、相続税の課税体系からみると、相続人Aの課税価格や税額のみを記載した申告書では全体がわかりにくいという問題があります。したがって、共同相続人のうちの一部の者のみに申告義務があっても、財産を取得した者の全員が連名で申告する方がよいでしょう。この場合、相続人がAとBの２人で、Bに申告義務がないときは、Bの氏名、課税価格等を申告書に記載するのみで、Bが申告書に押印しない、というのはかまいません。もっとも、その後の税務調査の結果、Bに納付税額が生じると、無申告という問題が発生します。その意味では、納付税額ゼロの期限内申告書を提出しておいた方がよいでしょう。

相続税の申告の有無の判断で注意したいのは、配偶者に対する税額軽減規定（相法19の２）及び小規模宅地等の特例（措法69の４）の適用に関してです。これら２つの規定は、いずれも「申告要件」があり、相続税の申告書の提出により適用されるのが原則です（相法19の２③、27①、相基通27－１、措法69の４⑥）。

このため、課税価格の合計額が遺産に係る基礎控除額を超える場合は、これら２つの規定の適用によって納税額がゼロとなるときでも申告書を提出しなければなりません。

(2)　申告書の提出先

相続税の申告書の提出先は、納税地の所轄税務署長ですが（相法27①）、この場合の納税地とは、被相続人の住所地とされています（相法附則③）。

したがって、相続人の住所地は関係なく、全ての申告義務者は、被相続人の住所地の税務署に申告することになります。

(注) 納税地の原則は、各納税者の住所地とされていますが（相法62)、相続税法附則第３項が優先適用されています。ちなみに、贈与税には附則の規定が適用されませんので、受贈者の住所地が納税地となります（相法28①)。

(3) 申告書の提出期限

相続税の申告書は、「相続の開始があったことを知った日」の翌日から10か月以内に提出することとされています（相法27①)。

この場合の相続の開始を知る、とは「自己のために相続の開始があったことを知った日をいう」とされていますが（相基通27－４)、人の死亡はその日のうちに遺族が知るのが通常ですから、被相続人の死亡日が相続開始を知った日となるのが一般的です。

したがって、たとえば、相続開始の日がその年８月20日とすると、その翌日である８月21日から10か月以内、つまり、その翌年６月20日が申告期限となります。

なお、10か月という月数は、暦に従って計算することとされています。このため、その年４月30日に相続が開始したとすると、その翌年２月28日（末日）が申告期限になります。

(注) 相続税の申告期限の起算日は、上述のとおり相続の開始を知った日ですが、通信機能が発達している今日では、被相続人の死亡はその日のうちに知るのが通常です。したがって、被相続人の死亡日から10か月を経過した後に申告書が提出されれば、期限後申告の扱いとなります。この場合、その申告が期限内申告であると主張するためには、納税者において「相続開始を知った日」を立証する必要があるでしょう。

ちなみに、被相続人の死亡日の翌日から10か月を経過したときは、申告期限前であっても税務署長は決定処分ができることとされています（相法35②)。これは、相続の開始を「知る」ということが納税者の主観に属する問題であるため、恣意的な申告期限の伸長を防止する規定であると解されています。

なお、失踪宣告や認知の訴えにより相続人となる場合などの特殊なケースについては、「相続の開始を知った日」を次のように取り扱うこととしています（相基通27－４)。

① 民法第30条及び第31条の規定により失踪の宣告を受け死亡したものとみなされた者の相続人又は受贈者……これらの者が当該失踪の宣告のあったことを知った日

② 相続開始後において当該相続に係る相続人となるべき者について民法第30条の規定による失踪の宣告があり、その死亡したものとみなされた日が当該相続開始前であることにより相続人となった者……その者が当該失踪の宣告のあったことを知った日

③ 民法第32条第１項の規定による失踪宣告の取消しがあったことにより相続開始後において相続人となった者……その者が当該失踪の宣告の取消しのあったことを知った日

④ 民法第787条の規定による認知に関する裁判又は同法第894条第２項の規定による相続人の廃除の取消しに関する裁判の確定により相続開始後において相続人となった者……その者が当該裁判の確定を知った日

⑤ 民法第892条又は第893条の規定による相続人の廃除に関する裁判の確定により相続

開始後において相続人となった者……その者が当該裁判の確定を知った日

⑥ 民法第886条の規定により、相続について既に生まれたものとみなされる胎児……法定代理人がその胎児の生まれたことを知った日

⑦ 相続開始の事実を知ることのできる弁識能力のない幼児等……法定代理人がその相続の開始のあったことを知った日（相続開始の時に法定代理人がないときは、後見人の選任された日）

⑧ 遺贈（被相続人から相続人に対する遺贈を除く。⑨において同じ。）によって財産を取得した者……自己のために当該遺贈のあったことを知った日

⑨ 停止条件付きの遺贈によって財産を取得した者……当該条件が成就した日

相続税の期限内申告書の提出期限は、以上のとおりですが、例外的な扱いとして次のような規定があります。

・相続人又は受遺者が相続開始を知った日から10か月以内に日本国内に住所又は居所を有しないこととなる場合……納税管理人の届出をしない場合は、その住所又は居所を有しないこととなる日が申告期限となる（相法27①カッコ書）。

・申告書を提出すべき相続人又は受遺者が申告期限前にその申告書を提出しないで死亡した場合……その者の相続人は、その相続の開始があったことを知った日の翌日から10か月以内に申告書を提出する（相法27②）。

・相続財産法人からの財産分与があった場合……その分与があったことを知った日から10か月以内に申告書を提出する（相法29①）。

・特別寄与者が支払を受けるべき特別寄与料の額が確定した場合……特別寄与料の額が確定したことを知った日の翌日から10か月以内に申告書を提出する（相法29①）。

(4) 申告期限の延長

税務の申告、申請、届出等の期限について、災害等のやむを得ない理由がある場合は、国税庁長官等の承認を得て、その理由がやんだ日から２か月以内に限り、その延長が認められることがあります（通則法11）。

これは、一般的な申告期限等の延長の取扱いですが、これに関連して相続税の取扱いでは、次のような場合に２か月の範囲内で申告期限の延長ができることとされています。なお、これらの取扱いは、いずれも納税者からの申請により認められます（相基通27－5、27－6）。

① 相続税の申告期限の１か月前以内に相続人の異動（認知、相続人の廃除など）、遺留分の侵害額請求、遺言書の発見などがあったこと

② 相続税の申告期限前１か月以内に退職手当金等の支給が確定したこと

③ 相続人となるべき胎児が申告期限までに出生していない場合で、その胎児が出生したものとして課税価格及び相続税額を計算すると、相続税の申告義務がなくなるとき

これらは、相続税の申告期限の直前に相続人等の異動があると、新たな申告書の作成に

困難が生じることを配慮した取扱いです。

なお、上記②の申告期限前１か月以内の死亡退職金の確定については、その支給額が非課税限度額以下のとき（この場合は、相続税額に変動はなく、申告書の作成に支障はない）は、申告期限の延長が認められないことに注意してください。

(5)　申告書の共同提出

前記(1)で説明したとおり、相続税の申告義務の有無は、相続又は遺贈により財産を取得した者ごとに判断することが原則です。このため、相続税の申告書は、相続税法の建前上は、個々の納税者ごとに作成し、提出することとされています（相法27①）。

しかし、現行の相続税の課税体系からみて、また、上記(2)の納税地の規定からみても、同じ被相続人から財産を取得した者は、その全員が一括した申告書をもって申告する方が簡便です。そこで、同一の被相続人から相続又は遺贈により財産を取得した者が２人以上ある場合は、共同して申告書を提出することができることとされ（相法27⑤）、この場合は、これらの者が一の申告書に連署してするものとすると定められています（相令７）。

このように、相続税法上は共同して申告書を提出することが「できる」とされていますが、実務では、そのほとんどが共同申告によっているところであり、むしろ原則的扱いといってよいでしょう。

（注） 相続税の申告書は一括共同提出が通常ですが、実務で問題になるのは、相続人間でいわゆる遺産争いが生じた場合です。相続税の申告期限までに遺産分割協議が成立しなくても申告書を提出しなければなりませんが、遺産争いが生じている場合は、その状況からみて共同提出が困難になることが少なくありません。また、相続人のなかに個別申告をする意思のある者がいたとしても、被相続人の遺産を特定の相続人が掌握しているような場合は、他の相続人が遺産の全貌を把握することは困難であり、課税価格の合計額も算定できません。

このような場合、それぞれの相続人が別の税理士等に申告依頼をすることがありますが、一方の相続人や税理士が相続資料を保持していることが多く、他方の税理士は適正な申告資料を入手できないことが予測されます。こうしたケースで双方の税理士が資料の開示と交換を行えば、個別に申告するとしてもある程度まで的確な申告が可能になりますが、それぞれの税理士が相手方に資料を開示すると、税理士法第38条の守秘義務の規定に抵触するおそれがあります。

このようなケースに際しては、無申告となることを回避するため、入手できる範囲の資料等に基づいてとりあえず期限内申告を行うこととし、相続人間の紛争が解決した時点で早急に修正申告等の事後的な処理をすべきでしょう。ただし、当初申告が適正に行えなかったことによる加算税や延滞税の問題は、あらかじめ承知しておく必要があります。

(6)　申告書の添付書類

相続税の申告に際しては、次項で説明する各種の「計算書」や「明細書」のほか、さまざまな添付書類や添付資料にも注意を要します。これには、前章の財産評価で使用した各種の計算書等のほかに、その評価の基礎となった資料や相続人の関係がわかる書類などが含まれます。

また、添付書類は、法定されているもののほか、配偶者の税額軽減や小規模宅地等の特例などの適用を受けるための添付書類と、任意的に提出する資料等があります。これらをまとめると、以下のとおりです。なお、以下の説明で重複する書類等は、１通又は１部を添付することで足ります。

●相続税の申告書の法定添付書類

相続税の申告書に添付すべき書類として、次のものが定められていますから、特例の適用の有無にかかわらず、必ず添付を要します（相法27④、相規16③）。

① 次に掲げるいずれかの書類（その書類を複写機により複写したものを含む）

イ 相続の開始の日から10日を経過した日以後に作成された戸籍の謄本で被相続人の全ての相続人を明らかにするもの

ロ 法定相続情報一覧図の写し（被相続人と相続人との関係を系統的に図示したものであって当該被相続人の子が実子又は養子のいずれであるかの別が記載されたもの（被相続人に養子がある場合には、当該写し及び当該養子の戸籍の謄本又は抄本））

② 相続時精算課税適用者がある場合には、相続の開始の日以後に作成された被相続人の戸籍の附票の写し（その写しを複写機により複写したものを含む）

(注) 申告書の提出の際には、申告書に記載されたマイナンバー（個人番号）について、本人確認（番号確認と身元確認）のため、番号確認書類（個人番号カード、通知カードの写しなど）及び身元確認書類（個人番号カードの表面、運転免許証、パスポートなどの写し）の提出又は提示が必要になります。

●配偶者の税額軽減規定の適用上の必要書類

配偶者に対する税額軽減規定は、相続税の申告書に、この規定の適用を受ける旨と軽減額の計算に関する明細を記載し（相続税の申告書「第５表　配偶者の税額軽減額の計算書」(442ページ）に記載します)、次の書類を添付した場合に適用されます（相法19の２③、相規１の６③)。

① 遺産分割協議書（共同相続人の全員が自署押印したものに限る）の写し（印鑑証明書の添付を要する）

② 遺言書の写し（被相続人の遺言がある場合）

(注) 遺産が未分割の場合は、配偶者の税額軽減規定は適用できませんが、この場合は、「申告期限後３年以内の分割見込書」と「遺産が未分割であることについてやむを得ない事由がある旨の承認申請書」が必要になる場合があります（これらの提出方法と書式は、下記(454ページ）を参照してください)。

●小規模宅地等の特例規定適用上の必要書類

小規模宅地等の特例は、相続税の申告書にこの特例の適用を受ける旨とその計算に関する明細として、次の書類が必要です（措法69の４⑦、措令40の２⑤）。

① 選択しようとする特例対象宅地等についての小規模宅地等の区分その他の明細を記載した書類（431ページの「第11・11の２表の付表１　小規模宅地等についての課税価格の計算明細書」のことです）

② 選択しようとする特例対象宅地等が限度面積要件を満たすものである旨を記載した書類（①の「第11・11の２表の付表１」の添付で足ります）

③ 特例対象宅地等又は特定計画山林の特例の対象となる特例対象山林等を取得したすべての個人の①の選択についての同意を証する書類（「第11・11の２表の付表２　小規模宅地等、特定計画山林又は特定事業用資産についての課税価格の計算明細書」のことです）

（注）小規模宅地等の特例及び特定計画山林の特例の対象となる財産の全てを一人の個人が相続等により取得した場合及び特定計画山林の特例又は特定事業用資産の特例の対象となる財産がない場合には、③の書類は提出する必要はありません（措令40の２⑤ただし書）。

また、これらのほかに次の書類を添付することとされています（措規23の２⑦）。特例の適用を受ける小規模宅地等の種類に応じて慎重に確認してください。

小規模宅地等の区分	該当条項		添付書類		
			遺産分割協議書等	住所又は居所を明らかにする書類	その他の書類
特定事業用宅地等	（措法69の４③一）		○		㋑
特定居住用宅地等	配偶者（措法69の４③二）		○		
	配偶者以外	同居の親族（同号イ）	○	○	㋺
		非同居の親族（同号ロ）	○	○	㋩
		生計一の親族（同号ハ）	○	○	㋺
特定同族会社事業用宅地等	（措法69の４③三）		○		㊁
貸付事業用宅地等	（措法69の４③四）		○		㋭

上記の添付書類については、次の点に注意してください。

	添付書類及び留意点
遺産分割協議書等	・遺産分割協議書の写し（共同相続人が自署押印し、印鑑証明書が添付されているもの） ・遺言書の写し
住所又は居所を明らかにする書類	・住民票の写し又は戸籍の附票の写し ※ 特例の適用を受ける者が個人番号を有する場合には添付不要

その他の書類㋑	・その小規模宅地等が相続開始前３年以内に新たに被相続人等の事業の用に供されたものである場合には、その事業の用に供されていた減価償却資産の相続開始の時における種類、数量、価額及び所在場所その他の明細を記載した書類で、その価額が宅地等の価額の15%相当額以上であることを明らかにするもの
その他の書類㋺	・特例の適用を受ける者が個人番号を有しない場合には、その者がその宅地等を自己の居住の用に供していることを明らかにする書類
その他の書類㋩	・特例の適用を受ける者が個人番号を有しない場合には、相続開始の日の３年前の日から相続開始の日までの間におけるその者の住所又は居を明らかにする書類 ・相続開始の日の３年前の日から相続開始の直前までの間にその者が居住の用に供していた家屋が、その者、その者の配偶者、その者の三親等内の親族又はその者と特別の関係のある法人が所有していた家屋以外の家屋である旨を証する書類 ・相続開始の時においてその者が居住している家屋をその者が相続開始前のいずれの時においても所有していたことがないことを証する書類（家屋の登記事項証明書など）
その他の書類㊁	・特定同族会社である法人の定款（相続開始の時の効力を有する者に限る）の写し ・特定同族会社である法人の相続開始の直前における発行済株式の総数又は出資の総額並びに被相続人及び被相続人の親族その他被相続人と特別の関係のある者が有するその法人の株式の総数又は出資の総額を記載した書類（その法人が証明したものに限る）
その他の書類㋭	・その小規模宅地等が相続開始前３年以内に新たに被相続人等の貸付事業の用に供されたものである場合には、被相続人等が相続開始の日まで３年を超えて特定貸付事業（事業的規模の貸付事業）を行っていたことを明らかにする書類

(注) 被相続人が老人ホーム等に入所していたことなど一定の事由により相続開始の直前において被相続人の居住の用に供されていなかった宅地等について、特定居住用宅地等してとして特例の適用を受ける場合には、次の書類の添付を要します（措規23の２⑧三）。

イ　被相続人の戸籍の附票の写し（相続開始の日以後に作成されたもの）

ロ　介護保険の被保険者証の写し又は障害者福祉サービス受給者証の写しなど、その被相続人が介護保険法に規定する要介護認定又は要支援認定、障害者の日常生活及び社会生活を総合的に支援するための法律に規定する障害者支援区分の認定を受けていたことを明らかにする書類

ハ　施設への入所時における契約書の写しなど、被相続人が相続開始の直前において入居又は入所していた住居又は施設の名称及び所在地並びにその住居又は施設が次のいずれに該当するかを明らかにする書類

⑴　老人福祉法に規定する認知症対応型老人共同生活援助事業が行われる住居、養護老人ホーム、特別養護老人ホーム、軽費老人ホーム又は有料老人ホーム

⑵　介護保険法に規定する介護老人保健施設又は介護医療院

⑶　高齢者の居住の安定確保に関する法律に規定するサービス付き高齢者向け住宅

⑷　障害者の日常生活及び社会生活を総合的に支援するための法律に規定する障害者支援施設又は共同生活援助を行う住居

●その他の添付書類

法定添付書類ではありませんが、相続税の申告書に添付するものとして一般的なものを列挙しておくと、おおむね次のとおりです（上記の法定添付書類と重複するものもありますが、参考のために列挙しておきます）。

① 被相続人又は相続人関係資料
- ・相続関係図
- ・被相続人の経歴書
- ・相続放棄をした者がある場合は、「相続放棄申述受理証明書」（家庭裁判所発行）の写し
- ・相続人に未成年者がいる場合は、「特別代理人の審判証明書」（家庭裁判所発行）の写し
- ・遺産分割協議書の写し又は遺言書の写し

② 不動産関係資料
- ・土地、家屋の所在略図及び地形図
- ・土地、家屋の固定資産税評価証明書
- ・貸地、貸家、借地、借家については賃貸借契約書の写し

③ 預貯金・有価証券関係資料
- ・相続開始日現在の預貯金の残高証明書又は預貯金通帳の写し
- ・上場株式、公社債等については証券会社等の残高証明書
- ・取引相場のない株式については相続開始直前期の法人税確定申告書、決算書、株主名簿の写し

④ その他の財産関係資料
- ・生命保険金の支払通知書の写し
- ・退職手当金の支払通知書の写し
- ・被相続人が事業所得者の場合は相続開始日現在の貸借対照表

⑤ 債務控除関係資料
- ・相続開始日現在の借入金の残高証明書
- ・葬式費用の明細（領収書等）

なお、国税庁では、次ページのような「相続税の申告のためのチェックシート」を公表しています。提出が義務付けられているわけではありませんが、申告書の作成や添付書類等の確認の際に活用できますので、参考までに掲記しておきます。

相続税の申告のためのチェックシート（令和元年分以降用）

このチェックシートは、相続税の申告書が正しく作成されるよう、一般に誤りやすい事項をまとめたものです。
申告書作成に際して、検討の上、申告書に添付してご提出くださるようお願いいたします。
「令和元年分」とは、平成31年１月１日から令和元年12月31日までの期間に係る年分をいいます。

なお、国税庁ホームページ【www.nta.go.jp】には、相続税に関する具体的な計算方法や申告の手続などの詳しい情報を記載した「相続税の申告のしかた」を掲載しておりますのでご利用ください。

また、非上場株式等についての相続税の納税猶予の特例の適用を受ける場合は「『非上場株式等についての相続税の納税猶予及び免除の特例』（特例措置）の適用要件チェックシート」等、個人の事業用資産についての相続税の納税猶予の特例の適用を受ける場合は「『個人の事業用資産についての相続税の納税猶予及び免除』の適用要件チェックシート」等の確認もお願いいたします（国税庁ホームページ【www.nta.go.jp】に掲載しています。）。

区分	検討項目	検討内容	検討済（レ）	検討資料	検討資料（又は写し）の添付
	相続財産の分割等	① 遺言書がありますか。	□	○ 家庭裁判所の検認を受けた遺言書又は公正証書による遺言書の写し	有（ 部）・無
		② 相続人に未成年者はいませんか。	□	○ 特別代理人選任の審判の証明書	有（ 部）・無
		③ 戸籍の謄本等がありますか。	□	○ 戸籍の謄本等（注１）	有（ 部）・無
		④ 遺産分割協議書がありますか。	□	○ 遺産分割協議書の写し、各相続人の印鑑証明書（注２）	有（ 部）・無
相続財産	不動産	① 未登記不動産はありませんか。	□	○ 所有不動産を証明するもの（固定資産税評価証明書、登記事項証明書等）（①～④）	有（ 部）・無
		② 共有不動産はありませんか。	□		有（ 部）・無
		③ 先代名義の不動産はありませんか。	□		有（ 部）・無
		④ 他の市区町村に所在する不動産はありませんか。	□		有（ 部）・無
		⑤ 日本国外に所在する不動産はありませんか。	□		有（ 部）・無
		⑥ 他人の土地の上に存する建物（借地権）及び他人の農地を小作（耕作権）しているものはありませんか。	□	○ 賃貸借契約書、小作に付されている旨の農業委員会の証明書	有（ 部）・無
		⑦ 貸付地について、「土地の無償返還に関する届出書」は提出されていませんか。	□	○ 土地の無償返還に関する届出書	有（ 部）・無
		⑧ 土地に縄延びはありませんか。	□	○ 実測図等	有（ 部）・無
	事業（農業）用財産	○ 事業用財産又は農業用財産の計上漏れはありませんか。	□	○ 資産・負債の残高表、所得税青色申告決算書・収支内訳書	有（ 部）・無
	有価証券	① 株式・出資・公社債・貸付信託・証券投資信託の受益証券等の計上漏れはありませんか。	□	○ 証券、株券、通帳又はその預り証	有（ 部）・無
		② 名義は異なるが、被相続人に帰属するものはありませんか（無記名の有価証券も含みます。）。	□	○ 証券、株券又はその預り証	有（ 部）・無
		③ 増資等による株式の増加分や端株についての計上漏れはありませんか。	□	○ 配当金支払通知書（保有株数表示）	有（ 部）・無
		④ 株式の割当を受ける権利、配当期待権はありませんか。	□	○ 評価明細書等	有（ 部）・無
		⑤ 日本国外の有価証券はありませんか。	□		有（ 部）・無
	現金・預貯金	① 相続開始日現在の残高で計上していますか。（現金の残高も確認しましたか。）	□	○ 預貯金・金銭信託等の残高証明書、預貯金通帳等（①～④）	有（ 部）・無
		② 郵便貯金も計上していますか。	□		有（ 部）・無
		③ 名義は異なるが、被相続人に帰属するものはありませんか（無記名の預金も含みます。）。	□		有（ 部）・無
		④ 日本国外の預貯金はありませんか。	□		有（ 部）・無
		⑤ 既経過利息の計算は行っていますか。利息は、相続開始日に解約するとした場合の利率で計算し、その額から源泉所得税相当額を控除します。	□		有（ 部）・無
	家庭用財産	○ 家庭用財産の計上漏れはありませんか。	□		有（ 部）・無
	生命保険金・退職手当金等	① 生命保険金の計上漏れはありませんか。	□	○ 保険証券、支払保険料計算書、所得税及び復興特別所得税の確定申告書（控）等（①～③）	有（ 部）・無
		② 生命保険契約に関する権利の計上漏れはありませんか。	□		有（ 部）・無
		③ 契約者が家族名義などで、被相続人が保険料を負担していた生命保険契約はありませんか。	□		有（ 部）・無
		④ 退職手当金の計上漏れはありませんか。	□	○ 退職金の支払調書、取締役会議事録等（④～⑤）	有（ 部）・無
		⑤ 弔慰金、花輪代、葬祭料等の支給を受けていませんか（退職手当金等に該当するものはありませんか。）。	□		有（ 部）・無

※次頁に続く。

被相続人氏名

相続人代表
住　所
氏　名
電話　（　　）

関与税理士	所在地			
	氏名		電話	

（資４－81－１－A4統一）

区分	検討項目	検討内容	検討済（レ）	検討資料	検討資料（又は写し）の添付
相続財産	立　木	○　樹種、樹齢等は確認されていますか。	□	○　立木証明書、森林経営計画書、森林簿、森林組合等の精通者意見など	有（　部）・無
	その他の財産	①　貸付金、前払金等はありませんか。	□	○　法人税の確定申告書（控）、借用証等	有（　部）・無
		②　庭園設備はありませんか。	□	○　現物の確認（最近取得している場合は、取得価額の分かる書類）（②～④共通）	有（　部）・無
		③　自動車、ヨット等はありませんか。	□		有（　部）・無
		④　貴金属（金地金等）、書画、骨とう等はありませんか。	□		有（　部）・無
		⑤　ゴルフ会員権やレジャークラブ会員権等の計上漏れはありませんか。	□	○　会員証（券）	有（　部）・無
		⑥　未収給与、未収地代・家賃等はありませんか。	□	○　賃貸借契約書、通帳、領収書（控）	有（　部）・無
		⑦　未収配当金の計上漏れはありませんか。	□		有（　部）・無
		⑧　電話加入権の計上漏れはありませんか。	□		有（　部）・無
		⑨　特許権、著作権、営業権等はありませんか。	□	○　評価明細書	有（　部）・無
		⑩　未収穫の農産物等はありませんか。	□	○　総勘定元帳、決算書	有（　部）・無
		⑪　所得税及び復興特別所得税の準確定申告の還付金はありませんか。	□	○　所得税及び復興特別所得税の準確定申告書（控）	有（　部）・無
		⑫　損害保険契約に関する権利の計上漏れはありませんか。	□	○　保険証券、支払保険料計算書、所得税及び復興特別所得税の確定申告書（控）等	有（　部）・無
債務・葬式費用	債　務	①　借入金、未払金、未納となっていた固定資産税、所得税などの計上漏れはありませんか。	□	○　納付書、納税通知書、請求書、手形	有（　部）・無
		②　預り保証金（敷金）等の計上漏れはありませんか。	□	○　賃貸借契約書	有（　部）・無
		③　相続を放棄した相続人はいませんか。	□	○　相続権利放棄申述の証明書	有（　部）・無
	葬式費用	①　法要や香典返しに要した費用が含まれていませんか。	□	○　領収証、請求書等	有（　部）・無
		②　墓石や仏壇の購入費用が含まれていませんか。	□		有（　部）・無
生前贈与財産の相続財産への加算		【相続時精算課税】 ①　相続時精算課税に係る贈与によって取得した財産は加算していますか。	□	○　贈与税の申告書（控） ○　申告書第11の2表	有（　部）・無
		②　相続時精算課税適用者がいる場合に必要な書類を添付していますか。	□	○　被相続人の戸籍の附票の写し（注3） ○　相続時精算課税適用者の戸籍の附票の写し（相続時精算課税適用者が平成27年1月1日において20歳未満の者である場合には提出不要です。）（注3）	有（　部）・無
		【暦年課税】 ①　相続開始前3年以内に贈与を受けた財産は加算していますか（基礎控除額未満の贈与も含みます。）。	□	○　贈与証書、贈与税の申告書（控）、預貯金通帳	有（　部）・無
		②　配偶者が相続開始の年に被相続人から贈与を受けた居住用不動産又は金銭を特定贈与財産としている場合に必要な書類を添付していますか。	□	○　申告書第14表 ○　配偶者の戸籍の附票の写し（注4） ○　居住用不動産の登記事項証明書	有（　部）・無
		【「教育資金」又は「結婚・子育て資金」の一括贈与に係る非課税の特例】 ○　管理残額は加算していますか。	□	○　金融機関等の営業所等で確認した管理残額が分かるもの	有（　部）・無
評価	不　動　産	①　土地の評価は実測面積によっていますか。	□	○　実測図	有（　部）・無
		②　貸付地は地上権や賃借権又は借地借家法に規定する借地権が設定されている土地ですか。	□	○　土地の賃貸借契約書、住宅地図	有（　部）・無
		③　土地の地目は現況地目で評価し、画地計算に誤りはありませんか（現況地目と固定資産税評価証明書の現況地目は同じですか。）。	□	○　土地及び土地の上に存する権利の評価明細書、固定資産税評価証明書	有（　部）・無
		④　固定資産税評価額、財産評価基準の倍率、路線価並びに計算に誤りはありませんか。	□	○　固定資産税評価証明書	有（　部）・無
		⑤　借地権割合、借家権割合に誤りはありませんか。	□		有（　部）・無
		⑥　市街地周辺農地は20%評価減をしていますか。	□	○　市街地農地等の評価明細書（⑥～⑧共通）	有（　部）・無
		⑦　市街地農地は20%評価減をしていませんか。	□		有（　部）・無
		⑧　市街地農地等の宅地造成費の計算誤りはありませんか。	□		有（　部）・無
		⑨　たな卸資産である不動産の評価は適正ですか。	□		有（　部）・無
	非上場株式	①　貸借対照表に計上されていない借地権はありませんか。	□	○　土地の賃貸借契約書	有（　部）・無
		②　機械等に係る割増償却額を修正していますか。	□	○　法人税の確定申告書（控） ○　取引相場のない株式の評価明細書（①～⑨共通）	有（　部）・無
		③　法人の受取生命保険金及び生命保険の権利の評価を資産計上していますか。	□		有（　部）・無
		④　財産的価値のない繰延資産を資産計上していませんか。	□		有（　部）・無
		⑤　準備金、引当金（平成14年改正法人税法附則第8条第2項及び第3項適用後の退職給与引当金を除きます。）を負債計上していませんか。	□		有（　部）・無
		⑥　死亡退職金を負債計上していますか。	□		有（　部）・無
		⑦　受取生命保険金の保険差益について、課される法人税額等を負債計上していますか。	□		有（　部）・無
		⑧　未納公租公課を負債計上していますか。	□	○　納税通知書	有（　部）・無
		⑨　3年以内に取得した土地建物等は、「通常の取引価額」で計上していますか。	□	○　不動産売買契約書、登記事項証明書	有（　部）・無

※次頁に続く。

（資4－81－2－A4統一）

区分	検討項目	検討内容	検討済（レ）	検討資料	検討資料（又は写し）の添付
評価	上場株式等	① 上場株式の評価に誤りはありませんか。	□	○ 上場株式の評価明細書等	有（ 部）・無
		② 利付債、割引債を額面で評価していませんか。	□		有（ 部）・無
	立木	① 相続人及び包括受遺者の取得したものについて15%の評価減をしていますか。	□	○ 山林・森林の立木の評価明細書	有（ 部）・無
		② 林地の実面積で評価していますか。	□	○ 実測図等	有（ 部）・無
特例	小規模宅地等	① 特例を適用する場合に必要な書類を添付していますか。	□	○ 申告書第11・11の２表の付表１ ○ 申告書第11・11の２表の付表１（別表１） ○ 遺言書又は遺産分割協議書の写し及び印鑑証明書（注２）	有（ 部）・無
		イ 特定事業用宅地等に該当する場合に必要な書類を添付していますか。 ※ 特定事業用宅地等が平成31年４月１日以後に新たに被相続人等の事業の用に供されたものであるときに限ります。	□	○ 申告書第11・11の２表の付表１（別表２）	有（ 部）・無
		ロ 特定居住用宅地等に該当する場合 ・ 特例を適用する場合に必要な書類を添付していますか。	□	○ 特例の適用を受ける宅地等を自己の居住の用に供していることを明らかにする書類（特例の適用を受ける人が被相続人の配偶者である場合又はマイナンバー（個人番号）を有する者である場合には提出不要です。）	有（ 部）・無
		・ 被相続人の親族で、相続開始前３年以内に自己等の所有する家屋に居住したことがないことなど一定の要件を満たす人が、被相続人の居住の用に供されていた宅地等について特例の適用を受ける場合に必要な書類を添付していますか。 ※ 一定の経過措置がありますので、詳しくは「相続税の申告のしかた」をご確認ください。	□	○ 相続開始前３年以内における住所又は居所を明らかにする書類（特例の適用を受ける人がマイナンバー（個人番号）を有する者である場合には提出不要です。） ○ 相続開始前３年以内に居住していた家屋が、自己、自己の配偶者、三親等内の親族又は特別の関係がある一定の法人の所有する家屋以外の家屋である旨を証する書類 ○ 相続開始の時において自己の居住している家屋を相続開始前のいずれの時においても所有していたことがないことを証する書類	有（ 部）・無
		・ 被相続人が養護老人ホームに入所していたことなど一定の事由により相続開始の直前において被相続人の居住の用に供されていなかった宅地等について特例の適用を受ける場合に必要な書類を添付していますか。	□	○ 被相続人の戸籍の附票の写し ○ 介護保険の被保険者証の写し、障害福祉サービス受給者証の写し等 ○ 施設への入所時における契約書の写し等	有（ 部）・無
		ハ 一定の郵便局舎の敷地の用に供されている宅地等で、特定事業用宅地等に該当する場合に必要な書類を添付していますか。	□	○ 総務大臣が交付した証明書	有（ 部）・無
		ニ 特定同族会社事業用宅地等に該当する場合に必要な書類を添付していますか。	□	○ 法人の定款の写し ○ 法人の発行済株式の総数（又は出資の総額）及び被相続人等が有するその法人の株式の総数（又は出資の総額）を記載した書類でその法人が証明したもの	有（ 部）・無
		ホ 貸付事業用宅地等に該当する場合に必要な書類を添付していますか。 ※ 貸付事業用宅地等が平成30年４月１日以後に新たに被相続人等の特定貸付事業の用に供されたものであるときに限ります。	□	○ 過去４年分の所得税青色申告決算書（不動産所得用）の写しなど被相続人等が相続開始の日まで３年を超えて特定貸付事業を行っていたことを明らかにする書類	有（ 部）・無
		② 特定居住用宅地等は、取得者ごとの居住継続（相続開始の直前から相続税の申告期限まで引き続きその家屋に居住していること）、所有継続（相続税の申告期限まで有していること）の要件を満たしていますか。	□		
		③ 居住用の部分と貸付用の部分があるマンションの敷地等については、それぞれの部分ごとに面積をあん分して軽減割合を計算していますか。	□	○ 賃貸借契約書等	有（ 部）・無
		④ 貸付事業用宅地等（不動産貸付業、駐車場業、自転車駐車場業及び準事業）について、特定事業用宅地等として80%減をしていませんか。	□	○ 収支内訳書（不動産所得用）	有（ 部）・無
		⑤ 面積制限の計算を適正にしていますか。	□	○ 申告書第11・11の２表の付表１	有（ 部）・無
		⑥ 未分割の宅地に適用していませんか。	□	○ 遺言書又は遺産分割協議書	有（ 部）・無
		○ 未分割の場合に「申告期限後３年以内の分割見込書」を添付していますか。	□	○ 申告期限後３年以内の分割見込書	有（ 部）・無

※次頁に続く。

（資４－81－３－A4統一）

	検討項目	検討内容	検討済(レ)	検討資料	検討資料（又は写し）の添付
特例	特定計画山林	①　調整限度額の計算を適正にしていますか。 ②　特例を適用する場合に必要な書類を添付していますか。	□ □	○　申告書第11・11の２表の付表２又は付表２の２ ○　遺言書又は遺産分割協議書の写し及び印鑑証明書（注２） ○　森林経営計画書の写し ○　特例の適用を受ける資産の内容の分かるもの	有(　部)・無 有(　部)・無
		○　未分割の場合に「申告期限後３年以内の分割見込書」を添付していますか。	□	○　申告期限後３年以内の分割見込書	有(　部)・無
	農地等の納税猶予	①　期限内申告ですか。 ②　遺言書又は遺産分割協議書がありますか。 ③　被相続人は死亡の日まで、特例適用農地について農業を営んでいましたか。 ④　贈与税の納税猶予の特例の適用を受けていた場合、特例適用者は相続人であり、かつ、速やかに農業経営を開始していますか。 　その特例農地等を計上していますか。 ⑤　現況が農地等以外の土地又は特定市街化区域農地等（都市営農農地等を除きます。）に特例を適用していませんか。 ⑥　必要な書類を添付していますか。	□ □ □ □ □ □	○　贈与税の申告書（控） ○　遺言書又は遺産分割協議書の写し及び印鑑証明書（注２） ○　農業委員会の適格者証明書等 ○　担保の提供に関する書類	有(　部)・無 有(　部)・無 有(　部)・無 有(　部)・無 有(　部)・無 有(　部)・無
課税価格		○　申告書第１表の⑥のＡは各人の課税価格の合計額となっていますか。	□		有(　部)・無
基礎控除額		①　法定相続人数は戸籍謄本等で確認しましたか。 ②　代襲相続人はいませんか。 ③　養子縁組(又は取消し)した人はいませんか。 ④　法定相続人の数に含める養子の数は確認しましたか（実子がいる場合には１人、実子がいない場合には２人となります。）。	□ □ □ □	○　戸籍の謄本等（注１）	有(　部)・無 有(　部)・無 有(　部)・無 有(　部)・無
税額計算等	税額加算	①　相続人以外で遺贈・死因贈与により財産を取得された方はいませんか。 ②　相続又は遺贈により財産を取得した者が孫（代襲相続人を除きます。）や兄弟姉妹、受遺者等の場合は、税額の２割加算をしていますか。	□ □	○　遺言書、贈与契約書	有(　部)・無 有(　部)・無
	税額計算	○　法定相続分の計算は正しくされていますか（特に相続人に代襲相続人がいる場合）。	□		有(　部)・無
	税額控除	○　贈与税額控除、未成年者控除、障害者控除や相次相続控除などの控除額に誤りはありませんか。	□	○　贈与税の申告書（控）、障害者手帳、戸籍の謄本等（注１）、相続税の申告書	有(　部)・無
	配偶者税額軽減　配偶者の取得財産については分割済	①　遺言書又は遺産分割協議書の写しを添付しましたか。 ②　共同相続人等全員（特別代理人がいる場合には、特別代理人を含みます。）の印鑑証明書を添付しましたか。	□ □	○　遺言書又は遺産分割協議書の写し ○　印鑑証明書（注２）	有(　部)・無 有(　部)・無
	配偶者税額軽減　未分割（全部又は一部）	○　「申告期限後３年以内の分割見込書」を添付していますか。	□	○　申告期限後３年以内の分割見込書	有(　部)・無

その他検討項目	検討済(レ)	
①　生前の土地等の譲渡代金は相続財産に反映されていますか。	□	有(　部)・無
②　法令の適用誤り、税額の計算誤り等はありませんか。	□	有(　部)・無
③　被相続人の所得税及び復興特別所得税について確定申告が必要な場合は、相続開始日の翌日から４か月以内に行う必要があります。	□	有(　部)・無
④　相続税の延納、物納をされる場合は、申請書を相続税の申告書と同時に提出する必要があります。	□	有(　部)・無
⑤　相続税の還付申告の方は、還付される税額の受取場所を申告書第１表の付表２に記載してください。	□	有(　部)・無
⑥　相続税の申告書に記載されたマイナンバー（個人番号）について、税務署で本人確認（①番号確認及び②身元確認）を行うため、申告書に記載された各相続人の本人確認書類の写しを添付する必要があります。 　なお、e-Taxにより申告手続を行う場合には、本人確認書類の提示又は写しの提出が不要です。 （注）相続税の申告書は、令和元年10月１日以降、e-Taxを利用して提出（送信）することができます。 　この場合、申告書の添付書類については、イメージデータで提出することができます。 　詳しくは、e-Taxホームページ【www.e-tax.nta.go.jp】をご覧ください。	□	有(　部)・無
⑦　特定の一般社団法人等の理事（理事であった一定の者を含みます。）が死亡した場合における課税の特例が適用される場合に該当しませんか。	□	有(　部)・無

注１　「戸籍の謄本等」は次のいずれかの書類（複写したものを含みます。）を提出してください。
　①　相続開始の日から10日を経過した日以後に作成された「戸籍の謄本」で、被相続人の全ての相続人を明らかにするもの
　②　図形式の「法定相続情報一覧図の写し」（子の続柄が、実子又は養子のいずれであるかが分かるように記載されたものに限ります。）
　　なお、被相続人に養子がいる場合には、その養子の戸籍の謄本又は抄本（複写したものを含みます。）も提出してください。
２　配偶者に対する相続税額の軽減、小規模宅地等、特定計画山林及び農地等の納税猶予の特例の適用を受ける場合は、「印鑑証明書」は必ず原本を提出してください。
３　「戸籍の附票の写し」（複写したものを含みます。）は相続開始の日以後に作成されたものに限ります。
４　「戸籍の附票の写し」は被相続人からの贈与を受けた日から10日を経過した日以後に作成されたものに限ります。

（資４－81－４－A4統一）

2.　相続税の申告書の種類と作成順序

⑴　申告書の種類

相続税の申告書は、下図のとおり「第１表」から「第15表」までの構成となっています。これらのうち、文字どおりの申告書は、「第１表（相続税の申告書）」のみで、第２表以下は、個別事項の計算書や明細書となっています。

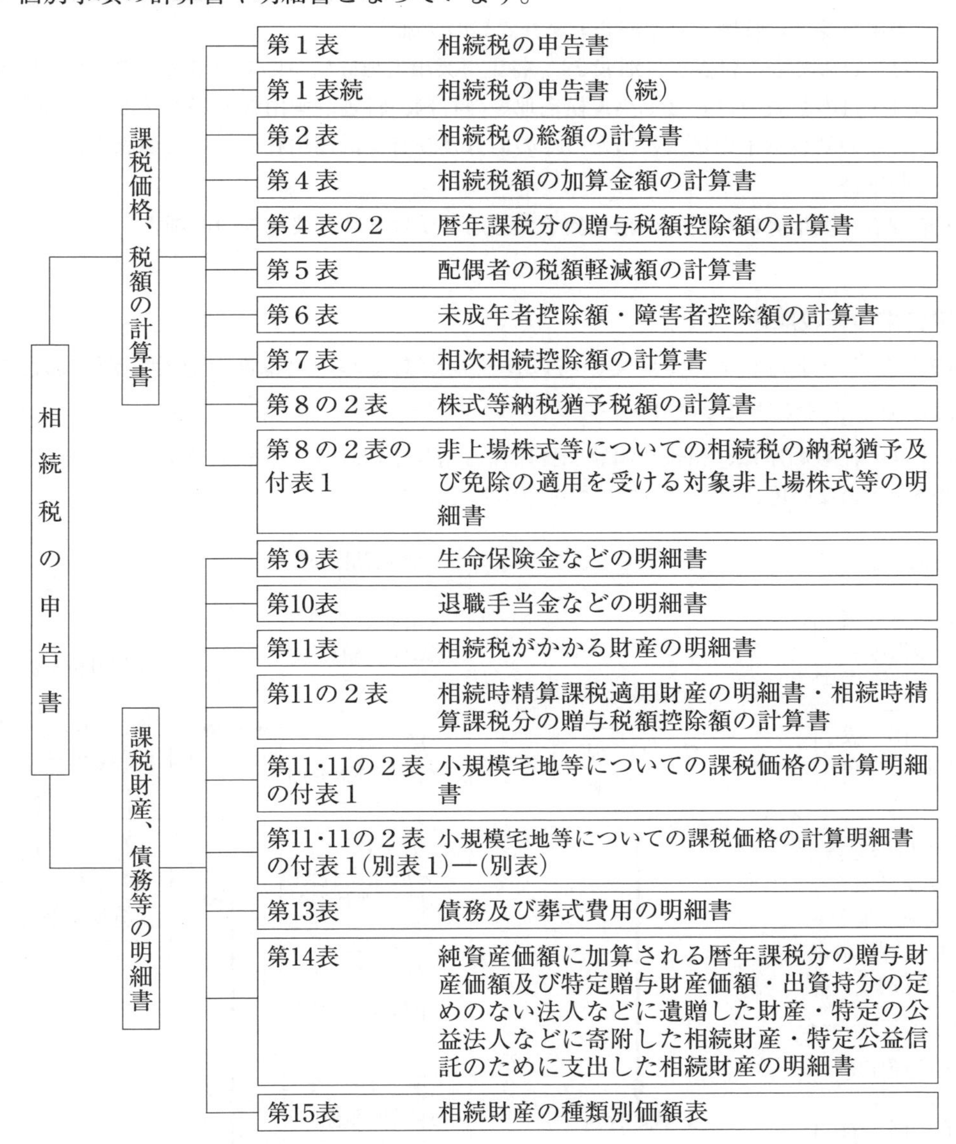

(注)　上記のほか、およそ40種類もの計算書・明細書があります。実際の申告に当たっては、必要なものだけを作成し、提出することになります。
・第１表の付表１　納税義務等の承継に係る明細書（兼相続人の代表者指定届出書）
・第１表の付表２　還付される税額の受取場所
・第３表　財産を取得した人のうちに農業相続人がいる場合の各人の算出税額の計算書

・第８表　外国税額控除・農地等納税猶予税額の計算書
・第８の２表の付表２　非上場株式等についての相続税の納税猶予及び免除の適用を受ける対象非上場株式等の明細書
・第８の２表の付表３　非上場株式等についての相続税の納税猶予及び免除の適用を受ける対象相続非上場株式等の明細書
・第８の２の２表　特例株式等納税猶予税額の計算書
・第８の２の２表の付表２　非上場株式等についての相続税の納税猶予及び免除の特例の適用を受ける特例対象相続非上場株式等の明細書
・第11・11の２表の付表１（別表２）　特定事業用宅地等についての事業規模の判定明細
・第11・11の２表の付表２　小規模宅地等の特例、特定計画山林の特例又は個人の事業用資産の納税猶予の適用に当たっての同意及び特定計画山林についての課税価格の計算明細書
・第12表　農地等についての納税猶予の適用を受ける特例農地等の明細書

(2)　申告書の作成順序

上記の申告書の作成順序について、特にルールがあるわけではありませんが、おおむね下図の順序で記入するとよいでしょう。

(注) 下図の記載順序は、相続時精算課税に係る贈与や株式等の納税猶予がなく、また、農業相続人がいない場合の一般の相続税を想定しています。

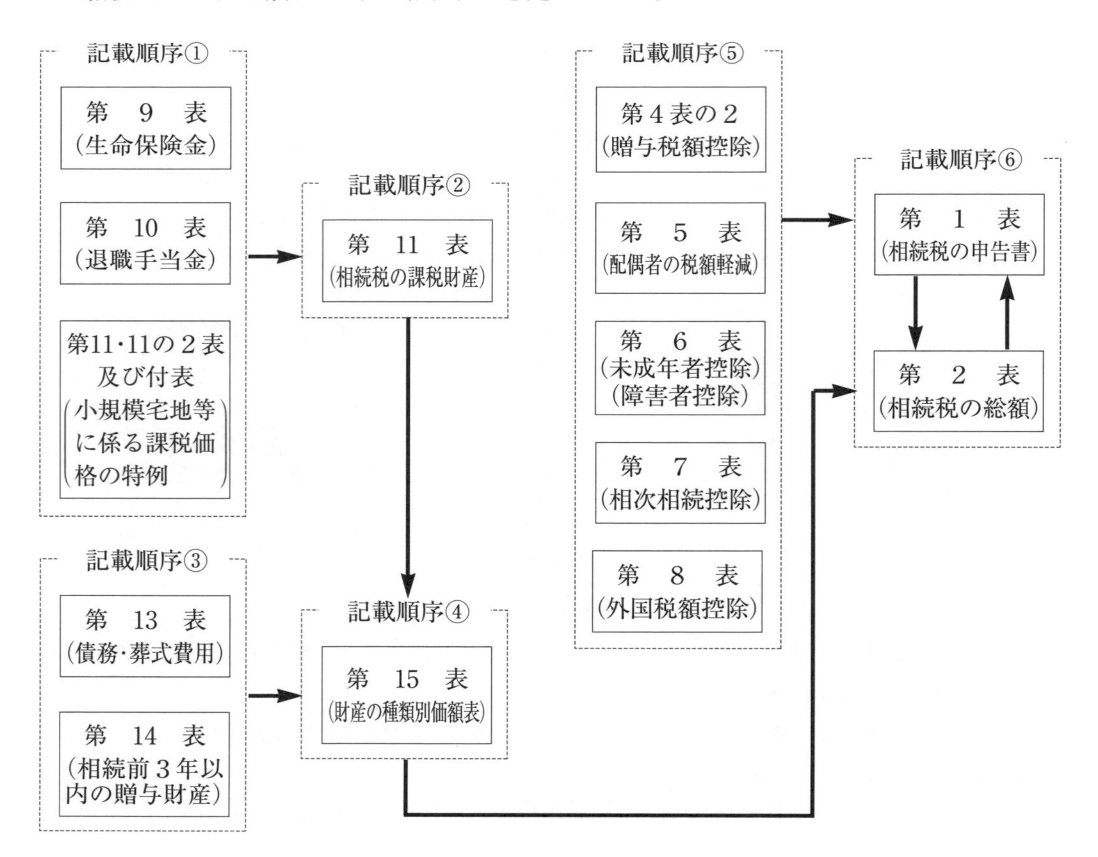

3. 設例による申告書の記載例

⑴ 遺産分割（現物分割）が確定している場合の申告

相続税の申告書の記載例を具体的な設例に基づいて示しておきましょう。まず、現物分割による遺産分割協議が確定している一般的な例を示しますが、前章で説明した相続財産の評価は完了しているものとしています。

＜設　例＞

1　被相続人及び相続人の関係

〔被相続人〕山野太郎（享年68歳）
‖
〔相続人・配偶者〕山野花子（65歳）

〔相続人・長男〕山野一郎（40歳）
〔相続人・長女〕川田咲子（37歳）
〔相続人・二男〕山野次郎（34歳）

(注) 相続人の年齢は、相続開始の日における年齢である。

⑴　被相続人

氏　　名……………山野太郎
最後の住所…………東京都豊島区東池袋１丁目33番４号
生年月日……………昭和27年５月16日
相続開始の年月日…令和２年10月20日
職　　業……………○○産業（株）代表取締役

⑵　相続人

①　氏　　名……………山野花子（妻）
住　　所……………東京都豊島区東池袋１丁目33番４号
生年月日……………昭和30年２月23日

②　氏　　名……………山野一郎（長男）
住　　所……………東京都豊島区東池袋１丁目33番４号
生年月日……………昭和54年12月18日

③　氏　　名……………川田咲子（長女）
住　　所……………埼玉県川口市栄町３丁目11番17号
生年月日……………昭和58年３月30日

④　氏　　名……………山野次郎（二男）
住　　所……………東京都北区滝野川７丁目１番８号
生年月日……………昭和61年５月２日
（なお、山野次郎は一般障害者に該当する。）

2　相続財産と遺産分割の内容

被相続人の遺産の内容は次のとおりであり、共同相続人間で協議した結果、令和３年７月30日にその分割が確定した。

〔土地・家屋〕

種　類	利用区分	所在場所	面　積	相続税評価額	取　得　者
宅　地	自用地・居住用	豊島区東池袋1丁目334番2	326.42m²	70,180,300円	山野花子（持分$\frac{1}{2}$） 山野一郎（持分$\frac{1}{2}$）
宅　地	貸家建付地	新宿区下落合3丁目231番3	319.28m²	82,015,688	山野次郎
雑種地	原　野	埼玉県秩父郡大滝村宮平111番	1,253m²	18,795,000	川田咲子
家　屋	自用・居住用	豊島区東池袋1丁目334番地2	268.60m²	6,796,300	山野花子
家　屋	貸　家	新宿区下落合3丁目231番地3	719.63m²	13,927,200	山野次郎

(注) 小規模宅地等に係る課税価格算入額の特例の適用については、山野花子及び山野一郎が取得した居住用宅地の全部（各人とも326.42m²×$\frac{1}{2}$＝163.21m²）と山野次郎が取得した貸家建付地のうち2.16969m²を選択することで相続人間の合意が成立している。

〔有価証券〕

種　類	銘柄等	預入金融機関等	数　量	単価	相続税評価額	取　得　者
上場株式	○○建設(株)	○○証券池袋支店	8,000株	3,860円	30,880,000円	山野花子（5,000株） 山野一郎（3,000株）
上場株式	○○食品(株)	○○証券池袋支店	6,500株	896円	5,824,000	川田咲子
取引相場のない株式	○○産業(株)	中央区日本橋室町4－2－9	14,000株	4,630円	64,820,000	山野花子（10,000株） 山野一郎（4,000株）
国　債	10年利付国債第○○○回	○○証券池袋支店			19,376,200	山野花子
社　債	○○電力第○○回	○○証券池袋支店			32,168,900	山野一郎
貸付信託の受益証券	○○信託銀行第×号○○回貸付信託	○○信託銀行池袋支店			10,220,700	山野花子

〔現金・預貯金〕

種　類	細　目	預入金融機関等	相続税評価額	取　得　者
現　金			173,000円	山野花子
預貯金	通常貯金	○○郵便局	2,651,835	山野次郎
預貯金	普通預金	○○銀行池袋支店	5,107,891	山野一郎
預貯金	定期預金	○○銀行池袋支店	44,438,250	山野花子
預貯金	普通預金	××銀行目白支店	1,292,194	川田咲子
預貯金	定期預金	××銀行目白支店	10,662,435	川田咲子

〔動産・その他の財産〕

種　類	細　目	所在場所等	数　量	相続税評価額	取　得　者
家庭用財産	家具等一式	豊島区東池袋１－33－４		1,500,000円	山野花子
ゴルフ会員権	○○カントリークラブ	豊島区東池袋１－33－４	１口	8,400,000	山野一郎
未収入金	貸家未収家賃	新宿区下落合３－23－１		650,000	山野次郎
自動車	普通乗用車	豊島区東池袋１－33－４	１台	860,000	山野一郎
電話加入権		豊島区東池袋１－33－４	１基	1,500	山野花子

3　生命保険金

被相続人の死亡を保険事故として、相続人に支払われた生命保険契約の保険金は、次のとおりである。なお、これらの契約に係る保険料は、すべて被相続人が払い込んでいたものである。

保険会社等	受取年月日	受取金額	受取人氏名
○○生命保険（相）	令和２年11月16日	36,788,400円	山野花子
××生命保険（相）	令和２年12月６日	8,000,000円	山野花子
○○生命保険（相）	令和２年11月16日	15,000,000円	川田咲子
○○郵便局	令和２年11月16日	12,229,870円	山野次郎

4　死亡退職金

被相続人が死亡退職したため、その勤務先会社から退職手当金等として、次の金額を取得した。

支払者名	受取年月日	名　称	受取金額	受取人氏名
○○産業（株）	令和２年11月26日	死亡退職金	45,000,000円	山野花子
同　　上	令和２年11月26日	特別功労金	5,000,000円	山野花子

5　相続債務の内容

被相続人の相続開始時における債務の内容は、次のとおりである。

債務の内容	債権者等	金　額	負担者氏名
未納固定資産税（令和２年分）	豊島都税事務所	420,500円	山野一郎
未納固定資産税（令和２年分）	新宿都税事務所	987,700円	山野次郎
未納固定資産税（令和２年分）	大滝村役場	13,100円	川田咲子
所得税（令和２年分準確定申告）	豊島税務署	105,400円	山野花子
住民税（令和２年度分）	豊島区役所	654,900円	山野花子
銀行借入金	○○銀行池袋支店	22,489,725円	山野次郎

6　葬式費用の内容

被相続人に係る葬儀（令和２年10月22日）の前後に要した費用は、次のとおりである。なお、費用はすべて相続税の債務控除の対象になることが確認されている。

支払先	支払年月日	金　額	負担者氏名
○○寺	令和２年10月23日	2,500,000円	山野一郎
○○酒店	令和２年10月23日	165,800円	
○○タクシー	令和２年10月23日	147,600円	
○○葬祭センター	令和２年10月26日	2,236,000円	
○○商店	令和２年10月26日	109,750円	
その他の費用		227,965円	

7　生前贈与に関する事項

被相続人は、その生前において次のような贈与を行っており、受贈者はそれぞれ贈与税の申告と納税を行っている。

受贈者氏名	贈与年月日	贈与財産の種類等	評価額	贈与税額	贈与税の申告税務署
山野花子	平成29年１月10日	現金	1,000,000円	102,400円	豊島税務署
	平成29年11月７日	有価証券（○○建設株式2,000株）	1,124,000円		
川田咲子	平成30年５月10日	現金	3,000,000円	190,000円	川口税務署
山野次郎	令和元年９月20日	有価証券（○○食品株式3,000株）	2,775,000円	167,500円	王子税務署

なお、これらの贈与について、相続時精算課税制度を選択適用したものはない。

8　相次相続控除に関する事項

被相続人山野太郎は、その父（山野太一郎）の相続（第１次相続）により財産を取得し、相続税の申告と納税を行っている。

① 第１次相続の被相続人……山野太一郎（山野太郎の父）
② 第１次相続の開始年月日……平成24年６月25日
③ 被相続人山野太郎が第１次相続で取得した純資産価額（取得財産価額から債務控除をした後の金額）……100,296,315円
④ 被相続人山野太郎が第１次相続で納付した相続税額……7,260,200円

この設例について相続税の申告書を作成すると、〔書式58〕（次ページ）から〔書式73〕（447～448ページ）のようになります。

〔書式58〕

生命保険金などの明細書

被相続人	山野太郎

第9表

1 相続や遺贈によって取得したものとみなされる保険金など

この表は、相続人やその他の人が被相続人から相続や遺贈によって取得したものとみなされる生命保険金、損害保険契約の死亡保険金及び特定の生命共済金などを受け取った場合に、その受取金額などを記入します。

保険会社等の所在地	保険会社等の名称	受取年月日	受取金額	受取人の氏名
東京都中央区○○2丁目8番5号	○○生命保険(相)	2・11・16	円 36,788,400	山野花子
東京都港区○○1丁目1番1号	××生命保険(相)	2・12・6	8,000,000	〃
東京都中央区○○2丁目8番5号	○○生命保険(相)	2・11・16	15,000,000	川田咲子
東京都豊島区○○3丁目7番6号	○○郵便局	2・11・16	12,229,870	山野次郎
		・ ・		

(注) 1 相続人(相続の放棄をした人を除きます。以下同じです。)が受け取った保険金などのうち一定の金額は非課税となりますので、その人は、次の2の該当欄に非課税となる金額と課税される金額とを記入します。
2 相続人以外の人が受け取った保険金などについては、非課税となる金額はありませんので、その人は、その受け取った金額そのままを第11表の「財産の明細」の「価額」の欄に転記します。
3 相続時精算課税適用財産は含まれません。

2 課税される金額の計算

この表は、被相続人の死亡によって相続人が生命保険金などを受け取った場合に、記入します。

保険金の非課税限度額	(500万円× 〔第2表のⒶの法定相続人の数〕 4人 により計算した金額を右のⒶに記入します。)	Ⓐ 円 20,000,000

保険金などを受け取った相続人の氏名	① 受け取った保険金などの金額	② 非課税金額 (Ⓐ × 各人の①/Ⓑ)	③ 課税金額 (①−②)
山野花子	44,788,400 円	12,438,066 円	32,350,334 円
川田咲子	15,000,000	4,165,610	10,834,390
山野次郎	12,229,870	3,396,324	8,833,546
合計	Ⓑ 72,018,270	20,000,000	52,018,270

(注) 1 Ⓑの金額がⒶの金額より少ないときは、各相続人の①欄の金額がそのまま②欄の非課税金額となりますので、③欄の課税金額は0となります。
2 ③欄の金額を第11表の「財産の明細」の「価額」欄に転記します。

〔書式59〕

退職手当金などの明細書

第10表

被相続人	山野太郎

1　相続や遺贈によって取得したものとみなされる退職手当金など

この表は、相続人やその他の人が被相続人から相続や遺贈によって取得したものとみなされる退職手当金、功労金、退職給付金などを受け取った場合に、その受取金額などを記入します。

勤務先会社等の所在地	勤務先会社等の名称	受取年月日	退職手当金などの名称	受取金額	受取人の氏名
東京都中央区日本橋室町4丁目2番9号	○○産業（株）	2・11・26	死亡退職金	円 45,000,000	山野花子
〃	〃	2・11・26	特別功労金	5,000,000	〃
		・ ・			
		・ ・			
		・ ・			

（注）1　相続人（相続の放棄をした人を除きます。以下同じです。）が受け取った退職手当金などのうち一定の金額は非課税となりますので、その人は、次の2の該当欄に非課税となる金額と課税される金額とを記入します。
2　相続人以外の人が受け取った退職手当金などについては、非課税となる金額はありませんので、その人は、その受け取った金額そのままを第11表の「財産の明細」の「価額」の欄に転記します。

2　課税される金額の計算

この表は、被相続人の死亡によって相続人が退職手当金などを受け取った場合に、記入します。

退職手当金などの非課税限度額	（500万円×〔第2表のⒶの法定相続人の数〕 4 人 により計算した金額を右のⒶに記入します。）	Ⓐ 円 20,000,000

退職手当金などを受け取った相続人の氏名	① 受け取った退職手当金などの金額	② 非課税金額（Ⓐ×各人の①/Ⓑ）	③ 課税金額（①−②）
山野花子	50,000,000 円	20,000,000 円	30,000,000 円
合計	Ⓑ 50,000,000	20,000,000	30,000,000

（注）1　Ⓑの金額がⒶの金額より少ないときは、各相続人の①欄の金額がそのまま②欄の非課税金額となりますので、③欄の課税金額は0となります。
2　③欄の金額を第11表の「財産の明細」の「価額」欄に転記します。

〔書式60〕

小規模宅地等についての課税価格の計算明細書

F D 3 5 4 7

第11・11の2表の付表1

○この申告書は機械で読み取りますので、黒ボールペンで記入してください。

被相続人	山野太郎

この表は、小規模宅地等の特例（租税特別措置法第69条の4第1項）の適用を受ける場合に記入します。
なお、被相続人から、相続、遺贈又は相続時精算課税に係る贈与により取得した財産のうちに、「特定計画山林の特例」の対象となり得る財産又は「個人の事業用資産についての相続税の納税猶予及び免除」の対象となり得る宅地等がある場合には、第11・11の2表の付表2を、「特定事業用資産の特例」の対象となり得る財産がある場合には、第11・11の2表の付表2の2を作成します（第11・11の2表の付表2又は付表2の2を作成する場合には、この表の「1 **特例の適用にあたっての同意**」欄の記入を要しません。）。
（注）この表の1又は2の各欄に記入しきれない場合には、第11・11の2表の付表1(続)を使用します。

1 特例の適用にあたっての同意
この欄は、小規模宅地等の特例の対象となり得る宅地等を取得した全ての人が次の内容に同意する場合に、その宅地等を取得した全ての人の氏名を記入します。

私(私たち)は、「2 小規模宅地等の明細」の①欄の取得者が、小規模宅地等の特例の適用を受けるものとして選択した宅地等又はその一部（「2 小規模宅地等の明細」の⑤欄で選択した宅地等）の全てが限度面積要件を満たすものであることを確認の上、その取得者が小規模宅地等の特例の適用を受けることに同意します。

氏名	山野花子	山野一郎	山野次郎

（注）小規模宅地等の特例の対象となり得る宅地等を取得した全ての人の同意がなければ、この特例の適用を受けることはできません。

2 小規模宅地等の明細
この欄は、小規模宅地等の特例の対象となり得る宅地等を取得した人のうち、その特例の適用を受ける人が選択した小規模宅地等の明細等を記載し、相続税の課税価格に算入する価額を計算します。
「小規模宅地等の種類」欄は、選択した小規模宅地等の種類に応じて次の1～4の番号を記入します。
小規模宅地等の種類：**1 特定居住用宅地等、2 特定事業用宅地等、3 特定同族会社事業用宅地等、4 貸付事業用宅地等**

	小規模宅地等の種類（1～4の番号を記入します。）	①特例の適用を受ける取得者の氏名〔事業内容〕 ②所在地番 ③取得者の持分に応ずる宅地等の面積 ④取得者の持分に応ずる宅地等の価額	⑤③のうち小規模宅地等(「限度面積要件」を満たす宅地等)の面積 ⑥④のうち小規模宅地等(④×⑤/③)の価額 ⑦課税価格の計算に当たって減額される金額(⑥×⑨) ⑧課税価格に算入する価額(④－⑦)
選択した小規模宅地等	1	① 山野花子 〔 〕	⑤ 163.21 ㎡
		② 東京都豊島区東池袋1丁目334番2	⑥ 35090150 円
		③ 163.21 ㎡	⑦ 28072120 円
		④ 35090150 円	⑧ 7018030 円
	1	① 山野一郎 〔 〕	⑤ 163.21 ㎡
		② 東京都豊島区東池袋1丁目334番2	⑥ 35090150 円
		③ 163.21 ㎡	⑦ 28072120 円
		④ 35090150 円	⑧ 7018030 円
	4	① 山野次郎 〔不動産貸付〕	⑤ 2.16969697 ㎡
		② 東京都新宿区下落合3丁目231番3	⑥ 557345 円
		③ 319.28 ㎡	⑦ 278672 円
		④ 82015688 円	⑧ 81737016 円

（注）1 ①欄の「〔 〕」は、選択した小規模宅地等が被相続人等の事業用宅地等（2、3又は4）である場合に、相続開始の直前にその宅地等の上で行われていた被相続人等の事業について、例えば、飲食サービス業、法律事務所、貸家などのように具体的に記入します。
2 小規模宅地等を選択する一の宅地等が共有である場合又は一の宅地等が貸家建付地である場合において、その評価額の計算上「賃貸割合」が1でないときには、第11・11の2表の付表1(別表1)を作成します。
3 ⑧欄の金額を第11表の「財産の明細」の「価額」欄に転記します。

○「限度面積要件」の判定
上記「2 小規模宅地等の明細」の⑤欄で選択した宅地等の全てが限度面積要件を満たすものであることを、この表の各欄を記入することにより判定します。

小規模宅地等の区分	被相続人等の居住用宅地等	被相続人等の事業用宅地等		
小規模宅地等の種類	1 特定居住用宅地等	2 特定事業用宅地等	3 特定同族会社事業用宅地等	4 貸付事業用宅地等
⑨減額割合	80/100	80/100	80/100	50/100
⑩⑤の小規模宅地等の面積の合計	326.42 ㎡	㎡	㎡	2.16969697 ㎡
⑪限度面積 イ 小規模宅地等のうちに4貸付事業用宅地等がない場合	〔1の⑩の面積〕 ≦330㎡	〔2の⑩及び3の⑩の面積の合計〕 ㎡ ≦ 400㎡		
⑪限度面積 ロ 小規模宅地等のうちに4貸付事業用宅地等がある場合	〔1の⑩の面積〕 326.42 ㎡×200/330 ＋	〔2の⑩及び3の⑩の面積の合計〕 ㎡×200/400 ＋		〔4の⑩の面積〕 2.16969697 ㎡ ≦ 200㎡

（注）限度面積は、小規模宅地等の種類（「4 貸付事業用宅地等」の選択の有無）に応じて、⑪欄（イ又はロ）により判定を行います。「限度面積要件」を満たす場合に限り、この特例の適用を受けることができます。

※の項目は記入する必要がありません。

※税務署整理欄	年分		名簿番号		申告年月日		一連番号		グループ番号		補完	

第11・11の2表の付表1（令元.7） （資4－20－12－3－1－A4統一）

〔書式61〕

小規模宅地等についての課税価格の計算明細書（別表）

被相続人	山野太郎

この計算明細は、特例の対象として小規模宅地等を選択する一の宅地等（注）が、次のいずれかに該当する場合に一の宅地等ごとに作成します。
1　相続又は遺贈により一の宅地等を２人以上の相続人又は受遺者が取得している場合
2　一の宅地等の全部又は一部が、貸家建付地である場合において、貸家建付地の評価額の計算上「賃貸割合」が「1」でない場合
（注）　一の宅地等とは、一棟の建物又は構築物の敷地をいいます。ただし、マンションなどの区分所有建物の場合には、区分所有された建物の部分に係る敷地をいいます。

1　一の宅地等の所在地、面積及び評価額
一の宅地等について、宅地等の「所在地」、「面積」及び相続開始の直前における宅地等の利用区分に応じて「面積」及び「評価額」を記入します。
(1)　「①宅地等の面積」欄は、一の宅地等が持分である場合には、持分に応ずる面積を記入してください。
(2)　上記２に該当する場合には、⑪欄については、⑤欄の面積を基に自用地として評価した金額を記入してください。

宅地等の所在地	東京都豊島区東池袋１丁目334番２	①宅地等の面積	326.42 ㎡

	相続開始の直前における宅地等の利用区分	面積（㎡）	評価額（円）
A	①のうち被相続人等の事業の用に供されていた宅地等 （B、C及びDに該当するものを除きます。）	②	⑧
B	①のうち特定同族会社の事業（貸付事業を除きます。）の用に供されていた宅地等	③	⑨
C	①のうち被相続人等の貸付事業の用に供されていた宅地等 （相続開始の時において継続的に貸付事業の用に供されていると認められる部分の敷地）	④	⑩
D	①のうち被相続人等の貸付事業の用に供されていた宅地等 （Cに該当する部分以外の部分の敷地）	⑤	⑪
E	①のうち被相続人等の居住の用に供されていた宅地等	⑥　326.42	⑫　70,180,300
F	①のうちAからEの宅地等に該当しない宅地等	⑦	⑬

2　一の宅地等の取得者ごとの面積及び評価額
上記のAからFまでの宅地等の「面積」及び「評価額」を、宅地等の取得者ごとに記入します。
(1)　「持分割合」欄は、宅地等の取得者が相続又は遺贈により取得した持分割合を記入します。一の宅地等を１人で取得した場合には、「1／1」と記入します。
(2)　「1 持分に応じた宅地等」は、上記のAからFまでに記入した一の宅地等の「面積」及び「評価額」を「持分割合」を用いてあん分して計算した「面積」及び「評価額」を記入します。
(3)　「2 左記の宅地等のうち選択特例対象宅地等」は、「1 持分に応じた宅地等」に記入した「面積」及び「評価額」のうち、特例の対象として選択する部分を記入します。なおBの宅地等の場合は、上段に「特定同族会社事業用宅地等」として選択する部分の、下段に「貸付事業用宅地等」として選択する部分の「面積」及び「評価額」をそれぞれ記入します。
「2 左記の宅地等のうち選択特例対象宅地等」に記入した宅地等の「面積」及び「評価額」は、「申告書第11・11の２表の付表１」の「２小規模宅地等の明細」の「③取得者の持分に応ずる宅地等の面積」欄及び「④取得者の持分に応ずる宅地等の価額」欄に転記します。
(4)　「3 特例の対象とならない宅地等（1－2）」には、「1 持分に応じた宅地等」のうち「2 左記の宅地等のうち選択特例対象宅地等」欄に記入した以外の宅地等について記入します。この欄に記入した「面積」及び「評価額」は、申告書第11表に転記します。

宅地等の取得者氏名	山野花子	⑭持分割合	1／2

	1　持分に応じた宅地等		2　左記の宅地等のうち選択特例対象宅地等		3　特例の対象とならない宅地等（1－2）	
	面積（㎡）	評価額（円）	面積（㎡）	評価額（円）	面積（㎡）	評価額（円）
A	②×⑭	⑧×⑭				
B	③×⑭	⑨×⑭				
C	④×⑭	⑩×⑭				
D	⑤×⑭	⑪×⑭				
E	⑥×⑭　163.21	⑫×⑭　35,090,150	163.21	35,090,150		
F	⑦×⑭	⑬×⑭				

宅地等の取得者氏名	山野一郎	⑮持分割合	1／2

	1　持分に応じた宅地等		2　左記の宅地等のうち選択特例対象宅地等		3　特例の対象とならない宅地等（1－2）	
	面積（㎡）	評価額（円）	面積（㎡）	評価額（円）	面積（㎡）	評価額（円）
A	②×⑮	⑧×⑮				
B	③×⑮	⑨×⑮				
C	④×⑮	⑩×⑮				
D	⑤×⑮	⑪×⑮				
E	⑥×⑮　163.21	⑫×⑮　35,090,150	163.21	35,090,150		
F	⑦×⑮	⑬×⑮				

第11・11の２表の付表１（別表１）（令元.7）　　（資4－20－12－3－5－A4統一）

〔書式62〕

相続税がかかる財産の明細書
（相続時精算課税適用財産を除きます。）

被相続人　山野太郎

第11表

○相続時精算課税適用財産の明細については、この表によらず第11の2表に記載します。

この表は、相続や遺贈によって取得した財産及び相続や遺贈によって取得したものとみなされる財産のうち、相続税のかかるものについての明細を記入します。

遺産の分割状況	区分	1 全部分割	2 一部分割	3 全部未分割
	分割の日	3・7・30	・・	

種類	細目	利用区分、銘柄等	所在場所等	数量／固定資産税評価額	単価／倍数	価額	取得した人の氏名	取得財産の価額
土地	宅地	自用地（居住用）	東京都豊島区東池袋1丁目334番2	326.42㎡ 円	（第11・11の2表の付表1のとおり）	14,036,060 円	山野花子	（持分1/2）7,018,030 円
							山野一郎	（持分1/2）7,018,030
〃	〃	貸家建付地	東京都新宿区下落合3丁目231番3	319.28㎡	（第11・11の2表の付表1のとおり）	81,737,016	山野次郎	81,737,016
	（小計）					（95,773,076）		
〃	雑種地	原野	埼玉県秩父郡大滝村宮平111番	1253㎡ 939,750	20	18,795,000	川田咲子	18,795,000
	（小計）					（18,795,000）		
《計》						《114,568,076》		
家屋	家屋（木・2・居宅）	自用家屋	東京都豊島区東池袋1丁目334番2	268.60㎡ 6,796,300	1.0	6,796,300	山野花子	6,796,300
〃	家屋（鉄・3・居宅）	貸家	東京都新宿区下落合3丁目231番3	719.63㎡ 19,896,000	0.7	13,927,200	山野次郎	13,927,200
《計》						《20,723,500》		
有価証券	特定同族（その他の方式）	会社の株式○○産業（株）	東京都中央区日本橋室町4丁目2番9号	10,000株	4,630	46,300,000	山野花子	46,300,000
〃	〃	〃	〃	4,000株	4,630	18,520,000	山野一郎	18,520,000
	（小計）					（64,820,000）		
〃	上記以外の株式	○○建設（株）	○○証券池袋支店	5,000株	3,860	19,300,000	山野花子	19,300,000
〃	〃	〃	〃	3,000株	3,860	11,580,000	山野一郎	11,580,000
〃	〃	○○食品（株）	〃	6,500株	896	5,824,000	川田咲子	5,824,000
	（小計）					（36,704,000）		
〃	公債	10年利付国債第○○○回	〃			19,376,200	山野花子	19,376,200
〃	社債	一般事業債○○電力第○○回	〃			32,168,900	山野一郎	32,168,900
	（小計）					（51,545,100）		

合計表						
財産を取得した人の氏名	（各人の合計）					
分割財産の価額 ①	円	円	円	円	円	円
未分割財産の価額 ②						
各人の取得財産の価額（①＋②） ③						

（注）1 「合計表」の各人の③欄の金額を第1表のその人の「取得財産の価額①」欄に転記します。
2 「財産の明細」の「価額」欄は、財産の細目、種類ごとに小計及び計を付し、最後に合計を付して、それらの金額を第15表の①から㉘までの該当欄に転記します。

相続税がかかる財産の明細書

（相続時精算課税適用財産を除きます。）

被相続人　山野太郎

第11表

○相続時精算課税適用財産の明細については、この表によらず第11の2表に記載します。

この表は、相続や遺贈によって取得した財産及び相続や遺贈によって取得したものとみなされる財産のうち、相続税のかかるものについての明細を記入します。

遺産の分割状況	区分	1 全部分割	2 一部分割	3 全部未分割
	分割の日	・　・	・　・	

種類	細目	利用区分、銘柄等	所在場所等	数量 / 固定資産税評価額	単価 / 倍数	価額	取得した人の氏名	取得財産の価額
有価証券	貸付信託の受益証券	○○信託銀行第×号○○回貸付信託	○○信託銀行池袋支店	円	円	円 10,220,700	山野花子	円 10,220,700
	（小計）					(10,220,700)		
((計))						((163,289,800))		
現金・預貯金等	現金		東京都豊島区東池袋1丁目33番4号			173,000	山野花子	173,000
〃	預貯金	通常貯金	○○郵便局			2,651,835	山野次郎	2,651,835
〃	〃	普通預金	○○銀行池袋支店			5,107,891	山野一郎	5,107,891
〃	〃	定期預金	〃			44,438,250	山野花子	44,438,250
〃	〃	普通預金	××銀行目白支店			1,292,194	川田咲子	1,292,194
〃	〃	定期預金	〃			10,662,435	〃	10,662,435
((計))						((64,325,605))		
家庭用財産		家具等一式	東京都豊島区東池袋1丁目33番4号			1,500,000	山野花子	1,500,000
((計))						((1,500,000))		
その他の財産	生命保険金等					32,350,334	山野花子	32,350,334
〃	〃					10,834,390	川田咲子	10,834,390
〃	〃					8,833,546	山野次郎	8,833,546
	（小計）					(52,018,270)		
〃	退職手当金等					30,000,000	山野花子	30,000,000
	（小計）					(30,000,000)		
〃	その他	ゴルフ会員権（○○カントリークラブ）	東京都豊島区東池袋1丁目33番4号	1口		8,400,000	山野一郎	8,400,000
〃	〃	未収家賃	東京都新宿区下落合3丁目23番1号			650,000	山野次郎	650,000

合計表		(各人の合計)					
財産を取得した人の氏名		(各人の合計)					
分割財産の価額	①	円	円	円	円	円	円
未分割財産の価額	②						
各人の取得財産の価額（①＋②）	③						

（注）1　「合計表」の各人の③欄の金額を第1表のその人の「取得財産の価額①」欄に転記します。
2　「財産の明細」の「価額」欄は、財産の細目、種類ごとに小計及び計を付し、最後に合計を付して、それらの金額を第15表の①から㉘までの該当欄に転記します。

相続税がかかる財産の明細書
（相続時精算課税適用財産を除きます。）

被相続人 山野太郎

第11表

○相続時精算課税適用財産の明細については、この表によらず第11の2表に記載します。

この表は、相続や遺贈によって取得した財産及び相続や遺贈によって取得したものとみなされる財産のうち、相続税のかかるものについての明細を記入します。

遺産の分割状況				
区分	1 全部分割	2 一部分割	3 全部未分割
分割の日	・・	・・	

種類	細目	利用区分、銘柄等	所在場所等	数量 / 固定資産税評価額	単価 / 倍数	価額	取得した人の氏名	取得財産の価額
その他の財産	その他	普通乗用車（○年型×××）	東京都豊島区東池袋1丁目33番4号	1台 円	円	円 860,000	山野一郎	円 860,000
〃	〃	電話加入権（3981－××××）	〃	1基		1,500	山野花子	1,500
	（小計）					(9,911,500)		
((計))						((91,929,770))		
[[合計]]						[[456,336,751]]		

合計表		（各人の合計）	山野花子	山野一郎	川田咲子	山野次郎	
財産を取得した人の氏名							
分割財産の価額	①	円 456,336,751	円 217,474,314	円 83,654,821	円 47,408,019	円 107,799,597	円
未分割財産の価額	②						
各人の取得財産の価額（①＋②）	③	456,336,751	217,474,314	83,654,821	47,408,019	107,799,597	

（注）1 「合計表」の各人の③欄の金額を第1表のその人の「取得財産の価額①」欄に転記します。
2 「財産の明細」の「価額」欄は、財産の細目、種類ごとに小計及び計を付し、最後に合計を付して、それらの金額を第15表の①から㉘までの該当欄に転記します。

〔書式63〕

債務及び葬式費用の明細書

被相続人	山野太郎

1 債務の明細（この表は、被相続人の債務について、その明細と負担する人の氏名及び金額を記入します。）

債務の明細						負担することが確定した債務	
種類	細目	債権者 氏名又は名称	債権者 住所又は所在地	発生年月日 / 弁済期限	金額	負担する人の氏名	負担する金額
公租公課	2年度分固定資産税	豊島都税事務所		2・1・1 / ・・	420,500円	山野一郎	420,500円
〃	〃	新宿都税事務所		2・1・1 / ・・	987,700	山野次郎	987,700
〃	〃	大滝村役場		2・1・1 / ・・	13,100	川田咲子	13,100
〃	2年分所得税（準確定申告）	豊島税務署		2・10・20 / ・・	105,400	山野花子	105,400
〃	2年度分住民税	豊島区役所		2・1・1 / ・・	654,900	〃	654,900
銀行借入金	証書借入れ	○○銀行池袋支店	東京都豊島区○○1丁目1番1号	21・10・20 / 10・10・20	22,489,725	山野次郎	22,489,725
合計					24,671,325		

2 葬式費用の明細（この表は、被相続人の葬式に要した費用について、その明細と負担する人の氏名及び金額を記入します。）

葬式費用の明細				負担することが確定した葬式費用	
支払先 氏名又は名称	支払先 住所又は所在地	支払年月日	金額	負担する人の氏名	負担する金額
○○寺	東京都文京区○○3丁目4番5号	2・10・23	2,500,000円	山野一郎	2,500,000円
○○酒店	東京都豊島区○○3丁目6番6号	2・10・23	165,800	〃	165,800
○○タクシー	東京都新宿区○○5丁目4番3号	2・10・23	147,600	〃	147,600
○○葬祭センター	東京都中野区○○7丁目8番9号	2・10・26	2,236,000	〃	2,236,000
○○商店	東京都豊島区○○2丁目3番4号	2・10・26	109,750	〃	109,750
その他の費用		・・	227,965	〃	227,965
合計			5,387,115		

3 債務及び葬式費用の合計額

債務などを承継した人の氏名		(各人の合計)	山野花子	山野一郎	川田咲子	山野次郎
債務 負担することが確定した債務	①	24,671,325円	760,300円	420,500円	13,100円	23,477,425円
債務 負担することが確定していない債務	②					
債務 計（①＋②）	③	24,671,325	760,300	420,500	13,100	23,477,425
葬式費用 負担することが確定した葬式費用	④	5,387,115		5,387,115		
葬式費用 負担することが確定していない葬式費用	⑤					
葬式費用 計（④＋⑤）	⑥	5,387,115		5,387,115		
合計（③＋⑥）	⑦	30,058,440	760,300	5,807,615	13,100	23,477,425

(注) 1 各人の⑦欄の金額を第1表のその人の「債務及び葬式費用の金額③」欄に転記します。
2 ③、⑥及び⑦欄の金額を第15表の㉟、㊱及び㊲欄にそれぞれ転記します。

〔書式64〕

純資産価額に加算される暦年課税分の贈与財産価額及び特定贈与財産価額
出資持分の定めのない法人などに遺贈した財産
特定の公益法人などに寄附した相続財産・特定公益信託のために支出した相続財産 の明細書

被相続人 山野太郎

第14表

1 純資産価額に加算される暦年課税分の贈与財産価額及び特定贈与財産価額の明細

この表は、相続、遺贈や相続時精算課税に係る贈与によって財産を取得した人(注)が、その相続開始前3年以内に被相続人から暦年課税に係る贈与によって取得した財産がある場合に記入します。

(注) 被相続人から租税特別措置法第70条の2の2(直系尊属から教育資金の一括贈与を受けた場合の贈与税の非課税)第10項第2号に規定する管理残額及び同法第70条の2の3(直系尊属から結婚・子育て資金の一括贈与を受けた場合の贈与税の非課税)第10項第2号に規定する管理残額以外の財産を取得しなかった人は除きます(相続時精算課税に係る贈与によって財産を取得している人を除きます。)。

番号	贈与を受けた人の氏名	贈与年月日	相続開始前3年以内に暦年課税に係る贈与を受けた財産の明細 種類	細目	所在場所等	数量	①価額	② ①の価額のうち特定贈与財産の価額	③ 相続税の課税価格に加算される価額(①−②)
1	山野花子	29・11・7	有価証券	その他の株式 ○○建設㈱	○○証券 池袋支店	2,000株	1,124,000円	円	1,124,000円
2	川田咲子	30・5・10	現金・預貯金	現金	豊島区東池袋 1丁目33番4号		3,000,000		3,000,000
3	山野次郎	1・9・20	有価証券	その他の株式 ○○食品㈱	○○証券 池袋支店	3,000株	2,775,000		2,775,000
4		・・							

贈与を受けた人ごとの③欄の合計額	(各人の合計)	山野花子	川田咲子	山野次郎	
④金額	6,899,000円	1,124,000円	3,000,000円	2,775,000円	円

(上記「②」欄において、相続開始の年に被相続人から贈与によって取得した居住用不動産や金銭の全部又は一部を特定贈与財産としている場合には、次の事項について、「(受贈配偶者)」及び「(受贈財産の番号)」の欄に所定の記入をすることにより確認します。)

(受贈配偶者) (受贈財産の番号)

私[　　　]は、相続開始の年に被相続人から贈与によって取得した上記[　]の特定贈与財産の価額については贈与税の課税価格に算入します。

なお、私は、相続開始の年の前年以前に被相続人からの贈与について相続税法第21条の6第1項の規定の適用を受けていません。

(注) ④欄の金額を第1表のその人の「純資産価額に加算される暦年課税分の贈与財産価額⑤」欄及び第15表の㊴欄にそれぞれ転記します。

2 出資持分の定めのない法人などに遺贈した財産の明細

この表は、被相続人が人格のない社団又は財団や学校法人、社会福祉法人、宗教法人などの出資持分の定めのない法人に遺贈した財産のうち、相続税がかからないものの明細を記入します。

遺贈した財産の明細 種類	細目	所在場所等	数量	価額	出資持分の定めのない法人などの所在地、名称
				円	
		合計			

3 特定の公益法人などに寄附した相続財産又は特定公益信託のために支出した相続財産の明細

私は、下記に掲げる相続財産を、相続税の申告期限までに、

(1) 国、地方公共団体又は租税特別措置法施行令第40条の3に規定する法人に対して寄附をしましたので、租税特別措置法第70条第1項の規定の適用を受けます。

(2) 租税特別措置法施行令第40条の4第3項の要件に該当する特定公益信託の信託財産とするために支出しましたので、租税特別措置法第70条第3項の規定の適用を受けます。

(3) 特定非営利活動促進法第2条第3項に規定する認定特定非営利活動法人に対して寄附をしましたので、租税特別措置法第70条第10項の規定の適用を受けます。

寄附(支出)年月日	寄附(支出)した財産の明細 種類	細目	所在場所等	数量	価額	公益法人等の所在地・名称(公益信託の受託者及び名称)	寄附(支出)をした相続人等の氏名
・・					円		
・・							
			合計				

(注) この特例の適用を受ける場合には、期限内申告書に一定の受領書、証明書類等の添付が必要です。

第14表(令元.7) (資4−20−15−A4統一)

〔書式65〕

相続財産の種類別価額表（この表は、第11表から第14表までの記載に基づいて記入します。）

FD3537

第15表

○この申告書は機械で読み取りますので、黒ボールペンで記入してください。

（単位は円）

種類	細目	番号	被相続人　山野太郎 各人の合計	（氏名）山野花子
※	整理番号		被相続人	
土地（土地の上に存する権利を含みます。）	田	①		
	畑	②		
	宅地	③	95773076	7018030
	山林	④		
	その他の土地	⑤	18795000	
	計	⑥	114568076	7018030
	⑥のうち特例農地等　通常価額	⑦		
	⑥のうち特例農地等　農業投資価格による価額	⑧		
家屋、構築物		⑨	20723500	6796300
事業（農業）用財産	機械、器具、農耕具、その他の減価償却資産	⑩		
	商品、製品、半製品、原材料、農産物等	⑪		
	売掛金	⑫		
	その他の財産	⑬		
	計	⑭		
有価証券	特定同族会社の株式及び出資　配当還元方式によったもの	⑮		
	特定同族会社の株式及び出資　その他の方式によったもの	⑯	64820000	46300000
	⑮及び⑯以外の株式及び出資	⑰	36704000	19300000
	公債及び社債	⑱	51545100	19376200
	証券投資信託、貸付信託の受益証券	⑲	10220700	10220700
	計	⑳	163289800	95196900
現金、預貯金等		㉑	64325605	44611250
家庭用財産		㉒	1500000	1500000
その他の財産	生命保険金等	㉓	52018270	32350334
	退職手当金等	㉔	30000000	30000000
	立木	㉕		
	その他	㉖	9911500	1500
	計	㉗	91929770	62351834
合計（⑥＋⑨＋⑭＋⑳＋㉑＋㉒＋㉗）		㉘	456336751	217474314
相続時精算課税適用財産の価額		㉙		
不動産等の価額（⑥＋⑨＋⑩＋⑮＋⑯＋㉕）		㉚	200111576	60114330
⑯のうち株式等納税猶予対象の株式等の価額の80％の額		㉛		
⑰のうち株式等納税猶予対象の株式等の価額の80％の額		㉜		
⑯のうち特例株式等納税猶予対象の株式等の価額		㉝		
⑰のうち特例株式等納税猶予対象の株式等の価額		㉞		
債務等	債務	㉟	24671325	760300
	葬式費用	㊱	5387115	
	合計（㉟＋㊱）	㊲	30058440	760300
差引純資産価額（㉘＋㉙－㊲）（赤字のときは0）		㊳	426278311	216714014
純資産価額に加算される暦年課税分の贈与財産価額		㊴	6899000	1124000
課税価格（㊳＋㊴）（1,000円未満切捨て）		㊵	433176000	217838000

※税務署整理欄	申告区分		年分		名簿番号		申告年月日		グループ番号	

※の項目は記入する必要がありません。

〔書式66〕

第15表（続）

相続財産の種類別価額表（続）（この表は、第11表から第14表までの記載に基づいて記入します。）

F D 3 5 3 8

（単位は円）

被相続人　山野太郎

種類	細目		番号	（氏名）山野一郎	（氏名）川田咲子
※	整理番号				
土地（土地の上に存する権利を含みます。）	田		①		
	畑		②		
	宅地		③	7018030	
	山林		④		
	その他の土地		⑤		1879500
	計		⑥	7018030	1879500
	⑥のうち特例農地等	通常価額	⑦		
		農業投資価格による価額	⑧		
家屋、構築物			⑨		
事業（農業）用財産	機械、器具、農耕具、その他の減価償却資産		⑩		
	商品、製品、半製品、原材料、農産物等		⑪		
	売掛金		⑫		
	その他の財産		⑬		
	計		⑭		
有価証券	特定同族会社の株式及び出資	配当還元方式によったもの	⑮		
		その他の方式によったもの	⑯	18520000	
	⑮及び⑯以外の株式及び出資		⑰	11580000	5824000
	公債及び社債		⑱	32168900	
	証券投資信託、貸付信託の受益証券		⑲		
	計		⑳	62268900	5824000
現金、預貯金等			㉑	5107891	11954629
家庭用財産			㉒		
その他の財産	生命保険金等		㉓		10834390
	退職手当金等		㉔		
	立木		㉕		
	その他		㉖	9260000	
	計		㉗	9260000	10834390
合計（⑥+⑨+⑭+⑳+㉑+㉒+㉗）			㉘	83654821	47408019
相続時精算課税適用財産の価額			㉙		
不動産等の価額（⑥+⑨+⑩+⑮+⑯+㉕）			㉚	25538030	1879500
⑯のうち株式等納税猶予対象の株式等の価額の80％の額			㉛		
⑰のうち株式等納税猶予対象の株式等の価額の80％の額			㉜		
⑯のうち特例株式等納税猶予対象の株式等の価額			㉝		
⑰のうち特例株式等納税猶予対象の株式等の価額			㉞		
債務等	債務		㉟	420500	13100
	葬式費用		㊱	5387115	
	合計（㉟＋㊱）		㊲	5807615	13100
差引純資産価額（㉘+㉙−㊲）（赤字のときは0）			㊳	77847206	47394919
純資産価額に加算される暦年課税分の贈与財産価額			㊴		3000000
課税価格（㊳+㊴）（1,000円未満切捨て）			㊵	77847000	50394000

※税務署整理欄	申告区分		年分		名簿番号		申告年月日		グループ番号	

〇この申告書は機械で読み取りますので、黒ボールペンで記入してください。

※の項目は記入する必要がありません。

相続財産の種類別価額表（続）（この表は、第11表から第14表までの記載に基づいて記入します。）

FD3538

第15表（続）

（単位は円）

○この申告書は機械で読み取りますので、黒ボールペンで記入してください。

種類	細目	番号	被相続人 山野太郎（氏名）山野次郎	（氏名）
※	整理番号			
土地（土地の上に存する権利を含みます。）	田	①		
	畑	②		
	宅地	③	81737016	
	山林	④		
	その他の土地	⑤		
	計	⑥	81737016	
	⑥のうち特例農地等 通常価額	⑦		
	⑥のうち特例農地等 農業投資価格による価額	⑧		
家屋、構築物		⑨	13927200	
事業（農業）用財産	機械、器具、農耕具、その他の減価償却資産	⑩		
	商品、製品、半製品、原材料、農産物等	⑪		
	売掛金	⑫		
	その他の財産	⑬		
	計	⑭		
有価証券	特定同族会社の株式及び出資 配当還元方式によったもの	⑮		
	特定同族会社の株式及び出資 その他の方式によったもの	⑯		
	⑮及び⑯以外の株式及び出資	⑰		
	公債及び社債	⑱		
	証券投資信託、貸付信託の受益証券	⑲		
	計	⑳		
現金、預貯金等		㉑	2651835	
家庭用財産		㉒		
その他の財産	生命保険金等	㉓	8833546	
	退職手当金等	㉔		
	立木	㉕		
	その他	㉖	650000	
	計	㉗	9483546	
合計（⑥+⑨+⑭+⑳+㉑+㉒+㉗）		㉘	107799597	
相続時精算課税適用財産の価額		㉙		
不動産等の価額（⑥+⑨+⑩+⑮+⑯+㉕）		㉚	95664216	
⑯のうち株式等納税猶予対象の株式等の価額の80％の額		㉛		
⑰のうち株式等納税猶予対象の株式等の価額の80％の額		㉜		
⑯のうち特例株式等納税猶予対象の株式等の価額		㉝		
⑰のうち特例株式等納税猶予対象の株式等の価額		㉞		
債務等	債務	㉟	23477425	
	葬式費用	㊱		
	合計（㉟+㊱）	㊲	23477425	
差引純資産価額（㉘+㉙−㊲）（赤字のときは0）		㊳	84322172	
純資産価額に加算される暦年課税分の贈与財産価額		㊴	2775000	
課税価格（㊳+㊴）（1,000円未満切捨て）		㊵	87097000	000

※の項目は記入する必要がありません。

※税務署整理欄	申告区分		年分		名簿番号		申告年月日		グループ番号	

〔書式67〕

暦年課税分の贈与税額控除額の計算書

被相続人　山　野　太　郎

第4表の2

この表は、第14表の「1 純資産価額に加算される暦年課税分の贈与財産価額及び特定贈与財産価額の明細」欄に記入した財産のうち相続税の課税価格に加算されるものについて、贈与税が課税されている場合に記入します。

控除を受ける人の氏名			山野花子	川田咲子	山野次郎
相続開始の年の前年分（1年分）	贈与税の申告書の提出先		税務署	税務署	王子 税務署
	被相続人から暦年課税に係る贈与によって租税特別措置法第70条の2の5第1項の規定の適用を受ける財産（特例贈与財産）を取得した場合				
	相続開始の年の前年中に暦年課税に係る贈与によって取得した特例贈与財産の価額の合計額	①	円	円	2,775,000 円
	①のうち被相続人から暦年課税に係る贈与によって取得した特例贈与財産の価額の合計額（贈与税額の計算の基礎となった価額）	②			2,775,000
	その年分の暦年課税分の贈与税額（裏面の「2」参照）	③			167,500
	控除を受ける贈与税額（特例贈与財産分）（③×②÷①）	④			167,500
	被相続人から暦年課税に係る贈与によって租税特別措置法第70条の2の5第1項の規定の適用を受けない財産（一般贈与財産）を取得した場合				
	相続開始の年の前年中に暦年課税に係る贈与によって取得した一般贈与財産の価額の合計額（贈与税の配偶者控除後の金額）	⑤	円	円	円
	⑤のうち被相続人から暦年課税に係る贈与によって取得した一般贈与財産の価額の合計額（贈与税額の計算の基礎となった価額）	⑥			
	その年分の暦年課税分の贈与税額（裏面の「3」参照）	⑦			
	控除を受ける贈与税額（一般贈与財産分）（⑦×⑥÷⑤）	⑧			
相続開始の年の前々年分（30年分）	贈与税の申告書の提出先		税務署	川口 税務署	税務署
	被相続人から暦年課税に係る贈与によって租税特別措置法第70条の2の5第1項の規定の適用を受ける財産（特例贈与財産）を取得した場合				
	相続開始の年の前々年中に暦年課税に係る贈与によって取得した特例贈与財産の価額の合計額	⑨	円	3,000,000 円	円
	⑨のうち被相続人から暦年課税に係る贈与によって取得した特例贈与財産の価額の合計額（贈与税額の計算の基礎となった価額）	⑩		3,000,000	
	その年分の暦年課税分の贈与税額（裏面の「2」参照）	⑪		190,000	
	控除を受ける贈与税額（特例贈与財産分）（⑪×⑩÷⑨）	⑫		190,000	
	被相続人から暦年課税に係る贈与によって租税特別措置法第70条の2の5第1項の規定の適用を受けない財産（一般贈与財産）を取得した場合				
	相続開始の年の前々年中に暦年課税に係る贈与によって取得した一般贈与財産の価額の合計額（贈与税の配偶者控除後の金額）	⑬	円	円	円
	⑬のうち被相続人から暦年課税に係る贈与によって取得した一般贈与財産の価額の合計額（贈与税額の計算の基礎となった価額）	⑭			
	その年分の暦年課税分の贈与税額（裏面の「3」参照）	⑮			
	控除を受ける贈与税額（一般贈与財産分）（⑮×⑭÷⑬）	⑯			
相続開始の年の前々々年分（29年分）	贈与税の申告書の提出先		豊島 税務署	税務署	税務署
	被相続人から暦年課税に係る贈与によって租税特別措置法第70条の2の5第1項の規定の適用を受ける財産（特例贈与財産）を取得した場合				
	相続開始の年の前々々年中に暦年課税に係る贈与によって取得した特例贈与財産の価額の合計額	⑰	円	円	円
	⑰のうち相続開始の日から遡って3年前の日以後に被相続人から暦年課税に係る贈与によって取得した特例贈与財産の価額の合計額（贈与税額の計算の基礎となった価額）	⑱			
	その年分の暦年課税分の贈与税額（裏面の「2」参照）	⑲			
	控除を受ける贈与税額（特例贈与財産分）（⑲×⑱÷⑰）	⑳			
	被相続人から暦年課税に係る贈与によって租税特別措置法第70条の2の5第1項の規定の適用を受けない財産（一般贈与財産）を取得した場合				
	相続開始の年の前々々年中に暦年課税に係る贈与によって取得した一般贈与財産の価額の合計額（贈与税の配偶者控除後の金額）	㉑	2,124,000 円	円	円
	㉑のうち相続開始の日から遡って3年前の日以後に被相続人から暦年課税に係る贈与によって取得した一般贈与財産の価額の合計額（贈与税額の計算の基礎となった価額）	㉒	1,124,000		
	その年分の暦年課税分の贈与税額（裏面の「3」参照）	㉓	102,400		
	控除を受ける贈与税額（一般贈与財産分）（㉓×㉒÷㉑）	㉔	54,189		
暦年課税分の贈与税額控除額計（④＋⑧＋⑫＋⑯＋⑳＋㉔）		㉕	54,189 円	190,000 円	167,500 円

（注）各人の㉕欄の金額を第1表のその人の「暦年課税分の贈与税額控除額⑫」欄に転記します。

第4表の2（令元.7）　　（資4－20－5－3－A4 統一）

〔書式68〕

配偶者の税額軽減額の計算書

被相続人 山野太郎

第5表

私は、相続税法第19条の2第1項の規定による配偶者の税額軽減の適用を受けます。

1 一般の場合

（この表は、①被相続人から相続、遺贈や相続時精算課税に係る贈与によって財産を取得した人のうちに農業相続人がいない場合又は②配偶者が農業相続人である場合に記入します。）

課税価格の合計額のうち配偶者の法定相続分相当額	（第1表のⒶの金額）433,176,000円 × 〔配偶者の法定相続分〕1/2 = 216,588,000円 上記の金額が16,000万円に満たない場合には、16,000万円	㋑※ 216,588,000円

配偶者の税額軽減額を計算する場合の課税価格	① 分割財産の価額（第11表の配偶者の①の金額）	② 債務及び葬式費用の金額（第1表の配偶者の③の金額）	③ 未分割財産の価額（第11表の配偶者の②の金額）	④ （②－③）の金額（③の金額が②の金額より大きいときは0）	⑤ 純資産価額に加算される暦年課税分の贈与財産価額（第1表の配偶者の⑤の金額）	⑥ （①－④＋⑤）の金額（⑤の金額より小さいときは⑤の金額）（1,000円未満切捨て）
	217,474,314円	760,300円	円	760,300円	1,124,000円	※ 217,838,000円

（②〜④は「分割財産の価額から控除する債務及び葬式費用の金額」）

⑦ 相続税の総額（第1表の⑦の金額）	⑧ ㋑の金額と⑥の金額のうちいずれか少ない方の金額	⑨ 課税価格の合計額（第1表のⒶの金額）	⑩ 配偶者の税額軽減の基となる金額（⑦×⑧÷⑨）
94,711,600円	216,588,000円	433,176,000円	47,355,800円

配偶者の税額軽減の限度額	（第1表の配偶者の⑨又は⑩の金額）（第1表の配偶者の⑫の金額） （48,302,916円 － 54,189円）	㋺ 48,248,727円
配偶者の税額軽減額	（⑩の金額と㋺の金額のうちいずれか少ない方の金額）	㋩ 47,355,800円

（注）㋩の金額を第1表の配偶者の「配偶者の税額軽減額⑬」欄に転記します。

2 配偶者以外の人が農業相続人である場合

（この表は、被相続人から相続、遺贈や相続時精算課税に係る贈与によって財産を取得した人のうちに農業相続人がいる場合で、かつ、その農業相続人が配偶者以外の場合に記入します。）

課税価格の合計額のうち配偶者の法定相続分相当額	（第3表のⒶの金額）,000円 × 〔配偶者の法定相続分〕 = 円 上記の金額が16,000万円に満たない場合には、16,000万円	㊁※ 円

配偶者の税額軽減額を計算する場合の課税価格	⑪ 分割財産の価額（第11表の配偶者の①の金額）	⑫ 債務及び葬式費用の金額（第1表の配偶者の③の金額）	⑬ 未分割財産の価額（第11表の配偶者の②の金額）	⑭ （⑫－⑬）の金額（⑬の金額が⑫の金額より大きいときは0）	⑮ 純資産価額に加算される暦年課税分の贈与財産価額（第1表の配偶者の⑤の金額）	⑯ （⑪－⑭＋⑮）の金額（⑮の金額より小さいときは⑮の金額）（1,000円未満切捨て）
	円	円	円	円	円	※ ,000円

（⑫〜⑭は「分割財産の価額から控除する債務及び葬式費用の金額」）

⑰ 相続税の総額（第3表の⑦の金額）	⑱ ㊁の金額と⑯の金額のうちいずれか少ない方の金額	⑲ 課税価格の合計額（第3表のⒶの金額）	⑳ 配偶者の税額軽減の基となる金額（⑰×⑱÷⑲）
00円	円	,000円	円

配偶者の税額軽減の限度額	（第1表の配偶者の⑩の金額）（第1表の配偶者の⑫の金額） （　円 － 　円）	㋭ 円
配偶者の税額軽減額	（⑳の金額と㋭の金額のうちいずれか少ない方の金額）	㋬ 円

（注）㋬の金額を第1表の配偶者の「配偶者の税額軽減額⑬」欄に転記します。

※ 相続税法第19条の2第5項（（隠蔽又は仮装があった場合の配偶者の相続税額の軽減の不適用））の規定の適用があるときには、「課税価格の合計額のうち配偶者の法定相続分相当額」の（第1表のⒶの金額）、⑥、⑦、⑨、「課税価格の合計額のうち配偶者の法定相続分相当額」の（第3表のⒶの金額）、⑯、⑰及び⑲の各欄は、第5表の付表で計算した金額を転記します。

〔書式69〕

未成年者控除額 障害者控除額 の計算書

被相続人	山野太郎

第6表

1 未成年者控除

（この表は、相続、遺贈や相続時精算課税に係る贈与によって財産を取得した法定相続人のうちに、満20歳にならない人がいる場合に記入します。）

未成年者の氏名						計
年齢（1年未満切捨て）	①	歳	歳	歳	歳	
未成年者控除額	②	10万円×（20歳−＿＿歳）＝ 0,000円	10万円×（20歳−＿＿歳）＝ 0,000円	10万円×（20歳−＿＿歳）＝ 0,000円	10万円×（20歳−＿＿歳）＝ 0,000円	円 0,000
未成年者の第1表の（⑨＋⑪−⑫−⑬）又は（⑩＋⑪−⑫−⑬）の相続税額	③	円	円	円	円	円

（注）1 過去に未成年者控除の適用を受けた人は、②欄の控除額に制限がありますので、「相続税の申告のしかた」をご覧ください。
2 ②欄の金額と③欄の金額のいずれか少ない方の金額を、第1表のその未成年者の「未成年者控除額⑭」欄に転記します。
3 ②欄の金額が③欄の金額を超える人は、その超える金額（②−③の金額）を次の④欄に記入します。

控除しきれない金額（②−③）	④	円	円	円	円	計 Ⓐ 円

（扶養義務者の相続税額から控除する未成年者控除額）
Ⓐ欄の金額は、未成年者の扶養義務者の相続税額から控除することができますから、その金額を扶養義務者間で協議の上、適宜配分し、次の⑥欄に記入します。

扶養義務者の氏名						計
扶養義務者の第1表の（⑨＋⑪−⑫−⑬）又は（⑩＋⑪−⑫−⑬）の相続税額	⑤	円	円	円	円	円
未成年者控除額	⑥					

（注）各人の⑥欄の金額を未成年者控除を受ける扶養義務者の第1表の「未成年者控除額⑭」欄に転記します。

2 障害者控除

（この表は、相続、遺贈や相続時精算課税に係る贈与によって財産を取得した法定相続人のうちに、一般障害者又は特別障害者がいる場合に記入します。）

		一般障害者		特別障害者		計
障害者の氏名		山野次郎				
年齢（1年未満切捨て）	①	34 歳	歳	歳	歳	
障害者控除額	②	10万円×（85歳−34歳）＝ 5,10 0,000円	10万円×（85歳−＿＿歳）＝ 0,000円	20万円×（85歳−＿＿歳）＝ 0,000円	20万円×（85歳−＿＿歳）＝ 0,000円	円 0,000
障害者の第1表の（⑨＋⑪−⑫−⑬−⑭）又は（⑩＋⑪−⑫−⑬−⑭）の相続税額	③	円 16,254,820	円	円	円	円

（注）1 過去に障害者控除の適用を受けた人の控除額は、②欄により計算した金額とは異なりますので税務署にお尋ねください。
2 ②欄の金額と③欄の金額のいずれか少ない方の金額を、第1表のその障害者の「障害者控除額⑮」欄に転記します。
3 ②欄の金額が③欄の金額を超える人は、その超える金額（②−③の金額）を次の④欄に記入します。

控除しきれない金額（②−③）	④	円	円	円	円	計 Ⓐ 円

（扶養義務者の相続税額から控除する障害者控除額）
Ⓐ欄の金額は、障害者の扶養義務者の相続税額から控除することができますから、その金額を扶養義務者間で協議の上、適宜配分し、次の⑥欄に記入します。

扶養義務者の氏名						計
扶養義務者の第1表の（⑨＋⑪−⑫−⑬−⑭）又は（⑩＋⑪−⑫−⑬−⑭）の相続税額	⑤	円	円	円	円	円
障害者控除額	⑥					

（注）各人の⑥欄の金額を障害者控除を受ける扶養義務者の第1表の「障害者控除額⑮」欄に転記します。

第6表（令元.7）　（資4−20−7−A4統一）

〔書式70〕

相次相続控除額の計算書

被相続人 山野太郎

第7表

この表は、被相続人が今回の相続の開始前10年以内に開始した前の相続について、相続税を課税されている場合に記入します。

1 相次相続控除額の総額の計算

前の相続に係る被相続人の氏名	前の相続に係る被相続人と今回の相続に係る被相続人との続柄	前の相続に係る相続税の申告書の提出先
山野太一郎	山野太郎の父	豊島 税務署

① 前の相続の年月日	② 今回の相続の年月日	③ 前の相続から今回の相続までの期間（1年未満切捨て）	④ 10年 － ③ の年数
平成24年6月25日	令和2年10月20日	8 年	2 年

⑤ 被相続人が前の相続の時に取得した純資産価額（相続時精算課税適用財産の価額を含みます。）	⑥ 前の相続の際の被相続人の相続税額	⑦ （⑤－⑥）の金額	⑧ 今回の相続、遺贈や相続時精算課税に係る贈与によって財産を取得した全ての人の純資産価額の合計額（第1表の④の合計金額）
100,296,315 円	7,260,200 円	93,036,115 円	426,278,311 円

（⑥の相続税額）7,260,200円 × （⑧の金額）426,278,311円 ／ （⑦の金額）93,036,115円 （この割合が1を超えるときは1とします。） × （④の年数）2年 ／ 10年 ＝

相次相続控除額の総額 Ⓐ 1,452,040 円

2 各相続人の相次相続控除額の計算

(1) 一般の場合（この表は、被相続人から相続、遺贈や相続時精算課税に係る贈与によって財産を取得した人のうちに農業相続人がいない場合に、財産を取得した相続人の全ての人が記入します。）

今回の相続の被相続人から財産を取得した相続人の氏名	⑨ 相次相続控除額の総額	⑩ 各相続人の純資産価額（第1表の各人の④の金額）	⑪ 相続人以外の人も含めた純資産価額の合計額（第1表の④の各人の合計）	⑫ 各人の⑩／Ⓑ の割合	⑬ 各人の相次相続控除額（⑨×各人の⑫の割合）
山野花子	（上記Ⓐの金額）1,452,040 円	216,714,014 円	Ⓑ 426,278,311 円	0.508386	738,197 円
山野一郎		77,847,206		0.182621	265,173
川田咲子		47,394,919		0.111183	161,442
山野次郎		84,322,172		0.197810	287,228

(2) 相続人のうちに農業相続人がいる場合（この表は、被相続人から相続、遺贈や相続時精算課税に係る贈与によって財産を取得した人のうちに農業相続人がいる場合に、財産を取得した相続人の全ての人が記入します。）

今回の相続の被相続人から財産を取得した相続人の氏名	⑭ 相次相続控除額の総額	⑮ 各相続人の純資産価額（第3表の各人の④の金額）	⑯ 相続人以外の人も含めた純資産価額の合計額（第3表の④の各人の合計）	⑰ 各人の⑮／Ⓒ の割合	⑱ 各人の相次相続控除額（⑭×各人の⑰の割合）
	（上記Ⓐの金額）円	円	Ⓒ 円		円

（注）1 ⑥欄の相続税額は、相続時精算課税分の贈与税額控除後の金額をいい、その被相続人が納税猶予の適用を受けていた場合の免除された相続税額並びに延滞税、利子税及び加算税の額は含まれません。
2 各人の⑬又は⑱欄の金額を第1表のその人の「相次相続控除額⑯」欄に転記します。

〔書式71〕

相続税の総額の計算書

被相続人　山野　太郎

第2表

○この表を修正申告書の第2表として使用するときは、㋑欄には修正申告書第1表の㋺欄の⑥Ⓐの金額を記入し、㋭欄には修正申告書第3表の1の㋺欄の⑥Ⓐの金額を記入します。

この表は、第1表及び第3表の「相続税の総額」の計算のために使用します。
なお、被相続人から相続、遺贈や相続時精算課税に係る贈与によって財産を取得した人のうちに農業相続人がいない場合は、この表の㋭欄及び㋬欄並びに⑨欄から⑪欄までは記入する必要がありません。

① 課税価格の合計額		② 遺産に係る基礎控除額		③ 課税遺産総額	
㋑（第1表⑥Ⓐ）	433,176,000円	3,000万円＋（600万円×㋺（Ⓐの法定相続人の数）4人）＝	㋩ 5,400万円	㊁（㋑－㋩）	379,176,000円
㋭（第3表⑥Ⓐ）	,000	㋺の人数及び㋩の金額を第1表Ⓑへ転記します。		㋬（㋭－㋩）	,000

④ 法定相続人（（注）1参照）氏名	被相続人との続柄	⑤ 左の法定相続人に応じた法定相続分	第1表の「相続税の総額⑦」の計算 ⑥ 法定相続分に応ずる取得金額（㊁×⑤）（1,000円未満切捨て）	⑦ 相続税の総額の基となる税額（下の「速算表」で計算します。）	第3表の「相続税の総額⑦」の計算 ⑨ 法定相続分に応ずる取得金額（㋬×⑤）（1,000円未満切捨て）	⑩ 相続税の総額の基となる税額（下の「速算表」で計算します。）
山野花子	妻	$\frac{1}{2}$	189,588,000円	58,835,200円	,000円	円
山野一郎	長男	$\frac{1}{2}\times\frac{1}{3}=\frac{1}{6}$	63,196,000	11,958,800	,000	
川田咲子	長女	$\frac{1}{2}\times\frac{1}{3}=\frac{1}{6}$	63,196,000	11,958,800	,000	
山野次郎	二男	$\frac{1}{2}\times\frac{1}{3}=\frac{1}{6}$	63,196,000	11,958,800	,000	
			,000		,000	
			,000		,000	
			,000		,000	
			,000		,000	
			,000		,000	
法定相続人の数	Ⓐ 4人	合計 1	⑧ 相続税の総額（⑦の合計額）（100円未満切捨て）	94,711,600	⑪ 相続税の総額（⑩の合計額）（100円未満切捨て）	00

(注) 1　④欄の記入に当たっては、被相続人に養子がある場合や相続の放棄があった場合には、「相続税の申告のしかた」をご覧ください。
2　⑧欄の金額を第1表⑦欄へ転記します。財産を取得した人のうちに農業相続人がいる場合は、⑧欄の金額を第1表⑦欄へ転記するとともに、⑪欄の金額を第3表⑦欄へ転記します。

相続税の速算表

法定相続分に応ずる取得金額	10,000千円以下	30,000千円以下	50,000千円以下	100,000千円以下	200,000千円以下	300,000千円以下	600,000千円以下	600,000千円超
税率	10%	15%	20%	30%	40%	45%	50%	55%
控除額	－千円	500千円	2,000千円	7,000千円	17,000千円	27,000千円	42,000千円	72,000千円

この速算表の使用方法は、次のとおりです。
⑥欄の金額×税率－控除額＝⑦欄の税額　　⑨欄の金額×税率－控除額＝⑩欄の税額
例えば、⑥欄の金額30,000千円に対する税額（⑦欄）は、30,000千円×15%－500千円＝4,000千円です。

○連帯納付義務について
相続税の納税については、各相続人等が相続、遺贈や相続時精算課税に係る贈与により受けた利益の価額を限度として、お互いに連帯して納付しなければならない義務があります。

第2表（令元.7）　　（資4－20－3－A4統一）

〔書式72〕

相続税の申告書

FD3561

豊島 税務署長
3 年 8 月 16 日提出

相続開始年月日 2 年 10 月 20 日

※申告期限延長日 年 月 日

第1表

○フリガナは、必ず記入してください。

項目	各人の合計	財産を取得した人
フリガナ	(被相続人) ヤマノ タロウ	ヤマノ ハナコ
氏名	山野 太郎	山野 花子 ㊞
個人番号又は法人番号		↓個人番号の記載に当たっては、左端を空欄としここから記入してください。
生年月日	昭27 年 5 月 16 日 (年齢 68 歳)	昭30 年 2 月 23 日 (年齢 65 歳)
住所 (電話番号)	東京都豊島区東池袋1丁目33番4号	〒170-0013 東京都豊島区東池袋1丁目33番4号 (03 − 3981 − XXXX)
被相続人との続柄 / 職業	○○産業㈱代表取締役	妻 / なし
取得原因	該当する取得原因を○で囲みます。	(相続)・遺贈・相続時精算課税に係る贈与
※整理番号		

区分	項目	番号	各人の合計 (円)	山野 花子 (円)
課税価格の計算	取得財産の価額 (第11表③)	①	456336751	217474314
	相続時精算課税適用財産の価額 (第11の2表1⑦)	②		
	債務及び葬式費用の金額 (第13表3⑦)	③	30058440	760300
	純資産価額 (①+②−③) (赤字のときは0)	④	426278311	216714014
	純資産価額に加算される暦年課税分の贈与財産価額 (第14表1④)	⑤	6899000	1124000
	課税価格 (④+⑤) (1,000円未満切捨て)	⑥	433176000 Ⓐ	217838000
各人の算出税額の計算	法定相続人の数 / 遺産に係る基礎控除額		4人 / 54000000 Ⓑ	左の欄には、第2表の②欄の回の人数及び㋩の金額を記入します。
	相続税の総額	⑦	94711600	左の欄には、第2表の⑧欄の金額を記入します。
	一般の場合 (⑩の場合を除く) あん分割合 (各人の⑥/Ⓐ)	⑧	1.00	0.51
	算出税額 (⑦×各人の⑧)	⑨	94711600	48302916
	農地等納税猶予の適用を受ける場合 算出税額 (第3表⑬)	⑩		
	相続税額の2割加算が行われる場合の加算金額 (第4表⑦)	⑪		
各人の納付・還付税額の計算	税額控除 暦年課税分の贈与税額控除額 (第4表の2㉕)	⑫	411689	54189
	配偶者の税額軽減額 (第5表㋥又は㋬)	⑬	47355800	47355800
	未成年者控除額 (第6表1②、③又は⑥)	⑭		
	障害者控除額 (第6表2②、③又は⑥)	⑮	5100000	
	相次相続控除額 (第7表⑬又は⑱)	⑯	1452040	738197
	外国税額控除額 (第8表1⑧)	⑰		
	計	⑱	54319529	48148186
	差引税額 (⑨+⑪−⑱)又は(⑩+⑪−⑱) (赤字のときは0)	⑲	40392071	154730
	相続時精算課税分の贈与税額控除額 (第11の2表1⑧)	⑳	00	00
	医療法人持分税額控除額 (第8の4表2B)	㉑		
	小計 (⑲−⑳−㉑) (黒字のときは100円未満切捨て)	㉒	40391900	154700
	納税猶予税額 (第8の8表⑧)	㉓	00	00
	申告納税額 (㉒−㉓) 申告期限までに納付すべき税額	㉔	40391900	154700
	還付される税額	㉕	△	△

○この申告書は機械で読み取りますので、黒ボールペンで記入してください。
また、申告書と添付資料を一緒にとじないでください。

※の項目は記入する必要がありません。

※税務署整理欄: 申告区分 / 年分 / グループ番号 / 補完番号 / 名簿番号 / 申告年月日 / 関与区分 / 書面添付 / 検算印 / 管理補完 / 確認

※税務署整理欄 通信日付印 年月日 (確認者印)

作成税理士の事務所所在地・署名押印・電話番号 ㊞

□ 税理士法第30条の書面提出有
□ 税理士法第33条の2の書面提出有

(資4−20−1−1−A4統一) 第1表 (令元.7)

〔書式73〕

相続税の申告書(続)

FD3562

		※申告期限延長日　年　月　日	※申告期限延長日　年　月　日
○フリガナは、必ず記入してください。		財産を取得した人	財産を取得した人
フリガナ		ヤマノ　イチロウ	カワダ　サキコ
氏名		山野　一郎　㊞	川田　咲子　㊞
個人番号又は法人番号		↓個人番号の記載に当たっては、左端を空欄としここから記入してください。	↓個人番号の記載に当たっては、左端を空欄としここから記入してください。
生年月日		昭54年12月18日(年齢40歳)	昭58年3月30日(年齢37歳)
住所(電話番号)		〒170-0013 東京都豊島区東池袋1丁目33番4号 (03 − 3981 − XXXX)	〒332-0017 埼玉県川口市栄町3丁目11番17号 (048 − 256 − XXXX)
被相続人との続柄 / 職業		長男 / 会社員	長女 / なし
取得原因		(相続)・遺贈・相続時精算課税に係る贈与	(相続)・遺贈・相続時精算課税に係る贈与
※整理番号			
課税価格の計算	取得財産の価額(第11表③) ①	83654821円	47408019円
	相続時精算課税適用財産の価額(第11の2表1⑦) ②		
	債務及び葬式費用の金額(第13表3⑦) ③	5807615	13100
	純資産価額(①+②−③)(赤字のときは0) ④	77847206	47394919
	純資産価額に加算される暦年課税分の贈与財産価額(第14表1④) ⑤		3000000
	課税価格(④+⑤)(1,000円未満切捨て) ⑥	77847000	50394000
各人の算出税額の計算	法定相続人の数 / 遺産に係る基礎控除額		
	相続税の総額 ⑦		
	一般の場合(⑩の場合を除く) あん分割合(各人の⑥/Ⓐ) ⑧	0.18	0.11
	算出税額(⑦×各人の⑧) ⑨	17048088円	10418276円
	農地等納税猶予の適用を受ける場合 算出税額(第3表⑬) ⑩		
	相続税額の2割加算が行われる場合の加算金額(第4表⑦) ⑪	円	円
各人の納付・還付税額の計算	税額控除 暦年課税分の贈与税額控除額(第4表の2㉕) ⑫		190000
	配偶者の税額軽減額(第5表㋥又は㋬) ⑬		
	未成年者控除額(第6表1②、③又は⑥) ⑭		
	障害者控除額(第6表2②、③又は⑥) ⑮		
	相次相続控除額(第7表⑬又は⑱) ⑯	265173	161442
	外国税額控除額(第8表1⑧) ⑰		
	計 ⑱	265173	351442
	差引税額(⑨+⑪−⑱)又は(⑩+⑪−⑱)(赤字のときは0) ⑲	16782915	10066834
	相続時精算課税分の贈与税額控除額(第11の2表1⑧) ⑳	00	00
	医療法人持分税額控除額(第8の4表2B) ㉑		
	小計(⑲−⑳−㉑)(黒字のときは100円未満切捨て) ㉒	16782900	10066800
	納税猶予税額(第8の8表⑧) ㉓	00	00
	申告納税額(㉒−㉓) 申告期限までに納付すべき税額 ㉔	16782900	10066800
	還付される税額 ㉕	△	△

○この申告書は機械で読み取りますので、黒ボールペンで記入してください。

※の項目は記入する必要がありません。

※税務署整理欄	申告区分	年分	グループ番号	補完番号	補完番号
	名簿番号	申告年月日	管理補完 / 確認	検算印	管理補完 / 確認

(資4−20−2−1−A4統一)第1表(続)(令元.7)

○この申告書は機械で読み取りますので、黒ボールペンで記入してください。

相続税の申告書(続)

F D 3 5 6 2

第1表（続）

○フリガナは、必ず記入してください。

項目		※申告期限延長日　年　月　日	※申告期限延長日　年　月　日
		財産を取得した人	財産を取得した人
フリガナ		ヤマノ　ジロウ	
氏名		山野　次郎　㊞	㊞
個人番号又は法人番号		↓個人番号の記載に当たっては、左端を空欄としここから記入してください。	↓個人番号の記載に当たっては、左端を空欄としここから記入してください。
生年月日		昭61年5月2日（年齢34歳）	年　月　日（年齢　歳）
住所（電話番号）		〒114-0023 東京都北区滝野川7丁目1番8号 （03 － 3915 － XXXX）	〒 （　－　－　）
被相続人との続柄／職業		二男／地方公務員	
取得原因		(相続)・遺贈・相続時精算課税に係る贈与	相続・遺贈・相続時精算課税に係る贈与
※整理番号			
課税価格の計算　取得財産の価額（第11表③）	①	107799597円	円
相続時精算課税適用財産の価額（第11の2表1⑦）	②		
債務及び葬式費用の金額（第13表3⑦）	③	23477425	
純資産価額（①＋②－③）（赤字のときは0）	④	84322172	
純資産価額に加算される暦年課税分の贈与財産価額（第14表1④）	⑤	2775000	
課税価格（④＋⑤）（1,000円未満切捨て）	⑥	87097000	000
各人の算出税額の計算　法定相続人の数／遺産に係る基礎控除額			
相続税の総額	⑦		
一般の場合（⑩の場合を除く）　あん分割合（各人の⑥／Ⓐ）	⑧	0.20	
一般の場合　算出税額（⑦×各人の⑧）	⑨	18942320円	円
農地等納税猶予の適用を受ける場合　算出税額（第3表⑬）	⑩		
相続税額の2割加算が行われる場合の加算金額（第4表⑦）	⑪	円	円
各人の納付・還付税額の計算　税額控除　暦年課税分の贈与税額控除額（第4表の2㉕）	⑫	167500	
配偶者の税額軽減額（第5表㋥又は㋬）	⑬		
未成年者控除額（第6表1②、③又は⑥）	⑭		
障害者控除額（第6表2②、③又は⑥）	⑮	5100000	
相次相続控除額（第7表⑬又は⑱）	⑯	287228	
外国税額控除額（第8表1⑧）	⑰		
計	⑱	5554728	
差引税額（⑨＋⑪－⑱）又は（⑩＋⑪－⑱）（赤字のときは0）	⑲	13387592	
相続時精算課税分の贈与税額控除額（第11の2表1⑧）	⑳	00	00
医療法人持分税額控除額（第8の4表2B）	㉑		
小計（⑲－⑳－㉑）（黒字のときは100円未満切捨て）	㉒	13387500	
納税猶予税額（第8の8表⑧）	㉓	00	00
申告納税額（㉒－㉓）　申告期限までに納付すべき税額	㉔	13387500	00
申告納税額（㉒－㉓）　還付される税額	㉕	△	△

※の項目は記入する必要がありません。

※税務署整理欄	申告区分	年分	グループ番号	補完番号	補完番号
	名簿番号	申告年月日	管理補完　確認	検算印	管理補完　確認

(資4－20－2－1－A4統一) 第1表(続)(令元.7)

⑵ 代償分割の場合の申告

遺産分割の方法としての代償分割については、すでに説明したとおりです（106ページ）。代償分割が行われた場合の代償財産について、相続税の申告書上は、「第11表（相続税がかかる財産の明細書）」の末尾に記載します。

この場合、第11表の「種類」欄は、「代償財産」と記入し、「価額」欄には、代償財産の価額を負数と正数で２段書きします。

上記⑴の設例で、「相続人山野一郎は、相続人川田咲子に代償財産として現金1,000万円を交付する」という代償分割が成立したとすれば、435ページに示した第11表の末尾は、〔書式74〕（次ページ）のようになります。

（注）申告書の「第15表（相続財産の種類別価額表）」では、代償財産は「その他の財産」の「その他」に該当するものとし、代償財産を交付した者はその価額を負数で、代償財産の交付を受けた者は正数でそれぞれの者の欄に記載します。

Ⅳ 遺産未分割の場合の相続税の申告手続

1. 未分割遺産に対する課税規定と相続税の申告手続

⑴ 遺産未分割の場合の課税価格の計算

相続財産が相続税の申告期限までに分割されていない場合の相続税務については、これまでにたびたび説明したところですが、期限内申告の手続を含めてまとめておきましょう。

（注）未分割遺産が相続税の申告後に分割された場合の税務については、後述（745ページ以下）します。

まず、未分割遺産がある場合の相続税の課税価格の計算について、その未分割財産は、共同相続人において民法第900条（法定相続分）から第903条（特別受益者の相続分）までの規定による相続分に応じて取得したものとし、また、被相続人の債務の負担者が未確定のときは、民法第900条から第902条（遺言による相続分の指定）までの相続分で配分して債務控除を適用することとされています（相法55、相基通55－１、13－３）。

要するに、相続財産が未分割である場合は、いわゆる特別受益を考慮した民法の相続分に従って財産を取得したものとして課税価格と相続税額を計算するわけです（民法の特別受益の意義と範囲は、前述（67ページ）したとおりです）。

これを計算例で示すと、451ページのとおりです。

〔書式74〕

相続税がかかる財産の明細書

（相続時精算課税適用財産を除きます。）

被相続人　山野太郎

第11表

○相続時精算課税適用財産の明細については、この表によらず第11の2表に記載します。

この表は、相続や遺贈によって取得した財産及び相続や遺贈によって取得したものとみなされる財産のうち、相続税のかかるものについての明細を記入します。

遺産の分割状況	区分	1 全部分割	2 一部分割	3 全部未分割
	分割の日	・　・	・　・	

種類	細目	利用区分、銘柄等	所在場所等	数量 / 固定資産税評価額	単価 / 倍数	価額	取得した人の氏名	取得財産の価額
その他の財産	その他	普通乗用車（○年型×××）	東京都豊島区東池袋1丁目33番4号	1台	円	円 860,000	山野一郎	円 860,000
〃	〃	電話加入権（3981－××××）	〃	1基		1,500	山野花子	1,500
	（小計）					（9,911,500）		
《計》						《91,929,700》		
〖合計〗						〖456,336,751〗		
代償財産	現金・預貯金等	現金				△10,000,000 10,000,000	山野一郎 川田咲子	△10,000,000 10,000,000

合計表	財産を取得した人の氏名	（各人の合計）	山野花子	山野一郎	川田咲子	山野次郎	
	分割財産の価額 ①	円 456,336,751	円 217,474,314	円 73,654,821	円 57,408,019	円 107,799,597	円
	未分割財産の価額 ②						
	各人の取得財産の価額（①＋②） ③	456,336,751	217,474,314	73,654,821	57,408,019	107,799,597	

（注）1　「合計表」の各人の③欄の金額を第1表のその人の「取得財産の価額①」欄に転記します。
2　「財産の明細」の「価額」欄は、財産の細目、種類ごとに小計及び計を付し、最後に合計を付して、それらの金額を第15表の①から㉘までの該当欄に転記します。

＜設　例＞

次の場合、各相続人等の課税価格はいくらになるか。

①　被相続人甲は、令和２年10月７日に死亡し、その相続人等は、次のとおりである。

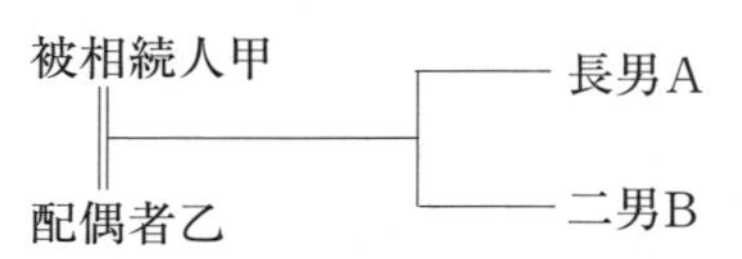

②　甲の遺産額は２億7,100万円と算定されたが、相続人間で遺産の分割は行われていない。また、甲には4,000万円の債務があるが、その負担者も確定していない。

③　各相続人は、甲の生前に同人から次のとおり財産の贈与を受けている。

贈与年月日	受遺者	贈与財産	贈与財産の時価	
			贈与時	相続時
平成26年７月10日	A	現金	500万円	500万円
平成29年11月５日	乙	株式	600万円	700万円
平成31年３月10日	B	土地	1,000万円	900万円

【計　算】

①　未分割遺産の配分計算（民900～903適用）

㈠　みなし相続財産価額（相続時の遺産額に生前贈与額を加算した額）

２億7,100万円＋500万円（A）＋700万円（乙）＋900万円（B）＝２億9,200万円

(注) 民法903条の特別受益額となる生前贈与財産の価額は、その財産の相続時の時価によります。

㈡　仮りの相続分（㈠の金額を法定相続分で配分した金額）

乙……２億9,200万円×$\frac{1}{2}$＝１億4,600万円

A……２億9,200万円×$\frac{1}{2}$×$\frac{1}{2}$＝7,300万円

B……２億9,200万円×$\frac{1}{2}$×$\frac{1}{2}$＝7,300万円

㈢　実際の相続分額（㈡の価額から特別受益額を控除した金額）

乙……１億4,600万円－700万円＝１億3,900万円

A……7,300万円－500万円＝6,800万円

B……7,300万円－900万円＝6,400万円

②　債務の配分（民900～902適用）

乙……4,000万円×$\frac{1}{2}$＝2,000万円

A……4,000万円×$\frac{1}{2}$×$\frac{1}{2}$＝1,000万円

B……4,000万円×$\frac{1}{2}$×$\frac{1}{2}$＝1,000万円

③　各人の課税価格の計算

（単位：万円）

	配偶者乙	長男A	二男B	合　計
相続財産	13,900	6,800	6,400	27,100
債務控除	△2,000	△1,000	△1,000	△4,000
相続開始前３年以内の贈与財産の加算	600		1,000	1,600
課税価格	12,500	5,800	6,400	24,700

(注) 乙とBの生前贈与財産は、被相続人からの贈与で相続開始前３年以内のものに該当するため、贈与時の価額がそれぞれの課税価格に加算されます（相法19）。

この計算は、要するに未分割遺産の各相続人への配分に当たり、民法第903条の特別受益の持戻し計算によっているわけです（債務控除の計算は、特別受益者の相続分が勘案されていません）。

ただし、実務的にみると、生前贈与等の特別受益を確認して上記のような計算を行っている例は少なく、相続時の遺産額を法定相続分で取得したものとして課税価格計算を行っているのが通常です（66・67ページ）。これは、特別受益の持戻し計算をしてもしなくても課税価格の合計額や相続税の総額に異動がないためです。

いずれにしても、未分割遺産の場合の課税方法は、遺産が分割されるまでの暫定的なものですから、課税価格の合計額に間違いがない限り、税務的な問題は生じません。

(注) 遺産の分割と債務の負担者が確定している場合の各人の課税価格の計算において、マイナスの課税価格となったとき（取得財産価額より債務控除額が大きい場合）のそのマイナス分は、他の納税義務者の課税価格から控除することはできません（163ページ）。

ただし、債務の負担者が確定していない場合に、上記の設例のような課税価格計算を行った結果、債務控除額が取得財産価額を超えるときは、その超える部分の金額をその者以外の者の課税価格から控除して申告することができます（相基通13－３ただし書）。

これは、債務負担が未確定の場合の配分計算が、負担が確定するまでの暫定的なものであることが考慮された取扱いです。

(2)　遺産未分割の場合の申告書の記載方法

相続財産が未分割で、債務の負担者が未確定の場合の相続税の申告書について、分割が確定している場合との違いは、次のとおりです。

・第11表（相続税がかかる財産の明細書）

………相続財産の全部が未分割の場合は、「遺産の分割状況」欄の「３　全部未分割」の番号を○で囲みます（財産の一部が分割されているときは、「２　一部分割」の番号に○印をして、その分割の日を記入します）。

また、各財産について未分割の場合は、「分割が確定した財産」欄は空欄にしておきます。

なお、第11表下部の「合計表」欄の「(各人の合計)」欄は、「未分割財産の価額

②」に未分割財産の価額の合計額を記入し、その金額を各相続人の相続分に応じて配分した金額をそれぞれの相続人ごとに記入します。

・第13表（債務及び葬式費用の明細書）
………「負担することが確定した債務」又は「負担することが確定した葬式費用」欄のそれぞれについて、負担未確定分は空欄にしておきます。また、「3　債務及び葬式費用の合計額」の欄は、「(各人の合計)」欄に記入し、その債務の額又は葬式費用の額を各相続人の相続分で配分し、各人の欄に記入します。

・第15表（相続財産の種類別価額表）
………財産の種類ごとに「合計」欄に記入し、未分割の財産はその細目ごとに各相続人の相続分に応じた金額をそれぞれの相続人欄に配分して記入します。

2.　遺産未分割の場合の配偶者の税額軽減の適用手続

(1)　未分割遺産に対する軽減規定の不適用

税額控除項目のうち、配偶者に対する相続税額の軽減規定について、未分割財産がその対象にならないことは、たびたび説明したところです。この軽減規定は、配偶者が実際に取得した財産についてのみ適用されますから、具体的には次のものが対象になります（相基通19の２－４）。

①　相続税の申告期限までに遺産分割により取得した財産
②　単独相続により取得した財産
③　特定遺贈により取得した財産
④　相続開始前３年以内に被相続人から贈与により取得した財産で、相続税の課税価格に加算されるもの
⑤　相続税法において、相続又は遺贈により取得したものとみなされる財産
⑥　相続税の申告期限後３年以内に遺産分割により取得した財産
⑦　相続税の申告期限後３年を経過する日までに分割できないやむを得ない事情があり、税務署長の承認を受けた場合で、その事情がなくなった後４か月以内に遺産分割により取得した財産

(2)　３年以内の分割見込書の提出

未分割財産と配偶者の税額軽減規定との関係について、手続面で注意したいのは、上記⑥と⑦の財産です。

まず、上記⑥の財産について、申告期限から３年以内に分割された場合は、相続税の更正の請求を行うことで軽減規定が適用できるのですが（相法19の２②ただし書、32①八）、その場合は期限内申告書の提出時に、「申告期限後３年以内の分割見込書」〔書式75〕（次ページ）を提出することとされています（相規１の６③二）。

〔書式75〕

通信日付印の年月日	確認印		名簿番号
年　月　日			

被相続人の氏名　甲山太郎

申告期限後３年以内の分割見込書

相続税の申告書「第11表（相続税がかかる財産の明細書）」に記載されている財産のうち、まだ分割されていない財産については、申告書の提出期限後３年以内に分割する見込みです。

なお、分割されていない理由及び分割の見込みの詳細は、次のとおりです。

1　分割されていない理由

被相続人が特定の相続人に生前贈与をした財産について、民法第903条の特別受益に該当するか否かの疑義が生じたため、共同相続人間で遺産分割が成立しない。

2　分割の見込みの詳細

共同相続人間で遺産分割協議を進めており、今後１年以内に分割が確定する予定である。

3　適用を受けようとする特例等

(1)　配偶者に対する相続税額の軽減（相続税法第19条の２第１項）

(2)　小規模宅地等についての相続税の課税価格の計算の特例（租税特別措置法第69条の４第１項）

(3)　特定計画山林についての相続税の課税価格の計算の特例（租税特別措置法第69条の５第１項）

(4)　特定事業用資産についての相続税の課税価格の計算の特例（所得税法等の一部を改正する法律(平成21年法律第13号)による改正前の租税特別措置法第69条の５第１項）

相続人に配偶者がいる場合の未分割での相続税申告に際しては、この手続を失念しないよう注意してください。

(注)〔書式75〕の「3　適用を受けようとする特例等」欄は、該当する番号に○印を付します。
　なお、配偶者の税額軽減規定と小規模宅地等の特例及び特定計画山林の特例について、2以上の規定の適用を受ける場合でも本書1通を提出すれば足ります。

⑶　未分割であることにやむを得ない事情がある場合の手続

相続税の申告期限から3年以内に遺産分割を行うことが配偶者の税額軽減規定の適用要件ですが、やむを得ない事情があるときは、税務署長の承認を得て、3年という分割制限期間を伸長することができます。

この場合の「やむを得ない事情」とは、次表のとおりで、それぞれについて、分割できることとなった日から4か月以内に分割を行えば、上記と同様に更正の請求をして軽減規定の適用を受けることができます（相法19の2②カッコ書、相令4の2①）。

分割ができないやむを得ない事情	分割できることとなった日
1　相続税の申告期限の翌日から3年を経過する日において、その相続又は遺贈に関する訴えが提起されている場合（その相続又は遺贈に関する和解又は調停の申立てがされている場合において、これらの申立ての時に訴えの提起がされたものとみなされるときを含む）	判決の確定又は訴えの取下げの日その他その訴訟の完結の日
2　相続税の申告期限の翌日から3年を経過する日において、その相続又は遺贈に関する和解、調停又は審判の申立てがされている場合	和解若しくは調停の成立、審判の確定又はこれらの申立ての取下げの日その他これらの申立てに係る事件の終了の日
3　相続税の申告期限の翌日から3年を経過する日において、その相続又は遺贈に関し、民法第907条第3項若しくは第908条の規定により遺産の分割が禁止され、又は同法第915条第1項ただし書の規定により相続の承認若しくは放棄の期間が伸長されている場合（その相続又は遺贈に関する調停又は審判の申立てがされている場合において、その分割の禁止をする旨の調停が成立し、又はその分割の禁止若しくはその期間の伸長をする旨の審判若しくはこれに代わる裁判が確定したときを含む）	その分割の禁止がされている期間又は伸長されている期間が経過した日
4　1～3のほか、相続又は遺贈に係る財産が、その相続税の申告期限の翌日から3年を経過する日までに分割されなかったこと及びその財産の分割が遅延したことについて、税務署長がやむを得ない事情があると認める場合	その事情の消滅の日

（注）表の4における「税務署長がやむを得ない事情があると認める場合」については、次のような場合が該当するものとされています（相基通19の2－15）。

① その申告期限の翌日から3年を経過する日において、共同相続人又は包括受遺者の1人又は数人が行方不明又は生死不明であり、かつ、その者に係る財産管理人が選任されていない場合

② その申告期限の翌日から3年を経過する日において、共同相続人又は包括受遺者の1人又は数人が精神又は身体の重度の障害疾病のため加療中である場合

③ その申告期限の翌日から3年を経過する日前において、共同相続人又は包括受遺者の1人又は数人が法施行地外にある事務所若しくは事業所等に勤務している場合又は長期間の航海、遠洋漁業等に従事している場合において、その職務の内容などに照らして、その申告期限の翌日から3年を経過する日までに帰国できないとき

④ その申告期限の翌日から3年を経過する日において、相続税法施行令第4条の2第1項第1号から第3号までに掲げる事情又は上記①から③までに掲げる事情があった場合において、その申告期限の翌日から3年を経過する日後にその事情が消滅し、かつ、その事情の消滅前又は消滅後新たに同項第1号から第3号までに掲げる事情又は上記①から③までに掲げる事情が生じたとき

注意したいのは、分割制限期間を伸長したい場合の手続で、税務署長の承認を得るためには、「遺産が未分割であることについてやむを得ない事由がある旨の承認申請書」〔書式76〕（次ページ）を提出しなければならないことです。

この承認申請書は、相続税の申告書の提出先である税務署長に対し、申告期限後3年を経過する日の翌日から2か月を経過する日までに提出することとされています（相令4の2②、相規1の6①②）。

なお、承認申請書の提出があった場合において、その提出があった日の翌日から2か月を経過する日までにその申請について承認又は却下の処分がなかったときは、その日においてその承認があったものとみなされます（相令4の2④）。

3. 遺産未分割の場合の課税価格の計算の特例の適用手続

(1) 未分割遺産に対する小規模宅地特例等の不適用と分割見込書の提出

小規模宅地等に係る課税価格の計算の特例（措法69の4）について、適用対象資産が未分割の場合には適用されないこともたびたび説明したところです。

この場合、期限内申告の段階で不適用であっても、申告期限後3年以内に分割されれば、配偶者に対する税額軽減と同様に、更正の請求により、その適用を受けることができます（措法69の4④ただし書）。

その手続は、上述した配偶者の税額軽減の場合と同様です。期限内申告書の提出時には、前記した「申告期限後3年以内の分割見込書」〔書式75〕（454ページ）を提出する必要があるということです（措規23の2⑧七）。

〔書式76〕

遺産が未分割であることについてやむを得ない事由がある旨の承認申請書

税務署受付印

○○年 12 月 10 日提出

〒260-XXXX
住所（居所） 千葉市中央区本町２丁目３番４号

千葉東 税務署長

申請者 氏名 甲山花子 ㊞

（電話番号 －△△△△－ ○○○○ ）

遺産の分割後、
- 配偶者に対する相続税額の軽減（相続税法第19条の２第１項）
- ~~小規模宅地等についての相続税の課税価格の計算の特例（租税特別措置法第69条の４第１項）~~
- ~~特定計画山林についての相続税の課税価格の計算の特例（租税特別措置法第69条の５第１項）~~
- ~~特定事業用資産についての相続税の課税価格の計算の特例（所得税法等の一部を改正する法律（平成21年法律第13号）による改正前の租税特別措置法第69条の５第１項）~~

の適用を受けたいので、

遺産が未分割であることについて、
- 相続税法施行令第４条の２第２項
- ~~租税特別措置法施行令第40条の２第19項又は第21項~~
- ~~租税特別措置法施行令第40条の２の２第８項又は第10項~~
- ~~租税特別措置法施行令等の一部を改正する政令（平成21年政令第108号）による改正前の租税特別措置法施行令第40条の２の２第19項又は第22項~~

に規定する

やむを得ない事由がある旨の承認申請をいたします。

1 被相続人の住所・氏名
住所 千葉市中央区本町２丁目３番４号 氏名 甲山太郎

2 被相続人の相続開始の日 △△年 2 月 10 日

3 相続税の申告書を提出した日 △△年 12 月 7 日

4 遺産が未分割であることについてのやむを得ない理由
被相続人の遺産について共同相続人間で分割協議が調わず、千葉家庭裁判所に遺産分割の調停を申し立てているため。

（注）やむを得ない事由に応じてこの申請書に添付すべき書類
① 相続又は遺贈に関し訴えの提起がなされていることを証する書類
② 相続又は遺贈に関し和解、調停又は審判の申立てがされていることを証する書類
③ 相続又は遺贈に関し遺産分割の禁止、相続の承認若しくは放棄の期間が伸長されていることを証する書類
④ ①から③までの書類以外の書類で財産の分割がされなかった場合におけるその事情の明細を記載した書類

○ 相続人等申請者の住所・氏名等

住所（居所）	氏名	続柄
	印	
	印	
	印	
	印	

○ 相続人等の代表者の指定 代表者の氏名

関与税理士	㊞	電話番号	

※	通信日付印の年月日	確認印	名簿番号
	年 月 日		

⑵　分割制限期間の伸長手続

相続税の申告期限後の遺産分割と小規模宅地等の特例の適用について、分割制限期間の伸長の手続も、上述した配偶者の税額軽減とまったく同様です。

これらの特例の適用上、遺産分割は申告期限から３年以内とするのが原則ですが、その期間内に分割されなかったことについてやむを得ない事情がある場合において、税務署長の承認を受けたときは、その分割ができることとなった日の翌日から４か月以内に分割することを条件に、特例の適用を受けることができます（措法69の４④カッコ書）。

この場合の「やむを得ない事情がある場合」の意義は、配偶者の税額軽減の場合と同様であり（措令40の２⑯、相令４の２①）、その承認申請書〔書式76〕（前ページ）を相続税の申告期限から３年を経過する日の翌日から２か月を経過する日までに提出しなければならないことも同じです（措令40の２⑯⑱、相令４の２②、措規23の２⑨、相規１の６①②）。

（注）〔書式76〕の承認申請書は、配偶者の税額軽減、小規模宅地等の特例及び特定計画山林の特例について、２以上の規定の適用を受ける場合には、それぞれに１枚の申請書として提出する必要があります。この点は、〔書式75〕（454ページ）の「申告期限後３年以内の分割見込書」の取扱いと異なりますので注意してください。

第5章

非上場株式等に係る贈与税・相続税の納税猶予制度の実務

Ⅰ　事業承継税制と経営承継円滑化法

1.　中小企業の事業承継問題と経営承継円滑化法

⑴　中小企業の事業承継の問題点

わが国の企業の大多数を占める中小会社では、経営者の高齢化が進行していますが、適切な後継者がいない企業が少なくありません。このため、経営者の相続に伴って、廃業と従業員の雇用の喪失という問題が生じるのですが、このことは、企業の存する地域の経済活力を損なうとともに、わが国全体の経済にも悪影響を及ぼします。

また、経営者の親族に後継者がいるとしても、均分相続を建前とし、一定範囲の相続人に遺留分を認める現行民法の相続制度の下では、後継者が確実に事業用資産を取得できる保障はありません。さらに、その経営者の相続に伴う相続税負担が事業承継の障害になるケースもみられます。

このような問題を背景として、中小企業の円滑な事業の承継に資する法律や制度が必要になるのですが、そのために立法化されたのが「中小企業における経営の承継の円滑化に関する法律」（経営承継円滑化法、平成20年5月16日公布・同年10月１日施行）です。

⑵　経営承継円滑化法の概要

中小企業における上記のような問題に対処するため、経営承継円滑化法では、次の４つの事項について、基本的な枠組みが規定されています。

	制 度 の 概 要
遺留分に関する民法の特例	○民法の遺留分制度が中小企業の事業承継の障害になっているという問題を解決するため、後継者が先代経営者である被相続人からその会社の株式等の生前贈与を受けた場合に、その株式等の価額を遺留分算定の基礎財産の価額に算入しない「除外合意」を行うことができるとともに、遺留分の算定において、その株式等の価額をあらかじめ固定する「固定合意」を行うこともできる。
事業承継の際の金融支援措置	○事業承継に伴う資金需要（株式の買取資金、相続時の納税資金の調達など）について、日本政策金融公庫法の特例等による低利な融資制度の適用を受けることができる。
非上場株式等に係る事業承継税制	○非上場株式等の贈与・相続に際し、その株式等の価額に対応する贈与税・相続税について、納税猶予の適用を受けることができる。
個人事業者に係る事業承継税制	○個人事業者の事業用資産の贈与・相続に際し、その事業用資産の価額に対応する贈与税・相続税について、納税猶予の適用を受けることができる。

本章では、非上場株式等に係る事業承継税制（非上場株式等に係る贈与税・相続税の納税猶予制度）について説明することとします。

なお、非上場株式等に係る贈与税・相続税の納税猶予制度は、恒久税制としての「一般措置」と、平成30年１月１日から令和９年12月31日までの間の贈与・相続に適用される「特例措置」がありますが、本章では、特例措置を中心として説明し、必要に応じて一般措置に言及することとします。

(注) 事業承継税制の適用要件等は、後述しますが、あらかじめ特例措置と一般措置の相違点を示しておくと、次表のとおりです。

	特例措置	一般措置
事前の計画策定	○特例承継計画を策定し、都道府県知事に提出（令和５年３月31日まで）	（不要）
適用期間	○平成30年１月１日から令和９年12月31日までの間の贈与・相続に適用	（なし）
納税猶予対象株式等の範囲	○贈与、相続又は遺贈により取得した株式等の全部	○贈与、相続又は遺贈により取得した株式等のうち発行済株式総数の３分の２までの株式等
納税猶予税額	○贈与……納税猶予対象株式等に係る贈与税の全額	
	○相続……納税猶予対象株式等に係る相続税の全額	○相続……納税猶予対象株式等の価額の80％に対応する相続税額
後継者の人数	○その会社の代表権を有する複数の後継者（最大３人）に適用	○その会社の代表権を有する後継者１人に適用
雇用確保要件	○特例経営（贈与）承継期間（５年間）における常時使用従業員数の平均値が80％未満となった場合であっても、その理由を記載した書類を都道府県知事に提出すれば、納税猶予は継続	○経営（贈与）承継期間（５年間）における常時使用従業員数の平均値が贈与・相続時の80％未満となった場合には、納税猶予の取消し
経営環境の悪化に応じた免除措置	○その会社の事業継続が困難になる一定の要件に該当する場合には、株式等の譲渡・合併の対価又は解散時の株式評価額を基に税額を再計算し、その税額が当初の納税猶予税額を下回るときは、その差額を免除	（なし）
相続時精算課税の適用対象者	○60歳以上の贈与者が20歳以上（令和４年４月１日以後の贈与は18歳以上）の後継者に贈与した場合に適用	○60歳以上の贈与者が20歳以上（令和４年４月１日以後の贈与は18歳以上）の推定相続人又は孫に贈与した場合に適用

2.　納税猶予制度に係る経営承継円滑化法の手続等

(1)　経営承継円滑化法における手続の概要

非上場株式等に係る贈与税・相続税の納税猶予制度については、租税特別措置法に規定されていますが、この制度のベースになっているのは、経営承継円滑化法です。同法では、税制の適用要件を受けるためのさまざまな手続が定められています。まず、その概要を示すと、次のとおりです。

○特例承継計画の策定（会社が作成し、認定経営革新等支援機関が所見を記載）

都道府県庁 ………… 特例承継計画の確認申請（令和５年３月31日までに提出）

○非上場株式等の贈与・相続（平成30年１月１日から令和９年12月31日までの間の贈与・相続）

都道府県庁 ………… 認定申請
・贈与の場合……贈与の年の10月15日から翌年１月15日まで
・相続の場合……相続開始の日の翌日から８か月以内

所轄税務署 ………… 贈与税・相続税の申告

都道府県庁 ………… 実績報告（申告後の５年間に平均雇用者数が80％未満となった場合）

都道府県庁 ………… 申告後５年間（年１回）「年次報告書」の提出
所轄税務署 ………… 申告後５年間（年１回）「継続届出書」の提出

所轄税務署 ………… 申告期限から５年経過後（３年に１回）「継続届出書」の提出

（注）上記の特例承継計画の策定及び都道府県知事の確認以外の手続は、事業承継税制の適用上、「一般措置」と「特例措置」で異なることはありません。

(2)　特例承継計画の策定と都道府県知事の確認

上記のとおり、特例措置としての事業承継税制の適用を受けるためには、事前の手続として「特例承継計画」を策定し、平成30年４月１日から令和５年３月31日までの５年間に、都道府県庁に提出し、都道府県知事の確認を受ける必要があります。

特例承継計画は、認定経営革新等支援機関（商工会、商工会議所、金融機関、税理士、公認会計士、弁護士等で国の認定を受けた公的な支援機関）の指導及び助言を受けて作成した計画で、次の事項が記載されたものをいいます（円滑化規則16、17）。

①　会社の主たる事業内容、資本金額・出資金額、常時使用する従業員の数

②　特例代表者の氏名、代表権の有無

③　特例後継者の氏名

④ 特例代表者が有する株式等を特例後継者が承継する時期、当該時期までの経営上の課題、当該課題への対応

⑤ 特例後継者が株式を承継した後５年間の経営計画

特例承継計画は、平成30年４月１日から令和５年３月31日までが提出期間とされていますが、令和５年３月31日までの贈与・相続については、株式等の贈与・相続のあった日以後に提出することができます。また、特例承継計画の提出と下記の円滑化法12条１項の認定申請を同時に行うこともできます。

なお、特例承継計画を提出し、都道府県知事の確認を受けたとしても、実際に事業承継税制の適用を受けるかどうかは任意です。ただし、その提出・確認を受けないと、税制の適用を受けることできません（特例承継計画の提出・確認を受けない場合には、特例措置としての事業承継税制の適用を受けることできませんが、一般措置の適用は可能です）。

（注１） 特例承継計画は、円滑化規則17条２項による申請で、様式第21〔書式77〕（465ページ）によります（この記載例は、中小企業庁の資料によるものです）。

（注２） 特例承継計画の確認申請書には、申請会社の履歴事項全部証明書（申請日の前３か月以内に取得したもの）を添付します。なお、特例代表者が退任している場合で、履歴事項全部証明書に過去に代表者であった旨の記載がないときは、その旨の記載のある閉鎖事項証明書を添付します（円滑化規則17②）。

⑶ 都道府県知事への認定申請手続

非上場株式等の贈与・相続があった後、実際に事業承継税制の適用を受けるためには、都道府県知事の認定を受ける必要があります。この場合の認定は、事業承継税制の適用上の要件に該当するどうかを確認するための手続で、対象会社の要件、先代経営者（贈与者・被相続人）の要件、後継者（受贈者・相続人）の要件が定められています（円滑化規則６①）。

（注） これらの要件は、税制上の適用要件と同じですから、後述することにします。

都道府県知事への認定申請は、次の期間に行う必要があります（円滑化規則７②③）。

① 贈与の場合……贈与認定申請基準日から贈与の日の属する年の翌年１月15日まで

② 相続の場合……相続認定申請基準日から相続開始の日の翌日から８か月を経過する日まで

この場合の「贈与認定申請基準日」とは、贈与の日が１月１日から10月15日までの間の場合には、10月15日をいい、贈与の日が10月16日から12月31日までの間の場合には、その贈与の日をいいます。また、「相続認定申請基準日」とは、相続開始の日から５か月を経過する日をいいます。

（注） 認定を受けるためには、「認定申請書」とその写し１通に、次ページの書類を添付して、申請会社の主たる事務所の所在地を管轄する都道府県庁に提出することとされています（円滑化規則７②③）。

贈与税の納税猶予制度	相続税の納税猶予制度
①　贈与認定申請基準日におけるその中小企業者の定款の写し ②　贈与の直前、贈与の時及び贈与認定申請基準日におけるその中小企業者の株主名簿の写し ③　申請会社の登記事項証明書（贈与認定申請基準日以後に作成されたものに限る） ④　受贈者が贈与により取得したその中小企業者の株式等に係る贈与契約書の写しその他の贈与の事実を証する書類及びその株式等に係る贈与税の見込額を記載した書類 ⑤　贈与の時及び贈与認定申請基準日における従業員数証明書 ⑥　申請会社の贈与認定申請基準事業年度（贈与の日の属する事業年度の直前の事業年度及び贈与の日の属する事業年度から贈与認定申請基準日の翌日の属する事業年度の直前の事業年度までの各事業年度）の貸借対照表、損益計算書、事業報告書、株主資本等変動計算書及び個別注記表 ⑦　贈与の時から贈与認定申請基準日までの間において申請会社が上場会社等又は風俗営業会社のいずれにも該当しない旨の誓約書 ⑧　贈与の時から贈与認定申請基準日までの間において申請会社の特定特別子会社（その中小企業者、代表者及び代表者と生計を一にする親族などの同族関係者が総株主等議決権数の過半数を有している会社）が上場会社等、大会社又は風俗営業会社に該当しない旨の誓約書 ⑨　贈与の時における贈与者及びその親族のうち株式等を有する者の戸籍謄本等及び贈与の時における経営承継受贈者及びその親族の戸籍謄本等 ⑩　上記のほか認定の参考になる書類	①　相続認定申請基準日におけるその中小企業者の定款の写し ②　相続開始の直前、相続開始の時及び相続認定申請基準日における申請会社の株主名簿の写し ③　申請会社の登記事項証明書（相続認定申請基準日以後に作成されたものに限る） ④　後継者が相続又は遺贈により取得した申請会社の株式等に係る遺言書の写し、遺産分割協議書の写しその他の株式等の取得の事実を証する書類及びその株式等に係る相続税の見込額を記載した書類 ⑤　相続開始の日及び相続認定申請基準日における従業員数証明書 ⑥　申請会社の相続認定申請基準事業年度（相続開始の日の属する事業年度の直前の事業年度及びその相続開始の日の属する事業年度から相続認定申請基準日の翌日の属する事業年度の直前の事業年度までの各事業年度）の貸借対照表、損益計算書、事業報告書、株主資本等変動計算書及び個別注記表 ⑦　相続開始の時から相続認定申請基準日までの間において申請会社が上場会社等又は風俗営業会社のいずれにも該当しない旨の誓約書 ⑧　相続開始の時から相続認定申請基準日までの間において申請会社の特定特別子会社が上場会社等、大会社又は風俗営業会社に該当しない旨の誓約書 ⑨　相続開始の時における被相続人及びその親族のうち株式等を有する者の戸籍謄本等及び相続開始の時における経営承継相続人等及びその親族の戸籍謄本等 ⑩　上記のほか認定の参考になる書類

(注) 上記の④の「贈与税の見込み額を記載した書類」は、贈与税の申告書の写しを、また、「相続税の見込み額を記載した書類」は、相続税の申告書の写し（申告書の提出前であれば、その下書き）でよいでしょう。

なお、上記の⑤の「従業員数証明書」としては、社会保険事務所等からの「厚生年金の標準報酬月額決定通知書」や「健康保険の標準月額決定通知書」のほか「被保険者縦覧照会回答票」が該当します。

〔書式77〕

施行規則第17条第2項の規定による確認申請書
（特例承継計画）

●●●●年●月●日

●●県知事　殿

郵 便 番 号　000-0000
会社所在地　●●県●●市…
会 社 名　経済クリーニング株式会社
電 話 番 号　***-***-****
代表者の氏名　経済　一郎　　印
　　　　　　　経済　二郎　　印

中小企業における経営の承継の円滑化に関する法律施行規則第17条第1項第1号の確認を受けたいので、下記のとおり申請します。

記

1　会社について

主たる事業内容	生活関連サービス業(クリーニング業)
資本金額又は出資の総額	5,000,000円
常時使用する従業員の数	8人

2　特例代表者について

特例代表者の氏名	経済　太郎
代表権の有無	□有　☑無（退任日平成30年3月1日）

3　特例後継者について

特例後継者の氏名（1）	経済　一郎
特例後継者の氏名（2）	経済　二郎
特例後継者の氏名（3）	

4　特例代表者が有する株式等を特例後継者が取得するまでの期間における経営の計画に

ついて

株式を承継する時期（予定）	平成30年3月1日相続発生
当該時期までの経営上の課題	（株式等を特例後継者が取得した後に本申請を行う場合には、記載を省略することができます）
当該課題への対応	（株式等を特例後継者が取得した後に本申請を行う場合には、記載を省略することができます）

5　特例後継者が株式等を承継した後5年間の経営計画

実施時期	具体的な実施内容
1年目	郊外店において、コート・ふとん類に対するサービスを強化し、その内容を記載した看板の設置等、広告活動を行う。
2年目	新サービスであるクリーニング後、最大半年間（又は一年間）の預かりサービス開始に向けた倉庫等の手配をする。
3年目	クリーニング後、最大半年間（又は一年間）の預かりサービス開始。 （預かり期間は、競合他店舗の状況を見て判断。） 駅前店の改装工事後に向けた新サービスを検討。
4年目	駅前店の改装工事。 リニューアルオープン時に向けた新サービスの開始。
5年目	オリンピック後における市場（特に土地）の状況を踏まえながら、新事業展開（コインランドリー事業）又は新店舗展開による売り上げ向上を目指す。

（備考）

① 用紙の大きさは、日本工業規格A4とする。

② 記名押印については、署名をする場合、押印を省略することができる。

③ 申請書の写し（別紙を含む）及び施行規則第17条第2項各号に掲げる書類を添付す

る。

④ 別紙については、中小企業等経営強化法に規定する認定経営革新等支援機関が記載する。

（記載要領）

① 「2 特例代表者」については、本申請を行う時における申請者の代表者（代表者であった者を含む。）を記載する。

② 「3 特例後継者」については、該当するものが一人又は二人の場合、後継者の氏名（2）の欄又は（3）の欄は空欄とする。

③ 「4 特例代表者が有する株式等を特例後継者が取得するまでの期間における経営の計画」については、株式等を特例後継者が取得した後に本申請を行う場合には、記載を省略することができる。

（別紙）

認定経営革新等支援機関による所見等

1　認定経営革新等支援機関の名称等

認定経営革新等支援機関の名称	●●　●●税理士事務所　印
（機関が法人の場合）代表者の氏名	●●　●●
住所又は所在地	●●県●●市…

2　指導・助言を行った年月日

平成30年　5月　3日

3　認定経営革新等支援機関による指導・助言の内容

売上の７割を占める駅前店の改装工事に向け、郊外店の売上増加施策が必要。競合他店が行っている預かりサービスを行うことにより、負の差別化の解消を図るように指導。

駅前店においても、改装工事後に新サービスが導入できないか引き続き検討。
サービス内容によっては、改装工事自体の内容にも影響を与えるため、２年以内に結論を出すように助言。

また、改装工事に向けた資金計画について、今からメインバンクである●●銀行にも相談するようにしている。

なお、土地が高いために株価が高く、一郎・二郎以外の推定相続人に対する遺留分侵害の恐れもあるため「遺留分に関する民法の特例」を紹介。

⑷ 株式等の承継形態と認定の種類

ところで、非上場株式等に係る相続税・贈与税の納税猶予制度には、一般措置と特例措置の２類型があるのですが、これとは別に「第一種贈与・相続」と「第二種贈与・相続」の区分があります。

このうち「第一種」とは、代表権を有していた先代経営者から後継者への株式等の承継のことであり、「第二種」とは、代表権を有しない株主からの株式等の承継をいいます。代表権を有しない株主が先代経営者の配偶者であるとすれば、次のようなイメージであり、要件を満たせば、いずれについても納税猶予制度の適用を受けることができます。

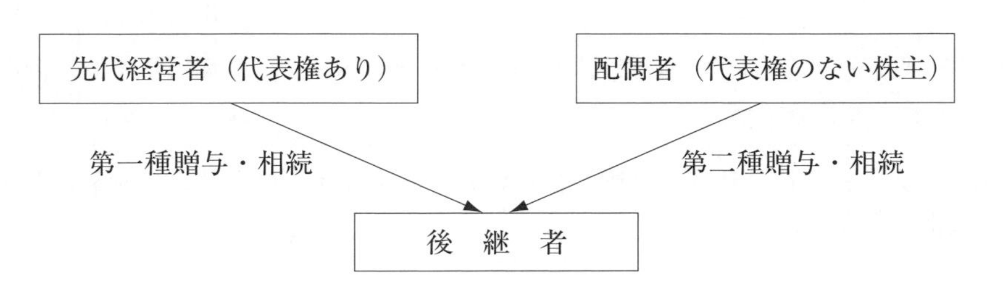

この場合に、第一種の贈与・相続が先行的に行われていれば、贈与と相続の組み合わせは問われません。したがって、納税猶予制度が適用される株式等の承継の形態は多様なものとなっています。また、それぞれについて、一般措置と特例措置に区分されます。

・第一種贈与→第二種贈与
・第一種相続→第二種相続
・第一種贈与→第二種相続
・第一種相続→第二種贈与

この結果、認定申請の区分も次のように多様なものとなり、認定申請書もそれぞれに応じて定められたものを使用する必要があります。

承継の態様	区　分	後継者の呼称	認定申請書の様式
第一種贈与	一般措置	第一種経営承継受贈者	様式第７
	特例措置	第一種特例経営承継受贈者	様式第７の３
第二種贈与	一般措置	第二種経営承継受贈者	様式第７の２
	特例措置	第二種特例経営承継受贈者	様式第７の４
第一種相続	一般措置	第一種経営承継相続人	様式第８
	特例措置	第一種特例経営承継相続人	様式第８の３
第二種相続	一般措置	第二種経営承継相続人	様式第８の２
	特例措置	第二種特例経営承継相続人	様式第８の４

⑸ 認定の対象となる中小企業者の範囲

非上場株式等に係る贈与税・相続税の納税猶予制度の適用対象となる会社（都道県知事

の認定対象となる会社）は、次の資本金基準と従業員数基準のいずれかに該当する会社をいいます（円滑化法２、円滑化令１、中小企業基本法２①）。

業　種　の　区　分	資本金の額	従業員数
製造業、建設業、運輸業その他の事業	３億円以下	300人以下
製造業のうちゴム製品製造業（自動車又は航空機用タイヤ及びチューブ製造業並びに工業用ベルト製造業を除く）	３億円以下	900人以下
卸売業	１億円以下	100人以下
小売業	5,000万円以下	50人以下
サービス業	5,000万円以下	100人以下
サービス業のうちソフトウェア業又は情報処理サービス業	３億円以下	300人以下
サービス業のうち旅館業	5,000万円以下	200人以下

（注） 医療法人、社会福祉法人、外国会社やいわゆる士業法人は、認定の対象になる中小企業者には該当しません。

(6)　経営承継円滑化法におけるその他の手続

事業承継税制の適用に関して、経営承継円滑化法では、上記のほかさまざまな手続が定められています。主なものは次のとおりです（円滑化規則12①③⑤⑦、20①～③）。

	手　続　の　概　要	報告書の様式
年次報告	○納税猶予の適用期間中に認定の取消事由に該当しないことを報告する。 ○納税猶予制度の適用を受けた相続税・贈与税の申告期限の翌日から５年間、その申告期限の翌日から１年を経過するごとの日の翌日から３か月以内に都道府県知事に提出する。	様式第11
特例承継計画に関する報告	○納税猶予の適用を受けた後の５年間において、常時使用従業員の数の平均値が贈与時又は相続時の常時使用従業員の数の80％未満となった場合には、その理由について報告する。 ○雇用の80％未満となった期間の末日の翌日から４か月以内に都道府県知事に提出する。	様式第27
随時報告	○認定の取消事由に該当したこと又は納税猶予制度の適用を受けている後継者の死亡等による納税猶予税額の免除を受ける場合に報告する。 ○認定の取消事由に該当した日の翌日から１か月（後継者が死亡した場合及びやむを得ない事情が発生し、その会社の代表者を退任して次の後継者（３代目経営者）に納税猶予対象株式等を贈与した場合には４か月以内）に都道府県知事に提出する。	様式第12

Ⅱ　非上場株式に係る贈与税の納税猶予制度の実務

1.　制度の概要

⑴　納税猶予制度のしくみ

非上場株式等の贈与に係る贈与税の納税猶予制度の特例措置について、その基本的しくみをみると、次のとおりです。

① 一定の要件を満たす会社（特例認定贈与承継会社）の非上場株式等を有していた代表者その他の個人が、一定の要件を満たす後継者（特例経営承継受贈者）に、その特例認定贈与承継会社の株式等を贈与した場合には、その贈与に係る贈与税について、担保の提供を条件に、その納税を猶予する。

　ただし、この制度の適用は、平成30年１月１日から令和９年12月31日までの間の最初のこの制度の適用に係る贈与及びその贈与の日から特例経営贈与承継期間（５年間）の末日までの間に贈与税の申告書の提出期限が到来する贈与に限られる。

② 特例経営承継受贈者が特例対象受贈非上場株式等（納税猶予の適用を受ける株式等）を死亡時まで保有を継続した場合又は贈与者が死亡した場合には、その猶予税額の全部が納税免除になる。

③ 贈与税の納税猶予の適用を受けた場合には、贈与税の申告期限の翌日から５年間を「特例経営贈与承継期間」とし、その間は、後継者が代表者として事業を継続するなど、いわゆる事業継続要件が課せられる。このため、その要件を満たさないこととなった場合には、納税猶予が確定し、猶予税額の全部を利子税とともに納付しなければならない。

④ 特例経営贈与承継期間が経過した後に、特例対象受贈非上場株式等の譲渡等があった場合には、その譲渡等をした株式等の価額に対応する贈与税を利子税とともに納付する。

この制度のしくみをイメージ図で示すと、次ページのとおりです。

(注) この制度では、「納税猶予」のしくみが採用されています。これは、その適用対象者の税額をいったん確定させますが、その税額の全部又は一部を文字どおり納税の猶予を認めるもので、納期限の延長に類似しています。納税猶予期間中は、滞納ということはなく、延滞税の問題も生じません。ただし、納期限の延長とは異なり、納税猶予の継続要件が課させられるのが通常です。

　このため、その要件を満たさないこととなった場合には、その時点で納税の期限が到来し、法定納期限からの利子税とともに納付することになります。その納税に際しては、その者の税額が当初申告の段階で確定しているため、修正申告や更正といった手続は要しません。

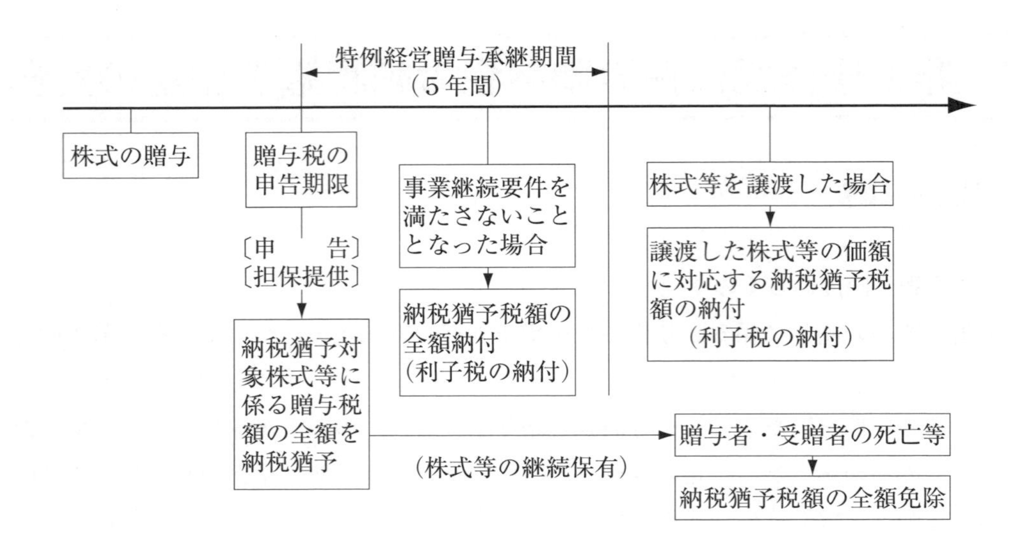

⑵　贈与税と相続税との調整

ところで、贈与は相続財産の前渡しであり、贈与税は相続税の前払いであるという贈与税と相続税の関係からみれば、非上場株式等の贈与について納税猶予の適用を受けた後に、その贈与者に相続が開始したときは、贈与税と相続税の間で何らかの調整が必要になります。

そこで、特例経営承継受贈者がこの制度の適用を受けた後に、贈与者が死亡したときは、その特例経営承継受贈者の納税猶予税額を免除するとともに、その特例対象受贈非上場株式等は、その特例経営承継受贈者が贈与者から相続又は遺贈により取得したものとみなして相続税の課税を行うこととされています（措法70の７の７①）。

もっとも、贈与者の相続開始時にその特例経営承継受贈者が会社を経営しており、その後も経営を継続すると認められる場合には、相続税の納税猶予制度の適用を受けることができます（措法70の７の４）。これらについては後述（546ページ）しますが、贈与と相続との事後的な調整規定が設けられています。

⑶　非上場株式等の意義

ここで、この制度の対象となる「非上場株式等」の意義・範囲を確認しておくと、次に掲げる株式又は出資をいいます（措法70の７の５②五、70の７②二、措規23の９⑦）。

①　その会社の株式の全てが金融商品取引所に上場されていないこと又は上場申請されていないこと

②　その会社の株式の全てが金融商品取引所に類するもので外国に所在するものに上場されていないこと又は上場申請されていないこと

③　その会社の株式の全てが店頭売買有価証券登録原簿に登録されていないこと又はその登録の申請がされていないこと

④　その会社の株式の全てが店頭売買有価証券登録原簿に類するもので外国に備えられているものに登録されていないこと又はその登録の申請がされていないこと

⑤　合名会社、合資会社又は合同会社の出資のうち、その全てが金融商品取引所に類するもので外国に所在するものに上場されていないこと又は上場申請されていないもの

⑥　合名会社、合資会社又は合同会社の出資のうち、その全てが店頭売買有価証券登録原簿に類するもので外国に備えられているものに登録されていないこと又はその登録の申請がされていないもの

これらをみると、一般の非上場の同族会社の株式や出資は、ほぼ問題なく「非上場株式等」に該当すると考えられます（いわゆる特例有限会社は、会社法上は「株式会社」ですから、その出資は「株式」であり、当然に非上場株式等です）。

なお、この制度が適用される株式等は、議決権に制限のない株式や出資に限定されていますから、いわゆる議決権制限株式等は、適用対象となる非上場株式等には含まれません（措通70の７の５－１、70の７－１）。

2.　特例認定贈与承継会社の意義と要件

⑴　特例認定贈与承継会社と特例贈与認定中小企業者

非上場株式等について贈与税の納税猶予の特例措置の対象になる会社を「特例認定贈与承継会社」といい、その要件は下記のように定められています（措法70の７の５②一、措令40の８の５⑤～⑨、措規23の12の２②③）。

なお、経営承継円滑化法では、都道府県知事の認定を受けた会社を「特例贈与認定中小企業者」といいますが、当然のことながら、特例認定贈与承継会社は、特例贈与認定中小企業者であることが前提になります。

〔特例認定贈与承継会社の意義〕

経営承継円滑化法第２条に規定する中小企業者のうち都道府県知事の認定を受けた会社で、贈与の時において、次に掲げる要件の全てを満たすものをいう。

①　その会社の常時使用従業員の数が１人以上であること。

②　その会社が、贈与の日の属する事業年度の直前の事業年度の開始の日以後において、次の算式を満たす「資産保有型会社」に該当しないこと。

$$資産保有型会社＝\frac{特定資産の帳簿価額の合計額＋前５年間に特例経営承継受贈者とその同族関係者に払われた配当等及び損金不算入役員給与の額}{総資産の帳簿価額＋前５年間に特例経営承継受贈者とその同族関係者に払われた配当等及び損金不算入役員給与の額}\geqq 70\%$$

(注１) 上記の算式における「特定資産」とは、次に掲げる資産をいいます（円滑化規則１⑫二)。

㋑ 有価証券及び持分（実質的な子会社株式を除く）

㋺ その会社が現に自ら使用していない不動産（不動産の一部分につき現に自ら使用していない場合には、その一部分に限る）

㋩ ゴルフ場その他の施設の利用に関する権利（事業の用に供することを目的として有するものを除く）

㊁ 絵画、彫刻、工芸品その他の有形の文化的所産である動産、貴金属及び宝石（事業の用に供することを目的として有するものを除く）

㋭ 現預金（その特例経営承継受贈者及びその特例経営承継受贈者の同族関係者に対する貸付金及び未収金その他これらに類する資産を含む）

(注２) 上記の算式における「前５年間」には、贈与の日前の期間は含まれません。なお、「損金不算入役員給与の額」とは、法人税法第34条（役員給与の損金不算入）及び第36条（過大な使用人給与の損金不算入）の規定により損金の額に算入されないこととなる給与（債務免除による利益その他経済的な利益を含む）の額をいいます。

(注３) 上記の算式における特定資産及び総資産の「帳簿価額」とは、「会社の貸借対照表に計上されている帳簿価額」をいいます。

③ その会社が、贈与の日の属する事業年度の直前の事業年度の開始の日以後において、次の算式を満たす「資産運用型会社」に該当しないこと。

$$\text{資産運用型会社} = \frac{\text{特定資産の運用収入の合計額}}{\text{総収入金額}} \geqq 75\%$$

④ その会社及びその会社と特別の関係のある会社のうち特定特別関係会社（会社、代表者及びその代表者と生計を一にする親族などの同族関係者が他の会社の50％超の議決権を有する場合の当該他の会社）の株式等が非上場株式等に該当すること。

⑤ その会社及び特定特別関係会社が風俗営業会社に該当しないこと。

⑥ その会社の贈与の日の属する事業年度の直前の事業年度の総収入金額がゼロを超えること。

⑦ その会社が発行する拒否権付種類株式を特例経営承継受贈者以外の者が有していないこと。

⑧ その会社及び特定特別関係会社が経営承継円滑化法第２条に規定する中小企業者であること。

⑵ 常時使用従業員の意義

上記の特例認定贈与承継会社の要件の判定では、「常時使用従業員」の数が問題となりますが、その意義や範囲については、会社の従業員で、次のいずれかの者をいうこととされています（措規23の12③、23の９④、円滑化規則１⑨)。

イ 厚生年金保険法第９条、船員保険法第２条第１項及び健康保険法第３条第１項に規定する被保険者

ロ　高齢者の医療の確保に関する法律第50条に規定する被保険者で、その会社と２か月を超える雇用契約を締結しているもの

（注）高齢者の医療の確保に関する法律第50条は、後期高齢者医療の被保険者を定めており、75歳以上の者と65歳以上75歳未満の者で一定程度の障害のあることについて後期高齢者医療広域連合の認定を受けた者としています。

このうちロを除くと、いわゆる社会保険制度の被保険者を常時使用従業員として特例認定贈与承継会社の要件を判定するということです。

現行の社会保険制度では、70歳未満の被雇用者は厚生年金保険の被保険者となり、75歳未満の者は健康保険の被保険者になります。これは、いわゆる正社員であっても、労働契約期間の定めのある従業員（いわゆる契約社員）であっても同様です。もっとも、代表取締役などの役員は、社会保険の被保険者資格はありますが、従業員ではないため、上記の常時使用従業員には該当しません。ただし、いわゆる使用人兼務役員については、常時使用従業員としてカウントすることができます。

このほか、短時間労働者（いわゆるパートタイマー）の場合は、１日又は１週間の労働時間及び１か月の労働日数が、その事業所において同種の業務に従事する者のおおむね４分の３以上であり、継続使用の実態があれば、社会保険の被保険者資格があります。したがって、同制度に加入している場合には、常時使用従業員に含まれます。

なお、いわゆるアルバイト（一定期間のみ臨時的に使用される者）は、社会保険の被保険者資格がありませんので、常時使用従業員には該当しません。また、いわゆる日雇特例被保険者は、健康保険の被保険者になりますが、健康保険法第３条第１項の被保険者ではないため、常時使用従業員には該当しません。

以上を要約すると、納税猶予制度における「常時使用従業員」の範囲は、おおむね次の表のようになります。

なお、特例経営承継受贈者又は特例経営承継受贈者の親族であっても、上記のイ又はロに該当すれば、常時使用従業員に含まれます（措通70の７の５－15、70の７－10）。

	従業員の態様	社会保険の被保険者
常時使用従業員に該当	使用人兼務役員（75歳未満で健康保険に加入）	○
	〃　（70歳未満で厚生年金保険に加入）	○
	正社員（75歳未満で健康保険に加入）	○
	〃　（70歳未満で厚生年金保険に加入）	○
	契約社員（75歳未満で健康保険に加入）	○
	〃　（70歳未満で厚生年金保険に加入）	○
	パートタイマー（労働時価・労働日数が他の従業員のおおむね４分の３以上で社会保険に加入）	○

常時使用従業員に非該当	使用人兼務役員以外の役員（代表取締役など）	○
	正社員（75歳未満で健康保険に未加入）	×
	〃　（70歳未満で厚生年金保険に未加入）	×
	契約社員（75歳未満で健康保険に未加入）	×
	〃　（70歳未満で厚生年金保険に未加入）	×
	パートタイマー（社会保険に未加入）	×
	アルバイト（社会保険の被保険者資格なし）	×
	日雇特例被保険者（健康保険法第３条第１項の被保険者に該当しない）	×

⑶　資産保有型会社・資産運用型会社における「特定資産」の意義

特例認定贈与承継会社の要件の②の資産保有型会社及び③の資産運用型会社に該当するかどうかの判定における「特定資産」とは、前記したとおりですが、次のように取り扱われています。

○　有価証券及び持分……国債証券、地方債証券、株券その他金融商品取引法第２条第１項に規定する有価証券と他の持分会社の持分をいいます。ただし、その会社の子会社の株式又は持分は、その子会社が資産保有型会社又は資産運用型会社に該当しない場合に限り「有価証券及び持分」からは除外されます。

○　その会社が現に自ら使用していない不動産……遊休不動産（遊休地に太陽光発電設備を設置しているもの等を含む）や販売用不動産のほか、第三者に賃貸している不動産や駐車場用地が該当します。なお、従業員社宅はその会社自身が使用している不動産ですが、役員社宅は第三者に対する賃貸不動産とされます。

○　ゴルフ場その他の施設の利用に関する権利……ゴルフ会員権、スポーツクラブ会員権、リゾート会員権などが該当します。この場合に、ゴルフ会員権等の販売業者が販売目的で所有しているものは「特定資産」から除かれますが、会社が接待用として所有しているものは、営業目的で所有しているとしても「特定資産」とされます。

○　絵画、彫刻等の動産、貴金属及び宝石……これらのものは、その販売業者（画廊、骨とう品店、宝石店など）が販売目的で所有している場合に「特定資産」から除かれます。

○　現預金など……現金預金のほか、これらに類する保険積立金なども「特定資産」とされます。また、代表者やその同族関係者に対する貸付金及び未収金その他これらに類する資産とは、これらの者に対する預け金や差入保証金などが該当します。

⑷　資産保有型会社・資産運用型会社における実質基準

特例認定贈与承継会社の要件の②の資産保有型会社及び③の資産運用型会社の取扱いは、事業実態のない資産管理のみを目的とするような会社を適用除外とする主旨ですが、前者は総資産価額に占める特定資産の価額の合計額の割合が70％以上、後者は総収入金額に占める特定資産の運用収入の割合が75％以上という、いわば形式基準によって判別されています。

しかしながら、このような形式基準によると、制度の適用対象となるべき実態のある会社が適用除外になるという弊害が生じます。そこで、上記の形式基準に該当する会社であっても、次のすべての要件を満たす場合には、資産保有型会社又は資産運用型会社に該当しないものとみなすこととされています（措令40の８の５⑤、40の８⑥）。また、経営承継円滑化法の都道府県知事の認定を受けることができます（円滑化規則６②）。

① その会社の常時使用する従業員の数が５人以上であること。

② その会社が、①の常時使用する従業員が勤務している事務所、店舗、工場その他これらに類するものを所有し、又は賃借していること。

③ 贈与の日まで引き続き３年以上にわたり、商品販売等（商品の販売、資産の貸付け、役務の提供、その他継続して対価を得て行われる業務）を行っていること。

ただし、上記①の「常時使用する従業員」には、後継者である特例経営承継受贈者及びその者と生計を一にする親族を含まないこととされています。また、上記③の「資産の貸付け」については、特例経営承継受贈者に対するもの及びその者の同族関係者に対するものを除くこととされています。

(注) 納税猶予の適用を受けた後に資産保有型会社又は資産運用型会社に該当した場合には、原則として納税猶予の確定（取消し）事由になりますが、一定のやむを得ない事情によりこれらの会社に該当した場合においても、その該当した日から６か月以内にこれらの会社に該当しなくなったときは、納税猶予の取消事由には該当しません。この点は後述（493ページ）します。

(5) 風俗営業会社の範囲

特例認定贈与承継会社の要件として、風俗営業会社に該当しないこととされていますが、風俗営業法に関連する事業のうち、性風俗関連特殊事業を営む会社だけが対象外です。したがって、同法に関する事業を営む会社であっても、パチンコ業やゲームセンターなどは制度の対象となり、都道府県知事の認定を受けることができます。

(6) 総収入金額の意義

特例認定贈与承継会社は、「その会社の贈与の日の属する事業年度の直前の事業年度の総収入金額がゼロを超えること」が要件とされていますが、この場合の「総収入金額」には、営業外収益及び特別損益項目の収入金額は含まれません（措法70の７の５②一へ、措令40の８の２⑩一、40の８⑩、措規23の10⑦）。

したがって、一般的な収益項目としての「売上高」がゼロの会社は、特例認定贈与承継会社の要件を満たしません。

3.　贈与者と受贈者の要件

⑴　贈与者の要件

贈与税の納税猶予の特例措置の適用対象となる贈与者（特例贈与者）とは、下記の①と②の区分に応じ、それぞれ次の要件を満たす者をいいます（措法70の７の５①、措令40の８の５①）。

なお、このうち①の場合の贈与者からの贈与が前述した「第一種贈与」であり、②の場合の贈与が「第二種贈与」に当たります。

①　下記の②の場合以外の場合

株式等の贈与の時前において、特例認定贈与承継会社の代表権を有していた個人で、次の要件の全てを満たす者をいいます（措令40の８の５①一）。

イ　その贈与の直前において、特例贈与者とその同族関係者とを合わせて、その特例認定贈与承継会社の総株主等議決権数の50％を超える議決権を有すること。

ロ　その贈与の直前において、特例贈与者が同族関係者（後継者である特例経営承継受贈者となる者を除く）内で筆頭株主であること。

ハ　その贈与の時において、特例贈与者が特例認定贈与承継会社の代表権を有していないこと。

このうちロの「筆頭株主」要件について、たとえば、議決権の保有割合が次図のような場合であっても、贈与者は、後継者である特例経営承継受贈者を除いたところの同族関係者内筆頭株主要件を満たします。

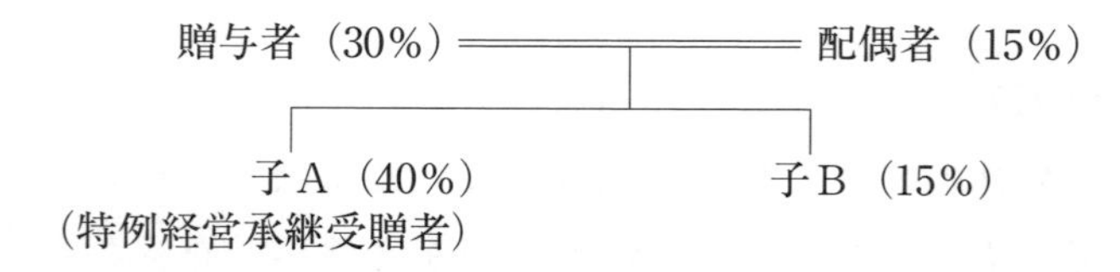

注意したいのは、贈与者が贈与の直前に代表権を有していない場合で、代表権を有していた期間のいずれかの時と贈与の直前のいずれの時点においても、上記イとロの要件を満たす必要があります。

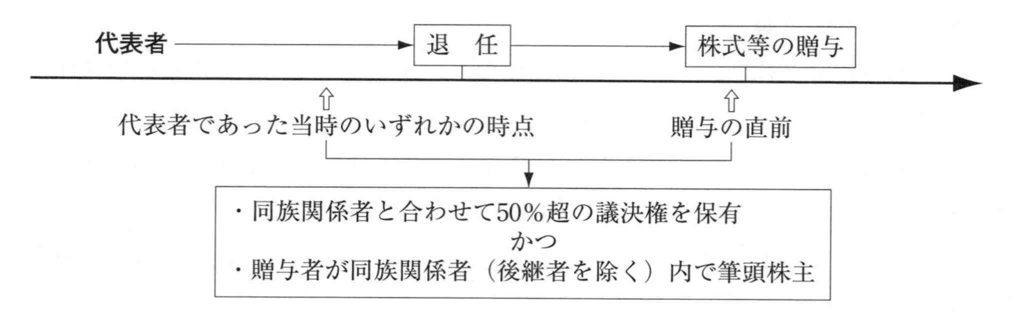

なお、特例贈与者は、贈与の時においてその特例認定贈与承継会社の代表権を有してい

ないことが要件とされていますから、贈与時まで代表権を有している場合には、代表者を退任した後に株式等の贈与を行う必要があります（代表権のない役員であることは、有給か無給かを問わず要件違反にはなりません）。

(注) 上記により、贈与者は、株式等の贈与の時には、その会社の代表者を退任していなければなりませんが、その後に贈与者が代表者に復帰することは、事業承継を逆行させることとなり、制度の趣旨に沿いません。このため、納税猶予の適用を受けた後５年以内の贈与者の代表者への復帰は、後述（491ページ）のとおり、納税猶予の期限の確定事由とされています（措法70の７の５③、措令40の８の５⑱、40の８㉕四）。

② 株式等の贈与の直前において、次に掲げる者のいずれかに該当する者がある場合

特例認定贈与承継会社の株式等を有していた個人で、その贈与の時においてその特例認定贈与承継会社の代表権を有していないもので、次のいずれかに該当する者がある場合のその者をいいます。

イ　その特例認定贈与承継会社の株式等について、特例措置としての贈与税又は相続税の納税猶予制度の適用を受けている者

ロ　その特例認定贈与承継会社の代表権を有していた者から贈与により特例措置としての贈与税の納税猶予制度の適用に係る株式等を取得している者（イに掲げる者を除く）

ハ　その特例認定贈与承継会社の代表権を有していた者から相続又は遺贈により特例措置としての相続税の納税猶予制度の適用に係る株式等を取得している者（イに掲げる者を除く）

(注) このうち②は、その会社の代表権を有していた先代経営者からの株式等の贈与・相続について、後継者が特例措置としての納税猶予制度の適用を受けた後に、代表権を有しない他の株主（たとえば先代経営者の配偶者）から贈与により株式等を取得した場合には、その取得について贈与税の納税猶予制度の適用を受けることができるということです。経営承継円滑化法にいう「第二種贈与」です。上記の①と合わせてイメージ図で示すと、次ページの図のとおりです。

この図の後継者については、上記のイからハのいずれかに該当することとされていますが、このうちイは、特例措置としての贈与税又は相続税の納税猶予制度の適用を受けて申告済の者ということです。これに対しロとハは、代表権を有していた先代経営者からの贈与又は相続により株式等を取得した後、代表権を有しない株主から株式等の贈与（第二種贈与）を受けたが、申告期限が到来しないため、贈与税又は相続税の申告が終わっていない者という意味です。

なお、前述（469ページ）したとおり、第一種の相続又は贈与と第二種の相続又は贈与は、第一種が先行的に行われており、かつ、次ページで説明するとおり第二種が５年以内であれば、株式等の承継形態として、相続と贈与のいずれであっても納税猶予の適用を受けることができます。このため、第二種の贈与について、上記のロは第一種が贈与の場合を規定し、上記のハは第一種が相続の場合を規定しているわけです。

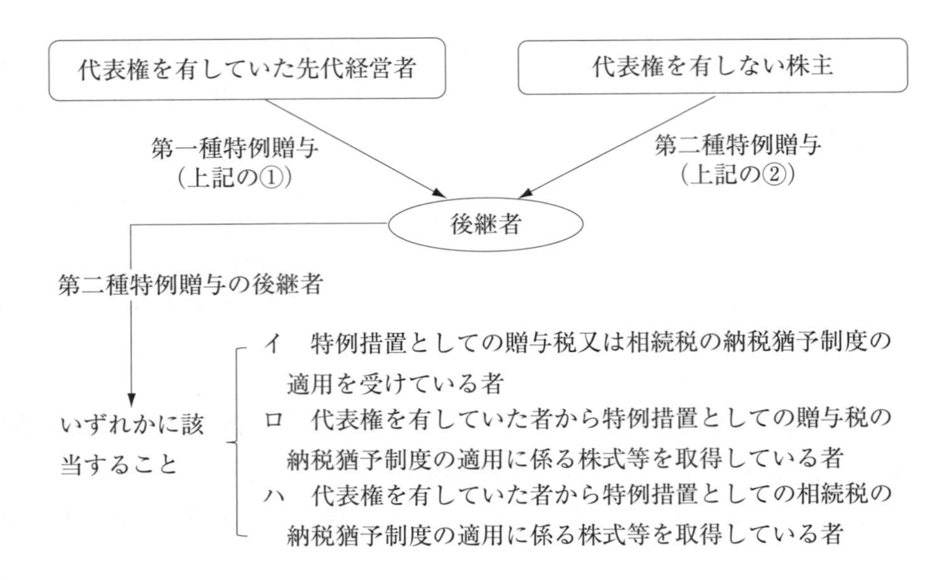

注意したいのは、第二種特例贈与に係る納税猶予制度は、特例経営贈与承継期間（５年間）の末日までに贈与税の申告期限が到来する贈与による株式等の取得に適用されることです（措法70の７の５①かっこ書）。

なお、第一種特例贈与（次図の最初の贈与）の後に第二種特例贈与が行われた場合に納税猶予を適用することとされています。したがって、第二種贈与が先行した場合には納税猶予の適用はありません（後に行われた第一種特例贈与についてのみ納税猶予が適用されます）。

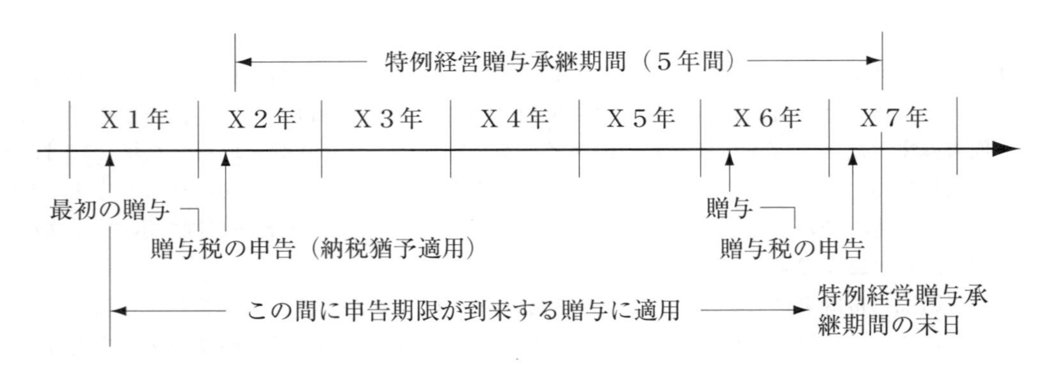

（注１）上記の「特例経営贈与承継期間」とは、この制度の適用に係る贈与の日の属する年分の贈与税の申告期限の翌日から次に掲げる日のいずれか早い日又はこの制度の適用を受ける特例経営承継受贈者若しくはその特例経営承継受贈者に係る特例贈与者の死亡の日の前日のいずれか早い日までの期間をいいます（措法70の７の５②七）。

①　その特例経営承継受贈者の最初のこの制度の適用に係る贈与の日の属する年分の贈与税の申告期限の翌日以後５年を経過する日

②　その特例経営承継受贈者の最初の特例措置としての相続税の納税猶予制度の適用に係る相続税の申告期限の翌日から５年を経過する日

（注２）上記のとおり第一種の贈与と第二種の贈与の間には期間の制限があるのですが、贈与

と相続（遺贈）の形態は問われません。ただし、第一種の贈与・相続について、一般措置としての納税猶予制度を適用している場合には、第二種の贈与・相続には特例措置としての納税猶予制度は適用されません。一方、第一種の贈与・相続に特例措置の適用を受けていれば、第二種の贈与・相続が令和９年12月31日後であっても特例措置の適用を受けることができます。

これをケース別にまとめると、次のようになります。なお、第一種の贈与・相続と第二種の贈与・相続の間は期間制限内（５年以内）とします（図の○は適用あり、×は適用なしという意味です）。

<ケース１>

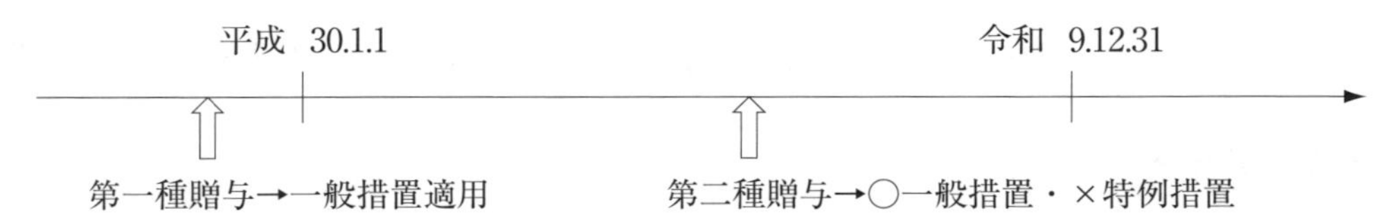

<ケース２>

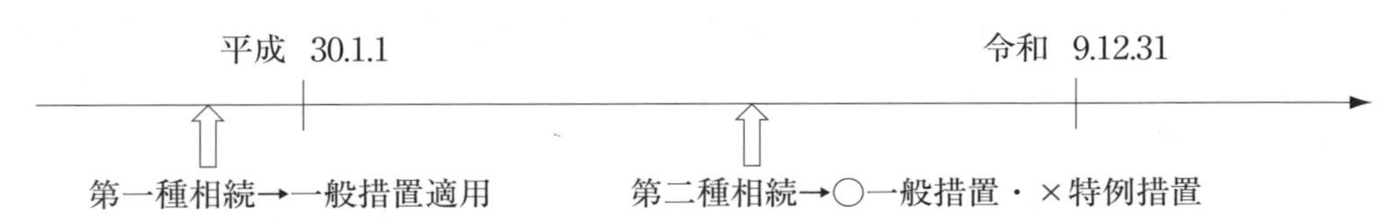

<ケース３>

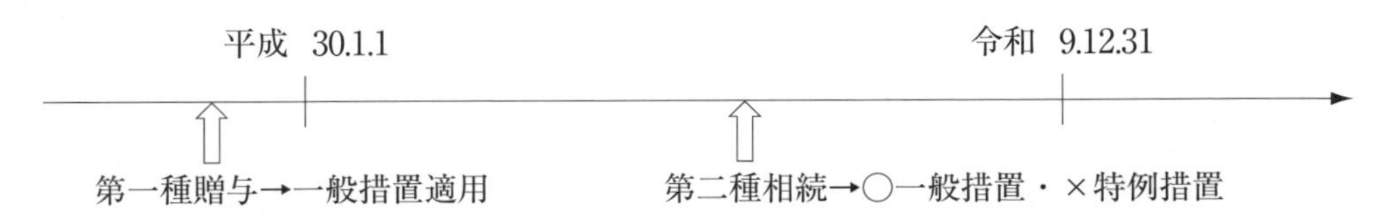

<ケース４>

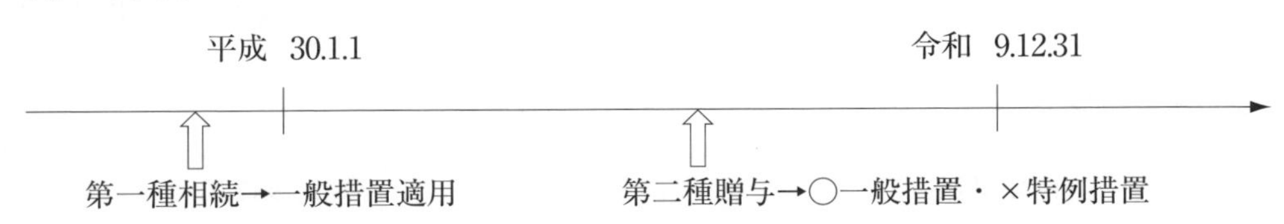

<ケース５>

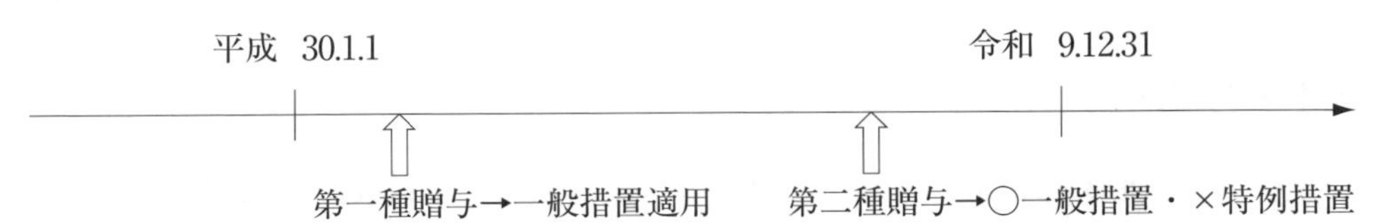

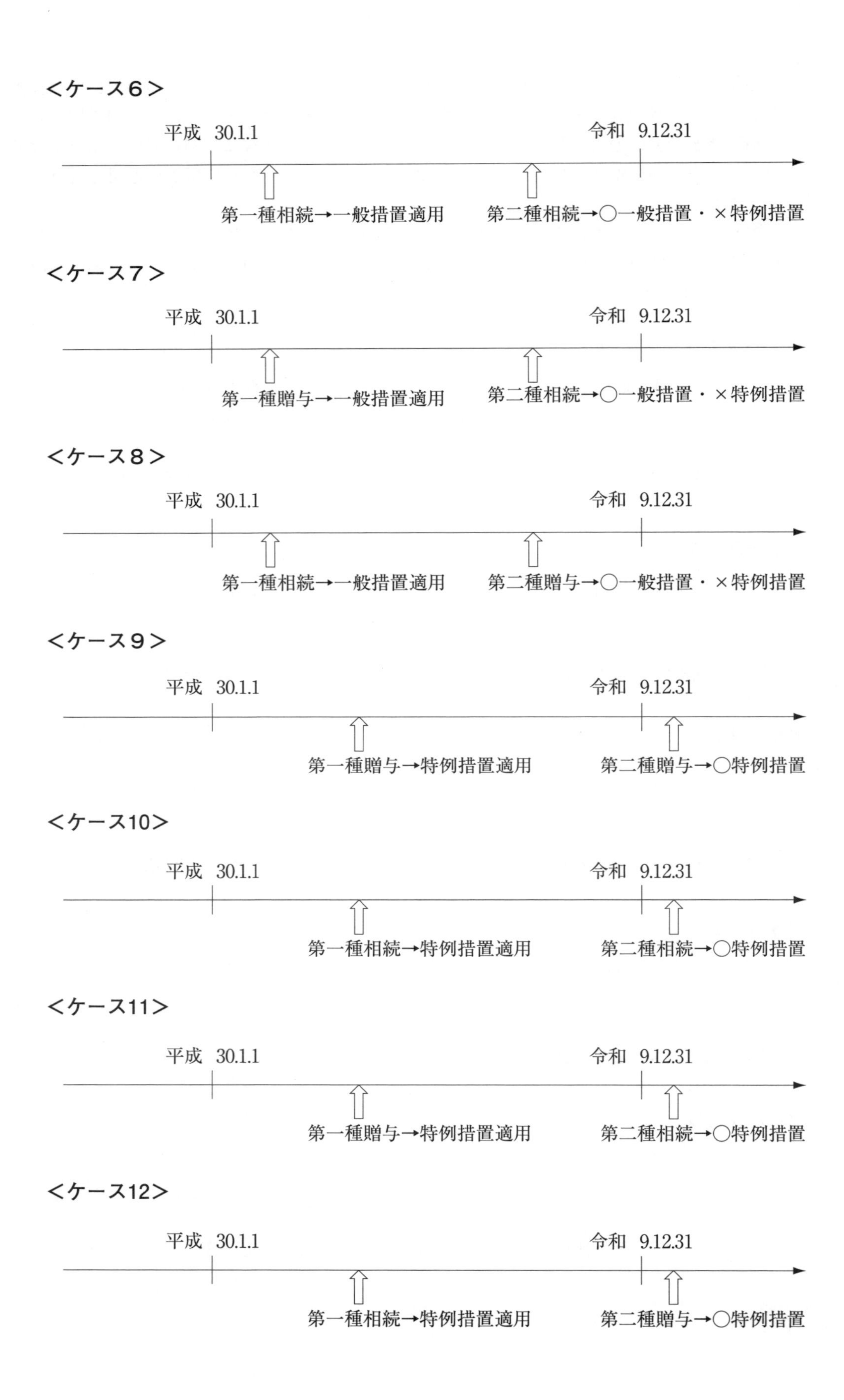
<ケース6>
平成　30.1.1
令和　9.12.31
第一種相続→一般措置適用
第二種相続→○一般措置・×特例措置
<ケース7>
平成　30.1.1
令和　9.12.31
第一種贈与→一般措置適用
第二種相続→○一般措置・×特例措置
<ケース8>
平成　30.1.1
令和　9.12.31
第一種相続→一般措置適用
第二種贈与→○一般措置・×特例措置
<ケース9>
平成　30.1.1
令和　9.12.31
第一種贈与→特例措置適用
第二種贈与→○特例措置
<ケース10>
平成　30.1.1
令和　9.12.31
第一種相続→特例措置適用
第二種相続→○特例措置
<ケース11>
平成　30.1.1
令和　9.12.31
第一種贈与→特例措置適用
第二種相続→○特例措置
<ケース12>
平成　30.1.1
令和　9.12.31
第一種相続→特例措置適用
第二種贈与→○特例措置

⑵ 受贈者（後継者）の要件

贈与税の納税猶予の特例措置の適用対象となる後継者（特例経営承継受贈者）とは、特例贈与者から贈与により特例認定贈与承継会社の株式等を取得した個人で、次の要件のすべてを満たす者をいいます（措法70の７の５②六、措規23の12の２⑩⑪）。

① その贈与の日において20歳以上であること。

② その贈与の時において、特例認定贈与承継会社の代表権を有していること。

③ その贈与の時において、その者及びその者の同族関係者の有する議決権の合計数が総株主等議決権数の50％を超えること。

④ その贈与の時において、その者が同族関係者内で筆頭株主であること。

⑤ その贈与の時からその贈与に係る贈与税の申告期限まで引き続きその贈与により取得した特例認定贈与承継会社の特例対象受贈非上場株式等（納税猶予の適用を受ける株式等）の全てを有していること。

⑥ その贈与の日まで引き続き３年以上継続してその特例認定贈与承継会社の役員であること。

⑦ 一般措置としての贈与税又は相続税の納税猶予制度の適用を受けていないこと。

⑧ 経営承継円滑化法の規定により都道府県知事の認定を受けた「特例承継計画」に係る特例後継者であること。

（注１） 上記①の「20歳以上」の年齢要件について、令和４年４月１日以後の贈与から「18歳以上」になります。

（注２） 上記③の議決権割合要件について、特例措置としての納税猶予の適用を受ける者が２人又は３人である場合には、その贈与の時において、その者の有する議決権の数が、その特例認定贈与承継会社の総株主等議決権数の10％以上であること及びその者と同族関係者のうちいずれの者の有する議決権の数を下回らないことが要件になります（措法70の７の５②六ニ⑵）。

（注３） 上記⑥の役員就任要件について、受贈者は、その贈与の日からさかのぼって３年目の応答日からその贈与の日までの間、継続してその会社の役員（取締役、会計参与、監査役をいい、持分会社の場合には、業務を執行する社員）としての地位を有していることが必要であり、直近３年間において、その地位を有しない期間がある場合には、受贈者の要件を満たさないことになります（措通70の７の５－11、70の７－13）。

（注４） 上記⑧の経営承継円滑化法の規定に関し、第二種特例贈与に特例措置を適用する場合には、都道府県知事に対する「特例承継計画」の提出は要しません（認定の申請は行う必要があります）。

【参考】 一般措置における贈与者と受贈者の要件

上記の贈与者と受贈者の要件は、一般措置としての贈与税の納税猶予制度においても同様です。ただし、下記のように法令上の用語が異なります（下表の※印は、経営承継円滑化法における用語です）。

なお、一般措置においても、第一種贈与と第二種贈与があり、第一贈与が先行していれば、第二種贈与にも納税猶予制度が適用されます。

	特例措置	一般措置
適用会社	特例認定贈与承継会社 ※第一種特例贈与認定中小企業者 ※第二種特例贈与認定中小企業者	認定贈与承継会社 ※第一種特別贈与認定中小企業者 ※第二種特別贈与認定中小企業者
贈与者	特例贈与者	贈与者
受贈者	特例経営承継受贈者 ※第一種特例経営承継受贈者 ※第二種特例経営承継受贈者	経営承継受贈者 ※第一種経営承継受贈者 ※第二種経営承継受贈者
対象株式	特例対象受贈非上場株式等 ※第一種特例認定贈与株式 ※第二種特例認定贈与株式	対象受贈非上場株式等 ※第一種認定贈与株式 ※第二種認定贈与株式
事業承継期間	特例経営贈与承継期間	経営贈与承継期間

4. 納税猶予の対象になる株式等の範囲と贈与株数の判定

(1) 特例対象受贈非上場株式等の意義

特例措置として納税猶予制度の対象となる「特例対象受贈非上場株式等」は、特例贈与者から贈与により取得した特例認定贈与承継会社の株式等の全部です(措法70の7の5①)。

したがって、その年分の受贈財産が特例認定贈与承継会社の株式等のみの場合には、贈与税額の全部が納税猶予となり、納付すべき贈与税はありません。

【参考】 一般措置における納税猶予対象株式等について

一般措置としての贈与税の納税猶予制度が適用される対象受贈非上場株式等とは、認定贈与承継会社の発行済議決権株式等の3分の2に達する部分であり、また、経営承継受贈者が贈与の直前に有していた株式等の数は、3分の2部分から控除して対象株式数を算定します(措法70の7①、措令40の8②)。

なお、発行済議決権株式等に3分の2を乗じた数に1株未満の端数がある場合には、その端数は切り上げて計算します(措通70の7－2(注)4)。たとえば、発行済議決権株式等の総数が1,000株の会社の場合の3分の2部分は、1,000株×2/3＝666.66株となりますが、667株として適用対象株式等の数を計算します。

(2) 納税猶予が適用される贈与株数の判定

注意したいのは、適用される贈与株数の取扱いで、次のいずれかに該当する贈与の場合に限り、納税猶予が適用されます（措法70の７の５①一、二）。

> ①　その贈与の直前において、特例贈与者が有していた株式等の数が、発行済株式総数の３分の２から後継者である特例経営承継受贈者が贈与前に有していた株式等の数を控除した残数以上の場合⇒その控除した残数に相当する株式等の数以上の贈与
> ②　①以外の場合⇒特例経営承継贈与者が贈与の直前に有していた株式等の全ての贈与

この規定について、制度の適用対象となる非上場株式等の贈与とは、次に掲げる区分に応じ、それぞれに定める贈与をいうと説明されています（措通70の７の５－３）。

区　　分	適用対象となる贈与
①　$A + B \geqq C \times \frac{2}{3}$ の場合	$C \times \frac{2}{3} - B$ 以上の贈与
②　$A + B < C \times \frac{2}{3}$ の場合	Aの全部の贈与

○上記の算式中の符号は、次のとおりです。

Ａ＝特例贈与者が納税猶予の適用に係る贈与の直前に有していた非上場株式等の数

Ｂ＝特例経営承継受贈者が贈与の直前に有していた非上場株式等の数

Ｃ＝その贈与の時における特例贈与認定承継会社の発行済株式等の総数

納税猶予が適用される贈与株数の判定方法について、発行済株式総数が3,000株の会社を例に示すと、次のようになります。

（単位：株）

贈与前の持株数		判　定　計　算	適用贈与株数	贈与後の持株数	
贈与者	受贈者			贈与者	受贈者
3,000	ゼロ	3,000＞3,000×2/3－ゼロ＝2,000→上記①	2,000	1,000	2,000
2,500	100	2,500＞3,000×2/3－100＝1,900→上記①	1,900	600	2,000
2,000	200	2,000＞3,000×2/3－200＝1,800→上記①	1,800	200	2,000
1,500	300	1,500≦3,000×2/3－300＝1,700→上記②	1,500	ゼロ	1,800
1,000	700	1,000≦3,000×2/3－700＝1,300→上記②	1,000	ゼロ	1,700
600	1,000	600≦3,000×2/3－1,000＝1,000→上記②	600	ゼロ	1,600

この判定計算における「適用贈与株数」の贈与の場合に納税猶予制度が適用されるということであり、その数を下回る贈与の場合には、その適用はありません。

要するに、上記の①は、贈与後の受贈者の持株数が発行済株式総数の３分の２に達するまでの贈与に制度が適用されるということであり（この場合には、贈与後に贈与者の手元に株式等が残ってもよい）、上記の②は、贈与者の有する株式等の全部を贈与しても、受贈者の持株数が発行済株式総数の３分の２に達しないときは、その全部を贈与した場合に納税猶予制度が適用されるということです。

（注１）納税猶予の適用を受ける特例経営承継受贈者が２人又は３人の場合には、次の①及び②の要件を満たす贈与について、納税猶予を適用することができます（措法70の７の５①二、措通70の７の５－３）。

① 贈与後の受贈者の有する株式等の数≧その会社の発行済株式総数×10％

② 贈与後の受贈者の有する株式等の数＞贈与後の贈与者の有する株式等の数

なお、この場合には、全ての受贈者について、①及び②の要件を満たす必要があります。したがって、２以上の受贈者のうちに、①及び②の要件を満たさない者がいる場合には、その者のみならず、他の受贈者についても納税猶予の適用を受けることはできません。

（注２）同一年中に、次のような贈与があった場合の特例対象贈与及び特例対象受贈非上場株式等に該当するどうかの判定は、それぞれの特例認定贈与承継会社及び贈与ごとに行います（措通70の７の５－３(注)５）。

① 異なる特例贈与者から同一の特例認定贈与承継会社に係る非上場株式等の贈与があった場合

② 異なる特例贈与者から複数の特例認定贈与承継会社に係る非上場株式等の贈与があった場合

③ 同一の特例贈与者から複数の特例認定贈与承継会社に係る非上場株式等の贈与があった場合

【参考】一般措置における適用贈与株数の判定

納税猶予制度が適用される贈与株数の判定方法は、一般措置としての納税猶予制度においても同様であり、贈与後の後継者の持株数が発行済株式総数の３分の２以上となるような贈与に同制度を適用するということです。また、贈与者の保有株式の全部を贈与しても後継者の持株数が３分の２に達しない場合には、贈与者の有する株式の全部を贈与しなければならないということです。

5. 贈与税の納税猶予税額の計算

(1) 納税猶予税額の計算方法

贈与税額の計算方法は、「暦年課税」と「相続時精算課税」の２つがありますが、贈与税の納税猶予税額の計算も同様で、次のいずれかの方法によります（措法70の７の５②八）。

① 特例対象受贈非上場株式等（納税猶予の対象となる株式等）の価額を、その特例経営承継受贈者のその年分の課税価格とみなして、暦年課税の方法により計算する。

② 特例対象受贈非上場株式等の価額を、その特例経営承継受贈者のその年分の課税価格とみなして、相続時精算課税の方法により計算する。

なお、相続時精算課税による場合には、同制度の選択届出書を提出する必要があることはいうまでもありません。

＜設例１＞

特例経営承継受贈者Ａ（30歳）が、本年中に特例贈与者である父Ｂから贈与を受けた財産は次のとおりである。Ａが贈与税の納税猶予制度の適用を受ける場合の納税猶予税額及び納付すべき贈与税額は、いくらになるか（Ａは過去の年分において相続時精算課税の適用を受けたことはない）。

・特例対象受贈非上場株式等……１億円（２万株、１株当たりの評価額5,000円）
・現金……500万円

（注） 当該会社の発行済株式総数…３万株、贈与直前の保有株数…Ａ2,000株、Ｂ２万株

〔計　算〕

	暦年課税の場合	相続時精算課税の場合
贈与税の課税価格	１億円＋500万円＝１億500万円	１億円＋500万円＝１億500万円
上記の課税価格に対する贈与税額	〔１億500万円－110万円（基礎控除額）〕×55％（税率）－640万円（速算表控除額）＝5,074.5万円	〔１億500万円－2,500万円（特別控除額）〕×20％（税率）＝1,600万円
納税猶予税額	〔１億円－110万円〕×55％－640万円＝4,799.5万円	〔１億円－2,500万円〕×20％＝1,500万円
期限内の納付税額	5,074.5万円－4,799.5万円＝275万円	1,600万円－1,500万円＝100万円

この例で、贈与により取得した財産が特例対象受贈非上場株式等（１億円）のみであれば、その税額（暦年課税の場合には4,799.5万円、相続時精算課税の場合には1,500万円）の全部が納税猶予となり、納付税額が生じないことはいうまでもありません。

なお、上例の場合に納税猶予の適用を受けた後、その取消事由に該当した場合において、暦年課税を適用しているときは、4,799.5万円の全額納付となり、相続時精算課税を選択しているときは、1,500万円を納付することになります。

（注） この計算例を贈与税の申告書の添付書類である「特例株式等納税猶予税額の計算書（贈与税）〔暦年課税〕」に記載すると、〔書式78〕（次ページ）とのとおりです。

＜設例２＞

特例経営承継受贈者Ｃ（30歳）が、本年中に特例贈与者である父及び母から贈与を受けた財産は、下記のとおりである。Ｂは、父からの贈与財産について相続時精算課税の適用を受けることとし（過去の年分についてその適用を受けたことはない）、母からの贈与財産については暦年課税によることとした。Ｂがいずれの贈与についても贈与税の納税猶予制度の適用を受ける場合の納税猶予税額及び納付すべき贈与税額は、いくらになるか。

①　父からの贈与財産……特例対象受贈非上場株式等１億円、現金500万円
②　母からの贈与財産……特例対象受贈非上場株式等1,000万円

〔書式78〕

特例株式等納税猶予税額の計算書（贈与税）〔暦年課税〕

【特例措置用】

（令和元年分以降用）

特例経営承継受贈者の氏名	A	贈与者の氏名（裏面の「1」参照）	B

私は、次の会社の株式（出資）のうち、「3　特例対象受贈非上場株式等の明細」の①欄の株式等の数等について「非上場株式等についての贈与税の納税猶予及び免除の特例（租税特別措置法第70条の7の5第1項）」の適用を受けます。
この計算書の書きかた等については、裏面をご覧ください。

1　特例対象受贈非上場株式等に係る会社

① 会社名	株式会社〇〇
② 会社の整理番号（会社の所轄税務署名）	××××××××（〇〇署）
③ 事業種目	〇〇製造業
④ 贈与の時における資本金の額	10,000,000円
⑤ 贈与の時における資本準備金の額	0円
⑥ 贈与の時における従業員数	45人
⑦ 贈与の時における特例経営承継受贈者の役職名	代表取締役
⑧ 特例経営承継受贈者が役員等に就任した年月日	〇年　〇月　〇日

⑨ 特例承継計画の提出及び確認の状況	提出年月日	〇年〇月〇日
	確認年月日	〇年〇月〇日
	確認番号	×××××
⑩ 円滑化法の認定の状況	認定年月日	〇年〇月〇日
	認定番号	×××××
⑪ 会社又はその会社の特別関係会社であってその会社との間に支配関係がある法人が保有する外国会社等の株式等の有無	有	㊒無（無に〇）

2　特例対象贈与の判定

受贈年月日	① 贈与の時における発行済株式等の総数等	② 贈与により取得した株式等の数等
〇　・〇・　〇	30,000 株・口・円	20,000 株・口・円

③ 特例対象贈与の判定（特例経営承継受贈者が1人の場合）
※　同一の贈与者から、同一年中に上記1の特例対象受贈非上場株式等に係る会社の株式（出資）を取得した他の特例経営承継受贈者がある場合には、「特例株式等納税猶予税額の計算書（贈与税）（付表）」により特例対象贈与の判定を行い、本欄への記載は不要です。

a　発行済株式等の総数等の3分の2に相当する数等（①×2／3）（1株・口・円未満の端数切上げ）	b　贈与者が贈与の直前において保有していた株式等の数等	c　特例経営承継受贈者が贈与の直前に保有していた株式等の数等	d　基準となる株式等の数等 (イ) a＞b＋cの場合 ⇒ b (ロ) a≦b＋cの場合 ⇒（a－c） ※（a－c）が赤字の場合は「0」	e　判定 d(イ)の場合 ⇒ ②＝d d(ロ)の場合 ⇒ ②≧d
20,000 株・口・円	20,000 株・口・円	2,000 株・口・円	18,000 株・口・円	適（〇）・否

3　特例対象受贈非上場株式等の明細

① 上記2の②欄の数等のうち、特例の適用を受ける株式等の数等	② 1株（口・円）当たりの価額（裏面の「3(2)」参照）	③ 価額（①×②）
20,000 株・口・円	5,000円	A　100,000,000円

4　特例株式等納税猶予税額の計算

① 上記3の③欄「A」の価額	② 基礎控除額	③ （①－②）の金額（1,000円未満切捨て）	④ ③に対する税額（特例株式等納税猶予税額）（100円未満切捨て）
100,000,000円	1,100,000円	98,900,000円	47,995,000円

5　特例対象受贈非上場株式等の内訳等

この欄は、租税特別措置法施行規則第23条の12の2第16項第7号の規定に基づき、上記3の①欄に係る特例対象受贈非上場株式等の内訳等について記入します。記入に当たっては、裏面の「5」をご覧ください。

	贈与年月日	贈与者の氏名	贈与者の住所	左記の贈与者が贈与した株式等の数等
イ	・　・			株・口・円
ロ	・　・			株・口・円
ハ	・　・			株・口・円
贈与者が贈与した株式等の数等の合計（イ＋ロ＋ハ）				株・口・円

（注）1　上記の欄に記入しきれない場合は、適宜の用紙に贈与者ごとの株式等の数等を記載し添付してください。
2　「贈与者が贈与した株式等の数等の合計」欄の数等は、上記3の①欄の数等と一致します。

6　最初の非上場株式等についての贈与税の納税猶予及び免除の特例等の適用に関する事項

この欄は、特例経営承継受贈者が、その贈与前に贈与又は相続若しくは遺贈（以下「相続等」といいます。）により取得した上記1の特例対象受贈非上場株式等に係る会社の非上場株式等について、「非上場株式等についての贈与税の納税猶予及び免除の特例（租税特別措置法第70条の7の5）」又は「非上場株式等についての相続税の納税猶予及び免除の特例（同法第70条の7の6）」の規定の適用を受けている場合又は受けようとしている場合において、最初のその贈与又は相続等によるその会社の非上場株式等の取得に関する事項等について記入します。

① 取得の原因	② 取得年月日	③ 申告した税務署名	④ 贈与者又は被相続人の氏名
贈与・相続等	年　月　日	署	

7　会社が現物出資又は贈与により取得した資産の明細書

この明細書は、租税特別措置法施行規則第23条の12の2第16項第8号の規定に基づき、会社が贈与前3年以内に特例経営承継受贈者及び特例経営承継受贈者と特別の関係がある者（裏面の「7(1)」参照）から現物出資又は贈与により取得した資産の価額等について記入します。
なお、この明細書によらず会社が別途作成しその内容を証明した書類を添付しても差し支えありません。

取得年月日	種類	細目	利用区分	所在場所等	数量	① 価額	出資者・贈与者の氏名・名称
・　・						円	
・　・							
・　・							
② 現物出資又は贈与により取得した資産の価額の合計額（①の合計額）							
③ 会社の全ての資産の価額の合計額（②の金額を含みます。）							
④ 現物出資等資産の保有割合（②／③）						%	

上記の明細の内容に相違ありません。

令和〇年〇月〇日

所在地　東京都中央区〇〇1－2－3　　会社名　株式会社〇〇

代表者氏名　A　印

※	税務署整理欄	法人管轄署番号	－	入力		確認			

※欄には記入しないでください。

（資5－11－13－A4統一）（令元.10）

〔計　算〕

①　本年中に取得した全ての財産に係る贈与税の額

イ　父から取得した財産に係る贈与税の額（相続時精算課税）

{(１億円＋500万円)－2,500万円（特別控除額)}×20％＝1,600万円

ロ　母から取得した財産に係る贈与税の額（暦年課税）

(1,000万円－110万円（基礎控除額))×30％－90万円＝177万円

ハ　1,600万円（イ)＋177万円（ロ)＝1,777万円

②　特例対象受贈非上場株式等に係る納税猶予分の贈与税額

イ　父からの贈与に係る納税猶予分の贈与税額（相続時精算課税）

(１億円－2,500万円)×20％＝1,500万円

ロ　母からの贈与に係る納税猶予分の贈与税額（暦年課税）

(1,000万円－110万円）×30％－90万円＝177万円

ハ　1,500万円（イ)＋177万円（ロ)＝1,677万円

③　申告期限までに納付すべき贈与税額

1,777万円－1,677万円＝100万円

⑵　特例認定贈与承継会社が２以上ある場合の納税猶予分の贈与税額の計算

被相続人が複数の会社を経営していた場合には、２以上の会社が「特例認定贈与承継会社」となって、それぞれの株式等に納税猶予制度の適用を受けることがあります。

この場合の納税猶予税額は、全ての特例認定贈与承継会社の特例対象受贈非上場株式等の価額の合計額を基に計算しますが、それぞれの特例認定贈与承継会社ごとに猶予税額を算定しておく必要があります。これは、その後に複数の特例認定贈与承継会社のうちのいずれかの会社が事業継続要件を満たさないこととなった場合（あるいは、いずれかの特例認定贈与承継会社について特例経営承受贈者が事業継続要件を満たさないこととなった場合）には、その特例認定贈与承継会社の株式等に対応する猶予税額のみが確定し、その税額だけを納税することになるためです。

その計算は、納税猶予税額をそれぞれの特例対象受贈非上場株式等の価額であん分する方法によりますが、具体的には、次の順で計算します（措令40の８の５⑮、40の８⑮、措通70の７の５－13、70の７－14の２）。

①　上記⑴に示した計算方法で特例対象非上場株式等の価額の合計額を基に納税猶予税額を算定する（100円未満の端数処理は行わない）。

②　特例認定贈与承継会社の異なるものごとに、それぞれの特例対象受贈非上場株式等の価額に対応する納税猶予分の相続税額を計算する（100円未満の端数処理を行う）。

たとえば、上記⑴に示した暦年課税の計算例（特例経営承継受贈者＝A、特例対象受贈非上場株式等の価額＝１億円）では、納税猶予税額が47,995,000円と計算されていました。

この例で、特例対象受贈非上場株式等の価額（１億円）が次の２社分の合計額であるとしましょう。

・特例認定贈与承継会社甲社の特例対象受贈非上場株式等の価額……7,000万円
・特例認定贈与承継会社乙社の特例対象受贈非上場株式等の価額……3,000万円

この場合には、次のようにそれぞれの株式の価額で納税猶予税額をあん分します（いずれも100円未満の端数は切り捨てる）。

・Ａ社分　47,995,000円×7,000万円÷１億円＝33,596,500円
・Ｂ社分　47,995,000円×3,000万円÷１億円＝14,398,500円

（注）特例認定贈与承継会社が２以上ある場合には、贈与税の申告書の添付書類である「特例株式等納税猶予税額の計算書（贈与税）」を２以上作成し、上記の納税猶予税額のあん分計算は、「特例株式等納税猶予税額の計算書（贈与税）（別表）」で行います。

(3)　相続時精算課税制度の適用対象者

相続時精算課税制度は、原則として贈与者及び受贈者が次の場合に適用できることとされています（相法21の９①、措法70の２の６①）。

・贈与者……贈与をした年の１月１日において60歳以上である者
・受贈者……贈与者の直系卑属である推定相続人及び孫で、その年の１月１日において20歳以上（令和４年４月１日以後の贈与から18歳以上）である者

一方、特例措置としての贈与税の納税猶予制度においては、特例贈与者の贈与の年の１月１日における年齢が60歳以上であれば、受贈者は特例贈与者の推定相続人以外の者（同日において20歳以上（令和４年４月１日以後の贈与から18歳以上）である場合に限られます）であっても、相続時精算課税の適用を受けることができることとされています（措法70の２の７①）。

したがって、特例経営承継受贈者（後継者）を特例贈与者の推定相続人以外の者（特例贈与者の甥、姪、第三者など）として、相続時精算課税を適用して事業承継を行うことも可能になっています。

（注１）後継者が贈与を受けた特例対象受贈非上場株式等の価額が相続時精算課税の特別控除額（2,500万円）以下の場合には、贈与税額がゼロとなり、納税猶予税額も算出されません。したがって、納税猶予の適用を前提とした租税特別措置法70条の２の７の適用はなく、相続時精算課税の適用を受けることはできません。

なお、相続時精算課税の適用を受けられない場合であっても暦年課税により計算した贈与税額が算出されれば、納税猶予の適用を受けることができます。

（注２）贈与税の納税猶予制度の適用を受けた後、特例贈与者に相続が開始した場合には、特例対象受贈非上場株式等を特例経営承継受贈者が相続によって取得したものとみなされます（措法70の７の７①）。このため、相続時精算課税に係る贈与者の相続時の課税規定（相法21の14～21の16）との関係が問題になりますが、この点については、両者の間の調整措置が講じられています（後述547ページ）。

【参考】一般措置における贈与税の納税猶予税額の計算

一般措置としての贈与税の納税猶予制度における税額の計算方法も上記の特例措置と同じであり、暦年課税又は相続時精算課税のいずれかによることができます（措法70の7⑤五）。

ただし、一般措置における相続時精算課税は、贈与者が60歳以上の父母又は祖父母で、受贈者が20歳以上の推定相続人又は孫の場合に適用されます。特例措置の場合には、上記(3)のとおり、20歳以上の推定相続人以外の者も納税猶予制度を受けられることとされている点で一般措置と異なります。したがって、特例措置では、20歳以上であれば、甥や姪などのほか第三者を後継者として株式の贈与を行うことができますが、一般措置では、20歳以上の推定相続人又は孫に限られます。

6. 事業継続要件と納税猶予の確定

(1) 特例経営贈与承継期間内の納税猶予の確定事由

この制度の適用を受けた場合には、特例経営贈与承継期間（原則として、贈与税の申告期限の翌日から５年間）は、いわゆる事業継続要件が課せられます。このため、その期間内に下記の事由が生じた場合には、納税猶予の期限が確定（納税猶予の取消し）することになります（措法70の７の５③）。

この場合には、原則として、その事由が生じた日から２か月を経過する日までに、猶予中贈与税額を利子税とともに納付しなければなりません。

〔特例経営贈与承継期間内の納税猶予の確定事由〕

① 特例経営承継受贈者（後継者）が特例認定贈与承継会社の代表権を有しないこととなった場合（やむを得ない理由がある場合を除く）
② 特例経営承継受贈者及びその同族関係者の有する議決権の合計数が特例認定贈与承継会社の総議決権数の50％以下となった場合
③ 特例経営承継受贈者がその同族関係者内で筆頭株主でないこととなった場合
④ 特例経営承継受贈者が特例対象受贈非上場株式等の一部を譲渡又は贈与をした場合
⑤ 特例経営承継受贈者が特例対象受贈非上場株式等の全部を譲渡又は贈与をした場合
⑥ 特例認定贈与承継会社が会社分割をした場合で、吸収分割承継会社等の株式等を配当財源とする剰余金の配当があったとき、又は特例認定贈与承継会社が組織変更をした場合で、その特例認定贈与承継会社の株式等以外の財産の交付があったとき
⑦ 特例認定贈与承継会社が解散をした場合

⑧　特例認定贈与承継会社が資産保有型会社又は資産運用型会社に該当することとなった場合
⑨　特例認定贈与承継会社の事業年度に係る総収入金額がゼロとなった場合
⑩　特例認定贈与承継会社が資本金の額又は準備金の額の減少をした場合（欠損填補のための減資等又は減額した準備金の全額を資本金に組み入れる場合を除く）
⑪　特例経営承継受贈者が納税猶予の適用をやめる旨の届出をした場合
⑫　特例認定贈与承継会社が合併により消滅した場合（適格合併をした場合を除く）
⑬　特例認定贈与承継会社が株式交換等により他の会社の株式交換完全子会社等になった場合（適格交換等をした場合を除く）
⑭　特例認定贈与承継会社の株式等が非上場株式等に該当しないこととなった場合
⑮　特例認定贈与承継会社又はその特例認定贈与承継会社の特定特別関係会社が風俗営業会社に該当することとなった場合
⑯　特例認定贈与承継会社が発行するいわゆる拒否権付種類株式を特例経営承継受贈者以外の者が有することとなった場合
⑰　特例認定贈与承継会社が特例対象受贈非上場株式等の全部又は一部を議決権制限種類株式に変更した場合
⑱　特例認定贈与承継会社が定款の変更により特例経営承継受贈者が有する議決権に制限をした場合
⑲　特例贈与者が特例認定贈与承継会社の代表権を有することとなった場合

これらの特例贈与承継期間内における納税猶予の確定事由について、重要な点を捕捉しておくこととします。

①　後継者の代表者の退任

上記①により、後継者である特例経営承継受贈者が代表者を退任した場合には、納税猶予が確定するのですが、「やむを得ない理由」による退任であれば、納税猶予の期限は到来しません。この場合の「やむを得ない理由」とは、その特例経営承継受贈者が次のいずれかに該当することとなった場合とされています（措法70の７の５③、70の７③一、措規23の12の２⑭、23の９⑰）。

イ　精神障害者保健福祉手帳（障害等級が１級であるものとして記載されているもの）の交付を受けたこと。

ロ　身体障害者手帳（障害の程度が１級又は２級であるものとして記載されているもの）の交付を受けたこと。

ハ　要介護認定（第５号区分に該当するもの）を受けたこと。

②　特例対象受贈非上場株式等の譲渡又は贈与

上記の④と⑤について、特例経営贈与承継期間中の特例対象受贈非上場株式等の全部の譲渡又は贈与はもちろんのこと、そのうちの１株の譲渡又は贈与であっても全部確定となり、猶予税額の全額納付になることに注意を要します。

③ 資産保有型会社又は資産運用型会社の判定

上記の⑧のとおり、特例認定贈与承継会社が資産保有型会社又は資産運用型会社に該当した場合には、納税猶予が確定し、猶予税額の全額納付となります。この場合の資産保有型会社又は資産運用型会社とは、次のように特定資産の価額の割合又は特定資産の運用収入の割合によって判定することは前述したとおりです。

$$資産保有型会社=\frac{特定資産の帳簿価額の合計額}{総資産の帳簿価額}\geqq 70\%$$

$$資産運用型会社=\frac{特定資産の運用収入の合計額}{総収入金額}\geqq 75\%$$

もっとも、形式的にこれらに該当しても、いわゆる実質基準として次の３要件を満たす場合には、納税猶予の取消しにはなりません（措法70の７の５②一ロ、70の７②一ロ、措令40の８の５⑤、40の８⑥）。この点は、前述した特例認定贈与承継会社の要件の判定と同じです。

イ　その会社の常時使用従業員（特例経営承継受贈者及びその者と生計を一にする親族を除く）の数が５人以上であること。

ロ　その会社が、イの常時使用従業員が勤務している事務所、店舗、工場その他これらに類するものを所有し又は賃借していること。

ハ　その会社が引き続き３年以上継続して、商品の販売、資産の貸付け（特例経営承継受贈者及びその特例経営承継受贈者の同族関係者に対する貸付けは除く）又は役務の提供その他の事業を行っていること。

ところで、この実質基準を満たさない場合の納税猶予の取消しは、特例経営贈与承継期間中だけではなく、その後においても納税猶予が継続している間は適用されます。要するに、納税猶予が継続している間の一時点であっても形式的に資産保有型会社又は資産運用型会社に該当すれば、実質基準を満たさない限り、納税猶予の取消しとなるわけです。

しかしながら、会社が設備投資のために銀行借入を行った場合には、一時的に特定資産である現預金が増加し、その割合が70％以上となることが想定されます。この場合に、資産保有型会社に該当するものとして納税猶予の取消しとなるのは、制度としてあまりに硬直的です。

そこで、その会社が事業活動のために必要な資金の借入れ、その事業の用に供していた資産の譲渡又はその資産について生じた損害に基因した保険金の取得その他事業活動上生じた偶発的な事由でこれらに類するものが生じたことにより、納税猶予期間中のいずれかの日において特定資産の割合が70％以上となった場合には、資産保有型会社の判定上、その事由が生じた日から同日以後６か月を経過する日までの期間を除くこととされています

（措令40の8⑲）。したがって、その6か月間のうちに特定資産の割合が70％未満になれば、資産保有型会社には該当しないことになります。

この点は資産運用型会社についても同様であり、上記の事由により納税猶予期間中のいずれかの事業年度におけるその会社の総収入金額に占める特定資産の運用収入の割合が75％以上となった場合には、資産運用型会社となる要件を判定する期間から、その事業年度の開始の日からその事業年度終了の日の翌日以後6か月を経過する日の属する事業年度終了の日までの期間が除かれます（措令40の8㉒）。

（注）形式的に資産保有型会社等となった場合において、上記の事由に該当した場合（いわゆる実質基準を満たす場合を除く）には、納税猶予の継続届出書に次の事項を記載することとされています（措規23の9㉗三ニ）。

イ　これらの事由の詳細及びその生じた年月日

ロ　特定資産の割合を70％未満に減少させた事情及びその事情の生じた年月日又は事業年度

④　総収入金額の判定

上記⑨により特例認定贈与承継会社の総収入金額がゼロとなった場合には、納税猶予が確定するのですが、この場合の総収入金額からは営業外収益や特別利益の額を除外して判定することとされています。したがって、「売上高」がゼロになると、納税猶予が取り消されます（措法70の7の5③、70の7③十、措規23の12の2⑤、23の9⑥）。この点は、前述した特例認定贈与承継会社の要件と同じです。

⑤　特例贈与者の代表者復帰

上記⑲により、特例贈与者（先代経営者）がその会社の代表者に復帰すると、納税猶予が確定します。これは、制度の適用に際しての「贈与者の代表者退任要件」（478ページ）との関係です。後継者に事業承継を行った後に、被承継者である贈与者（先代経営者）が代表者に復帰することは、いわば事業承継を逆行させることになり、制度の趣旨に沿いません。このため、特例経営贈与承継期間内に贈与者が代表権を有することとなった場合には、納税猶予期限が確定し、その時点の猶予中贈与税額の全額を納付することとされています。

なお、株式等の贈与時に代表者を退任した後、特例経営贈与承継期間内に代表者以外の役員に再就任することは、有給か無給かを問わず、納税猶予期限の確定事由には該当せず、納税猶予が継続して適用されます。また、無給であった役員が有給の役員となっても納税猶予が継続適用になります。もっとも、特例経営贈与承継期間（5年間）の経過後に贈与者（先代経営者）が代表者に復帰しても、納税猶予期限が確定することはありません。

（注）特例経営贈与承継期間内における納税猶予の取消しは、「全部確定」（猶予中贈与税額の全額納付）であり、原則として「一部確定」になることはありません。ただし、上記の確定事由の⑫と⑬について、特例認定贈与承継会社が適格合併又は適格交換等をした場合に、特例経営承継受贈者がその対価として金銭等の交付を受けたときは、猶予中贈与税額のうち、その金銭等の額に対応する贈与税額を納付することになります。

【雇用確保要件について】

特例措置としての納税猶予制度には、いわゆる雇用確保要件はありません。ただし、特例経営贈与承継期間の末日において、その特例認定贈与承継会社の常時使用従業員数の平均値が贈与の時の常時使用従業員数の80％未満となった場合には、その末日の翌日から４か月以内に都道府県知事に「特例承継計画に関する報告書」（円滑化規則20③、様式第27）を提出し、その理由について確認を受けなければなりません（円滑化規則20①）。

この場合、常時使用従業員数が80％未満となった理由は、次のうち当てはまるものを選択し、報告書に記載することとされています。

イ　高齢化が進み後を引き継ぐ者を確保できなかった。

ロ　採用活動をしたが、人出不足から採用に至らなかった。

ハ　設備投資等、生産性が向上したため人手が不要となった。

ニ　経営状況の悪化により、雇用を継続できなくなった。

ホ　その他（具体的に理由を記載）

なお、その理由について、ニ又はホを選択し、その理由が正当なものと認められない場合には、認定経営革新等支援機関による指導及び助言を受けた旨を記載する必要があります（円滑化規則20③）。

【参考】一般措置における雇用確保要件

一般措置としての納税猶予制度では、贈与税及び相続税ともに雇用確保要件がありますから、その要件を満たさない場合には、納税猶予が確定し、猶予税額の全額納付となります。

雇用確保要件について、経営（贈与）承継期間の常時使用従業員の平均値は、各第一種基準日（申告期限の翌日から１年を経過するごとの日）における常時使用従業員数の合計を基に80％未満かどうかを判定します（措法70の７③二、70の７の２③二、措令40の８㉓、40の８の２㉘、措規23の９⑱、23の10⑯）。具体的には、次の算式に該当する場合には雇用確保要件が満たされていることになります。

$$\frac{\text{各第一種基準日における常時使用従業員数の合計}}{\text{経営承継期間の末日において、経営承継期間内に存する第一種基準日の数}} \geq \text{贈与（相続）時の常時使用従業員数} \times 80\%$$

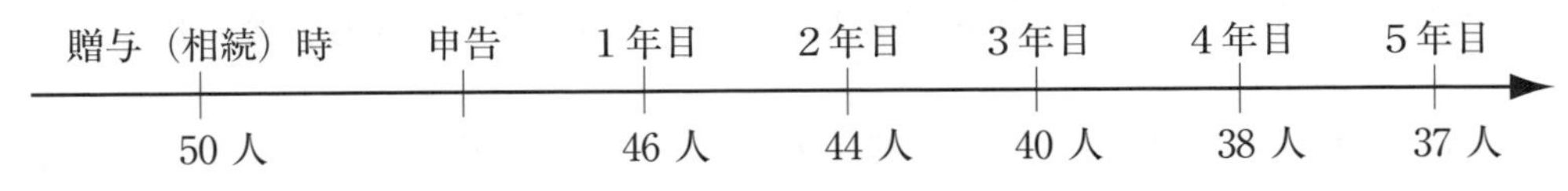

46人＋44人＋40人＋38人＋37人＝205人　205人÷５＝41人

41人÷50人＝82％≧80％→雇用確保要件該当（納税猶予継続）

(2)　特例経営贈与承継期間経過後の納税猶予の確定事由

特例経営贈与承継期間が経過した後においては、いわゆる事業継続要件はなくなりますが、一定の事由が生じた場合には、納税猶予が確定し、猶予中贈与税額の全部又は一部とともに利子税を納付することになります。特例経営贈与承継期間の経過後の納税猶予の確定する事由を列挙すると、以下のとおりです（措法70の7の5③）。

〔特例経営贈与承継期間経過後の納税猶予の確定事由〕

① 特例経営承継受贈者が特例対象非上場株式等の全部を譲渡又は贈与をした場合
② 特例認定贈与承継会社が解散をした場合
③ 特例認定贈与承継会社が資産保有型会社又は資産運用型会社に該当することとなった場合
④ 特例認定贈与承継会社の事業年度に係る総収入金額がゼロとなった場合
⑤ 特例認定贈与承継会社が資本金の額又は準備金の額の減少をした場合（欠損填補のための減資等又は減額した準備金の全額を資本金に組み入れる場合を除く）
⑥ 特例経営承継受贈者が納税猶予の適用をやめる旨の届出をした場合
⑦ 特例経営承継受贈者が特例対象受贈非上場株式等の一部の譲渡又は贈与をした場合
⑧ 特例認定贈与承継会社が合併により消滅した場合
⑨ 特例認定贈与承継会社が株式交換等により他の会社の株式交換完全子会社等になった場合
⑩ 特例認定贈与承継会社が会社分割をした場合で、吸収分割承継会社等の株式を配当財源とする剰余金の配当があったとき
⑪ 特例認定贈与承継会社が組織変更をした場合で、その特例認定贈与承継会社の株式等以外の財産の交付があったとき

これらの事由のうち①から⑥までに該当した場合には、猶予中贈与税額の全額を納付することになりますが、⑦から⑪までの場合には、猶予中贈与税額の一部納税となります。ちなみに、⑦について、特例対象受贈非上場株式等の一部を譲渡又は贈与した場合に納付する税額は、次により計算することとされています（措令40の8の5⑱、40の8㉘）。

$$\text{納付税額} = \text{猶予中贈与税額} \times \frac{\text{譲渡等をした特例対象受贈非上場株式等の数}}{\text{譲渡等の直前の特例対象受贈非上場株式等の数}}$$

要するに、前記(1)における特例経営贈与承継期間内での納税猶予の確定では、適格合併等の場合を除き、原則として猶予税額の一部納税ということはありませんが、特例経営贈与承継期間の経過後では、全部納付になる場合と一部納付になる場合があるということです。

なお、上記③の資産保有型会社又は資産運用型会社に該当することとなった場合であっても、常時使用従業員数が５人以上であるなど、いわゆる実質基準を満たすときは、納税猶予が継続することは前述したところと同様です。また、実質基準を満たさない場合であっても、資産保有型会社等に該当した時から６か月以内にこれらの会社に該当しなくなったときは、資産保有型会社等にならないこととする取扱いも同じです。

⑶　特例経営贈与承継期間中と特例経営贈与承継期間の経過後の確定事由の違い

前記⑴は特例経営贈与承継期間内での納税猶予の確定事由であり、⑵は特例経営贈与承継期間を経過した後の確定事由ですが、参考までに両者について、主な事項を対比してみると、次のとおりです。

特例経営贈与承継期間中	特例経営贈与承継期間経過後
特例経営承継受贈者の代表者退任	左記の要件なし
同族関係者との議決権保有割合50％以下	
特例経営承継受贈者の筆頭株主非該当	
会社の解散	左記に同じ
資産保有型会社に該当	
資産運用型会社に該当	
会社の総収入金額ゼロ	
会社の減資	

これによると、特例経営贈与承継期間を経過した後は、特例経営承継受贈者が代表者を退任し、又は筆頭株主でなくなった場合でも、会社が事業を継続していれば納税猶予も継続します。

なお、会社が解散した場合において、事業継続が困難な一定の事由がある場合には、猶予税額の一部が免除になりますが、この点は後述（504ページ）します。

⑷　納税猶予税額の納付と利子税

上記の⑴又は⑵により納税猶予が確定した場合には、猶予中贈与税を納税することになりますが、法定納期限の翌日から納税猶予の期限までの間について利子税の納付も要します。この場合の利子税の割合は、次のようになります（措法70の７の５㉒㉓）。

・特例経営贈与承継期間中……年ゼロ％

・特例経営贈与承継期間の経過後……年3.6％

要するに、５年間の特例経営贈与承継期間が経過した後に納税猶予が確定した場合においては、その５年間について利子税は課されないが、その経過後の期間について利子税が課されるということです（次図の①）。

注意したいのは、特例経営贈与承継期間内（申告期限の翌日から５年を経過する前）に納税猶予が確定した場合です。この場合には、その納税猶予の期限までの期間については利子税が課されます（次図の②）。

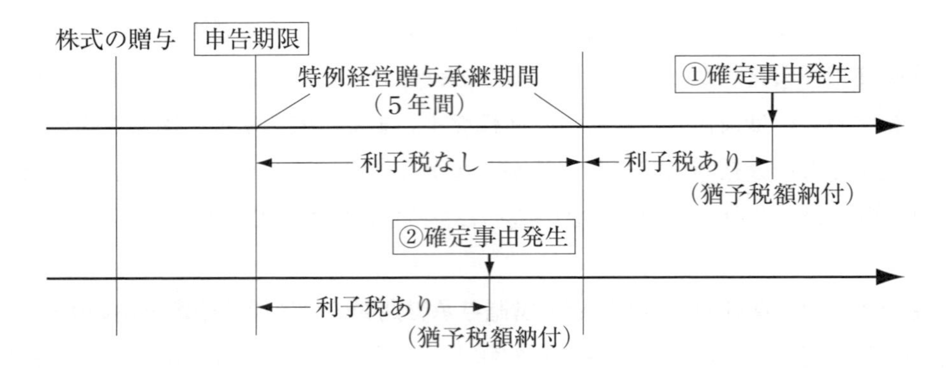

利子税の割合について、特例基準割合（国内銀行の短期貸出約定平均金利に年１％を加算した割合）が年7.3％に満たない場合には、次の算式で計算される特例割合が適用されます（措法93②③）。

$$\text{本来の利子税の割合（年3.6\%）} \times \frac{\text{特例基準割合}}{\text{年7.3\%}} \quad \text{（0.1\%未満の端数切捨て）}$$

（注） 特例基準割合の算定上の「国内銀行の短期貸出約定平均金利」は、その年の前年12月15日までに財務大臣が告示することとされており、令和２年分は年0.6％とされています（令和元年12月12日財務省告示第180号）。したがって、令和２年分の特例基準割合は、年1.6％（＝0.6％＋１％）となり、これに基づいて上記の利子税の割合を算定すると、次のように、年0.7％になります。

$$\text{年3.6\%} \times \frac{\text{年1.6\%}}{\text{年7.3\%}} = \text{年0.789\%} \rightarrow \text{年0.7\%}$$

なお、令和３年１月１日以後の期間に対応する利子税について、上記の「特例基準割合」の算定上の「国内銀行の短期貸出約定平均金利」は、各年の前々年の９月から前年の８月までの利率を基にすることとなり、各年の前年11月30日までに財務大臣が告示することとされます。また、国内銀行の短期貸出約定平均金利に「年0.5%」を加算した割合が特例基準割合となります。したがって、令和３年分の国内銀行の短期貸出約定平均金利が令和２年分と同様に年0.6%とすれば、特例基準割合は、年1.1%（=0.6%+0.5%）となり、利子税の割合は、次のように、年0.5%になります。

$$\text{年3.6\%} \times \frac{\text{年1.1\%}}{\text{年7.3\%}} = \text{年0.542\%} \rightarrow \text{年0.5\%}$$

7. 納税猶予税額の免除

(1) 届出による猶予税額の免除

贈与税の納税猶予制度の適用を受けた後、一定の事由が生じた場合には、その猶予税額が免除されます。この場合、当事者からの届出によって免除になる場合と、免除申請を行い、税務署長の通知（処分）により免除される場合があります。

まず、届出によって免除になるのは、次のいずれかに該当することとなった場合で、それぞれ次に掲げる贈与税が納税免除になります（措法70の７の５⑪、70の７⑮、措令40の８の５㉑、40の８㊲～㊴、措規23の12の２㉒、23の９㉚～㉜）。

免除事由	免除される贈与税額
①　特例贈与者の死亡の時以前に特例経営承継受贈者が死亡した場合	・猶予中贈与税額に相当する贈与税額（全額免除）
②　特例贈与者が死亡した場合	・次の算式で計算される贈与税額 特例贈与者の死亡の直前における猶予中贈与税額 × $\frac{\text{特例贈与者が贈与をした特例対象受贈非上場株式等の数}}{\text{特例贈与者の死亡の直前における特例対象受贈非上場株式等}}$
③　特例経営承継受贈者が特例対象受贈非上場株式等を「非上場株式等の贈与税の納税猶予」の適用に係る贈与をした場合	・次の算式で計算される贈与税額 その贈与の直前における猶予中贈与税額 × $\frac{\text{特例経営承継受贈者が贈与をした特例対象受贈非上場株式等の数}}{\text{その贈与の直前における特例対象受贈非上場株式等の数}}$

これらの事由が生じたことにより贈与税の納税猶予税額の免除を受けるためには、一定の事項を記載した届出書を所轄税務署に提出することになりますが、その提出期限は、次のとおりです（措法70の７の５⑪、70の７⑮、措令40の８の５㉑、40の８㊲～㊴、措規23の12の２㉒、23の９㉚～㉜）。

イ　上表①の事由が生じた場合……特例経営承継受贈者が死亡した日から６か月を経過する日

ロ　上表②の事由が生じた場合……特例贈与者が死亡した日から10か月を経過する日

ハ　上表③の事由が生じた場合……特例対象受贈非上場株式等の再贈与を受けた者が贈与税の納税猶予の適用を受けるための贈与税の申告書を提出した日から６か月を経過する日

上記の免除措置について、補足をしておくと次のとおりです。

①　特例贈与者の死亡の時以前に特例経営承継受贈者が死亡した場合

上表の①は、後継者である特例経営承継受贈者が被承継者である特例贈与者（先代経営者）より先に死亡した場合であり、その時点の納税猶予税額の全部が免除になります。

もっとも、このケースは、特例経営承継受贈者についての通常の相続開始であり、特例対象受贈非上場株式等をはじめとする相続財産は、その特例経営承継受贈者の相続人等に承継されます。この場合に、その相続人等について、一定の要件を満たせば、相続等により取得した非上場株式等について、相続税の納税猶予制度の適用を受けることができます。

(注) 特例経営承継受贈者の相続開始が令和９年12月31日までの場合には、その相続人等の取

得した非上場株式等に係る相続税の納税猶予については、特例措置が適用できますが、同日後の場合には、一般措置としての相続税の納税猶予制度のみの適用となります。

② 特例贈与者が死亡した場合

上表の②は、非上場株式等を贈与した先代経営者が死亡した場合であり、この場合に免除される贈与税額は、上記の算式で計算される額ですが、後継者である特例経営承継受贈者が贈与を受けた非上場株式等の全部を特例贈与者の死亡時まで継続保有していれば、納税猶予税額の全部が免除になります。

（注）特例贈与者が死亡した場合には、特例経営承継受贈者が受けていた納税猶予に係る贈与税が免除になると同時に、納税猶予の対象になった特例対象受贈非上場株式等は、その特例経営承継受贈者がその特例贈与者から相続又は遺贈により取得したものとみなされます（措法70の７の７①）。したがって、既に贈与を受けた特例対象受贈非上場株式等が相続税の課税対象になるのですが、その相続税について納税猶予の適用を受けることができます（措法70の７の８①）。下図のようなイメージになりますが、この点については、後述（548ページ）します。

なお、特例経営承継受贈者が特例措置としての納税猶予制度の適用を受けていた場合には、特例贈与者の相続開始が令和９年12月31日後であっても、特例措置としての相続税の納税猶予制度が適用できます。

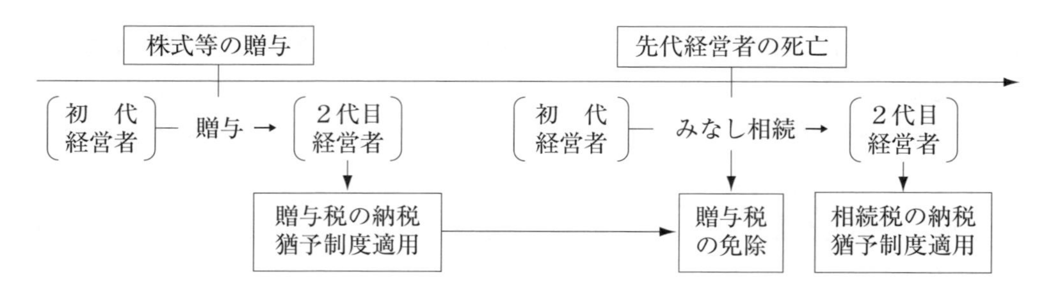

③ 特例経営承継受贈者が特例対象受贈非上場株式等を「非上場株式等の贈与税の納税猶予」の適用に係る贈与をした場合

上表の③は、後継者である特例経営承継受贈者が次の後継者（３代目経営者）に特例対象受贈非上場株式等を贈与（再贈与）した場合の免除規定です。

注意したいのは、この規定によって納税免除になるのは、特例経営贈与承継期間（５年間）の末日の翌日以後に再贈与した場合とされていることです（措法70の７の５⑪、70の７⑮三）。したがって、後継者である特例経営承継受贈者が被承継者である特例贈与者（先代経営者）からの贈与に係る贈与税の申告期限の翌日から５年を経過しないうちに次の後継者に再贈与しても納税猶予税額は免除になりません。また、再贈与を受けた者（３代目経営者）がその贈与について、贈与税の納税猶予制度の適用を受けない場合にも納税免除にはなりません。

もっとも、特例経営贈与承継期間内であっても特例経営承継受贈者が身体障害者手帳の交付を受けたこと等のやむを得ない理由により、その特例認定贈与承継会社の代表権を有しないこととなった場合において、次の後継者（３代目経営者）に特例対象受贈非上場株式等を贈与し、その贈与を受けた後継者が贈与税の納税猶予制度の適用を受けるときは、上記の算式によって計算される贈与税について納税免除を受けることができます（措法70の７の５⑪、70の７③一、70の７⑮三、措規23の９⑮）。

（注） 上記の場合において、特例対象受贈非上場株式等の贈与（再贈与）があった後に、最初に贈与をした者（先代経営者）が死亡したときは、その再贈与を受けた者（３代目経営者）がその特例対象受贈非上場株式等をその死亡した特例贈与者（先代経営者）から相続又は遺贈により取得したものとみなされます（措法70の７の７②）。

この場合には、相続又は遺贈により取得したものとみなされたその特例対象受贈非上場株式等について、上記②の（注）と同様に、一定の要件を満たせば相続税の納税猶予制度の適用を受けることができます（措法70の７の８①）。この場合に、先代経営者の死亡が令和９年12月31日後であっても、特例経営承継受贈者が特例措置としての納税猶予制度の適用を受けていたときは、特例措置としての相続税の納税猶予制度が適用できます。

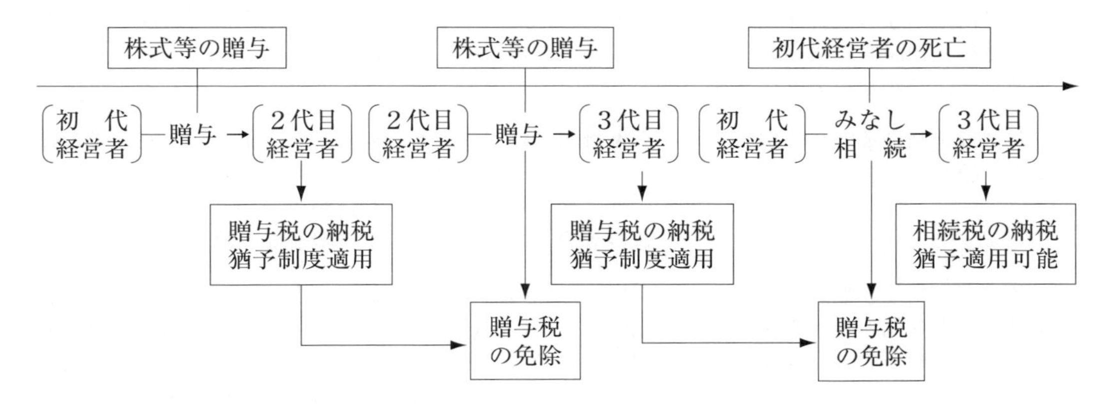

なお、相続又は遺贈により取得したものとみなされたことによる相続税について、相続税の課税価格に算入するその特例対象受贈非上場株式等の価額は、最初の贈与があった時（先代経営者から２代目経営者に贈与があった時）の価額とされています（措法70の７の７①②）。

⑵ 申請による猶予税額の免除

上記のほか、下記の事由が生じた場合には、特例経営承継受贈者の申請によって納税を免除する措置が講じられています（措法70の７の５⑪、70の７⑯、措令40の８の５㉑、40の８⑳㊵～㊷、措規23の12の２㉒、23の９㉝～㊱）。

これら事由によって免除を受けるためには、特例経営承継受贈者がそれぞれの事由に該当することとなった日から２か月以内に免除申請を行う必要があること、また、免除事由が特例経営贈与承継期間（５年間）の末日の翌日以後に生じた場合にのみ適用される（特例経営贈与承継期間内では免除されない）ことに注意する必要があります。

また、下記の４つに共通する取扱いとして、それぞれの事由が生じた日以前５年以内に、特例経営承継受贈者及びその特例経営承継受贈者と生計を一にする者がその特例認定贈与承継会社から受けた剰余金の配当等（贈与の日前に受けたものを除く）の額とその特例認定贈与承継会社から支給された給与（贈与の日前に支給されたものを除く）の額のうち、法人税法第34条（役員給与の損金不算入）及び第36条（過大な使用人給与の損金不算入）の規定によりその会社の各事業年度の所得の金額の計算上損金の額に算入されなかった金額は免除されません。要するに、下表の「免除される贈与税額」から控除されるため、結果として、これらの配当等の額と給与の額は、納税を要するということです。

免除事由	免除される贈与税額
① 特例経営承継受贈者が特例対象受贈非上場株式等に係る特例認定贈与承継会社の非上場株式等の全部を同族関係者以外の1人の者に一括譲渡等をした場合	・譲渡等の対価の額（その対価の額が、譲渡等のあった時におけるその非上場株式等の時価相当額を下回る場合には、その時価相当額）が、猶予中贈与税額を下回る場合のその下回る額に相当する贈与税の額
② 特例認定贈与承継会社について、破産手続開始の決定又は特別清算開始の命令があった場合	・その特例認定贈与承継会社の解散の直前における猶予中贈与税額に相当する贈与税の額
③ 特例認定贈与承継会社が合併により消滅した場合	・合併対価の額（その対価の額が、合併の効力が生ずる直前におけるその非上場株式等の時価相当額を下回る場合には、その時価相当額）が、猶予中贈与税額を下回る場合のその下回る額に相当する贈与税の額
④ 特例認定贈与承継会社が株式交換等により他の会社の株式交換完全子会社となった場合	・交換等対価の額（その対価の額が、株式交換等の効力が生ずる直前におけるその非上場株式等の時価相当額を下回る場合には、その時価相当額）が、猶予中贈与税額を下回る場合のその下回る額に相当する贈与税の額

上記のうち①の譲渡等は、次のいずれかの場合に適用されますが、納税猶予の対象となった特例対象受贈非上場株式等だけでなく、その特例経営承継受贈者が有するその特例認定贈与承継会社の株式等の全部の譲渡等をした場合に適用されます。

イ　その特例経営承継受贈者の同族関係者以外の者のうち、持分の定めのある法人（医療法人を除く）又は個人である1人の者で、一定の要件を満たす者に対して行う場合

ロ　民事再生法の規定による再生計画又は会社更生法の規定による更生計画の認可の決定を受け、その再生計画又は更生計画に基づきその非上場株式等を消却するために行う場合

（注1） 上記イの「一定の要件を満たす者」とは、その非上場株式等の全部の譲渡等をした後において、次の要件の全てを満たす者とされています（措規23の12の2㉒、23の9㉟）。

① その譲渡後において、その1人の者及びその同族関係者がその特例認定贈与承継会社の総議決権数の50％超を有することとなる場合における当該1人の者であること。

② その譲渡後において、その1人の者がその同族関係者内で筆頭株主であること。

③ その譲渡後において、その1人の者（当該1人の者が持分の定めのある法人である場合には、その法人の役員でその法人の経営に従事している者）がその特例認定贈与承継

会社の代表権を有すること。

（注２）上記ロの「再生計画」には、中小企業再生支援協議会の支援による再生計画の策定手順に従って策定された再生計画が含まれます（措令40の８の５⑲、40の８㊶、法令24の２①一～五）。

（注３）上記の①、③及び④の免除税額におけるその非上場株式等の「時価」とは、その特例認定贈与承継会社の発行済株式等の全てを取得したものとした場合の「１単位当たりの価額」とされていますが（措規23の12の２㉒、23の９㊱）、その価額は、財産評価基本通達に定める原則的評価額をいいます（措通70の７の５－28、70の７－40）。この点は、相続税の場合も同じです（措通70の７の６－28、70の７の２－44）。

上記の免除事由の③については、吸収合併存続会社等がその特例経営承継受贈者の同族関係者等以外のものであり、かつ、その合併に際してその吸収合併存続会社等の株式等の交付がない場合に限り、免除規定が適用されます（上記の「合併対価」とは、その吸収合併存続会社等が合併に際して消滅する特例認定贈与承継会社の株主等に対して交付する財産をいいます）。

また、上記の④については、「他の会社」がその特例経営承継受贈者の同族関係者等以外のものであり、かつ、その株式交換等に際して当該他の会社の株式等の交付がない場合に限り、免除の措置が適用されます（上記の「交換等対価」とは、当該他の会社が株式交換等に際して株式交換完全子会社等となった特例認定贈与承継会社の株主に対して交付する財産をいいます）。

なお、上記による免除を受けるためには、「免除申請書」を提出する必要があることは前述したとおりですが（措法70の７の５⑪、70の７⑯、措規23の12の２㉒、23の９㉝㉞）、免除申請を受けた税務署長は、調査に基づき、６か月以内に免除し又は申請を却下し、その旨を通知（処分）します（措法70の７の５⑪、70の７⑰）。この場合に、税務署長の処分に不服があるときには、その処分について争うことができます。

⑶　更生計画の認可決定等があった場合の猶予税額の免除

非上場株式等に係る納税猶予制度の適用を受けた後に、その特例認定贈与承継会社の業況が悪化し、民事再生計画の認可決定等を経て、事業の再生に取り組むこととなったような場合には、その会社の株価が下落するとともに、既に適用を受けた納税猶予に係る贈与税等の負担から事業再生に支障が生じることが考えられます。

こうした事情を考慮し、特例経営贈与承継期間の末日の翌日以後に、特例認定贈与承継会社について民事再生法による再生計画又は会社更生法による更生計画の認可が決定され、あるいは中小企業再生支援協議会の支援による再生計画が成立した場合には、その認可決定日等における特例対象受贈非上場株式等の価額に基づいて納税猶予税額を再計算し、その再計算後の納税猶予税額について納税猶予を継続することとされています。

この場合には、既に適用を受けている納税猶予税額（再計算前の猶予税額）から再計算後の猶予税額を控除した残額については免除を受けることができます（措法70の7の5⑳、70の7㉑、措令40の8の5㉞、40の8㊶㊷㊻㊼）。ただし、認可決定日前5年以内に特例経営承継受贈者又はその特例経営承継受贈者と生計を一にする者が特例認定贈与承継会社から受けた剰余金の配当及び過大役員給与部分については免除されません（措令40の8の5㉑、40の8㊷）。

なお、再計算後の納税猶予税額は、認可決定日等において財産評価基本通達により算定した株式等の価額を基に、前述した納税猶予税額の計算方法により算定します（措法70の7の5⑳、70の7㉒、措通70の7の5－39、70の7－48）。

この再計算の特例の適用を受けようとする特例経営承継受贈者は、申請期限（認可決定日から2か月を経過する日）までに、一定の書類を添付した申請書を納税地の所轄税務署長の提出する必要があります（措法70の7の5⑳、70の7㉓、措規23の12の2㉝、23の9㊴～㊶、措通70の7の5－39、70の7－45）。

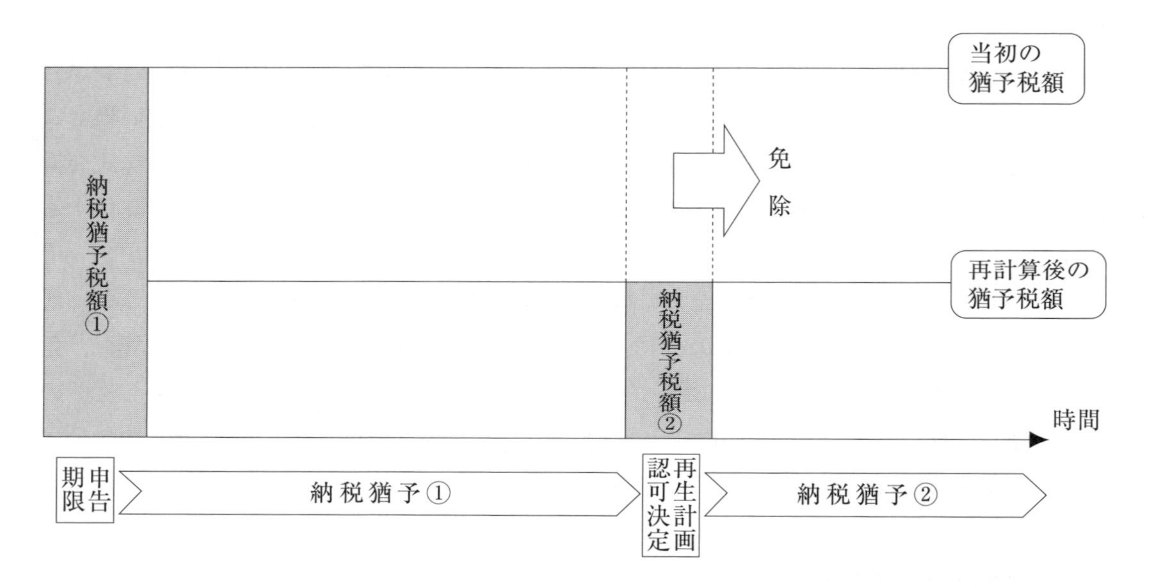

【参考】一般措置における猶予税額の免除事由

贈与税の納税猶予税額が免除される事由について、上記の届出による免除、申請による免除及び更生計画の認可決定等があった場合の免除とも、一般措置と特例措置で異なりません。

8. 経営環境の悪化に対応した猶予税額の免除

(1) 事業の継続が困難な事由が生じた場合の免除措置の概要

非上場株式等の納税猶予の適用を受けた後、特例経営贈与承継期間（5年間）の経過後に経営環境が悪化し、事業の継続が困難な一定の事由が生じた場合において、特例対象受贈非上場株式等の譲渡等をしたときは、その対価の額を基に猶予税額を再計算し、その再計算した税額が当初の猶予税額を下回る場合には、その差額を免除する措置が講じられています。その概要は、次のとおりで「差額免除」と「追加免除」があります。

	制度の概要
差額免除	○　株式の時価の２分の１までの部分に対応する猶予税額の免除 特例対象受贈非上場株式等の譲渡等の対価の額（その対価の額が特例対象受贈非上場株式等の時価に相当する金額の２分の１以下である場合には、その２分の１に相当する金額）又は解散の時における特例対象受贈非上場株式等の時価に相当する金額を基として再計算した猶予税額を納付することとし、再計算した猶予税額と当初の猶予税額との差額は免除する。
	○　譲渡等の対価の額が株式の時価の２分の１未満の場合の納税猶予と免除 特例対象受贈非上場株式等の譲渡等の対価の額が、特例対象受贈非上場株式等の時価に相当する金額の２分の１を下回る場合において、次の「追加免除」の適用を受けようとするときは、担保の提供を条件に、上記により再計算した猶予税額について納税猶予を適用し、再計算した猶予税額と当初の猶予税額との差額は免除する。
追加免除	○　譲渡等の時から２年経過後の猶予税額の免除 上記の「譲渡等の対価の額が株式の時価の２分の１未満の場合」において、特例対象受贈非上場株式等の譲渡等をした後２年を経過する日において、特例認定贈与承継会社が事業を継続している場合として一定の要件に該当するときは、特例対象受贈非上場株式等の譲渡等の対価の額（時価の２分の１を下回る実際の譲渡等の対価の額）を基として猶予税額を再計算し、その再計算した猶予税額を納付することとし、再計算した猶予税額と上記の差額免除の際に適用を受けた猶予税額との差額は免除する。

なお、この減免措置が適用されるのは、特例経営贈与承継期間の末日の翌日以後に特例対象受贈非上場株式等の譲渡等又は解散があった場合に適用されます。したがって、納税猶予の適用後５年を経過しない期間中に譲渡等や解散があっても適用されません。また、特例認定贈与承継会社又は特例経営承継受贈者について、下記(3)の事業継続が困難な一定の事由が生じていることが前提になります。

(注１) 特例対象受贈非上場株式等の譲渡等又は解散の日以前５年以内に特例経営承継受贈者及びその者と特別の関係のある者が、その特例認定贈与承継会社から受けた剰余金の配当等の額及び法人税法第34条又は第36条の規定により損金の額に算入されなかった過大役員給与の額は、上記の再計算後の猶予税額に加算し、納付する必要があります（措法70の７の５⑫一ロ、二ロ、三ロ、四ロ、措令40の８の５⑫㉗）。

(注２) 上記の表中の「株式の時価」とは、取引相場のない株式の評価に関する財産評価基本通達における原則的評価方法により算定しますが、純資産価額方式における株式取得者とその同族関係者の有する議決権割合が50％以下の場合の20％評価減は適用しません（措通70の７の５－28、70の７－40）。

なお、解散の場合の「差額免除」を適用する場合の「株式の時価」は、財産評価基本通達189－６（清算中の会社の株式の評価）に準じて評価します（措通70の７の５－28（注））。

⑵　免除措置が適用される譲渡等の範囲

この減免措置は、特例対象受贈非上場株式等又は特例認定贈与承継会社について、次の場合に適用されます（措法70の７の５⑫～⑲）。

①　特例対象受贈非上場株式等の全部又は一部の譲渡等（譲渡又は贈与）をした場合

②　特例認定贈与承継会社が合併により消滅した場合

③　特例認定贈与承継会社が株式交換等（株式交換又は株式移転）により他の会社の株式交換完全子会社等となった場合

④　特例認定贈与承継会社が解散をした場合

このうち①から③の場合には、譲渡等の対価の額、合併対価の額又は交換等対価の額を基に猶予税額の再計算を行いますが、④の解散の場合には、解散の直前における特例対象受贈非上場株式等の相続税評価額を基に猶予税額の再計算を行います。

なお、①から③の場合には、上記の「差額免除」と「追加免除」の規定が適用されますが、④の解散の場合には、解散時点の「差額免除」のみが適用されます。

⑶　事業継続が困難な一定の事由

上記の規定による減免措置の具体例は後述しますが、その前にこの措置が適用できる「事業継続が困難な一定の事由」について確認をしておきます。まず、その概要をまとめると、次表のようになります（措令40の８の５㉒、措規23の12の２㉓～㉖、措通70の７の５－26）。

なお、特例認定贈与承継会社が解散をした場合の減免措置の適用上は、次表の「⑤その他」を除きますから、①から④までが事業継続が困難な事由となります。

事　由	事業継続が困難とされる場合
①　利益の減少	<譲渡等が直前事業年度終了後６か月以内の場合> 直前事業年度及びその直前の３事業年度のうち２以上の事業年度が赤字であること。
	<譲渡等が直前事業年度終了後６か月経過後の場合> 直前事業年度及びその直前の２事業年度のうち２以上の事業年度が赤字であること。
②　売上の減少	<譲渡等が直前事業年度終了後６か月以内の場合> 直前事業年度及びその直前の３事業年度のうち２以上の事業年度において、各事業年度の平均総収入金額が、各事業年度の前事業年度の平均総収入金額を下回ること。
	<譲渡等が直前事業年度終了後６か月経過後の場合> 直前事業年度及びその直前の２事業年度のうち２以上の事業年度において、各事業年度の平均総収入金額が、各事業年度の前事業年度の平均総収入金額を下回ること。

③　有利子負債の額の増加	＜譲渡等が直前事業年度終了後６か月以内の場合＞ 　次のいずれかに該当すること。 ・直前事業年度の終了の日における有利子負債の帳簿価額が、直前事業年度の平均総収入金額の６か月分に相当する金額以上であること。 ・直前事業年度の終了の日における有利子負債の帳簿価額が、その事業年度の平均総収入金額の６か月分に相当する金額以上であること。
	＜譲渡等が直前事業年度終了後６か月経過後の場合＞ 　直前事業年度の終了の日における有利子負債の帳簿価額が、直前事業年度の平均総収入金額の６か月分に相当する金額以上であること。
④　上場会社の株価の下落	次のいずれかに該当すること。 ・その会社の事業に属する業種に係る上場会社の平均株価（直前事業年度の終了の日前１年間の平均）が、その前年１年間の平均株価より下落したこと。 ・その会社の事業に属する業種に係る上場会社の平均株価（直前事業年度の終了の日の１年前の日以前１年間の平均）が、その前年１年間の平均株価より下落したこと。
⑤　その他	特例経営承継受贈者が心身の故障その他の事由により、その特例認定贈与承継会社の業務に従事することができなくなったこと。

これらの事業継続が困難な一定の事由について、補足しておくと、以下のとおりです。

①　利益の減少

上表の①は、特例対象受贈非上場株式等の譲渡等又は解散などの事由が生じた時が直前事業年後の終了の日の翌日から６か月以内の場合と６か月経過後の場合に区分されており、これを図示すると、下記のとおりです。

なお、この場合の「赤字」とは、会社計算規則第91条第１項に規定する経常損益金がゼロ未満をいいます（措規23の12の２㉓）。

イ　直前事業年度の終了の日の翌日から６か月以内に株式等の譲渡等があった場合

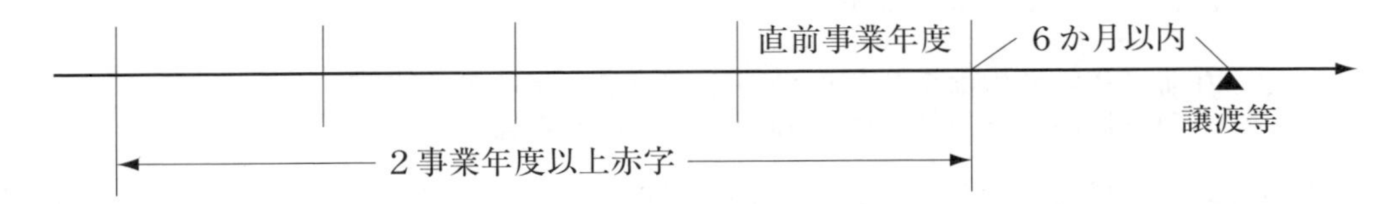

ロ　直前事業年度の終了の日の翌日から６か月経過後に株式等の譲渡等があった場合

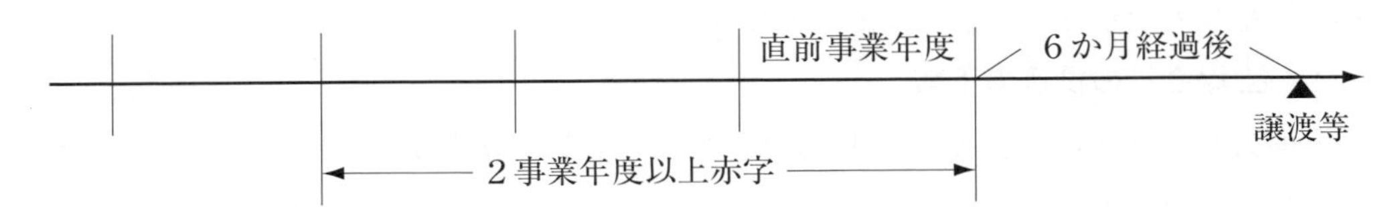

②　売上の減少

この場合の「売上」とは、前述のとおり平均総収入金額のことですが、次の算式で計算した金額をいいます。

$$平均総収入金額＝\frac{各事業年度の総収入金額}{各事業年度の月数}$$

この計算における「総収入金額」は、その特例認定贈与承継会社の総収入金額のうち、会社計算規則第88条第１項第４号に規定する営業外収益及び同項第６号に規定する特別利益以外のものをいいます（措規23の12の２㉔）。したがって、通常はその会社の売上高により平均総収入金額を算定することになります。

その平均総収入金額を基に、次によって「事業の継続が困難な一定の事由」を判定します。

イ　直前事業年度の終了の日の翌日から６か月以内に株式等の譲渡等があった場合

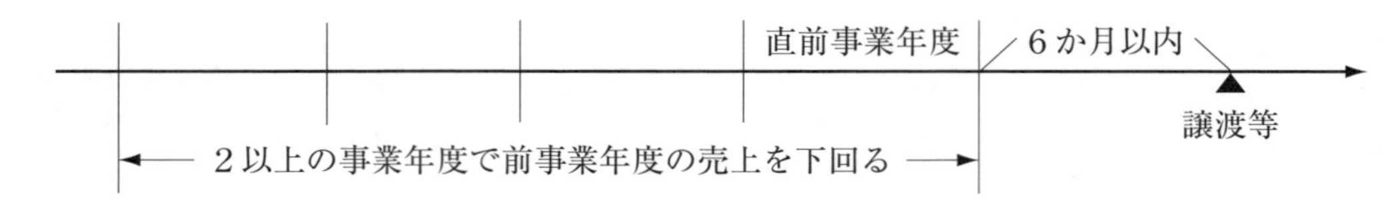

ロ　直前事業年度の終了の日の翌日から６か月経過後に株式等の譲渡等があった場合

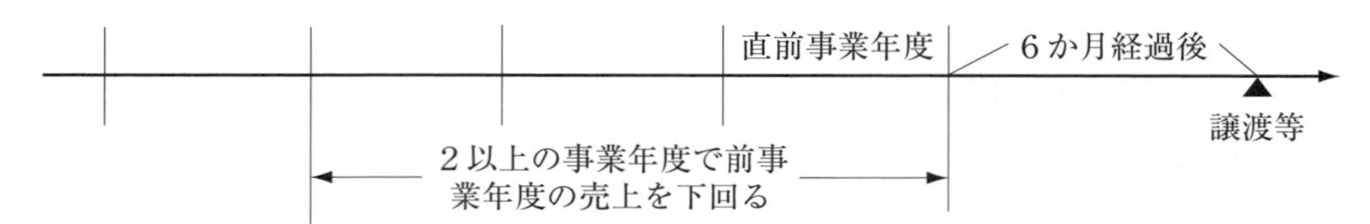

③　**有利子負債の額の増加**

上記のとおり負債の帳簿価額が平均総収入金額の６か月分に相当する金額以上であることが要件に該当します。次の算式で判定しますが、株式の譲渡等が直前事業年度の終了の日の翌日以後６か月を経過する日後の場合には、イの算式で判定するということです。

イ　直前事業年度の終了の日における負債の帳簿価額≧直前事業年度の平均総収入金額×６

ロ　直前事業年度の前事業年度の終了の日における負債の帳簿価額≧直前事業年度の前事業年度の平均総収入金額×６

この計算における「負債」は、利子の支払の基因となるものに限られますが、特例経営承継受贈者の同族関係者に対して利子を支払う負債は除きます。なお、上記の算式における平均総収入金額は、上記の②と同じです。

④　**上場会社の株価の下落**

上場会社の株価の下落とは、上記のとおりですが、算式で示せば、次のうちいずれかに該当する場合です。

イ　判定期間における業種平均株価＜前判定期間における業種平均株価

ロ　前判定期間における業種平均株価＜前々判定期間における業種平均株価

この場合の「判定期間」とは、株式の譲渡等があった日の属する事業年度の前事業年度をいいますから、次のようになります。

前々判定期間	前判定期間	判定期間	
			▲ 譲渡等

また、上記の算式における「業種平均株価」は、次により算定します（措令40の８の５㉒四、措規23の12の２㉕）。

$$\text{業種平均株価} = \frac{\text{各判定期間（１年間）の各月における上場株式の平均株価の合計金額}}{12}$$

この算式における「各判定期間（１年間）の各月における上場株式の平均株価」は、類似業種比準価額の算定に関する国税庁の「業種目別株価等」の通達により公表されている各月の株価によります。また、特例認定贈与承継会社の事業に属する「業種」の判定を要しますが、類似業種比準方式における業種目によります（措通70の７の５－27、評基通181、181－２）。

⑷　譲渡の場合の差額免除の計算例～時価の２分の１超の対価による譲渡

＜設　例＞

特例経営承継受贈者Ａは、特例贈与者である父から特例認定贈与承継会社であるＸ社の株式を贈与により取得し、贈与税の納税猶予の特例措置の適用を受けた。その後特例経営贈与承継期間が経過したが、Ｘ社の業績が悪化したため、その株式の全部を譲渡した。

Ｘ社株式の評価額及び譲渡価額等は、次のとおりである。免除される猶予税額はどのようになるか（譲渡以前５年以内にＸ社は配当をしていない）。

〔贈与時〕
・Ｘ社株式の相続税評価額……１億円
・１億円に対する贈与税額（暦年課税）……47,995,000円（納税猶予税額）

〔譲渡時〕
・Ｘ社株式の相続税評価額……7,000万円
・株式の譲渡価額……6,000万円
・譲渡価額（6,000万円）を基に再計算した贈与税額……25,995,000円

〔納付税額と免除税額の計算〕

この例は、譲渡対価の額（6,000万円）が譲渡時の株式の相続税評価額（7,000万円）の２分の１超であるため、譲渡対価の額を基に贈与税額（猶予税額）を再計算することになります。その再計算した贈与税額（25,995,000円）は納付することになりますが、当初の猶予

税額（47,995,000円）と再計算した贈与税額（25,995,000円）との差額（2,200万円）は免除されます（措法70の７の５⑬）。

当初の猶予税額 47,995,000円 ｛ 納付税額 25,995,000円 / 免除税額 22,000,000円

なお、納付税額については、株式を譲渡した日から２か月を経過する日が納期限になります。

（注１）上記の差額免除について、贈与時の評価額が300、猶予税額が150、譲渡時の評価額200、譲渡価額150、再計算した贈与税額60として、制度のしくみが次のように図解されています（平成30年版「改正税法のすべて」604ページ）。

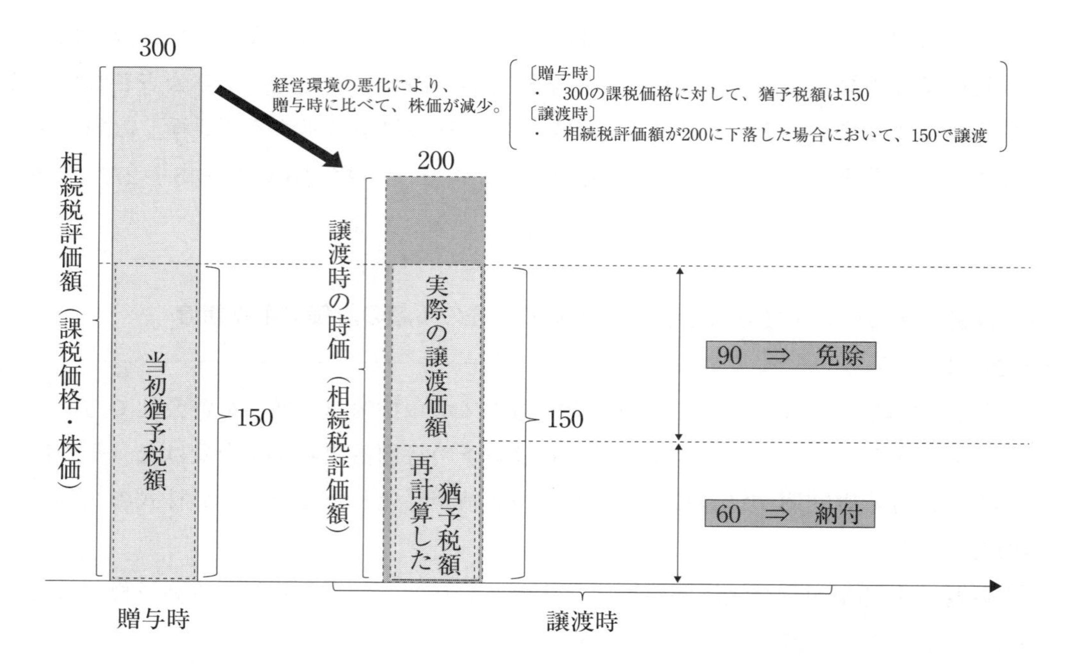

（注２）上記の設例では、納税猶予税額の計算を暦年課税方式によっていますが、相続時精算課税を選択することもできます。注意したいのは、相続時精算課税の場合には、贈与者の死亡時に贈与を受けた株式の贈与時の価額が受贈者の相続税の課税価格に加算されることです（相法21の15①）。上記の設例の場合には、贈与を受けた株式の全部を譲渡していますから、贈与者の相続時には、受贈者の所有財産ではありません。ただし、この場合であっても贈与財産である株式の贈与時の価額（上記の例では１億円）が相続税の課税対象になります。

（注３）納税猶予税額の免除に関しては、前述（501ページ）した申請による猶予税額の免除の規定があり（措法70の７の５⑪、70の７⑯）、特例受贈非上場株式等を譲渡した場合などが免除事由とされています。この場合の免除の要件と上記の差額免除の要件は異なりますが、申請による免除と差額免除では類似する点が多く、いずれの要件も満たす場合があり得ます。この場合に、いずれの免除規定の適用を受けるかは特例経営承継受贈者の選択によります。

⑸ 譲渡の場合の差額免除と追加免除の計算例～時価の２分の１以下の対価による譲渡

＜設　例＞

特例経営承継受贈者Ｂは、特例贈与者である父から特例認定贈与承継会社であるＹ社の株式を贈与により取得し、贈与税の納税猶予の特例措置の適用を受けた。その後特例経営贈与承継期間が経過したが、Ｙ社の業績が悪化したため、その株式の全部を譲渡した。

Ｙ社株式の評価額及び譲渡価額等は、次のとおりである。免除される猶予税額はどのようになるか（譲渡以前５年以内にＹ社は配当をしていない）。

〔贈与時〕
・Ｙ社株式の相続税評価額……１億円
・１億円に対する贈与税額（暦年課税）……47,995,000円（納税猶予税額）

〔譲渡時〕
・Ｘ社株式の相続税評価額……7,000万円
・株式の譲渡価額……2,000万円
・再計算した贈与税額……1,280万円（3,500万円に対する税額）
　※　贈与税額は、株式の評価額（7,000万円）の２分の１相当額である3,500万円を基に再計算する。

〔譲渡時の納付税額と免除税額の計算〕

この例は、譲渡対価の額（2,000万円）が譲渡時の株式の相続税評価額（7,000万円）の２分の１相当額を下回るため、譲渡の時点では、その評価額の２分の１相当額である3,500万円を基に贈与税額（猶予税額）を再計算することになります。

この場合、当初の猶予税額（47,995,000円）と再計算した贈与税額（1,280万円）との差額（35,195,000万円）は免除されます。その上で、再計算した贈与税額は、担保の提供をすれば、引き続き納税猶予の適用を受けることができることとされています（措法70の７の５⑬）。

当初の猶予税額 47,995,000円 ｛ 猶予税額 12,800,000円
免除税額 35,195,000円

もっとも、この場合の猶予税額（1,280万円）について、納税猶予の適用を受けるかどうかは任意です。納税猶予の適用を受けない場合には、株式を譲渡した日から２か月を経過する日までに納付することになります。

〔２年経過後の納付税額と追加免除税額の計算〕

株式の譲渡時に再計算した贈与税額（1,280万円）について、納税猶予の適用を受けた場合には、譲渡の日から２年を経過する日において、事業を継続している場合として一定の要件を満たすかどうかを判定し、その要件を満たす場合には、実際の譲渡対価の額（2,000

万円）を基に贈与税額を再計算し、譲渡時に適用を受けた猶予税額との差額は、追加で免除されます（措法70の７の５⑭、措令40の８の５㉜㉝）。ただし、２年経過後に再計算した税額は、その２年を経過した日から２か月を経過する日までに納付します。

・２年経過後の再計算税額……5,855,000円（実際の譲渡価額2,000万円に対する税額）

・追加の免除税額……1,280万円－5,855,000円＝6,945,000円

この結果、上記の例では、譲渡時と２年経過後を通算して次のようになります。

当初の猶予税額 47,995,000円｛納付税額 5,855,000円
　　　　　　　　　　　　　　　免除税額　4,214万円（35,195,000円＋6,945,000円）

（注）上記の差額免除と追加免除について、贈与時の評価額が300、猶予税額が150、譲渡時の評価額200、譲渡価額80、再計算した贈与税額25、譲渡時から２年後の再計算贈与税額20を例として、制度のしくみが次のように図解されています（平成30年版「改正税法のすべて」606ページ）。

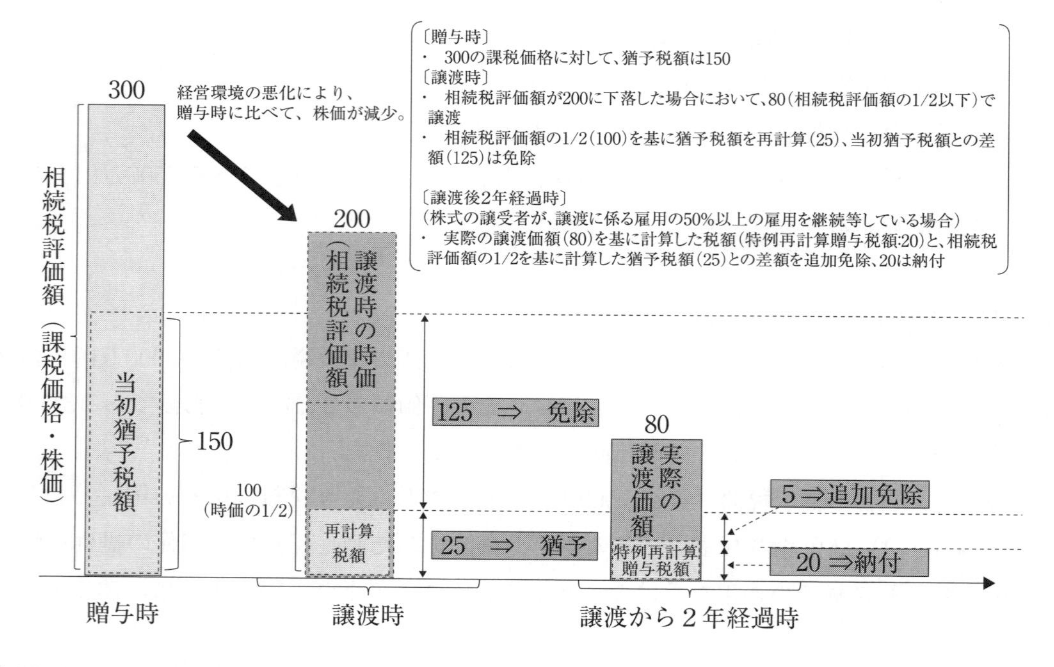

〔追加免除の適用要件〕

上記により追加免除を受けるためには、その特例認定贈与承継会社が事業を継続している場合として一定の要件を満たす必要があります。

この場合の「事業を継続している場合」とは、譲渡等をした日から２年を経過する日において、譲渡等に係る会社が次の要件の全てを満たす場合をいいます（措令40の８の５㉛、措規23の12の２㉚、23の９⑤）。

イ　商品の販売等（商品の販売、資産の貸付け又は役務の提供など）の業務を行っていること。

ロ　株式の譲渡等があった時の直前における特例認定贈与承継会社の常時使用従業員の

うちその総数の２分の１以上に相当する数（その数に１人未満の端数があるときはこれを切り捨てた数とし、譲渡等があった時における常時使用従業員の数が１人のときは１人とする）の者が、その譲渡等があった時から２年を経過する日まで引き続きその会社の常時使用従業員であること。

ハ　ロの常時使用従業員が勤務している事務所、店舗、工場その他これらに類するものを所有し又は賃借していること。

（注） このうちロについて、「常時使用従業員のうちその総数の２分の１以上」とは、単に人数として２分の１以上ではなく、個々の従業員としてみた数が２分の１以上ということです。したがって、次の①の場合は要件に該当しますが、②の場合には要件を満たしません（措通70の７の５－34）。

	譲渡等の時の直前における常時使用従業員の数	譲渡等の日から２年を経過する日における常時使用従業員の数	左のうち、譲渡等の日から２年を経過する日まで引き続き常時使用従業員である者の数
①	30人	28人	16人
②	30人	32人	14人

⑹　解散の場合の差額免除の計算例

＜設　例＞

特例経営承継受贈者Ｃは、特例贈与者である父から特例認定贈与承継会社であるＺ社の株式を贈与により取得し、贈与税の納税猶予の特例措置の適用を受けた。その後特例経営贈与承継期間が経過したが、Ｚ社の業績が悪化したため、会社を解散した。

Ｚ社株式の評価額等は、次のとおりである。免除される猶予税額はどのようになるか（解散以前５年以内にＺ社は配当をしていない）。

〔贈与時〕

・Ｚ社株式の相続税評価額……１億円

・１億円に対する贈与税額（暦年課税）……47,995,000円（納税猶予税額）

〔解散時〕

・Ｘ社株式の相続税評価額……3,000万円

・解散時の相続税評価額を基に再計算した贈与税額……10,335,000円

〔納付税額と免除税額の計算〕

特例認定贈与承継会社が解散をした場合の差額免除については、譲渡等の場合における２分の１の判定は不要であり、解散時の株式の相続税評価額（3,000万円）に基づいて贈与税額（猶予税額）を再計算することになります。その再計算した贈与税額（10,335,000円）は納付することになりますが、当初の猶予税額（47,995,000円）と再計算した贈与税額

（10,335,000円）との差額（3,766万円）は免除されます（措法70の７の５⑬）。

当初の猶予税額 47,995,000円 { 納付税額 10,335,000円 / 免除税額 37,660,000円 }

なお、納付税額については、解散をした日から２か月を経過する日が納期限になります。

⑺ 経営環境の悪化に伴う免除措置の適用を受ける場合の手続

事業の継続が困難な事由が生じた場合の減免措置について、上記の差額免除の適用を受ける場合には、株式の譲渡等があった日から２か月を経過する日までに、所轄税務署長に対し、一定の事項を記載した申請書を提出しなければなりません（措法70の７の５⑯、措令40の８の５㉒～㉕㉘、措規23の12の２㉓～㉘）。

また、上記の追加免除については、譲渡等の２年を経過する日から２か月を経過する日までに、一定の事項を記載した申請書を提出する必要があります（措法70の７の５⑭、措令40の８の５㉛～㉝、措規23の12の２㉚～㉜）。

なお、これらの手続について、宥恕規定は設けられていませんから、申請期限までに申請書を提出しなかった場合には、免除規定は適用されません（措通70の７の５－31）。

【参考】一般措置における減免措置

事業の継続が困難な事由が生じた場合の差額免除及び追加免除は、贈与税・相続税の納税猶予の特例措置にのみ設けられているものであり、一般措置としての納税猶予制度には設けられていません。

9. 納税猶予の適用手続

⑴ 申告要件

非上場株式等に係る贈与税の納税猶予制度は、贈与税の申告書に、この特例の適用を受けようとする旨を記載し、その特例対象受贈非上場株式等の明細及び納税猶予分の贈与税額の計算に関する明細その他一定の書類を添付した贈与税の申告書を申告期限内に提出した場合に適用されます（措法70の７の５⑤）。

⑵ 添付書類

この特例の適用を受ける場合の贈与税の申告書に添付する書類を列挙すると、次のとおりです（措規23の12の２⑯）。

① 贈与の時における特例認定贈与承継会社の定款の写し

② 贈与の直前及び贈与の時における特例認定贈与承継会社の株主名簿の写しその他の書類でその特例認定贈与承継会社の全ての株主等の氏名又は名称及び住所又は所在地

並びにこれらの者が有するその特例認定贈与承継会社の株式等に係る議決権の数が確認できるもの（その特例認定贈与承継会社が証明したものに限る）

③ 特例対象受贈非上場株式等の贈与に係る契約書の写しその他贈与の事実を明らかにする書類

④ 経営承継円滑化法による都道府県知事の認定書の写し及び認定申請書の写し

⑤ 経営承継円滑化法による都道府県知事の確認書の写し及び確認申請書の写し

⑥ 特例認定贈与承継会社に対する現物出資等資産がある場合には、その評価額並びにその現物出資等資産の明細並びにその現物出資又は贈与をした者の氏名又は名称その他参考となるべき事項を記載した書類

⑦ その他参考となるべき書類

10. 担保の提供

(1) 担保の種類

非上場株式等に係る納税猶予の適用を受けるためには、法定申告期限までに、その納税猶予に係る贈与税額（相続税額）及び納税猶予期間中の利子税の額に相当する担保を提供しなければなりません（措法70の７の５①）。

この場合の担保提供に関しては、国税通則法の担保関係規定が適用され（措通70の７の５－４、70の７－７）、相続税の延納の場合の担保提供と基本的には同じ取扱いになります。したがって、担保の種類としては、国債及び地方債、土地、保険に附した建物などの物的担保のほか、税務署長が確実と認める保証人の保証などがあります（通則法50）。もちろん、物的担保については、第三者から提供を受けることも可能です。

非上場株式等に係る納税猶予制度で特徴的なのは、延納の担保としては原則不可とされている非上場株式が例外的に認められていることです。また、特例対象受贈非上場株式等の全部を担保提供した場合には、後述のとおり「みなす充足」の規定が適用されます。

（注）相続税の延納の担保の取扱いについては、第７章641ページを参照してください。

(2) 担保の必要額

国税の担保は、本税のほか延滞税や利子税等の額を含めた額を担保できるものでなければなりません（通基通50－９）。非上場株式等に係る納税猶予制度では、納税猶予となる贈与税額（相続税額）と納税猶予期間中の利子税の額の合計額に見合う担保の提供を要します（措法70の７の５①）。

必要担保額 ＝ 納税猶予税額（本税） ＋ 納税猶予期間中の利子税の額

この算式における納税猶予期間中の利子税の額は、贈与税（相続税）の申告期限における贈与者（相続税の場合は相続人）の平均余命年数を納税猶予期間として計算した額とすることに取り扱われています（措通70の７の５－４、70の７－８、70の７の２－11、70の７の６－５）。

この場合の「平均余命年数」とは、厚生労働省の作成に係る完全生命表における年齢及び性別に応じた平均余命（１年未満の端数がある場合には、その端数を切り捨てた年数）とします（措規23の８の６④、相規12の６）。「第22回完全生命表」よりその一部を示すと、次のとおりです。

年齢	平均余命年数		年齢	平均余命年数		年齢	平均余命年数	
	男	女		男	女		男	女
30歳	51年	57年	35歳	46年	52年	40歳	41年	47年
45歳	37年	42年	50歳	32年	38年	55歳	27年	33年
60歳	23年	28年	65歳	19年	24年	70歳	15年	19年

この取扱いによれば、たとえば、

・納税猶予に係る贈与者（男）の贈与税の申告期限時の年齢……65歳

・納税猶予を受ける相続税額……１億円

・利子税の割合……年3.6％（特例割合年0.7％）

とすれば、利子税の計算期間は、上記の平均余命年数表によって19年になりますから、

１億円＋１億円×0.7％＋１億円×3.6％×18年＝１億6,550万円

に相当する額の担保提供を要することになります。

なお、非上場株式等に係る相続税の納税猶予の適用の際の利子税の計算期間は、相続税の申告期限における相続人（特例経営承継相続人等）の年齢に応じた平均余命年数によります（措通70の７の６－５、70の７の２－11）。

（注） 納税猶予期間中の利子税の額を計算する場合において、特例基準割合が判明していない期間については、運用上は本則の年3.6％の割合で計算することとされているようです。

⑶　非上場株式の担保提供とみなす充足

ところで、贈与税（相続税）について納税猶予の適用を受ける場合に、非上場株式等以外の財産を有しないことも想定されます。このため、納税猶予の適用対象となる非上場株式の全部を担保として提供した場合には、上記の必要担保額の提供があったものとみなすこととされています（措法70の７の５④、70の７⑥））。これを「みなす充足」といいます。

また、みなす充足の適用が継続している間（特例対象となる非上場株式の全部が担保提供されている間）は、その会社の経営状況の悪化等により株式の価額が納税猶予税額に満たないこととなった場合であっても、いわゆる増担保の提供（通則法51①）を求められることもありません（措法70の７の５⑩、70の７⑬二）。

（注１） みなす充足の取扱いは、納税猶予の対象となる非上場株式の全部を当初から担保提供

した場合に適用されます。したがって、その非上場株式の一部を担保提供してもみなす充足の適用はなく、また、納税猶予期間の途中からその全部を担保提供した場合も同様です。

なお、みなす充足の規定が適用された場合であっても、その後に次のような事実が生ずると、その適用が解除されます（措法70の７の５④、70の７⑥ただし書、措令40の８㉝、40の８の５⑲）。

① 提供した担保の全部又は一部に変更があった場合
② その会社がその非上場株式に係る株券を発行する旨の定款の定めの廃止をした場合

（注２） みなす充足の取扱いは、納税猶予の適用要件としての担保提供について、必要担保額が満たされているかどうかの判定に関する事項です。このため、その後に納税猶予が確定し、猶予税額を納付することとなった場合において、その納付がなかったため、国が担保権を実行したところ、非上場株式の処分価額が未納の猶予税額に不足するときは、その納税者の他の財産に対して滞納処分が行われます（通則法52④）。

この点は、担保提供された非上場株式を換価処分しようとしても買受人がいない場合も同様で、その場合にも納税者の他の財産に対して滞納処分が執行されます（措法70の７の２⑭七）。

(4) 非上場株式等の担保提供の方法

非上場株式を納税猶予の担保として提供するに当たって、その会社の株券が発行されていない場合には、担保提供者である株主は、会社に請求して株券の発行を受ける必要があります。現行の会社法は、株券不発行を原則としていますが（会社法214）、株券を発行しない旨の定款の定めがある場合を除き、株主は、いつでも株券の発行を会社に請求することができることとされています（会社法215④）。

（注） 株券不発行会社の場合には、後述(5)のとおり、株券の発行がなくても担保提供を可能とする措置が講じられています。

非上場株式の担保提供は、その株券を供託所（法務局）に供託することにより行いますが、おおむね次のような手順になります。

① 供託書（法務局に備え付けられている）の正本と副本の２通を作成し、供託所に提出する（供託規則13①）。
② 供託所から、１週間以内に「受理した旨」が記載された供託書正本と供託有価証券寄託書が交付される（供託規則18①）。
③ ②の供託書正本と供託有価証券寄託書に株券を添えて、これらを供託所によって指定された日本銀行（本店、支店又は代理店）に提出する。
④ 日本銀行から供託書正本（「納入された旨」が記載されたもの）が交付される。
⑤ ④の供託書正本と株券の写しを所轄税務署長に提出する（通則令16①）。
⑥ 税務署長から担保関係書類の預り証が交付される。

この手続を図示すると、次ページのようになります。

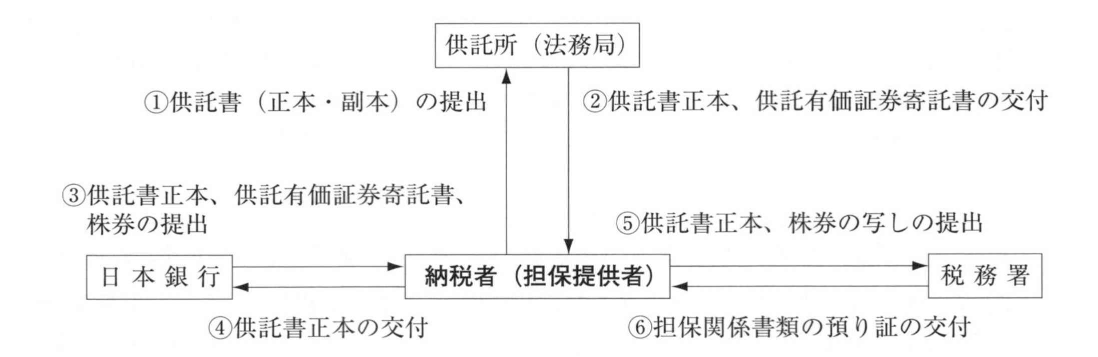

非上場株式の税務署長に対する担保提供の手続は、上記⑤により行うのですが、その際に「担保提供書」と「担保目録」を提出します。この場合に、株券の発行や供託手続等に時間を要するため、申告期限までに担保提供関係書類の全部が整わないときは、「速やかに担保関係書類を提出する旨の確約書」を提出し、株券発行等の諸手続を了した後に速やかに関係書類を提出することも可能です（この場合は、あらかじめ所轄税務署に説明し、了承を得ておく必要があります）。

なお、非上場株式に譲渡制限が付されている場合であっても、そのまま担保提供することができることとされています（措通70の７の５－20、70の７－32）。

（注） 認定承継会社が持分会社の場合の持分を担保提供する場合には、その持分について質権設定を行うことになりますが、その場合には、所轄税務署長に次の書類を提出することとされています（措規23の12の２①、23の９①二）。

① 出資の持分に質権を設定することについての承諾書（質権設定者が自署押印したものに限る）

② 納税者の印鑑証明書（①の書類に押印したもの）

③ 持分会社が①の質権の設定について承諾したことを証する書面で、次のいずれかのもの

イ　その質権設定について承諾した旨が記載された公正証書

ロ　その質権設定について承諾した旨が記載された私署証書で登記所又は公証人役場において確定日付印が押されているもの及び法人の印鑑証明書

ハ　その質権設定について承諾した旨が記載された書類で郵便法第48条第１項の規定により内容証明を受けたもの及び法人の印鑑証明書

④ 持分会社の議事録の写し、定款の写しなど

(5) 株券不発行会社の担保提供手続

非上場株式の担保提供手続の原則的取扱いは、以上のとおりですが、会社法においては株券の不発行が原則とされていることから、中小会社のほとんどが株券不発行会社となっています。

このため、株券不発行会社については、納税猶予の対象となる非上場株式の全部を担保提供する場合に限り、株券の発行がなくても納税猶予の特例が適用できるよう措置されて

います。この場合の手続は、上述した持分会社の持分の担保提供とほぼ同様であり、具体的には、次の書類を税務署長に提出することとされています（措法70の７の５⑩、70の７⑬二、措規23の12の２①、23の９①一）。

① 納税者が所有する非上場株式について、税務署長等の質権を設定することを承諾した旨を記載した書類（自署押印したものに限る）

② 納税者の印鑑証明書（上記①の押印に係るものに限る）

③ 株主名簿記載事項証明書（会社法第149条に規定された書面で代表取締役が記名押印したものに限る）

④ 法人（代表取締役）の印鑑証明書（上記③の押印に係るものに限る）

(注) 納税猶予の対象となる非上場株式の全部を担保提供した場合の「みなす充足」の規定が適用された場合であっても、納税猶予期間中に提供した担保の全部又は一部に変更があったときは、前述したとおり、みなす充足の適用はなくなることとされています（516ページの（注１））。

株券不発行会社の担保提供との関係において、次に該当することとなった場合には、みなす充足の規定を適用しないこととされています（措令40の８の５⑲、40の８㉝）。

① 株券発行会社である特例認定贈与承継会社が株券不発行会社へ定款変更した場合

② 株券不発行会社である特例認定贈与承継会社が株券発行会社へ定款変更した場合

もっとも、①について、税務署長に対して書面による通知があった場合において、定款変更の効力が発生する日までに、上記の方法による担保提供が行われたときは、みなす充足の規定が適用されます。また、②について、税務署長に対して書面による通知があった場合において、定款変更の効力が発生する日までに、前記⑷による通常の方法で担保提供が行われたときも同様です。

【参考】 一般措置における担保の提供

贈与税・相続税の納税猶予制度の適用に際しては、一般措置の適用を受ける場合にも、当然に担保の提供を要します。担保の種類、必要担保額、納税猶予対象株式の全部を担保提供した場合の「みなす充足」、担保提供の手続等は、全て特例措置と同じです。

11. 納税猶予の継続中の手続

⑴ 特例経営贈与承継期間中の報告と届出

非上場株式等について贈与税の納税猶予の適用を受けた特例経営承継受贈者は、その納税猶予が継続している限り、その継続のための手続を要します。

まず、特例経営贈与承継期間（原則として、納税猶予の適用に係る贈与税の申告期限の翌日から５年間）においては、納税地の所轄税務署長に対する届出のほか、経営承継円滑化法に基づく都道府県知事への報告も必要です（円滑化規則12②四、措法70の７の５⑥）。

○　都道府県知事への報告……贈与報告基準日の翌日から３か月を経過する日までに、年次報告書を提出する。

○　所轄税務署長への届出……第一種贈与基準日の翌日から５か月を経過する日までに、継続届出書を提出する。

上記の「贈与報告基準日」及び「第一種贈与基準日」とは、贈与税の申告期限の翌日から起算して１年を経過するごとの日をいいます（円滑化規則12②、措法70の７の５②九イ）。したがって、贈与税の申告期限から５年間は、毎年１回、都道府県知事への報告と税務署長への届出を行うことになります。

（注） 参考までに特例経営贈与承継期間中の報告・届出事項と報告書・届出書の添付書類について、都道府県知事に対するものと、所轄税務署長に対するものを対比してまとめると、次のとおりです（円滑化規則12①②⑲、措法70の７の５⑥、措令40の８の５⑳、措規23の12の２⑰⑲）。

	都道府県知事への報告	所轄税務署長への届出
報告事項又は届出事項	①　贈与報告基準期間（前年の贈与報告基準日の翌日からその贈与報告基準日までの間）における代表者の氏名 ②　贈与報告基準日における常時使用する従業員の数 ③　贈与報告基準日におけるその特例贈与認定中小企業者の株主の氏名及びその有する議決権の数 ④　贈与報告基準期間において、その特例認定中小企業者が上場会社等又は風俗営業会社のいずれにも該当しないこと。 ⑤　贈与報告基準期間において、その特例贈与認定中小企業者が資産保有型会社に該当しないこと。 ⑥　贈与報告基準事業年度（贈与報告基準日の属する年の前年の贈与報告基準日の属する事業年度からその贈与報告基準日の翌日の属する事業年度の直前の事業年度までの各事業年度）においていずれにおいてもその特例贈与認定中小企業者が資産運用型会社に該当しないこと。 ⑦　贈与報告基準期間において、その特例認定中小企業者の特定特別子会社が風俗営業会社に該当しないこと。	①　特例経営贈与承継受贈者の氏名及び住所 ②　特例贈与者から贈与により特例対象受贈非上場株式等の取得をした年月日 ③　特例対象受贈非上場株式等に係る特例認定贈与承継会社の名称及び本店の所在地 ④　その届出書を提出する日の直前の経営贈与報告基準日までに終了する各事業年度における総収入金額 ⑤　その経営贈与報告基準日における猶予中贈与税額 ⑥　その経営贈与報告基準日において特例経営承継受贈者が有する特例対象受贈非上場株式等の数及びその経営承継受贈者に係る特例贈与者の氏名

提出添付書類	①　贈与報告基準日におけるその特例認定中小企業者の定款の写し ②　登記事項証明書（贈与報告基準日以後に作成されたものに限る） ③　贈与報告基準日におけるその特例認定中小企業者の株主名簿の写し ④　贈与報告基準日における従業員数証明書 ⑤　贈与報告基準事業年度の貸借対照表、損益計算書、事業報告書、株主資本等変動計算書及び個別注記表 ⑥　贈与報告基準期間において、その特例認定中小企業者が上場会社等又は風俗営業会社のいずれにも該当しない旨の誓約書 ⑦　贈与報告基準期間において、その特例認定中小企業者の特定特別子会社が上場会社等又は風俗営業会社のいずれにも該当しない旨の誓約書	①　その経営贈与報告基準日における特例認定承継会社の定款の写し ②　登記事項証明書（経営贈与報告基準日以後に作成されたものに限る） ③　その経営贈与報告基準日における株主名簿の写しその他の書類で、特例認定贈与承継会社の株主等の氏名及び住所並びにこれらの者が有する株式等に係る議決権の数が確認できる書類（その特例認定贈与承継会社が証明した者に限る） ④　経営承継円滑化法による報告書の写し及びその報告書に係る確認書の写し ⑤　その他参考となるべき書類

⑵　特例経営贈与承継期間経過後の届出

特例経営贈与承継期間（５年間）が経過した後は、都道府県知事に対する報告は不要になりますが、納税猶予の期限が確定するまで、引き続き納税猶予の適用を受けたい旨を記載した継続届出書を所轄税務署長に提出する必要があります（措法70の７の５⑥）。

その届出書の提出期限は、第二種贈与基準日の翌日から３か月を経過する日ですが、この場合の「第二種贈与基準日」とは、特例経営贈与承継期間の末日の翌日から納税猶予期限が確定するまでの期限のいずれかの日で、その特例経営贈与承継期間の末日の翌日から３年を経過するごとの日をいいます（措法70の７の５②九ロ）。要するに、特例経営贈与承継期間の経過後は、３年ごとに継続届出書を提出するということです。

Ⅲ　非上場株式に係る相続税の納税猶予制度の実務

1.　制度の概要

⑴　納税猶予制度のしくみ

非上場株式等に係る相続税の納税猶予の特例措置の基本的しくみは、次のとおりで、贈与税の特例措置と同じです。

①　一定の要件を満たす後継者（特例経営承継相続人等）が相続又は遺贈により取得した一定の要件を満たす会社（特例認定承継会社）の非上場株式等について、その非上場株式等の価額に対応する相続税について、担保の提供を条件に、その納税を猶予する。

ただし、この特例措置の適用は、平成30年１月１日から令和９年12月31日までの間の最初のこの制度の適用に係る相続・遺贈及びその相続・遺贈の時から特例経営承継期間（５年間）の末日までの間に相続税の申告書の提出期限が到来する相続・遺贈に限られる。

②　特例経営承継相続人等が特例対象非上場株式等（納税猶予の適用を受ける株式等）を死亡時まで保有を継続した場合など、一定の事由が生じた場合には、その猶予税額の全部が納税免除になる。

③　相続税の納税猶予の適用を受けた場合には、相続税の申告期限の翌日から５年間を「特例経営承継期間」とし、その間は、後継者が代表者として事業を継続するなど、いわゆる事業継続要件が課せられる。このため、その要件を満たさないこととなった場合には、納税猶予が確定し、猶予税額の全部を利子税とともに納付しなければならない。

④　特例経営承継期間が経過した後に、特例対象非上場株式等の譲渡等があった場合には、その譲渡等をした株式等の価額に対応する相続税を利子税とともに納付する。

この制度のしくみをイメージ図で示すと、次のとおりです。

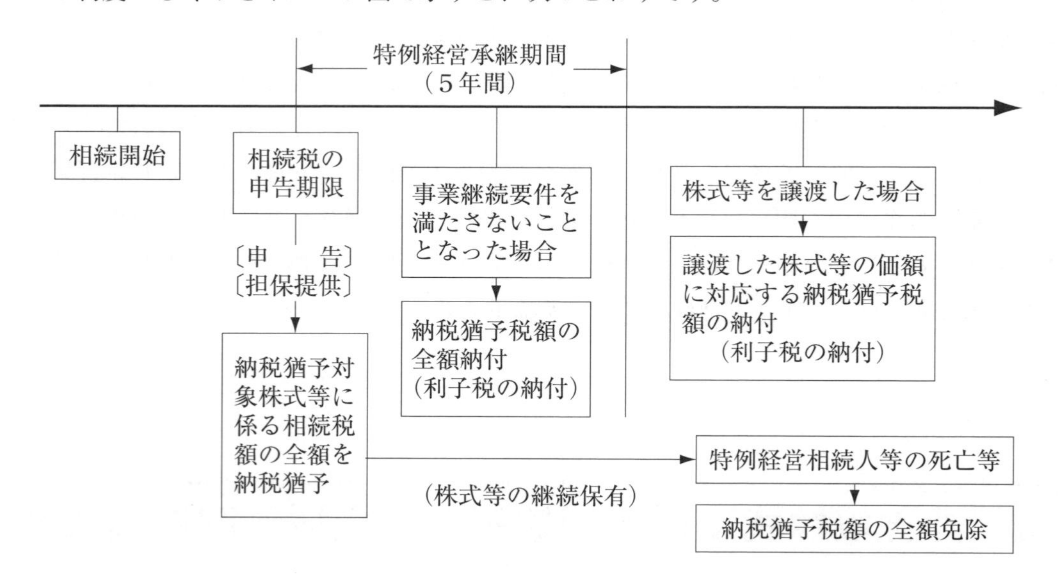

⑵　非上場株式等の意義

相続税の特例措置の対象となる「非上場株式等」とは、金融商品取引所に上場されていない株式など、一定範囲のものをいいますが、その範囲は472ページで説明した贈与税の納税猶予が適用される株式等と同じです（措法70の７の６②五、70の７②二、措規23の９⑦）。

また、納税猶予の対象になるのは、議決権に制限のない株式等であり、議決権制限株式等には納税猶予の適用はないことも贈与税の場合と同じです（措通70の７の６－１､70の７－１）。

（注）非上場株式等の意義に関連して補足すると、次のような株式等には、相続税の納税猶予制度は適用されません（措通70の７の６－３）。

① 被相続人から相続の開始前３年以内に贈与により取得した株式等で、相続税法第19条の規定により相続税の課税価格に加算されるもの

② 相続時精算課税の適用を受ける株式等

③「非上場株式等の贈与者が死亡した場合の相続税の課税の特例」（措法70の７の７、70の７の３）の規定により被相続人から相続又は遺贈により取得したとみなされる特例受贈非上場株式等又は対象受贈非上場株式等に係る認定贈与承継会社と同一の会社の株式等

もっとも、上記①及び②に関して、非上場株式等に係る贈与税の納税猶予制度の適用を受けるために非上場株式等の贈与を受けたところ、その贈与の日の属する年に贈与者に相続が開始したため、その株式等の価額が相続税の課税価格に加算されることとなるときは、その贈与者である被相続人からその株式等を相続又は遺贈により取得したものとみなされます（措令40の８の６②、40の８の２②）。このため、その贈与により取得した非上場株式等は、相続税の納税猶予の対象になります。

なお、上記③について、「非上場株式等の贈与者が死亡した場合の相続税の納税猶予及び免除」（措法70の７の８、70の７の４）の適用要件を満たせば、その規定により相続税の納税猶予の適用を受けることができます（措通70の７の２－６（注））。

2. 特例認定承継会社の意義と要件

(1) 特例認定承継会社と特例相続認定中小企業者

非上場株式等について相続税の納税猶予の特例措置の対象になる会社を経営承継円滑化法では「特例相続認定中小企業者」といいますが（円滑化規則９②）、租税特別措置法では「特例認定承継会社」といいます（措法70の７の６②一、措令40の８の６⑥～⑨）。その要件は、次のように定められており、基本的には473ページの贈与税の場合と同じです。

〔特例認定承継会社の意義〕

経営承継円滑化法第２条に規定する中小企業者のうち都道府県知事の認定を受けた会社で、相続開始の時において、次に掲げる要件の全てを満たすものをいう。

① その会社の常時使用従業員の数が１人以上であること。

② その会社が、相続開始の日の属する事業年度の直前の事業年度の開始の日以後において、「資産保有型会社」に該当しないこと。

③ その会社が、相続開始の日の属する事業年度の直前の事業年度の開始の日以後において、「資産運用型会社」に該当しないこと。

④ その会社及びその会社と特別の関係のある会社のうち特定特別関係会社（会社、代表者及びその代表者と生計を一にする親族などの同族関係者が他の会社の50％超の議決権を有する場合の当該他の会社）の株式等が非上場株式等に該当すること。

⑤　その会社及び特定特別関係会社が風俗営業会社に該当しないこと。
⑥　その会社の相続開始の日の属する事業年度の直前の事業年度の総収入金額がゼロを超えること。
⑦　その会社が発行する拒否権付種類株式を特例経営承継相続人等以外の者が有していないこと。
⑧　その会社の特定特別関係会社が経営承継円滑化法第２条に規定する中小企業者であること。

(2)　資産保有型会社等の実質基準

上記の要件のうち②と③について、いわゆる実質基準として次の要件の全てを満たす場合には、贈与税の場合と同様に、特例認定承継会社に該当します（措法70の７の６②一、措令40の８の６⑥、40の８の２⑦）。

イ　その会社の親族外従業員の数が５人以上であること。
ロ　その会社が、イの従業員が勤務している事務所、店舗、工場その他これらに類するものを所有し又は賃借していること。
ハ　その相続開始の日まで引き続き３年以上継続して、商品の販売、資産の貸付け（特例経営承継相続人等に対するもの及びその者の同族関係者に対するものを除く）、役務の提供その他の事業を行っていること。

（注）上記の「資産保有型会社」に関連して、その会社が特例経営承継相続人等及びその同族関係者から相続開始前３年以内に、現物出資又は贈与により取得した資産がある場合において、相続開始時の総資産価額に占めるこれらの資産価額の割合が70％以上であるときは、納税猶予制度を適用しないこととしています（措法70の７の６㉕、70の７の２㉚）。なお、この場合の資産の「価額」は、いわゆる相続税評価額によります（措通70の７の６－42、70の７の２－54、70の７－50）。

【参考】一般措置における会社の要件

贈与税・相続税の納税猶予の一般措置では、適用対象となる会社を「認定贈与承継会社」又は「認定承継会社」といいますが、その意義・要件等は、基本的には特例措置と同じです。

3.　被相続人と相続人の要件

(1)　被相続人の要件

相続税の納税猶予制度の特例措置の適用対象となる特例被相続人とは、次の①と②の区分に応じ、それぞれ下記の要件を満たす者をいいます（措法70の７の６①、措令40の８の

6①)。

なお、このうち①の場合の被相続人からの相続又は遺贈が前述した「第一種相続」であり、②の場合が「第二種相続」に当たります

①　下記の②の場合以外の場合

相続の開始前において、特例認定承継会社の代表権を有していた個人で、次の要件の全てを満たすものをいいます。

イ　相続開始の直前において、被相続人とその同族関係者とを合わせて、その特例認定承継会社の総株主等議決権数の50％超の議決権を有すること。

ロ　相続開始の直前において、その被相続人が同族関係者（後継者である特例経営承継相続人等を除く）内で筆頭株主であること。

なお、被相続人が相続開始の直前にその特例認定承継会社の代表権を有していなかった場合には、代表権を有していた期間のいずれかの時と相続開始の直前の双方において、イとロの要件を満たす必要があります。

(注) 贈与税の納税猶予制度における贈与者は、贈与の時には代表者を退任している必要がありますが、相続税の納税猶予制度の場合には、被相続人死亡によって自動的に代表者を退任しますから、生前の退任要件はありません。

②　相続開始の直前において、次のイからハのいずれかに該当する者がある場合

その特例認定承継会社の非上場株式等を有していた個人をいいます。

イ　その特例認定承継会社の株式等について、特例措置としての贈与税又は相続税の納税猶予制度の適用を受けている者

ロ　その特例認定承継会社の代表権を有していた者から贈与により特例措置としての贈与税の納税猶予制度の適用に係る株式等を取得している者（イに掲げる者を除く）

ハ　その特例認定承継会社の代表権を有していた者から相続又は遺贈により特例措置としての相続税の納税猶予制度の適用に係る株式等を取得している者（イに掲げる者を除く）

(注) このうち②は、その会社の代表権を有していた先代経営者からの株式等の贈与・相続について、後継者が特例措置としての納税猶予制度の適用を受けた後に、他の株主（たとえば先代経営者の配偶者）から相続又は遺贈により株式等を取得した場合には、その取得について相続税の納税猶予制度の適用を受けることができるということです。経営承継円滑化法にいう「第二種相続」です。上記の①と合わせてイメージ図で示すと、次ページの図のとおりですが、前述した贈与税のしくみと同様です。

　この図の第二種相続における後継者については、上記②のイからハのいずれかに該当することとされていますが、このうちイは、特例措置としての贈与税又は相続税の納税猶予制度の適用を受けて申告済の者ということです。これに対し、ロとハは、代表権を有していた先代経営者からの贈与又は相続により株式等を取得した後、他の株主から株式等を相続又は遺贈により取得したが、申告期限が到来しないため、贈与税又は相続税の申告が終わっていない者という意味です。

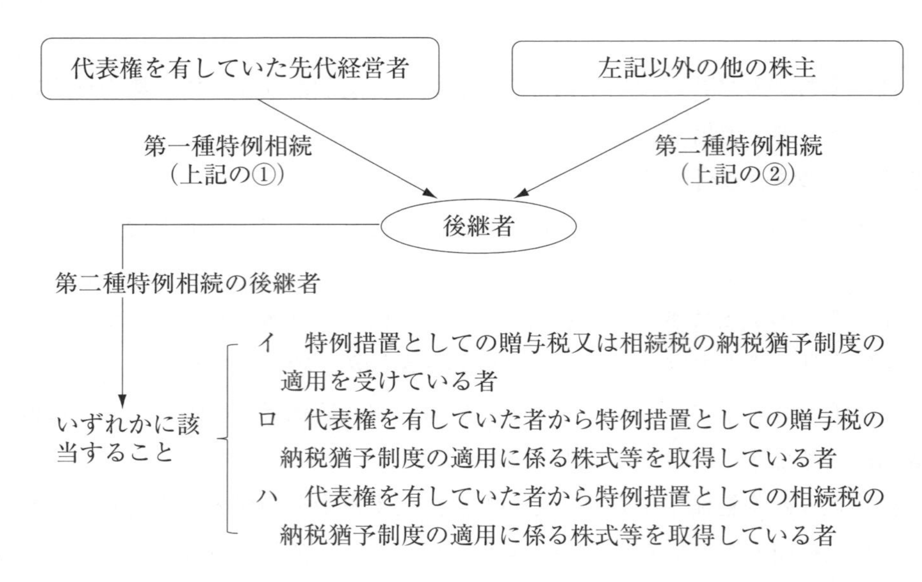

注意したいのは、第二種特例相続に係る納税猶予制度は、特例経営承継期間（原則として５年間）の末日までに相続税の申告期限が到来する相続又は遺贈による株式等の取得に適用されることです（措法70の７の６①かっこ書）。この点も贈与税の納税猶予と同じです。

また、贈与税の場合と同様に、第一種特例相続（次図の最初の相続）の後に第二種特例相続が行われた場合に納税猶予を適用することとされています。

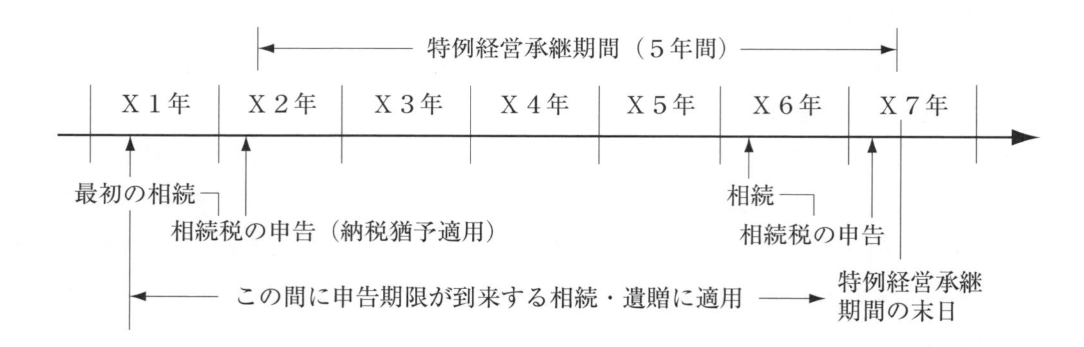

（注） 上記の「特例経営承継期間」とは、この制度の適用における相続に係る相続税の申告期限の翌日から次に掲げる日のいずれか早い日又はこの制度の適用を受ける特例経営承継相続人等の死亡の日の前日のいずれか早い日までの期間をいいます（措法70の７の６②六）。

①　その特例経営承継相続人等の最初のこの制度の適用に係る相続に係る相続税の申告期限の翌日以後５年を経過する日

②　その特例経営承継相続人等の最初の特例措置としての贈与税の納税猶予制度の適用に係る贈与の日の属する年分の贈与税の申告期限の翌日から５年を経過する日

⑵　相続人の要件

相続税の特例措置としての納税猶予制度が適用される相続人（特例経営承継相続人等）とは、特例被相続人から相続又は遺贈により特例認定承継会社の株式等を取得した個人で、次に掲げる要件の全てを満たす者をいいます（措法70の７の６②七、措規23の12の３⑨）。

① 相続開始の日の翌日から５か月を経過する日において、その特例認定承継会社の代表権を有していること。

② 相続開始の時において、その者とその者の同族関係者とを合わせて、その特例認定承継会社の総株主等議決権数の50％超の議決権を有すること。

③ 相続開始の時において、その者が同族関係者内で筆頭株主であること。

④ 相続開始の時からその相続に係る相続税の申告期限まで引き続きその相続又は遺贈により取得をしたその特例認定承継会社の特例対象非上場株式等（納税猶予の適用を受ける株式等）の全てを有していること。

⑤ その者が、一般措置としての贈与税又は相続税の納税猶予制度の適用を受けていないこと。

⑥ その者が、経営承継円滑化法に基づき都道府県知事の確認を受けた特例認定承継会社のその確認に係る特例後継者であること。

⑦ その相続に係る被相続人が60歳未満で死亡した場合を除き、相続開始の直前において、その会社の役員であったこと。

上記の①に関して、経営承継円滑化法における都道府県知事に対する「認定申請」は、相続開始後８か月以内に行うこととされ（円滑化規則７③）、後継者は、その申請時に代表者であることが認定の要件とされています。このため、納税猶予制度の適用を受ける後継者が相続開始時に代表権を有していない場合には、相続開始から５か月以内に代表者に就任し、その後（相続開始後８か月以内）に認定申請を行う必要があります。

なお、現行の事業承継税制は、後継者を被相続人の親族に限定していないため、いわゆる親族外承継も可能です。もっとも、相続権のない親族外の後継者が相続税の納税猶予制度の適用を受けるためには、特例認定承継会社の株式等を遺贈により取得することになります。また、上記の①から⑦の全ての要件を満たす必要があることに留意する必要があります。

(注１) 上記②及び③の相続人の要件を判定する場合の議決権の数には、株主総会等において議決権を行使できる事項の一部について制限のある株式等も含まれます。

なお、これらの要件の判定は、相続の開始直後の株主構成等により行います（措通70の７の６－７、70の７の２－15、70の７－12）。

(注２) 上記③の議決権割合要件について、特例措置としての納税猶予の適用を受ける者が２人又は３人である場合には、その相続の時において、その者の有する議決権の数が、その特例認定承継会社の総株主等議決権数の10％以上であること及びその者と同族関係者のうちいずれの者の有する議決権の数を下回らないことが要件になります（措法70の７の６②七ハ⑵）。

(注３) 特例措置としての納税猶予制度について、参考までに被承継者（特例贈与者・特例被相続人）及び後継者（特例経営承継受贈者・特例経営承継相続人等）の要件をまとめておくと、次表のとおりです。なお、後継者は１人であることを前提にしています。

	贈与税の納税猶予制度	相続税の納税猶予制度
被承継者（贈与者・被相続人）の要件	〔下記以外の場合〕 ①　贈与の時において、その会社の代表権を有していること。 ②　贈与の直前において、同族関係者と合わせて50％超の議決権を有していること。 ③　贈与の直前において、同族関係者（後継者である特例経営承継受贈者を除く）内で筆頭株主であること。 ④　贈与の時において、その会社の代表権を有していないこと。	〔下記以外の場合〕 ①　相続開始の直前において、同族関係者と合わせて50％超の議決権を有していること。 ②　相続開始の直前において、同族関係者（後継者である特例経営承継相続人等を除く）内で筆頭株主であること。
	〔受贈者が下記のイ及びロのいずれかに該当する場合〕 ○　その会社の非上場株式等を有していた個人で、贈与の時において代表権を有していないもの イ　特例措置としての贈与税又は相続税の納税猶予制度の適用を受けている者 ロ　代表権を有していた者から特例措置としての贈与税の納税猶予制度又は相続税の納税猶予制度の適用に係る株式等を取得している者	〔受贈者が下記のイ及びロのいずれかに該当する場合〕 ○　その会社の非上場株式等を有していた個人 イ　特例措置としての贈与税又は相続税の納税猶予制度の適用を受けている者 ロ　代表権を有していた者から特例措置としての贈与税の納税猶予制度又は相続税の納税猶予制度の適用に係る株式等を取得している者
後継者（受贈者・相続人）の要件	①　贈与の日において20歳以上であること。 ②　贈与の時において、その会社の代表権を有していること。 ③　贈与の時において、同族関係者と合わせて50％超の議決権を有していること。 ④　贈与の時において、同族関係者内で筆頭株主であること。 ⑤　贈与の時から贈与税の申告期限まで、贈与により取得した特例対象受贈非上場株式等の全てを有していること。 ⑥　贈与の日まで引き続き３年以上継続してその会社の役員であること。 ⑦　一般措置としての贈与税の納税猶予制度又は相続税の納税猶予制度の適用を受けていないこと。 ⑧　経営承継円滑化法の規定により都道府県知事の確認を受けた「特例承継計画」に係る特例後継者であること。	①　相続開始の日から５か月を経過する日において、その会社の代表権を有していること。 ②　相続開始の時において、同族関係者と合わせて50％超の議決権を有していること。 ③　相続開始の時において、同族関係者内で筆頭株主であること。 ④　相続開始の時から相続税の申告期限まで、相続又は遺贈により取得した特例対象非上場株式等の全てを有していること。 ⑤　一般措置としての贈与税の納税猶予制度又は相続税の納税猶予制度の適用を受けていないこと。 ⑥　経営承継円滑化法の規定により都道府県知事の確認を受けた「特例承継計画」に係る特例後継者であること。 ⑦　被相続人が60歳未満で死亡した場合を除き、相続開始の直前において、その会社の役員であること。

(注) 贈与税の納税猶予制度における後継者（受贈者）の要件のうち①の「20歳以上」は、令和４年４月１日以後の贈与から「18歳以上」になります。

【参考】一般措置における被相続人と相続人の要件

上記の被相続人と相続人の要件は、一般措置としての相続税の納税猶予制度においても同様です。ただし、下記のように法令上の用語が異なります（下表の※印は、経営承継円滑化法における用語です）。

なお、一般措置においても第一種相続と第二種相続があり、第一種相続が先行していれば、第二種相続にも納税猶予制度が適用されます。

	特例措置	一般措置
適用会社	特例認定承継会社 ※第一種特例認定中小企業者 ※第二種特例認定中小企業者	認定承継会社 ※第一種特別相続認定中小企業者 ※第二種特別相続認定中小企業者
被相続人	特例被相続人	被相続人
相続人	特例経営承継相続人等 ※第一種特例経営承継相続人 ※第二種特例経営承継相続人	経営承継相続人等 ※第一種経営承継相続人 ※第二種経営承継相続人
対象株式	特例対象非上場株式等 ※第一種特例認定相続株式 ※第二種特例認定相続株式	対象非上場株式等 ※第一種認定相続株式 ※第二種認定相続株式
事業承継期間	特例経営承継期間	経営承継期間

4. 納税猶予制度の適用株式等の意義と範囲

⑴ 特例対象非上場株式等の意義

特例措置としての相続税の納税猶予制度の対象となる「特例対象非上場株式等」は、被相続人から相続又は遺贈により取得した特例認定承継会社の株式等の全部です（措法70の7の6①）。

したがって、相続又は遺贈により取得した財産が特例認定承継会社の株式等のみであれば、特例経営承継相続人等の相続税額の全部が納税猶予となり、納付すべき相続税はありません。もっとも、通常の相続の場合には、株式以外の財産を取得する例がほとんどですから、株式以外の財産に対応する相続税額は、法定納期限までに納付する必要があります。

【参考】一般措置における納税猶予対象株式等の範囲

一般措置としての相続税の納税猶予制度が適用される対象非上場株式等とは、認定承継会社の発行済議決権株式等の３分の２に達する部分であり、また、経営承継相続人等が相続開始の直前に有していた株式等の数は、３分の２部分から控除して対象株式数を算定します（措法70の７の２①、措令40の８の２④）。

なお、発行済議決権株式等の数に３分の２を乗じた数に１株未満の端数がある場合には、その端数は切り上げて計算します。たとえば、発行済議決権株式等の数が1,000株の会社の場合の３分の２部分は、1,000株×2/3＝666.66株となりますが、667株として適用対象株式等の数を計算します。この点は、贈与税の場合と同じです。

⑵　未分割株式等の不適用

相続税の申告期限までに、相続又は遺贈により取得した非上場株式等の全部又は一部が共同相続人間で分割されていない場合のその分割されていない非上場株式等については、納税猶予制度は適用されません（措法70の７の６⑤）。この点は、一般措置における納税猶予制度も同じです（措法70の７の２⑦）。

（注）相続税の申告期限後に非上場株式等が分割されても、納税猶予制度は適用されません。この点は、申告期限後の分割であっても更正の請求により制度が適用される小規模宅地等の特例とは異なります。

5.　相続税の納税猶予税額の計算方法

⑴　計算の手順

特例措置により納税猶予になる相続税額（納税猶予分の相続税額）は、特例対象非上場株式等（納税猶予の適用を受ける株式等）を特例経営承継相続人等（納税猶予の適用を受ける後継者）の課税価格とみなして相続税法の規定により計算した金額です（措法70の７の６②八、措令40の８の６⑯～㉒）。

（注）特例経営承継相続人等について、相続税の課税価格の計算上、控除すべき債務（被相続人の債務及び葬式費用）がある場合には、特例対象非上場株式等以外の財産の価額から控除し、なお控除しきれなかった債務の額（控除未済債務額）があるときは、特例対象非上場株式等の価額からその控除未済債務額を控除した価額を特例経営承継相続人等に係る課税価格として納税猶予税額を計算します。たとえば、

・特例対象非上場株式等の価額……１億円
・その他の財産の価額……5,000万円
・控除すべき債務の金額……3,000万円

という場合は、その他の財産の価額から債務控除ができますから、１億円を特例対象非上場株式等の価額として納税猶予税額を計算します。これに対し、その他の財産の価額が2,000万円であるとすれば、1,000万円（＝3,000万円－2,000万円）が控除未済債務額となるため、9,000万円（＝１億円－1,000万円）を特例対象非上場株式等の価額として納税猶予税額を計算します。

相続税の納税猶予税額及び法定納期限内の納付すべき相続税額は、次の手順により計算します。

① 相続又は遺贈により財産を取得した者の全員について、通常どおりの相続税額の計算を行う。→ 特例経営承継相続人等以外の者の税額は、特例経営承継相続人等の納税猶予の適用に影響されず、この計算により確定する。

② 特例経営承継相続人等以外の者の取得財産価額は不変としたうえで、特例経営承継相続人等が特例対象非上場株式等のみを相続したものとして、特例経営承継相続人等の税額計算を行う。→ 特例経営承継相続人等について算出された相続税額が納税猶予税額となる（100円未満の端数切捨て）。

③ 上記①により算出された特例経営承継相続人等の相続税額から、②により計算された特例経営承継相続人等の納税猶予税額を控除した残額は、法定納期限までに納付する。

⑵ 納税猶予税額の計算例と申告書の記載例

特例措置としての非上場株式等に係る相続税の納税猶予税額の計算方法を計算例で確認しておくと、以下のようになります。

また、この計算例を相続税の申告書（第８の２の２表、第８の２の２表の付表１）に記載すると、〔書式79〕（533ページ）、〔書式80〕（534ページ）のようになります。

＜設　例＞

① 被相続人甲山太郎の相続財産及び相続債務は、次のとおりである。

　非上場株式……２億円（20,000株）　　その他の財産……７億円

　相続債務………１億円

　なお、被相続人の相続人及び非上場株式に係る株式会社甲山の相続開始直前の持株状況は、次のとおりであり、発行済株式総数は30,000株、１株当たりの相続税評価額は、10,000円である。

（被相続人）甲山太郎（20,000株）＝＝＝ 甲山花子（7,000株）

甲山一郎（2,000株）　　甲山二郎（1,000株）

② 共同相続人による遺産分割協議の結果、各相続人の取得財産及び負担した債務は、次のとおりである。

　甲山花子……その他の財産４億円

甲山一郎……非上場株式２億円、その他の財産１億円、債務5,000万円
甲山二郎……その他の財産２億円、債務5,000万円
③　甲山一郎は、特例経営承継相続人等として、相続により取得した非上場株式について、相続税の納税猶予の特例措置の適用を受けることとした。

【計　算】

《通常の計算による相続税額》

①　各相続人の課税価格
・甲山花子……４億円（その他の財産）
・甲山一郎……２億円（株式）＋１億円（その他の財産）－5,000万円（債務）
＝２億5,000万円
・甲山二郎……２億円（その他の財産）－5,000万円（債務）＝１億5,000万円
②　課税価格の合計額　４億円＋２億5,000万円＋１億5,000万円＝８億円
③　遺産に係る基礎控除額　3,000万円＋600万円×３人＝4,800万円
④　課税遺産額　８億円－4,800万円＝７億5,200万円
⑤　相続税の総額　２億6,240万円
⑥　各相続人の課税価格と相続税額

	甲山　花子	甲山　一郎	甲山　二郎	合　計
非上場株式		200,000,000円		200,000,000円
その他の財産	400,000,000円	100,000,000円	200,000,000円	700,000,000円
債務控除		△50,000,000円	△50,000,000円	△100,000,000円
課税価格	400,000,000円	250,000,000円	150,000,000円	800,000,000円
相続税の総額				262,400,000円
（あん分割合）	（0.5）	（0.3125）	（0.1875）	（1.00）
算出税額	131,200,000円	82,000,000円	49,200,000円	262,400,000円
配偶者の軽減	131,200,000円			131,200,000円
相続税額	0円	82,000,000円	49,200,000円	131,200,000円

《納税猶予税額の計算》

①　各相続人の課税価格
・甲山花子……４億円（その他の財産）
・甲山一郎……２億円（株式）
・甲山二郎……２億円（その他の財産）－5,000万円（債務）＝１億5,000万円
②　課税価格の合計額　４億円＋２億円＋１億5,000万円＝７億5,000万円
③　遺産に係る基礎控除額　3,000万円＋600万円×３人＝4,800万円
④　課税遺産額　７億5,000万円－4,800万円＝７億200万円

〔書式79〕

特例株式等納税猶予税額の計算書

被相続人	甲山太郎
特例経営承継人（特例経営承継相続人等・特例経営相続承継受贈者）	甲山一郎

第8の2の2表（平成31年1月分以降用）

この計算書は、特例経営承継相続人等又は特例経営相続承継受贈者に該当する人が非上場株式等についての相続税の納税猶予及び免除の特例に係る納税猶予税額（特例株式等納税猶予税額）を算出するために使用します。
（注）特例経営承継相続人等及び特例経営相続承継受贈者に該当する人を、以下この計算書（第8の2の2表）において「特例経営承継人」と表記しています。

私は、第8の2の2表の付表1の「2 特例対象非上場株式等の明細」又は第8の2の2表の付表2の「2 特例対象相続非上場株式等の明細」に記載した会社の株式（出資）のうち各明細の③欄の株式等の数等について非上場株式等についての納税猶予及び免除の特例（租税特別措置法第70条の7の6第1項、同法第70条の7の8第1項）の適用を受けます。

1 特例株式等納税猶予税額の基となる相続税の総額の計算

(1)「特定価額に基づく課税遺産総額」等の計算

① 特例経営承継人の第8の2の2表の付表1・付表2のA欄の合計額	200,000,000 円
② 特例経営承継人に係る債務及び葬式費用の金額（第1表のその人の③欄の金額）	50,000,000
③ 特例経営承継人が相続又は遺贈により取得した財産の価額（その特例経営承継人の第1表の（①＋②）（又は第3表の①欄）の金額）	300,000,000
④ 控除未済債務額（①＋②－③）の金額（赤字の場合は0）	0
⑤ 特定価額（①－④）（1,000円未満切捨て）（赤字の場合は0）	200,000,000
⑥ 特例経営承継人以外の相続人等の課税価格の合計額（その特例経営承継人以外の者の第1表の⑥欄（又は第3表の⑥欄）の金額の合計）	550,000,000
⑦ 基礎控除額（第2表のⓑ欄の金額）	48,000,000
⑧ 特定価額に基づく課税遺産総額（⑤＋⑥－⑦）	702,000,000

(2)「特定価額に基づく相続税の総額」等の計算

⑨ 法定相続人の氏名	⑩ 法定相続分	特定価額に基づく相続税の総額の計算 ⑪法定相続分に応ずる取得金額（⑧×⑩）	⑫相続税の総額の基礎となる税額（第2表の「速算表」で計算します。）
甲山花子	$\frac{1}{2}$	351,000,000 円	133,500,000 円
甲山一郎	$\frac{1}{2}\times\frac{1}{2}=\frac{1}{4}$	175,500,000	53,200,000
甲山二郎	$\frac{1}{2}\times\frac{1}{2}=\frac{1}{4}$	175,500,000	53,200,000
		,000	
		,000	
		,000	
		,000	
		,000	
法定相続分の合計	1	⑬相続税の総額（⑫の合計額）	239,900,000

（注）1 ③欄の「第1表の（①＋②）」の金額は、特例経営承継人が租税特別措置法第70条の6第1項の規定による農地等についての納税猶予及び免除等の適用を受ける場合は、「第3表の①欄」の金額となります。また、⑥欄の「第1表の⑥欄」の金額は、相続又は遺贈により財産を取得した人のうちに租税特別措置法第70条の6第1項の規定による農地等についての納税猶予及び免除等の適用を受ける人がいる場合は、「第3表の⑥欄」の金額となります。
2 ⑨及び⑩欄は第2表の「④法定相続人」の「氏名」欄及び「⑤左の法定相続人に応じた法定相続分」欄からそれぞれ転記します。

2 特例株式等納税猶予税額の計算

①（特例経営承継人の第1表の（⑱＋⑳－⑫））の金額	円
② 特定価額に基づく特例経営承継人の算出税額（1の⑬×1の⑤／1の（⑤＋⑥））	63,973,333
③ 特定価額に基づき相続税額の2割加算が行われる場合の加算金額（②×20%）	
a （②＋③－特例経営承継人の第1表の⑫）の金額（赤字の場合は0）	63,973,333
b 特例経営承継人の第1表の⑥欄に基づく算出税額（その人の第1表の（⑨（又は⑩）＋⑪－⑫））（赤字の場合は0）	82,000,000
④ （①＋a－b）の金額（赤字の場合は0）	
⑤ （a－④）の金額（赤字の場合は0）	63,973,333
⑥ 特例対象非上場株式等又は特例対象相続非上場株式等に係る会社が2社以上ある場合の会社ごとの特例株式等納税猶予税額（注2参照）	
イ（会社名）＿＿＿に係る特例株式等納税猶予税額（⑤×イの株式等に係る価額／1の①）(100円未満切捨て)	00
ロ（会社名）＿＿＿に係る特例株式等納税猶予税額（⑤×ロの株式等に係る価額／1の①）(100円未満切捨て)	00
ハ（会社名）＿＿＿に係る特例株式等納税猶予税額（⑤×ハの株式等に係る価額／1の①）(100円未満切捨て)	00
⑦ 特例株式等納税猶予税額（⑤の金額（100円未満切捨て）（又は⑥の金額の合計額））（注3参照）	A 63,973,300

（注）1 b欄の算式中の「第1表の⑨」の金額について、相続又は遺贈により財産を取得した人のうちに租税特別措置法第70条の6第1項の規定による農地等についての納税猶予及び免除等の適用を受ける人がいる場合は、「第1表の⑩」の金額とします。
2 ⑥欄について、特例対象非上場株式等又は特例対象相続非上場株式等に係る会社が1社のみの場合は、⑥欄の記入は行わず、⑤欄の金額を⑦欄のA欄に記入します（100円未満切捨て）。なお、イからハまでの各欄の算式中の「株式等に係る価額」とは第8の2の2表の付表1の「2 特例対象非上場株式等の明細」の⑤欄のA欄及び第8の2の2表の付表2の「2 特例対象相続非上場株式等の明細」の⑤欄のA欄の金額をいいます。また、会社が4社以上ある場合は、適宜の用紙に会社ごとの特例株式等納税猶予税額を記載し添付してください。
3 ⑦欄のA欄の金額を特例経営承継人の第8の8表の「特例株式等納税猶予税額③」欄に転記します。なお、特例経営承継人が他の相続税の納税猶予等の適用を受ける場合は、⑦欄のA欄の金額によらず、第8の7表の⑲欄の金額を特例経営承継人の第8の8表の「特例株式等納税猶予税額③」欄に転記します。

※の項目は記入する必要がありません。

※税務署整理欄	入力		確認			

第8の2の2表（令元.7）　　（資4－20－9－12－A4統一）

〔書式80〕

非上場株式等についての相続税の納税猶予及び免除の特例の適用を受ける特例対象非上場株式等の明細書

第8の2の2表の付表1（平成31年1月分以降用）

被相続人	甲山太郎
特例経営承継相続人等	甲山一郎

この明細書は、非上場株式等についての相続税の納税猶予及び免除の特例の適用を受ける特例対象非上場株式等について、その明細を記入します。この明細書の記入に際しては、裏面にご注意ください。

1　特例対象非上場株式等に係る会社

項目	内容	項目		内容
① 会社名	株式会社甲山	⑧ 特例承継計画の提出及び確認の状況	提出年月日	○年○月○日
② 会社の整理番号（会社の所轄税務署名）	××××××××（○○署）		確認年月日	○年○月○日
③ 事業種目	○○製造業		確認番号	××××
④ 相続開始の時における資本金の額	15,000,000円	⑨ 円滑化法の認定の状況	認定年月日	○年○月○日
⑤ 相続開始の時における資本準備金の額	0円		認定番号	×××××
⑥ 相続開始の時における従業員数	25人	⑩ 会社又はその会社の特別関係会社であってその会社との間に支配関係がある法人が保有する外国会社等の株式等の有無	有	㊍無
⑦ 相続開始の日から5か月後における特例経営承継相続人等の役職名	代表取締役			

2　特例対象非上場株式等の明細

① 相続開始の時における発行済株式等の総数等	② 被相続人から相続又は遺贈により取得した株式等の数等	③ ②のうち、特例の適用を受ける株式等の数等	④ 1株(口・円)当たりの価額（裏面の2(2)参照）	⑤ 価額（③×④）
30,000 ㊑・口・円	20,000 ㊑・口・円	20,000 ㊑・口・円	10,000円	A 200,000,000円

3　最初の非上場株式等についての贈与税の納税猶予及び免除の特例等の適用に関する事項

この欄は、特例経営承継相続人等が、その相続開始前に贈与又は相続等により取得した上記1の特例対象非上場株式等に係る会社の非上場株式等について、「非上場株式等についての贈与税の納税猶予及び免除の特例（租税特別措置法第70条の7の5）」又は「非上場株式等についての相続税の納税猶予及び免除の特例（同法第70条の7の6）」の規定の適用を受けている場合又は受けようとしている場合において、最初のその贈与又は相続等によるその会社の非上場株式等の取得に関する事項等について記入します。

① 取得の原因	② 取得年月日	③ 申告した税務署名	④ 贈与者又は被相続人の氏名
贈与・相続等	年　月　日	署	

4　会社が現物出資又は贈与により取得した資産の明細書

この明細書は、租税特別措置法施行規則第23条の12の3第16項第9号の規定に基づき、会社が相続開始前3年以内に特例経営承継相続人等及び特例経営承継相続人等と特別の関係がある者（裏面の「4（1）」参照）から現物出資又は贈与により取得した資産の価額（裏面の「4（2）」参照）等について記入します。なお、この明細書によらず会社が別途作成しその内容を証明した書類を添付しても差し支えありません。

取得年月日	種類	細目	利用区分	所在場所等	数量	① 価額	出資者・贈与者の氏名・名称
・　・						円	
・　・							
・　・							
・　・							
② 現物出資又は贈与により取得した資産の価額の合計額（①の合計額）							
③ 会社の全ての資産の価額の合計額（②の金額を含みます。）							
④ 現物出資等資産の保有割合（②/③）						%	

上記の明細の内容に相違ありません。　　令和　年　月　日

所在地

会社名

代表者氏名　　　　　　印

※の項目は記入する必要がありません。

※税務署整理欄	法人管轄署番号	—	入力		確認			

第8の2の2表の付表1（令元.7）　　（資4−20−9−13−A4統一）

⑤　相続税の総額２億3,990万円

⑥　納税猶予税額

$$2億3,990万円 \times \frac{\underset{(甲山一郎の課税価格)}{2億円}}{\underset{(課税価格の合計額)}{7億5,000万円}} = 63,973,300円（100円未満切捨て）$$

⑦　納付税額　8,200万円－63,973,300円＝18,026,700円

（各相続人の相続税額）

		甲山　花子	甲山　一郎	甲山　二郎	合　計
相　続　税　額		0円	82,000,000円	49,200,000円	131,200,000円
内訳	納　付　税　額	0円	18,026,700円	49,200,000円	67,226,700円
	納税猶予税額		63,973,300円		63,973,300円

【参考】 一般措置における相続税の納税猶予税額の計算

一般措置としての相続税の納税猶予制度が適用される対象非上場株式等とは、認定承継会社の発行済議決権株式等の３分の２に達する部分であり、また、経営承継相続人等が相続開始の直前に有していた株式等の数は、３分の２部分から控除して対象株式数を算定します（措法70の７の２①、措令40の８の２④）。

また、納税猶予税額は、いわゆる「８割納税猶予」とされています。このため、経営承継相続人等の取得した対象非上場株式等の価額に基づく相続税額と対象非上場株式等の価額の20％相当額に基づく相続税額の差額が納税猶予税額になります。

上記の設例の場合には、経営承継相続人等である甲山一郎が取得した株式（２億円）のうち、納税猶予の対象になるのは、次のとおり１億8,000万円になります。

30,000株（発行済株式総数）×２／３－2,000株（相続開始直前の甲山一郎の保有株数）＝18,000株

18,000株×10,000円（１株当たりの相続税評価額）＝１億8,000万円

この結果、上記の設例について、一般措置による納税猶予税額を計算すると、次のようになります。

《通常の計算による相続税額》

上記の特例措置の計算と同じ。

（各相続人の相続税額）

・甲山花子……………0円

・甲山一郎……8,200万円

・甲山二郎……4,920万円

《納税猶予税額の計算》

	納税猶予対象株式のみを取得した場合の経営承継相続人等の相続税額	納税猶予対象株式の価額の20％相当額のみを取得した場合の経営承継相続人等の相続税額
納税猶予対象株式の価額とその20％相当額	１億8,000万円（納税猶予対象株式の価額）	１億8,000万円（納税猶予対象株式の価額）×20％＝3,600万円
課税価格の合計額	４億円（花子）＋１億8,000万円（一郎）＋１億5,000万円（二郎）＝７億3,000万円	４億円（花子）＋3,600万円（一郎）＋１億5,000万円（二郎）＝５億8,600万円
基礎控除額	4,800万円	4,800万円
課税遺産額	７億3,000万円－4,800万円＝６億8,200万円	５億8,600万円－4,800万円＝５億3,800万円
相続税の総額	２億3,090万円	１億6,765万円
甲山一郎の算出税額	２億3,090万円×１億8,000万円÷７億3,000万円＝56,934,246円	１億6,765万円×3,600万円÷５億8,600万円＝10,299,317円
納税猶予税額（納付税額）	56,934,246円－ 10,299,317円＝46,634,900円（100円未満切捨て）（82,000,000円－46,634,900円＝35,365,100円）	

		甲山　花子	甲山　一郎	甲山　二郎	合　計
相続税額		0円	82,000,000円	49,200,000円	131,200,000円
内訳	納付税額	0円	35,365,100円	49,200,000円	84,565,100円
	納税猶予税額		46,634,900円		46,634,900円

参考までに、上記の設例における後継者甲山一郎の税額について、特例措置を適用した場合と一般措置を適用した場合を比較すると、次のようになります。

		特例措置	一般措置	差　異
相続税額		82,000,000円	82,000,000円	――――
内訳	納付税額	18,026,700円	35,365,100円	－）　17,338,400円
	納税猶予税額	63,973,300円	46,634,900円	＋）　17,338,400円

⑶　特例認定承継会社が２以上ある場合の納税猶予分の相続税額の計算

被相続人が複数の会社を経営していた場合には、２以上の会社が「特例認定承継会社」となって、それぞれの株式等に納税猶予制度の適用を受けることがあります。この場合の納税猶予税額は、全ての特例認定承継会社の特例対象非上場株式等の価額の合計額を基に計算しますが、それぞれの特例認定承継会社ごとに猶予税額を算定しておく必要があります。

その計算は、次の方法によって、納税猶予税額をそれぞれの特例対象非上場株式等の価額であん分することになります（措令40の８の６⑲⑳、措通70の７の６－13、70の７の２－16の２）。

①　上記⑵の設例で示した計算方法により特例対象非上場株式等の価額の合計額を基に

納税猶予税額を算定する（100円未満の端数処理は行わない）。

② 特例認定承継会社の異なるものごとに、それぞれの特例対象非上場株式等の価額に対応する納税猶予分の相続税額を計算する（100円未満の端数処理を行う）。

6. 事業継続要件と納税猶予の確定

⑴ 特例経営承継期間内の納税猶予の確定事由

相続税について、特例措置として納税猶予制度の適用を受けた場合には、贈与税の納税猶予制度と同様に、特例経営承継期間（原則として相続税の申告期限の翌日から５年間）は、いわゆる事業継続要件が課されます。

このため、特例経営承継期間中に下記の事由が生じた場合には、その納税猶予の期限が確定し、その時点の猶予中相続税額は、原則として、その事由が生じた日から２か月を経過する日までに、利子税とともにその全額を納税しなければなりません（措法70の７の６③、70の７の２③、措令40の８の２㉘～㉛）。

〔特例経営承継期間内の納税猶予税額の確定事由〕

① 特例経営承継相続人等が特例認定承継会社の代表権を有しないこととなった場合（やむを得ない理由がある場合を除く）

② 特例経営承継相続人等及びその同族関係者の有する議決権の合計数が特例認定承継会社の総議決権数の50％以下となった場合

③ 特例経営承継相続人等が同族関係者内で筆頭株主でないこととなった場合

④ 特例経営承継相続人等が特例対象非上場株式等の一部の譲渡又は贈与をした場合

⑤ 特例経営承継相続人等が特例対象非上場株式等の全部を譲渡又は贈与をした場合

⑥ 特例認定承継会社が会社分割をした場合で、吸収分割承継会社等の株式を配当財源とする剰余金の配当があったとき、又は特例認定承継会社が組織変更をした場合で、その特例認定承継会社の株式等以外の財産の交付があったとき

⑦ 特例認定承継会社が解散をした場合

⑧ 特例認定承継会社が資産保有型会社又は資産運用型会社に該当することとなった場合

⑨ 特例認定承継会社の事業年度に係る総収入金額がゼロとなった場合

⑩ 特例認定承継会社が資本金の額又は準備金の額の減少をした場合（欠損填補のための減資等又は減額した準備金の全額を資本金に組み入れる場合を除く）

⑪ 特例経営承継相続人等が納税猶予の適用をやめる旨の届出をした場合

⑫ 特例認定承継会社が合併により消滅した場合（適格合併をした場合を除く）

⑬　特例認定承継会社が株式交換等により他の会社の株式交換完全子会社等になった場合（適格株式交換等を除く）
⑭　特例認定承継会社の株式等が非上場株式等に該当しないこととなった場合
⑮　特例認定承継会社又はその特例認定承継会社の特定特別関係会社が風俗営業会社に該当することとなった場合
⑯　特例認定承継会社が発行するいわゆる拒否権付種類株式を特例経営承継相続人等以外の者が有することとなった場合
⑰　特例認定承継会社が特例対象非上場株式等の全部又は一部を議決権制限種類株式に変更した場合
⑱　特例認定承継会社が定款の変更により特例経営承継相続人等が有する議決権の制限をした場合

これらの事由は、前述（491ページ）した贈与税の確定事由と同じです。上記①の経営承継相続人等が代表権を有しないこととなった場合の「やむを得ない理由」とは、経営承継相続人等が精神障害者保健福祉手帳の交付を受けたことなどであり、贈与税の項で説明したとおりです。

また、上記の⑧の資産保有型会社又は資産運用型会社に該当した場合であっても、親族外従業員が５人以上であるなど、いわゆる実質基準を満たすときは、納税猶予が継続することとされています。さらに、特定資産の割合が70％以上又は特定資産の運用収入の割合が75％以上になったとしても、その時から６か月以内にこれらの要件が解消された場合には、引き続き納税猶予を受けられることも贈与税の場合と同じです。

なお、特例措置としての相続税の納税猶予制度には、贈与税の場合と同様に、いわゆる雇用確保要件はありませんが、特例経営承継期間の末日において、その特例認定承継会社の常時使用従業員数の平均値が相続開始の時の常時使用従業員数の80％未満となったときは、その末日の翌日から４か月以内に都道府県知事に「特例承継計画に関する報告書」を提出し、その理由について確認を受ける必要があります（円滑化法規則20②③）。

（注）特例経営承継期間内における納税猶予の打切りは、「全部確定」であり、原則として「一部確定」になることはありません。ただし、上記の確定事由の⑬と⑭について、認定承継会社が適格合併又は適格交換等をした場合において、経営承継相続人等がその対価として金銭等の交付を受けたときは、猶予中相続税額のうち、その金銭等の額に対応する相続税額を納付することになります（措法70の７の６③、70の７の２④、措令40の８の２㉝）。この点も贈与税の場合と同じです。

【参考】一般措置における雇用確保要件

特例措置としての納税猶予制度には、贈与税・相続税とも雇用確保要件はありませんが、一般措置としての納税猶予制度には、同要件があります。したがって、一般措置としての相続税の納税猶予制度の適用を受けた後、経営承継期間の末日において、雇用確保要件を満たさない場合には、猶予中相続税額の全額を納付しなければなりません。

なお、一般措置としての相続税の納税猶予制度の適用を受けた場合において、雇用確保要件を満たさないことを事由として相続税を納付することとなったときは、その納付について、延納又は物納の規定の適用を受けることができます（措法70の７の２⑭)。もっとも、延納又は物納の要件に該当する場合にのみ適用できることは当然ですから、延納では猶予期限までに納税猶予税額の納付を困難とする理由があること、また、物納では延納によっても納税猶予税額の納付を困難とする理由がなければ認められません。

⑵　特例経営承継期間経過後の納税猶予の確定事由

特例経営承継期間が経過した後において納税猶予が確定する事由を列挙すると、下記のとおりです（措法70の７の６③、70の７の２⑤、措令40の８の６㉕、40の８の２㉞)。これらは、前述（496ページ）した贈与税の場合とまったく同じです。また、下記の①から⑥までに該当するときは、猶予中相続税額の全額納税となり、⑦から⑪までの事由については、一部納税となることも贈与税の場合と同じです。

〔特例経営承継期間経過後の納税猶予の確定事由〕

① 特例経営承継相続人等が特例対象非上場株式等の全部を譲渡又は贈与をした場合
② 特例認定承継会社が解散をした場合
③ 特例認定承継会社が資産保有型会社又は資産運用型会社に該当することとなった場合
④ 特例認定承継会社の事業年度に係る総収入金額がゼロとなった場合
⑤ 特例認定承継会社が資本金の額又は準備金の額の減少をした場合（欠損填補のための減資等又は減額した準備金の全額を資本金に組み入れる場合を除く）
⑥ 特例経営承継相続人等が納税猶予の適用をやめる旨の届出をした場合
⑦ 特例経営承継相続人等が特例対象非上場株式等の一部の譲渡又は贈与をした場合
⑧ 特例認定承継会社が合併により消滅した場合
⑨ 特例認定承継会社が株式交換等により他の会社の株式交換完全子会社等になった場合
⑩ 特例認定承継会社が会社分割をした場合で、吸収分割承継会社等の株式を配当財源とする剰余金の配当があったとき
⑪ 特例認定承継会社が組織変更をした場合で、その特例認定承継会社の株式等以外の財産の交付があったとき

7. 納税猶予税額の免除

(1) 届出による猶予税額の免除

相続税について納税猶予制度の適用を受けた後、一定の事由が生じた場合には、その猶予税額が免除されます。この場合、前述（498ページ）した贈与税の場合と同様に、当事者からの届出によって免除になる場合と、免除申請を行い、税務署長の通知（処分）によって免除される場合があります。

まず、届出によって免除になるのは、経営承継相続人等が次のいずれかに該当することとなったときです（措法70の７の６⑫、70の７の２⑯、措令40の８の６㉘、40の８の２㊹）。

免除事由	免除される相続税額
① 特例経営承継相続人等が死亡した場合	・猶予中相続税額に相当する相続税額（全額免除）
② 特例経営承継相続人等が特例対象非上場株式等を「非上場株式等について贈与税の納税猶予」の規定の適用に係る贈与をした場合	・次の算式で計算される相続税額 猶予中相続税額×（贈与した特例対象非上場株式等の数）/（贈与の直前における特例対象非上場株式等の数）

これらについて補足しておくと、次のとおりです。

① 特例経営承継相続人等が死亡した場合

上表のうち①は、相続税の納税猶予の適用を受けていた者が死亡した場合には、その時点の猶予税額の全額が納税免除となるということです。

この場合は、特例経営承継相続人等の死亡に伴う通常の相続開始であり、その者の財産について相続税が課税されます。また、相続財産のうちに納税猶予の対象となる非上場株式等があれば、一定の要件の下に相続税の納税猶予制度の適用を受けることができます。

なお、特例経営承継相続人等の相続開始の時期が令和９年12月31日までであれば、特例措置としての納税猶予制度が適用され、同日後の場合には、一般措置としての納税猶予制度となります。

この免除の適用を受ける場合には、特例経営承継相続人等の相続人は、その事由に該当することとなった日から６か月以内に、一定の事項を記載した届出書を納税地の所轄税務署長に提出することとされています（措法70の７の６⑫、70の７の２⑯）。

② 特例経営承継相続人等が特例対象非上場株式等を「非上場株式等について贈与税の納税猶予」の規定の適用に係る贈与をした場合

上表の②は、相続税の納税猶予の適用を受けていた者（２代目経営者）が次の後継者（３代目経営者）にその株式等を贈与し、その受贈者が贈与税について納税猶予の適用を受ける場合には、その贈与をした特例対象非上場株式等に対応する猶予税額が免除になるということです（受贈者が贈与税の納税猶予の適用を受けない株式等がある場合には、その株式等に対応する猶予中相続税額は免除されません)。

この免除規定の適用を受ける場合には、特例経営承継相続人等は、その贈与をした日から6か月以内に、一定の事項を記載した届出書を納税地の所轄税務署長に提出することとされています(措法70の7の6⑫、70の7の2⑯)。

注意したいのは、この事由によって納税免除になるのは、特例経営承継期間の末日の翌日以後にその事由が生じた場合とされていることです。したがって、相続税の申告期限の翌日から5年を経過しないうちに、次の後継者(3代目経営者)に株式等の贈与をしても納税免除の適用は受けられません。

もっとも、特例経営承継期間内であっても経営承継相続人等が身体障害者手帳の交付を受けたこと等のやむを得ない理由により、その特例認定承継会社の代表権を有しないこととなった場合において、次の後継者に特例対象非上場株式等を贈与し、その贈与を受けた後継者が贈与税の納税猶予制度の適用を受けるときは、その贈与をした特例対象非上場株式等に対応する相続税について納税免除を受けることができます(措法70の7の6⑫、70の7の2⑯二カッコ書、措規23の12の2⑭、23の9⑰)。

(注) この規定の適用に関して、贈与税の納税猶予の適用上は、贈与者の有する株式等の全部を贈与しなければならない場合と、受贈者の保有株式等が発行済株式等の3分の2に達するまでの贈与をすれば足りる場合があります(484ページ参照)。前者の場合には、猶予中相続税額の全部が免除になりますが、後者の場合には、猶予中相続税額の一部が免除になります。

なお、一部免除になるときは、特例対象非上場株式等の一部が贈与をした特例経営承継相続人等の手元に残ることになりますが、その残ることとなった部分(贈与をしなかった部分)については、猶予税額としても残ることになります(措通70の7の6－23、70の7の2－41)。

ただし、特例対象非上場株式等の一部贈与により、その株式等が特例経営承継相続人等の手元に残るとしても、贈与を受けた者(3代目経営者)が贈与税の納税猶予の適用を受けない部分がある場合には、その部分に対応する猶予税額は免除されず、539ページの「特例経営承継期間経過後の確定事由」の規定(措法70の7の6③、70の7の2⑤)により納期限が到来することになります。

(2) 申請による猶予税額の免除

上記(1)のほか、下記の事由が生じた場合には、特例経営承継相続人等の申請によって納税を免除する措置が講じられています(措法70の7の6⑫、70の7の2⑰、措令40の8の6㉘、40の8の2⑪㉙㊺～㊼)。

なお、表中の「免除事由」や「免除される相続税額」の内容等は、全て申請による贈与税の免除(501ページ)と同じです。説明は省略しますが、贈与税の免除の場合と同様に、特例経営承継期間の経過後に免除事由が生じた場合にのみ適用されることに注意を要します。

免除事由	免除される相続税額
①　特例経営承継相続人等が特例対象非上場株式等に係る特例認定承継会社の非上場株式等の全部を同族関係者以外の１人の者に一括譲渡等をした場合	・譲渡等の対価の額（その対価の額が、譲渡等のあった時におけるその非上場株式等の時価相当額を下回る場合には、その時価相当額）が、猶予中相続税額を下回る場合のその下回る額に相当する相続税の額
②　特例認定承継会社について、破産手続開始の決定又は特別清算開始の命令があった場合	・その特例認定承継会社の解散の直前における猶予中相続税額に相当する相続税の額
③　特例認定承継会社が合併により消滅した場合	・合併対価の額（その対価の額が、合併の効力が生ずる直前におけるその非上場株式等の時価相当額を下回る場合には、その時価相当額）が、猶予中相続税額を下回る場合のその下回る額に相当する相続税の額
④　特例認定承継会社が株式交換等により他の会社の株式交換完全子会社となった場合	・交換等対価の額（その対価の額が、株式交換等の効力が生ずる直前におけるその非上場株式等の時価相当額を下回る場合には、その時価相当額）が、猶予中相続税額を下回る場合のその下回る額に相当する相続税の額

(注) 上記のほか、特例認定承継会社について、更生計画の認可決定等があった場合の納税猶予税額の再計算の特例についても贈与税の場合（503ページ）と同様の措置が講じられています（措法70の７の６㉑、70の７の２㉒）。

【参考】 一般措置における猶予税額の免除事由

相続税の納税猶予税額が免除される事由について、上記の届出による免除、申請による免除及び更生計画の認可決定等があった場合の免除とも、一般措置としての相続税の納税猶予制度においても同様の規定が設けられています（措法70の７の２⑯⑰㉒、措令40の８の２㊸～㊼）。

⑶　経営環境の悪化に対応した猶予税額の減免措置

非上場株式等に係る納税猶予の適用を受けた後、利益の減少、売上の減少などによって事業の継続が困難な一定の事由が生じた場合において、いわゆる「差額免除」と「追加免除」の措置が講じられていることは、贈与税の項で説明したとおりです（504ページ）。

その要件や免除される猶予税額の計算などは、特例措置としての相続税の納税猶予制度においても同じです（措法70の７の６⑬～⑳、措令㉙～㊵）。詳細は、贈与税の項を参照してください。

なお、差額免除や追加免除の適用を受けるためには、申請期限（株式等の譲渡等の日から２か月を経過する日）までに所轄税務署長に申請書を提出しなければならず、その提出がなかった場合の宥恕規定はありませんので注意してください（措通70の７の６－31）。

【参考】一般措置における減免措置

贈与税の項で説明したとおり、事業継続が困難な事由が生じた場合の差額免除及び追加免除は、特例措置としての納税猶予制度に適用されるものであり、一般措置としての納税猶予制度には規定がありません。

8.　納税猶予の適用手続と担保の提供

⑴　申告要件

相続税の納税猶予制度は、相続税の申告書に、この制度の適用を受けようとする旨を記載し、一定の書類を添付して、その申告書を法定申告期限まで提出した場合に適用されます（措法70の７の６⑥、措規23の12の３⑯）。

（注） 納税猶予の適用についての期限内申告要件や担保提供要件について、いわゆる宥恕規定はありません。

⑵　添付書類

特例措置としての相続税の納税猶予制度の適用を受ける場合の相続税の申告書の添付書類は、次のとおりです（措規23の12の３⑯）。

①　非上場株式等の明細（「第８の２の２表の付表１　非上場株式等についての相続税の納税猶予及び免除の特例の適用を受ける特例対象非上場株式等の明細書」のことです）

②　納税猶予分の相続税額の計算に関する明細（「第８の２の２表　特例株式等納税猶予税額の計算書」のことです）

③　特例経営承継相続人等に係る被相続人の死亡による相続の開始を知った日その他参考となるべき事項を記載した書類

④　相続の開始の時における特例認定承継会社の定款の写し

⑤　相続の開始の直前及び相続の開始の時における特例認定承継会社の株主名簿の写しその他の書類でその特例認定承継会社の株主又は社員の氏名又は名称及び住所又は所在地並びにこれらの者が有するその特例認定承継会社の株式等に係る議決権の数が確認できるもの（その会社が証明したものに限る）

⑥　相続の開始の日を知った日がその相続の開始の日と異なる場合には、特例経営承継相続人等が相続の開始を知った日を明らかにする書類

⑦　遺言書の写し、遺産分割協議書（全ての共同相続人及び包括受遺者が自署し、自己の印を押しているものに限る）の写し（印鑑証明書が添付されているものに限る）その他の財産の取得の状況を明らかにする書類

⑧　経営承継円滑化法による都道府県知事の認定書の写し及びその認定申請書の写し

⑨　経営承継円滑化法による都道府県知事の確認書の写し及びその確認申請書の写し

⑩　特例認定承継会社に対する現物出資等資産がある場合には、その評価額並びにその現物出資等資産の明細並びにその現物出資又は贈与をした者の氏名又は名称その他参考となるべき事項を記載した書類（「第８の２の２表の付表１」の「４会社が現物出資又は贈与により取得した資産の明細書」欄に記載すれば足ります）

⑪　その他参考となるべき書類

(3)　担保の提供

非上場株式等に係る納税猶予の適用を受けるためには、法定申告期限までに、その納税猶予税額と納税猶予期間中の利子税の額の合計額に見合う担保の提供をしなければなりません（措法70の７の６①）。

この場合の担保の種類や必要担保額、納税猶予の対象となる株式の全部を担保提供した場合の「みなす充足」、担保提供の手続などについては、贈与税の納税猶予の項で説明したとおりです（515ページ）。相続税の納税猶予においても同じです。

9.　納税猶予の継続中の手続

(1)　経営承継期間中の報告と届出

非上場株式等について相続税の納税猶予の適用を受けた場合の納税猶予の継続中の手続も贈与税の場合と同様です。したがって、特例経営承継期間内においては、次のようになります（措法70の７の６⑦、措令40の８の６㉗、円滑化規則12③）。

○　都道府県知事への報告……相続報告基準日の翌日から３か月を経過する日までに、年次報告書を提出する。

○　所轄税務署長への届出……第一種基準日の翌日から５か月を経過する日までに、継続届出書を提出する。

この場合の「相続報告基準日」及び「第一種基準日」とは、いずれも相続税の申告期限の翌日から起算して１年を経過するごとの日をいいます（円滑化規則12③、措法70の７の６②九イ）。要するに、相続税の申告期限から５年間は、１年を経過するごとに、３か月以内の都道府県知事への報告と、５か月以内の所轄税務署長への届出を行うということです。

（注１） 経営承継円滑化法にいう「相続報告基準日」は、租税特別措置法における「経営報告基準日」のうち「第一種基準日」のことです。ちなみに、特例経営承継期間（５年間）の経過後は、経営承継円滑化法上は報告義務がなくなり、所轄税務署長への届出のみとなり、この場合の３年ごとの報告基準日を「第二種基準日」といいます（措法70の７の６②九ロ）。

（注２） 参考までに、特例経営承継期間中の報告（届出）事項とその提出書類について、都道府県知事に対するものと、所轄税務署長に対するものを対比してまとめると、次表のとおりです（円滑化規則12③④、措法70の７の６⑦、措令40の８の６㉗、措規23の12の３⑰～⑲）。

	都道府県知事への報告	所轄税務署長への届出
報告事項又は届出事項	① 相続報告基準期間（前年の相続報告基準日の翌日からその相続報告基準日までの間）における代表者の氏名 ② 相続報告基準日における常時使用する従業員の数 ③ 相続報告基準日におけるその特例認定中小企業者の株主の氏名及びその有する議決権の数 ④ 相続報告基準期間において、その特例認定中小企業者が上場会社等又は風俗営業会社のいずれにも該当しないこと。 ⑤ 相続報告基準期間において、その特例認定中小企業者が資産保有型会社に該当しないこと。 ⑥ 相続報告基準事業年度（相続報告基準日の属する年の前年の相続報告基準日の属する事業年度からその相続報告基準日の翌日の属する事業年度の直前の事業年度までの各事業年度）のいずれにおいてもその特例認定中小企業者が資産運用型会社に該当しないこと。 ⑦ 相続報告基準期間において、その特例認定中小企業者の特定特別子会社が風俗営業会社に該当しないこと。	① 特例経営承継相続人等の氏名及び住所 ② 特例被相続人から相続により特例対象非上場株式等の取得をした年月日 ③ 特例対象非上場株式等に係る特例認定承継会社の名称及び本店の所在地 ④ その届出書を提出する日の直前の経営報告基準日までに終了する各事業年度における総収入金額 ⑤ その経営報告基準日における猶予中相続税額 ⑥ その経営報告基準日において特例経営承継相続人等が有する特例対象非上場株式等の数及びその特例経営承継相続人等に係る特例被相続人の氏名
提出添付書類	① 相続報告基準日におけるその特例認定中小企業者の定款の写し ② 登記事項証明書（相続報告基準日以後に作成されたものに限る） ③ 相続報告基準日におけるその特例認定中小企業者の株主名簿の写し ④ 相続報告基準日における従業員数証明書 ⑤ 相続報告基準期間において、その特例認定中小企業者が上場会社等又は風俗営業会社のいずれにも該当しない旨の誓約書 ⑥ 相続報告基準期間において、その特例認定中小企業者の特定特別子会社が上場会社等又は風俗営業会社のいずれにも該当しない旨の誓約書	① その経営報告基準日における定款の写し ② 登記事項証明書（経営報告基準日以後に作成されたものに限る） ③ その経営報告基準日における株主名簿の写しその他の書類で、特例認定承継会社の株主等の氏名及び住所並びにこれらの者が有する株式等に係る議決権の数が確認できる書類（その特例認定承継会社が証明したものに限る） ④ 経営承継円滑化法による報告書の写し及びその報告書に係る確認書の写し ⑤ その他参考となるべき書類

(2)　経営承継期間経過後の届出

相続税の申告期限の翌日から５年を経過した後は、都道府県知事に対する報告は不要になりますが、納税猶予の期限が確定するまでの間は、引き続き納税猶予の適用を受けたい旨を記載した継続届出書を所轄税務署長に提出する必要があります（措法70の７の６⑦、措令40の８の６㉗、措規23の12の３⑰）。

その届出書の提出期限は、第二種基準日の翌日から３か月を経過する日ですが、この場合の「第二種基準日」とは、特例経営承継期間の末日の翌日から猶予中相続税額の全部について納税猶予期限が確定する日までの期限のいずれかの日で、その特例経営承継期間の末日の翌日から３年を経過するごとの日をいいます（措法70の７の６②九ロ）。贈与税の場合と同様に、特例経営承継期間の経過後は、３年ごとに継続届出書を提出するということです。

Ⅳ　非上場株式等の贈与者が死亡した場合の相続税課税の特例

1.　非上場株式等の贈与者の死亡とみなし相続

(1)　特例対象受贈非上場株式等に対する相続税の課税

非上場株式等について贈与税の特例措置としての納税猶予の適用を受けた後、特例贈与者が死亡した場合に、納税猶予されていた贈与税が免除になることは前述したとおりですが、一方で、その特例贈与者の相続に係る相続税については、次のように取り扱われます(措法70の７の７①)。

①　特例対象受贈非上場株式等（贈与税の納税猶予の適用を受けた株式等）は、その特例経営承継受贈者が特例贈与者から相続又は遺贈により取得したものとみなす。

②　相続税の課税価格に算入する特例対象受贈非上場株式等の価額は、贈与により取得した時における価額とする。

要するに、非上場株式等の贈与者に相続があると、納税猶予を受けていた贈与税を免除すると同時に、既に贈与を受けたその非上場株式等については、贈与時の価額で相続税課税に取り込むということです。この規定は、納税猶予について、贈与と相続の「つなぎ」の役割を果たしているわけです。

ところで、上記の①に関して、特例対象受贈非上場株式等を特例贈与者が死亡する前に再贈与した場合（初代経営者から株式等の贈与を受けた２代目経営者が、初代経営者が死亡する前に３代目経営者に再贈与した場合）において、その後に最初の贈与者（初代経営者）が死亡したときは、特例経営承継受贈者（２代目経営者）に納税猶予されていた贈与税が免除されるとともに、その特例対象受贈非上場株式等は、再贈与を受けた者（３代目経営者）が最初の贈与者（初代経営者）から相続又は遺贈により取得したものとみなされます（措法70の７の７②）。

この点は、前述（500ページ）したとおりであり、この場合の上記②の相続税の課税価格に算入する特例対象受贈非上場株式等の価額は、最初の贈与（初代経営者から２代目経営者への贈与）の時の価額とされます。この場合の再贈与を受けた者（３代目経営者）に係る相続税については、下記(3)の要件及び手続に従って、相続税の納税猶予制度の適用を受けることができます。

(注) 贈与と相続、あるいは贈与税と相続税の関係からみれば、贈与税の納税猶予を受けた後、いずれかの時点で課税の清算を行う必要があります。このため、非上場株式等の贈与者が死亡した時点で、贈与税の猶予税額を免除するとともに、その非上場株式等に相続税課税を行うこととしたものです。

なお、この場合の相続税課税においては、その非上場株式等の相続時の価額とすることが本来の形であると考えられますが、上記のとおり、贈与時の価額で相続税課税を行うこととされています。これは、贈与時から相続時までの価額の上昇部分は、後継者である受贈者の経営努力の結果であり、その価額上昇分に課税しないことが制度の政策目的にも合致するとともに、民法の遺留分に関する特例としての「固定合意」の考え方と同様であると説明されています（平成21年版「改正税法のすべて」372ページ）。

(2) みなし相続と相続時精算課税との調整

ところで、贈与税について、相続時精算課税の適用を受けた場合には、贈与者が死亡すると、その受贈財産の価額は、受贈者（相続時精算課税適用者）の相続税の課税価格に加算されることとされています（相法21の15①）。

一方、贈与税の納税猶予制度の適用を受けた後、非上場株式等の贈与をした者が死亡すると、上記(1)のとおり、その非上場株式等は、特例経営承継受贈者がその特例贈与者から相続又は遺贈により取得したものとみなすこととされています（措法70の７の７①）。

このため、相続時精算課税の適用を受けた場合の相続税の課税と贈与税の納税猶予制度の適用を受けた場合のみなし相続税課税とが重複することがあり得ます。

そこで、次に掲げる特例受贈非上場株式等については、相続時精算課税に係る相続税課税の規定（相法21の14～21の16）は適用しないこととする調整規定が置かれています（措法70の７の５⑩、70の７⑬九、十）。

① 特例経営承継受贈者に係る特例贈与者（初代経営者）から相続時精算課税の適用を受ける贈与により取得した特例経営承継受贈者（２代目経営者）が有する特例対象受贈非上場株式等について、特例贈与者（初代経営者）が死亡した場合のその特例対象受贈非上場株式等

② 特例経営承継受贈者（２代目経営者）が、相続時精算課税の適用を受ける次の後継

者（３代目経営者）に再贈与をした場合において、その贈与者（２代目経営者）が死亡したときにおけるその特例対象受贈非上場株式等

このうち①は、次図の場合の贈与を受けた非上場株式等については、２代目経営者に相続時精算課税に係る相続税課税の規定は適用せず、前記のみなし相続として課税するということです。

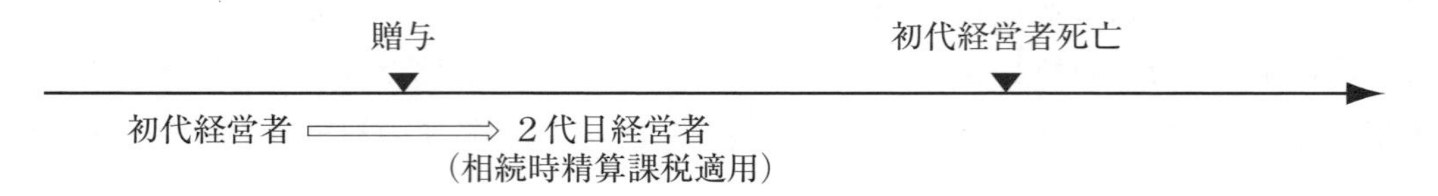

また、上記の②は、次図の場合の３代目経営者が贈与を受けた非上場株式等については、初代経営者からのみなし相続課税を行い、３代目経営者に相続時精算課税に係る相続税課税の規定は適用しないということです。なお、この場合に、２代目経営者が死亡した時も相続時精算課税に係る相続税課税の規定は適用しません。

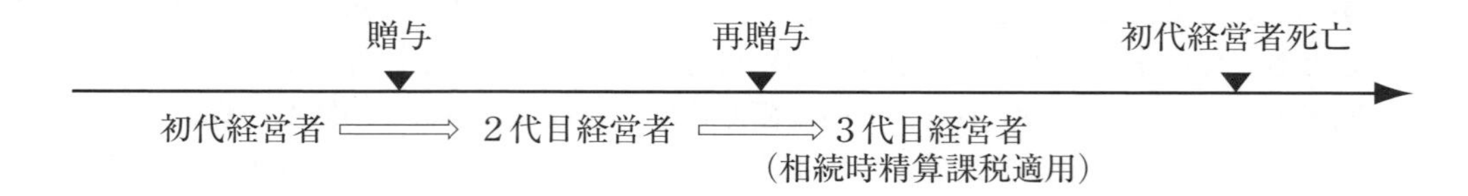

⑶　相続税の納税猶予の適用

上記⑴による相続税の課税において、一定の要件を満たせば、その相続税について特例措置としての納税猶予制度の適用を受けることができます（措法70の７の８①）。この場合において、最初の相続の際に特例措置としての贈与税の納税猶予制度の適用を受けているときは、初代経営者の相続開始が令和10年１月１日以後であっても、特例措置としての相続税の納税猶予制度の適用を受けることができます。

この規定では、納税猶予の適用を受けようとする特例経営承継受贈者で一定の要件を満たす者を「特例経営相続承継受贈者」といい、その株式等に係る会社を「特例認定相続承継会社」といいます。それぞれの要件・意義は、次ページの表のとおりです（措法70の７の８②一、二、措令40の８の８④～⑦）。

この場合において、特例贈与者が、特例贈与に係る贈与税の申告期限の翌日から５年を経過する日の翌日以後に死亡した場合には、次表の特例認定相続承継会社の③の要件はありません（措法70の７の８②二）。

なお、前述した相続税の納税猶予制度（措法70の７の７）では、相続開始の日から５か月を経過する日において代表権を有することが特例経営承継相続人等の要件でしたが、この制度における特例経営相続承継受贈者は、次表の①のとおり相続開始の時に代表権を有することとされています。

	特例経営相続承継受贈者と特例認定相続承継会社の要件
特例経営相続承継受贈者	①　その相続開始の時（初代経営者の死亡の時）において、特例対象受贈非上場株式等に係る特例認定相続承継会社の代表権を有していること。 ②　その相続開始の時において、特例経営相続承継受贈者とその同族関係者とを併せてその特例認定相続承継会社の総議決権数の50％超える議決権を有していること。 ③　その相続開始の時において、特例経営相続承継受贈者が同族関係者内で筆頭株主であること。
特例認定相続承継会社	①　その特例認定相続承継会社の常時使用従業員の数が１人以上であること。 ②　その特例認定相続承継会社が資産保有型会社又は資産運用型会社に該当しないこと。 ③　その特例認定相続承継会社及びその特例認定相続承継会社の特定特別関係会社の株式等が非上場株式等に該当すること。 ④　その特例認定相続承継会社及びその特例認定相続承継会社の特定特別関係会社が風俗営業会社に該当しないこと。 ⑤　その特例認定相続承継会社の相続開始の日の属する事業年度の直前の事業年度の総収入金額がゼロを超えること。 ⑥　いわゆる拒否権付種類株式を特例経営相続承継受贈者以外の者が有していないこと。

2.　贈与税の納税猶予から相続税の納税猶予への移行手続

⑴　特例経営贈与承継期間の経過後に特例贈与者が死亡した場合の移行手続

贈与税の特例措置としての納税猶予の適用を受けた後、特例経営贈与承継期間（原則として、贈与税の申告期限の翌日から５年間）の経過後に特例贈与者が死亡した場合には、経営承継円滑化法により都道府県知事の「確認」を受けて、次により上記1⑶の相続税の納税猶予の適用を受けることができます。

①　特例贈与者の相続開始の日の翌日から８か月以内に、都道府県知事に対し「確認」の申請を行う（円滑化規則13①②）。

②　特例贈与者が死亡した日から６か月以内に、所轄税務署長に対し、特例贈与者が死亡した旨の届出を行い、贈与税の猶予税額の免除を受ける（措法70の７の６⑫、70の７の２⑯）。

③　特例贈与者の死亡の日の翌日から10か月以内に、相続税の納税猶予の適用を受ける旨の申告を行う（相法27①）。

この手順を図示すると、次のようになりますが、贈与税の納税猶予から相続税の納税猶予に移行する際には、改めて都道府県知事の確認を受ける必要があります（下記（注）参照）。

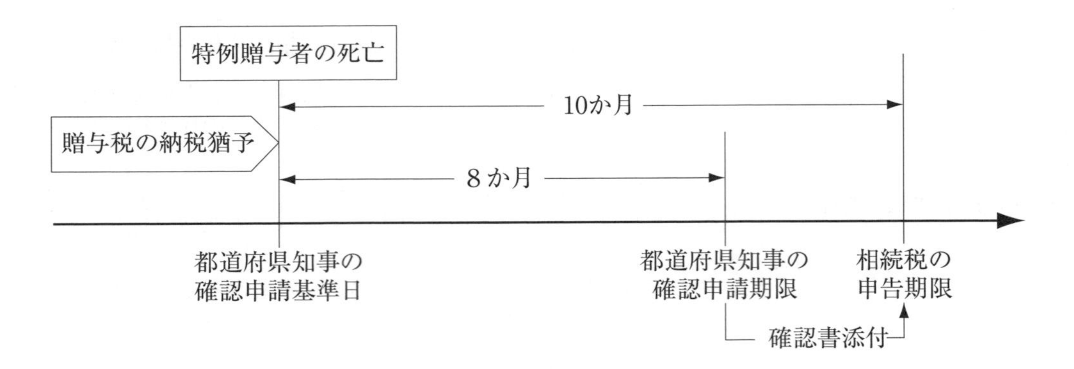

ところで、この場合の相続税の納税猶予制度の適用にあたっては、いわゆる事業継続要件はありません。これは、相続税の納税猶予の前段階である贈与税の納税猶予の適用の際に事業継続要件が課せられており、かつ、贈与税の申告期限から５年間の経営贈与承継期間が経過しているからです。

（注１） 都道府県知事の認定を受けた「特例贈与認定中小企業者」は、株式等の贈与者に相続が開始した場合には、次のいずれにも該当することについて、都道府県知事の確認を受けることができます（円滑化規則13①）。この場合の「確認書」の写しは、相続税の納税猶予の申告書に添付する必要があります。

①　その相続開始の時において、その特例贈与認定中小企業者が中小企業者であること。

②　その相続開始の時において、その特例贈与認定中小企業者が上場会社等又は風俗営業会社のいずれにも該当しないこと。

③　その相続開始の時において、その特例贈与認定中小企業者が資産保有型会社に該当しないこと。

④　その相続開始の日の翌日の属する事業年度の直前の事業年度において、その特例贈与認定中小企業者が資産運用型会社に該当しないこと。

⑤　その相続開始の日の翌日の属する事業年度の直前の事業年度において、その特例贈与認定中小企業者の総収入金額がゼロを超えること。

⑥　その相続開始の時において、その特例贈与認定中小企業者の常時使用する従業員の数が１人以上であること。

⑦　その相続開始の時において、その特例贈与認定中小企業者の特定特別子会社が上場会社等、大会社又は風俗営業会社のいずれにも該当しないこと。

⑧　その特例贈与認定中小企業者の特例経営承継受贈者が、その特例贈与認定中小企業者の代表者であり、その相続開始の時において、その者の同族関係者と合わせて50％超の議決権を有し、かつ、その者が同族関係者内で筆頭株主であること。

⑨　その特例贈与認定中小企業者がいわゆる拒否権付種類株式を発行している場合で、その相続開始の時において、その株式を特例経営承継受贈者以外の者が有していないこと。

（注２） 上記の確認申請に当たっては、その申請書に次の書類を添付することとされています（円滑化規則13②）

①　その相続開始の時におけるその特例贈与認定中小企業者の定款の写し

②　その特例贈与認定中小企業者の登記事項証明書

③　その相続開始の時におけるその特例贈与認定中小企業者の株主名簿の写し

④ その相続開始の時におけるその特例贈与認定中小企業者の従業員数証明書

⑤ その特例贈与認定中小企業者のその相続開始の日の翌日の属する事業年度の直前の事業年度の貸借対照表、損益計算書、事業報告書

⑥ その相続開始の時においてその特例贈与認定中小企業者が上場会社等又は風俗営会社のいずれにも該当しない旨の誓約書

⑦ その相続開始の時においてその特例贈与認定中小企業者の特定特別子会社が上場会社等、大会社又は風俗営業会社に該当しない旨の誓約書

⑧ その相続開始の時におけるその特例贈与者及びその親族の戸籍謄本並びにその特例認定中小企業者の特例経営受贈者の親族の戸籍謄本

⑨ 上記（注１）に掲げる事項に関し参考となる書類

⑵ 経営贈与承継期間内に贈与者が死亡した場合の手続

贈与税の納税猶予の適用を受けた後、特例経営贈与承継期間内（贈与税の申告期限後５年以内）に特例贈与者が死亡した場合において、贈与税の納税猶予制度から相続税の納税猶予制度に移行する場合の手続は、上記⑴と同様です。したがって、特例贈与者の相続開始の日の翌日から８か月以内に、都道府県知事に「確認」の申請を行い、その確認書の写しを添付した相続税の申告書を所轄税務署長に提出することになります。

注意したいのは、この規定により相続税の納税猶予の適用を受けた場合の「事業継続要件」です。特例経営承継受贈者が贈与税の納税猶予の適用を受けた後、５年間の特例経営贈与承継期間が満了しないうちに相続税の納税猶予に移行しています。このため、相続税の納税猶予については、その５年間に足りない期間（たとえば、３年経過後に贈与者が死亡したため、相続税の納税猶予に移行した場合には、残りの２年間）について、後継者の代表者就任や筆頭株主であることなどの事業継続要件が課せられます。

ところで、贈与税の納税猶予の適用を受けた後に特例贈与者が死亡した場合において、特例対象受贈非上場株式等に対し、みなし相続として相続税の課税対象になるとしても、その相続税について納税猶予制度に移行するかどうかは、その特例経営承継受贈者の任意です。

この場合に、その特例贈与者の相続開始の日が特例贈与承継期間内であり、相続税の納税猶予制度に移行しないときは、その特例贈与者の相続開始の日の翌日から８か月以内に、都道府県知事に対し、下記の（注）による「臨時報告」を行う必要があります（円滑化規則12⑪）。

なお、特例贈与者の相続開始の日が特例贈与承継期間の経過後である場合には、相続税の納税猶予制度に移行するかどうかにかかわらず、「臨時報告」は不要です。

(注) 特例贈与認定中小企業者は、認定の有効期限（贈与税の申告期限の翌日から５年間）までに、贈与者が死亡した場合には、その相続開始の日（臨時贈与報告基準日）の翌日から８か月を経過する日までに、次の事項を都道府県知事に報告しなければなりません（円滑化規則12⑪⑫⑲）。

① その臨時贈与報告基準期間（臨時贈与報告基準日の直前の贈与報告基準日の翌日からその臨時贈与報告基準日までの間）における代表者の氏名
② 臨時報告基準日における常時使用する従業員の数
③ 臨時贈与報告基準期間におけるその特例贈与認定中小企業者の株主の氏名及びその有する議決権の数
④ 臨時贈与報告基準期間において、その特例贈与認定中小企業者が上場会社等又は風俗営業会社のいずれにも該当しないこと。
⑤ 臨時贈与報告基準期間において、その特例贈与認定中小企業者が資産保有型会社に該当しないこと。
⑥ 臨時贈与報告基準事業年度（その臨時贈与報告基準日の直前の贈与報告基準日の翌日の属する事業年度からその臨時贈与報告基準日の翌日の属する事業年度の直前の事業年度までの各事業年度）において、いずれもその特例贈与認定中小企業者が資産運用型会社に該当しないこと。
⑦ 臨時贈与報告基準事業年度におけるその特例贈与認定中小企業者の総収入金額
⑧ 臨時贈与報告基準期間において、その特例贈与認定中小企業者の特定特別子会社が風俗営業会社に該当しないこと。

【参考】株式等の承継形態と納税猶予制度の適用関係

中小会社の事業承継について、非上場株式等の相続と贈与のいずれの形態であっても、適用要件等を満たせば、納税猶予制度の適用を受けることができます。

そこで、〔初代経営者→２代目経営者→３代目経営者〕というやや長いタームで納税猶予制度の適用関係をまとめると、次ページの図のようになります。なお、これらの仕組みは、特例措置としての納税猶予と一般措置としての納税猶予とも基本的には同じです。

まず、＜ケース１＞は、初代から２代目に、２代目から３代目にいずれも「相続」で承継されています。この場合は、２代目に適用された相続税の猶予税額は、３代目に相続された時（２代目の死亡時）に免除され、３代目は相続税の納税猶予の適用を受けることができます。

これに対し、＜ケース２＞は、２代目が相続税の納税猶予の適用を受けた後、３代目には「贈与」で承継されるパターンです。この場合には、３代目が贈与税の納税猶予の適用を受ければ、その時点で２代目の相続税の猶予税額が免除されます。

また、＜ケース３＞をみると、最初に「贈与」、次に「相続」という承継形態であり、この場合には、２代目から３代目に相続で承継された際（２代目の死亡時）に、２代目に適用されていた贈与税の猶予税額が免除されます。

さらに、＜ケース４＞は、最初に「贈与」、３代目にも「贈与」という承継の方法であり、２代目から３代目に贈与された際に、３代目が贈与税の納税猶予の適用を受ければ、２代目が適用を受けていた贈与税の猶予税額が免除になります。

注意したいのは、上記の納税猶予については、いずれも相続税又は贈与税の申告期限か

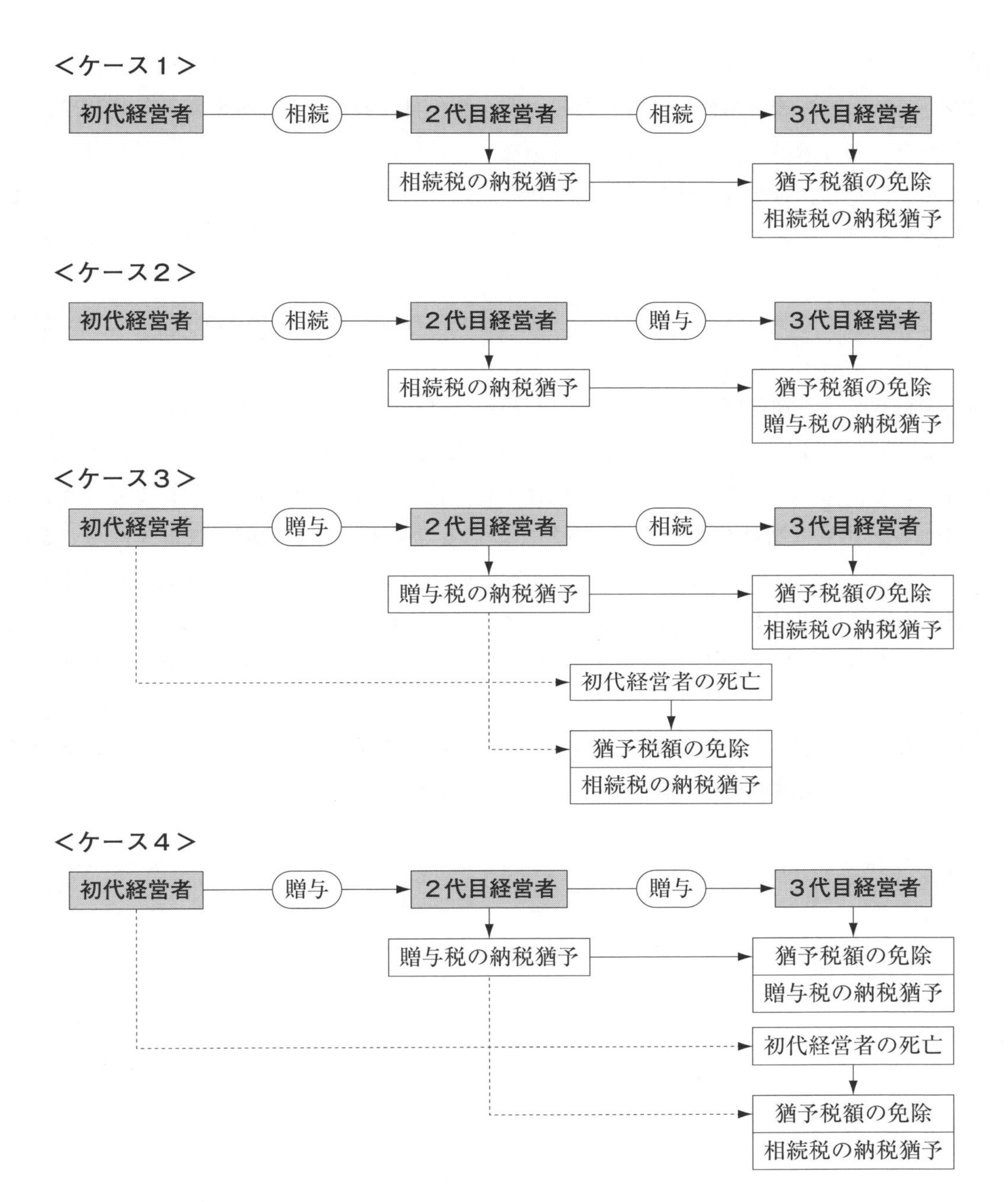

ら５年間について、いわゆる事業継続要件が課せられていることです。したがって、特例経営承継期間又は特例経営贈与承継期間中は、後継者の代表者継続要件や同族関係者内の筆頭株主要件などを維持する必要があります（ただし、申告期限から５年以内に納税猶予の適用を受けた後継者が死亡した場合には、その死亡時までが特例経営承継期間又は特例経営贈与承継期間となります）。

ところで、上記の<ケース３>において、２代目が贈与税の納税猶予の適用を受けた後、その贈与者である初代経営者が死亡したときは、贈与税の猶予税額が免除されるとともに、その受贈株式等は、２代目が相続又は遺贈により取得したものとみなされます（前記546ページ）。この場合の相続税についても納税猶予の特例が適用されるのですが（前記547ページ）、贈与者（初代経営者）の死亡が、２代目に適用された贈与税の納税猶予に係る特例経営贈与承継期間（５年間）の経過後であれば、いわゆる事業継続要件は課せられません。ただし、特例経営贈与承継期間が経過しないうち（５年以内）に初代経営者が死亡したときは、その５年間のうちの残余の期間について事業継続要件を満たす必要があります。

また、上記の＜ケース４＞において、３代目が贈与税の納税猶予の適用受けた後、最初の贈与者である初代経営者が死亡したときは、３代目の贈与税が免除されるとともに、その受贈株式等は、初代経営者から３代目が相続又は遺贈により取得したものとみなされます。この場合の３代目に係る相続税について、納税猶予の適用を受けることが可能です。

もっとも、＜ケース４＞における２代目から３代目に対する贈与は、原則として初代経営者から２代目に贈与があった後、５年を経過しないと２代目の贈与税は免除されません。したがって、３代目が適用を受ける相続税の納税猶予について事業継続要件は課せられませんが、２代目から３代目への贈与の後、５年を経過しないうちに初代経営者に相続が開始した場合には、その５年間のうちの残余の期間について事業継続要件を満たす必要があります。

いずれにしても、上記のパターンの中で、それぞれの企業に応じた適切な事業承継の態様を検討し、事業承継税制を有効に活用することが重要です。

第6章

個人の事業用資産に係る贈与税・相続税の納税猶予制度の実務

Ⅰ　個人事業者の事業承継税制と経営承継円滑化法

1.　納税猶予制度における経営承継円滑化法の手続等

⑴　経営承継円滑化法における手続の概要

中小企業の事業承継に関しては、法人事業のみならず、個人事業においても同様の問題を抱えています。そこで、平成31年１月１日から令和10年12月31日までの10年間の贈与・相続に限り、個人事業者の有する事業用資産についても、非上場株式等と同様の事業承継税制が措置されています。

その手続やしくみは、非上場株式等の納税猶予制度と基本的には同じで、経営承継円滑化法の規定がベースになっています。同法の規定を含めた手続の概要を示すと、次のとおりです。

〇個人事業承継計画の策定（後継者が作成し、認定経営革新等支援機関が所見を記載）

都道府県庁 ………… 個人事業承継計画の確認申請（令和６年３月31日までに提出）

〇事業用資産の贈与・相続（平成31年１月１日から令和10年12月31日までの間の贈与・相続）

都道府県庁 ………… 認定申請
・贈与の場合……贈与の年の10月15日から翌年１月15日まで
・相続の場合……相続開始の日の翌日から８か月以内

所轄税務署 ………… 贈与税・相続税の申告

所轄税務署 ………… 申告後３年に１回「継続届出書」の提出

↓

これらについて、事業用資産の贈与・相続の前に個人事業承継計画の策定と都道府県知事の確認及び納税猶予制度の適用を受ける前の都道府県知事の認定の手続は、非上場株式等の納税猶予制度と同じです。

ただし、個人事業者の場合には、「事業承継期間」（非上場株式等の場合の申告から５年間）が定められていませんので、贈与税・相続税の申告後は、都道府県知事への報告等は必要ありません。納税猶予が継続している間は、３年に１回の所轄税務署に対する継続届出書の提出のみとなります。

(注)　都道県知事の認定の有効期間は２年間ですが（円滑化規則８⑧）、次に掲げる事由が生じた場合には、都道府県知事に対し「随時報告」が必要です（次の①から③は、納税猶予税額が免除になる事由で、④から⑨は、納税猶予が取消となる事由です）。

①　受贈者又は相続人等が死亡した場合
②　受贈者又は相続人等が重度の障害、疾病その他のやむを得ない事情により事業を継続することができなくなった場合
③　受贈者又は相続人等について破産手続開始の決定があった場合
④　特定事業用資産に係る事業を廃止した場合
⑤　特定事業用資産の全てを譲渡した場合
⑥　特定事業用資産の全てが青色申告書の貸借対照表に計上されなくなった場合
⑦　受贈者又は相続人等が青色申告の承認申請が却下され若しくは取り消され、又は青色申告をとりやめる旨の届出書を提出した場合
⑧　特定事業用資産に係る事業が資産保有型事業、資産運用型事業又は性風俗関連特殊営業に該当した場合
⑨　特定事業用資産に係る事業の総収入金額がゼロとなった場合

⑵　個人事業承継計画の策定と都道府県知事の確認

個人の事業承継税制の適用を受けるためには、事前の手続として、下記の事項を記載した「個人事業承継計画」を作成し、平成31年４月１日から令和６年３月31日までの５年間に、先代事業者の主たる事務所の所在地を管轄する都道府県庁の知事に提出し、その確認を受ける必要があります（円滑化規則６⑯七チ、八ト、九ニ、十ニ、16③、17①三、17④）。その個人事業承継計画について、認定経営革新等支援機関の指導及び助言を受ける必要があることは、上述したとおりです。

①　特定事業用資産に係る主たる事業内容
②　常時使用する従業員の数
③　先代事業者の氏名
④　個人事業承継者（後継者）の氏名
⑤　先代事業者が有する特定事業用資産を個人事業承継者が取得するまでの期間における経営計画
⑥　個人事業承継者が特定事業用資産を承継した後の経営計画

都道府県知事の確認のための申請は、上記の５年間とされていますが、贈与又は相続後であっても、上記の期間内であれば、次の⑶の「認定」の申請時までは、「個人事業承継計画」を提出することは可能です。

なお、個人事業承継計画に係る確認申請書（円滑化規則の様式第21の３）は、原本１部と写し１部に、先代事業者の青色申告書、青色決算書その他の明細書を添付して提出します（確認申請書の様式及びその記載例は、中小企業庁のホームページに掲載されています）。

⑶　都道府県知事の認定

事業用資産を贈与・相続により承継し、納税猶予制度の適用を受けるためには、都道府県知事の認定を受ける必要があります（円滑法12①）。認定申請を行う期間は、次のとおり

です（円滑化規則７⑩～⑫）。

①　贈与の場合……贈与申請基準日から贈与の日の属する年の翌年１月15日まで

②　相続の場合……相続申請基準日から相続開始の日の翌日から８か月を経過する日まで

この場合の「贈与申請基準日」とは、贈与の日が１月１日から10月15日までの間の場合には、10月15日をいい、贈与の日が10月16日から12月31日までの間の場合には、その贈与の日をいいます。また、「相続申請基準日」とは、相続開始の日の翌日から５か月を経過する日をいいます。

贈与の場合の認定申請書（様式第７の５又は第７の６）及び相続の場合の認定申請書（様式第８の５又は第８の６）の添付書類は、次のとおりです。

贈与認定申請書	相続認定申請書
①　贈与契約書の写し ②　贈与税額の見込み額を記載した書類（例：贈与税の申告書） ③　開業届出書の写し ④　廃業届出書の写し ⑤　青色申告の承認申請書の写し又は青色申告の承認通知書の写し ⑥　先代事業者の贈与の年の前年及び前々年の青色申告書及び青色決算書の写し ⑦　認定経営革新等支援機関の確認を受けたことを証する書面 ⑧　個人事業承継者が３年以上、特定事業用資産に係る事業に従事していたことを証する書類 ⑨　性風俗関連特殊営業に該当しない旨の誓約書 ⑩　先代事業者及び個人事業承継者の住民票の写し ⑪　個人事業承継計画又はその確認書の写し ⑫　その他認定の参考となる書類	①　遺言書又は遺産分割協議書の写し ②　相続税額の見込み額を記載した書類（例：相続税の申告書第１表、第８の２表とその付表、第11表） ③　開業届出書の写し ④　青色申告の承認申請書の写し又は青色申告の承認通知書の写し ⑤　先代事業者の相続の年の前年及び前々年の青色申告書及び青色決算書の写し ⑥　認定経営革新等支援機関の確認を受けたことを証する書面 ⑦　個人事業承継者が相続開始の直前において、特定事業用資産に係る事業に従事していたことを証する書類 ⑧　性風俗関連特殊営業に該当しない旨の誓約書 ⑨　先代事業者及び個人事業承継者の住民票の写し ⑩　個人事業承継計画又はその確認書の写し ⑪　その他認定の参考となる書類

(注) 上記は、先代事業者からの贈与・相続の場合（後述する「第一種贈与」又は「第一種相続」）の認定申請書の添付書類であり、先代事業者の生計一親族からの贈与・相続（「第二種贈与」又は「第二種相続」）の場合の認定申請の場合には、次の書類を添付します。

〔贈与認定申請〕

①　贈与契約書の写し

②　贈与税額の見込み額を記載した書類（贈与税の申告書の写しなど）

③　認定経営革新等支援機関の確認を受けたことを証する書面

④　生計一親族及び個人事業承継者の住民票の写し

⑤　その他認定の参考となる書類

〔相続認定申請〕

①　遺言書又は遺産分割協議書の写し

②　相続税額の見込み額を記載した書類（相続税の申告書の写しなど）

③　認定経営革新等支援機関の確認を受けたことを証する書面
④　生計一親族及び個人事業承継者の住民票の写し
⑤　その他認定の参考となる書類

2.　事業用資産の承継形態と適用事業者の範囲

⑴　事業用資産の承継形態と認定の種類

前章で説明した非上場株式等に係る事業承継税制では、代表権を有していた先代経営者からの株式等の承継を「第一種贈与」又は「第一種相続」といい、代表権を有しない株主からの株式等の承継を「第二種贈与」又は「第二種相続」と称していました（469ページ）。

個人事業者の事業承継税制においても同様に、第一種の贈与・相続と第二種の贈与・相続があり、前者は先代事業者から後継者に対する事業用資産の贈与・相続であり、後者は配偶者など先代事業者と生計を一にする親族の有する事業用資産の贈与・相続をいいます。

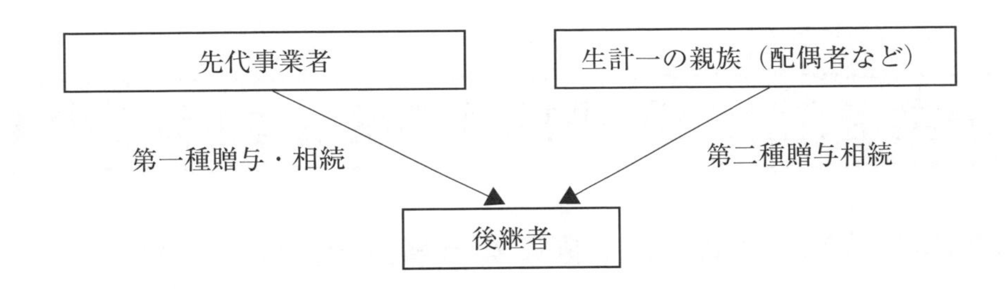

この場合に、第一種の贈与・相続が先行的に行われていれば、贈与と相続の組み合わせは問われません。たとえば、第一種贈与の後の第二種相続、第一種相続の後の第二種贈与という場合には、いずれについても贈与税又は相続税の納税猶予の適用を受けることができます。ただし、第一種の贈与・相続と第二種の贈与・相続の間は１年以内で、かつ、いずれについても平成31年１月１日から令和10年12月31日の間とされています。

経営承継円滑化法における認定についても、次のように区分され、それぞれの態様に応じて認定申請を行うこととされています。

承継の態様	後継者の呼称	認定申請書の様式
第一種贈与	第一種贈与認定個人事業者	様式第７の５
第二種贈与	第二種贈与認定個人事業者	様式第７の６
第一種相続	第一種相続認定個人事業者	様式第８の５
第二種相続	第二種相続認定個人事業者	様式第８の６

⑵　制度の適用対象になる事業者の範囲

個人の事業用資産に係る贈与税・相続税の納税猶予の対象になる事業者（都道府県知事

の認定対象になる事業者）は、次の従業員数基準に該当する中小企業者です（円滑化法2、円滑化令1、中小企業基本法2①）。この基準は、非上場株式等の納税猶予制度の場合と同じですが、個人事業者ですから、資本金基準はもちろんありません。

業　種　の　区　分	従業員数
製造業、建設業、運輸業その他の事業	300人以下
製造業のうちゴム製品製造業（自動車又は航空機用タイヤ及びチューブ製造業並びに工業用ベルト製造業を除く）	900人以下
卸売業	100人以下
小売業	50人以下
サービス業	100人以下
サービス業のうちソフトウェア業又は情報処理サービス業	300人以下
サービス業のうち旅館業	200人以下

Ⅱ　事業用資産に係る贈与税の納税猶予制度の実務

1.　制度の概要と納税猶予の対象になる事業用資産の範囲

⑴　納税猶予制度のしくみ

個人事業者の事業用資産に係る贈与税の納税猶予制度について、その概要をまとめると、次のとおりです。個人事業者と会社の違いに基因した差異はありますが、基本的なしくみは非上場株式等の納税猶予制度と同じです。

①　青色申告を行っていた事業者（先代事業者）の後継者として一定の要件に該当する者が、その事業の用に供されていた一定の事業用資産（特定事業用資産）の全てを贈与により取得した場合には、その贈与に係る贈与税について、担保の提供を条件に、その納税を猶予する。

　ただし、この制度は、平成31年1月1日から令和10年12月31日までの間の贈与で、最初のこの規定に係る贈与及びその贈与の日から1年を経過する日までの贈与について適用される。

②　特定事業用資産の受贈者（後継者）が事業を継続した後、その後継者が死亡した場合など、一定の事由が生じたときは、その納税猶予されている贈与税が免除される。

③　後継者が事業を廃止した場合や特定事業用資産が事業の用に供されなくなった場合など、一定の事由が生じたときは、納税猶予の期限が確定し、利子税とともに納税猶

予税額を納付する。

⑵　制度の対象となる事業の範囲

この制度の対象となる事業の範囲からは、不動産貸付業等（不動産貸付業、駐車場業及び自転車駐車場業）が除かれており（措法70の６の８②一）、その範囲は、小規模宅地等の特例における特定事業用宅地等の事業の範囲と同じです（措法69の４③一、措通70の６の８－12）。

また、贈与により取得した特定事業用資産に係る事業が資産保有型事業、資産運用型事業及び性風俗関連特殊営業に該当する場合には、都道府県知事の認定を受けられませんから、納税猶予制度は適用されません。

このうち「資産保有型事業」とは、贈与の日の属する年の前年から納税猶予期間が終了するまでのいずれかの日において、次の算式に該当する事業で（措法70の６の８②四、措令40の７の８⑭、措通70の６の８－21）、非上場株式等の納税猶予制度における「資産保有型会社」と同様の概念です。

$$\frac{\text{特定資産の帳簿価額の合計額}}{\text{貸借対照表に計上されている総資産の帳簿価額の合計額}} \geqq 70\%$$

また、「資産運用型事業」とは、贈与の属する年の前年から納税猶予期間中のいずれかの年において、次の算式に該当する事業で（措法70の６の８②五、措令40の７の８⑰、措通70の６の８－22）、非上場株式等の納税猶予制度における「資産運用型会社」と同様の概念です。

$$\frac{\text{特定資産の運用収入の合計額}}{\text{特定事業用資産に係る事業所得の総収入金額}} \geqq 75\%$$

この場合の「特定資産」とは、有価証券、不動産、預貯金、ゴルフ会員権、貴金属等、受贈者及びその関係者に対する貸付金・未収金をいいます（円滑化規則１㉖二、措規23の８の８⑧）。この内容も非上場株式等の納税猶予制度と同じです。

(注)　納税猶予の適用を受けた後、資産保有型事業に該当した場合には、原則として納税猶予が確定（取消）になりますが、その該当した事由が、事業活動のために必要な資金の借入れなど事業活動における偶発的な事由である場合には、その事由が生じた日から６か月間は資産保有型事業に該当しないものとされています（措令40の７の８⑭、措規23の８の８⑦）。

同様に、資産運用型事業に該当した場合であっても、その事由が、事業活動に必要な資金を調達するために特定資産を譲渡したことなど偶発的な事由である場合には、その年とその翌年は資産運用型事業に該当しないものとされています（措令40の７の８⑰、措規23の８の８⑨）。

これらの扱いも非上場株式等の納税猶予制度と同じです。ただし、非上場株式等の納税猶予における「実質基準」（476ページ）はありません。

(3) 納税猶予の対象となる特定事業用資産の意義

この特例により納税猶予の対象になる「特定事業用資産」とは、贈与者の事業（不動産貸付業等を除く）に供されていた下記の①から③に掲げる資産ですが、贈与者の贈与の日の属する年の前年分の事業所得に係る青色申告書の貸借対照表に計上されているものをいいます（措法70の６の８②一）。

また、この場合の「贈与者」には、配偶者等の生計を一にする親族を含みますから、贈与者（事業者）と生計を一にする親族が有していた事業用資産も納税猶予の対象になります。ただし、生計を一にする親族の資産についても事業者の事業所得に係る貸借対照表に計上されていることが特定事業用資産となる要件です（措通70の６の８－14）。

なお、特定事業用資産のうち贈与税の申告書にこの特例の適用を受けようとする旨の記載のあるものを「特例受贈事業用資産」といいます（措法70の６の８①）。

① 宅地等（土地及び土地の上に存する権利で、建物又は構築物の敷地の用に供されているもの）……宅地等の面積の合計のうち400㎡以下の部分

② 建物……建物の床面積の合計のうち800㎡以下の部分

③ 減価償却資産……地方税法第341条第４号に規定する償却資産（固定資産税の課税対象になる償却資産）、自動車税又は軽自動車税において営業用の標準税率が適用される自動車その他これらに準ずる減価償却資産

これらのうち①の宅地等は、小規模宅地等の特例における特定事業用宅地等と同じであり、耕作又は養畜のための採草等に供されるものは除かれるとともに（措規23の８の８①）、棚卸資産に該当する宅地等及び事業の用以外の用に供されている部分は除かれます（措令40の７の８⑥）。

また、上記③の減価償却資産のうち「その他これらに準ずる減価償却資産」とは、次の資産をいいます（措規23の８の８②）

イ 所得税法施行令第６条第８号に掲げる無形固定資産（鉱業権、漁業権など）及び同条第９号に掲げる生物（牛、馬、かんきつ樹、茶樹など）

ロ 自動車税又は軽自動車税において営業用の標準税率が適用される自動車以外の自動車で、普通自動車についてはそのナンバーが１、２、４，６又は８であるもの、軽自動車についてはそのナンバーが４、６又は８であるもの

ハ 原動機付自転車、二輪の軽自動車、小型特殊自動車（四輪以上のもののうち、乗用のもの及び営業用の標準税率が適用される貨物用のものを除く）

（注１）特定事業用資産は、上記のとおり事業者（先代事業者）の青色申告書の貸借対照表に計上されているものとされていますが、個人事業者の場合には、事業の用に供していても、貸借対照表に計上されていない資産が少なくありません。その場合には納税猶予の対象にはなりませんから、納税猶予を受ける意向があるときは、あらかじめ貸借対照表に計上しておく必要があります。土地の場合には、

土　地×××/元入金×××

という処理をしておきます。この場合の土地の価額は、固定資産税評価額や相続税評価額などを基として算定すればよいでしょう。

また、事業者の配偶者など生計を一にする親族の有する事業用資産についても、上記と同様の処理をして、事業者の貸借対照表に計上しておく必要があります。なお、この処理をしたとしても、その資産が生計一親族から事業者に贈与等で所有権が移転したことにならないことはいうまでもありません。

（注２） 特定事業用資産のうち宅地等について、特定同族会社事業用宅地等又は貸付事業用宅地等に小規模宅地等の特例の適用を受ける場合には、相続税の納税猶予の適用において、対象となる宅地等に面積制限を受けますが、この点は後述（585ページ）します。

なお、納税猶予の対象になる宅地等及び建物について、贈与者が２人以上の場合の限度面積要件は、贈与者ごとに判定することとされています（措通70の６の８－18）。

2.　贈与者と受贈者の要件

⑴　贈与者の要件

贈与税の納税猶予の適用上の贈与者は、贈与の時前に特定事業用資産を有していた個人で、下記の①又は②に掲げる者をいいます（措法70の６の８①、措令40の７の８①）。

なお、このうち①は、前述した経営承継円滑化法における「第一種贈与」に、②は「第二種贈与」にそれぞれ該当します。

①　贈与者が事業を行っていた者（先代事業者）である場合には、次の要件を満たす者

イ　贈与の時において、所得税の納税地の所轄税務署長に事業の廃業届を提出していること又は贈与税の申告期限までに廃業届を提出する見込みであること。

ロ　その事業について、贈与の年以前３年間にわたり所得税の確定申告書を青色申告書により提出していること。

②　上記①の贈与者（先代事業者）と生計を一にする親族で、上記①の贈与者からの贈与の後１年以内に特定事業用資産の贈与をしている者

このうち①のロの青色申告書について、この特例の適用上は、「正規の簿記の原則」に従って記帳を行い、租税特別措置法第25条の２第３項の規定により、最高55万円（電子申告又は電子帳簿保存を行っている場合は最高65万円）の青色申告特別控除の適用を受けている場合に限られます（10万円の青色申告特別控除の適用を受けている場合には、贈与者の要件には該当しません）。

なお、贈与者について、既にこの特例の適用に係る贈与をしている者は除かれますから、再度この特例の適用に係る贈与をすることはできません。ただし、同一年中に限り、事業ごとに後継者に特定事業用資産の贈与をすることは可能です。たとえば、Ａ事業とＢ事業を行っていた者が、Ａ事業は長男に、Ｂ事業は二男に承継させることとし、同一年中にそれぞれの後継者に特定事業用資産を贈与した場合には、長男と二男のいずれも納税猶

予制度の適用を受けることができます。

（注）上記のとおり、先代事業者の生計一の親族からの贈与（第二種贈与）は、その先代事業者からの贈与（第一種贈与）の後、１年以内に行われたものに納税猶予が適用されます。この場合に、第一種贈与と第二種贈与は、いずれも平成31年１月１日から令和10年12月31日までの間の贈与に限られます。したがって、第二種贈与が令和11年１月１日以後の場合には、納税猶予の適用はされません。この点は、特定事業用資産の相続又は遺贈による相続税の納税猶予も同じです。これを図示すると、次のとおりです。

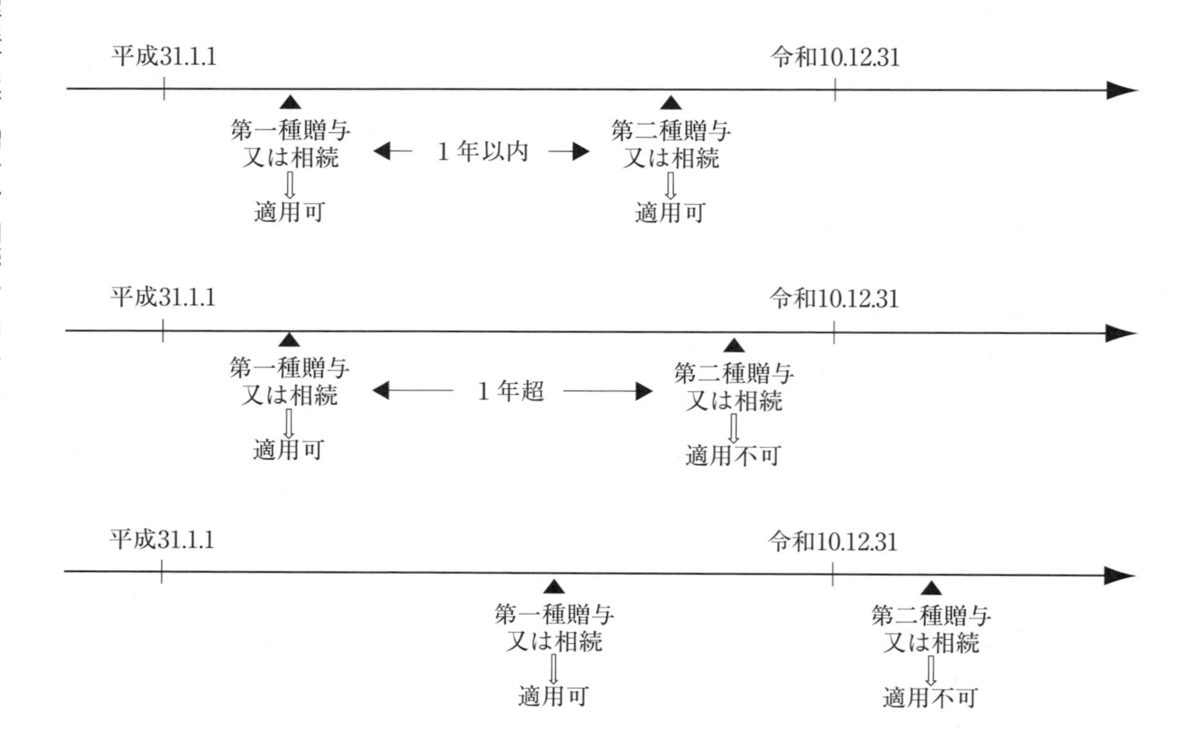

なお、贈与税の納税猶予の適用を受けた後、贈与者に相続が開始した場合には、その適用を受けた特例受贈事業用資産は、その受贈者が贈与者から相続又は遺贈により取得したものとみなされて相続税の課税対象となります（措法70の６の９①）。この場合に、その相続税について所定の要件を満たせば相続税の納税猶予の適用を受けることができます（措法70の６の10①㉚）。この場合には、贈与者の相続開始が令和11年１月１日以後であっても、相続税の納税猶予の適用を受けることができます。この点は後述（599ページ）します。

⑵　受贈者（後継者）の要件

贈与税の納税猶予の適用を受けられる「特例事業受贈者」は、贈与者からの贈与により特定事業用資産の取得をした個人で、次に掲げる要件の全てを満たす者をいいます（措法70の６の８②二、措規23の８の８③～⑥）。

①　贈与の日において20歳以上（令和４年４月１日以後の贈与の場合は18歳以上）であること。

② 経営承継円滑化法第２条に規定する中小企業者で、同法第12条第１項の都道府県知事の認定を受けていること。

③ 贈与の日まで引き続き３年以上にわたり特定事業用資産に係る事業（当該事業に準ずるものを含む）に従事していたこと。

④ 贈与の時からその贈与に係る贈与税の申告書の提出期限まで引き続き特定事業用資産の全てを有し、かつ、自己の事業の用に供していること。

⑤ 贈与の日の属する年分の贈与税の申告書の提出期限において、所得税法の規定により特定事業用資産に係る事業について開業の届出書を提出していること及び青色申告の承認（みなし承認を含む）を受けていること。

⑥ 経営承継円滑化法及び同法施行規則の定めるところにより都道府県知事の確認を受けた個人事業承継計画に定められた後継者であること。

これらのうち③について、後継者は贈与者（先代事業者）の事業に従事していることが原則ですが、「当該事業に準ずるものを含む」とされていますから、贈与者の事業と同種・類似の事業を営む他の事業者のもとで事業に従事している場合には、受贈者の要件に該当します（措通70の６の８－20）。たとえば、個人の診療所を承継するために大学病院で研修医として従事している場合や、寿司店を承継するために他の寿司店で板前修業をしている場合などが該当します。

なお、上記の⑤について、開業の届出書や青色申告の承認の要件は、贈与税の申告書の提出期限において要件を満たしていればよいことになります。この場合において、特例事業受贈者が先代事業者の事業を承継する前から自己が営む他の事業について、既に開業の届出書を提出している場合や青色申告の承認を受けている場合には、改めてこれらの手続をする必要はありません。

⑶ 相続時精算課税適用者の特例

贈与税の納税猶予について、その贈与税の計算に際して相続時精算課税の適用を受けることもできます。相続時精算課税制度の適用を受けることができる者は、原則として20歳以上（令和４年４月１日以後の贈与の場合は18歳以上）の贈与者の直系卑属である推定相続人とされています（相法21の９①）。

ただし、個人事業者に係る贈与税の納税猶予制度の適用上は、特例事業受贈者が、その年１月１日において20歳以上（令和４年４月１日以後の贈与の場合は18歳以上）であり、かつ、贈与者が60歳以上であれば、贈与者の推定相続人以外の者であっても、相続時精算課税の適用を受けることができることとされています（措法70の２の７）。

したがって、贈与者と受贈者の年齢要件を満たせば、贈与者（先代事業者）の親族以外の者であっても、後継者として贈与税の納税猶予の適用を受けることができます。この扱いは、前章で説明した特例措置としての非上場株式等の納税猶予制度と同じです。

3. 贈与税の納税猶予税額の計算

(1) 納税猶予分の贈与税額の計算方法

贈与税の納税猶予税額は、その年中に特例事業受贈者が贈与により取得した全ての財産に係る贈与税額のうち、特例受贈事業用資産の価額をその年分の贈与税の課税価格とみなして暦年課税又は相続時精算課税のいずれかの方法で計算した金額となります（措法70の6の8②三）。

＜設　例＞

特例事業受贈者Ａ（30歳）は、先代事業者である父から次の資産の贈与を受けた。

Ａが贈与税の納税猶予の適用を受ける場合の納税猶予税額及び法定期限までに納付すべき贈与税額はいくらになるか（Ａは過去の年分について相続時精算課税の適用を受けたことはない）。

・特定事業用資産……4,000万円

・現金……500万円

〔計　算〕

	暦年課税の場合	相続時精算課税の場合
贈与税の課税価格	4,000万円＋500万円＝4,500万円	4,000万円＋500万円＝4,500万円
上記の課税価格に対する贈与税額	〔4,500万円－110万円（基礎控除額）〕×50％－415万円＝1,780万円	〔4,500万円－2,500万円（特別控除額）〕×20％＝400万円
納税猶予税額	〔4,000万円－110万円〕×50％－415万円＝1,530万円	〔4,000万円－2,500万円〕×20％＝300万円
期限内の納付税額	1,780万円－1,530万円＝250万円	400万円－300万円＝100万円

（注）贈与により取得した特定事業用資産の価額が相続時精算課税の特別控除額以下のため、贈与税額が算出されない場合には、納税猶予制度は適用されません。

なお、相続時精算課税の適用を受けられない場合であっても、暦年課税によって贈与税額が算出されれば、納税猶予制度の適用を受けることができます。

(2) 特例受贈事業用資産の贈与者が２以上の場合の納税猶予税額の計算

先代事業者とその生計一の親族の双方から特定事業用資産の贈与を受けて納税猶予制度の適用を受ける場合には、贈与者ごとの猶予税額を計算しておく必要があります。これは、その後に贈与者が死亡した場合の猶予税額の免除やみなし相続の適用関係を明らかにしておくためです。

その計算は、納税猶予税額を贈与者の異なるものごとの特例受贈事業用資産の価額であん分する方法よります。次の順で計算します（措令40の7の8⑪⑫、措通70の6の8－

27)。

① 特例事業受贈者がその年中に贈与により取得した全ての特例受贈事業用資産の価額の合計額を、その特例事業受贈者に係るその年分の贈与税の課税価格とみなして納税猶予税額を計算する（100円未満の端数処理は行わない）。

② その納税猶予税額を贈与者の異なるものごとの特例受贈事業資産の価額であん分した金額が、その異なる者ごとの納税猶予税額となる（100円未満の端数切捨て）。

＜設　例＞

特例事業受贈者Ｂ（30歳）は、本年中に父甲と母乙から下記の資産の贈与を受けて、いずれについても事業用資産について納税猶予の適用を受けることとした。暦年課税による場合の納税猶予税額はどのように計算するのか。

・父甲からの贈与財産……事業用資産5,000万円、現金500万円

・母乙からの贈与財産……事業用資産2,000万円

〔計　算〕

① その年中に取得した全ての財産に係る贈与税の額

〔(5,000万円＋500万円＋2,000万円)－110万円〕×55％－640万円＝3,424.5万円

② 事業用資産に係る納税猶予分の贈与税額

イ　事業用資産のみ取得したものとして計算した贈与税額

〔(5,000万円＋2,000万円)－110万円〕×55％－640万円＝3,149.5万円

ロ　イのうち甲からの贈与に係る金額

$$3149.5\text{万円}\times\frac{5{,}000\text{万円}}{5{,}000\text{万円}+2{,}000\text{万円}}=22{,}496{,}428\text{円}\rightarrow 22{,}496{,}400\text{円}$$

ハ　イのうち乙からの贈与に係る金額

$$3149.5\text{万円}\times\frac{2{,}000\text{万円}}{5{,}000\text{万円}+2{,}000\text{万円}}=8{,}998{,}571\text{円}\rightarrow 8{,}998{,}500\text{円}$$

ニ　納税猶予分の贈与税額

22,496,400円＋8,998,500円＝31,494,900円

③ 申告期限までに納付すべき贈与税額

3,424.5万円－31,494,900円＝2,750,100円

(3) 特例受贈事業用資産とともに債務の引受けがある場合の納税猶予税額の計算

特例事業受贈者が贈与者から特例受贈事業用資産の贈与とともに債務を引き受けた場合には、次の算式のように、特例受贈事業用資産の価額から、その引き受けた債務の金額を控除した価額を基に納税猶予分の贈与税額を計算します（措法70の６の８②三イ、措令40の７の８⑧）。

納税猶予税額の計算の基礎となる価額 ＝ 特例受贈事業用資産の価額 － (引き受けた債務の金額 － 債務のうち事業に関するものと認められるもの以外の債務の金額)

この場合の「事業に関するものと認められる債務以外の債務」とは、住宅ローンや教育ローンなどが該当しますが、債務に関する契約書等で事業に関係しない債務であることが明らかにされているものいいます。したがって、契約書等でそのことが明らかでない債務は、特例受贈事業用資産の価額から控除することとなり、納税猶予税額が圧縮されることに注意する必要があります（措通70の６の８－25)。

ところで、資産の贈与とともに債務を引き受けた場合には、いわゆる負担付贈与通達（平成元年３月29日付直評５・直資２－204「負担付贈与又は対価を伴う取引により取得した土地等及び家屋等に係る評価並びに相続税法第７条及び第９条の規定の適用について」通達）により、贈与資産が土地、土地の上に存する権利、家屋、その附属設備又は構築物については、財産評価基本通達によって算定した価額ではなく、「通常の取引価額」に相当する金額によって評価することとされています。

ただし、納税猶予分の贈与税額の計算に当たっては、負担付贈与通達は適用しないこととされています（措令40の７の８⑨、措通70の６の８－26)。したがって、上記の算式における「特例受贈事業用資産の価額」は、負担付贈与通達を適用せず、財産評価基本通達の定めに従って算定した価額によります。

（注）負担付贈与通達を適用しないとする扱いは、納税猶予分の贈与税額を計算する場合に限られますから（措通70の６の８－26)、次の設例のように、納付すべき贈与税額の計算については同通達が適用され、土地等又は家屋等は「通常の取引価額」に相当する金額によることになります。このため、贈与により取得した事業用資産に土地等又は建物が含まれている場合には、特例受贈事業用資産のみの贈与であっても、納付すべき贈与税額が生じます。

＜設　例＞

特例事業受贈者Ｃ（30歳）は、先代事業者である父から次の資産の贈与を受けるとともに、2,000万円の事業上の債務を引き受けた。

Ｃが暦年課税によって贈与税の納税猶予の適用を受ける場合の納税猶予税額及び納付すべき贈与税額はいくらになるか。

〔贈与により取得した資産〕

・事業用の土地及び建物……4,000万円（通常の取引価額5,000万円）

・事業用の動産……1,000万円

〔計　算〕

①　その年中に取得した全ての財産に係る贈与税の額（土地及び建物は通常の取引価額である5,000万円を基に計算する）

〔(5,000万円＋1,000万円－2,000万円)－110万円〕×50％－415万円＝1,530万円

② 事業用資産に係る納税猶予分の贈与税額（土地及び建物は財産評価基本通達により評価した4,000万円を基に計算する）

〔(4,000万円＋1,000万円－2,000万円)－110万円〕×45％－265万円＝1,035.5万円

③ 申告期限までに納付すべき贈与税額

1,530万円－1,035.5万円＝494.5万円

（注）贈与税の納税猶予の適用後、贈与者が死亡した場合には、猶予税額が免除されるとともに（措法70の6の8⑭二）、その猶予税額に対応する特例受贈事業用資産については、特例事業受贈者が、その贈与者から相続又は遺贈により取得したものみなされ、その特例受贈事業用資産の贈与時の価額で相続税額の計算を行うこととされています（措法70の6の9①）。

その計算において、納税猶予分の贈与税額の計算に当たり控除された債務がある場合には、相続又は遺贈により取得したとみなされる特例受贈事業用資産の価額は、次の算式により計算した金額になります（措令40の7の10㉟六）。

$$特例受贈事業用資産の価額 = \frac{A - B}{A}$$

・特例受贈事業用資産の価額～債務の引受けがないものとした場合の価額
・A＝納税猶予分の贈与税額の計算に係る特例受贈事業用資産の価額の合計額
・B＝納税猶予分の贈与税額の計算において控除された債務の額

したがって、上記の設例の場合に、贈与者である父の死亡時において相続又は遺贈により取得したとみなされる特例受贈事業用資産の価額は、次のとおり3,000万円になります。

$$(4{,}000万円 + 1{,}000万円) \times \frac{(4{,}000万円 + 1{,}000万円) - 2{,}000万円}{4{,}000万円 + 1{,}000万円} = 3{,}000万円$$

4. 納税猶予の確定と納税猶予の継続の特例

(1) 納税猶予税額の全部確定

この制度の適用を受けた後に、特例事業受贈者、特例受贈事業用資産又はその事業について、下記の事由のいずれかに該当することとなった場合には、納税猶予の期限が確定（納税猶予の取消し）することになり、それぞれに定める日から2か月を経過する日までに猶予税額の全部を利子税とともに納付しなければなりません（措法70の6の8③）。

〔納税猶予税額の全部確定事由〕

① 特例事業受贈者が事業を廃止した場合……その事業を廃止した日

② 特例事業受贈者について破産手続開始の決定があった場合……その決定があった日

③ その事業が資産保有型事業、資産運用型事業又は性風俗特殊関連営業のいずれかに該当することとなった場合……その該当することとなった日

④　その年のその事業に係る事業所得の総収入金額がゼロとなった場合……その年の12月31日
⑤　特例受贈事業用資産の全てがその年の事業所得に係る青色申告書の貸借対照表にに計上されなくなった場合……その年の12月31日
⑥　特例受贈事業者が青色申告の承認を取り消された場合又は青色申告書の提出をやめる旨の届出書を提出した場合……その承認が取り消された日又はその届出書の提出があった日
⑦　特例事業受贈者がこの制度の適用を受けることをやめる旨を記載した届出書を納税地の所轄税務署長に提出した場合……その届出書の提出があった日

(注) 上記のそれぞれに定める日から2か月を経過する日までの間にその特例事業受贈者が死亡した場合における納税猶予に係る期限は、その特例事業受贈者の相続人（包括受遺者を含む）がその死亡による相続の開始があったことを知った日の翌日から6か月を経過する日とされています（措法70の6の8㉖）。

なお、上記のほか、申告後の「継続届出書」を届出期限までに提出しなかった場合や増担保命令に応じない場合にも、納税猶予税額の全部についてその期限が到来し、その全額を納付することになります（措法70の6の8⑪⑫、措通70の6の8－52）。

⑵　納税猶予税額の一部確定

事業承継税制は、後継者が承継した事業用資産を事業の用に供し、事業を継続する場合に適用されます。このため、特例受贈事業用資産の一部が特例事業受贈者の事業の用に供されなくなった場合には、その時点の納税猶予税額のうち、事業の用に供されなくなった部分に対応する贈与税については、その事業の用に供されなくなった日から2か月を経過する日が納税猶予に係る期限となります（措法70の6の8④）。

この場合に、納税猶予に係る期限が到来し、納付することとなる税額は、次の算式で計算することとされています（措令40の7の8⑳、措通70の6の8－35）。

納税猶予に係る期限が到来する税額＝$A \times \frac{C}{B}$（100円未満切捨て）
・A＝事業の用に供されなくなった時の直前の猶予税額
・B＝事業の用に供されなくなった時の直前において事業の用に供されていた全ての特例受贈事業用資産の贈与時の価額
・C＝事業の用に供されなくなった特例受贈事業用資産の贈与時の価額

たとえば、贈与を受けた5,000万円の特例受贈事業用資産について、2,049.5万円の納税猶予を受けた後、850万円（贈与時の価額）の資産が事業の用に供されなくなったとすれば、

$$2{,}049.5万円 \times \frac{850万円}{5{,}000万円} = 3{,}484{,}150円 \rightarrow 3{,}484{,}100円$$

の贈与税を利子税とともに納付することになります。

(3) 事業用資産を廃棄した場合の納税猶予の継続特例

上記(2)のとおり、特例受贈事業用資産が事業の用に供されなくなった場合には、その特例受贈事業用資産の価額に対応する猶予税額を納付することとされています。

しかしながら、建物や機械装置などの減価償却資産の場合には、経年劣化や陳腐化に伴いやむを得ず廃棄することがあります。このような場合にまで一律に猶予税額の納付を求めることは適当とはいえません。そこで、事業の用に供されなくなったことが特例受贈事業用資産の陳腐化、腐食、損耗その他これらに準ずる事由による「廃棄」である場合には、その廃棄をした特例受贈事業用資産の明細など所定の事項を記載した届出書に廃棄をしたことを確認できる書類を添付して、その廃棄をした日から２か月以内にその届出書を納税地の所轄税務署長に提出したときは、納税猶予が継続することとされています（措法70の６の８④、措令40の７の８⑱、措規23の８の８⑩）。

なお、陳腐化等の理由により特例受贈事業用資産を処分した場合であっても、その処分によって対価を得た場合には、その処分は「廃棄」には該当せず、その特例受贈事業用資産の価額に対応する猶予税額を納付することになります（措通70の６の８－37）。ただし、特例受贈事業用資産の処分に伴い生じた廃材等の買取りが行われた場合であっても、その買取りの対価の額がその処分のために要した費用の額以下であるときは、上記の「廃棄」に該当することに取り扱われています（令和２年１月14日付国税庁「資産課税課情報第２号」68ページ）。たとえば、特例受贈事業用資産の処分に際し、廃棄物処理業者から廃材相当額として10万円を取得したが、その処分のために20万円の費用を要したという場合は、「廃棄」に該当するということです。

(注１) 上記の廃棄の届出をした特例受贈事業用資産に係る猶予税額について、全部確定事由が生じた場合には、他の特例受贈事業用資産に係る猶予税額とともに納税猶予に係る期限が到来します。また、免除事由が生じた場合には、他の特例受贈事業用資産に係る猶予税額とともに免除されます。

(注２) 贈与税の納税猶予に係る贈与者が死亡した場合には、納税猶予となっている贈与税が免除されるとともに、その納税猶予されている贈与税に対応する特例受贈事業用資産は、特例受贈事業者がその贈与者から相続又は遺贈により取得したものとみなされ、相続税の課税対象となり、贈与時の価額を基礎として相続税額が計算されます（措法70の６の８⑭二、70の６の９①）。

特例受贈事業用資産の廃棄に伴う届出をした場合には、納税猶予が継続するため、贈与者が死亡したときは、その廃棄をした特例受贈事業用資産についても、現に事業の用に供している特例受贈事業用資産と同様に、相続又は遺贈により取得したものとみなされて相続税の課税対象になります。

⑷　特例受贈事業用資産の買換え特例

特例受贈事業用資産が事業の用に供されなくなった場合には、原則として納税猶予の期限が到来し、納税猶予されていた贈与税及び利子税を納付しなければなりません。ただし、その事業の用に供されなくなった事由が特例受贈事業用資産の譲渡である場合において、その譲渡があった日から１年以内にその譲渡の対価の全部又は一部をもって事業の用に供する資産を取得する見込みであることについて所轄税務署長の承認を受け、かつ、その期間内に事業の用に供される資産を取得したときは、次のとおり取り扱うこととされ、納税猶予が継続します（措法70の６の８⑤、措令40の７の８㉓）。

①　その承認に係る譲渡をした特例受贈事業用資産は、買換資産を取得する日まで事業の用に供していたものとみなす。

②　その譲渡があった日から１年を経過する日において、その承認に係る譲渡の対価の全部又は一部が事業の用に供される資産の取得に充てられていない場合には、その譲渡に係る特例受贈事業用資産のうちその充てられていないものに対応する部分は、同日において事業の用に供されなくなったものとみなす。

なお、事業の用に供される資産の取得に充てられていない部分は、次の算式により求める。

$$A \times \frac{B}{C}$$

・A＝その譲渡をした特例受贈事業用資産の贈与時の価額

・B＝その譲渡の対価で事業の用に供される資産の取得に充てられなかった額

・C＝その譲渡の対価の額

③　その譲渡があった日から１年を経過する日までにその承認に係る譲渡の対価の全部又は一部が買換資産の取得に充てられた場合には、その取得をした買換資産は、特例受贈事業用資産とみなす。

なお、買換資産の「取得」には、購入による取得のほか、自己の建設、製作又は製造による資産の取得や自己が生育させた生物の生育による取得などが含まれます（措通70の６の８－40）。

（注） 特定事業用資産である宅地等については400㎡、建物については800㎡という限度面積要件がありますが、特例受贈事業用資産である宅地等又は建物を譲渡し、買換資産として宅地等又は建物を取得した場合のその買換資産については限度面積要件がありません。したがって、特例受贈事業用資産である300㎡の宅地を譲渡し、500㎡の宅地を買換により取得した場合であっても、500㎡の宅地の全てが特例受贈事業用資産とみなされます。

なお、贈与税の納税猶予に係る贈与者が死亡した場合には、特例事業受贈者がその贈与者から相続又は遺贈により取得したものとみなされた特例受贈事業用資産については、所定の要件を満たすことにより相続税の納税猶予の適用を受けることができます。この場合には、特例受贈事業用資産が「特定事業用資産」とみなされるため（措法70の６の10㉚）、買換資産が限度面積を超えている場合であっても、その全部が相続税の納税猶予の適用対象になります。

ところで、上記の買換えの承認を受けた場合において、譲渡の対価の全部又は一部が買換資産の取得に充てられなかった場合には、その充てられていない部分については、譲渡後１年を経過する日において事業の用に供されなくなったものとして、猶予税額の納付を要することになります。

この場合の事業の用に供されなくなった部分の金額は、次の算式で計算することとされています（措法70の６の８⑤二、措令40の７の８㉓、措通70の６の８－44）。

> 事業の用に供されなくなった部分の金額＝
> $$\text{譲渡をした特例受贈事業用資産の価額}\times\frac{\text{譲渡の対価の額}-\text{買換資産の取得価額}}{\text{譲渡の対価の額}}$$

この場合において、特例受贈事業用資産の譲渡に要した費用の額があるときは、実際の譲渡価額からその費用の額を控除した金額が算式における「譲渡の対価の額」となります。また、買換資産の取得のために要した費用の額があるときは、「買換資産の取得価額」に加算されます（措通70の６の８－41）。

なお、上記の算式において、譲渡の対価や取得のための費用等に含まれる消費税等がある場合には、特例事業受贈者の次の区分に応じ、次のそれぞれの価額によります（措通70の６の８－39）。

①　その特例事業受贈者が税抜経理方式を適用している場合……税抜価額による。

②　その特例事業受贈者が税込経理方式を適用している場合……税込価額による。

③　その特例事業受贈者が免税事業者である場合……実際の対価の額（税込価額）による。

＜設　例＞

> 特例事業受贈者Ａは、特例受贈事業用資産（贈与時の価額2,000万円）を1,500万円で譲渡し、1,000万円の買換資産を取得した。
>
> なお、譲渡に要した費用は80万円、買換資産の取得に要した費用は40万円である。
>
> （注）Ａは、その事業について税込経理方式によっており、上記はいずれも税込価額である。

〔計　算〕

①　前記の算式の「譲渡の対価の額」

（譲渡価額）1,500万円　－　（譲渡費用の額）80万円　＝1,420万円

②　前記の算式の「買換資産の取得価額」

（買換資産の取得価額）1,000万円　＋　（取得費用の額）40万円　＝1,040万円

③　事業の用に供されなくなった部分の金額

$$2{,}000\text{万円}\times\frac{1{,}420\text{万円}-1{,}040\text{万円}}{1{,}420\text{万円}}=5{,}352{,}112\text{円}$$

なお、特例受贈事業用資産の買換えについて、税務署長の承認を受ける場合には、譲渡があった日から１か月以内に、譲渡をした特例受贈事業用資産の明細など所定の事項を記載した承認申請書を納税地の所轄税務署長に提出しなければならず（措令40の７の８㉑）、その承認の申請について宥恕規定はありません。また、買換資産を取得した場合には、その取得後遅滞なく、その資産の内容等を記載した書類を提出する必要があります（措規23の８の８⑪）。

(5)　事業を法人化した場合の特例

個人事業者が個人形態で事業を継続していくことがこの制度の前提ですが、納税猶予の適用を受けた後、事業が拡大し個人形態から法人形態に事業の転換を図ることも考えられます。

そこで、贈与税の申告期限の翌日から５年経過後に、特例受贈事業用資産の全てを現物出資して会社を設立し、その会社の株式を保有し続ける場合には、引き続き納税猶予を認める特例的措置が講じられています（措法70の６の８⑥）。

現物出資に係るこの特例の適用を受けるためには、現物出資による特例受贈事業用資産の移転があった日から１か月以内に、納税地の所轄税務署長に申請書を提出して承認を受ける必要があります（措令40の７の８㉕）。

なお、この申請について、宥恕規定はありませんから、事業用資産の現物出資があった日から１か月以内に申請書を提出しない場合には、その移転をした日から２か月を経過する日に納税猶予が確定します。

注意したいのは、この特例が認められるのは、あくまで特例受贈事業用資産の全てを現物出資して会社を設立する場合です。したがって、既存の会社に現物出資（増資）した場合や特例受贈事業用資産を設立した法人に賃貸したような場合は認められず、納税猶予の確定事由となります。

ところで、上記の法人化の特例の承認を受けた場合には、その承認に係る特例受贈事業用資産の移転はなかったものとみなされるとともに、法人化後は現物出資により取得した株式等が特例受贈事業用資産とみなされ、その株式等について納税猶予が継続することになります。

したがって、法人化後は、非上場株式等についての贈与税の納税猶予制度における経営贈与承継期間（原則として贈与税の申告期限の翌日から５年間）の経過後の確定事由（前章の496ページ）や免除事由（前章の498ページ）に準じた要件等が適用されます（措法70の６の８⑥、措令40の７の８㉗、措通70の６の８－47、70の６の８－48）。

なお、法人化の特例の適用後にその株式等について贈与又は相続があった場合には、その株式等を取得した者について、一定の要件を満たすことにより非上場株式等の納税猶予制度の適用を受けることができます。

（注）現物出資による法人化の特例の承認を受けるに当たって、特例事業受贈者がその設立した会社の代表権を有する必要はなく、また、非上場株式等の納税猶予制度における同族過半数要件や筆頭株主要件もありません。

ただし、法人化の特例の適用後にその株式等について贈与又は相続があった場合に、その取得者が非上場株式等の納税猶予制度の適用を受ける場合には、会社の代表者要件、同族過半数要件及び筆頭株主要件を満たす必要があります。

(6) 納税猶予の確定と利子税の納付

納税猶予の適用を受けた後、猶予税額が免除される前に納税猶予の期限が到来した場合には、その納税猶予税額とともに申告期限からの期間に応ずる利子税を納付しなければなりません（措法70の６の８㉕）。

利子税の割合は、年3.6％ですが、前章（497ページ）で説明した特例による軽減措置が講じられています（措法93⑤）。

5. 納税猶予税額の免除

(1) 届出による猶予税額の免除

個人事業者の納税猶予の適用を受けた後に、一定の事由が生じた場合には、猶予税額の全部又は一部が免除されます。その事由には、所轄税務署長に届出をすることによって免除されるものと、所轄税務署長に申請することによって免除となるものがあります。

まず、届出によって免除となる事由と免除される贈与税の額は、次のとおりです（措法70の６の８⑭、措令40の７の８㉙㉚、措規23の８の８㉑、措通70の６の８－53）。

免除事由	免除される贈与税額
①　贈与者の死亡の時以前に特例事業受贈者が死亡した場合	・猶予中贈与税額に相当する贈与税額（全額免除）
②　贈与者が死亡した場合	・次の算式で計算される贈与税額 贈与者の死亡の直前における猶予中贈与税額 × 贈与者が贈与をした特例受贈事業用資産の贈与時の価額 ／ 贈与者の死亡の直前に事業の用に供されていた特例受贈事業用資産の贈与時の価額
③　特例事業受贈者が特例受贈事業用資産の全てを「贈与税の納税猶予」の適用に係る贈与をした場合	・猶予中贈与税額に相当する贈与税額（全額免除）
④　特例事業受贈者がやむを得ない理由により事業を継続することができなくなった場合	・猶予中贈与税額に相当する贈与税額（全額免除）

これらの免除事由は、前章（498ページ）で説明した非上場株式等の納税猶予制度における免除事由とほぼ同じですが、④の事由は個人事業者に特有のものです。若干の補足をしておくと、次のとおりです。

①　贈与者の死亡の時以前に特例事業受贈者が死亡した場合

上表の①は、後継者である特例事業受贈者が贈与者（先代事業者）より先に死亡した場合であり、その時点の納税猶予税額の全額が免除されます。

もっとも、このケースは、特例事業受贈者についての通常の相続開始であり、特例受贈事業用資産をはじめ、その特例事業受贈者の相続財産は、その者の相続人に承継されます。

（注）特例事業受贈者の相続開始が令和10年12月31日までの場合には、一定の要件を満たせば、特例受贈事業用資産を相続した相続人について、相続税の納税猶予の適用を受けることができます。

②　贈与者が死亡した場合

上表の②は、特例事業用資産を贈与した者（先代事業者）が死亡した場合であり、この場合に免除される贈与税額は、上記の算式で計算される額ですが、後継者である特例事業受贈者が贈与を受けた特例受贈事業用資産の全てを贈与者の死亡時まで事業の用に供していれば、納税猶予税額の全額が免除されます。

（注）贈与者が死亡した場合には、猶予税額が免除されるとともに、特例受贈事業用資産は後継者である特例事業受贈者が相続又は遺贈により取得したものとみなされて相続税の課税対象になります（措法70の６の９①）。この点は後述（598ページ）します。

③　特例事業受贈者が特例受贈事業用資産の全てを「贈与税の納税猶予」の適用に係る贈与をした場合

上表の③は、特例事業受贈者が、その後継者（３代目事業者）に特例受贈事業用資産の全てを贈与（再贈与）した場合の免除規定で、再贈与を受けた者（３代目事業者）が贈与税の納税猶予の適用を受ければ、贈与者（２代目事業者）の納税猶予税額が免除されます。

ただし、この免除規定は、特定申告期限の翌日から５年を経過する日後に再贈与した場合に適用することとされています（措法70の６の８⑭三）。したがって、贈与税の納税猶予の適用を受けた後、５年以内の再贈与の場合は免除されません。

なお、非上場株式等の納税猶予では、株式等の一部を再贈与した場合であっても猶予税額が免除になる場合がありますが、個人事業者の場合には、特例受贈事業用資産の「全部」を再贈与した場合に免除規定が適用されます。

（注）上記の「特定申告期限」とは、特例事業受贈者についての次に掲げる日のいずれか早い日をいいます（措法70の６の８⑥）。
　イ　最初の贈与税の納税猶予（措法70の６の８①）の適用に係る贈与の日の属する年分の贈与税の申告書の提出期限
　ロ　最初の相続税の納税猶予（措法70の６の10①）の適用に係る相続税の申告書の提出期限

④　特例事業受贈者がやむを得ない理由により事業を継続することができなくなった場合

上表の④における事業を継続することができなくなった「やむを得ない理由」とは、次のいずれかに該当することとなった場合をいいます（措規23の８の８㉑、措通70の６の８－56）。

イ　精神障害者保健福祉手帳（障害等級が１級であるものとして記載されているものに限る）の交付を受けたこと。

ロ　身体障害者手帳（身体上の障害の程度が１級又は２級である者として記載されているものに限る）の交付を受けたこと。

ハ　要介護認定（要介護状態区分が要介護５に該当するものに限る）を受けたこと。

なお、上記の免除を受けようとする特例事業受贈者又はその相続人（包括受遺者を含む）は、その該当することとなった日（上表の③の場合には、その贈与を受けた者が贈与税の申告書を提出した日）から６か月を経過する日までに、一定の事項を記載した届出書に所定の書類を添付して納税地の所轄税務署長に提出しなければなりません（措法70の６の８⑭、措令40の７の８㉙㉚、措規23の８の８⑱～㉑）。

⑵　申請による猶予税額の免除

特例事業受贈者について、下表のいずれかに該当することとなった場合には、それぞれに定める贈与税が税務署長の通知（処分）により免除されます（措法70の６の８⑯㉑、措令40の７の８㉝㉞）。

ただし、いずれの場合もそれぞれの事由が生じた日以前５年以内において、特例事業受贈者の特別関係者がその特例事業受贈者から受けた必要経費不算入対価等の合計額は免除されません。この場合の「必要経費不算入対価等」とは、特例事業受贈者の特別関係者に対して支払われた対価等で、特例事業受贈者の事業所得の金額の計算上、所得税法第56条（事業から対価を受ける親族がある場合の必要経費の特例）又は第57条（事業に専従する親族がある場合の必要経費の特例等）の規定により、その事業所得の金額の計算において必要経費に算入されるもの以外のものをいいます（措法70の６の８②四ハ、措令40の７の８⑯）。

免除事由	免除される贈与税額
①　特例事業受贈者が特例受贈事業用資産の全てを特例事業受贈者の特別関係者以外の一定の者のうちの１人に対して譲渡等をした場合又は民事再生計画の認可の決定に基づき再生計画等を遂行するために譲渡等をした場合	・猶予中贈与税額から、譲渡等があった時における特例受贈事業用資産の時価に相当する金額（その金額が譲渡等をした特例受贈事業用資産の譲渡等の対価の額より低い金額である場合には、譲渡等の対価の額）を控除した残額に相当する贈与税額

② 特例事業受贈者について破産手続開始の決定があった場合	・猶予中贈与税額に相当する贈与税額

これらのうち①における「特別関係者以外の一定の者」とは、特例事業受贈者の親族その他特例事業受贈者と特別の関係のある者以外の者で、次の者をいいます。

イ 青色申告の承認を受けている個人

ロ 持分の定めのある法人（医療法人を除く）

ハ 持分の定めのない法人（公益社団法人以外の一般社団法人及び公益財団法人以外の一般財団法人を除く）

なお、上記の免除を受けようとする特例事業受贈者は、上記の事由に該当することとなった日から２か月を経過する日までに、一定の事項を記載した届出書に一定の書類を添付して納税地の所轄税務署長に提出しなければなりません（措法70の６の８⑯、措令40の７の８㉝㉞、措規23の８の８㉓㉔）。

⑶ 経営環境の悪化に対応した猶予税額の免除

① 差額免除の概要

特例事業受贈者が納税猶予の適用を受けた後、事業の継続が困難な一定の事由が生じたことにより、特例受贈事業用資産の譲渡をした場合又は事業を廃止した場合には、その譲渡対価の額又はその廃止直前の特例受贈事業用資産の時価を基に贈与税額を計算（再計算）し、当初の猶予税額との差額を免除する措置が講じられています。

この措置は、前章（504ページ）における特例措置としての非上場株式等の納税猶予における減免措置と同様の趣旨から設けられているものです。ただし、個人事業者の場合には、いわゆる「差額免除」のみであり、非上場株式等の納税猶予における「追加免除」はありません。

② 事業の継続が困難な一定の事由

この免除措置が適用できるのは、事業の継続が困難な一定の事由が生じた場合であり、その事由は、次のとおりです（措令40の７の８㉟、措規23の８の８㉕、措通70の６の８－64）。

事　由	事業継続が困難とされる場合
①利益の減少	○ 直前３年内の各年のうち２以上の年において、その事業に係る事業所得の金額がゼロ未満であること。
②収入の減少	○ 直前３年内の各年のうち２以上の年において、その事業に係る事業所得の総収入金額が前年の総収入金額を下回ること。
③心身の故障等	○ 特例事業受贈者が心身の故障その他の事由によりその事業に従事することができなくなったこと。

これらのうち①と②における「直前3年内の各年」とは、事業の継続が困難な事由が生じた日の属する年の前年以前3年内の各年をいいます。

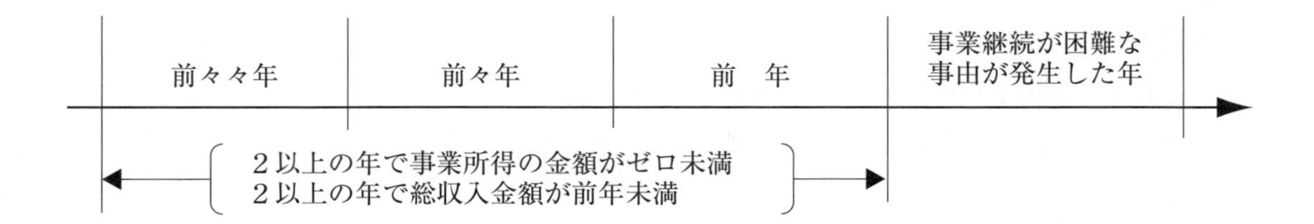

また、上記の③の事由に該当するかどうかは、事業継続が困難な事由が発生した時点で判定します。

③　免除措置が適用できる資産の譲渡等と免除税額の計算

上記の事業の継続が困難な事由が生じた場合において、特例事業受贈者が下記のイ又はロに掲げる場合のいずれかに該当することとなったときは、それぞれに定める贈与税が税務署長の通知（処分）により免除されます（措法70の6の8⑰㉑、措令40の7の8㉟）。

ただし、前記(2)で説明した「必要経費不算入対価等」がある場合には、その対価等に相当する猶予税額は免除されませんから、次のそれぞれの事由に該当することとなった日から2か月を経過するまでに納付する必要があります（措法70の6の8③④）。

イ　特例事業受贈者が特例受贈事業用資産の全てを特例事業受贈者の特別関係者以外の者に譲渡等（譲渡又は贈与）をした場合……猶予中贈与税額から譲渡等の対価の額（その額が譲渡等をした時における特例受贈事業用資産の時価に相当する金額の2分の1以下である場合には、その2分の1に相当する金額）を特例受贈事業用資産の贈与の時における価額とみなして計算した納税猶予分の贈与税額を控除した残額に相当する贈与税

ロ　特例受贈事業用資産に係る事業を廃止した場合……猶予中贈与税額から事業の廃止の直前における特例受贈事業用資産の時価に相当する金額を特例受贈事業用資産の贈与の時における価額とみなして計算した納税猶予分の贈与税額を控除した残額に相当する贈与税

④　差額免除の計算例

経営環境の悪化に対応した差額免除について、特例受贈事業用資産を相続税評価額の2分の1超の対価で譲渡した場合、同じく2分の1以下の対価で譲渡した場合及び事業を廃止した場合について、具体例で示すと、以下のとおりです。

<設例1>

特例事業受贈者Aは、父甲から贈与により取得した事業用資産について贈与税の納税猶予の適用を受けたが、業績が悪化したため、特例受贈事業用資産の全てを第三者に譲渡した。

その譲渡価額及び特例受贈事業用資産の相続税評価額等は次のとおりであるが、免除される猶予税額はいくらになるか（譲渡等の日以前５年以内に必要経費不算入対価等はない）。

〔贈与時〕

・特例受贈事業用資産の相続税評価額……5,000万円

・5,000万円に対する贈与税額（暦年課税）……20,495,000円（納税猶予税額）

〔譲渡時〕

・特例受贈事業用資産の相続税評価額……3,000万円

・特例受贈事業用資産の譲渡価額……2,000万円

・譲渡価額（2,000万円）を基に再計算した贈与税額……5,855,000円

〔納付税額と免除税額の計算〕

この例は、譲渡対価の額（2,000万円）が譲渡時の特例受贈事業用資産の相続税評価額（3,000万円）の２分の１超であるため、その譲渡対価の額を基に贈与税額（猶予税額）を再計算します。その再計算した贈与税額（5,855,000円）は納付することになりますが、当初の猶予税額（20,495,000円）との差額（1,464万円）は免除されます。

当初の猶予税額 20,495,000円 { 納付税額　5,855,000円 / 免除税額 14,640,000円 }

なお、納付税額については、特例受贈事業用資産を譲渡した日から２か月を経過する日が納期限になります。

（注） 上記の設例の場合には、納税猶予の適用を受けるに当たって、贈与税額を暦年課税によっていますが、相続時精算課税を選択することもできます。注意したいのは、相続時精算課税によった場合には、贈与者の死亡時に贈与を受けた特定事業用資産の贈与時の価額で相続税が課税されることです（相法21の15①）。上記の設例の場合には、事業用資産の全てを譲渡していますから、贈与者の死亡時にその事業用資産を有していません。ただし、この場合であっても、贈与財産である特定事業用資産の贈与時の価額（上記の設例の場合には5,000万円）が相続税の課税価格に加算されます。

＜設例２＞

特例事業受贈者Ｂは、父乙から贈与により取得した事業用資産について贈与税の納税猶予の適用を受けたが、業績が悪化したため、特例受贈事業用資産の全てを第三者に譲渡した。

その譲渡価額及び特例受贈事業用資産の相続税評価額等は次のとおりであるが、免除される猶予税額はいくらになるか（譲渡等の日以前５年以内に必要経費不算入対価等はない）。

〔贈与時〕
・特例受贈事業用資産の相続税評価額……5,000万円
・5,000万円に対する贈与税額（暦年課税）……20,495,000円（納税猶予税額）
〔譲渡時〕
・特例受贈事業用資産の相続税評価額……3,000万円
・特例受贈事業用資産の譲渡価額……1,000万円
・譲渡時において再計算した贈与税額……366万円（※）
※　贈与税額は、特例受贈事業用資産の評価額（3,000万円）の２分の１相当額である1,500万円を基に再計算する。

〔納付税額と免除税額の計算〕

この例は、譲渡対価の額（1,000万円）が譲渡時の特例受贈事業用資産の相続税評価額（3,000万円）の２分の１以下であるため、その評価額の２分の１相当額である1,500万円を基に贈与税額（猶予税額）を再計算します。その再計算した贈与税額（366万円）は納付することになりますが、当初の猶予税額（20,495,000円）との差額（16,835,000円）は免除されます。

当初の猶予税額 20,495,000円 ｛ 納付税額　3,660,000円 / 免除税額 16,835,000円

なお、特例措置としての非上場株式等の納税猶予制度の減免規定では、再計算した贈与税（3,660,000円）について、引き続き納税猶予が認められ、２年経過後に「追加免除」の規定が適用されますが（前章504ページ）、個人事業者の納税猶予制度には、このような追加免除の規定はありません。納付税額については、特例受贈事業用資産を譲渡した日から２か月を経過する日までに納付する必要があります。

＜設例３＞

特例事業受贈者Ｃは、父丙から贈与により取得した事業用資産について贈与税の納税猶予の適用を受けたが、業績が悪化したため、事業を廃止した。

その特例受贈事業用資産の相続税評価額等は次のとおりであるが、免除される猶予税額はいくらになるか（譲渡等の日以前５年以内に必要経費不算入対価等はない）。

〔贈与時〕
・特例受贈事業用資産の相続税評価額……5,000万円
・5,000万円に対する贈与税額（暦年課税）……20,495,000円（納税猶予税額）
〔事業の廃止時〕
・事業廃止の直前における特例受贈事業用資産の相続税評価額……2,000万円
・相続税評価額（2,000万円）を基に再計算した贈与税額……5,855,000円

〔納付税額と免除税額の計算〕

特例受贈事業用資産に係る事業を廃止した場合の差額免除については、譲渡等の場合の２分の１の判定は不要であり、事業の廃止直前における特例受贈事業用資産の相続税評価額に基づいて猶予税額を再計算します。

この例では、その再計算した贈与税額（5,855,000円）は納付することになりますが、当初の猶予税額（20,495,000円）との差額（1,464万円）は免除されます。

当初の猶予税額 20,495,000円 ｛ 納付税額　5,855,000円 ／ 免除税額 14,640,000円

なお、納付税額については、事業を廃止した日から２か月を経過する日が納期限になります。

⑤　差額免除の適用を受ける場合の手続

上記の差額免除の適用を受けようとする特例事業受贈者は、特例受贈事業用資産の譲渡等があった日又は事業を廃止した日から２か月を経過する日までに、免除を受けたい旨、免除を受けようとする贈与税に相当する金額及びその明細を記載した申請書を納税地の所轄税務署長に提出しなければなりません（措法70の６の８⑰、措令40の７の８㉟、措規23の８の８㉖㉗）。

なお、猶予税額の免除又は免除申請の却下については、税務署長の通知（処分）によることとされ、税務署長による審査期間は６か月とされています（措法70の６の８㉑）。

(4)　更生計画の認可決定等があった場合の猶予税額の免除

特例事業受贈者について、民事再生計画の認可の決定がされた場合又は中小企業再生支援協議会の支援による再生計画が成立した場合において資産評定が行われたときは、その認可決定があった日又は債務処理計画が成立した日における特例受贈事業用資産の価額に基づき納税猶予分の贈与税額を再計算し、再計算後の納税猶予分の贈与税額を猶予税額として納税猶予が継続することとされています。

この場合には、再計算前の猶予中贈与税額から再計算後の納税猶予分の贈与税額を控除した残額は、税務署長の通知（処分）により免除されます。ただし、認可決定があった日等以前５年以内に特例事業受贈者の特別関係者がその特例事業受贈者から受けた必要経費不算入対価等の合計額は免除されません（措法70の６の８⑱～⑳、措令40の７の８㊱）。

6.　納税猶予の適用手続

(1)　期限内申告要件

特定事業用資産について納税猶予の適用を受けるためには、贈与税の申告書を申告期限内に提出し、その申告書にこの特例を受けようとする旨を記載し、その資産の明細及び納

税猶予分の贈与税額の計算に関する明細等を記載した書類を添付する必要があります（措法70の６の８①⑧）。

(注) 贈与税の申告書に添付すべき書類は、次のとおりです（措規23の８の８⑭）。

① 特定事業用資産の区分に応じ、それぞれ次に定める書類

イ 償却資産……償却資産についての価格等の通知書の写しその他の書類で、償却資産課税台帳に登録されている次の事項が記載されているもの

㋐ その資産の所有者の住所及び氏名

㋑ その資産の所在、種類、数量及び価格

ロ 自動車税又は軽自動車税において営業用の標準税率が適用される自動車……道路運送車両法の規定により交付を受けた自動車検査証の写し又は市区町村長より交付を受けたこれらの資産に係る納税証明書の写しその他これらの資産が自動車税及び軽自動車税において営業用の標準税率が適用されていることを明らかにするもの

ハ ロ以外の自動車及び原動機付自転車、二輪の軽自動車及び小型特殊自動車……これらの資産に該当することを明らかにする書類

ニ 無形固定資産及び生物のうち果樹、畑又は樹木……その資産が所在する敷地が耕作の用に供されていることを証する書類

② この特例の適用に係る贈与に係る契約書の写しその他その贈与の事実を明らかにする書類

③ 特例事業受贈者が贈与の日まで引き続き３年以上にわたり特定事業用資産に係る事業に従事していた旨及びその事実の詳細を記載した書類

④ 経営承継円滑化法施行規則第７条第14項の都道府県知事の認定書の写し及び同規則第７条第10項の認定申請書の写し

⑤ 経営承継円滑化法施行規則第17条第５項の都道府県知事の確認書の写し及び同規則第17条第４項の確認申請書の写し

⑥ その他参考となるべき書類

⑵ 担保の提供

特定事業用資産に係る納税猶予制度の適用上は、他の納税猶予制度と同様に、申告期限までに納税猶予分の贈与税の本税の額と納税猶予期間中の利子税の額との合計額に相当する担保の提供が要件とされています（措法70の６の８①、措通70の６の８－11）。

この場合の納税猶予期間中の利子税の額は、贈与税の申告書の提出期限における贈与者の平均余命年数を納税猶予期間として計算することとされています（措通70の６の８－11）。この計算方法は、前章（515ページ）で説明した非上場株式等の納税猶予の場合と同じです。

担保に関しては、国税についての担保の提供であることから、国税通則法第50条から第54条までの担保関係規定が適用されます（措通70の６の８－10）。したがって、担保の種類としては、国債及び地方債、土地、保険に附した建物などのほか、税務署長が確実と認める保証人の保証などがあります。

なお、非上場株式等の納税猶予制度では、非上場株式等の担保提供を例外的に認めるこ

とし、納税猶予の対象になった非上場株式等の全部を担保提供した場合の「みなす充足」の規定がありますが（前章516ページ）、個人事業者の納税猶予制度には、このような規定はありません。また、動産である特例事業用資産については、担保として提供できないこととされています。

このほか、税務署長は、特例事業受贈者が増担保の提供（通則法51①）、保証人の変更その他担保を確保するための命令に応じない場合には、猶予中贈与税額に相当する贈与税に係る納税の猶予に係る期限を繰り上げることができることとされています（措法70の６の８⑫）。

(3)　納税猶予期間中の継続届出書の提出

特定事業用資産に係る納税猶予の適用を受ける特例事業受贈者は、贈与税の申告期限の翌日から猶予中贈与税額に相当する贈与税の全部につき納税の猶予に係る期限が到来するまでの間に特例贈与報告基準日が存する場合には、届出期限までに、引き続いてこの特例の適用を受けたい旨及び特例受贈事業用資産に係る事業に関する事項を記載した継続届出書を納税地の所轄税務署長に提出しなければなりません（措法70の６の８⑨、措令40の７の８㉘、措規23の８の８⑮～⑰）。

この場合の「特例贈与基準日」とは、贈与税の申告期限の翌日から３年を経過するごとの日をいいます。また、上記の「届出期限」は、特例贈与報告基準日の翌日から３か月を経過する日をいいます。要するに、納税猶予の継続中は、３年ごとに継続届出書を提出するということです。

なお、継続届出書が届出期限までに提出されない場合には、届出期限の翌日から２か月を経過する日に納税の猶予に係る期限が到来しますが（措法70の６の８⑪）、いわゆる宥恕規定が設けられています（措法70の６の８⑮、措令40の７の８㉜）。

Ⅲ　事業用資産に係る相続税の納税猶予制度の実務

1.　制度の概要と納税猶予の対象になる事業用資産の範囲

(1)　納税猶予制度のしくみ

個人事業者の事業用資産に係る相続税の納税猶予制度について、その概要をまとめると、次のとおりですが、基本的なしくみは贈与税の納税猶予制度と同じです。

①　青色申告を行っていた事業者（先代事業者）の後継者として一定の要件に該当する

者が、その事業の用に供されていた一定の事業用資産（特定事業用資産）の全てを相続又は遺贈により取得した場合には、その相続等に係る相続税について、担保の提供を条件に、その納税を猶予する。

ただし、この制度は、平成31年１月１日から令和10年12月31日までの間の相続等で、最初のこの規定に係る相続等及びその相続等の日から１年を経過する日までの相続等について適用される。

② 特例事業相続人等（後継者）が特定事業用資産に係る事業を継続した後、その後継者が死亡した場合など、一定の事由が生じたときは、納税猶予されていた相続税が免除される。

③ 後継者が事業を廃止した場合や特定事業用資産が事業の用に供されなくなった場合など、一定の事由が生じたときは、納税猶予の期限が到来し、利子税とともに納税猶予税額を納付する。

(2) 制度の対象となる事業の範囲

この特例の対象となる事業の範囲からは、不動産貸付業等（不動産貸付業、駐車場業及び自転車駐車場業）が除かれており、その範囲は、贈与税の納税猶予制度と同じです（措法70の６の８②一、措令40の７の８⑤）。

また、相続等により取得した特定事業用資産に係る事業が資産保有型事業、資産運用型事業及び性風俗関連特殊営業に該当する場合に納税猶予が適用されない点も贈与税の納税猶予制度と同じです。

(3) 納税猶予の対象となる特定事業用資産の意義

この特例により納税猶予の対象になる「特定事業用資産」の範囲も贈与者の納税猶予制度と同じで、宅地等（400㎡までの部分）、建物（床面積800㎡までの部分）及び一定の減価償却資産で、青色申告書の貸借対照表に計上されているものです（措法70の６の10②一、措通70の６の10－13）。

なお、特定事業用資産で、相続税の申告書にこの特例の適用を受けようとする旨の記載のあるものを「特例事業用資産」といいます（措法70の６の10①）。

(4) 納税猶予の対象となる宅地等と小規模宅地等の特例との関係

ところで、相続税の納税猶予の適用対象となる宅地等については、400㎡の限度面積要件があるのですが、その相続に係る被相続人から相続又は遺贈により取得した宅地等について、小規模宅地等の特例の適用を受ける者がある場合には、その適用を受ける小規模宅地等の区分に応じ、相続税の納税猶予の適用対象となる宅地等の面積について、次のような制限があります（措法70の６の10②一イ、措令40の７の10⑦、措通70の６の10－17）。

	適用を受ける小規模宅地等	納税猶予の適用上の限度面積等
イ	特定事業用宅地等	事業用資産の全てについて相続税の納税猶予の適用なし
ロ	特定同族会社事業用宅地等	400㎡－特定同族会社事業用宅地等の面積
ハ	貸付事業用宅地等	400㎡－2×（特定居住用宅地等の面積×$\frac{200}{330}$＋特定同族会社事業用宅地等の面積×$\frac{200}{400}$＋貸付事業用宅地等の面積）
ニ	特定居住用宅地等	400㎡

この規定は、小規模宅地等の特例における適用面積と相続税の納税猶予制度における適用対象宅地等の適用面積との調整を行うものですが、次のように整理することができます。

〔上表のイ〕 特定事業用宅地等に係る小規模宅地等の特例と相続税の納税猶予制度とは、選択適用の関係にあるため（措法69の4⑥）、特定事業用宅地等について小規模宅地等の特例の適用を受ける場合には、相続税の納税猶予制度は適用できない。

この関係は、特定事業用宅地等について小規模宅地等の特例の適用を受ける者が相続税の納税猶予の適用を受けようとする者であるどうかにはかかわらない。したがって、相続税の納税猶予の適用を受けようとする者が相続人Ａで、特定事業用宅地等について小規模宅地等の特例の適用を受けようとする者が相続人Ｂの場合に、Ｂが小規模宅地等の特例の適用を受ける場合には、Ａに納税猶予の適用はない。

また、相続人Ｂが小規模宅地等の特例の適用を受ける特定事業用宅地等の面積が400㎡未満であったとしても、相続人Ａは納税猶予の適用を受けることはできない。

〔上表のロ〕 特定同族会社事業用宅地等について小規模宅地等の特例の適用を受ける者がある場合には、その適用面積が納税猶予の適用対象となる宅地等の面積から控除される。したがって、この場合の適用面積は、小規模宅地等の特例と納税猶予を合わせて400㎡が上限になる。

〔上表のハ〕 貸付事業宅地等について小規模宅地等の適用を受ける場合には、その宅地等の限度面積が400㎡であるものとして調整した後の面積を400㎡から控除した面積部分が相続税の納税猶予の対象になる。

相続の実態からみると、納税猶予の適用対象になる宅地等のほかに小規模宅地等の特例の適用対象になる宅地等があるとすれば、貸付事業用宅地等に該当する例が多いと考えられる。仮に、貸付事業用宅地等について120㎡を選択特例対象宅地等とした場合には、400㎡－2×120㎡＝160㎡が相続税の納税猶予の対象になる。

〔上表のニ〕 特定居住用宅地等に係る小規模宅地等の特例と相続税の納税猶予制度とは完全併用ができる。したがって、特定居住用宅地等について小規模宅地等の適用を受ける者がいる場合であっても、特定事業用資産である宅地等について400㎡までの部分は相続税の納税猶予の適用対象になる。

(5) 事業用資産の分割要件

特例事業用資産は、相続税の申告期限までに特例事業相続人等が実際に取得した資産に限られます。したがって、先代事業者から相続又は遺贈により取得した資産の全部又は一部が共同相続人又は包括受遺者によって分割されていない場合には、その分割されていない資産について納税猶予の適用を受けることはできません（措法70の6の10⑦）。

なお、納税猶予の適用上は、申告期限内の分割が絶対条件になりますから、申告期限後に分割が行われたとしても、遡って納税猶予の適用を受けることはできません。

2. 被相続人と相続人の要件

(1) 被相続人の要件

相続税の納税猶予制度における被相続人は、相続開始の時前に特定事業用資産を有していた個人で、下記の①又は②に掲げる者をいいます（措法70の6の10①、措令40の7の10①）。

なお、このうち①は、前述した経営承継円滑化法における「第一種相続」に、②は「第二種相続」にそれぞれ該当します。

① 特定事業用資産に係る事業について、相続開始の日の属する年以前3年間にわたり所得税の確定申告書を青色申告書により提出している事業者（先代事業者）

② 上記①の被相続人（先代事業者）と生計を一にする親族で、上記①の被相続人の相続開始の時後に開始した相続に係る被相続人である者

このうち②の生計一の親族からの相続（第二種相続）は、①の先代事業者からの相続（第一種相続）の後、1年以内の相続である場合に納税猶予が適用されます。この場合に第一種相続と第二種相続は、いずれも平成31年1月1日から令和10年12月31日までの間に開始した相続に限られます。したがって、第二種相続が令和11年1月1日以後の場合には、その第二種相続について納税猶予は適用できません。この点は、贈与税の納税猶予制度と同じです。

(2) 相続人（後継者）の要件

相続税の納税猶予に適用対象になる「特例事業相続人等」は、被相続人から相続又は遺贈により特定事業用資産の取得をした個人で、次に掲げる要件の全てを満たす者をいいます（措法70の6の10②二、措規23の8の9④）。

① 経営承継円滑化法第2条に規定する中小企業者等で、同法第12条第1項の都道府県知事の認定を受けていること。

② 被相続人が60歳未満で死亡した場合を除き、相続開始の直前に特定事業用資産に係る事業（当該事業に準ずるものを含む）に従事していたこと。

③　相続開始の時からその相続に係る相続税の申告書の提出期限までの間に特定事業用資産に係る事業を引き継ぎ、相続税の申告書の提出期限まで引き続きその特定事業用資産の全てを有し、かつ、自己の事業の用に供していること。

④　相続税の申告書の提出期限において、所得税法の規定により特定事業用資産に係る事業について開業の届出書を提出していること及び青色申告の承認（みなし承認を含む）を受けていること又は受ける見込みであること。

⑤　被相続人から相続又は遺贈により財産を取得した者が、特定事業用宅地等に係る小規模宅地等の特例の適用を受けていないこと。

⑥　経営承継円滑化法及び同法施行規則の定めるところにより都道府県知事の確認を受けた個人事業承継計画に定められた後継者であること。

これらのうち②について、贈与税の納税猶予では、贈与前３年間事業に従事していたことが要件とされていますが、相続税の納税猶予では、相続が偶発的なものであることから、相続開始の直前に事業に従事していれば、その期間は問われません（被相続人が60歳未満で死亡した場合には、事業従事要件はありません）。

また、後継者は相続開始の直前に被相続人（先代事業者）の事業に従事していることが原則ですが、「当該事業に準ずるものを含む」とされていますから、被相続人の事業と同種・類似の事業を営む他の事業者のもとで事業に従事している場合には、特例事業相続人等の要件に該当します。この点は、贈与税の納税猶予と同じです。

上記④の青色申告の承認要件について、贈与税の納税猶予制度では「青色申告の承認（みなし承認を含む）を受けていること」とされていますが（前述565ページ）、相続の納税猶予制度では、上記のとおり「受ける見込みであること」が付加されています。これは、相続の開始が偶発的に生じることを考慮したものです（青色申告の承認を受ける見込みで納税猶予の適用を受けた場合において、その承認を受けられなかった場合には、後述593ページのとおり、納税猶予の取消しとなります）。

なお、上記⑤は、前述したとおり、相続税の納税猶予と特定事業用宅地等に係る小規模宅地等の特例は、いずれかの選択適用とされているための要件です。

3.　相続税の納税猶予税額の計算

⑴　納税猶予分の相続税額の計算方法

相続税の納税猶予制度では、特例事業用資産の価額に対応する相続税額が納税猶予分の相続税額となります。したがって、次ページのように税額計算を行うこととされています（措法70の６の10②三）。

なお、この計算方法は、前章（530ページ）で説明した特例措置としての非上場株式等の納税猶予制度と同じです。

① 相続又は遺贈により財産を取得した全ての者について、通常どおりの税額計算を行う。→ 特例事業相続人等以外の者の納付すべき税額は、この計算により確定する。

② 特例事業相続人等以外の者の取得財産の価額は不変とした上で、特例事業相続人等が特例事業用資産のみを取得したものとして、特例事業相続人等の税額を計算する（100円未満の端数切捨て）。→ この計算により算出された特例事業相続人等の税額が納税猶予税額になる。

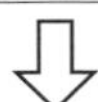

③ 上記①により算出された特例事業相続人等の相続税額から、②により計算された特例事業相続人等の納税猶予税額を控除した残額は、法定納期限までに納付する。

⑵ 控除すべき債務がある場合の納税猶予分の相続税額の計算方法

相続税の納税猶予の適用を受ける特例事業相続人等について、相続税法第13条の規定により控除すべき債務がある場合の猶予税額の計算の基礎となる特例事業用資産の価額は、その価額から「特定債務額」を控除した残額（特定価額）によることとされています（措令40の7の10⑨）。

これは、事業に関連する債務について債務控除を適用し、一方で、特例事業用資産の価額に対する相続税額の全額の納税猶予を認めると、その併用によって過度の負担軽減が生じるおそれがあるためです。

この場合の「特定債務額」とは、次の算式により計算した金額をいいます（措令40の7の10⑩）。

$$\left\{\overset{Ⓐ}{\left(\text{特例事業相続人等が負担すべき債務の額} - \text{左のうち事業関連債務の額}\right)} - \overset{Ⓑ}{\text{特例事業相続人等が取得したその他の財産の価額}}\right\} + \overset{Ⓒ}{\text{事業関連債務の額}}$$

(注)「Ⓐ－Ⓑ」の金額がゼロを下回る場合にはゼロとします。

<例>

・特例事業相続人等が取得した特定事業用資産の価額……１億円
・特例事業相続人等が取得したその他の財産の価額………4,000万円
・特例事業相続人等が負担すべき債務の額…………………2,000万円
・上記の債務のうち事業関連債務の額…………………………1,500万円

この例について、上記の算式に当てはめると、特定債務額は、

{〔2,000万円－1,500万円〕－4,000万円} ＋1,500万円＝1,500万円

となりますから、納税猶予税額を計算する場合の特例事業用資産の価額（特定価額）は、8,500万円（＝1億円－1,500万円）となります。要するに、事業に関連する債務の額に対応する税額分だけ納税猶予税額が圧縮されるということです。

実務上の問題は、事業に関連する債務の範囲です。この点については、「当該特例受贈事業用資産に係る事業に関するものと認められる債務のほか、当該事業に関するものと認められるもの以外の債務であることが金銭の貸付けに係る消費貸借に関する契約書その他の書面によって明らかにされない債務も含まれる」こととされています（措通70の6の8－25、70の6の10－23）。

したがって、いわゆる住宅ローンや教育ローンなど、契約書等で事業に関連しない債務であることが明らかであるものは、納税猶予税額の計算において、特定事業用資産の価額から控除する必要はありません。注意したいのは、事業上の債務であるか、事業と関係しない債務であるかが契約書等で明確になっていないものです。このような債務は、事業に関連する債務と推認されて、特定事業用資産の価額から控除することになると考えられます。

(3)　相続税の納税猶予税額の計算例

個人事業者に係る相続税の納税猶予について、納税猶予分の相続税額の計算方法を設例で確認すると、次のとおりです。

＜設　例＞

①　被相続人甲山太郎の相続財産及び相続債務は、次のとおりである。

・事業用資産………1億2,000万円（うち、300㎡の土地の評価額7,000万円）

・その他の財産……2億7,000万円

・相続債務…………3,000万円（うち、事業上の債務2,000万円）

②　甲山太郎の共同相続人は、甲山花子（配偶者）、甲山一郎（長男）及び甲山二郎（二男）の3人であり、遺産分割協議の結果、次のとおり財産と債務を承継することとした。

甲山花子……その他の財産 1億8,000万円

甲山一郎……事業用資産 1億2,000万円、その他の財産 3,000万円、事業上の債務 2,000万円

甲山二郎……その他の財産 6,000万円、その他の債務 1,000万円

③　甲山一郎は、特例事業相続人等として、事業用資産について相続税の納税猶予制度の適用を受けることとした。

〔計　算〕

《通常の計算による相続税額》

① 各相続人の課税価格

・甲山花子……１億8,000万円（その他の財産）

・甲山一郎……１億2,000万円（事業用資産）＋3,000万円（その他の財産）－2,000万円（事業上の債務）＝１億3,000万円

・甲山二郎……6,000万円（その他の財産）－1,000万円（その他の債務）＝5,000万円

② 課税価格の合計額　１億8,000万円＋１億3,000万円＋5,000万円＝３億6,000万円

③ 遺産に係る基礎控除額　3,000万円＋600万円×３人＝4,800万円

④ 課税遺産額　３億6,000万円－4,800万円＝３億1,200万円

⑤ 相続税の総額　7,820万円

⑥ 各相続人の課税価格と相続税額

	甲山　花子	甲山　一郎	甲山　二郎	合　計
事業用資産		120,000,000円		120,000,000円
その他の財産	180,000,000円	30,000,000円	60,000,000円	270,000,000円
債務控除		△20,000,000円	△10,000,000円	△30,000,000円
課税価格	180,000,000円	130,000,000円	50,000,000円	360,000,000円
相続税の総額				78,200,000円
（あん分割合）	（0.5）	（0.36）	（0.14）	（1.00）
算出税額	39,100,000円	28,152,000円	10,948,000円	78,200,000円
配偶者の軽減	△39,100,000円			△39,100,000円
相続税額	0円	28,152,000円	10,948,000円	38,100,000円

《納税猶予税額の計算》

① 各相続人の課税価格

・甲山花子……１億8,000万円（その他の財産）

・甲山一郎……１億2,000万円（事業用資産）－2,000万円（事業上の債務）＝１億円

・甲山二郎……6,000万円（その他の財産）－1,000万円（その他の債務）＝5,000万円

② 課税価格の合計額　１億8,000万円＋１億円＋5,000万円＝３億3,000万円

③ 遺産に係る基礎控除額　3,000万円＋600万円×３人＝4,800万円

④ 課税遺産額　３億3,000万円－4,800万円＝２億8,200万円

⑤ 相続税の総額　6,770万円

⑥ 甲山一郎の納税猶予税額

$$6{,}770万円 \times \frac{\overset{（甲山一郎の課税価格）}{1億円}}{\underset{（課税価格の合計額）}{3億3{,}000万円}} = 20{,}515{,}100円（100円未満切捨て）$$

⑦　甲山一郎の納付税額

28,152,000円－20,515,100円＝7,636,900円

（各相続人の相続税額）

		甲山　花子	甲山　一郎	甲山　二郎	合　計
相続税額		0円	28,152,000円	10,948,000円	39,100,000円
内訳	納付税額	0円	7,636,900円	10,948,000円	18,584,900円
	納税猶予税額		20,515,000円		20,515,000円

（注）相続税の納税猶予と特定事業用宅地等に係る小規模宅地等の特例とは、選択適用の関係にあることは、前述したとおりです。上記の設例において、甲山一郎の取得した事業用宅地（300㎡・評価額7,000万円）に小規模宅地等の特例を適用したとすると、同人の課税価格は、5,600万円（＝7,000万円×80％）減額されます。したがって、各相続人の課税価格は、次のようになります。

・甲山花子……１億8,000万円

・甲山一郎……１億3,000万円－5,600万円＝7,400万円

・甲山二郎……5,000万円

これに基づいて相続税額を計算すると、次のようになります。

	甲山　花子	甲山　一郎	甲山　二郎	合　計
事業用資産		64,000,000円		64,000,000円
その他の財産	180,000,000円	30,000,000円	60,000,000円	270,000,000円
債務控除		△20,000,000円	△10,000,000円	△30,000,000円
課税価格	180,000,000円	74,000,000円	50,000,000円	304,000,000円
相続税の総額				58,600,000円
（あん分割合）	(0.59)	(0.24)	(0.17)	(1.00)
算出税額	34,574,000円	14,064,000円	9,962,000円	58,600,000円
配偶者の軽減	△29,300,000円			△29,300,000円
納付税額	5,274,000円	14,064,000円	9,962,000円	29,300,000円

この結果、期限内の納付税額を比較すれば、甲山一郎及び甲山花子は、納税猶予の適用を受けるよりも小規模宅地等の特例の適用を受ける方が増加し、甲山二郎は、逆に減少します。

これは、納税猶予と小規模宅地等の特例では、課税計算の方法が異なるからですが、いずれの特例を選択するかによって、共同相続人間で相反する利害得失が生じる場合があることに留意する必要があります。

(4)　代償分割が行われた場合の納税猶予税額の計算方法

ところで、特例事業相続人等が8,000万円の特定事業用資産と2,000万円のその他の財産を取得し、同人が他の相続人に対して5,000万円の代償財産を交付したような場合に、納税猶予税額の計算上、代償財産の価額を特定事業用資産の価額から優先的に控除するのか、あるいは、その他の財産の価額から優先的に控除するのかという疑問が生じます。

この場合に、代償財産の価額を特定事業用資産の価額から優先的に控除すると、納税猶

予の対象となる特定事業用資産の価額は3,000万円（＝8,000万円－5,000万円）となり、逆にその他の財産の価額から優先的に控除すると、特定事業用資産の価額は5,000万円（＝8,000万円－(5,000万円－2,000万円)）となります。

この点については、納税者有利（納税猶予税額が大きくなる）の見地から、代償財産の価額をその他の財産の価額から優先的に控除してよいこととされています（令和２年１月14日付「国税庁資産課税課情報第２号」43ページ）。

なお、これとは別に、遺産の分割に当たり、遺産の代償として取得した他の共同相続人が所有していた資産は、被相続人の相続開始の直前に有していたものではないため、納税猶予の対象となる特定事業用資産には該当しないこととされています（措通70の６の10－３）。

4. 納税猶予の確定と納税猶予の継続の特例

(1) 納税猶予税額の全部確定

相続税の納税猶予の適用を受けた後に、特例事業相続人等、特例事業用資産又はその事業について、下記の事由のいずれかに該当することとなった場合には、納税猶予の期限が到来（納税猶予の取消し）することになり、それぞれに定める日から２か月を経過する日までに猶予税額の全部を利子税とともに納付しなければなりません（措法70の６の10③）。

〔納税猶予税額の全部確定事由〕

① 特例事業相続人等が事業を廃止した場合……その事業を廃止した日
② 特例事業相続人等について破産手続開始の決定があった場合……その決定があった日
③ その事業が資産保有型事業、資産運用型事業又は性風俗特殊関連営業のいずれかに該当することとなった場合……その該当することとなった日
④ その年のその事業に係る事業所得の総収入金額がゼロとなった場合……その年の12月31日
⑤ 特例事業用資産の全てがその年の事業所得に係る青色申告書の貸借対照表に計上されなくなった場合……その年の12月31日
⑥ 特例事業相続人等が青色申告の承認を取り消された場合又は青色申告書の提出をやめる旨の届出書を提出した場合……その承認が取り消された日又はその届出書の提出があった日
⑦ 特例事業相続人等がこの制度の適用を受けることをやめる旨を記載した届出書を納税地の所轄税務署長に提出した場合……その届出書の提出があった日
⑧ 特例事業相続人等が青色申告の承認を受ける見込みで納税猶予の適用を受けた場合において、その承認の申請が却下されたとき……その申請が却下された日

これらの事由は、⑧を除き、贈与税の納税猶予と同じです。また、上記のほか、申告後の「継続届出書」を届出期限までに提出しなかった場合や増担保命令に応じない場合に

も、納税猶予税額の全部についてその期限が到来することも贈与税の納税猶予の場合と同じです（措法70の６の10⑬、措通70の６の10－17）。

⑵　納税猶予税額の一部確定

特例事業用資産の一部が特例事業相続人等の事業の用に供されなくなった場合には、その時点の納税猶予税額のうち、事業の用に供されなくなった部分に対応する相続税については、その事業の用に供されなくなった日から２か月を経過する日が納税猶予に係る期限となります（措法70の６の10④、措令40の７の10⑮）。この点は、贈与税の納税猶予と同じです。

⑶　事業用資産の廃棄・買換え・現物出資による法人化の場合の納税猶予の継続特例

特例事業用資産が事業の用に供されなくなった場合には、原則として納税猶予が確定することになります。ただし、事業の用に供されなくなった事由がその特例事業用資産の陳腐化、腐食、損耗その他これらに準ずる事由による「廃棄」である場合には、その旨の届出書を納税地の所轄税務署長に提出することによって納税猶予が継続することとされており（措法70の６の10④、措令40の７の10⑮）、贈与税の納税猶予と同じ措置が講じられています。

また、特例受贈事業用資産を譲渡した場合において、その譲渡があった日から１年以内にその譲渡の対価の全部又は一部をもって事業の用に供する資産を取得する見込みであることについて所轄税務署長の承認を受け、その期間内に事業の用に供される資産を取得したときは、贈与税の納税猶予の場合と同様に、相続税の納税猶予が継続することとされています（措法70の６10⑤、措令40の７の10⑱～㉑、措規23の８の９⑧）。

さらに、特例事業相続人等が相続税の納税猶予の適用に係る申告期限の翌日から５年経過後に、特例事業用資産の全てを現物出資して会社を設立した場合の法人化の特例についても贈与税と同様です（措法70の６の10⑥、措令40の７の10㉒㉕㉓、措規23の８の９⑨⑩⑫⑬）。

⑷　納税猶予の確定と利子税の納付

納税猶予の適用を受けた後、猶予税額が免除される前に納税猶予の期限が到来した場合には、その納税猶予税額とともに申告期限からの期間に応ずる利子税を納付しなければなりません（措法70の６の10㉖）。

利子税の割合は、年3.6％ですが、前章（497ページ）で説明した特例による軽減措置が講じられています（措法93⑤）。

（注） 令和２年分の利子税の割合は、年0.7％です。

5. 納税猶予税額の免除

⑴ 届出による猶予税額の免除

相続税の納税猶予の適用を受けた後に、一定の事由が生じた場合には、猶予税額の全部又は一部が免除されます。その事由には、所轄税務署長に届出をすることによって免除されるものと、所轄税務署長に申請することによって免除となるものがあります。

まず、届出によって免除となる事由は次のとおりで、これらに該当した場合には、その時点の猶予中相続税額が全額免除になります（措法70の６の10⑮、措令40の７の10㉗、措規23の８の９⑯～⑲）。

① 特例事業相続人等が死亡した場合

② 特定申告期限の翌日から５年を経過する日後に、特例事業相続人等が特例事業用資産の全てを「贈与税の納税猶予」の適用に係る贈与をした場合

③ 特例事業相続人等がやむを得ない理由により事業を継続することができなくなった場合

これらの免除事由は、①を除いて前述（575ページ）した贈与税の免除の規定と同じです。上記の①は、後継者である特例事業相続人等が死亡した場合であり、その時点の納税猶予税額の全額が免除されますが、このケースは、特例事業相続人等についての通常の相続開始であり、特例事業用資産をはじめ、その特例事業相続人等の相続財産は、その者の相続人に承継されます。

なお、特例事業相続人等の相続開始が令和10年12月31日までの場合に、一定の要件を満たせば、特例事業用資産を相続した相続人について、相続税の納税猶予の適用を受けることができます。

上記の②は、特例事業相続人等が、その後継者（３代目事業者）に特例事業用資産の全てを贈与（再贈与）した場合の免除規定で、再贈与を受けた者（３代目事業者）が贈与税の納税猶予の適用を受ければ、贈与をした特例事業相続人等（２代目事業者）の納税猶予税額が免除されます。

(注) 上記②の「特定申告期限」とは、特例事業相続人等についての次に掲げる日のいずれか早い日をいいます（措法70の６の10⑥）。

イ 最初の相続税の納税猶予（措法70の６の10①）の適用に係る相続に係る相続税の申告書の提出期限

ロ 最初の贈与税の納税猶予（措法70の６の８①）の適用に係る贈与の日の属する年分の贈与税の申告書の提出期限

上記の③における事業を継続することができなくなった「やむを得ない理由」とは、贈与税の免除の項で述べたことと同様であり、次のいずれかに該当することとなった場合を

いいます（措規23の８の９⑲、23の８の８㉑）。

イ　精神障害者保健福祉手帳（障害等級が１級であるものとして記載されているものに限る）の交付を受けたこと。

ロ　身体障害者手帳（身体上の障害の程度が１級又は２級である者として記載されているものに限る）の交付を受けたこと。

ハ　要介護認定（要介護状態区分が要介護５に該当するものに限る）を受けたこと。

なお、上記の免除を受けようとする特例事業受贈者又はその相続人（包括受遺者を含む）は、その該当することとなった日（上記の②の場合には、その贈与を受けた者が贈与税の申告書を提出した日）から６か月を経過する日までに、一定の事項を記載した届出書に一定の書類を添付して納税地の所轄税務署長に提出しなければなりません。

⑵　申請による猶予税額の免除

特例事業用資産の全てを一定の者に譲渡した場合や特例事業相続人等が破産手続開始の決定があった場合の猶予税額の免除、経営環境の悪化に対応した猶予税額の免除、再生計画の認可決定等があった場合の猶予税額の再計算の特例及びこれらの手続等については、贈与税の納税猶予と同じです（措法70の６の10⑰～㉕、措令40の７の10㉙～㉝、措規23の８の９⑳～㉕）。

これらの詳細については、贈与税の納税猶予の項を参照してください。

6.　納税猶予の適用手続

⑴　期限内申告要件

特定事業用資産について納税猶予の適用を受けるためには、相続税の申告書に必要な書類を添付して申告期限内に提出する必要があることは、贈与税の納税猶予と同じです（措法70の６の10①⑨）。

(注) 相続税の申告書に添付すべき書類は、次のとおりです（措規23の８の８⑫）。

①　次に掲げる事項を記載した書類

イ　被相続人の死亡による相続開始があったことを知った日

ロ　その他参考となるべき事項

②　被相続人の相続開始があったことを知った日がその相続開始の日と異なる場合には、特例事業相続人等がその相続開始があったことを知った日を明らかにする書類

③　遺言書の写し、遺産分割協議書（全ての共同相続人及び包括受遺者が自署し、自己の印を押しているものに限る）の写し（自己の印に係る印鑑証明書が添付されているものに限る）その他財産の取得の状況を明らかにする書類

④　特定事業用資産の区分に応じ、それぞれ次に定める書類

イ　償却資産……償却資産についての価格等の通知書の写しその他の書類で、償却資産

課税台帳に登録されている次の事項が記載されているもの
㋐ その資産の所有者の住所及び氏名
㋑ その資産の所在、種類、数量及び価格
ロ 自動車税又は軽自動車税において営業用の標準税率が適用される自動車……道路運送車両法の規定により交付を受けた自動車検査証の写し又は市区町村長より交付を受けたこれらの資産に係る納税証明書の写しその他これらの資産が自動車税及び軽自動車税において営業用の標準税率が適用されていることを明らかにするもの
ハ ロ以外の自動車及び原動機付自転車、二輪の軽自動車及び小型特殊自動車……これらの資産に該当することを明らかにする書類
ニ 無形固定資産及び生物のうち果樹、畑又は樹木……その資産が所在する敷地が耕作の用に供されていることを証する書類
⑤ 被相続人が60歳以上で死亡した場合には、特例事業相続人等が相続開始の直前において特定事業用資産に係る事業に従事していた旨及びその事実の詳細を記載した書類
⑥ 経営承継円滑化法施行規則第７条第14項の都道府県知事の認定書の写し及び同規則第７条第11項の認定申請書の写し
⑦ 経営承継円滑化法施行規則第17条第５項の都道府県知事の確認書の写し及び同規則第17条第４項の確認申請書の写し
⑧ その他参考となるべき書類

⑵ 担保の提供

特定事業用資産に係る納税猶予制度の適用上は、他の納税猶予制度と同様に、申告期限までに納税猶予に係る相続税の本税と納税猶予期間中の利子税の額との合計額に相当する担保の提供を要します（措法70の６の10①）。

なお、この場合の利子税の額は、相続税の申告書の提出期限における特例事業相続人等の平均余命年数を納税猶予期間として計算した額によることとされています（措通70の６の10－10）。

⑶ 納税猶予期間中の継続届出書の提出

特定事業用資産に係る納税猶予の適用を受ける特例事業相続人等は、相続税の申告期限の翌日から猶予中相続税額に相当する相続税の全部につき納税の猶予に係る期限が到来するまでの間に特例相続報告基準日が存する場合には、届出期限までに、引き続いてこの特例の適用を受けたい旨及び特例事業用資産に係る事業に関する事項を記載した継続届出書に必要な書類を添付して、これを納税地の所轄税務署長に提出しなければなりません（措法70の６の10⑩、措令40の７の10㉖、措規23の８の９⑬～⑮）。

この場合の「特例相続報告基準日」とは、特定申告期限の翌日から３年を経過するごとの日をいいます。また、上記の届出期限は、特例相続報告基準日の翌日から３か月を経過する日をいいます。要するに、納税猶予の継続中は、贈与税の納税猶予の場合と同様に、３年ごとに継続届出書を提出するということです。

Ⅳ　事業用資産の贈与者が死亡した場合の相続税課税の特例

1. 事業用資産の贈与者の死亡とみなし相続

(1) 特例受贈事業用資産に対する相続税課税

個人の事業用資産について贈与税の納税猶予の適用を受けた後、その適用を受けた特例事業受贈者に係る贈与者が死亡した場合には、前述（575ページ）のとおり猶予中贈与税額が免除されるのですが、その贈与者の死亡に係る相続税については、次のようになります（措法70の６の９①）。

① 贈与税の納税猶予の適用を受けた特例受贈事業用資産は、その特例事業受贈者がその贈与者から相続又は遺贈により取得したものとみなす。

② 相続税の課税価格に算入する特例受贈事業用資産の価額は、その特例受贈事業用資産の贈与の時における価額とする。

このしくみは、前章（546ページ）で説明した非上場株式等の納税猶予制度の場合と同じです。ただし、贈与者から特例受贈事業用資産の贈与を受けた時に、その特例受贈事業用資産とともに債務を引き受けていたときは、次の算式により特例受贈事業用資産の価額からその債務の金額を控除した価額を基礎として相続税を計算することとされています（措通70の６の９－１(2)）。

$$\text{特例受贈事業用資産の贈与時の価額} \times \frac{\text{特例受贈事業用資産の価額の合計額} - \text{控除された債務の金額}}{\text{特例受贈事業用資産の価額の合計額}}$$

なお、前述（571ページ）したとおり、贈与税の納税猶予の適用を受けた特例受贈事業用資産を廃棄した場合には、所轄税務署長に届出をすることによって納税猶予が継続することとされていますが（措令40の７の８⑱）、その届出をした特例受贈事業用資産についても相続又は遺贈により取得したものとみなされます（措通70 の６の９－１(3)）。

(注) 贈与税の納税猶予の適用を受けた特例事業受贈者（２代目事業者）が特定申告期限の翌日から５年を経過した後に、特例受贈事業用資産の全てをその後継者（３代目事業者）に贈与（再贈与）をした場合には、その贈与者（２代目事業者）の納税猶予税額が免除され、その受贈者（３代目事業者）が贈与税の納税猶予の適用を受けることができます（前述576ページ）。

　この場合に、最初の贈与者（先代事業者）に相続が開始すると、その特例受贈事業用資産は、再贈与を受けた受贈者（３代目事業者）が最初の贈与者から相続又は遺贈により取得したものとみなされます。そのみなし相続に係る相続税の課税価格に算入する特例受贈事業用資産の価額は、最初の贈与があった時の価額によります（措法70の６の９②、措令40の７の９、40の７の８③）。

(2) みなし相続税課税と相続時精算課税との関係

上記(1)のみなし相続によって相続税が課される特例受贈事業用資産は、その贈与者の死亡の時において納税猶予の適用を受けているものに限られるため、その贈与者の死亡の日前にその全部又は一部について納税猶予の期限が確定した贈与税に対応する特例受贈事業用資産については、みなし相続の規定は適用されず、相続税の課税対象にはなりません。

もっとも、相続時精算課税に係る贈与者（特定贈与者）が死亡した場合には、次のような課税関係が生じることとされています。

① 特定贈与者から相続又は遺贈により財産を取得した者については、その特定贈与者からの贈与により取得した財産で、相続時精算課税の適用を受けたものの価額をその者の相続税の課税価格に加算する（相法21の15①）。

② 特定贈与者から相続又は遺贈により財産を取得しなかった者については、その特定贈与者からの贈与により取得した財産で、相続時精算課税の適用を受けたものをその特定贈与者から相続又は遺贈により取得したものとみなして、その者の相続税を計算する（相法21の16①）。

したがって、贈与税の納税猶予に係る贈与者が死亡した場合において、その贈与者の死亡の日前に、その納税猶予に係る贈与税の全部又は一部について納税猶予の期限が確定しているときにおけるその期限の確定に係る特例受贈事業用資産は、上記①又は②の相続税法の規定により、贈与の時の価額で相続税が課税されることになります。

この場合において、その納税猶予の期限の確定した贈与税については、相続税額から控除され（相法21の16④）、控除しきれなかった金額については、相続税の申告により還付されます（相法27の３、33の２①）。

なお、特定贈与者からの贈与により取得した財産であっても、その特定贈与者の死亡により免除された猶予中贈与税額に対応する特例受贈事業用資産については、相続税法における相続時精算課税の規定は適用しないこととされており（措法70の６の８⑬六）、この場合には、上記(1)のみなし相続の課税規定のみが適用されます。

2. みなし相続に係る相続税の納税猶予制度の適用

(1) 特例受贈事業用資産に対する相続税の納税猶予

上記のとおり贈与税の納税猶予の適用に係る贈与者が死亡した場合には、特例受贈事業用資産に対して相続税が課税されるのですが、その相続税について所定の要件を満たすことにより、相続税の納税猶予の適用を受けることができます（措法70の６の10㉚）。

この場合の相続税の納税猶予の適用は、租税特別措置法第70条の６の10第30項における同条第１項の読替規定によるのですが、相続の時期について、「平成31年１月１日から令和10年12月31日までの間」という要件はありません。したがって、贈与税の納税猶予に係る贈与者の死亡によるみなし相続に伴う相続税についての納税猶予は、その贈与者の死亡が令和11年1月1日以後であっても、その適用を受けることができます。

この場合の納税猶予の適用要件は、相続開始の時期を除けば、前述した相続税の納税猶予と全て同じです。被相続人（贈与税の納税猶予に係る贈与者）及び相続人の要件、納税猶予の対象になる特定事業用資産の範囲、相続税の納税猶予税額の計算方法、納税猶予の確定及び免除の事由、適用手続など、前述したところを参照してください。

なお、贈与税の納税猶予では、先代事業者から後継者に対する特定事業用資産の贈与（第一種贈与）とその先代事業者と生計を一にする親族からの贈与（第二種贈与）がありましたが、先代事業者の死亡によるみなし相続はもとより、その生計一親族が死亡した場合にもみなし相続となります。この場合の相続に係る相続税についても相続税の納税猶予の適用を受けることがきできます。

⑵　贈与税の納税猶予から相続税の納税猶予への移行の手続

贈与税の納税猶予の適用を受けていた特例事業受贈者が、みなし相続に伴う相続税について相続税の納税猶予の適用を受けるためには、経営承継円滑化法による一定の手続を要します。具体的には、特例事業受贈者が贈与者の相続開始の日の翌日から８か月を経過する日までに、都道府県知事に「確認申請書（切替確認書）」を提出して、その確認を受ける必要があります（円滑化規則13⑥、措法70の６の10②二ト、措規23の８の９④）。

なお、相続税の納税猶予に移行するためには、都道府県知事の確認が必要ですが、相続に係る「個人事業承継計画」を都道府県知事に提出する必要はありません。

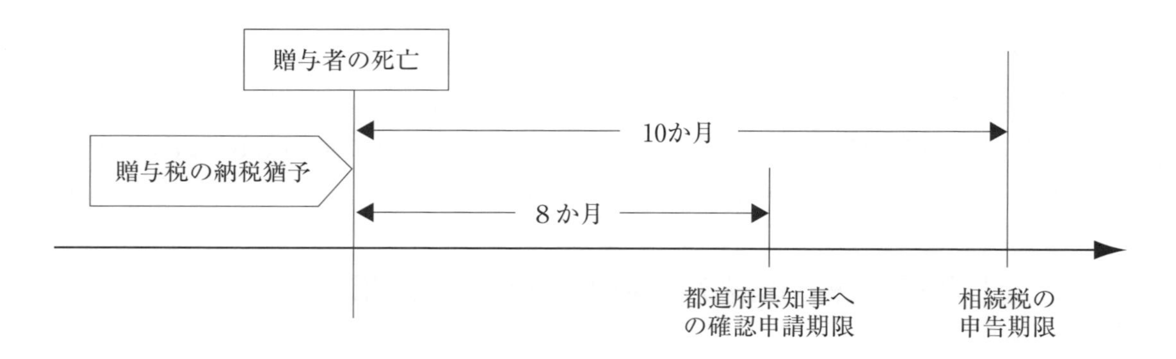

この手続は、特例事業受贈者が、先代事業者の生計一親族から特定事業用資産の贈与を受けて贈与税の納税猶予の適用を受けた後、その生計一親族の死亡により相続税の納税猶予に移行する場合も同じで、その生計一親族の相続開始の日の翌日から８か月を経過する日までに都道府県知事に確認申請書を提出する必要があります。

（注） その生計一親族が先代事業者より先に死亡し、贈与税の納税猶予から相続税の納税猶予に移行した場合には、先代事業者からの贈与に係る贈与税の納税猶予と生計一親族の死亡

に伴って適用を受ける相続税の納税猶予が並列的に適用されることになります。次のようなイメージです。

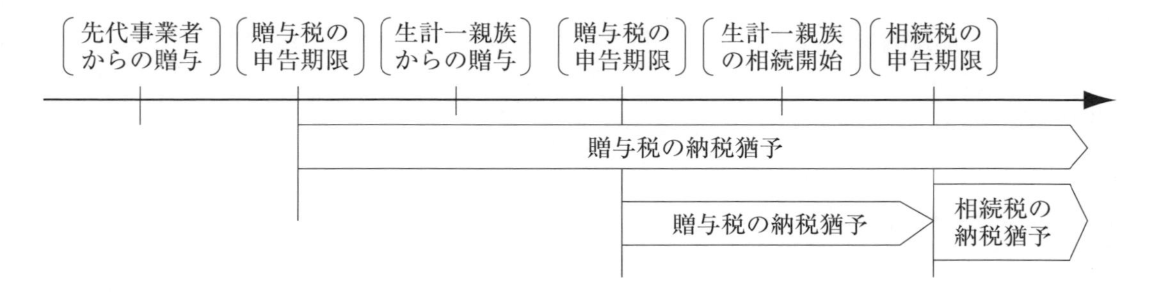

ところで、特定事業用資産を贈与により取得し、贈与税の納税猶予の適用を受けた後、贈与税の申告期限の翌日から５年経過後に、個人事業を法人化した場合に贈与税の納税猶予が継続する特例があることは前述（574ページ）したとおりです。

この法人化の特例の適用を受けた後に、特定事業用資産の贈与者（先代事業者）に相続が開始すると、みなし相続の規定が適用されるのですが、その相続税についても相続税の納税猶予の適用を受けることができます。この場合も贈与税の納税猶予から相続税の納税猶予への移行であり、上記と同様に、その相続開始（先代事業者の死亡）の翌日から８か月を経過する日までに、都道府県知事に「確認申請書（法人成りをした場合における切替確認書）」を提出し、その確認を受ける必要があります（円滑化省令13⑨）。

なお、この場合にも相続に係る「個人事業承継計画」を都道府県知事に提出する必要はありません。

第7章

相続税の納付と延納・物納の実務

Ⅰ　相続税の納付方法と選択

1.　相続税の納付期限

⑴　納付期限

申告納税方式による国税の納付税額は、申告（期限内申告、期限後申告、修正申告）、更正又は決定により確定することとされており（通則法16①一）、確定した税額は、所定の納期限までに金銭で全額一時納付することが原則です。相続税ももちろん国税ですから、この規定に従いますが、具体的な納期限は次のとおりです。

①　期限内申告分……期限内申告書の提出期限（相続の開始を知った日の翌日から10か月以内）

②　期限後申告分……期限後申告書を提出した日

③　修正申告分……修正申告書を提出した日

④　更　　正　　分……更正通知書が発せられた日の翌日から起算して１か月を経過する日

⑤　決　　定　　分……決定通知書が発せられた日の翌日から起算して１か月を経過する日

（注）相続税の申告書の提出期限後に、相続税の課税財産について、災害によりその10%以上の部分に甚大な被害を受けた場合には、納税者の申請（災害のやんだ日から２か月以内に申請書を提出）により、被害を受けた日以後に納付すべき税額のうち、被害額に対応する税額の免除を受けることができます（災免法４）。

　また、相続税の申告期限前に、相続税の課税財産について、災害によりその10%以上の部分に甚大な被害を受けた場合には、納付すべき税額の計算に当たり、課税財産の価額から被害を受けた部分の価額を控除してその計算をすることができます（災免法６）。

⑵　納付の遅延と延滞税

納付すべき税額を上記所定の納期限までに納付しなかった場合には、延滞税の納付を要します（通則法60①）。

延滞税の額は、原則として、納期限の翌日から起算して納付すべき税額を完納する日までの期間に応じ、その税額に年14.6%（具体的納期限の翌日から２か月を経過する日までの期間は、年7.3%）の割合を乗じて計算されます（通則法60②）。

ただし、「年14.6%」及び「年7.3%」について、各年の延滞税特例基準割合が年7.3%に満たない場合には、次によることとされています（措法94①）。

①　年14.6%の割合の延滞税 …… 延滞税特例基準割合に年7.3%を加算した割合

②　年7.3%の割合の延滞税　…… 延滞税特例基準割合に年１%を加算した割合

この場合の「延滞税特例基準割合」とは、日本銀行が公表する各年の前々年の10月から前年９月までの「国内銀行の短期貸出約定平均金利」として前年12月15日までに財務大臣が告示する割合に年１％を加算した割合をいいます（措法93②）。

（注）令和２年分の財務大臣の告示する割合は、年0.6％とされています（令和元年12月12日財務省告示第180号）。したがって、延滞税特例基準割合は、年1.8％（＝0.6％＋１％）となり、同年分の延滞税の割合は、次のようになります。
イ　年14.6％の割合が適用される延滞税……年1.6％＋年7.3％＝年8.9％
ロ　年7.3％の割合が適用される延滞税　……年1.6％＋年１％＝年2.6％

なお、相続税の申告書は、相続の開始があったことを知った日の翌日から10か月以内とされていますが（相法27①）、相続の開始を「知る」とは、相続人等の内心の問題であるため、申告期限を不当に延長するおそれがないとはいえません。そこで、相続税法は、申告期限前であっても、被相続人が死亡した日の翌日から10か月を経過したときは、相続税について更正又は決定を行うことができることとされています（相法35②一）。この規定によって決定等が行われても延滞税は課さないこととされています。

〔延滞税の割合〕

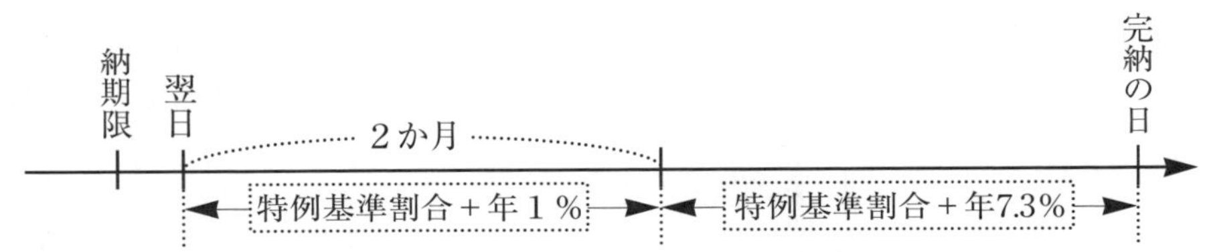

（注）特例基準割合は各年ごとに公表されるため、財務大臣の告示による割合が変更された場合には、上記の各期間内で延滞税の割合が異なることがあります。

延滞税の具体的な計算方法は、次の算式のとおりです（通則法118③、119④）。なお、年14.6％の割合は日歩４銭（14.6％÷365日＝0.0004）、年7.3％は日歩２銭（7.3％÷365日＝0.0002）により計算できますが、特例基準割合は財務大臣の告示する割合に連動するため、365日で割り切れない場合があります。この場合は、延滞税の割合の異なる計算期間ごとの金額の１円未満の端数を切り捨てることとされています（措法96）。

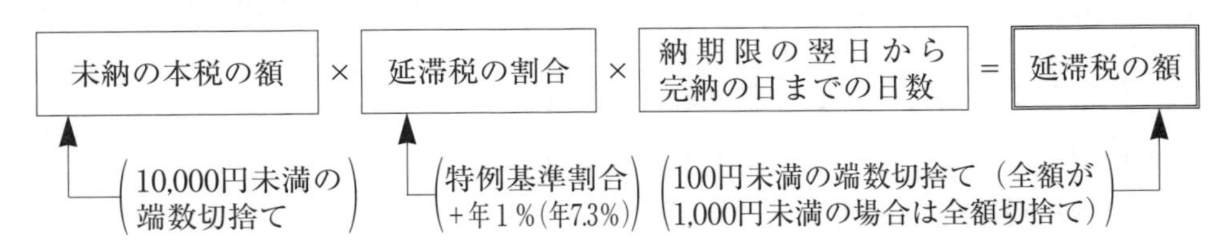

〔延滞税の計算例〕

①　期限内申告書を提出し、納付が期限後になった場合
・法定納期限…………………４月10日
・本税の完納の日…………８月６日
・納付すべき本税の額……8,765,400円
・特例基準割合……………年1.6％（→２か月以内・年2.6％、２か月経過後・年8.9％）

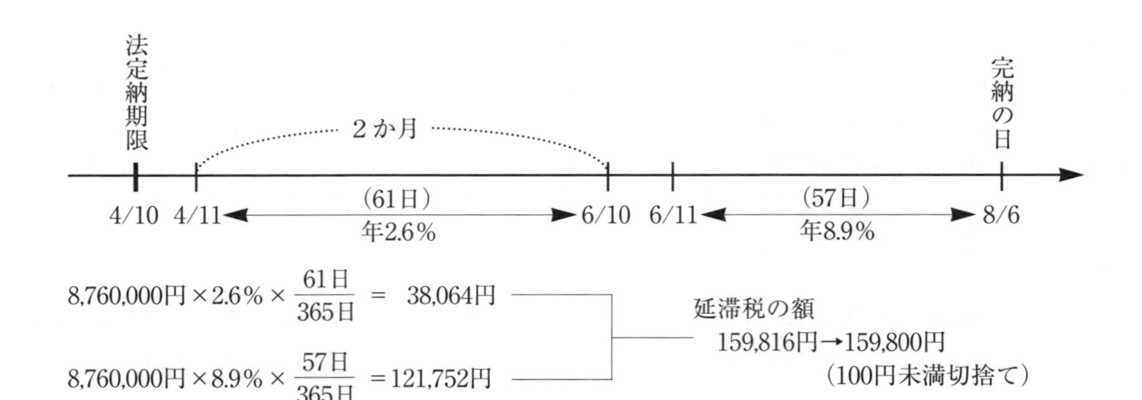

8,760,000円×2.6%×$\frac{61日}{365日}$ ＝ 38,064円
8,760,000円×8.9%×$\frac{57日}{365日}$ ＝121,752円
延滞税の額
159,816円→159,800円
（100円未満切捨て）

②　修正申告書又は期限後申告書の提出により納付すべき税額が確定した場合

・法定納期限……………………………………３月５日
・具体的期限（修正申告書等の提出日）……８月20日
・修正申告等による納付税額の完納の日……12月26日
・納付すべき修正申告等に係る税額…………7,728,900円
・特例基準割合…………………………………年1.6%
（→２か月以内・年2.6%、２か月経過後・年8.9%）

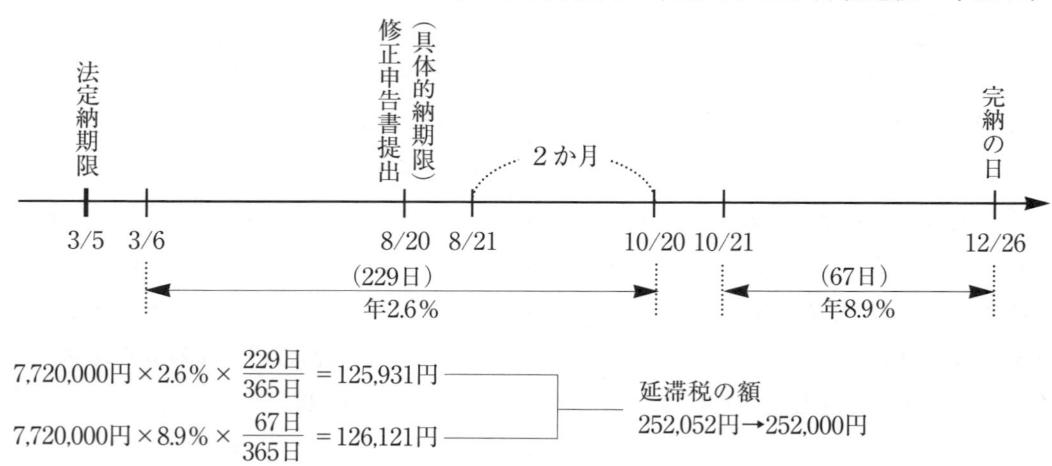

7,720,000円×2.6%×$\frac{229日}{365日}$ ＝125,931円
7,720,000円×8.9%×$\frac{67日}{365日}$ ＝126,121円
延滞税の額
252,052円→252,000円

③　更正又は決定により納付すべき税額が確定した場合

・法定納期限………………………………X_0年９月10日
・更正（決定）通知書の発付日…………X_1年６月15日
・具体的期限………………………………X_1日７月15日
・更正等による納付税額の完納の日……X_1年10月30日
・納付すべき更正等に係る税額……………6,589,700円
・特例基準割合……………………………（X_0年分）年1.6%（→２か月以内・年2.6%、２か月経過後・年8.9%）、（X_1年分）年1.5%（→２か月以内・年2.5%、２か月経過後・年8.8%）

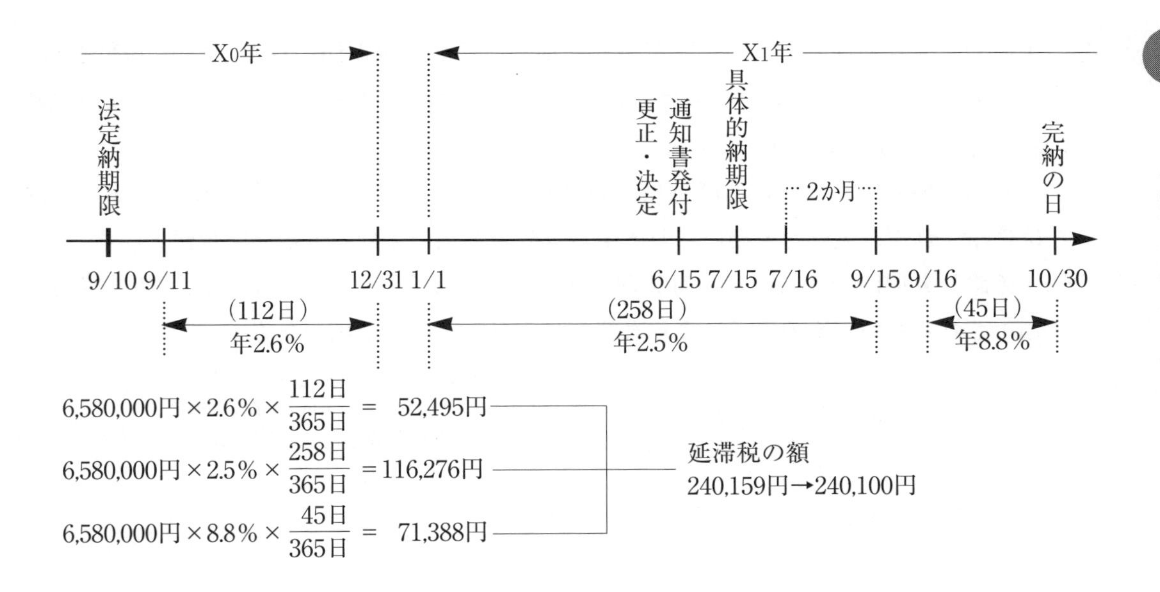

⑶　延滞税の計算期間の特例

国税について期限内申告書が提出されている場合において、その法定申告期限から１年を経過する日後に修正申告書が提出され又は更正通知書が発せられたときは、その法定申告期限から１年を経過する日の翌日からその修正申告書が提出され又は更正通知書が発せられた日までの期間は、延滞税の計算期間から除くこととされています（通則法61①）。

これは、申告後１年以上も経過した後に修正申告や更正があった場合に、法定申告期限まで遡って延滞税を課すことは適当とはいえないことから、その軽減を図っているものです。ただし、偽りその他不正の行為により納税を免れている場合には、この軽減措置は適用されません。したがって、重加算税が課される事案については通常どおり延滞税が賦課されます。

⑷　延納・物納による徴収猶予と延滞税

ところで、相続税の納付について、延納申請をした場合又は物納申請をした場合は、これらの申請が明らかに不適当と認められるときを除き、その申請税額について、納期限の翌日からこれらの申請の許可（一部許可）、却下又は取下げ（みなす取下げ）のあった日までの間は徴収猶予の手続がとられます（相法40①、42㉜、相基通40－1、42－16）。

国税の徴収猶予がされた場合は、延滞税について、その納期限の翌日から２か月を経過する日以後の期間に対応する部分の金額の２分の１相当額が免除されます（通則法63④）。要するに、延納や物納の申請後に、その申請が却下された場合や納税者がその申請を取り下げた場合には、〔特例基準割合＋年7.3％〕の部分について、その２分の１が免除されるわけです。

この場合、免除対象期間（〔特例基準割合＋年7.3％〕の延滞税が課される期間のうち２

分の１免除となる期間）のうちに、軽減対象期間（免除対象期間のうち、特例基準割合が適用される期間）が含まれる場合は、延滞税の免除金額の特例が適用されます（措法94②)。徴収猶予と延滞税の計算との関係は、次のようになります。

① 免除対象期間のうちに軽減対象期間が含まれない場合――延滞税の免除金額の特例は適用されず、免除対象期間に対応する部分の金額の２分の１が免除金額となる。

② 免除対象期間のうちに軽減対象期間が含まれる場合――延滞税の免除期間の特例が適用されるため、次の算式により計算される金額が免除金額となる。

$$（上記①の金額）+\left(\text{軽減対象期間に対応する金額の２分の１に相当する金額}\times\frac{〔\text{特例基準割合}+\text{年１％}〕-\text{軽減対象期間に係る特例基準割合}}{\text{特例基準割合}+\text{年１％}}\right)$$

これを計算例で示すと、次のとおりです。

【計算例】

・延滞税の計算の基礎となる本税の額……12,543,000円
・期限内申告に係る納期限……………………X_0年２月５日
・納期限から２か月を経過する日…………X_0年４月５日
・延納（物納）申請の取下げの日…………X_2年５月20日
・本税の完納の日…………………………X_2年６月10日
・特例基準割合……………………………（X_0年分）年1.6%
（→２か月以内・年2.6%、２か月経過後・年8.9%）
（X_1年分）年1.5%
（→２か月以内・年2.5%、２か月経過後・年8.8%）
（X_2年分）年1.8%
（→２か月以内・年2.8%、２か月経過後・年9.1%）

① 納期限から２か月を経過する日までの期間の延滞税の額（X_0年２月６日～X_0年４月５日…59日）

$$12{,}540{,}000円\times2.6\%\times\frac{59日}{365日}=52{,}702円\rightarrow52{,}700円$$

② 年8.9%の割合が適用される期間の本来の延滞税の額（X_0年４月６日～X_2年６月10日…796日）

$$12{,}540{,}000円\times8.9\%\times\frac{796日}{365日}=2{,}433{,}928円\rightarrow2{,}433{,}900円$$

③ ②の延滞税のうち免除される金額

○ X_0年分（X_0年４月６日～X_0年12月31日…270日）

$$12,540,000円 \times 8.9\% \times \frac{270日}{365日} = 825,578円$$

$$825,578円 \times \frac{1}{2} = 412,789円$$

$$412,789円 + 412,789円 \times \frac{2.6\% - 1.6\%}{2.6\%} = 571,553円$$

（納付延滞税の額　825,578円－571,553円＝254,025円→254,000円）

○　X_1年分（X_1年１月１日～X_1年12月31日…365日）

$$12,540,000円 \times 8.8\% \times \frac{365日}{365日} = 1,103,520円$$

$$1,103,520円 \times \frac{1}{2} = 551,760円$$

$$551,760円 + 551,760円 \times \frac{2.5\% - 1.5\%}{2.5\%} = 772,464円$$

（納付延滞税の額　1,103,520円－772,464円＝331,056円→331,000円）

○　X_2年分（X_2年１月１日～X_2年５月20日…140日）

$$12,540,000円 \times 9.1\% \times \frac{140日}{365日} = 437,697円$$

$$437,697円 \times \frac{1}{2} = 218,848円$$

$$218,848円 + 218,848円 \times \frac{2.8\% - 1.8\%}{2.8\%} = 297,008円$$

（納付延滞税の額　437,697円－297,008円＝140,689円→140,600円）

この計算は要するに、徴収猶予される免除対象期間について、特例基準割合が適用される場合は、その間の延滞税（本来であれば〔特例基準割合＋年7.3%〕による）について、特例基準割合によって計算される額に軽減されるということです。

なお、未分割遺産が申告期限後に分割されたことなど、相続税に特有の事由による修正申告に係る延滞税については、相続税法に特則規定が設けられていますが、その内容は後述します（第８章744ページ）。

2.　相続税の納付方法と選択

⑴　納付方法の選択

相続税の納付方法としては、金銭による一時納付、延納及び物納の３つがありますが、延納と物納は、納付方法の特例とされています。このため、延納と物納は、金銭納付を困難とする事由があることのほか、一定の要件に該当する場合にのみ可能です。これらの納付方法の選択について、基本的な考え方は次のようになるでしょう。

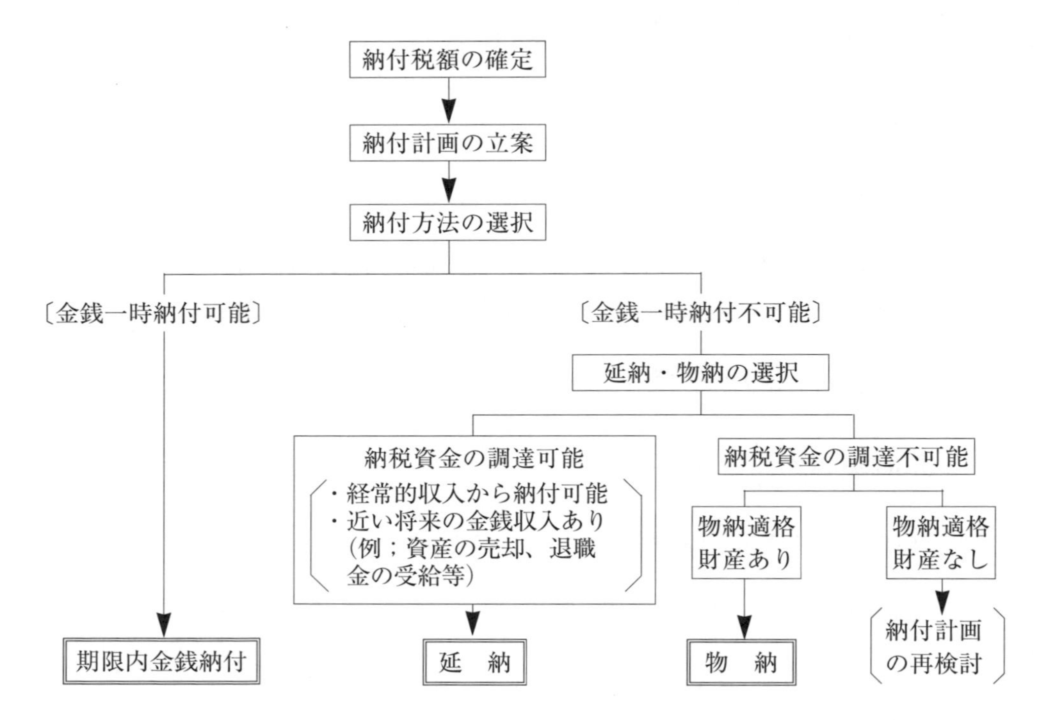

このような基本的な考え方の下に、具体的に納付方法を検討しますが、その際には次のような点も考慮する必要があるでしょう。

①　延納・物納を選択する場合の要件の可否――延納・物納の申請が却下された場合の延滞税の負担の考慮

②　延納を選択する場合の担保の有無と価値

③　金融機関からの借入れによる金銭一時納付と延納との比較――借入れ金利と延納の利子税、借入金の返済期間と延納期間、元本の返済方法と延納年割額の納付（元利均等返済と元本均等返済）

④　手持資産の譲渡による納付の場合の譲渡所得課税の有無と税額

⑤　物納申請財産の譲渡可能性と譲渡価額の予想（物納財産の収納価額が相続税評価額で固定されるのに対し、任意譲渡はその時の経済状況で譲渡価額が変化する）

⑥　物納申請する場合の費用負担――測量費、道路査定や境界確認の費用（隣地との境界確認の場合、確認書の押印に際して隣地の所有者に「ハンコ代」が要求されることもある）

⑵　延納・物納の選択と実務上の留意点

相続税の納付の特例である延納又は物納を選択する場合には、それぞれの異同事項として次のような点にも注意する必要があります。

①　延納又は物納のいずれによるとしても、法定の申請期限内にその申請を行うことが絶対条件となる（申請の期限について、いわゆる宥恕規定はない）。

② 延納は法定の「延納許可限度額」の範囲で認められ、物納も法定の「物納許可限度額」の範囲で許可される。この場合、延納によるときは、担保として適当なものが必要となり、一方、物納によるときは、相続財産のうちに物納許可限度額に見合うものがない場合には、原則として物納申請することはできない。

この場合の延納の担保は、相続財産以外の財産であっても、また、延納申請者の固有の財産でなくてもよい。ただし、物納申請財産は、相続財産に限られ、かつ、物納財産としての適格性が求められる。

③ 延納の場合は、利子税の負担は免れないが、物納による場合であっても、物納手続関係書類の提出が物納申請期限より遅れる場合や物納申請財産に瑕疵があることにより収納のための措置・整備が直ちに行えないときは、利子税の負担が生じる。

④ 延納の許可を受けても、相続税の申告期限から10年以内であれば、一定の要件を満たせば、延納から物納への変更（特定物納の申請）ができる。これに対し、物納から延納への変更申請は、延納により金銭で納付することを困難とする事由がないなど一定の理由によって物納が却下された場合に限られる。

延納にしても物納による場合であっても、それぞれについての要件に留意するとともに、両者の適用関係にも注意して納付方法を選択する必要があります。

Ⅱ　延納の手続と実務

1. 延納制度の概要

⑴ 延納の要件と手続の概要

相続税の延納は、次の要件の全てに該当する場合に、税務署長の許可を受けて行うことができます（相法38①④）。

① 納付すべき相続税額が10万円を超えること

② 納税義務者について、納期限までに又は納付すべき日に金銭で一時に納付することを困難とする事由がある場合において、その納付を困難とする金額の範囲内であること

③ 所定の期限までに申請を行うこと

④ 所定の担保を提供すること（延納税額が100万円以下で、延納期間が３年以下の場合には、担保の提供は要しない）

これらの要件の内容は以下で説明しますが、延納の手続等の概要を示すと、次ページのとおりです。

●相続税の延納手続の概要

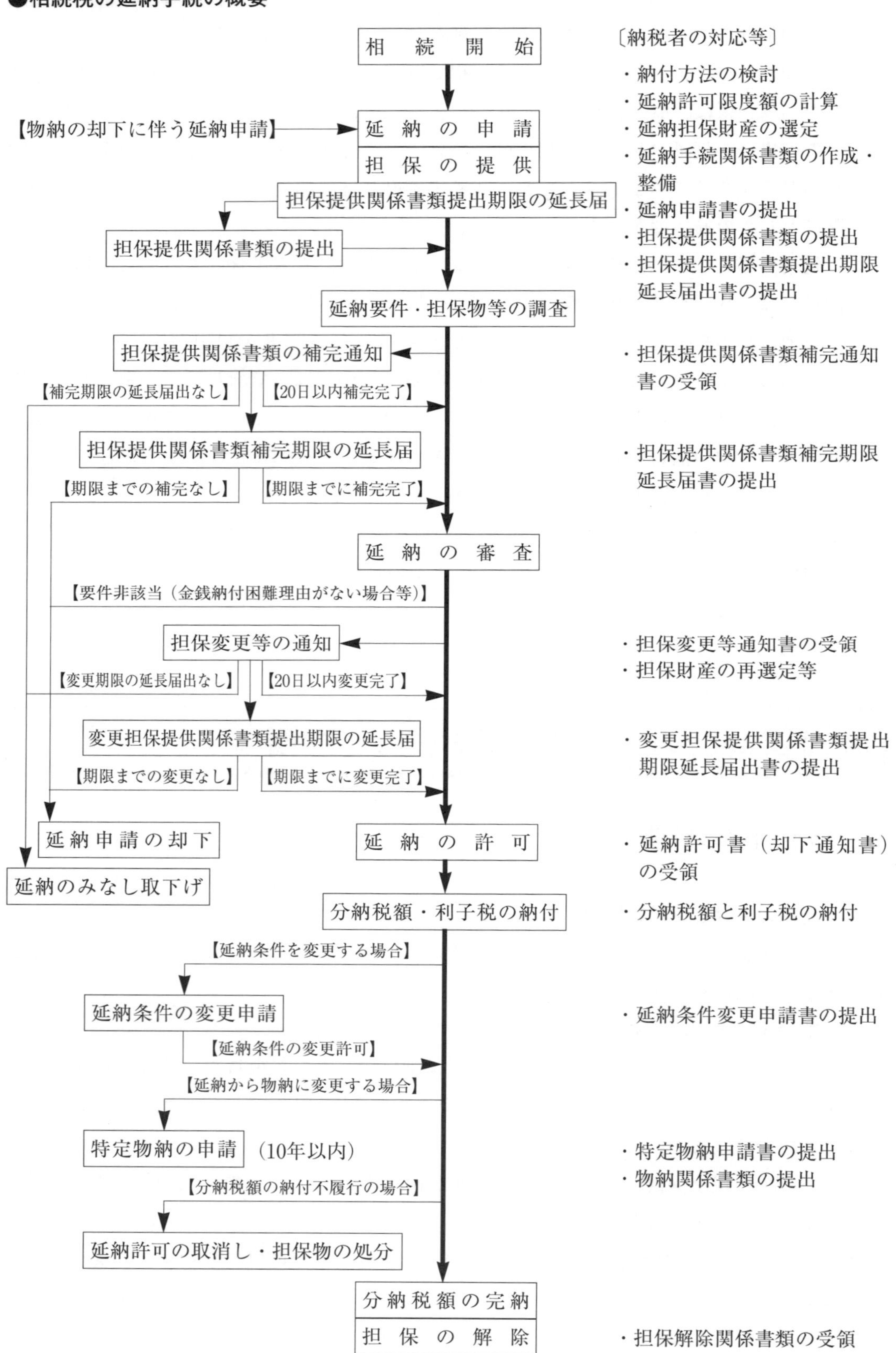

（注）贈与税についても、次の要件を満たす場合には延納が許可されることがあります（相法38③）。
① 納付すべき贈与税額が10万円を超えること
② 金銭で一時に納付することを困難とする事由があること
③ 贈与税の納期限又は納付すべき日までに延納申請を行うこと
④ 延納税額に相当する担保を提供すること（延納税額が100万円以下で、かつ、延納期間が３年以下の場合は、担保の提供は要しない）

⑵ 延納の対象となる相続税

延納の方法により納付することができるのは、期限内申告、期限後申告、修正申告、更正又は決定により納付すべき税額です。この場合、それぞれの税額は、延納の手続上、別個独立したものとして扱われますから、それぞれの相続税について上記の延納要件の適否が判断されます。また、その申請や担保提供の手続も、それぞれの相続税ごとに行うことになります。

延納の対象になるのは、相続税の本税に限られますから、各種加算税や延滞税について延納は認められず、また、連帯納付責任（相法34）による納付額も延納はできません（相基通38－５）。

（注）修正申告により納付すべき相続税の全額を延納申請し、その許可を受けた場合、その修正申告税額に対する延滞税は、第１回目の分納税額に併せて納付すればよいこととされています（相法51④）。これは、延滞税の納付の時期に関する規定であり、延滞税について延納が認められるという意味ではありません。

⑶ 延納許可限度額の算定方法

延納は、上記のとおり相続税を金銭で納付することを困難とする事由がある場合に許可されますが、この場合の金銭で納付することを困難とする金額が「延納許可限度額」となり、次の算式で求めることとされています（相令12、相基通38－２）。

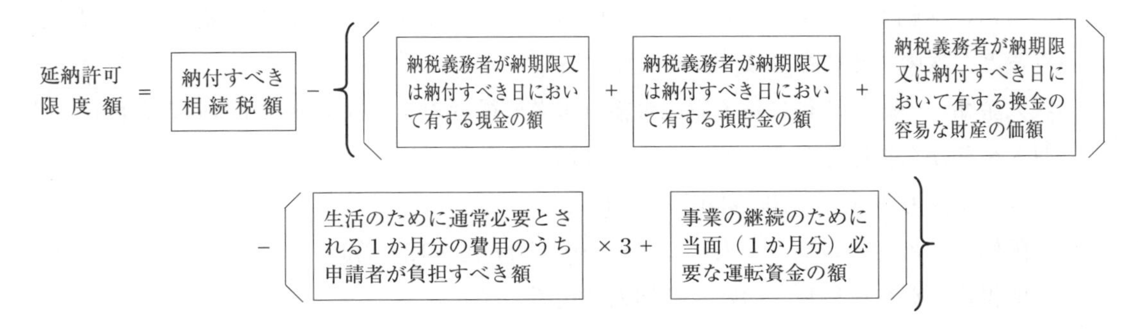

この計算は、延納申請者が有する金融資産の額から当面の生活費（３か月分）と個人事業者の運転資金（１か月分）を除いた額を納期限までに一時納付に充てるものとし、なお納税に不足する部分の金額が延納の限度額になるということです。その計算に当たっては、

次の点に注意を要します。

① 納期限又は納付すべき日に有する現金・預貯金及び換金の容易な財産の価額には、相続により取得したもののほか、延納申請者の固有の現金・預貯金及び換金の容易な財産の価額も含まれる。

なお、相続により取得した現金・預貯金等の価額からは、延納申請者が相続により承継した被相続人の債務の額や負担した葬式費用の額を控除することができる。

② 換金の容易な財産とは、次のようなものをいう。したがって、公社債や上場株式等の有価証券、ゴルフ会員権で市場性のあるもの、退職金や貸付金などで近い将来において確実に収入・回収が可能なもの、貯蓄性があり解約可能な生命保険や財形貯蓄などが該当する。

イ 評価が容易であり、かつ、市場性のある財産で速やかに売却等の処分をすることができるもの

ロ 納期限又は納付すべき日において確実に取り立てることができると認められる債権

ハ 積立金、生命保険等の金融資産で容易に契約が解除でき、かつ、解約等による負担が少ないもの

前ページの算式における「生活のために通常必要とされる１か月分の費用」とは、次の算式により求めることとされています。

生活のために通常必要とされる１か月分の費用	＝	国税徴収法第76条第１項第１号から第４号までの規定に基づき計算される金額相当額（申請者と生計一の親族の個別事情を加味する）	－	申請者と生計を一にする収入のある配偶者・親族及び扶養控除の対象になる親族の生活費のうち、配偶者等が負担する額

この場合の「国税徴収法第76条第１項第１号から第４号までの規定に基づき計算される金額」とは、滞納処分における給与の差押禁止の規定により計算される金額で、この規定からみると、次のようになります。

○収入金額――給与所得に係る収入金額（事業所得者の場合は事業に係る収入金額）

○収入金額から控除される金額――次の金額の合計額

・延納申請者本人……100,000円×12（月）

・配偶者その他の親族（１人につき）……45,000円×12（月）

・所得税（源泉所得税）の額及び個人住民税の額

・社会保険料の額

延納許可限度額の計算では、これらの金額を前年の給与収入（事業収入）や前年の所得税等に基づくこととされていますが、これにより算出される金額は年額ですから、その12分の１相当額が１か月分の生活費で、その３倍相当額が控除されます。

なお、この計算の際には、延納申請者及びその親族等の「個別事情を加味する」ことになりますが、これは、治療費、養育費、教育費等の支出や住宅ローンの返済などを勘案するということです。

また、これらの金額から控除する「生活費のうち配偶者等が負担する額」は、収入のある配偶者や生計一の親族は、自らの生活費はその者の収入から支出されるという前提があるためですが、延納申請者以外の者にも収入がある場合は、次のように収入金額によってあん分計算することができます。

$$\text{申請者が負担すべき生活費の額} = \frac{\text{延納申請者の収入金額}}{\text{延納申請者の収入金額}+\text{配偶者その他の親族の収入金額}}$$

前記の延納許可限度額の計算において、延納申請者が個人事業者であれば、「事業の継続のために当面必要な運転資金の額」が考慮されますが、次のように取り扱うものとされています。

① 事業の継続のために当面必要な運転資金の額とは、事業の内容に応じた事業資金の循環期間の中で事業経費の支払や手形等の決済のための資金繰りの最も窮屈になると見込まれる日のために留保を必要とする資金の額をいい、相続税の納期限又は納付すべき日の翌日から資金繰りの最も窮屈になると見込まれる日までの期間の総支出見込金額から総収入見込金額を差引いた額（前年同時期の事業の実績を踏まえて推計した額）とする。

② この場合において、前年の申告所得税の確定申告等に係る収支内訳書等から求めた１年間の事業に係る経費の中から臨時的な支出項目及び減価償却費を除いた額を基礎とし、最近の事業の実績に変動がある場合には、その実績を踏まえて算出した額を加味した額に1/12（商品の回転期間が長期にわたること等の場合は事業の実態に応じた月数/12月）を乗じた額を用いることができる。

要するに、延納許可限度額の計算において控除される１か月分の運転資金の額は、②の簡便法の場合、次により計算するということです。

$$\begin{matrix}\text{事業の継続のために当}\\\text{面必要な運転資金の額}\end{matrix} = \left(\begin{matrix}\text{前年の確定申告における収支}\\\text{内訳書等の総事業経費の額}\end{matrix} - \begin{matrix}\text{左のうち臨時}\\\text{的な支出額}\end{matrix} - \begin{matrix}\text{減価償}\\\text{却費}\end{matrix}\right) \times \frac{1}{12}$$

(4) 金銭納付困難理由書の書き方

延納の申請に際しては、申請者において上記の延納許可限度額を算定しなければなりませんが、その計算は「金銭納付を困難とする理由書」に記載して行い、これを延納申請書とともに提出することとされています。

金銭納付困難理由書の記載例を618ページの〔設例〕に基づいて示すと、〔書式81〕（次ページ）のようになります。この設例の場合、納付すべき相続税額は3,560万円ですが、このうち延納許可限度額（延納申請可能額）は1,802万円と算出されます。

〔書式81〕

金銭納付を困難とする理由書

（相続税延納・物納申請用）

令和 0 年 8 月 8 日

○ ○ 税務署長 殿

住 所 ○○市○○ 3−4−5

氏 名 甲 山 一 郎 ㊞

平成/令和 0 年10月10日付相続（被相続人 甲山太郎 ）に係る相続税の納付については、納期限までに一時に納付することが困難であり、~~延納によっても金銭で納付することが困難であり、~~ その納付困難な金額は次の表の計算のとおりであることを申し出ます。

1 納付すべき相続税額（相続税申告書第1表㉘の金額）		A	35,600,000 円
2 納期限（又は納付すべき日）までに納付することができる金額		B	17,580,000 円
3 延納許可限度額	【A−B】	C	18,020,000 円
4 延納によって納付することができる金額		D	円
5 物納許可限度額	【C−D】	E	円

2 納期限（又は納付すべき日）までに納付することができる金額の計算			
	(1) 相続した現金・預貯金等	（イ＋ロ−ハ）	【 4,500,000円】
	イ 現金・預貯金（相続税申告書第15表㉑の金額）	（ 8,500,000 円）	
	ロ 換価の容易な財産（相続税申告書第11表・第15表該当の金額）	（ 円）	
	ハ 支払費用等	（ 4,000,000 円）	
	内訳 相続債務（相続税申告書第15表㉝の金額）	［ 4,000,000 円］	
	葬式費用（相続税申告書第15表㉞の金額）	［ 円］	
	その他（支払内容： ）	［ 円］	
	（支払内容： ）	［ 円］	
	(2) 納税者固有の現金・預貯金等	（イ＋ロ＋ハ）	【 15,000,000円】
	イ 現金	（ 円）	←裏面①の金額
	ロ 預貯金	（ 8,000,000 円）	←裏面②の金額
	ハ 換価の容易な財産	（ 7,000,000 円）	←裏面③の金額
	(3) 生活費及び事業経費	（イ＋ロ）	【 1,920,000円】
	イ 当面の生活費（3月分）うち申請者が負担する額	（ 1,920,000 円）	←裏面⑪の金額×3/12
	ロ 当面の事業経費	（ 円）	←裏面⑭の金額×1/12
	Bへ記載する	【(1)＋(2)−(3)】	B 【17,580,000円】

4 延納によって納付することができる金額の計算			
	(1) 経常収支による納税資金（イ×延納年数（最長20年））＋ロ	【 円】	
	イ 裏面④−（裏面⑪＋裏面⑭）	（ 円）	
	ロ 上記2(3)の金額	（ 円）	
	(2) 臨時的収入	【 円】	←裏面⑮の金額
	(3) 臨時的支出	【 円】	←裏面⑯の金額
	Dへ記載する	【(1)＋(2)−(3)】	D 円

添付資料
- □ 前年の確定申告書(写)・収支内訳書(写)
- ☑ 前年の源泉徴収票(写)
- ☑ その他（ 住宅ローンの返済予定表の写し ）

（裏面）

1 納税者固有の現金・預貯金その他換価の容易な財産

手持ちの現金の額			①	円
預貯金の額	○○銀行/普通預金（1,500,000円）	○○銀行/普通預金（6,500,000円）	②	8,000,000 円
	/（ 円）	/（ 円）		
換価の容易な財産	生命保険 （7,000,000円）	（ 円）	③	7,000,000 円
	（ 円）	（ 円）		

2 生活費の計算

給与所得者等：前年の給与の支給額 事業所得者等：前年の収入金額	④	10,000,000 円
申請者 100,000 円 × 12	⑤	1,200,000 円
配偶者その他の親族 （ 2 人）×45,000 円 × 12	⑥	1,080,000 円
給与所得者：源泉所得税、地方税、社会保険料（前年の支払額） 事業所得者：前年の所得税、地方税、社会保険料の金額	⑦	1,800,000 円
生活費の検討に当たって加味すべき金額 加味した内容の説明・計算等 住宅ローンの年間返済額 1,600,000円 子の教育費の年額 2,000,000円	⑧	3,600,000 円
生活費（1年分）の額 （⑤＋⑥＋⑦＋⑧）	⑨	7,680,000 円

3 配偶者その他の親族の収入

氏名	（続柄 ）	前年の収入 （ 円）	⑩	円
氏名	（続柄 ）	前年の収入 （ 円）		
申請者が負担する生活費の額 ⑨×（④/（④＋⑩））			⑪	7,680,000 円

4 事業経費の計算

前年の事業経費（収支内訳書等より）の金額	⑫	円
経済情勢等を踏まえた変動等の調整金額 調整した内容の説明・計算等	⑬	円
事業経費（1年分）の額 （⑫＋⑬）	⑭	円

5 概ね1年以内に見込まれる臨時的な収入・支出の額

臨時的収入		年 月頃（ 円）	⑮	円
		年 月頃（ 円）		
臨時的支出	相続不動産の登記費用	00年9月頃（ 1,000,000 円）	⑯	1,000,000 円
		年 月頃（ 円）		

＜設　例＞

① 延納申請者……給与所得者
② 扶養親族………配偶者及び子１人（いずれも収入はない）
③ 納付すべき相続税額……………3,560万円
④ 前年の給与所得の収入金額……1,000万円
⑤ 前年の源泉所得税・個人住民税及び社会保険料の額……180万円
⑥ 相続により取得した現金・預貯金の額……850万円
⑦ 相続により承継した債務の額………………400万円
⑧ 延納申請者固有の現金・預貯金等の額……預貯金800万円・生命保険700万円
⑨ その他の個別事情
　・住宅ローンの年間の返済額……160万円
　・子の教育費の年額………………200万円
　・１年以内の臨時的支出額………100万円（相続した不動産の登記費用）

なお、金銭納付困難理由書には、給与所得者であれば前年の源泉徴収票の写しを、個人事業者であれば前年の確定申告書と収支内訳書の写しを添付する必要があります。また、個別事情による支出予定があれば、その支出の内容を明らかにする書類（住宅ローンの返済予定表の写しなど）も添付します。

(5) 延納期間と利子税の割合

相続税（贈与税）の延納期間と利子税の割合をまとめると、次表のとおりです（表中における不動産等の割合や延納税額の区分計算の詳細は、後述します（631ページ以降参照））。

区分			延納期間（最長）	利子税の割合	特例割合（国内銀行の短期貸出約定平均金利が0.6％の場合）
相続税	不動産等の割合が75％以上の場合	① 不動産等に係る延納相続税額（③を除く）	20年	年3.6％	年0.7％
		② 動産等に係る延納相続税額	10年	年5.4％	年1.1％
		③ 計画伐採立木の割合が20％以上の場合の計画伐採立木に係る延納相続税額	20年	年1.2％	年0.2％
		（うち特定森林施業計画の区域内にある計画伐採立木に係る延納相続税額）	（40年）	（年1.2％）	（年0.2％）
	不動産等の割合が50％以上75％未満の場合	④ 不動産等に係る延納相続税額（⑥を除く）	15年	年3.6％	年0.7％
		⑤ 動産等に係る延納相続税額	10年	年5.4％	年1.1％
		⑥ 計画伐採立木の割合が20％以上の場合の計画伐採立木に係る延納相続税額	20年	年1.2％	年0.2％
		（うち特定森林施業計画の区域内にある計画伐採立木に係る延納相続税額）	（40年）	（年1.2％）	（年0.2％）
	不動産等の割合が50％未満の場合	⑦ 一般の延納相続税額（⑧、⑨及び⑩を除く）	5年	年6.0％	年1.3％
		⑧ 立木の割合が30％以上の場合の立木に係る延納相続税額（⑩を除く）	5年	年4.8％	年1.0％
		⑨ 緑地保全地区等内の土地に係る延納相続税額	5年	年4.2％	年0.9％
		⑩ 計画伐採立木の割合が30％以上50％未満の場合の計画伐採立木に係る延納相続税額	5年	年1.2％	年0.2％
贈与税		延納贈与税額	5年	年6.6％	年1.4％

（注）1　相続税について延納できる期間は、上表のとおり通常は５年～20年ですが、延納税額が50万円（不動産等の割合が50％以上の場合は150万円、不動産等の割合が75％以上の場合は200万円）未満であるときは、延納税額を10万円で除して得た数（１未満の端数は切上げ）に相当する年数を超えることはできません（相法38①）。このため、

延納税額180万円（不動産等の割合が100％で、全額が不動産等に係る延納税額）

とすれば、180万円÷10万円＝18年となりますから、延納可能期間は20年ではなく、18年に短縮されます。

この場合の延納可能年数の計算は、延納税額の総額を基として計算します（不動産等に係る延納相続税額や動産等に係る延納相続税額に区分して計算するわけではありません）。したがって、たとえば、延納税額の総額が200万円で、そのうち動産等に係る延納相続税額が10万円の場合でも、その10万円については10年以内の延納が可能であり、不動産等に係る延納相続税額である190万円については20年以内の延納をすることができます。

なお、延納期間は、相続税の納期限の翌日から、暦に従って計算することとされています（相基通38－６）。

2　農地等に係る納税猶予の特例を受ける場合の延納期間及び利子税の割合の適用区分の判定にあたっては、特例農地等の価額は農業投資価格によります。

ところで、利子税の割合は、年1.2％～年6.6％で（相法52①、措法70の8の2③、70の9①、70の10②）、各分納期間ごとに適用されますが、各年の「延納特例基準割合」が年7.3％未満の場合は、利子税について「特例割合」が適用されます。この場合の延納特例基準割合及び特例割合の意義は次のとおりです（措法93①～④、96①）。

・延納特例基準割合……分納期間の開始日の属する年の前々年10月から前年９月までの「国内銀行の短期貸出約定平均金利」として前年12月15日までに財務大臣が告示する割合に年１％を加算した割合

・特例割合………………本来の利子税の割合（年1.2％～6.6％）×$\dfrac{\text{延納特例基準割合}}{\text{年7.3\%}}$（0.1％未満の端数切捨て）

（注）令和２年分の財務大臣の告示する割合は、0.6％とされており、延納特例基準割合は、年1.6％（＝0.6％＋１％）となります。

したがって、延納利子税の割合は、次のようになります。

延納特例基準割合
- 年7.3％以上（特例割合適用なし）→ 本来の利子税（年1.2％～6.6％）
- 年7.3％未満（特例割合適用あり）→ 上記算式の特例割合

（参考）国内銀行の短期貸出約定平均金利（財務大臣の告示する割合）が0.4％から1.5％までの場合の利子税の特例割合を試算すると、次表のようになります。

（単位：％）

国内銀行の短期貸出約定平均金利 （延納特例基準割合）	0.4 (1.4)	0.5 (1.5)	0.6 (1.6)	0.7 (1.7)	0.8 (1.8)	0.9 (1.9)	1.0 (2.0)	1.1 (2.1)	1.2 (2.2)	1.3 (2.3)	1.4 (2.4)	1.5 (2.5)
1　不動産等の割合が75％以上の場合												
①　不動産等に係る延納相続税額	0.6	0.7	0.7	0.8	0.8	0.9	0.9	1.0	1.0	1.1	1.1	1.2
②　動産等に係る延納相続税額	1.0	1.1	1.1	1.2	1.3	1.4	1.4	1.5	1.6	1.7	1.7	1.8
③　計画伐採立木の割合が20％以上の場合の計画伐採立木に係る延納相続税額	0.2	0.2	0.2	0.2	0.2	0.3	0.3	0.3	0.3	0.3	0.3	0.4
2　不動産等の割合が50％以上75％未満の場合												
①　不動産等に係る延納相続税額	0.6	0.7	0.7	0.8	0.8	0.9	0.9	1.0	1.0	1.1	1.1	1.2
②　動産等に係る延納相続税額	1.0	1.1	1.1	1.2	1.3	1.4	1.4	1.5	1.6	1.7	1.7	1.8
③　計画伐採立木の割合が20％以上の場合の計画伐採立木に係る延納相続税額	0.2	0.2	0.2	0.2	0.2	0.3	0.3	0.3	0.3	0.3	0.3	0.4
3　不動産等の割合が50％未満の場合												
①　一般の延納相続税額	1.1	1.2	1.3	1.3	1.4	1.5	1.6	1.7	1.8	1.8	1.9	2.0
②　立木の割合が30％以上の場合の立木に係る延納相続税額	0.9	0.9	1.0	1.1	1.1	1.2	1.3	1.3	1.4	1.5	1.5	1.6
③　緑地保全地区内の土地に係る延納相続税額	0.8	0.8	0.9	0.9	1.0	1.0	1.1	1.2	1.2	1.3	1.3	1.4
④　計画伐採立木の割合が20％以上50％未満の場合の計画伐採立木に係る延納相続税額	0.2	0.2	0.2	0.2	0.2	0.3	0.3	0.3	0.3	0.3	0.3	0.4

これらの割合は、上記の計算式で求められますが、たとえば、「不動産等の割合が75％以上の場合」の「不動産等に係る延納相続税額」に対する利子税（本来の利子税の割合は、年3.6％）の特例割合を算定すると、次のとおりです。

・国内銀行の短期貸出約定平均金利が0.6％の場合

延納特例基準割合　……0.6％＋１％＝1.6％

特例割合　………………3.6％ $\times \frac{1.6\%}{7.3\%}$ ＝0.7890…　→0.7％

・国内銀行の短期貸出約定平均金利が0.8％の場合

延納特例基準割合　……0.8％＋１％＝1.8％

特例割合　………………3.6％ $\times \frac{1.8\%}{7.3\%}$ ＝0.8876…→0.8％

（注）令和３年１月１日以後の期間に対応する延納の利子税については、前述の「特例基準割合」（財務大臣が告示する割合に年１％を加算した割合）の「年１％」が「年0.5％」になります。財務大臣が告示する割合が令和３年分も令和２年分と同様に年0.6％とすると、618ページで示した利子税の特例割合は、次のようになります。

①　不動産等の割合が50％以上の場合

・不動産等に係る延納相続税額……年0.5％（本来の利子税の割合　年3.6％）

・動産等に係る延納相続税額………年0.8％（本来の利子税の割合　年5.4％）

② 不動産等の割合が50％未満の場合
・一般の延納相続税額………………年0.9％（本来の利子税の割合　年6.0％）
・立木の割合が30％以上の場合の
立木に係る延納相続税額…………年0.7％（本来の利子税の割合　年4.8％）

⑹ 延納の審査期間

延納申請があってから許可又は却下が行われるまでの審査期間は、延納申請書の提出期限から起算して３か月以内とされています（相法39②）。ただし、次のような場合には、最長６か月まで審査期間が延長されます（相法39㉓、相基通39－11）。

① 担保財産が多数ある場合
② 担保財産が遠隔地にある場合
③ 非上場株式や保証人の保証など担保財産の評価に相当の期間を要する場合
④ 自然災害等により担保財産の確認等が困難な場合

また、延納申請者から後述の「担保提供関係書類提出期限延長届出書」や「担保提供関係書類補完期限延長届出書」が提出された場合は、審査期間もその延長された期限まで延長されます（相法39⑨⑯）。また、「変更担保提供関係書類提出期限延長届出書」が提出された場合も同様です（相法39㉑）。

これらの期限延長届出書の提出と審査期間の関係は、下図のようになります（いずれも相続開始の日が１月10日、それぞれの期限延長届出書を２回提出し、１回目の届出で３か月延長、２回目の届出で２か月延長したものとしています）。

なお、法定の審査期間内に税務署長が延納の許可又は却下をしない場合には、納税者の申請した条件によりその延納の許可があったものとみなすこととされています（相法39㉘、相基通39－13）。

（注）後述の担保提供関係書類の提出期限の延長（631ページの（注２））や担保提供関係書類の補完期限の延長（646ページの（注））の措置がとられた場合には、その延長された期間について、延納の審査期間も延長されます（相法39⑯）。

【担保提供関係書類提出期限延長届出書が提出された場合】

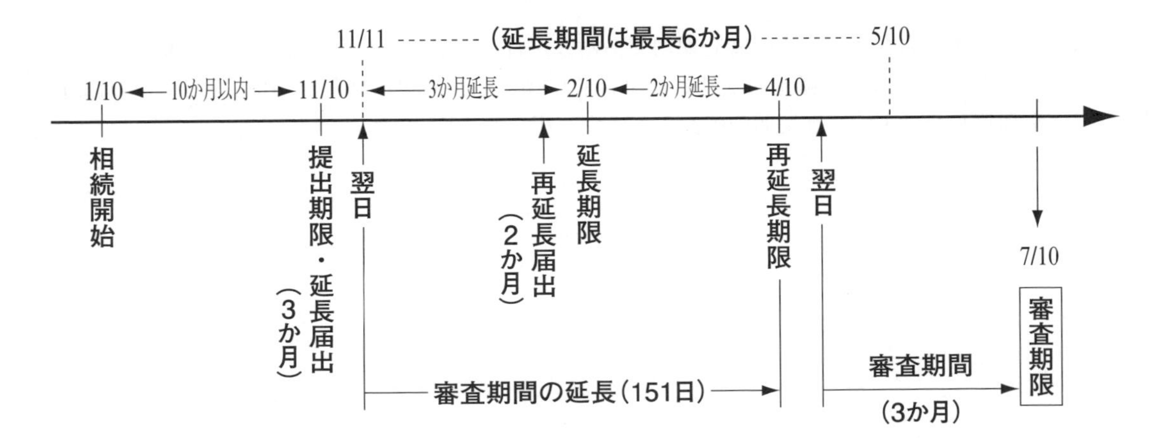

（注）当初の提出期限（11月10日）までに担保提供関係書類提出期限延長届出書が提出されなかった場合であっても、その提出期限から１か月以内（12月10日まで）か、税務署長からの「補完通知書」の送付があった日のいずれか早い日までに担保提供関係書類提出期限延長届出書を提出すれば、当初の提出期限にその延長届出書が提出されたものとみなされます（相令15②）。この場合の審査期間は、上図と同様になります。これを図示すると次のとおりです。

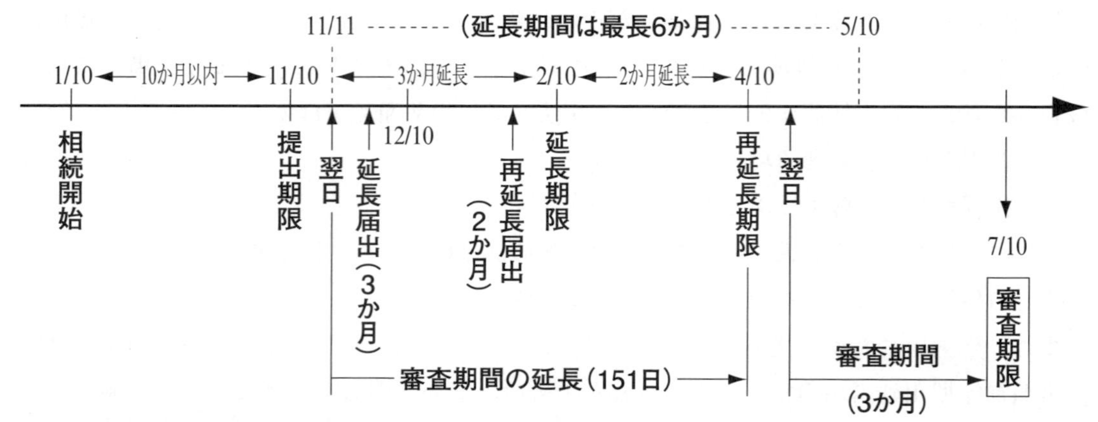

【担保提供関係書類補完期限延長届出書が提出された場合】

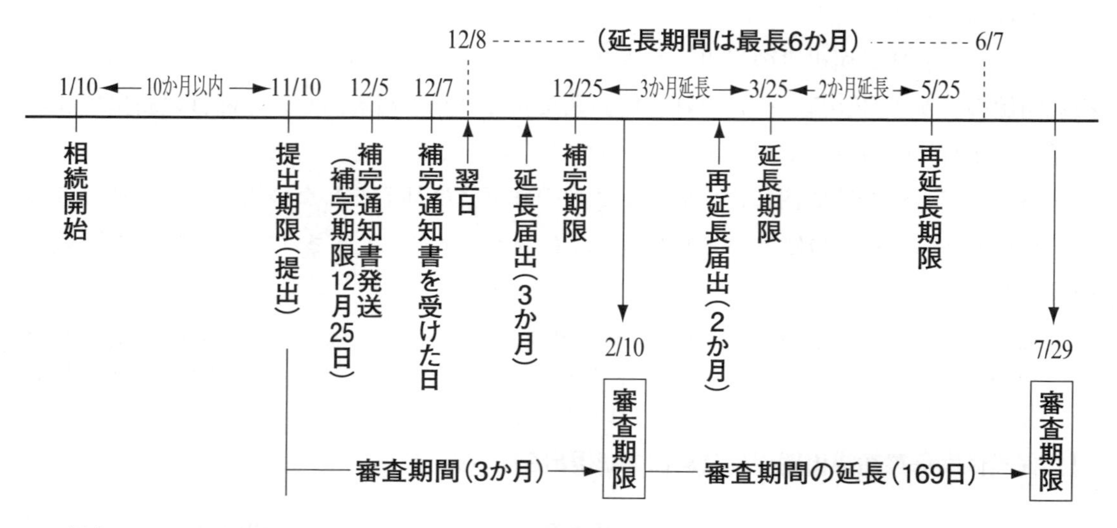

（注）この例の場合は、本来の審査期間である３か月に、補完通知書を受けた日の翌日（12月8日）から「担保関係補完期限延長届出書」に係る最終の提出期限（5月25日）までの169日を加算した日まで審査期間が延長されます（相法39⑯）。

【変更担保提供関係書類提出期限延長届出書が提出された場合】

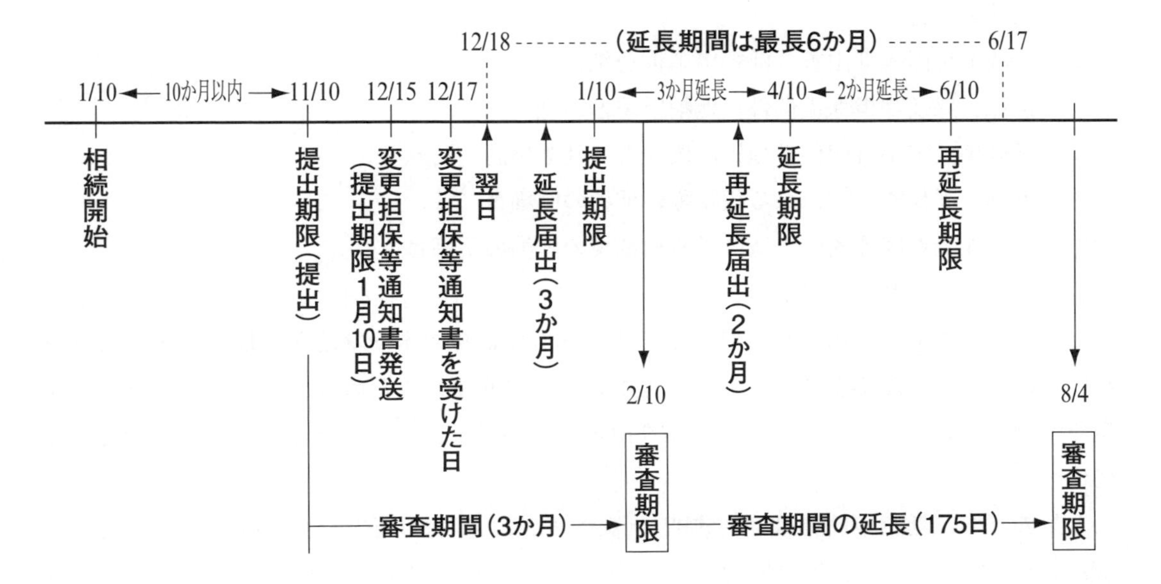

(注) この例の場合は、本来の審査期間である３か月に、変更担保等通知書を受けた日の翌日（12月18日）から「変更担保提供関係書類提出期限延長届出書」に係る最終の提出期限（５月25日）までの175日を加算した日まで審査期間が延長されます（相法39㉑）。

2. 延納の申請手続と提出書類

(1) 延納申請の期限

相続税の納付について、延納によりたい場合の申請期限は、申告等の内容に応じてそれぞれ次のとおりです（相法39①）。

① 期限内申告分（相法31②のいわゆる義務的修正申告分を含む）………期限内申告書の提出期限

② 期限後申告及び修正申告分………これらの申告書の提出日

③ 更正及び決定分………更正通知書又は決定通知書が発付された日の翌日から起算して１か月を経過する日

(注) 延納申請書を郵送により提出する場合は、申告書と同様に、郵便物に表示された通信日付の日に提出されたものとみなされます（通則法22）。

(2) 延納申請書と担保提供関係書類の提出

相続税の延納申請は、延納申請書に担保提供関係書類を添付し、これを納税地の所轄税務署長に提出して行うこととされています（相法39①）。

延納申請の際に提出すべき書類は、次のとおりです（これらの用紙は税務署に用意されています。また、国税庁のホームページからダウンロードすることもできます）。

① 延納申請書

② 金銭納付困難理由書（延納申請書別紙）

③ 担保目録及び担保提供書（延納申請書別紙）

④ 抵当権設定手続関係書類提出確約書（延納申請書別紙）

⑥ 森林計画伐採立木に係る相続税の延納の明細書

⑦ 緑地保全地区等内の土地に係る相続税の延納の明細書

⑧ 不動産等の財産の明細書

これらのうち⑥と⑦は、相続財産として森林計画伐採立木や緑地保全地区等内の土地がなければ、もちろん不要です。通常の延納の場合に必要になるのは、①から④及び⑧の書類ですが、このうち②の金銭納付困難理由書については、前述したとおりです〔書式81〕（616ページ）。

上記のうち、延納申請書は〔書式82〕（次ページ）、担保目録及び担保提供書（土地）は〔書式83〕（627ページ）、抵当権設定手続関係書類提出確約書は〔書式84〕（628ページ）、不動産等の財産の明細書は〔書式85〕（629ページ）のとおりです。

なお、担保目録及び担保提供書には、「土地」のほか、「建物」、「有価証券」、「保証人」がありますから、担保の種類に応じてそれぞれのものを提出します。

⑶ 担保提供関係書類の提出期限の延長の手続

延納申請に際しては、延納申請書とともに担保提供関係書類を申請期限までに提出しなければならず、その提出がない場合は、原則として申請が却下されます。ただし、担保提供関係書類を申請期限までに提出できない場合には、その申請期限までに「担保提供関係書類提出期限延長届出書」〔書式86〕（630ページ）を提出することにより、その提出期限を次のように延長することができます（相法39⑥～⑧、相基通39－7①）。

① 延長期間は、申請者の任意の判断によるが、申請期限の翌日から起算して３か月を超えることはできない。

② 延長した提出期限までに書類の提出ができない場合には、再延長が可能であり、担保提供関係書類提出期限延長届出書を再度提出できるが、当初に延長した提出期限の翌日から起算して３か月を超えることはできない。

③ 担保提供関係書類提出期限延長届出書の提出回数に制限はないが、申請期限の翌日から起算して最長で６か月を経過する日が限度となる。

なお、延納申請書を提出した者が、その提出後において、担保提供関係書類の一部が不足していたことを知った場合には、延納申請期限から１か月以内か、税務署長からの補完通知（提出書類の不備・不足がある旨の通知）のあった日のいずれか早い日までであれば、担保提供関係書類提出期限延長届出書を提出することができます。その提出があった

〔書式82〕

相続税延納申請書

○○税務署長殿

令和 0 年 6 月 4 日

(〒○○○-XXXX)
住所 ○○市○○ 5−6−7
フリガナ ヤマ ダ イチ ロウ
氏名 山田一郎 ㊞
法人番号
職業 会社員 電話○○○-XXXX

下記のとおり相続税の延納を申請します。

記

1 延納申請税額

① 納付すべき相続税額	円 74,503,400
② ①のうち物納申請税額	
③ ①のうち納税猶予をする税額	
④ 差引(①−②−③)	74,503,400
⑤ ④のうち現金で納付する税額	4,503,400
⑥ 延納申請税額(④−⑤)	70,000,000

2 金銭で納付することを困難とする理由

別紙「金銭納付を困難とする理由書」のとおり。

3 不動産等の割合

区分		課税相続財産の価額 ③の税額がある場合には農業投資価格等によります。	割合
割合の判定	立木の価額	⑦	⑩(⑦/⑨)(端数処理不要) 0.
	不動産等(⑦を含む。)の価額	⑧ 173,892,769	⑪(⑧/⑨)(端数処理不要) 0. 7511
	全体の課税相続財産の価額	⑨ 231,504,864	
割合の計算	立木の価額	⑫(千円未満の端数切捨て) ,000	⑮(小数点第三位未満切り上げ)(⑫/⑭) 0.
	不動産等(⑦を含む。)の価額	⑬(千円未満の端数切捨て) 173,892 ,000	⑯(小数点第三位未満切り上げ)(⑬/⑭) 0. 752
	全体の課税相続財産の価額	⑭(千円未満の端数切捨て) 231,504 ,000	

4 延納申請税額の内訳 / 5 延納申請年数 / 6 利子税の割合

			5 延納申請年数		6 利子税の割合
不動産等の割合(⑪)が75%以上の場合	不動産等に係る延納相続税額〔④×⑯と⑥とのいずれか少ない方の金額〕	⑰(100円未満端数切り上げ) 56,026,600	(最高)20年以内	20	3.6
	動産等に係る延納相続税額(⑥−⑰)	⑱ 13,973,400	(最高)10年以内	10	5.4
不動産等の割合(⑪)が50%以上75%未満の場合	不動産等に係る延納相続税額〔④×⑯と⑥とのいずれか少ない方の金額〕	⑲(100円未満端数切り上げ) 00	(最高)15年以内		3.6
	動産等に係る延納相続税額(⑥−⑲)	⑳	(最高)10年以内		5.4
不動産等の割合(⑪)が50%未満の場合	立木に係る延納相続税額〔④×⑮と⑥とのいずれか少ない方の金額〕	㉑(100円未満端数切り上げ) 00	(最高)5年以内		4.8
	その他の財産に係る延納相続税額(⑥−㉑)	㉒	(最高)5年以内		6.0

7 不動産等の財産の明細 別紙不動産等の財産の明細書のとおり

8 担保 別紙目録のとおり

(作成税理士 事務所所在地 電話番号 署名押印 印)

税務署整理欄	郵送等年月日	担当者印
	令和 年 月 日	

9 分納税額、分納期限及び分納税額の計算の明細

㉓ 期間	分納期限	延納相続税額の分納税額（1,000円未満の端数が生ずる場合には端数金額は第1回に含めます。）㉔ 不動産等又は立木に係る税額（⑰÷「5」欄の年数）、（⑲÷「5」欄の年数）又は（㉑÷「5」欄の年数）	㉕ 動産等又はその他の財産に係る税額（⑱÷「5」欄の年数）、（⑳÷「5」欄の年数）又は（㉒÷「5」欄の年数）	分納税額計（㉔＋㉕）
第１回	令和０年６月５日	2,807,600円	1,400,400円	4,208,000円
第２回	０年６月５日	2,801,000	1,397,000	4,198,000
第３回	０年６月５日	2,801,000	1,397,000	4,198,000
第４回	０年６月５日	2,801,000	1,397,000	4,198,000
第５回	０年６月５日	2,801,000	1,397,000	4,198,000
第６回	０年６月５日	2,801,000	1,397,000	4,198,000
第７回	０年６月５日	2,801,000	1,397,000	4,198,000
第８回	０年６月５日	2,801,000	1,397,000	4,198,000
第９回	０年６月５日	2,801,000	1,397,000	4,198,000
第10回	０年６月５日	2,801,000	1,397,000	4,198,000
第11回	０年６月５日	2,801,000		2,801,000
第12回	０年６月５日	2,801,000		2,801,000
第13回	０年６月５日	2,801,000		2,801,000
第14回	０年６月５日	2,801,000		2,801,000
第15回	０年６月５日	2,801,000		2,801,000
第16回	０年６月５日	2,801,000		2,801,000
第17回	０年６月５日	2,801,000		2,801,000
第18回	０年６月５日	2,801,000		2,801,000
第19回	０年６月５日	2,801,000		2,801,000
第20回	０年６月５日	2,801,000		2,801,000
計		（⑰、⑲又は㉑の金額）56,026,600	（⑱、⑳又は㉒の金額）13,973,400	（⑥の金額）70,000,000

10 その他参考事項

右の欄の該当の箇所を○で囲み住所氏名及び年月日を記入してください。	(被相続人)、遺贈者	（住所） ○○市○○ 5−6−7
		（氏名） 山 田 太 郎
	(相続開始) 遺贈年月日	平成 (令和) ０年８月５日
	(申告)((期限内)、期限後、修正)、更正、決定年月日	令和 ０年６月４日
納期限		令和 ０年６月５日
物納申請の却下に係る延納申請である場合は、当該却下に係る「相続税物納却下通知書」の日付及び番号		第　号 平成 令和　年　月　日

〔書式83〕

延納申請書別紙（担保目録及び担保提供書：土地）

1　担保物件

土地の表示（所在、地番、地目、地積）	価　額	担保権等			
		債務金額	設定年月日	順位	権利者の住所氏名
○○市○○6丁目5015番 宅地　486.76m²	円 49,650,000				
○○市○○6丁目7196番 宅地　270.10m²	26,470,000				

2　担保提供書

以下の国税の担保として「1　担保物件」に記載した物件を提供します。

⑴　原　因　平成・(令和) 0 年 8 月 5 日 相続 による 相続 税及び利子税の額に対する延納担保

⑵　納税額　　金＿＿＿＿円

内訳　　＿＿税額　金＿＿＿＿円
及び利子税の額　金＿＿＿＿円

延滞税の額　　国税通則法所定の額

⑶　担保所有者が納税者（延納申請者）以外の所有の場合

上記の担保の提供に同意します。

令和＿＿年＿＿月＿＿日

住所＿＿＿＿＿＿＿＿

氏名＿＿＿＿＿＿＿＿㊞

〔書式84〕

氏名　山田一郎

各種確約書

提供しようとする担保が以下に掲げるものである場合、担保の種類に応じて以下の確約が必要となりますので、該当する事項を確認した上、該当欄文頭の□にチェックしてください。
なお、担保の種類が複数の場合、該当するすべての事項にチェックしてください。

【土地】

【抵当権設定手続関係書類提出確約書】
☑　私の延納申請に関して、税務署長から次の書類の提出を求められた場合には、速やかに提出することを約します。
1　担保（土地）所有者の抵当権設定登記承諾書
2　担保（土地）の所有者の印鑑証明書

【建物、立木、及び登記される船舶並びに登録を受けた飛行機、回転翼航空機及び自動車並びに登記を受けた建設機械（以下「建物等」という。）で保険に付したもの】

【抵当権設定手続関係書類提出確約書】
□　私の延納申請に関して、税務署長から次の書類の提出を求められた場合には、速やかに提出することを約します。
1　担保（建物等）所有者の抵当権設定登記（登録）承諾書
2　担保（建物等）の所有者の印鑑証明書

【鉄道財団、工場財団、鉱業財団、軌道財団、運河財団、漁業財団、港湾運送事業財団、道路交通事業財団及び観光施設財団（以下「財団等」という。）】

【抵当権設定手続関係書類提出確約書】
□　私の延納申請に関して、税務署長から次の書類の提出を求められた場合には、速やかに提出することを約します。
1　担保（財団等）所有者の抵当権設定登記（登録）承諾書
2　担保（財団等）の所有者の印鑑証明書

〔書式85〕

不動産等の財産の明細書

被相続人氏名	山田　太郎	納税者氏名	山田　一郎

1　農業投資価格等による課税相続財産の価額等

	価　額
農業投資価格等による課税相続財産の価額 (㉘－⑦＋⑧－㉛－㉜－㉝－㉞)＋(A＋B＋C＋D－E－F)	
農業投資価格等による不動産等の価額 (㉚－⑦＋⑧－㉛－㉝)＋(A＋C＋D－E－F)	

2　不動産等の財産の内訳

種　類	不動産等の内訳		相続税申告書第15表における該当欄	価　額
土　地 (土地の上に存する権利を含む。)	田		①	
	畑		②	
	宅　地		③	108,046,806
	山　林		④	
	その他の土地		⑤	58,497,463
	計		⑥	
	⑥のうち特例農地等	通常価額	⑦	
		農業投資価格による価額	⑧	
家屋・構築物			⑨	7,348,500
事業(農業)用資産	機械、器具、農耕具、その他の減価償却資産		⑩	
有価証券	特定同族会社の株式及び出資	配当還元方式によったもの	⑮	
		その他の方式によったもの	⑯	
	⑮及び⑯以外の株式及び出資		⑰	
	⑯のうち株式等納税猶予対象の株式等の価額の80%の額		㉛	
	⑰のうち株式等納税猶予対象の株式等の価額の80%の額		㉜	
	⑯のうち特例株式等納税猶予対象の株式等の価額		㉝	
	⑰のうち特例株式等納税猶予対象の株式等の価額		㉞	
その他の財産	立　木		㉕	
課税相続財産の価額			㉘	231,504,864
不動産等の価額 (⑥＋⑨＋⑩＋⑮＋⑯＋㉕)			㉚	173,892,769

3　不動産等の割合の計算に含める財産の価額

「相続税申告書第8の2表の付表2」の2(2)イ・ロ欄により対象非上場株式等の価額を計算している場合	特定同族会社の株式及び出資に該当するもの	A	
	上記Aに該当しないもの	B	
「相続税申告書第11の2表」により相続時精算課税適用財産の価額を計算している場合		C	
「相続税申告書第14表」により純資産価額に加算される暦年課税分の贈与財産価額を計算している場合		D	

4　不動産等の割合の計算から除く財産の価額

「相続税申告書第8の3表」により山林の価額を計算している場合	同表1・(1)・①欄の金額	イ	
	イ × 80%	E	
「相続税申告書第8の4表」により医療法人持分の価額を計算している場合	同表1・(1)・①欄の金額	F	

※1　AからFの金額がある場合には、該当する相続税申告書各表を参考に添付してください。
※2　相続税申告書第８の２表の各付表の「１対象（相続）非上場株式等に係る会社」及び第８の２の２表の各付表の「１特例対象（相続）非上場株式等に係る会社」における、「会社又はその会社の特別関係会社であってその会社との間に支配関係がある法人が保有する外国会社等の株式等の有無」欄を有とした場合には、「不動産等の財産の明細書（その２）」により計算を行ってください。

〔書式86〕

担保提供関係書類提出期限延長届出書

令和 0 年 6 月 4 日

◯◯ 税務署長（国税局長） 殿

（〒○○○－XXXX ）

（住所） ◯◯市◯◯ 5−6−7

ﾌﾘｶﾞﾅ ヤマ ダ イチ ロウ

（氏名） 山 田 一 郎 ㊞

法人番号	

平成
㊀令和 0 年 8 月 5 日相続開始に係る延納申請に関して、延納申請書に添付して（延長した提出期限までに）担保提供関係書類を提出することができないため、下記のとおり提出期限を（再）延長します。

記

1 延長する期限

延納申請期限 又は 前回の延長した提出期限	→	延長する期限
令和 0 年 6 月 5 日		令和 0 年 6 月 30 日

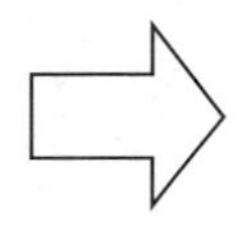

（注）1 延長する期限には、延納申請期限（又は前回延長した期限）の翌日から起算して３か月以内の日を記載してください。

2 再延長の届出は何回でも提出できますが、延長できる期間は、延納申請期限の翌日から起算して６か月を超えることはできません。

2 提出期限を延長する必要のある書類

担保財産の種類、所在場所、銘柄、記号及び番号等	提出期限を延長する担保提供関係書類の名称	参考事項
土地（宅地）◯◯市◯◯6丁目5015番及び7196番	登記事項証明書	

3 その他参考事項

税務署整理欄	郵送等年月日	担当者印
	令和 年 月 日	

場合には、当初の申請期限にその延長届出書が提出されたものとして取り扱われます（相令15②）。

（注１）624ページの(3)の①から③までの規定により延長された担保提供関係書類の提出期限までに、申請者が担保提供関係書類を提出しなかったときは、その延納申請は却下されます（相法39②、相基通39－８）。

（注２）担保提供関係書類の提出期限の延長は、上記(3)の③のとおり最長で「６か月」ですが、次の場合には、その提出期限が延長されます。

① 国税通則法第11条の適用がある場合……災害等の理由がある場合の国税に関する申告、申請、届出等の延長を認める規定（通則法11）が適用される場合には、上記の「６か月」は、同規定による延長された期間を加算した期間とされます（相法39㉒一）。

② 申請者等においてやむを得ない事由が生じた場合……延納申請者又は税務署において、延納許可の手続を進めることが困難な次の事由が生じた場合には、それぞれに掲げる期間について、上記の「６か月」の期限が延長されます（相法39㉒二）。

イ 延納許可の申請手続を行う者が死亡した場合……「その死亡した日の翌日以後10か月を経過する日までの期間」と「その死亡した日の翌日からその者の相続財産について民法952条２項（相続財産の管理人の選任）の規定による公告があった日までの期間」のいずれか長い期間（相令16の２①一、③一）

ロ 延納許可の申請に対する処分に係る不服申立て又は訴えの提起があった場合…税務署長による処分があった日の翌日から不服申立て又は訴えについての決定、裁決又は判決が確定する日までの期間（相令16の２①二、③二）

3. 延納期間の判定と分納税額・利子税の計算

(1) 延納期間と利子税の割合

相続税の延納申請書〔書式82〕（625ページ）には、課税財産価額に占める不動産等の割合を記載することとされており、その割合によって延納期間が判定され、利子税の割合が決まることになります。

延納期間と利子税の割合は、前述（618ページ）したとおりです。

(2) 課税相続財産と不動産等の範囲

延納期間の判定の基となる「不動産等の割合」とは、延納申請者の取得財産について次の算式で求められる割合をいいます。

$$\frac{\text{分母の金額のうちの不動産等の価額}}{\text{課税相続財産の価額}}$$

この割合における「課税相続財産の価額」とは、相続又は遺贈により取得した財産で、相続税の計算の基礎となったものの価額の合計額をいいます（相法38①）。具体的には、629ページの〔書式85〕に示されているとおり不動産等の財産の明細書の「㉘」欄の金額をいいます。したがって、取得財産について小規模宅地等の特例の適用を受けた場合は、その適用後の財産価額を基とした債務控除前の価額となります。

一方、「不動産等の価額」は、〔書式85〕（629ページ）の㉚（不動産等の財産の明細書の「㉚」欄）をいいます。この場合の「不動産等」とは、次のものをいいます（相法38①、相令13）。なお、棚卸資産としての不動産等もこれに含まれます（相基通38－４）。

①　土地（土地の上に存する権利を含む）――田、畑、宅地、山林、その他の土地とその土地の上に存する権利（借地権、地上権、賃借権、永小作権など）をいう。

②　家屋及び構築物

③　立木――財産評価上の果樹等と立竹木をいう（庭木などは土地に含まれる）。

④　事業（農業）用の減価償却資産――事業用の建物や構築物は、上記②に含まれる。

⑤　特定同族会社の株式及び出資（いわゆる非上場株式）――相続又は遺贈により財産を取得した者及びその者と特別の関係がある者の有する株式金額又は出資金額の合計額が、その法人の株式金額又は出資金額の50％超を占めている場合の株式又は出資をいう（証券取引所に上場されているものを除く）。

なお、上記④の「事業（農業）用の減価償却資産」とは、被相続人の事業の用に供されていた所得税法第２条第１項第19号に規定する次の減価償却資産をいうものとされています（相基通38－７）。この場合、被相続人の事業の用に供されていたものをいいますから、それを承継した相続人の事業の用に供するか否かは問われません。

イ　建物及びその附属設備

ロ　構築物

ハ　機械及び装置

ニ　船舶

ホ　航空機

ヘ　車両及び運搬具

ト　工具、器具及び備品

チ　鉱業権、ソフトウェアその他一定の無形固定資産

リ　一定の生物

もっとも、上記イとロは、相続財産の区分上は「家屋・構築物」としての不動産等に含まれます。

（注） 被相続人からの生前贈与で、相続開始前３年以内のものは相続税の課税価格に加算され（相法19）、被相続人からの相続開始の年の贈与もこの加算規定が適用されます（相法21の２④）。この場合、相続開始の年の贈与で、相続税の課税価格に加算されたもののうちに不動産等があるときは、その不動産等の価額は、課税相続財産の価額に含めて差し支えないこととされています（相基通38－３）。この取扱いは、贈与により取得した相続時精算課税の適用を受ける財産のうちに不動産等がある場合も同様ですが、生前贈与財産のうち、相続開始の年のものだけが対象となることに注意してください。

⑶　不動産等の割合の算定方法

前記⑵で示した不動産等の割合の算定に当たっての端数処理は次のようになります（相基通38－８）。

①　延納期間及び利子税の割合の判定上は、不動産等の割合（631ページの⑵の分数式）について端数処理はしない。

②　延納相続税額の区分（不動産等に係る延納相続税額等の計算）における不動産等の割合は、小数点以下第３位まで求め、小数点以下第３位未満の端数は切り上げる。なお、この場合の課税相続財産価額と不動産等の価額のいずれについても1,000円未満の端数は切り捨てる。

したがって、不動産等の割合が「0.74999……」の場合、延納相続税額の区分計算では、「0.750」としますが、不動産等の割合は75％未満になるため、最長20年の延納期間の適用を受けることはできません。

なお、これらの端数処理について、〔書式82〕（625ページ）の相続税延納申請書では、次のようになります。

①　同申請書の「３　不動産等の割合」における「割合の判定」の「割合」欄は、上記①により端数処理はしない。

②　同申請書の「３　不動産等の割合」における「割合の計算」の「割合」欄は、上記②により小数点以下第３位未満の端数を切り上げる。

（注） 期限内申告に係る相続税について延納申請を行った後に修正申告が行われ、不動産等の割合が異なることとなった場合に、期限内申告分の延納が既に許可されているときは、その許可された延納について不動産等の割合は変更されません。ただし、期限内申告分の延納が許可されていないときは、修正申告の内容を基礎として不動産等の割合を判定することとされています。

この取扱いを設例で示すと、次のとおりです。

〈設　例〉

○期限内申告
- 課税相続財産の価額……60,449,789円
- 不動産等の価額…………46,382,450円
- 不動産等の割合…………0.76728…

○修正申告（不動産等以外の財産1,000万円について修正申告）
- 課税相続財産の価額……70,449,789円
- 不動産等の価額…………46,382,450円
- 不動産等の割合…………0.65837…

①　期限内申告に係る延納申請が修正申告前に許可されている場合

期限内申告分の不動産等の割合が75％以上のため、最長20年の延納が許可されており、修正申告を行ってもその許可内容は変更されません（修正申告分の相続税について延納申請を行う場合は、不動産等の割合が50％以上75％未満のため、最長延納期間は15年になります）。

②　期限内申告に係る延納申請が修正申告時に許可されていない場合

不動産等の割合は75％未満となるため、延納期間は最長15年となります。修正申告分の相続税について延納申請を行う場合も同様です。

(4)　代償分割が行われた場合の不動産等の割合の計算

ところで、遺産分割の方法としての代償分割については、第2章（106ページ）で説明しましたが、代償分割が行われた場合に、延納期間等の判定上、「不動産等の割合」をどのように算定するかという問題が生じます。この点については、次のように取り扱うこととされています（相基通38－9）。

①　代償財産の交付を受けた者………相続又は遺贈により取得した現物の財産の価額と交付を受けた代償財産の価額との合計額によって不動産等の割合を計算する。

②　代償財産の交付をした者………相続又は遺贈により取得した財産中、代償分割の対象にならなかった財産の価額と、代償分割の対象となった財産の価額から代償財産の価額に相当する金額をそれぞれの種類ごとに控除して計算した価額との合計額によって不動産等の割合を計算する。ただし、その代償分割が包括的に行われた場合には、その代償財産の価額は、代償分割の対象となった財産の価額によってあん分して計算した額による。

この取扱いを算式と設例でまとめると、次のようになります。

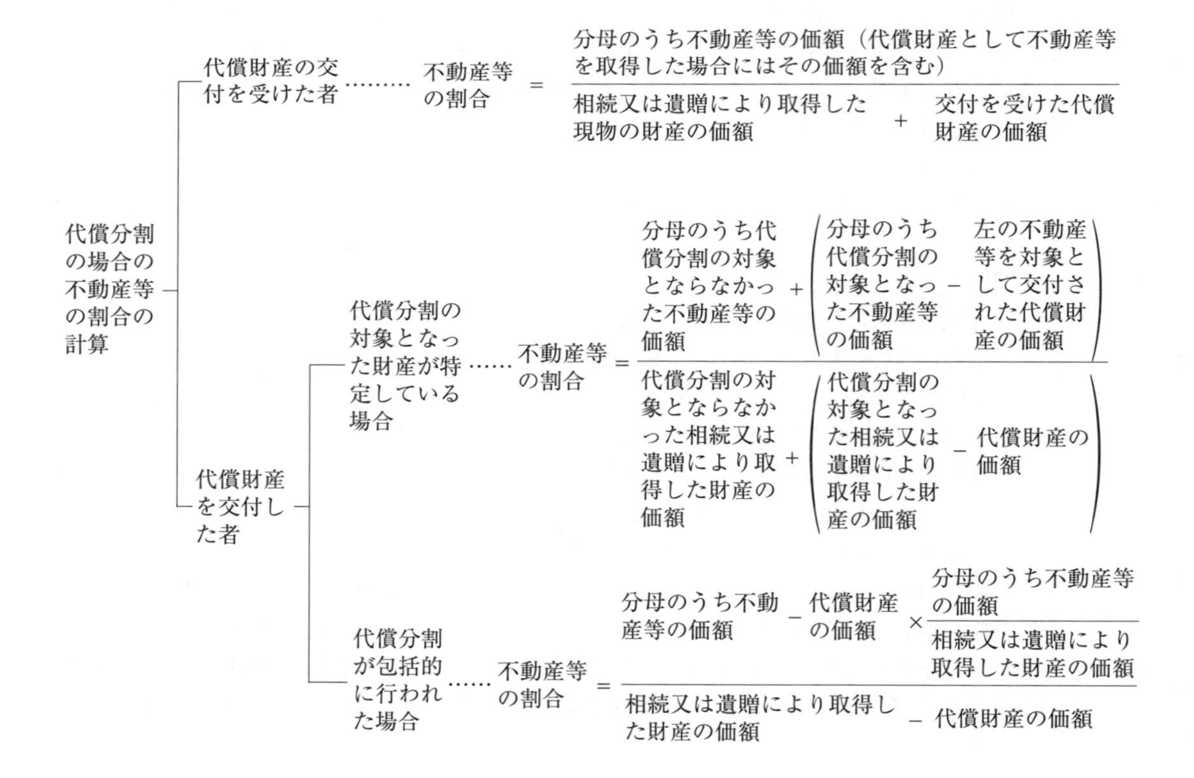

＜設　例＞

1　被相続人の相続人は、A、B及びCの３人である。

2　遺産分割により取得した財産の内訳とその価額は次のとおりであり、相続人Aは、代償財産として現金2,000万円を相続人BとCにそれぞれ支払うこととした。

相続財産	財産の評価額	遺産分割		
		相続人A	相続人B	相続人C
①　土　地	251,293,660円	150,296,325円	61,423,750円	39,573,585円
②　家　屋	18,907,200円	18,907,200円	—	—
③　上場株式	45,092,700円	10,069,300円	—	35,023,400円
④　預貯金	24,687,453円	—	15,120,982円	9,566,471円
計	339,981,013円	179,272,825円	76,544,732円	84,163,456円
（計のうち不動産等の価額 ①＋②）	（270,200,860円）	（169,203,525円）	（61,423,750円）	（39,573,585円）
代償財産（現金）	△40,000,000円 40,000,000円	△40,000,000円	20,000,000円	20,000,000円
代償分割後の価額	339,981,013円	139,272,825円	96,544,732円	104,163,456円

【計　算】

①　相続財産である土地を対象として代償分割が行われた場合

○ 相続人Aの不動産等の割合

$$\frac{\overset{\text{（代償財産価額控除後の不動産等の価額）}}{169{,}203{,}525\text{円}-40{,}000{,}000\text{円}}}{\underset{\text{（代償財産価額控除後の相続財産の価額）}}{179{,}272{,}825\text{円}-40{,}000{,}000\text{円}}}=0.92770\cdots\ (\geqq 75\%)$$

$$\left(\text{延納税額の区分上の不動産等の割合}\cdots\cdots\frac{129{,}203\text{千円}}{139{,}272\text{千円}}\left(\begin{array}{l}\text{1,000円未}\\\text{満切捨て}\end{array}\right)=0.92770\cdots\rightarrow 0.928\right)$$

○ 相続人Bの不動産等の割合

$$\frac{\overset{\text{（不動産等の価額）}}{61{,}423{,}750\text{円}}}{\underset{\text{（相続財産の価額）（代償財産の価額）}}{76{,}544{,}732\text{円}+20{,}000{,}000\text{円}}}=0.63622\cdots\ (\geqq 50\%)$$

$$\left(\text{延納税額の区分上の不動産等の割合}\cdots\cdots\frac{61{,}423\text{千円}}{96{,}544\text{千円}}=0.63621\cdots\rightarrow 0.637\right)$$

○ 相続人Cの不動産等の割合

$$\frac{\overset{\text{（不動産等の価額）}}{39{,}573{,}585\text{円}}}{\underset{\text{（相続財産の価額）（代償財産の価額）}}{84{,}163{,}456\text{円}+20{,}000{,}000\text{円}}}=0.37991\cdots\ (<50\%)$$

（注）相続人Cの延納期間は、最長で５年となるため、延納税額の区分は不要です。

②　代償分割が包括的に行われた場合

○ 相続人Aの不動産等の割合

$$\frac{\underset{\text{(不動産等の価額)}}{169{,}203{,}525\text{円}} - \underset{\text{(代償財産の価額)}}{40{,}000{,}000\text{円}} \times \overset{\text{(不動産等の価額によるあん分)}}{\dfrac{169{,}203{,}525\text{円}}{179{,}272{,}825\text{円}}}}{\underset{\text{(相続財産の価額)}}{179{,}272{,}825\text{円}} - \underset{\text{(代償財産の価額)}}{40{,}000{,}000\text{円}}} = 0.94383\cdots \ (\geqq 75\%)$$

（延納税額の区分上の不動産等の割合…… $\dfrac{131{,}450{,}224\text{円}}{139{,}272{,}825\text{円}} \rightarrow$

$\dfrac{131{,}450\text{千円}}{139{,}272\text{千円}} = 0.94383\cdots \rightarrow 0.944$）

○ 相続人Bの不動産等の割合……上記①に同じ

○ 相続人Cの不動産等の割合……上記①に同じ

この設例計算では、「土地を対象として代償分割が行われた場合」（上記計算の①）と「代償分割が包括的に行われた場合」（同②）の２とおりに区分していますが、実務的にみると両者の違いは必ずしもわかりやすいとはいえません。

この違いは次のように考えるべきでしょう。まず、相続人間の認識として、「相続財産である土地は、本来であれば相続人A、B、Cの３人において法定相続分に従って分割すべきであるが、Aがその大部分を取得したため、その土地取得の代償としてAはBとCに現金を支払う」ということであれば、代償分割の対象となった財産が土地に特定されています。したがって、上記計算の①によります。

これに対し、当事者の認識が、「遺産分割の結果、相続人Aの取得財産価額が全体として法定相続分を超えているので、その代償としてAは他の相続人に現金を支払う」というのであれば、いわば包括的に代償分割が行われたということになるでしょう。したがって、この場合は上記②の計算になります。

ただ、こうした違いは相続人間の認識の問題であり、第三者からみて明確に区分できることではありません。このため、実務上はいずれの認識によったものであるかを遺産分割協議書で明らかにしておく方がよいでしょう。もっとも、代償分割が行われる場合の協議書では、単に「相続人Aから相続人BとCに現金2,000万円を支払う」とする例が多く、この場合は包括的に代償分割が行われたものと考えられます。

(5)　分納税額の計算方法

上記により不動産等の割合が確定すれば、分納税額の計算を行いますが、この場合、延納申請税額を「不動産等に係る延納相続税額」と「動産等に係る延納相続税額」に区分してから分納税額の計算を行います。延納税額の区分は、次の順に計算します（相令14）。

① 不動産等に係る延納相続税額の計算

不動産等に係る延納相続税額＝ 納付すべき相続税額 × 不動産等の割合

② 動産等に係る延納相続税額の計算

動産等に係る延納相続税額＝ 延納申請税額 － 不動産等に係る延納相続税額

なお、①の計算において、納付すべき相続税額に不動産等の割合を乗じて計算した額に100円未満の端数があるときは、その端数を切り上げて不動産等に係る延納相続税額とします。計算例を示すと、次のとおりです。

		相続人A	相続人B	相続人C
①	相続財産の価額	231,504,864円	219,487,237円	181,950,405円
②	①のうち不動産等の価額	173,892,769円	114,794,986円	90,344,798円
③	納付すべき相続税額	74,503,400円	70,636,700円	58,555,800円
納付	期限内金銭納付額	4,503,400円	5,636,700円	8,555,800円
	延納申請税額	70,000,000円	65,000,000円	50,000,000円

○ 相続人A

・不動産等の割合…… $\frac{173,892,769円}{231,504,864円}$ ≧75％

$\frac{173,892,000円}{231,504,000円}$ ＝0.75114…→0.752

・不動産等に係る延納相続税額……
74,503,400円×0.752＝56,026,556円→56,026,600円（最長延納期間20年）

・動産等に係る延納相続税額……
70,000,000円－56,026,600円＝13,973,400円（最長延納期間10年）

○ 相続人B

・不動産等の割合…… $\frac{114,794,986円}{219,487,237円}$ ≧50％

$\frac{114,794,000円}{219,487,000円}$ ＝0.52301…→0.524

・不動産等に係る延納相続税額……
70,636,700円×0.524＝37,013,630円→37,013,700円（最長延納期間15年）

・動産等に係る延納相続税額……
65,000,000円－37,013,700円＝27,986,300円（最長延納期間10年）

○ 相続人C

・不動産等の割合…… $\frac{90,344,798円}{181,950,405円}$ ＜50％（延納申請税額の全額が最長延納期間５年となる）

このような区分をした後に、各分納期限ごとの分納税額を計算します。上記の相続人Aについて、最長延納期間を申請する場合は次のようになります。

なお、分納税額の計算上、1,000円未満の端数金額は、第1回の分納税額に含めることとされています（相令14④）。

① 不動産等に係る延納相続税額……56,026,600円÷20年＝2,801,330円
- 第1回の分納税額……56,026,600円－（2,801,000円×19回）＝2,807,600円
- 第2回から第20回の分納税額……2,801,000円

② 動産等に係る延納相続税額……13,973,400円÷10年＝1,397,340円
- 第1回の分納税額……13,973,400円－（1,397,000円×9回）＝1,400,400円
- 第2回から第10回の分納税額……1,397,000円

③ 各回の分納税額
- 第1回……2,807,600円＋1,400,400円＝4,208,000円
- 第2回から第10回……2,801,000円＋1,397,000円＝4,198,000円
- 第11回から第20回……2,801,000円

(注) この例を「相続税延納申請書」に記載したものが前記〔書式82〕（625ページ）です。

(6) 利子税の計算方法

相続税の延納に対する利子税の割合については、前述（618ページ）したとおりですが、一般的な延納の場合を再掲すれば、次のとおりです（利子税の割合のカッコ内は、財務大臣の告示する国内銀行の短期貸出約定平均金利が0.6％の場合の年割合です）。

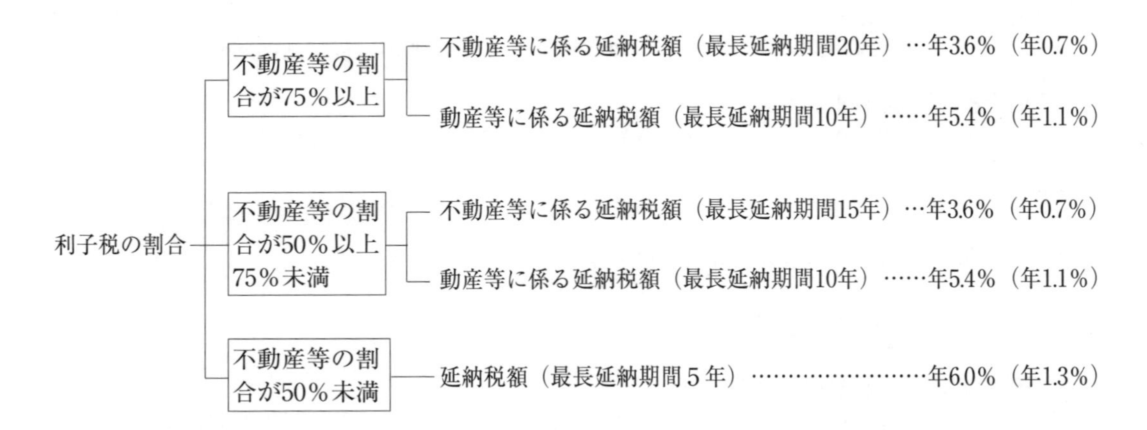

利子税の計算の基本的な事項は、次のとおりです。

○ 計算方法……利子税の割合の異なる区分ごとに、それぞれの延納税額（第２回目以降は、前回までの分納税額を控除した金額）を基礎として、納期限（第２回目以降は前回の分納期限）の翌日からその回の分納期限までの間の日数に応じて計算する（相法52①）。

①　第１回目の分納税額に係る利子税

$$利子税の額＝延納税額×利子税の割合×\frac{納期限の翌日から第１回目の分納期限までの日数}{365}$$

②　第２回目以降の分納税額に係る利子税

$$利子税の額＝（延納税額－前回までの分納税額の合計額）×利子税の割合×\frac{前回の分納期限の翌日からその回の分納期限までの日数}{365}$$

○ 端数処理……利子税の計算の基礎となる延納税額（利子税の割合の異なるごとの税額）に１万円未満の端数があるときは、その端数を切り捨てる（通則法118③）。また、利子税の割合の異なる延納税額ごとに計算した利子税の額を合算し、その合計額に100円未満の端数があるときは、その端数を切り捨てる（通則法119④）。

利子税の具体的な計算方法について、前記(5)で説明した相続人Ａ（625ページの延納申請書の記載例）の場合を例として示すと、以下のとおりです。

＜設　例＞

○ 延納申請税額……………………………………………70,000,000円
○ 延納申請税額の内訳
・不動産等に係る延納税額（20年）…………56,026,600円
・動産等に係る延納税額（10年）……………13,973,400円
○ 第１回目の分納税額
・不動産等に係る延納税額……………………2,807,600円
・動産等に係る延納税額………………………1,400,400円
○ 第２回目以降の分納税額
・不動産等に係る延納税額……………………2,801,000円
・動産等に係る延納税額………………………1,397,000円
○ 利子税の割合（特例割合）
・不動産等に係る延納税額…………………………年0.8％
・動産等に係る延納税額……………………………年1.3％

〔利子税の計算〕

①　第１回目の分納税額に併せて納付する利子税の額

・不動産等に係る延納税額分……56,020,000円×0.7％×$\frac{365}{365}$＝392,140円
・動産等に係る延納税額分……13,970,000円×1.1％×$\frac{365}{365}$＝153,670円
・納付すべき利子税の額……392,140円＋153,670円＝545,810円→545,800円

②　第２回目の分納税額に併せて納付する利子税の額

・不動産等に係る延納税額分……56,026,600円－2,807,600円＝53,219,000円
53,210,000円×0.7％×$\frac{365}{365}$＝372,470円
・動産等に係る延納税額分……13,973,400円－1,400,400円＝12,573,000円

$$12{,}570{,}000円 \times 1.1\% \times \frac{365}{365} = 138{,}270円$$

・納付すべき利子税の額……372,470円＋138,270円＝510,740円→510,700円

（第３回目以降の計算は省略しますが、第２回目の計算方法に準じて計算します。）

⑺　分納税額の繰上納付と延納税額の充当

相続税の延納が許可された場合は、その内容に従って分納税額を納付していきますが、不動産等に係る延納税額とその他の部分の延納税額がある場合に分納期限より前に、許可された分納税額を超えて納付することを繰上納付といいます。

この場合の利子税について、延納税額の繰上納付があったことにより、延納税額から前回までの分納税額の合計額を控除した残額よりも延納税額の残額が少ない場合には、その延納税額の残額を基として利子税の計算を行います。

ところで、延納税額のうちに利子税の割合が異なるものが２以上ある場合に、繰上納付が行われたときは、分納税額を超える部分の金額は次回以降の分納税額について、次の順序で充当することとされています（相令28の２①）。

・動産等に係る延納相続税額

↓

・不動産等に係る延納相続税額

↓

・緑地保全地区等内の土地に係る延納相続税額

・計画伐採立木に係る延納相続税額

この順序は、納税者の指定があれば変更することが可能です。ただ、上記の順序は、利子税の割合が高い延納税額に優先的に充当するということですから、一般的には納税者がこれと異なる順序を指定する必要はありません（実務的には、上記の順序を確認的に指定するため、繰上納付の際の納付書に「動産等に係る延納相続税額に充当」と記載しておいた方がよいでしょう）。

なお、納付された金額が分納期限に係る分納税額に満たない場合にも、前記に準じて充当することとされています（相令28の２②）。

（注）延納の許可を受けた後に、納税資金の調達ができたため繰上納付を行う場合、たとえば「次回以降３回分の動産等に係る延納税額に全て充当し、不動産等に係る延納税額と利子税は、後日納付する」ということは、通常は認められません。不動産等に係る延納税額の滞納又は利子税の未納となりますから、延納条件に反するものとして延納許可の取消し原因となります。

もっとも、不動産等に係る延納税額は許可を受けた分納期限に納付することとし、一時的な繰上納付額を次回以降の分を含めた動産等に係る延納税額に充当指定することは可能です。ただし、この場合は動産等に係る延納税額の延納期間の短縮になるため、「延納条件の変更」をすべきでしょう。

4. 延納の担保の種類・適格性と担保提供の手続

⑴ 担保の種類

延納相続税額が100万円以下で、かつ、延納期間が３年以下の場合は、担保は不要ですが(相法38④)、これを超える通常の相続税の延納では、その申請と同時に担保提供をしなければなりません。

国税の担保となり得るのは、次の種類のものに法定されています（通則法50)。もっとも、これらのうち⑦の金銭は、相続税の延納要件として金銭納付困難事由があるため、事実上担保とすることはあり得ません。

① 国債及び地方債
② 社債（特別の法律により設立された法人が発行する債券を含む）その他の有価証券で税務署長等が確実と認めるもの
③ 土地
④ 建物、立木及び登記・登録される船舶、飛行機、回転翼航空機、自動車、建設機械で、保険に附したもの
⑤ 鉄道財団、工場財団、鉱業財団、軌道財団、運河財団、漁業財団、港湾運送事業財団、道路交通事業財団及び観光施設財団
⑥ 税務署長等が確実と認める保証人の保証
⑦ 金銭

このうち、②の「有価証券で税務署長等が確実と認めるもの」については、原則として株式及び社債で金融商品取引所に上場されているものとされています（通基通50－１⑷)。したがって、いわゆる取引相場のない株式は、原則として延納の担保として認められませんが、次のいずれかに該当する事由があるときは、担保として認めることに取り扱われています（相基通39－２)。

イ 相続若しくは遺贈又は贈与により取得した財産のほとんどが取引相場のない株式であり、かつ、当該株式以外に延納の担保として提供すべき適当な財産がないと認められること。
ロ 取引相場のない株式以外に財産があるが、当該財産が他の債務の担保となっており、延納の担保として提供することが適当でないと認められること。

⑵ 担保の適格性

延納の担保は、物納と異なり相続財産には限られません。したがって、相続人固有の財産はもちろん、第三者の所有財産でも延納の担保とすることができます。

ただし、次のようなものは担保としての性格からみて不適当とされています。

① 法令上担保権の設定又は処分が禁止されているもの

② 違法建築、土地の違法利用のため建物除去命令等がされているもの
③ 共同相続人間で所有権を争っている場合など、係争中のもの
④ 売却できる見込みのないもの
⑤ 共有財産の持分
⑥ 担保に係る国税の附帯税を含む全額を担保していないもの
⑦ 担保の存続期間が延納期間より短いようなもの
⑧ 第三者又は法定代理人の同意が必要な場合に、その同意が得られていないもの

これらのうち⑤については、共有者の全員が担保提供に同意して、その持分の全部を同時に担保として提供する場合は、それが認められます。

上記のほか、担保の適格性については、次のような点にも注意してください。

○ 借地権……借地権（建物の所有を目的とする地上権又は賃借権）が登記されている場合でも、単独では担保とすることはできません。ただし、建物を担保とした場合は、その効力が借地権にも及ぶことから、実質的には借地権を担保としたことになります。なお、延納期間内に借地期間が満了する場合は、担保としては検討を要します。

○ 未登記建物のある土地……担保として提供する土地の上に未登記の建物があり、公簿上その権利関係が不明確な場合は、担保物の処分に当たって障害の生ずるおそれがあります。このため、建物の所有権の保存登記を行わない限り、原則として担保とすることはできません。

○ 抵当権が設定されている土地……担保提供しようとする土地に既に抵当権が設定されている場合でも、その土地の担保価額から先順位の抵当権に係る被担保債権額を控除して、なお延納税額を担保できる場合は、適格性を有します（この場合、先順位の抵当権者からの債権額の証明書の提出を要することがあります）。なお、担保物の価額から先順位の抵当権に係る被担保債権額を控除すると、延納の担保として不足する場合でも、抵当権の順位変更を行うことができれば、担保とすることは可能です。

○ 相続登記未了の土地……延納の担保は、延納申請者の所有財産には限られませんが、相続で取得した財産を担保とする場合は、延納の申請期限までにその申請者の名義に変更する必要があります。この場合、申請期限までに相続土地の所有権移転登記ができないときは、申請時に「担保提供関係書類提出期限延長届出書」を提出し、相続登記が完了した後に担保提供することになります。

○ 国外財産……延納の担保は、延納税額の滞納があった場合に国税債務の弁済の引当てとなるものです。したがって、担保物について抵当権の設定等の保全措置をとることができず、その処分も困難である国外財産は、担保としては不適格となります。なお、外国法人の株式等については、国内の証券市場で流通し、売買の対象となっ

ているものであれば、延納の担保とすることができます。

○ 保証人の保証……保証人の保証を延納の担保とする場合の保証人は、金融機関その他の保証義務を果たすための資力が十分にあると認められる者を「税務署長等が確実と認める保証人の保証」として取り扱うこととされています（通基通50－6）。なお、保証人について個人であるか法人であるかは問われませんが、法人が保証人となる場合は、その法人が個人の延納税額を保証することについて、その法人の定款に定める目的の範囲内に属するものに限られます。この場合、次のような法人の保証は、定款に定める目的の範囲内に属するものとされています（通基通50－7）。ただし、取締役会又は社員総会の承認を受けたものに限られます（実務上は、その承認に関する取締役会等の議事録の写しの提出を要します）。

イ 納税者と取引上密接な関係のある営利を目的とする法人

ロ 納税者が役員となっている営利を目的とする法人で、取締役会又は社員総会の承認を受けた法人

(3) 担保の必要価額

国税の担保は、その担保に係る国税が完納されるまでの延滞税、利子税及び担保の処分に要する費用をも十分に担保できるものでなければならないとされています（通基通50－9）。

もっとも、相続税の延納の場合は、分納税額の滞納があれば、税務署長は延納の許可を取り消して担保物の処分ができることとされています。このため、相続税の延納の担保については、実務上、延納税額に第１回目の分納税額に係る利子税の３倍相当額を加算した価額が、担保の必要額の目安とされています。

担保の必要価額＝ 延納税額 ＋ 第１回目の利子税の額(注)× 3

(注) 第１回目の延納期間が１年に満たない場合は、１年として計算する。

(4) 担保の見積価額

延納の担保の見積価額は、国債と保証人の保証を除き、時価を基準としていますが、有価証券と不動産については、担保の提供期間中に予想される価額の変動や価値の減耗等を考慮した価額をもって担保の見積価額とすることとされています（通基通50－10）。

この場合の具体的な取扱いは、次のとおりです。

〔担保の見積価額〕

① 国債………………原則として、券面金額

②　有価証券…………地方債、社債及び株式その他の有価証券については、時価の８割以内において担保提供期間中の予想される価額変動を考慮した金額

③　土地………………時価の８割以内において適当と認める金額

④　建物、立木及び各種財団……時価の７割以内において担保提供期間中の予想される価値の減耗等を考慮した金額

⑤　保証人の保証……延納税額が不履行（滞納）となった場合に、保証人から徴収（財産の滞納処分による換価による弁済を含む）することができると見込まれる金額

これらのうち、②、③及び④は「時価」を基準として価額を見積ることになりますが、この場合の時価とは、原則としてその担保物件を財産評価基本通達により評価した金額を基とし、国税局長が定める一定の調整率を乗じて算定することとされています。

たとえば、土地の調整率を1.25とすれば、担保の見積価額の算定上の「時価」は次のようになります。

○ 担保土地の財産評価通達による評価額 …3,000万円

○ 国税局長の定める調整率……………………………1.25

3,000万円×1.25＝3,750万円

したがって、この価額に担保の掛目を乗じた範囲で見積価額が決定されることになります。もっとも、担保の価額は、相続開始時の価額ではなく、延納を許可する時の評価によります。このため、本来であれば、相続開始時から延納を許可するまでの間について時点修正を要することになります。ただし、担保物が相続財産の場合で、相続開始時点と担保の評価時点とに時間的なずれが少ないときは、その担保物の相続税評価額に一定の調整率を乗じて計算した金額が時価として取り扱われています。

なお、小規模宅地等の特例（措法69の4）の適用対象となった土地を担保とする場合には、その特例の適用前の価額を基に担保の評価を行うこととされています。

⑸　担保に関する補完通知と補完期限の延長手続

延納の申請者から提出された延納申請書に記載の不備があった場合及び担保提供関係書類に記載不備や不足書類があった場合には、書類の訂正・追加提出を求める通知（補完通知）が書面により行われます（相法39⑩⑪、相令16）。

この場合の書類の訂正・追加提出の期限（補完期限）は、補完通知書を受けた日の翌日から起算して20日以内とされています（相法39⑫）。

ただし、その補完期限までに書類の訂正・提出ができない場合には、補完期限の翌日から３か月の範囲内で補完期限を指定した「担保提供関係書類補完期限延長届出書」〔書式87〕（次ページ）を提出することで期限の延長が可能です（相法39⑬⑭、相令15③、相基通39－7②）。

〔書式87〕

担保提供関係書類補完期限延長届出書

税務署
収受印

令和 0 年 7 月28日

○○ 税務署長（国税局長） 殿

（〒○○○－XXXX ）
(住所) ○○市○○ 5−6−7
ﾌﾘｶﾞﾅ ヤマ ダ イチ ロウ
(氏名) 山 田 一 郎 ㊞

法人番号	

平成
㊀令和 0 年 7 月10日付「相続税（贈与税）延納申請書及び担保提供関係書類に関する補完通知書」（平成 ㊀令和 0 年 7 月11日受領）により、訂正又は作成の上、提出が求められている担保提供関係書類については、補完期限までに提出ができないため、下記のとおり補完期限を（再）延長します。

記

1 延長する補完期限

補完期限 又は 前回の延長した補完期限
令和 0 年 7 月30日

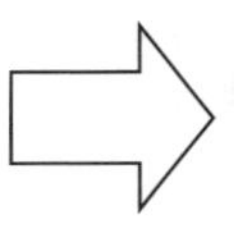

延長する補完期限
令和 0 年 8 月31日

(注) 1 延長する補完期限欄には、「相続税（贈与税）延納申請書及び担保提供関係書類に関する補完通知書」を受領した日の翌日から起算して20日を経過する日」（又は前回延長した期限）の翌日から起算して3か月以内の日を記載してください。

2 再延長の届出は何回でも提出できますが、延長できる期間は、補完通知書を受領した日の翌日から起算して6か月を超えることはできません。

2 補完期限を延長する必要のある書類

担保財産の種類、所在場所、銘柄、記号及び番号等	補完期限を延長する担保提供関係書類の名称	参考事項
土地（宅地） ○○市○○6丁目5,015番地	登記事項証明書	抵当権の抹消後のもの

3 その他参考事項

税務署整理欄	郵送等年月日	担当者印
	令和 年 月 日	

また、この補完期限延長届出書の提出回数に制限はなく、補完通知書を受けた日の翌日から起算して最長６か月を限度として期限の再延長をすることも可能です（相法39⑮）。

なお、補完通知書を受けた日の翌日から起算して20日以内に書類の訂正・提出がされず、かつ、補完期限の延長届出書も提出されない場合は、延納申請が取り下げられたものとみなされ（相法39⑫）、また、延長届出をした最終の補完期限までに書類の補完が行われなかった場合は、延納申請が却下されます（相法39⑯、相基通39－９）。

（注） 担保提供関係書類の補完期限の延長は、上記のとおり最長で「６か月」ですが、担保提供関係書類の提出期限の延長の規定（631ページの（注２））と同様の事由がある場合には、同規定による期間の延長が可能です（相法39㉒）。

⑹ 担保提供の手続

延納の担保として提供できるのは、前述のとおりさまざまなものがありますが、土地や建物を担保とするのが一般的でしょう。参考のために、そのポイントを以下にまとめておきます。

	必要書類	担保にできない財産	担保提供の手続
土　地	○登記事項証明書（又は登記簿謄本） ○固定資産税評価証明書 ○抵当権設定登記承諾書 ○印鑑証明書	○譲渡について制限のある土地	○抵当権の設定手続は国（税務署）が行う。
建　物	○登記事項証明書（又は登記簿謄本） ○固定資産税評価証明書 ○抵当権設定登記承諾書 ○印鑑証明書 ○裏書承認等のある保険証券等	○火災保険に加入していない建物（土地を担保提供する場合で、土地の更地価額が必要担保額を超えると見込まれるときは、火災保険に加入していない建物であっても担保提供できる） ○違法建築又は土地の違法利用のため、建物除去命令等がされているもの ○借地上の建物で担保物処分の際に、借地権の譲渡についてあらかじめ地主の同意が得られないもの	○保険金請求権に対する質権設定を行う。 ・保険会社所定の「質権設定承認請求書」２通を税務署に提出し、税務署長の記名なつ印を受け、保険証券又は継続証券の契約証書を添えて保険会社に提出する。 ・保険会社から質権設定の裏書をした保険証券、継続証券の契約証書又は質権設定承諾書の交付を受ける。 ・上記の質権設定に関する書類に公証人役場で確定日付印を受け、税務署に提出する。 ○抵当権の設定手続は国（税務署）が行う。

なお、担保提供に際しての「担保提供関係書類チェックリスト」〔書式88〕（次ページ）が用意されていますから活用してください（このチェックリストは、担保財産が「土地・建物」、「国債・地方債」、「社債・有価証券」、「個人及び法人の保証人」である場合のそれぞ

〔書式88〕

担保提供関係書類チェックリスト

（住所） ○○市○○　5−6−7

（氏名） 山田一郎

共通	書類名称	チェック
	延納申請書（各種確約書を含む）	☑
	延納申請書別紙（担保目録及び担保提供書）	☑
	金銭納付を困難とする理由書	☑
※提出期限の延長はできません	森林計画伐採立木に係る相続税の延納の明細書	☑
	緑地保全地区等内の土地に係る相続税の延納の明細書	□
	不動産等の財産の明細書	□

延納担保財産の表示

有価証券・国債等	種類及び銘柄　（登録・記名・無記名）		
	記号及び番号		
	券面金額		
土地・建物	所在 ○○市○○6丁目		
	種類 宅地		面積 486.76m²、270.10m²
	家屋番号	構造	床面積
	所有者		
保証人	住所（所在）		
	氏名（名称）		
	職業（業種）		

担保提供関係書類	書類名称	国債・地方債		社債・有価証券		土地・建物		保証人	
		登録国債・地方債	振替国債その他	登録社債	その他の有価証券	土地	建物	個人	法人
	登録国債担保権登録済通知書	□							
	担保権登録登録内容証明書	□		□					
	供託書正本（上場株式の場合は所有者の振替口座簿の写し）		□		□				
	登記事項証明書					☑	□		
	固定資産税評価証明書					☑	□		
	裏書承認等のある保険証券等						□		
	納税保証書							□	□
	保証人（法人）の印鑑証明書							□	□
	保証人の土地・建物の登記事項証明書							□	□
	保証人の納税証明書又は源泉徴収票							□	□
	保証法人の登記事項証明書								□
	保証法人の最近における決算の貸借対照表及び損益計算書の写し								□
	議事録の写し								□
	担保提供関係書類提出期限延長届出書	□	□	□	□	□	□	□	□

第三者の財産を担保とする場合	該当する下記項目にチェックし、提出書類を確認してください。	チェック	備　考
	□ 通常の場合		
	担保物所有者の印鑑証明書	□	
	□ 未成年者（又は成年被後見人）が、法定代理人である納税者のための担保を提供する場合		
	特別代理人の資格を証する書面として、審判書謄本	□	
	特別代理人の印鑑証明書	□	
	□ 物上保証人が法人である場合		
	法人の代表者の資格を証する書面（資格証明書、登記事項証明書）	□	
	法人の印鑑証明書	□	
	議事録（原本）	□	

納税者が未成年者等の場合	該当する下記項目にチェックし、提出書類を確認してください。	チェック
	□ 未成年者の場合	
	未成年者の戸籍謄（抄）本	□
	法定代理人（親権者又は未成年後見人）の印鑑証明書	□
	□ 成年被後見人の場合	
	成年被後見人の登記事項証明書	□
	成年後見人の印鑑証明書	□
	□ 被保佐人又は被補助人（延納担保の提供手続について代理権が付与されている場合）	
	被保佐人又は被補助人の登記事項証明書	□
	保佐人又は補助人の印鑑証明書	□
	□ 被保佐人又は被補助人（延納担保の提供手続について代理権が付与されていない場合）	
	被保佐人又は被補助人の登記事項証明書	□
	被保佐人又は被補助人の印鑑証明書	□
	保佐人又は補助人の同意書及び印鑑証明書	□

れについて利用できます)。

⑺　担保の変更要求通知と変更期限の延長の手続

延納申請者から提供された担保財産について調査を行った結果、担保として不適当と認められる場合、あるいは担保の価額が担保の必要価額に満たない場合には、税務署長による担保の変更要求又は担保の追加提供の要求が書面（担保変更等通知書）により行われます（相法39②④⑤、相基通39－６）。

この場合は、その担保変更等通知書を受けた日の翌日から起算して20日以内に、担保の変更等を行う旨の担保提供関係書類を提出しなければなりません（相法39②⑤）。

ただし、その期限までに提出できないときは、３か月（最長６か月）を期限とする「変更担保関係書類提出期限延長届出書」〔書式89〕（次ページ）を提出して変更の期限を延長することができます（相法39⑱～⑳、相令15④、相基通39－７三）。

なお、税務署長による担保変更等通知があった場合において、20日以内に担保提供関係書類を提出しなかった場合、あるいは変更担保提供関係書類の提出期限の延長届出をした場合でその提出期限までに担保提供関係書類を提出しなかったときは、延納申請が却下されます（相法39⑤、相基通39－10）。

（注１） 延納の許可があった後の延納期間中においても、次のような場合は、担保の変更要求又は増担保の提供要求が行われます（通則法51②、通基通51－１）。

①　提供された担保財産の価額が減少したこと
②　保証人の資力が減少したこと
③　担保物に附されている保険契約が失効したこと
④　差押財産がある場合の担保物の額の特例（通則法46⑥、徴法152で準用する場合を含む）の規定を適用された差押財産について、滅失その他の理由によりその価額が減少したとき
⑤　担保物について、その後所有権の帰属に関する訴えが提起された場合等で、担保提供の効力に影響があると認められるとき

これらの事由に基づいて行われた税務署長による担保の変更等の要求に応じなかったときは、延納許可の取消し原因となります（相法40②）。

（注２） 変更担保提供関係書類の提出期限の延長は、上記のとおり最長で「６か月」ですが、担保提供関係書類の提出期限の延長の規定（631ページの（注２））と同様の事由がある場合には、同規定による期間の延長が可能です（相法39㉒）。

〔書式89〕

担保提供関係書類提出期限延長届出書

令和 0 年 9 月 28日

◯◯ 税務署長（国税局長） 殿

（〒○○○－XXXX ）

（住所） ○○市○○ 5−6−7

フリガナ ヤマ ダ イチ ロウ
（氏名） 山 田 一 郎 ㊞

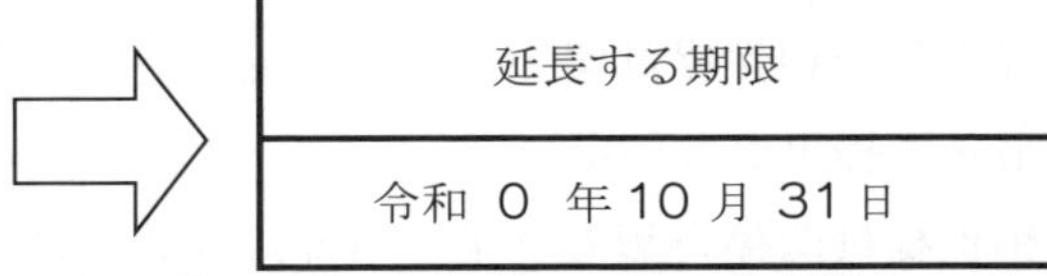

平成
㊞令和 0 年 9 月10日相続開始に係る延納申請に関して、延納申請書に添付して（延長した提出期限までに）担保提供関係書類を提出することができないため、下記のとおり提出期限を（再）延長します。

記

1 延長する期限

延納申請期限 又は 前回の延長した提出期限	⇒	延長する期限
令和 0 年 9 月 30 日		令和 0 年10月 31 日

（注）1 延長する期限には、延納申請期限（又は前回延長した期限）の翌日から起算して３か月以内の日を記載してください。
2 再延長の届出は何回でも提出できますが、延長できる期間は、延納申請期限の翌日から起算して６か月を超えることはできません。

2 提出期限を延長する必要のある書類

担保財産の種類、所在場所、銘柄、記号及び番号等	提出期限を延長する担保提供関係書類の名称	参考事項
土地○○市○○7丁目1058番	登記事項証明書	変更後の担保に係るもの
〃	固定資産税評価証明書	〃

3 その他参考事項

税務署整理欄	郵送等年月日	担当者印
	令和 年 月 日	

5. 延納の許可・却下・取消しと延納条件の変更

(1) 延納の許可・却下とみなし取下げ

延納申請の内容がこれまでに説明した法定の要件を満たし、担保提供した財産が延納の担保として適当であれば、延納が許可され、申請者に「延納許可通知書」が送付されます(相法39③)。

また、この段階で延納の担保物についての「抵当権設定登記承諾書」〔書式90〕(次ページ)と担保提供者の印鑑証明書の提出を要します(628ページの「各種確約書」〔書式84〕参照)。

一方、延納申請が却下され、あるいは延納申請を取り下げたものとみなされた場合は、申請者に「延納却下通知書」又は「延納みなす取下げ通知書」が送付されます。延納申請が却下される場合や延納申請を取り下げたものとみなす場合については、これまでに説明したとおりですが、おおむね次のとおりです。

《延納申請が却下される場合》

○ 金銭による納付を困難とする理由がないと認められる場合

○ 担保の提供がない場合

○ 提出した担保提供関係書類に不足・不備がある場合において、所定の期限までにその訂正・提出がない場合

○ 担保提供関係書類の不足・不備について補完期限の延長届出をした場合において、その延長された期限までにその訂正・提出がない場合

○ 税務署長による担保の変更要求に対し、所定の期限までに担保の変更等がない場合

《延納申請を取り下げたものとみなす場合》

○ 担保提供関係書類の不足・不備についての補完通知に対し、その訂正・提出がなく、提出期限の延長届出がない場合

○ 税務署長による担保の変更要求に対し、所定の期限までに担保の変更等がなく、変更期限の延長届出がない場合

これらの場合、法定納期限の翌日から却下の日(取り下げたものとみなされる日)までの期間については、延納特例基準割合による利子税を納付する必要があり(相法52④)、また、却下の日(取下げたものとみなされる日)から本税の完納の日までの期間については延滞税が課されます。

〔書式90〕

抵当権設定登記承諾書

原　　因　　次項の納税者の平成/令和（令和に○）0年8月5日**相続**による**相続**税及び利子税の額に対する**延納**担保としての令和　年　月　日抵当権設定契約

納 税 者　　住　所 **○○県○○市○○5丁目6番7号**
氏　名 **山田一郎**

納 税 額　　金 ＿＿＿＿＿＿＿＿＿円
内　訳　　＿＿税額　金＿＿＿＿＿＿＿円及び利子税の額　金＿＿＿＿＿＿円

延滞税の額　　国税通則法所定の額

末記物件に上記の抵当権設定の登記をすることを承諾します。

令和　　年　　月　　日

国税局長
沖縄国税事務所長　殿
税務署長

住　所 **○○県○○市○○5丁目6番7号**
氏　名 **山田一郎**　　　　　㊞

物件の表示

一、所在　○○市○○六丁目
地番　5015番
地目　宅地
地積　486.76平方メートル
（以下　略）

なお、延納申請が却下された場合に、その却下処分に不服があるときは、税務署長に対して不服申立てをすることができます（通則法75①一、77①）。

(注) 延納申請から許可までは一定の期間を要するため、納税者の都合で延納申請に係る分納税額を許可前に納付することがありますが、申請内容が延納要件に該当するときは、その許可前の納付分を含めて許可されることになっています（相基通39－3）。

この場合、延納申請税額の全部を許可前に納付しても、延納要件を満たせば許可されます（法定納期限後の納付であっても、延滞税ではなく利子税になります）が、この場合でも担保提供関係書類の提出は必要です（土地等を担保提供しても事実上抵当権の設定は行われません）。

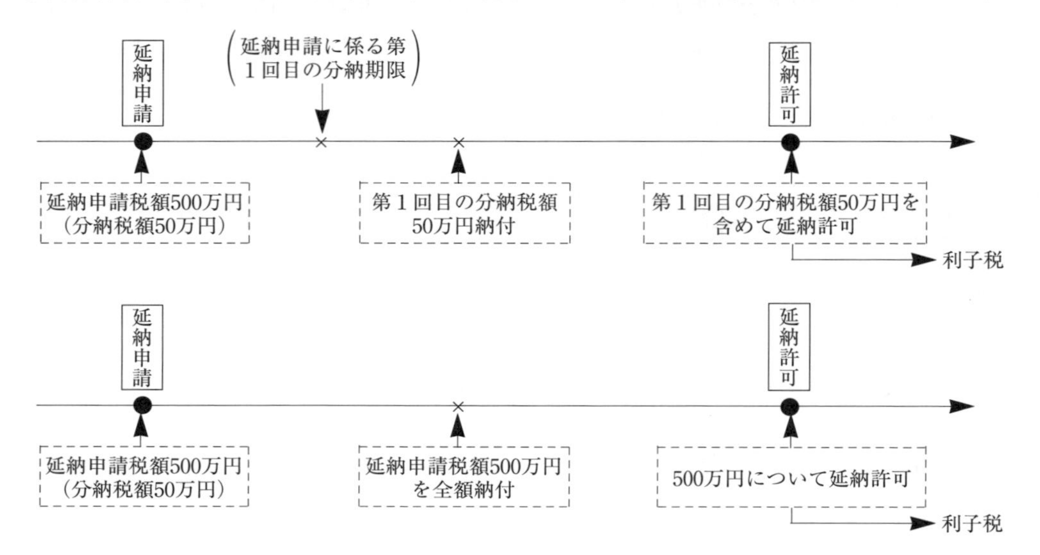

なお、延納許可をする税額のうちに、既に分納期限を経過しているものについては、その許可の日から1か月以内の日がその分納税額の納期限とされます（相基通39－4）。

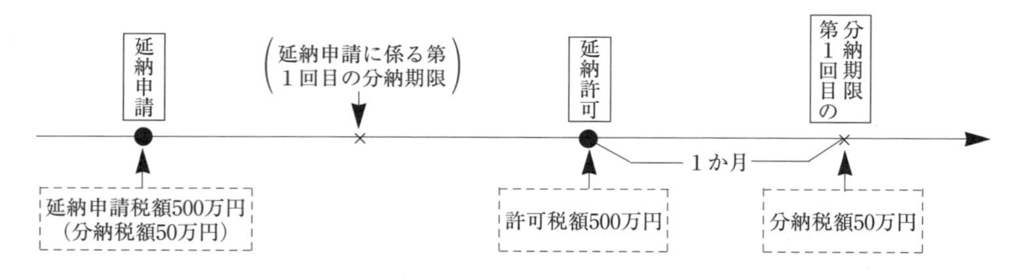

⑵　延納条件の変更

相続税の納付について延納の許可を受けたとしても、その後の経済状況の変化等により分納税額の納付が困難になることもあります。この場合は、納税者からの申請により、延納期間の延長や分納税額の減額など、延納条件を変更することができます（相法39㉚）。

延納条件の変更といっても、延納制度の範囲内で認められますから、一定の条件があることはいうまでもありません。たとえば、相続財産に占める不動産等の割合が75％以上の場合の不動産等部分の延納は、最長20年とされていますから、当初の申請と許可の段階でたとえば15年の分納とされている場合には、5年の範囲内で延納期間の延長が認められるわけです。

延納条件の変更に際しての基本的な取扱いは、次のとおりです（相基通39－14）。

① 最終の延納期限の変更は、延納制度で認められている最終期限を限度とする。

② 分納期限を延長する変更は、次回の分納期限（延納条件変更前の次回の分納期限）の前日が申請期限となる。

③ 延納条件変更後の分納税額は、１回当たり1,000円が限度となる。

なお、分納税額を減額する延納条件の変更が認められたとしても、条件変更後最初に到来する分納期限に係る利子税の額は、分納期限を変更しない限り変わりません。

また、延納条件の変更が行われる場合に、既に提供している担保物の価額が条件変更後の延納税額を担保するのに不十分であると認められたときは、増担保の要求が行われます（相基通39－15）。

⑶ 分納税額の納付困難と特定物納の申請

延納の許可を受けた者の資力の状況が変化した場合の救済として、上記の延納条件の変更制度があるわけですが、その変更をしても分納税額の納付を継続することが困難な場合もあり得ます。

そこで、納期限が到来していない分納税額のうち、延納による金銭納付を困難とする金額を限度として、相続税の申告期限から10年以内のその者の申請により、延納から物納に変更することが認められています。これを「特定物納」といいます（相法48の２）。

特定物納制度については、後述の物納の項（718ページ）で説明します。

⑷ 延納の取消し

延納の許可を受けた納税者が延納税額を滞納するなど、次のような延納条件に反する事由が生じたときは、税務署長においてその許可を取り消すこととされています（相法40②）。

① 分納税額、その税額に係る利子税又は延滞税について滞納したとき

② 延納の条件に違反したとき

③ 担保について、増担保の提供、保証人の変更等をするように命令を受けた場合において、その命令に応じないとき

④ 延納税額に係る担保物について国税徴収法第２条第12号に規定する強制換価手続が開始されたとき

⑤ 延納の許可を受けた者が死亡し、その相続人が限定承認をしたとき

延納許可の取消しがあった場合は、税務署長からの書面により通知が行われますが（相法40③）、その取消しにあたっては、あらかじめ納税者の弁明を聞かなければならないことになっています（相法40②、相基通40－２）。また、延納許可の取消しに不服がある場合は、納税者において不服申立てをすることができます。

なお、延納許可が取り消された場合は、その取消しがあった時以降に納付すべき分納税額の合計額について、その取消しがあった時に納期限が到来した分納税額とみなされます（相法52②）。

また、延納許可の取消しによって税務署長は担保物を差し押さえ、公売して換価代金を相続税に充当することができますし、担保が保証人の保証の場合は、その保証人に対して相続税の納付を命ずることになります。

Ⅲ 物納の手続と実務

1. 物納制度の概要

(1) 物納の要件と手続の概要

相続税の物納は、次の要件の全てを満たす場合に、税務署長の許可を受けて行うことができます（相法41①）。

① 相続税について、延納によっても金銭納付を困難とする事由があり、かつ、その納付を困難とする金額を限度とすること

② 物納申請財産が法定された種類の相続財産であり、かつ、法定された順位に従っているものであること

③ 物納適格財産であること

④ 所定の期限までに物納申請が行われていること

これらの内容については次項以下で説明しますが、物納制度と手続の概略をまとめると次ページのとおりです。

(2) 物納の対象になる相続税

物納の方法により納付することができる相続税は、期限内申告、期限後申告、修正申告、更正又は決定により納付すべき税額で、いわゆる本税に限られますから、各種の加算税や延滞税等は物納の対象にはなりません。この点は、延納の場合と同様です。

また、期限内申告や修正申告等により確定する税額は、それぞれ別個独立したものとして扱われるため、物納の申請等の手続はそれぞれについて行わなければならず、物納の要件に該当するか否かも各別に判断されます。

(注) 相続税・贈与税には、連帯納付義務の規定がありますが（相法34）、贈与税はもちろん、相続税の連帯納付責任に基づく納付について物納はできません（相基通41－2）。

●相続税の物納手続の概要

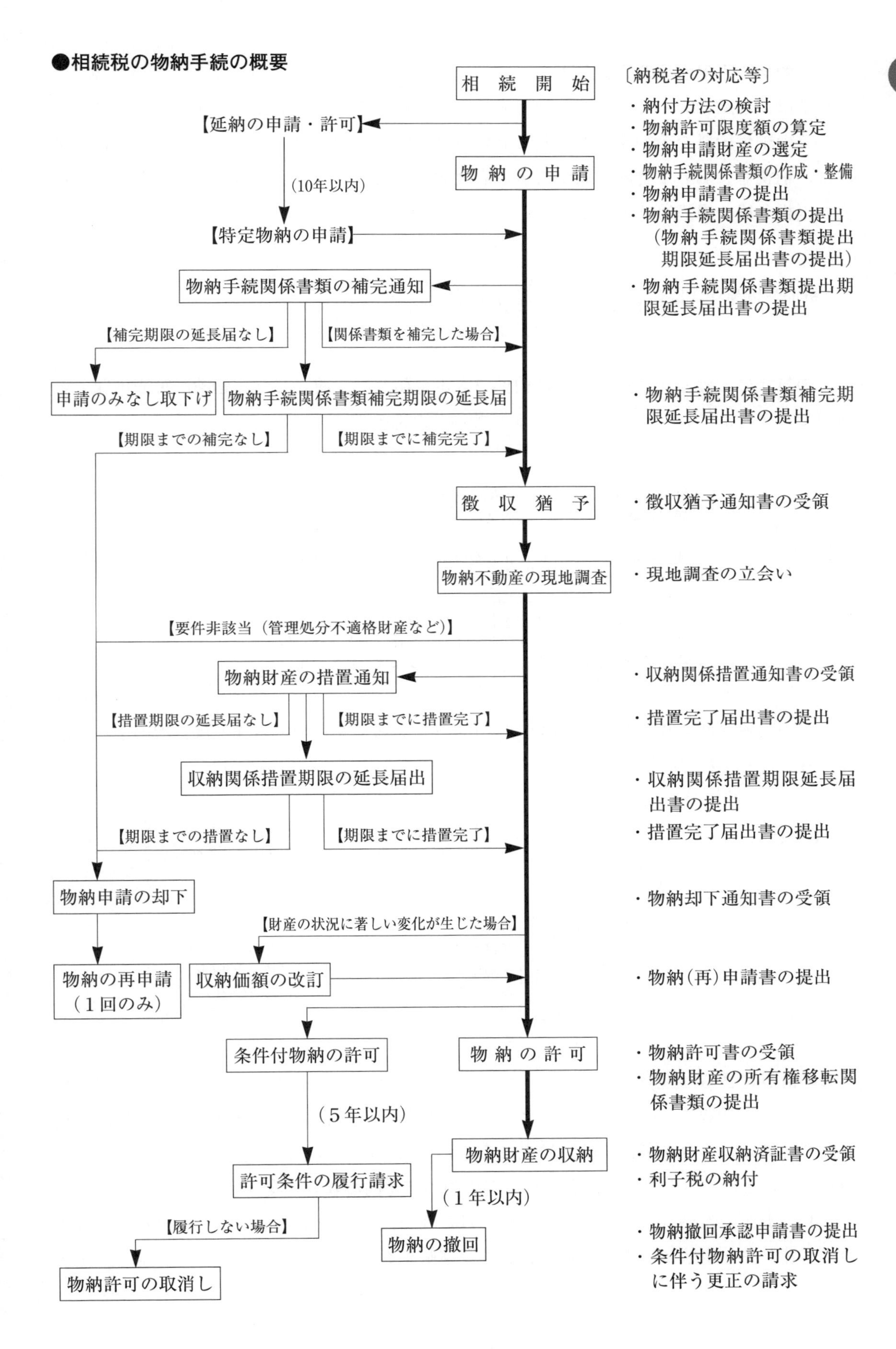

⑶　物納許可限度額の算定方法

物納は、延納によっても金銭で納付することが困難な理由があることが要件とされており、その納付困難な金額を限度として許可されます。この場合の物納許可限度額、換言すれば、納税者において物納申請ができる限度額は、次の算式により求めることとされています（相令17、相基通41－１）。

物納許可限度額 ＝ ［納付すべき相続税額］ － ［金銭で一時に納付することが可能な金額］ － ［延納によって納付できる額］

この算式における「金銭で一時に納付できる金額」は、前述した「延納許可限度額」と同様で、次のような計算式（613ページ）で示した部分です。

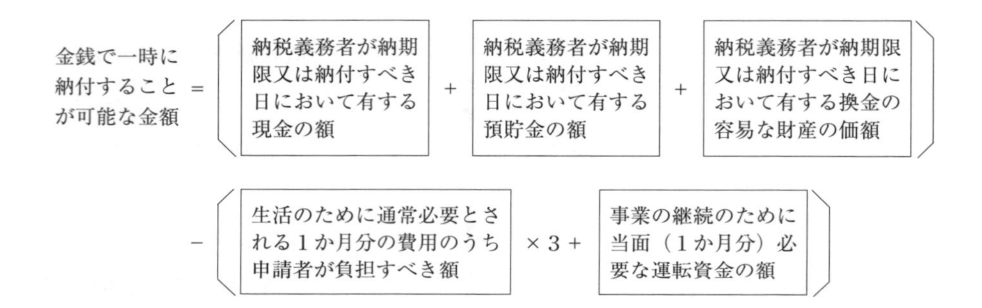

上記の物納許可限度額の計算式のうち、「延納によって納付できる額」は、次のように計算することとされています。

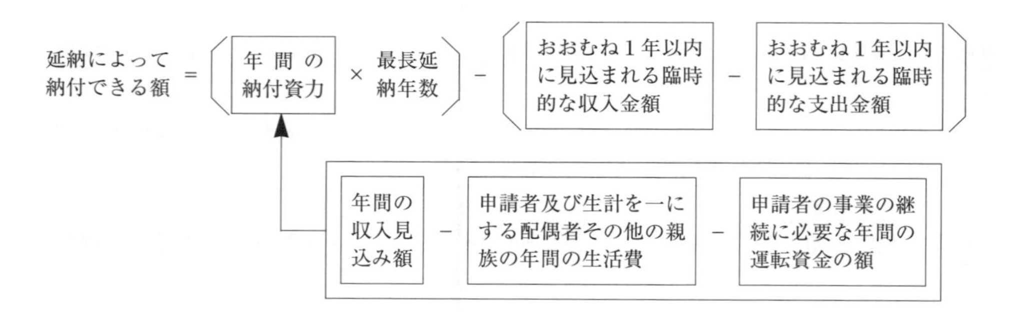

この計算による「延納によって納付できる額」とは、要するに、物納申請者の年間の収入金額から生活費を、その者が事業者であれば年間の運転資金（総経費）を控除した残額を全て延納による分納税額の納付に充てるものとした場合の延納できる最長の期間の累積額ということです（ただし、おおむね１年以内の臨時的な収入と支出は控除します）。

なお、上記の物納許可限度額の計算における「申請者及び生計を一にする配偶者その他の生活費」や「申請者の事業の継続に必要な運転資金の額」などの計算は、前述した延納許可限度額の計算方法と同じです。

物納の申請に際しては、申請者において上記の物納許可限度額を算定し、相続税評価額がその限度額以内となる物納財産を選定して物納申請を行う必要があります。物納申請財産の価額が物納許可限度額を超える場合は、いわゆる超過物納（684ページ）が認められる場合を除き、物納申請は却下されます。

⑷　金銭納付困難理由書の書き方

物納許可限度額の計算は、「金銭納付を困難とする理由書」に記載して行い、物納申請の際に、物納申請書等とともに提出することになります。

物納の場合の金銭納付困難理由書（書式は延納の場合と共通です）の記載例を次の〔設例〕に基づいて示すと、〔書式91〕（次ページ）のようになります。この設例では、納付すべき相続税額（２億4,000万円）のうち、物納許可限度額は6,850万円となりますから、その価額以内の物納財産をもって物納申請することになります（物納申請とともに、延納許可限度額の範囲で延納申請もできることはいうまでもありません）。

＜設　例＞

① 物納申請者…………事業所得者
② 扶養親族等…………配偶者（収入なし）
③ 納付すべき相続税額…………………２億4,000万円
④ 最長延納年数 ……………………………………20年
⑤ 前年の事業所得に係る総収入金額………4,800万円
⑥ 前年の事業所得に係る総経費の額………3,400万円（減価償却費を除く）
⑦ 前年の所得税、個人住民税及び社会保険料の額……220万円
⑧ 相続により取得した現金・預貯金の額 ……………1,200万円
⑨ 相続により承継した債務の額…………………………800万円
⑩ 相続時に負担した被相続人に係る葬式費用の額……250万円
⑪ 物納申請者固有の現金・預貯金等の額……預貯金900万円・ゴルフ会員権300万円
⑫ その他の個別事情
　・住宅ローンの年間の返済額…………………180万円
　・１年以内に購入予定の事業用資産（車両）の価額……350万円
　・１年以内の臨時的支出額…………………370万円（相続した不動産の登記費用）

なお、金銭納付困難理由書の添付資料は、延納申請の場合と同様です。事業所得者の場合は前年の確定申告書の写しと収支内訳書の写し、給与所得者の場合は前年の源泉徴収票の写しを添付します。また、臨時的な支出予定があれば、その支出を証する書類（購入する事業用資産の見積書など）も必要になります。

〔書式91〕

金銭納付を困難とする理由書

（相続税延納・物納申請用）

令和 0 年 7 月 10 日

練馬東 税務署長　殿

住　所 東京都練馬区○○2-3-4

氏　名　甲　山　一　郎　㊞

平成/令和 0 年 9 月 12 日付相続（被相続人　甲 山 太 郎　）に係る相続税の納付については、~~納期限までに一時に納付することが困難であり~~、延納によっても金銭で納付することが困難であり、その納付困難な金額は次の表の計算のとおりであることを申し出ます。

1	納付すべき相続税額（相続税申告書第1表㉘の金額）		A	240,000,000 円
2	納期限（又は納付すべき日）までに納付することができる金額		B	9,231,667 円
3	延納許可限度額	【A−B】	C	230,768,333 円
4	延納によって納付することができる金額		D	162,268,333 円
5	物納許可限度額	【C−D】	E	68,500,000 円

2 納期限（又は納付すべき日）までに納付することができる金額の計算			
	(1) 相続した現金・預貯金等	（イ＋ロ−ハ）	【　1,500,000円】
	イ　現金・預貯金（相続税申告書第15表㉓の金額）	（ 12,000,000 円）	
	ロ　換価の容易な財産（相続税申告書第11表・第15表該当の金額）	（　　円）	
	ハ　支払費用等	（ 10,500,000 円）	
	内訳　相続債務（相続税申告書第15表㉝の金額）	［ 8,000,000 円］	
	葬式費用（相続税申告書第15表㉞の金額）	［ 2,500,000 円］	
	その他（支払内容：　　）	［　　円］	
	（支払内容：　　）	［　　円］	
	(2) 納税者固有の現金・預貯金等	（イ＋ロ＋ハ）	【 12,000,000円】
	イ　現金	（　　円）	←裏面①の金額
	ロ　預貯金	（ 9,000,000 円）	←裏面②の金額
	ハ　換価の容易な財産	（ 3,000,000 円）	←裏面③の金額
	(3) 生活費及び事業経費	（イ＋ロ）	【 4,268,333円】
	イ　当面の生活費（3月分）うち申請者が負担する額	（ 1,435,000 円）	←裏面⑪の金額×3/12
	ロ　当面の事業経費	（ 2,833,333 円）	←裏面⑭の金額×1/12
	Bへ記載する	【(1)＋(2)−(3)】	B 【 9,231,667円】

4 延納によって納付することができる金額の計算			
	(1) 経常収支による納税資金（イ×延納年数（最長20年））＋ロ	【169,468,333 円】	
	イ　裏面④−（裏面⑪＋裏面⑭）	（ 8,260,000 円）	
	ロ　上記2(3)の金額	（ 4,268,333 円）	
	(2) 臨時的収入	【　　円】	←裏面⑮の金額
	(3) 臨時的支出	【 7,200,000 円】	←裏面⑯の金額
	Dへ記載する	【(1)＋(2)−(3)】	D 162,268,333 円

添付資料

☑ 前年の確定申告書(写)・収支内訳書(写)

☐ 前年の源泉徴収票(写)

☑ その他（ 住宅ローンの返済予定表の写し、事業用資産の購入見積書の写し　）

裏面

1　納税者固有の現金・預貯金その他換価の容易な財産

手持ちの現金の額			①	円
預貯金の額	○○銀行/普通預金(2,000,000円)	○○銀行/定期預金(7,000,000円)	②	9,000,000 円
	/　(　円)	/　(　円)		
換価の容易な財産	ゴルフ会員権 (3,000,000円)	(　円)	③	3,000,000 円
	(　円)	(　円)		

2　生活費の計算

給与所得者等：前年の給与の支給額 事業所得者等：前年の収入金額	④	48,000,000 円
申請者　100, 000 円　×　12	⑤	1, 200, 000 円
配偶者その他の親族　(　1　人) ×45, 000 円　×　12	⑥	540,000 円
給与所得者：源泉所得税、地方税、社会保険料（前年の支払額） 事業所得者：前年の所得税、地方税、社会保険料の金額	⑦	2,200,000 円
生活費の検討に当たって加味すべき金額 加味した内容の説明・計算等 （住宅ローンの年間返済額　1,800,000円）	⑧	1,800,000 円
生活費（１年分）の額　（⑤＋⑥＋⑦＋⑧）	⑨	5,740,000 円

3　配偶者その他の親族の収入

氏名	続柄	前年の収入	番号	金額
氏名	(続柄　)	前年の収入　(　円)	⑩	円
氏名	(続柄　)	前年の収入　(　円)		
申請者が負担する生活費の額　⑨×（④/（④＋⑩））			⑪	5,740,000 円

4　事業経費の計算

前年の事業経費（収支内訳書等より）の金額	⑫	34,000,000 円
経済情勢等を踏まえた変動等の調整金額 調整した内容の説明・計算等 （　）	⑬	円
事業経費（１年分）の額　（⑫＋⑬）	⑭	34,000,000 円

5　概ね１年以内に見込まれる臨時的な収入・支出の額

臨時的収入		年　月頃（　円）	⑮	円
		年　月頃（　円）		
臨時的支出	相続不動産の登記費用	00 年 8月頃（　3,700,000 円）	⑯	7,200,000 円
	事業用資産（車両）の購入費	00 年 9月頃（　3,500,000 円）		

(5)　物納の審査期間

物納申請があってから税務署長による許可又は却下が行われるまでの審査期間は、物納申請書の提出期限の翌日から起算して３か月以内とされています（相法42②）。ただし、次のような場合は、６か月まで審査期間が延長されます（相法42⑯、相基通42－９）。

①　物納財産が多数ある場合（一つの物納申請による不動産が10物件を超える場合）

②　物納財産が遠方に所在し、確認調査等に時間を要すると認められる場合

③　財産の性質、形状その他の特徴により管理処分不適格財産に該当するかどうかの審査や収納価額の算定等に相当の期間を要すると認められる場合

また、風水害等の自然災害により物納財産の確認調査等が困難である場合には、最長９か月まで延長されます（相法42⑰、相基通42－10）。

物納の審査期間について、物納申請者から後述の「物納手続関係書類提出期限延長届出書」、「物納手続関係書類補完期限延長届出書」及び「収納関係措置期限延長届出書」が提出された場合（これらの期限は最長１年延長できます）には、その延長された期間について審査期間も延長されます（相法42⑦⑭㉕）。

なお、これら法定の審査期間内に税務署長が物納の許可又は却下をしない場合には、その物納申請は許可されたものとみなされます（相法42㉛）。

(6)　物納に係る利子税

相続税の物納において、その申請期限までに必要書類を提出し、補完事項や収納のための措置の必要がなく、審査期間内に物納が許可され、かつ、収納された場合には、利子税や延滞税の納付は要しません。

ただし、次のような場合には、それぞれ次の期間について、物納に係る相続税額を基礎として計算した利子税を納付しなければなりません（相法53、相令29）。

利子税の納付を要する場合	利子税の計算期間
①　物納申請期限までに物納手続関係書類の全部又は一部を提出できなかったため「物納手続関係書類提出期限延長届出書」を提出した場合（相法53②）	物納手続関係書類の提出期限の翌日から左の届出による延長期限までの期間
②　物納申請者の提出した物納手続関係書類の不備や不足等があったため、税務署長から補完通知書が送付された場合（相令29①一）	その通知書を発した日の翌日から起算して20日を経過する日までの期間
③　上記②の期間内（20日を経過する日まで）に物納手続関係書類の提出・訂正等ができな	税務署長が補完通知書を発した日の翌日から左の届出による延長期限までの

かったため「物納手続関係書類補完期限延長届出書」を提出した場合（相令29①一）	期間
④ 物納申請財産について、税務署長から収納のために必要な措置を求める「措置通知書」が送付された場合（相令29①二）	その通知書を発した日の翌日から納税者が「措置完了届出書」を提出した日までの期間
⑤ 物納が許可され、物納申請財産が収納された場合（相令29①三）	物納の許可があった日の翌日から起算して７日を経過する日から納付があったものとされた日（物納財産の所有権移転登記、引渡しなど）までの期間
⑥ 物納申請が却下された場合又は物納申請を取り下げしたものとみなされた場合（相法53⑥）	納期限又は納付すべき日の翌日からその却下又は取り下げたものとみなされた日までの期間

（注１） 上記の①から⑥について、相互に重複する期間がある場合は、その期間について重複して利子税を計算する必要はありません。

（注２） 物納に係る利子税の割合は、年7.3％ですが（相法53①）、延納の場合と同様に「特例基準割合」の特例により、〈国内銀行の短期貸出約定平均金利（財務大臣が告示する割合）＋年１％〉による割合が年7.3％未満の場合は、その特例基準割合によります（措法93①）。

なお、利子税の額は次の算式により計算されます（計算の基礎となる税額に10,000円未満の端数があるときはこれを切り捨て、利子税の額に100円未満の端数があるときは、これを切り捨てます）。

利子税の額 ＝ 納付すべき税額（物納税額） × 利子税の割合（令和２年分は年1.6％） × $\frac{\text{利子税の計算期間（日数）}}{365}$

（注３） 上記①及び②の場合、申請者が実際に物納関係書類を提出した日又は補完を行った日が上記の延長届により延長した期限の前であっても、申請者が届出をした延長期限までの期間について利子税が計算されます。

（注４） 上記①に関して、物納手続関係書類を提出した後において、その書類の一部に不足があることを知った場合には、物納申請期限の翌日から１か月以内か、税務署長による書類が不足している旨の補完通知があった日のいずれか早い日まででであれば、「物納手続関係書類提出期限延長届出書」を提出することにより、当初の申請期限に同延長届出書が提出されたものとみなされます（相令19の２②）。この場合の利子税の計算期間は、上記①と同様になります。

（注５） 上記⑥に関して、物納申請が却下された場合又は物納申請のみなし取下げの場合は、上記のとおり利子税となりますが、申請者が自ら物納申請を取り下げた場合は、利子税ではなく、納期限又は納付すべき日の翌日から実際に納付した日までの期間について延滞税が課されます（通則法60、相基通53－２）。

物納に係る利子税の計算期間と前項で説明した物納の審査期間との関係について、上記

①の「物納手続関係書類提出期限延長届出書」が提出された場合、③の「物納手続関係書類補完期限延長届出書」が提出された場合及び④の税務署長からの収納のための措置通知があったため「収納関係措置期限延長届出書」が提出された場合のそれぞれを図示すると、以下のようになります（いずれの場合も相続開始の日が１月10日、それぞれの期限延長届出書を２回提出し、１回目の届出で３か月を延長し、２回目の届出で２か月延長したものとしています）。

【物納手続関係書類提出期限延長届出書が提出された場合】

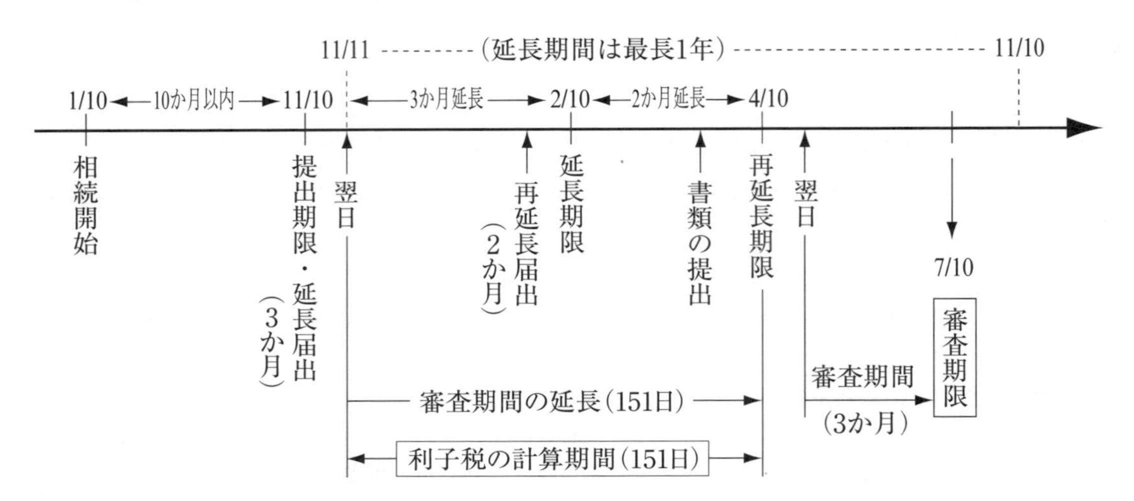

（注）この例では、物納手続関係書類の提出期限の翌日から延長した提出期限までの期間について審査期間が延長され、その間が利子税の計算期間となります（相法42⑦、53②）。

【物納手続関係書類補完期限延長届出書が提出された場合】

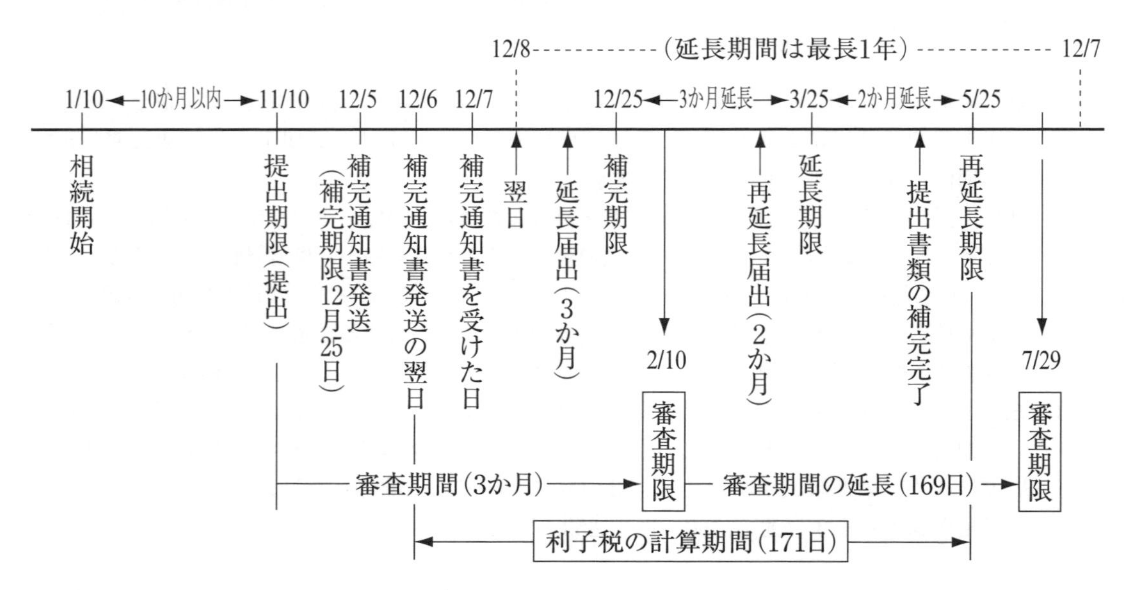

（注）この例では、補完通知書を受けた日の翌日から延長した最終の補完期限までの間について審査期間が延長されますが（相法42⑭）、利子税の計算の起算日は、補完通知書の発送の日の翌日となります（相令29①）。

【収納関係措置期限延長届出書が提出された場合】

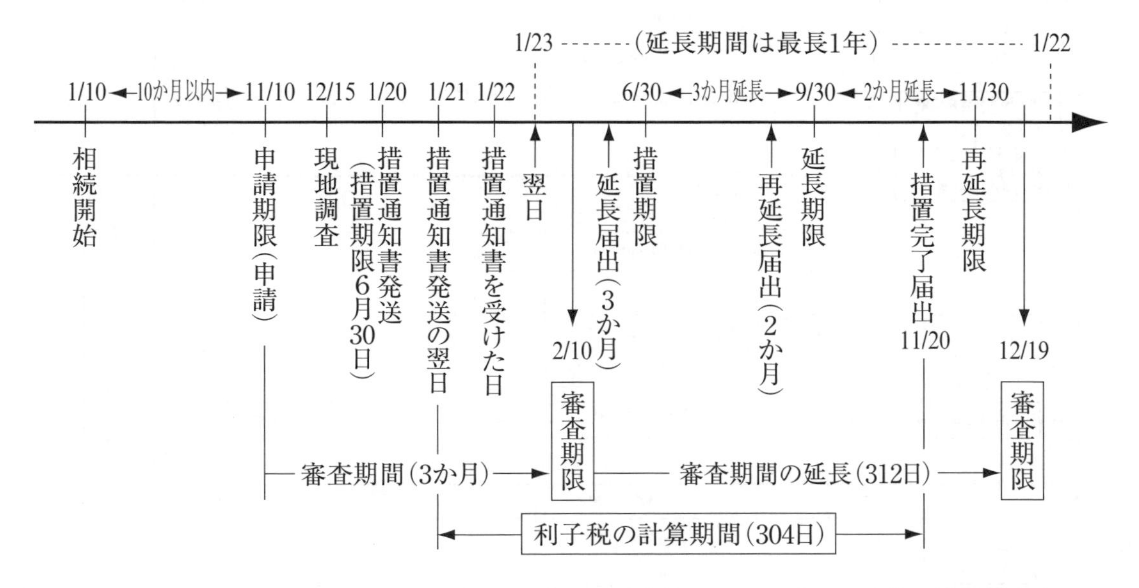

（注）この例の審査期間は、措置通知書を受けた日の翌日から延長した最終の措置期限までの期間について延長されますが（相法42㉕）、利子税の計算期間は、延長した措置期限まででではなく、措置通知書の発送の日の翌日から申請者が措置完了の届出をした日までとなります（相令29①二）。

なお、利子税が課される場合のその納付すべき利子税の額は、物納が許可され、物納申請財産が収納されるまで確定しません。したがって、物納に係る利子税は、物納申請財産の収納後に納付する（物納財産収納済証書とともに税務署から納付書が送付される）ことになります。

⑺　物納事務における税務署等と財務局等との関係

国税の徴収は、納税地を所轄する税務署長が行いますが（通則法43①）、必要に応じて税務署長から国税局長に引き継ぐこととされており（通則法43③）、延納や物納の事務も税務署から国税局に移管されることがあります（相法48の３）。

一方、物納申請財産が不動産、船舶又は有価証券である場合には、税務署等（税務署及び国税局）は、物納財産の管理官庁である財務局等（財務局、財務支局、沖縄総合事務局、財務事務所、財務局出張所、財務支局出張所、沖縄総合事務局財務出張所及び財務事務所出張所）に物納申請財産の調査を依頼し、その調査に基づく意見・回答によって、物納の可否を判断することとされています（相基通42－４）。

物納申請財産が不動産である場合の当局側の事務処理フローについて、財務省理財局の「物納等不動産に関する事務取扱要領について」通達（財理第325号・令和２年１月31日）は、次ページのように示しています。

標準処理期間（３ヶ月）の事務フロー

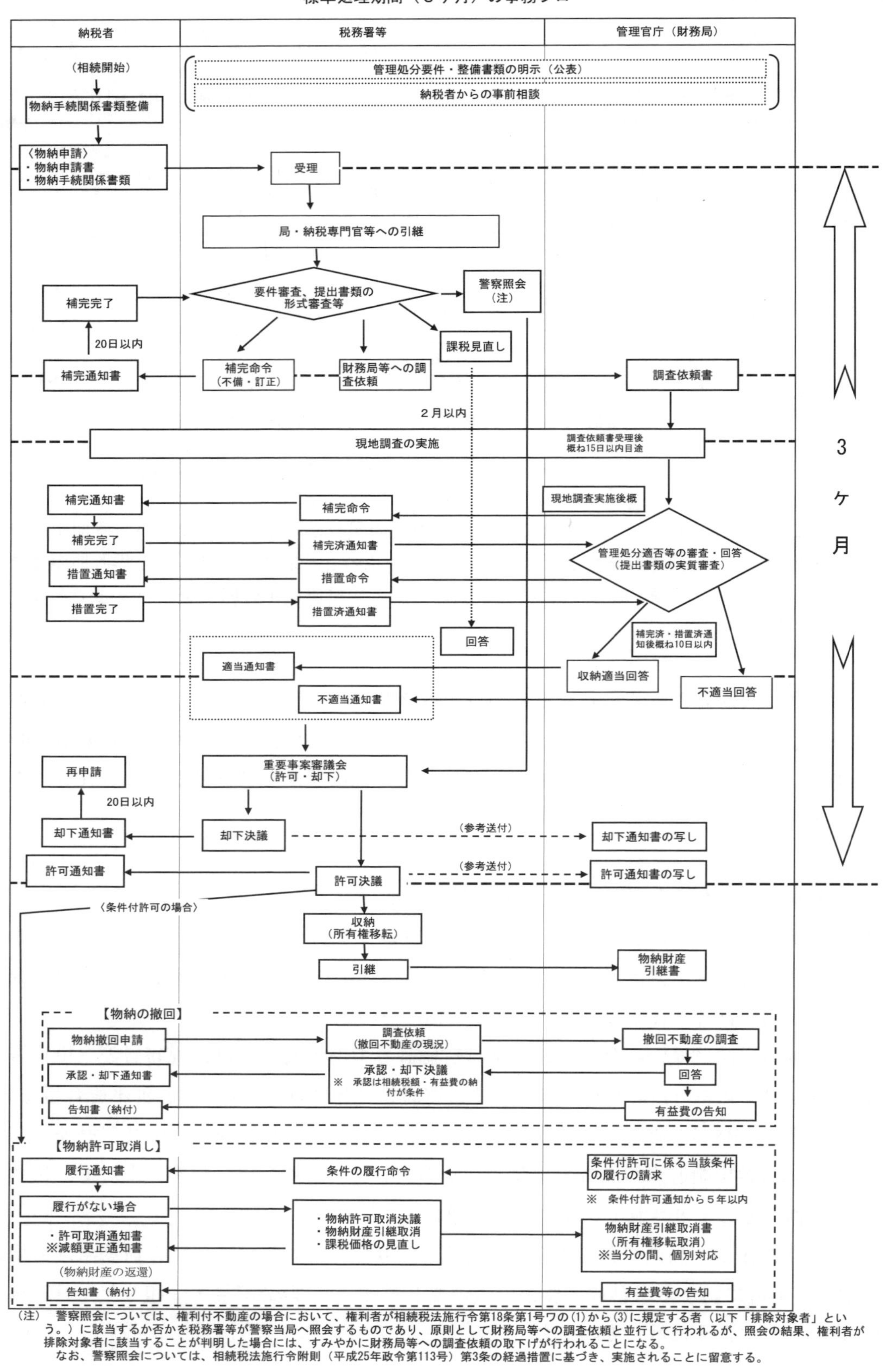

（注）　警察照会については、権利付不動産の場合において、権利者が相続税法施行令第18条第1号ワの⑴から⑶に規定する者（以下「排除対象者」という。）に該当するか否かを税務署等が警察当局へ照会するものであり、原則として財務局等への調査依頼と並行して行われるが、照会の結果、権利者が排除対象者に該当することが判明した場合には、すみやかに財務局等への調査依頼の取下げが行われることになる。
なお、警察照会については、相続税法施行令附則（平成25年政令第113号）第3条の経過措置に基づき、実施されることに留意する。

(8) 物納に要する費用の負担者

相続税の物納を行うにあたっては、物納申請財産の相続登記費用のほか、物納土地の地積測量図や建物平面図の作成費用などを要します。これらの手続や作成は、納税者において行うことも不可能ではありませんが、専門的な知識や技術がないと正確を期すことはできません。このため、通常の場合、登記関係は司法書士に、測量関係は土地家屋調査士等にそれぞれ依頼して行います。

また、隣接地主との境界確認に際しては、いわゆる「ハンコ代」と称する金銭を請求されることも少なくありません。さらに、物納申請土地に何らかの工作物や埋設物があった場合は、その撤去費用も要します。

したがって、物納の申請から許可に至るまでには相当額の費用が生じるのですが、その負担はすべて納税者が負うこととされており、国に負担を求めることは一切できません。物納申請にあたっては、この点を十分に考慮しておく必要があります。

物納に伴う費用負担が全て納税者にあることからみれば、いわゆる相続税対策の一環として、相続開始前に被相続人の負担において物納の準備をしておく方がよいでしょう。その規模や面積等にもよりますが、土地の測量費等は、相当な額に上ることも少なくありません。こうした費用を相続後に相続人が支出しても、税務的には考慮されませんが、あらかじめ相続財産から支出しておけば、その分に見合う相続税の軽減になるわけです。納税は相続後ですが、そのための準備は相続開始前から行っておくことが得策です。

なお、物納許可があった場合の物納不動産の所有権移転登記は、国において行いますが、この場合の登録免許税は非課税とされています。

2. 物納の申請と必要書類

(1) 物納申請の期限

相続税の物納申請書は、物納を求めようとする相続税の納期限又は納付すべき日までに、納税地の所轄税務署長に提出しなければなりません（相法42①）。具体的な申請期限は次のとおりで、前述した延納申請の場合と同じです。

① 期限内申告分（相法31②のいわゆる義務的修正申告分を含む）……期限内申告書の提出期限

② 期限後申告及び修正申告分……これらの申告書の提出日

③ 更正及び決定分……更正通知書又は決定通知書が発付された日の翌日から起算して１か月を経過する日

(注) 物納申請書を郵送により提出する場合は、郵便物に表示された通信日付の日に提出されたものとみなされます（通則法22）。

なお、物納申請書の提出期限については、延納申請書の場合と同様に、いわゆる宥恕規定はありません。

(2) 物納申請書の提出

相続税の物納は、実務的にみれば不動産による例がほとんどです。物納申請財産を不動産とする場合を前提として、物納申請の際に必要となる書類等を確認しておくと、以下のとおりです（これらの書類の用紙は、税務署に用意されています。また、国税庁のホームページからダウンロードして使用することもできます）。

① 物納申請書
② 金銭納付を困難とする理由書（物納申請書別紙）及びその理由・記載金額の内容を説明する資料の写し
③ 物納財産目録（物納申請書別紙）
④ 各種確約書（物納財産収納手続書類提出等確約書）
⑤ 物納手続関係書類チェックリスト

これらのうち、②の金銭納付を困難とする理由書は、物納許可（申請）限度額を算出するためのもので、その記載方法等は前述したとおりです〔書式91〕（658ページ）。

上記のうち、物納申請書は〔書式92〕（次ページ）、物納財産目録（土地・家屋用）は〔書式93〕（668ページ）、各種確約書は〔書式94〕（669ページ）、物納手続関係書類チェックリスト（土地・建物）は〔書式95〕（670ページ）のとおりです。

（注） 上記③の物納財産目録には、「土地・家屋用」のもののほか、「国債、地方債、社債、その他の有価証券用」、「立木・船舶用」及び「動産用」のものが用意されています。
　また、物納手続関係書類チェックリストとしては、上記の「土地・建物」のほか、「換地処分が行われている区域内の土地・建物」と「有価証券・その他の財産」のものがあります。

このほか、物納申請財産の種類や内容に応じて必要となる添付書類として、次のようなものがあります。

イ　物納劣後財産等を物納に充てる理由書
ロ　小規模宅地等を分割して物納に充てることの確認書
ハ　被相続人と共有していた不動産に関する確認書

このうちロは、租税特別措置法第69条の４による特例の適用を受けた宅地を分割（分筆）して物納申請を行う場合に必要となります。また、ハの確認書は、被相続人と相続人が共有していた不動産について、その持分の全部又は一部を分割して物納に充てる場合に必要となるものです。

〔書式92〕

相続税物納申請書

税務署長殿
令和　　年　　月　　日

（〒 176 －XXXX）
住所　東京都練馬区○○2－3－4
フリガナ　コウヤマ　イチロウ
氏名　甲山　一郎　㊞
法人番号
職業　会社員　電話　3993-XXXX

下記のとおり相続税の物納を申請します。

記

1　物納申請税額

		円
①　相　続　税　額		240,000,000
同上のうち	②現金で納付する税額	13,204,125
	③延納を求めようとする税額	160,000,000
	④納税猶予を受ける税額	
	⑤物納を求めようとする税額（①－（②+③+④））	66,795,875

2　延納によっても金銭で納付することを困難とする理由

（物納ができるのは、延納によっても金銭で納付することが困難な範囲に限ります。）

別紙「金銭納付を困難とする理由書」のとおり。

3　物納に充てようとする財産

別紙目録のとおり。

4　物納財産の順位によらない場合等の事由

別紙「物納劣後財産等を物納に充てる理由書」のとおり。

※　該当がない場合は、二重線で抹消してください。

5　その他参考事項

右の欄の該当の箇所を○で囲み住所氏名及び年月日を記入してください。	(被相続人)、遺贈者	(住所) 東京都練馬区○○2－3－4 (氏名) 甲山　太郎
	(相続開始)、遺贈年月日	平成 (令和) 0 年 9 月 12 日
	(申告)((期限内)、期限後、修正)、更正、決定年月日	令和 0 年 7 月 10 日
	納期限	令和 0 年 7 月 12 日
納税地の指定を受けた場合のその指定された納税地		
物納申請の却下に係る再申請である場合は、当該却下に係る「相続税物納却下通知書」の日付及び番号		平成 令和　年　月　日　第　号

（税理士 事務所所在地 電話番号） 作成税理士 署名押印　㊞

税務署整理欄	郵送等年月日	担当者印
	令和　年　月　日	

〔書式93〕

物納財産目録
（土地・家屋用）

土地・家屋の表示					価額	備考
所在	地番又は家屋番号	地目又は種類	構造	地積又は床面積		
新宿区○○2丁目	89番3	宅地		236.82 ㎡	45,673,082 円	借地人 新宿区○○2−8−8 乙野五郎
新宿区○○3丁目	45番6	宅地		126.45	21,122,793	（自用地）

※　物納申請財産が土地（借地権等の設定された土地を除く。）の場合で、当該土地上に塀、柵等の工作物や樹木がある場合は、次の事項を確認して□にチェックしてください。

☑　物納により国に当該土地の所有権が移転した後において、土地の定着物である工作物及び樹木については、その所有権を主張することはありません。

※　相続開始時に生産緑地の指定を受けていた土地であった場合は、当該土地に係る生産緑地法第 10 条に規定する市町村長に対する買取申出年月日又は生産緑地の指定解除年月日を備考欄に記載してください。

※　地目が田又は畑（農地）の場合で他の用途に使用している場合は、次の事項を確認して□にチェックしてください。

□　農地法第４条及び第５条の許可を受けています。

〔書式94〕

氏　名　甲山一郎

各種確約書

物納申請財産の種類に応じ、以下の事項に関する確約等が必要となりますので、該当する事項を確認した上、該当欄文頭の□にチェックしてください。
なお、物納申請財産の種類が複数の場合、該当するすべての事項にチェックしてください。

【土地、建物（共通）】

【物納財産収納手続書類提出等確約書】

☑　私の物納申請に関して、税務署長から次の書類の提出を求められた場合には、速やかに提出することを約します。
1　所有権移転登記承諾書
2　印鑑証明書

【土地、建物（賃借人がいる場合）】

【賃借料の領収書等の提出に関する確約書】

☑　私の物納申請に関して、相続税法第42条第2項に規定する物納申請書の提出期限（相続税法第45条の物納申請の却下に係る再申請の場合は再申請の日及び相続税法第48条の2の特定物納の申請の場合は当該申請書の提出の日）の翌日から1年以内に物納の許可がされない場合に、税務署長から賃借料の領収書等の提出を求められたときには、その求められた日前3か月間の賃貸料の支払状況が確認できる書類を速やかに提出することを約します。なお、当該3か月間に賃貸料の支払期限がない場合には、直前の支払期限に係る支払状況が確認できる書類を提出することを約します。

【立木】

【物納財産収納手続書類提出等確約書】

□　私の物納申請に関して、税務署長から次の書類の提出を求められた場合には、速やかに提出することを約します。
1　所有権移転登記承諾書
2　印鑑証明書

【船舶】

【物納財産収納手続書類提出等確約書】

□　私の物納申請に関して、税務署長から次の書類の提出を求められた場合には、速やかに提出することを約します。
1　所有権移転登記承諾書
2　印鑑証明書
3　小型船舶の登録等に関する法律第19条第1項（譲渡証明書）に規定する譲渡証明書
4　その他物納財産の収納手続に必要な書類

【動産】

【物納財産収納手続書類提出等確約書】

□　私の物納申請に関して、税務署長から物納財産の収納に必要な手続をとることを求められた場合には、速やかにこれを行うことを約します。

〔書式95〕

物納手続関係書類チェックリスト（土地・建物）

(住所) 東京都練馬区○○2−3−4		(氏名) 甲山　一郎			
物納申請財産の表示	土地	所在	新宿区○○2丁目		
		地番	89番3		
		地目	宅地	地積	236.82m²
		現況			
	建物	所在			
		家屋番号		種類	
		構造		床面積	
		建物所有者		借地権者	

	提出書類	申請者確認
共通 ※提出期限の延長はできません	物納申請書（各種確約書を含む）	☑ 1 (通)
	金銭納付を困難とする理由書	☑ 1
	物納財産目録	☑ 1
	小規模宅地等を分割して物納に充てることの確認書	☑ 1
	被相続人と共有していた不動産に関する確認書	□
	物納劣後財産等を物納に充てる理由書	□

	物納手続関係書類	土地（更地又は底地）			建物及びその敷地			建物（借地権付）	
		権利者なし	申請者使用	借地人あり	権利者なし	申請者使用	借家人あり	申請者使用	借家人あり
土地に関する書類	住宅地図等の写し　※	□ (通)	□ (通)	☑ 1 (通)	□ (通)	□ (通)	□ (通)	□ (通)	□ (通)
	公図の写し	□	□	☑ 1	□	□	□	□	□
	登記事項証明書	□	□	☑ 1	□	□	□	□	□
	地積測量図	□	□	☑ 1	□	□	□		
	境界線に関する確認書	□	□	☑ 1	□	□	□		
	境界線に関する確認書（道水路）	□	□	□	□	□	□		
	電柱の設置に係る契約書の写し	□	□	□	□	□	□		
	土地上の工作物等の図面　※	□	□	□	□	□	□		
	土地上の建物・工作物等の配置図　※	□	□	□	□	□	□		
	土地の維持・管理費用の明細書	□	□	☑ 1	□	□	□		
	通行承諾書	□	□	□	□	□	□		
	工作物等の越境の是正に関する確約書	□	□	□	□	□	□		
	越境の状況を示した図面	□	□	□	□	□	□		
	建物等の撤去及び使用料の負担等を求めない旨の確約書	□	□	□	□	□	□		
	越境の状況を示した図面	□	□	□	□	□	□		
建物等に関する書類	登記事項証明書	申請地上に建物がある場合 ⇒	□	□	□	□	□	□	□
	建物図面				□	□	□	□	□
	各階平面図				□	□	□	□	□
	間取図				□	□	□	□	□
	建物の維持・管理費用の明細書				□	□	□	□	□
	建物の管理規約等の写し				□	□	□	□	□
	鍵リスト　※				□	□	□	□	□
	建物設備の構造図面　※				□	□	□	□	□
契約関係等に関する書類	国有財産借受確認書		□			□		□	
	国有財産借受確認書及び借地権の使用貸借に関する確認書		□						
	物納申請者が国から借り受ける範囲を明らかにした実測図等		□						
	土地賃貸借契約書の写し			☑ 1				□	□
	借地権が及ぶ範囲に関する確認書							□	□
	借地権が及ぶ範囲、面積及び境界を確認できる実測図等							□	□
	建物賃貸借契約書の写し						□		□
	賃借地の境界に関する確認書			□					
	賃借人ごとの賃借地の面積及び境界を確認できる実測図等			□					
	物納申請前３か月間の賃借料（地代）の領収書の写し			☑ 1					
	物納申請前３か月間の賃借料（家賃）の領収書の写し						□		□
	賃借料の領収書等の提出に関する確約書			☑ 1			□		□
	敷金等に関する確認書			☑ 1			□		□
	借地権の使用貸借に関する確認書			□					
	相続人代表借地権者確約書			□					
	借地権の移転に関する承諾書							□	□
	誓約書（及び役員一覧（注３、４））			□			□		□

（注）１　物納申請財産の利用状況に該当する提出書類を確認の上、チェック欄「□」をチェックし、提出通数を右横にお書きください。

２　提出書類に「※」が記載されているものは、相続税法施行規則に提出書類としての規定はありませんが、物納許可又は財産の管理処分上有用なものであることから、提出をお願いするものです。

３　借地人等の権利者が法人の場合には、「誓約書」に併せて「役員一覧」も提出してください。

４　借地人等の権利者が上場会社の場合は、「誓約書」及び「役員一覧」の提出は不要です。

⑶ 物納手続関係書類の提出

物納の実務で手数を要するのは、物納手続関係書類の収集・作成・整備で、物納申請不動産に係る登記事項証明書、地積測量図など、物納申請財産に応じてさまざまなものが必要になります。

物納申請財産が土地又は建物である場合の物納手続関係書類を「相続税の物納の手引」（国税庁）を参考にまとめておくと、次表のとおりです（相規22②〜④）（表中に※印がある書類の用紙は税務署に用意されています）。

● 土地

イ 全ての土地に共通する書類

物納手続関係書類	留　意　点
① 登記事項証明書（登記簿謄本）	○ 相続登記を了したものを提出する必要がある。 ○ 分筆登記、地積更正登記などが必要となる場合は、これらの登記を了したものを提出する。
② 公図の写し及び土地の所在を明らかにする住宅地図の写し等	○ 物納申請土地に接する全ての土地がわかる公図の写しと住宅地図を提出する（1つの物納申請土地について、複数枚にわたる場合もある）。
③ 地積測量図	○ 不動産登記規則第77条に定める図面又は地積測量図と現地の境界標及び辺長が一致するとともに、その地積測量図によって境界点と土地の範囲を復元できるものを提出する必要がある。
④ 境界線に関する確認書※	○ 物納申請土地と隣地との境界について、隣地所有者が同意している旨の確認書で、隣地所有者の自署、押印を要する（隣地所有者に相続等が発生し、登記簿上の所有者の変更がされていない場合には、相続したことがわかる資料の添付が必要となる）。 ○ 隣接地が国有地又は公有地である場合には、その管理者が境界線に同意している旨を確認している書類を要する（隣接地が道路の場合はその道路の種類（国道、都道府県道又は市町村道の別）に応じ、道路管理者（国、都道府県又は市町村）が境界について同意している旨の確認書を提出する）。 ○ 境界線に関する確認書には、地積測量図の写しを添付して、その確認書と地積測量図に割印（隣地所有者の印）をする（ただし、地積測量図上に隣地所有者が境界について同意している旨を表示し、自署、押印している場合は不要）。
⑤ 物納申請土地の維持及び管理に要する費用の明細書	○ 物納申請土地を維持・管理するために経常的に所有者が負担する必要のある費用の明細がわかる書類（たとえば、固定資産税の課税明細書）を提出する。
⑥ 物納財産収納手続書類提出等確約書	○ 物納の許可に伴う物納申請土地の所有権を国に移転するために必要な次の書類を税務署長の求めに応じて速やかに提出する旨の確約書を提出する。 ① 所有権移転登記承諾書 ② 印鑑証明書

⑦　電柱の設置に係る契約書等の写し	○　物納申請土地内に、電力会社等との契約により設置した電柱がある場合は、その契約書や土地使用承諾書等の写しを提出する。
⑧　土地上の工作物等の図面	○　相続税の課税価格計算の基礎となった工作物で、定着物として物納申請土地と併せて物納するには、その図面（設計図等）を提出する。
⑨　建物・工作物等の配置図	○　物納申請土地上に建物、工作物、樹木などがある場合に、その配置図（フリーハンドで作成したものでよい）を提出する。

ロ　貸付地（物納申請土地上に建物がなく、物納申請前から土地を貸し付けている場合）

物納手続関係書類	留　意　点
①　土地賃貸借契約書の写し	○　契約内容の変更のあるものは、変更後（最新）のものを提出する。
②　賃借地の境界に関する確認書※	○　賃借地の範囲を賃借人が確認した旨の書類を提出する（土地賃貸借契約書（写し）で賃借地の範囲が明らかになっている場合は提出不要）。
③　賃借人ごとの賃借地の範囲、面積及び境界を確認できる実測図等	○　１筆の物納申請土地に複数の賃借人がいる場合には、各賃借人ごとの賃借地の範囲、面積及び境界を確認できる実測図等を提出する（地積測量図及び賃借地の境界に関する確認書でこれらを確認できる場合は提出不要）。
④　物納申請前３か月間の地代の領収書の写し	○　複数月分の地代を前払いしているなど、物納申請前３か月間のうちに地代の支払期限がない場合は、物納申請直前の支払期限に係るものを提出する。
⑤　敷金等に関する確認書※	○　敷金や保証金など、物納申請者（賃貸人）が賃借人に対して負う債務は、物納申請者と賃借人の間において清算し、物納後に国は引き継がないことを物納申請者と賃借人が相互に確認する書類（敷金に関する確認書（その１））を提出する。 ○　敷金や保証金などの債務がない場合には、その債務がないことを物納申請者が確認する書類（敷金に関する確認書（その２））を提出する。
⑥　賃借料の領収書等の提出に関する確認書※	○　物納申請書の提出期限の翌日から起算して１年以内に物納の許可がない場合において、税務署長が提出を求めたときは、その求めた日前３か月間の地代の支払状況が確認できる書類を提出することを約する書類を提出する。
⑦　誓約書（役員一覧）※	○　暴力団員等に該当しないことを賃借人が誓約した書類を提出する。 ○　賃借人が法人の場合には、役員一覧も提出する。

ハ　貸宅地（物納申請土地上に建物があり、物納申請前からを土地を貸し付けている場合）

物納手続関係書類	留　意　点
①　土地賃貸借契約書の写し	（上記ロの貸付地の①に同じ）
②　賃借地の境界に関する確認書※	（上記ロの貸付地の②に同じ）
③　賃借人ごとの賃借地の範囲の面積及び境界を確認できる実測図等	（上記ロの貸付地の③に同じ）
④　物納申請前３か月間の地代の領収書の写し	（上記ロの貸付地の④に同じ）
⑤　敷金等に関する確認書※	（上記ロの貸付地の⑤に同じ）
⑥　賃借料の領収書等の提出に関する確認書※	（上記ロの貸付地の⑥に同じ）
⑦　建物の登記事項証明書（登記簿謄本）	○　物納申請土地上の建物は、借地人の所有であるが、その借地人の建物の登記事項証明書（登記簿謄本）を提出する。 ○　建物が未登記の場合には、登記事項証明書に代えて建物の所有者を明らかにする書類（固定資産税評価証明書など）を提出する。
⑧　誓約書（役員一覧）※	（上記ロの貸付地の⑦に同じ）

ニ　隣地の建物のひさし、工作物、樹木の枝などが物納申請土地に越境している場合

物納手続関係書類	留　意　点
①　工作物等の越境の是正に関する確約書※	○　越境しているひさしや工作物等の所有者が、改装等を行うに際してそのひさし等を撤去又は移動することを約する書類を提出する。 ○　物納申請土地上（空中）を隣地のための電線等（引込み線）が通過している場合にも、工作物等の越境の是正に関する確約書を提出する必要がある。
②　越境の状況を示した図面	○　建物のひさし、工作物、樹木の枝などの越境の状況を記載した図面（フリーハンドで作成したものでよい）を提出する。

ホ　物納申請土地上の物納申請建物、工作物、樹木の枝などが隣地に越境している場合

物納手続関係書類	留　意　点
①　建物等の撤去及び使用料の負担等を求めない旨の確約書※	○　物納申請土地上の物納申請建物、工作物、樹木の枝などが隣地に越境している場合に、その隣地の所有者がその越境物の撤去及び越境部分に関して使用料を求めないことを約する書類を提出する。
②　越境の状況を示した図面	（上記ニの越境物がある場合の②に同じ）

ヘ　無道路地（物納申請土地が建築基準法第43条１項に規定する道路に接していない場合）

物納手続関係書類	留　意　点
○　通行承諾書※	○　物納申請土地が建築基準法第43条第１項に規定する道路に接していない場合には、道路に至るまでの土地所有者がその土地の通行を承諾した旨の書類を提出する（通行できる部分を示した略図を添付する）。

（注）上記のほか、物納申請者が物納後にその物納土地を国から借りる場合には、「国有財産借受確認書※」及び「国から借りる範囲を明らかにした実測図」等の提出を要します。

また、物納申請土地の賃借人とその土地上の建物の所有者が相違する場合には、その相違する理由に応じて「借地権の使用貸借に関する確認書※」や「相続人代表借地権者確認書※」が必要になります。

なお、物納申請土地が土地区画整理事業等の施行地域内にある場合には、「仮換地又は一時利用地の指定の通知書の写し」、「仮換地（一時利用地）の位置及び形状を表示した換地図等の写し」、「賦課金等の債務を国に引き継がない旨の確認書※」及び「清算金の授受に係る権利及び義務を国に引き継がない旨の確認書※」等を提出する必要があります。

●　建物

イ　全ての建物に共通する書類

物納手続関係書類	留　意　点
①　登記事項証明書（登記簿謄本）	○　相続登記を了したものを提出する必要がある。
②　公図の写し及び土地の所在を明らかにする住宅地図の写し等	○　建物の敷地に接する全ての土地がわかるものを提出する（１つの物納申請建物について、土地の公図等の写しが複数枚にわたる場合もある）。
③　建物図面、各階平面図及び間取図	○　建物の間取図はフリーハンドで作成したものでよい。
④　物納申請建物の維持及び管理に要する費用の明細書	○　物納申請建物を維持・管理するために経常的に所有者が負担する必要のある費用の明細がわかる書類（たとえば、固定資産税の課税明細書）を提出する。
⑤　物納財産収納手続書類提出等確約書	○　物納の許可に伴う物納申請建物の所有権を国に移転するために必要な次の書類を税務署長の求めに応じて速やかに提出する旨の確約書を提出する。 ①　所有権移転登記承諾書 ②　印鑑証明書
⑥　建物の管理規約の写し	○　物納申請財産が分譲マンションの一室の場合に提出する。
⑦　鍵リスト一覧表	○　物納申請財産がマンション（１棟）やビルなどの場合には、建物内の各室の鍵が特定できるリストを提出する。

⑧　建物設備の構造図面	○　物納申請財産がマンション（1棟）やビルなどの場合に、建物の設備（給排水等）の構造がわかる図面（建物の管理を委託している場合は、管理会社が所有していることがある）があれば提出する。

ロ　貸家（貸家とともにその敷地である土地も物納申請財産である場合）

物納手続関係書類	留　意　点
①　建物賃貸借契約書の写し	○　契約内容の変更のあるものは、変更後（最新）のものを提出する。
②　物納申請前3か月間の家賃の領収書の写し	○　複数月分の家賃を前払いしているなど、物納申請前3か月間のうちに家賃の支払期限がない場合は、物納申請直前の支払期限に係るものを提出する。
③　敷金等に関する確認書※	○　敷金や保証金など、物納申請者（賃貸人）が賃借人に対して負う債務は、物納申請者と賃借人の間において清算し、物納後に国は引き継がないことを物納申請者と賃借人が相互に確認する書類（敷金に関する確認書（その1））を提出する。 ○　敷金や保証金などの債務がない場合には、その債務がないことを物納申請者が確認する書類（敷金に関する確認書（その2））を提出する。
④　賃借料の領収書等の提出に関する確認書※	○　物納申請書の提出期限の翌日から起算して1年以内に物納の許可がない場合において、税務署長が提出を求めたときは、その求めた日前3か月間の家賃の支払状況が確認できる書類を提出することを約する書類を提出する。
⑤　誓約書（役員一覧）※	○　暴力団員等に該当しないことを賃借人が誓約した書類を提出する。 ○　賃借人が法人の場合には、役員一覧も提出する。

ハ　貸家（貸家の敷地が借地である場合）

物納手続関係書類	留　意　点
①　土地の登記事項証明書（登記簿謄本）	○　借地権が設定されている物納申請建物の敷地である土地の登記事項証明書（登記簿謄本）を提出する。
②　土地賃貸借契約書の写し	○　物納申請建物の敷地である土地の賃貸借契約書の写し（契約内容の変更のあるものは、変更後（最新）のもの）を提出する。
③　借地権が及ぶ範囲に関する確認書	○　物納申請建物の敷地である土地の所有者が借地権の設定されている範囲を確認した書類を提出する（土地賃貸借契約書（写し）で借地権の設定されている範囲が明らかになっている場合は提出不要）。

④ 借地権が及ぶ範囲、面積及び境界を確認できる実測図等	○ 借地権が及ぶ範囲、面積及び境界を確認できる実測図（この場合の実測図は、現況実測によるものでよい）を提出する。
⑤ 借地権の移転に関する承諾書※	○ 物納申請建物の敷地である土地の所有者がその建物に係る借地権の譲渡（物納）を承諾する旨の書類を提出する。
⑥ 建物賃貸借契約書の写し	（上記ロの貸家の①に同じ）
⑦ 物納申請前３か月間の家賃の領収書の写し	（上記ロの貸家の②に同じ）
⑧ 敷金等に関する確認書※	（上記ロの貸家の③に同じ）
⑨ 賃借料の領収書等の提出に関する確認書※	（上記ロの貸家の④に同じ）
⑩ 誓約書（役員一覧）※	（上記ロの貸家の⑤に同じ）

（注） 上記のほか、物納申請者が借地上にある物納申請建物を物納後に国から借りる場合には、「土地の登記事項証明書」、「土地賃貸借契約書の写し」、「借地権が及ぶ範囲に関する確認書※」、「借地権が及ぶ範囲、面積及び境界を確認できる実測図等」、「借地権の移転に関する承諾書※」及び「国有財産借受確認書」を提出します。

(4) 物納手続関係書類の提出期限の延長手続

物納手続関係書類は、物納申請書に添付し、物納申請期限までに納税地の所轄税務署長に提出しなければなりませんが（相法42①）、その全部又は一部を申請期限までに提出できない場合には、「物納手続関係書類提出期限延長届出書」〔書式96〕（次ページ）を提出することにより、その提出期限を延長することができます（相法42④）。

この場合の延長期間は、３か月が限度となりますが、延長届出書の提出回数に制限はなく、物納申請期限（当初の提出期限）の翌日から起算して最長で１年を経過する日まで延長することができます（相法42⑤⑥）。ただし、次の点に注意する必要があります。

① 物納申請期限（当初の提出期限）までに物納手続関係書類が提出されず、かつ、物納手続関係書類提出期限延長届出書の提出もない場合には、その物納申請は却下される。

② 物納申請期限後において、物納申請者が、その提出した物納手続関係書類の一部に不足があったことを知った場合には、物納申請期限の翌日から起算して１か月以内か、税務署長からの提出書類の提出が不足している旨の通知があった日のいずれか早い日までであれば、物納手続関係書類提出期限延長届出書を提出することができる（相令19の２②）。

その提出があれば、当初の提出期限（物納申請期限）にその延長届出書が提出されたものとして取り扱われるため、延長届出書の提出がないことによる物納申請の却下

〔書式96〕

物納手続関係書類提出期限延長届出書

令和 ０ 年 ７ 月 10 日

練馬東税務署長（国税局長） 殿

（〒 176 －XXXX）
（住所） 東京都練馬区○○２－３－４
フリガナ コウヤマ イチロウ
（氏名） 甲 山 一 郎 ㊞

法人番号													

平成
令和 ０年９月12日相続開始に係る物納申請に関して、物納申請書に添付して（延長した提出期限までに）物納手続関係書類を提出することができないため、下記のとおり提出期限を（再）延長します。

記

1 延長する期限

物納申請期限 又は 前回の延長した提出期限
令和 ０ 年 ７ 月 12 日

延長する期限
令和 ０ 年 ７ 月 31 日

（注）１ 延長する期限には、物納申請期限（又は前回延長した期限）の翌日から起算して３か月以内の日を記載してください。
２ 再延長の届出は何回でも提出できますが、延長できる期間は、物納申請期限の翌日から起算して１年を超えることはできません。
３ 物納申請期限の翌日から延長した期限までの期間については、利子税がかかります。

2 提出期限を延長する必要のある書類

物納財産の種類、所在場所、銘柄、記号及び番号等	提出期限を延長する物納手続関係書類の名称	参考事項
土地（宅地） 新宿区○○２丁目 89番３	登記事項証明書	

税務署整理欄	郵送等年月日	担当者印
	令和 年 月 日	

が回避できる。

③　物納手続関係書類提出期限延長届出書の提出による提出期限の延長は、１回の届出につき３か月が限度になるが、その提出期限をいつに定めるかは物納申請者の任意とされている。

④　延長された提出期限までに物納手続関係書類を提出しなかった場合又はその期限までに（再）延長届出書を提出しなかった場合は、その物納申請は却下される。

（注１） 上記③について、物納申請者が定めた提出期限前に物納手続関係書類を提出しても、物納申請期限の翌日からその定めた提出期限までの間は利子税の計算期間となります。したがって、実務的には物納手続関係書類をいつまでに整備できるかを見極めた上で、その提出期限を設定することが重要になります。

（注２） 物納手続関係書類の提出期限の延長は、上記のとおり最長で「１年」ですが、次の場合には、その提出期限が延長されます。その措置は、前述（631ページの（注２））の延納の場合の担保関係書類の提出期限の延長の取扱いと同じです。

①　国税通則法第11条の適用がある場合……災害等の理由がある場合の国税に関する申告、申請、届出等の延長を認める規定（通則法11）が適用される場合には、上記の「６か月」は、同規定による延長された期間を加算した期間とされます（相法42㉘一）。

②　申請者等においてやむを得ない事由が生じた場合……物納申請者又は税務署において、物納許可の手続を進めることが困難な次の事由が生じた場合には、それぞれに掲げる期間について、上記の「６か月」の期限が延長されます（相法42㉘二）。

イ　物納許可の申請手続を行う者が死亡した場合……「その死亡した日の翌日以後10か月を経過する日までの期間」と「その死亡した日の翌日からその者の相続財産について民法第952条第２項（相続財産の管理人の選任）の規定による公告があった日までの期間」のいずれか長い期間（相令19の４①一、③一）

ロ　物納許可の申請に対する処分に係る不服申立て又は訴えの提起があった場合……税務署長による処分があった日の翌日から不服申立て又は訴えについての決定、裁決又は判決が確定する日までの期間（相令19の４①二、③二）

⑸　物納手続関係書類の補完通知と補完期限の延長手続

物納申請者から提出された物納手続関係書類について、記載の不備や書類の不足がある場合には、税務署長は、その訂正又は提出を求める旨の通知書（補完通知書）を送付することとされています（相法42⑧⑨）。

この場合の物納申請者の対応と留意点は、次のとおりです。

①　物納手続関係書類の補完（訂正及び不足書類の提出）は、補完通知書を受けた日の翌日から20日以内に行われなければならず、その期間内に補完しなかった場合は、物納申請を取り下げたものとみなされる（相法42⑩）。

②　①の期間内に物納手続関係書類の補完ができない場合は、「物納手続関係書類補完期限延長届出書」〔書式97〕（次ページ）を提出することにより、①の補完期限の翌日から３か月以内（延長届出書の提出回数に制限はなく、最長で１年間）の延長ができる

〔書式97〕

物納手続関係書類補完期限延長届出書

令和 ０ 年 ９ 月 10 日

練馬東 税務署長（国税局長） 殿

（〒176 －XXXX）
（住所） 東京都練馬区○○ 2－3－4
フリガナ コウ ヤマ イチ ロウ
（氏名） 甲 山 一 郎 ㊞

法人番号													

平成
㊞令和 ０ 年 ９ 月 10 日付「相続税物納申請書及び物納手続関係書類に関する補完通知書」
平成
（令和 ０ 年 ９ 月 11 日受領）により、訂正又は作成の上、提出が求められている物納手続関係書類については、補完期限までに提出ができないため、下記のとおり補完期限を（再）延長します。

記

1　延長する補完期限

補完期限　又は 前回の延長した補完期限	⇒	延長する補完期限
令和 ０ 年 ９ 月 30 日		令和 ０ 年 11 月 30 日

（注）1　延長する補完期限欄には、「相続税物納申請書及び物納手続関係書類に関する補完通知書を受領した日の翌日から起算して 20 日を経過する日」（又は前回延長した期限）の翌日から起算して３か月以内の日を記載してください。
2　再延長の届出は何回でも提出できますが、延長できる期間は、補完通知書を受領した日の翌日から起算して１年を超えることはできません。
3　補完通知書を税務署長が発した日の翌日から延長した期限までの期間については、利子税がかかります。

2　補完期限を延長する必要のある書類

物納財産の種類、所在場所、銘柄、記号及び番号等	補完期限を延長する物納手続関係書類の名称	参考事項
土地（宅地） 新宿区○○2丁目 89番3	土地賃貸借契約書の写し	

税務署整理欄	郵送等年月日	担当者印
	令和　年　月　日	

(相法42⑪⑫⑬)。

③　物納手続関係書類補完期限延長届出書の提出による補完期限の延長は、１回の届出につき３か月が限度になるが、その補完期限をいつに定めるかは物納申請者の任意とされている。

④　②により延長された補完期限までに物納手続関係書類の補完をしなかった場合又はその期限までに（再）延長届出書を提出しなかった場合は、その物納申請は却下される（相法42②、相基通42－８）。

（注１） 上記③について、物納申請者が定めた補完期限前に物納手続関係書類を補完しても、物納申請期限の翌日からその定めた補完期限までの間は利子税の計算期間となります。したがって、前項の物納手続関係書類提出期限延長届出書の場合と同様に、物納手続関係書類をいつまでに補完できるかを見極めた上で、その期限を設定することが重要になります。

（注２） 物納手続関係書類の補完期限の延長は、上記のとおり最長で「１年」ですが、物納手続関係書類の提出期限の延長の規定（678ページの（注２））と同様の事由がある場合には、同規定による期間の延長が可能です（相法42㉘）。

3.　物納財産の種類と適格性

(1)　物納財産の範囲と順位

相続税の納付について物納による場合、最も重要な問題は、物納申請財産の「適格性」です。どのような財産を物納に充てるかという選択権は、納税者にあるのは当然で、国に物納財産の選択権はありません。

ただし、相続税法では「管理処分不適格財産」と「物納劣後財産」の範囲を定めています。前者は、物納に充てることができない財産であり、物納申請しても却下されるものです（相法41②カッコ書）。また、後者は、他の財産に対して物納の順位が後れるものとして位置付けられており、他に物納に充てることのできる適当な価額の財産がない場合に限り、物納に充てることができるものです（相法41④）。

まず、現行制度上、物納に充てることができる財産の基本的な要件は、次の２つです。

①　納税者の課税価格計算の基礎となった財産（その相続財産により取得した財産を含む）であること

②　日本国内に所在する財産であること

このうち、①の納税者とは、物納申請者のことですから、要するに物納申請者本人が相続により取得した財産に限られるということです。したがって、その者の固有財産を物納に充てることはできませんし、また、同一の相続であっても他の相続人の取得財産をもって物納申請をすることも、もちろん不可能です。

（注） 相続開始前３年以内に被相続人からの贈与により取得した財産で、相続税の課税価格加

算の規定（相法19）が適用されたものは、物納に充てることができます（相基通41－5）。
ただし、相続時精算課税制度の適用を受けたことにより相続税の課税価格に加算された贈与財産は、物納に充てることはできません（相法41②カッコ書）。
なお、上記①の「相続財産により取得した財産」については、次項で説明します。

次に、物納に充てることのできる財産については、種類と順位が定められており、後順位の財産は、先順位の財産の中で物納に充てることのできる財産がない場合に限り、物納に充てることができます。

また、物納申請財産の中に、財産の種類に応じた順位が後になるものと物納劣後財産がある場合には、まず、財産の種類ごとに定められた順位より物納の適否を判断し、次に、同順位の財産グループの中で物納に充てることのできる財産か物納劣後財産かを判定します。要するに、物納に充てることのできる財産の種類とその順位は、次の①→⑤になります（相法41②④⑤、相基通41－15）。

順　位	財　産　の　種　類
第１順位	①　不動産、船舶、国債証券、地方債証券、上場株式等（特別の法律により法人の発行する債券及び出資証券を含み、短期社債等を除く）、特定登録美術品 ②　不動産及び上場株式等のうち物納劣後財産に該当するもの
第２順位	③　非上場株式等（特別の法律により法人の発行する債券及び出資証券を含み、短期社債等を除く） ④　非上場株式等のうち物納劣後財産に該当するもの
第３順位	⑤　動産

(注) 第１順位の「特定登録美術品」とは、「美術品の美術館における公開の促進に関する法律」（美術品公開促進法）に定める登録美術品をいいます。同法では、一定の美術品について登録制度を設けており、相続開始前に登録を受けた美術品については、上記の順位にかかわらず物納財産として他の財産に優先して物納許可が受けられることになっています（措法70の12）。

上記の順位は、税務署長において特別の事情があると認める場合又は先順位の財産に適当な価額のものがない場合に限り、後順位の財産を物納に充てることができるということですが（相法41④⑤）、この場合の「特別の事情があると認める場合」又は「先順位の財産に適当な価額のものがない場合」とは、次のような場合をいうものとされています。

① 特別の事情があると認める場合……たとえば、その不動産を物納すれば、居住や営業の継続が困難となり、通常の生活を維持するのに支障が生ずるような場合をいいます（相基通41－13）。

② 先順位の財産に適当な価額のものがない場合……上記の順位で物納に充てることの

できる財産で納付すると、その財産の収納価額が「物納許可限度額」を超える（いわゆる超過物納になる）ような場合をいいます（相基通41－14）。ただし、超過物納が認められる場合は、ここにいう「財産に適当な価額のものがない場合」には該当しないことになります（超過物納については、後記⑶で説明します）。

⑵　「相続財産により取得した財産」の意義

ところで、物納に充てることのできる財産は、上述のとおり相続財産に限られます。ただし、相続開始後に相続財産をもって他の財産を取得した場合に、その取得財産が物納適格財産であれば、それを物納申請することができることとされています。

問題は、「相続財産により取得した財産」の意義と範囲ですが、考え方としては、その取得と相続財産との間に密接な因果関係があることが前提となります。

したがって、相続財産を任意に売却し、その売却代金で他の財産を取得しても、その取得財産は相続財産と直接的な関係はなく、物納に充てることはできません（相続財産を任意売却した場合は、その売却代金である現金で納付が可能になります）。

このような考え方からみれば、具体的には次のような例が「相続財産により取得した財産」とみることができます（下記の有価証券については、相基通41－７参照）。

不動産	①　相続財産である不動産が収用等により買い取られ、代替不動産を取得した場合のその代替不動産 ②　相続財産である不動産との交換により取得した不動産 ③　相続財産である不動産について、相続開始後に土地区画整理事業が開始され、仮換地の指定を受けた場合のその仮換地 ④　相続財産である金銭で取得した不動産 ⑤　代償分割で取得した不動産（代償財産として他の相続人の固有財産である不動産を取得した場合のその不動産）
有価証券	①　相続財産である株式又は出資証券の発行法人が合併した場合のその合併により取得した株式又は出資証券 ②　相続財産である株式又は出資証券について、その株式の消却、減資が行われたことにより取得した株式又は出資証券 ③　相続財産である株式又は出資証券の発行法人が増資を行った場合のその増資により取得した株式又は出資証券

これらのうち、実務的にみれば、不動産についての上記②の「交換」と、④の相続後に金銭で取得した不動産の取扱いが活用できそうですが、それぞれに注意すべき点もあります。

まず、交換については次のように単純な交換と相続不動産が共有であるため（共有不動産は原則として管理処分不適格財産となります）、共有を解消する交換が考えられます。

<ケース１> 他の相続人等の固有財産との交換により取得した土地を物納申請する場合

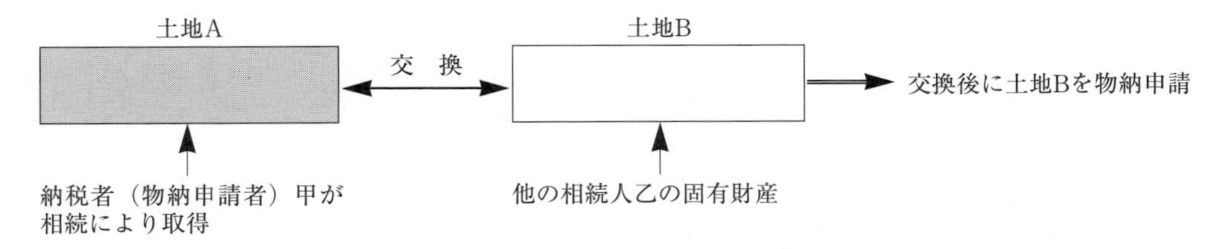

<ケース２> 相続財産である土地の共有持分を交換し、交換取得土地を物納申請する場合

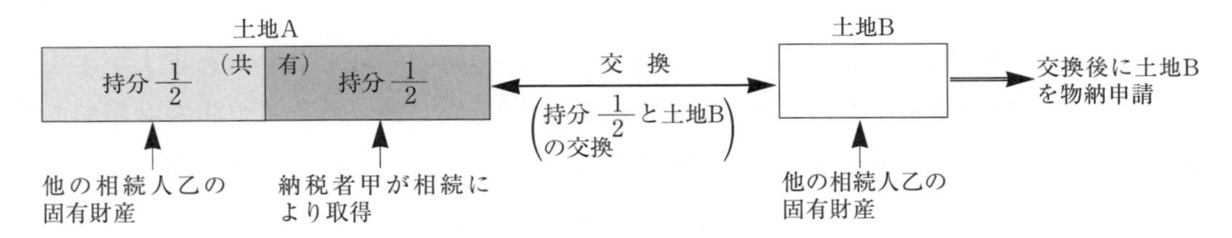

これらの場合、土地Bが物納適格財産であれば、物納の許可を受けることができるでしょう。

(注) 交換の場合に注意を要するのは、譲渡所得課税と贈与税課税の問題です。交換も資産の譲渡ですから、交換により取得した資産の時価を譲渡収入金額として譲渡所得課税が生じます。また、交換資産のそれぞれの間に価格差があり、その差額相当額の金銭授受がないときは、当事者間で贈与があったことになります。

なお、所得税法には固定資産の交換の場合の譲渡所得課税の特例（所法58）がありますが、物納を前提とした交換は、同特例の要件である「交換取得資産を交換譲渡資産の譲渡直前の用途と同一の用途に供する」ことはできません。したがって、交換の特例は適用されず、通常の譲渡所得課税になるのですが、この場合は、いわゆる相続税額の取得費加算の特例（措法39、754ページ参照）の適用を検討する必要があります。

一方、上記の不動産の場合の④（相続財産である金銭で取得した不動産）については、次のようなケースが想定されます。

<ケース１> 建物と借地権を相続により取得した納税者が相続財産である金銭により地主から底地を取得し、建物と宅地（所有権付）を物納申請する場合

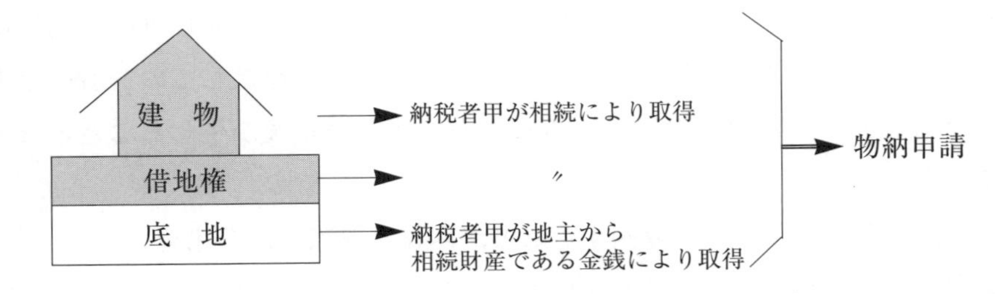

<ケース２> 相続により底地を取得した地主である納税者が、借地権者から相続財産である金銭により建物と借地権を買い取り、建物と宅地又は建物を取り壊して

宅地のみを物納申請する場合

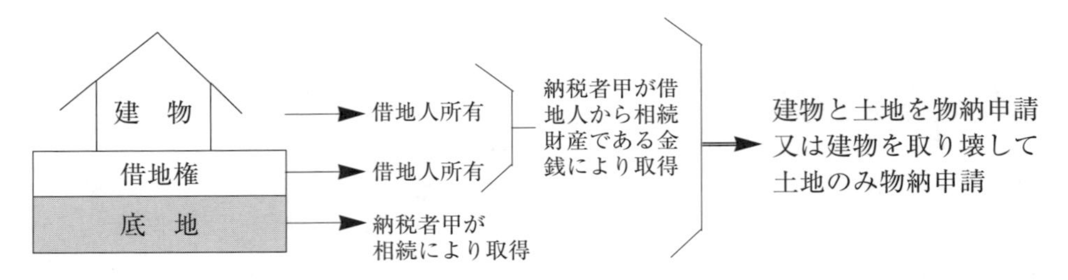

これらの場合も物納申請財産が適格である限り、物納の許可を受けられますが、相続後に取得する建物や借地権又は底地の取得のための「金銭」は、あくまで相続財産であることが前提となります。もっとも、その金銭が相続により取得したものか、相続人の固有財産であったかは、金銭の性質からみて事実認定の問題といえるでしょう。

なお、上例とは別に、相続財産である金銭をもって土地を購入したという単純なケースでも、その土地で物納申請することは可能です。ただ、このような場合は、物納制度の趣旨と要件からみて、金銭納付困難事由の有無に影響が生じると考えられます。

⑶　物納許可限度額を超える価額の財産による物納――超過物納――の取扱い

相続税を物納による場合、物納許可限度額（物納申請可能額）との価額が一致する相続財産は、通常ではあり得ません。このため、物納許可限度額が１億円、物納申請財産の価額（相続税評価額）が１億2,000万円という場合もありますが、このような物納許可限度額を超える価額による財産の物納（いわゆる超過物納）は、原則として認められません。

ただし、物納財産の性質、形状その他の特徴により物納許可限度額を超える価額の財産を物納することについて、税務署長においてやむを得ない事情があると認めるときは、物納許可限度額を超える物納が認められます（相法41①）。

この場合の「税務署長においてやむを得ない事情があると認めるとき」とは、次のような場合をいうこととされています（相基通41－３）。

①　その財産が土地の場合で、物納許可限度額となるように分割しようとするときには、分割後に物納に充てようとする不動産（分割不動産）又は分割不動産以外の不動産について、たとえば、分割することにより、その地域における宅地としての一般的な広さを有しなくなるなど、通常の用途に供することができない状況が生じることとなると認められる場合

②　建物、船舶、動産などのように、分割することが困難な財産である場合

③　法令等の規定により一定の数量又は面積以下に分割することが制限されている場合

もっとも、物納申請財産が不動産である場合は、まず、その不動産について、物納許可限度額に見合うように分割（分筆）できるかどうかの検討が求められます（相基通41－14

ただし書２）。その結果、次の４つのいずれかの方法で処理されます。

① その不動産を分割した後において、分割不動産（物納部分の不動産）と、分割不動産以外の不動産（物納部分以外の残余の部分）のいずれについても通常の用途に供することができる場合……分割不動産による物納ができる。

② その不動産を分割すると、分割不動産とそれ以外の不動産のいずれも通常の用途に供することができなくなる場合……物納は認められない。

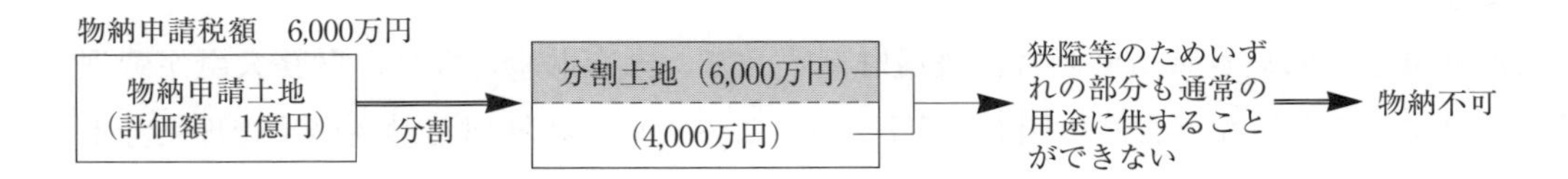

③ その不動産を物納申請税額に見合うように分割すると通常の用途に供することはできなくなるが、超過物納をすると通常の用途に供することができる場合……分割不動産による物納（超過物納）ができる。

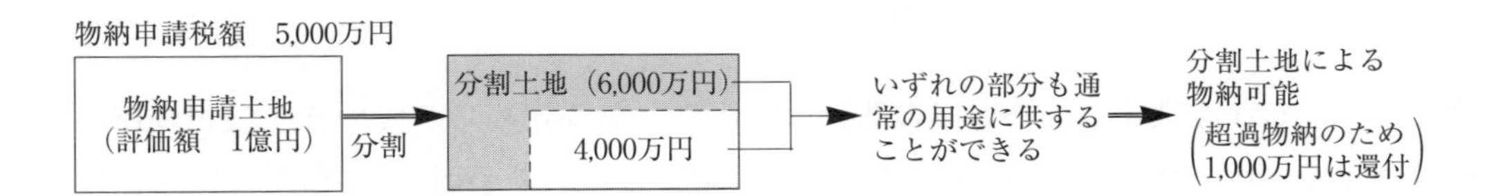

④ その不動産を分割方法のいかんにかかわらず分割すると通常の用途に供することができなくなる場合……その不動産全部による物納（超過物納）ができる。

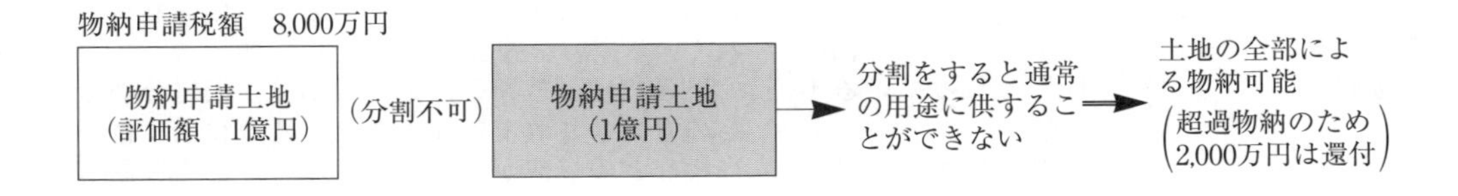

これらのうち、物納が許可されないのは②のケースで、その物納申請は却下されますが、その却下の日の翌日から起算して20日以内に、１回に限り他の物納適格財産をもって物納の再申請が可能です（相法45①）。ただし、他に物納適格財産がない場合は、当初の物納申請財産が管理処分不適格財産ではない限り、結局は④のようになるでしょう。

なお、不動産を分割して物納が認められる①と③のケースでは、物納土地について「収納価額」の改訂が行われますが、その方法は後述（709ページ）します。

（注）物納は、国に対する資産の譲渡に当たりますが、物納許可限度額に相当する部分について、譲渡所得税は非課税とされています（措法40の３）。

ただし、超過物納をしたことによる国からの還付金（過誤納金）については非課税規定が適用されません。このため、その還付金相当額を譲渡収入金額として譲渡所得課税が生じます。この場合、国等に対する資産の譲渡として「優良住宅地の造成等のために土地等を譲渡した場合の長期譲渡所得の課税の特例」（措法31の２）により軽減税率の適用を受けることができます。

また、超過物納が許可され、物納財産の引渡し（所有権移転登記）が相続税の申告期限の翌日から３年以内の場合は、いわゆる相続税額の取得費加算の特例（措法39）も適用されます。

(4)　管理処分不適格財産の範囲

物納が許可され収納された財産は、普通財産としての国有財産となり、財務大臣が管理し又は処分することになります（国有財産法６）。このため、物納申請財産が「管理処分不適格財産」の場合は、その物納申請は却下されます（相法41②、42②）。

（注）現行の物納制度には、物納申請財産が不適格の場合の税務署長による「物納財産の変更要求」という規定はなく、また、不適格の事由を解消した場合の物納許可の取扱いもありません。したがって、物納申請財産が「管理処分不適格財産」の場合には、その申請が直ちに却下されることになります。なお、管理処分不適格財産として却下された場合には、後述（716ページ）のとおり、１回に限り物納の再申請が可能です。

不動産について管理処分不適格財産の範囲は、次のとおり定められています（相令18、相規21）。なお、国税庁が刷成・配布している「相続税の物納の手引」（整備編）におけるチェックポイントも参考になりますので、以下に引用掲記しておきます。

管理処分不適格財産		チェックポイント
イ　担保権が設定されていることその他これに準ずる事情がある不動産	①　抵当権の目的となっている不動産 ②　譲渡により担保の目的となっている不動産 ③　差押えがされている不動産 ④　買戻しの特約が付されている不動産 ⑤　その他処分が制限されているもの	登記事項証明書の甲区（所有権の表示）及び乙区（所有権以外の権利の表示）に記載されている内容を確認してください。 甲区には、差押え、条件付譲渡、仮処分などの登記がされていないこと、乙区には、抵当権などの登記が付されていないことを確認してください。
ロ　権利の帰属について争いがある不動産	①　所有権の存否又は帰属について争いがある不動産	登記事項証明書及び土地の使用収益に関する契約書（例えば、土地の賃貸借契約書があります。以下同じ。）で確認してください。

	② 地上権、永小作権、賃借権その他の所有権以外の使用及び収益を目的とする権利の存否又は帰属について争いがある不動産	所有権の帰属について争いがある場合のほか、協議分割が未了で相続登記がされていない場合や遺留分減殺請求が提起されている場合などは、これに該当します。 また、物件の現況が①無断で建物などの建築がされている場合、②無断で菜園等として使用されている場合、③契約者でない方が居住又は使用している場合、④借地人（借家人）間での相続争いがあるため、相続人全員の連名での契約又は相続人代表者での契約ができない場合、⑤契約内容と違う利用をしている場合なども、これに該当します。
ハ 境界が明らかでない土地	① 境界標の設置がされていないことにより他の土地との境界を認識することができない土地（ただし、申請財産を取引（売買)する場合において、通常行われる境界の確認方法により境界を認識できるものを除く。） ② 土地使用収益権(地上権、永小作権、賃借権等）が設定されている土地の範囲が明らかでない土地	公図の写し、登記事項証明書、地積測量図及び境界線に関する確認書により、それぞれの書類に記載されている物納申請財産の所在、地番、地積数量が合致していること及び申請地と隣地との境界すべてについて同意がされていることを確認してください。 また、現地において、それらの書類と実際の物納申請財産の現況が異なっていないか形状、辺長、境界標の場所、境界標の種類などを確認してください。 土地の使用収益に関する契約書、登記事項証明書及び賃借地の境界に関する確認書により、それぞれの書類に記載されている所在、地番、地積数量が合致していることを確認してください。 また、契約されている範囲（境界標）と賃借地の境界に関する確認書に添付されている地積測量図が一致しており、実際に土地を使用収益している範囲内であることを確認してください。
ニ 隣接する不動産の所有者その他の者との争訟によらなければ通常の使用ができないと見込まれる不動産	① 隣地に存する建物等が、境界線を越える当該土地（ひさし等で軽微な越境の場合で、隣接する不動産の所有者の同意があるものを除く。） ② 物納財産である土地に存する建物等が、隣地との境界線を越える当該土地（ひさし等で軽微な越境の場合で、隣接する不動産の所有者の同意があるものを除く。）	現地において、公図の写し、登記事項証明書、地積測量図等により、物納申請財産の利用状況を確認してください。 この際、隣地との境界線、上空（空中）及び地下（地中）について、建物、工作物、樹木が、相互に越境していないか確認をしてください。
	③ 土地使用収益権の設定契約の内容が、設定者にとって著しく不利な場合における当該土地	土地の使用収益権に関する契約書により、記載されている契約内容について貸主に著しく不利な条件がないことを確認してください。 賃料が近隣相場と比較して低廉である場合、転貸借の事前承認や原状回復義務の規定がな

	④ 建物の使用・収益をする契約の内容が、設定者にとって著しく不利な当該建物	い契約は貸主にとって著しく不利なものに該当します。 （注）賃貸料は、近隣の賃貸料相場と同等であることが必要ですが、近隣の賃貸料相場を確認できない場合には、固定資産税相当額及び都市計画税相当額の合計額と比較し、下回る場合には、不適格財産に該当するものと判断することとなります。
	⑤ 賃貸料の滞納がある不動産その他収納後の円滑な契約の履行に著しい支障を及ぼす事情が存すると見込まれる不動産	賃貸料が滞納となっていないこと又は供託されていないことを確認してください。 例えば、賃貸料について、契約書上、前払いとされているにもかかわらず、後払い又は当月払いとなっている場合には、賃貸料の支払方法（領収書等の写し）と契約内容が一致していることの確認が必要となります。 なお、収納後の国（財務局）との契約等については、国（財務局）が定める条件になります。
	⑥ その敷地を通常の地代により国が借り受けられる見込みがない土地の上の建物	土地賃貸借契約書と実際に支払っている地代が一致していることを確認し、その支払賃料が近隣の賃貸料相場と同等であることを確認してください。 なお、契約書上の賃貸料と実際の支払っている賃借料が相違している場合には、契約書の賃貸料の訂正が必要となります。
ホ 他の土地に囲まれて公道に通じない土地で民法第210条（公道に至るための他の土地の通行権）の規定による通行権の内容が明確でないもの		現地において物納申請財産の進入路（実際に出入している箇所）を確認し、所在図、公図の写し、登記事項証明書及び地積測量図を活用して、所有者を確認してください。 進入路の土地所有者が通行について承諾（合意）している場所を「所在図や公図の写しをコピーしたもの」などに記載（特定）して、その範囲を明確にしてください。 また、その通行承諾を得た範囲が現地において実際に使用できる範囲であることを確認してください。
へ 借地権の目的となっている土地で、当該借地権を有する者が不明であることその他これに類する事情があるもの		土地賃貸借契約書と建物の登記事項証明書により契約者名義と建物所有者が一致していることを確認してください。 未登記の建物がある場合には、固定資産税評価証明書や固定資産税の課税通知書その他所有者がわかる書類と土地賃貸借契約書の名義を確認してください。 契約者名義と建物の所有者が相違している場合には、相違している原因に応じて、使用貸借確認書、相続人代表借地権確認書等を作成する必要があります。これらの確認書の提出に当たっては、戸籍謄本もしくは固定資産税課税証明書、住民票の写しなど相違している原因を調べるために使用した書類の写しを添付して提出してください。

ト　他の不動産（他の不動産の上に存する権利を含む。）と社会通念上一体として利用されている、又は利用されるべき不動産	①　共有物である不動産（共有者全員が申請する場合を除く。）	登記事項証明書の甲区により、物納申請者以外の共有者がいないことを確認してください（私道の持分を物納する場合を除きます。）。 相続開始時に被相続人と物納申請者の共有財産であった場合には、相続した部分を特定し、「被相続人と共有していた不動産に関する確認書」を作成してください。 また、共有者全員が物納申請しない場合又は物納申請できない場合において、共有財産である不動産を物納申請する場合には、共有持分の分割登記が必要となりますのでご注意ください。 なお、法令、建築協定又は不合理分割などの理由により共有物の分割登記ができない場合には、その財産は不適格財産となりますのでご注意ください。
	②　がけ地、面積が著しく狭い土地又は形状が著しく不整形である土地でこれらの土地のみでは使用することが困難であるもの	現地において公図の写し及び地積測量図により形状その他の条件から、周辺土地の利用状況を比較してください。周辺の土地の利用状況から、一般的な取引が困難でないことを確認してください。 また、建築基準法、都市計画法その他の法律及び条例により、物納申請財産を使用することに制限がないことを、物納申請財産の所在地を所轄する都道府県又は市区町村役場で確認してください。
	③　私道の用に供されている土地（他の申請財産と一体として使用されるものを除く。）	公図の写し、登記事項証明書及び地積測量図により私道として利用されていない土地であることを確認してください。 私道のみの物納はできませんが、物納申請する土地に付随する私道の場合には、物納申請する土地とその付随する私道を併せて物納に充てることができます。
	④　敷地とともに物納申請がされている建物以外の建物（借地権が設定されているものを除く。）	建物の登記事項証明書及び土地の賃貸借契約書などにより、建物に係る借地権があることを確認してください。 建物の登記がされていない場合や登記があっても契約がない（借地権がない）場合には、不適格財産となります。
	⑤　他の不動産と一体となってその効用を有する不動産	例えば、工場と一体となっている倉庫、事務所等の附属建物やいわゆる離れを有する旅館の離れなど、そのもの単独では利用又は処分が困難で、他の不動産と一体となって効用を有する不動産に該当していないことを確認してください。
チ　耐用年数（所得税法の規定に基づいて定められている耐用年数をいう。）を経過している建物（通常の使用ができるものを除く。）		登記事項証明書に建物の建築年月日が記載されていますので確認してください。 耐用年数を経過している場合でも、通常の使用（利用）ができる建物については、不適格財産とならない場合がありますが、耐用年数は十分残っているものの、修繕しなければ使用できない場合などは不適格財産となる場合があります。

リ　敷金の返還に係る債務その他の債務を国が負担することとなる不動産（申請者において清算することを確認できる場合を除く。）	①　敷金その他の財産の返還に係る債務を国が負うこととなる不動産	土地の使用収益に関する契約書により敷金、保証金その他名目いかんにかかわらず、賃貸借契約において生ずる債権債務の有無を確認してください。 債権債務がある場合には、物納申請者の方と借地人又は借家人の間において清算していただく必要があります。 また、マンションの管理費などの維持・管理費については、所有権移転の日の前日までの費用は清算してください。
	②　土地区画整理事業等が施行されている場合において、収納の時までに発生した土地区画整理法の規定による賦課金その他これに類する債務を国が負うこととなる不動産 ③　土地区画整理事業等の清算金の授受の義務を国が負うこととなる不動産	土地区画整理事業区域内に所在する場合には、その事業組合で賦課金・清算金の有無を確認してください。 収納の時までに賦課金等が発生している場合（総会で議決されている場合も含みます。）には、「賦課金等の債務を国に引き継がない旨の確認書」を、仮換地が指定されている場合で、相続税課税評価を仮換地で行っている場合には、「清算金の授受に係る権利及び義務を国に引き継がない旨の確認書」を提出してください。 なお、物納申請時又は現地調査の際に、賦課金・清算金の内容及び今後の見込みその他清算時期等についてお伺いする場合があります。その他土地改良区域内に所在する場合には、地区除外決済金が必要となる場合があります。
ヌ　管理又は処分を行うために要する費用の額がその収納価額と比較して過大となると見込まれる不動産	①　土壌汚染対策法に規定する特定有害物質その他これに類する有害物質により汚染されている不動産	都道府県又は市区町村役場の環境行政担当の部局で汚染地区指定、調査命令地区に該当していないことを確認してください。 過去の利用状況により特定有害物質その他これに類する有害物質により汚染されているおそれがある場合には、調査して、必要な手続を行ってください。 すでに土壌汚染調査が完了（除去済み）している場合には、証明書を提出してください。
	②　廃棄物の処理及び清掃に関する法律に規定する廃棄物その他の物で除去しなければ通常の使用ができないものが地下にある不動産	過去の利用状況を調査し、必要に応じて、都道府県又は市区町村の環境行政を担当している部局に確認をするなどして、地下埋設物がないことを確認してください。 過去の利用状況により地下に廃棄物等が埋設されているおそれがある場合には、調査して、必要な手続を行ってください。
	③　農地法の規定による許可を受けずに転用されている土地	登記事項証明書の地目と現況の利用状況を確認してください。 登記上の地目が農地（田・畑）の場合で、現況が農地として利用されていない場合には、農地転用の手続が必要です。
	④　土留等の設置、護岸の建設その他の現状を維持するための工事が必要となる不動産	現地において土留その他の施設の設置、護岸の建設その他の現状を維持するための工事の必要性の確認をし、法令等の規制による工事の必要性については、都道府県又は市区町村の担当部局で確認してください。

		法令等の規制がない場合でも、通常の維持管理状態では、土留その他の施設の設置、護岸の建設その他の現状を維持するための工事が必要な場合がありますのでご注意ください。
ル　公の秩序又は善良の風俗を害するおそれのある目的に使用されている不動産その他社会通念上適切でないと認められる目的に使用されている不動産として財務省令で定めるもの	①　風俗営業等の規制及び業務の適正化等に関する法律に規定する風俗営業又は性風俗関連特殊営業その他これらに類する業の用に供されている建物及びその敷地 ②　暴力団員による不当な行為の防止等に関する法律に規定する暴力団の事務所その他これに類する施設の用に供されている建物及びその敷地	賃貸借契約書及び現況により賃貸借している財産が、風俗営業、性風俗関連特殊営業、暴力団事務所（類似を含む）として使用されていないことを確認してください。
ヲ　その引渡しに際して通常必要とされる行為がされていない不動産（イに掲げるものを除く。）	①　物納財産である土地の上の建物が既に滅失している場合において、当該建物の滅失の登記がされていない土地	物納申請土地上に建物がない場合には、過去の土地の利用状況を調査して、法務局において物納申請地番地上に建物登記が残っていないことを確認してください。 滅失している建物の登記が残っている場合には、滅失登記を行う必要があります。 また、滅失した建物又は曳家した建物の配置図が残っている場合には、その建物を特定し、配置図の地番を訂正するなどの手続が必要です。
	②　廃棄物の処理及び清掃に関する法律に規定する廃棄物その他の物が除去されていない不動産	物納申請財産に廃棄物がないことを確認してください。 契約していない駐車車両がある場合や遊具その他の広場などとして利用されている場合には、契約外の使用状況を解消し、駐車車両や遊具等をすべて撤去する必要があります。
	③　生産緑地法に規定する生産緑地のうち「生産緑地の買取りの申出」又は「生産緑地の買取り希望の申出」の規定による買取り申出がされていない土地	現地にある表示柱や市区町村役場の固定資産税担当部局又は農業委員会等において生産緑地に指定されている土地かどうかを確認してください。 生産緑地に指定されている場合、生産緑地の買取請求手続により、生産緑地の指定を解除する必要があります。 生産緑地の指定解除がされた場合には、指定解除の通知がありますので、物納申請に当たっては、生産緑地指定解除通知書の写しを添付してください。
ワ　地上権、永小作権、賃借権その他使用及び収益を目的とする権利が設定されている不動産で、右に掲げるもの	①　暴力団員による不当な行為の防止等に関する法律に規定する暴力団員又は暴力団員でなくなった日から５年を経過して	賃貸借契約書及び現況により賃貸借している財産が、暴力団事務所等として使用されていないことを確認してください。

	いない者が権利を有している不動産 ②　上記①の者によりその事業活動を支配されている者が権利を有している不動産 ③　法人で上記①の者を役員等（取締役、執行役、会計参与、理事及び監事並びにこれら以外の者でその法人の経営に従事している者並びに支配人）とするものが権利を有している不動産	

なお、物納申請期限までに相続人間で未分割である場合のその不動産は、上記ロの「権利の帰属について争いがある不動産」に該当しますから、管理処分不適格財産となります。したがって、物納申請することはできませんが、相続財産の中の特定の不動産について物納したい場合には、物納申請期限までの遺産分割協議において、その不動産についてのみ遺産分割を確定させる方法を採るべきでしょう。

⑸　物納劣後財産の範囲

物納劣後財産とは、前述のとおり、他の財産に対して物納の順位が後れるものとして取り扱う財産であり、他に物納に充てることのできる適当な価額の財産がある場合は、物納に充てることはできないこととされています（相法41④）。したがって、次のようになります。

①　他に物納に充てることのできる適当な価額の財産があると認められる場合に、物納劣後財産をもって物納申請がされたときは、その申請は却下される。

②　次のような場合は、他に物納に充てることのできる適当な価額の財産があるときであっても、物納劣後財産を物納に充てることができる。

イ　物納劣後財産を物納に充てることについて、税務署長がやむを得ない事情があると判断した場合

ロ　相続財産の中に物納申請の際に現に有するもののうちに物納に充てることのできる適当な価額の財産がない場合

③　相続財産の中に物納申請の際に現に有するもののうちに物納劣後財産以外の財産がない場合は、他の物納要件を満たす限り、その物納劣後財産による物納が認められる。

(注) 上記②の場合は、物納申請の際に「物納劣後財産を物納に充てる理由書」を提出する必要があります。

物納劣後財産の範囲は、次のとおり定められています（相令19）。国税庁が刷成・配布している「相続税の物納の手引」（整備編）におけるチェックポイントとともに引用掲記しておきます。

物納劣後財産	チェックポイント
① 地上権、永小作権若しくは耕作を目的とする賃借権、地役権又は入会権が設定されている土地	提出書類の登記事項証明書の乙区（所有権以外の権利の表示）に記載されている内容を確認してください。 乙区に、地役権、賃借権などの登記がないことを確認してください。 なお、入会権については、慣習的な制度による権利であるため、一般的に登記されないことが多いことから、地方公共団体や周辺住民、地元業者等に確認してください。
② 法令の規定に違反して建築された建物及びその敷地	地積測量図及び土地の登記事項証明書と建物の登記事項証明書の床面積や建物図面等から容積率、建ぺい率を概算により計算し、物納申請財産の地域の基準に適合していることを確認してください。 また、増築を行っても登記されていない場合もありますので、物納申請財産上の建物と登記内容を確認し、容積率や建ぺい率を超えている可能性がある場合には、市区町村役場の建築課等で確認する必要があります。
③ 次に掲げる事業が施行され、その施行に係る土地につき、それぞれ次に規定する法律の定めるところにより仮換地の指定（仮に使用又は収益をすることができる権利の目的となるべき土地又はその部分の指定を含む。）又は一時利用地の指定がされていない土地（当該指定後において使用又は収益をすることができない当該仮換地又は一時利用地に係る土地を含む。） イ　土地区画整理法による土地区画整理事業 ロ　新都市基盤整備法による土地整理 ハ　大都市地域における住宅及び住宅地の供給の促進に関する特別措置法による住宅街区整備事業 ニ　土地改良法による土地改良事業	物納申請財産について、イからホの事業が施行されているかどうか、現地及び「仮換地指定通知書」により、確認してください。 また、いずれかの事業が施行されている場合は、進捗状況を現地又は総会議事録で確認し、使用又は収益を開始することができる時期（年月日）、新しい街区での土地の利用制限（用途地域、建ぺい率、容積率、建築協定締結見込みなど）を組合等で確認してください。
④ 現に納税義務者の居住の用又は事業の用に供されている建物及びその敷地（当該納税義務者が当該建物及びその敷地について物納の許可を申請する場合を除く。）	居住の用又は事業の用に供されている建物及びその敷地については、物納申請者の判断により、物納に充てようとする場合には、物納劣後財産として取り扱いません。
⑤ 劇場、工場、浴場その他の維持又は管理に特殊技能を要する建物及びこれらの敷地	物納申請財産を維持管理するために、資格、試験、許認可及び技能が必要でないことを確認してください。
⑥ 建築基準法第43条第１項（敷地等と道路との関係）に規定する道路に２メートル以上接していない土地	公図の写し、登記事項証明書、地積測量図、通行承諾書（特定できる図面を含む）により、

⑦　都市計画法第29条第1項又は第2項（開発行為の許可）の規定による都道府県知事の許可を受けなければならない同法第4条第12項（定義）に規定する開発行為をする場合において、当該開発行為が同法第33条第1項第2号（開発許可の基準）に掲げる基準（都市計画法施行令第25条第2号（法第33条第1項各号を適用するについて必要な技術的細目）に掲げる技術的細目に係るものに限る。）に適合しないときにおける当該開発行為に係る土地	接道が建築基準法上の道路に該当し、間口の幅員が2m以上であることを確認してください。 また、建築基準法又は条例等により定められた開発許可基準その他の指導要綱等の基準に適合していることを確認してください。 建築主事の判断や開発指導要綱等地方公共団体独自の定めがあることから、都道府県又は市町村役場の担当部局に確認する必要があります。
⑧　都市計画法第7条第2項に規定する市街化区域以外の区域にある土地（宅地として造成することができるものを除く。）	所在図、公図の写し、登記事項証明書により市区町村役場の担当部局で都市計画区域の確認をしてください。 市街化調整区域に所在する財産であっても、宅地造成などの開発行為ができる要件がありますので、所在図、公図の写し、登記事項証明書、地積測量図などにより、都道府県又は市町村役場の担当部局で確認してください。
⑨　農業振興地域の整備に関する法律第8条第1項の農業振興地域整備計画において同条第2項第1号の農用地区域として定められた区域内の土地 ⑩　森林法第25条又は第25条の2の規定により保安林として指定された区域内の土地	所在図、公図の写し、登記事項証明書により市区町村役場の担当部局で都市計画区域の確認をしてください。 （注）保安林の場合には、登記事項証明書の「地目」が「保安林」として登記されています。
⑪　法令の規定により建物の建築ができない土地（建物の建築をすることができる面積が著しく狭くなる土地を含む。）	所在図、公図の写し、登記事項証明書及び地積測量図などにより、都道府県又は市区町村の担当部局において、建物の建築ができることを確認してください。 また、物納申請財産周辺の建物及びその敷地の利用状況と物納申請財産へ建築可能な建物が同等であることを現地において確認してください。
⑫　過去に生じた事件又は事故その他の事情により、正常な取引が行われないおそれがある不動産及びこれに隣接する不動産	過去の利用状況等から過去に生じた事件・事故等の事情の有無を確認し、正常な取引を行うに当たって支障がないことを確認してください。
⑬　事業の休止（一時的な休止を除く。）をしている法人に係る株式	株式発行会社の事業活動状況について、決算報告書及び事業報告書等により、事業休止していないことを確認してください。

なお、上記の④は、相続人が居住又は事業の用に供している建物とその敷地を併せて物納申請した場合は物納劣後財産には該当せず、その土地（底地）のみが物納申請された場合には、その土地（底地）が物納劣後財産になるという意味です（相基通41－12）。

⑹　個別財産の物納適格性と納税者の対処の仕方

物納財産について「管理処分不適格財産」や「物納劣後財産」の範囲は上記のとおりです。これらの取扱いを含め、個別の財産について、物納適格性の判断と対応の仕方をいくつかみておきましょう。

① **共有不動産の物納**

共有財産は、上記のとおり原則として管理処分不適格財産ですが、対応策は、共有状態を解消するか、あるいは共有持分の全部を物納することです。

まず、共有状態を解消する方法としては、共有物の分割を行うことが一般的です。共有物は、いつでも共有者間で分割することが可能であり、また、その分割の協議が整わないときは、裁判所に分割の請求ができることとされています（民258）。共有不動産を分割し、単独で管理又は処分するのに適当な財産とした場合は、物納が可能になります。

その具体的な方法としては、共有物の分割を行った後に共有者のうちの一部の者が分割不動産を物納に充てる場合（次のケース１）と、被相続人と相続人との共有不動産について、共有物の分割後に被相続人の持分に相当する部分を特定して物納申請する場合（次のケース２）などが考えられます（ただし、ケース２の場合、相続人の固有財産に相当する部分は相続財産ではないため、物納に充てることはできません）。

<ケース１> 共有物の分割を行い、それぞれの分割不動産を物納に充てる場合

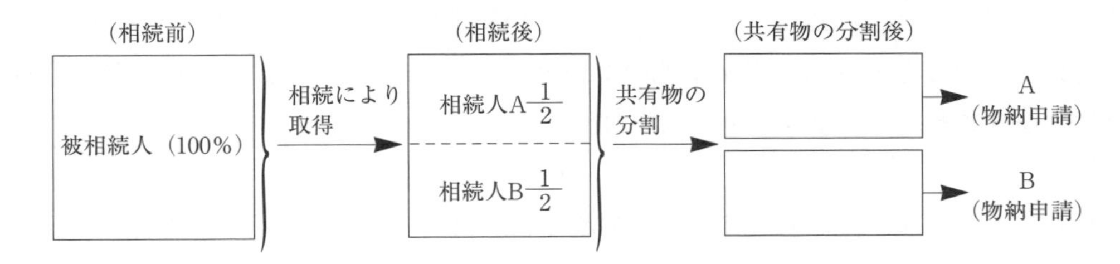

<ケース２> 共有者が被相続人と相続人の場合に、共有物の分割を行い、被相続人の持分相当部分を特定して物納に充てる場合

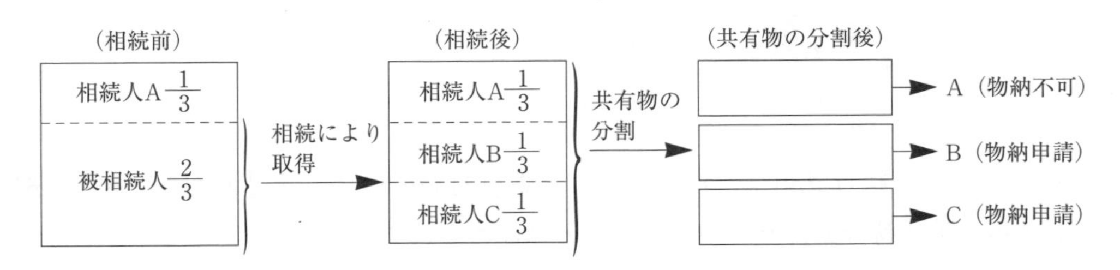

(注) 被相続人と相続人が共有していた不動産を分割して物納申請をする場合は、「被相続人と共有していた不動産に関する確認書」の提出を要します。

なお、共有物の分割は、共有者相互間でそれぞれの持分を交換又は売買をしたものとして、譲渡所得課税の問題が生じます。ただし、分割された土地等の分割後のそれぞれの部分の価額の比が共有持分の割合と著しく異ならないときは、共有物の分割について譲渡所得課税を行わないことに取り扱われています（所基通33－1の６）。この点は、前述（112

ページ）したとおりです。

一方、共有財産であっても、共有者全員が持分全部の物納をする場合は、それが認められます（相令18一ト、相規21⑤一イ）。したがって、この場合は、共有状態のままで物納申請ができるわけですが、注意したいのは、それぞれの持分の価額が各人の物納許可限度額を上回らないこと（いわゆる超過物納にならないこと）と、納税者全員が物納要件（金銭納付困難理由があること等）を満たす必要があることです。このため、相続不動産を共有とし、共有持分の全部を物納に充てたいときは、遺産分割の段階で取得財産の価額や物納許可限度額を勘案して、物納が可能になるよう調整しておかなければなりません。

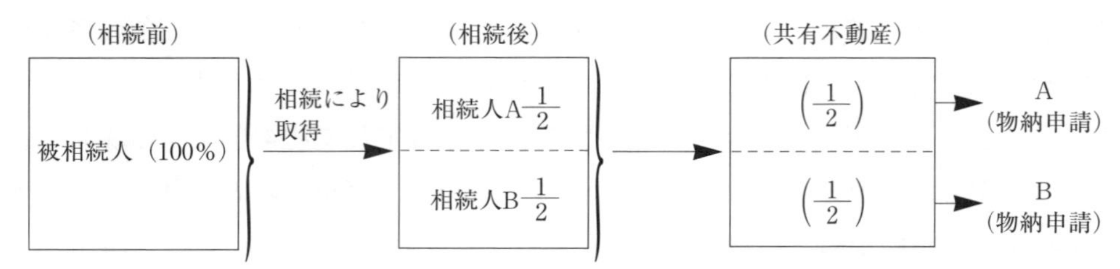

②　私道の物納

私道には、通り抜け私道や行き止り私道（専用私道）など、さまざまな形態のものがあります。通常の場合、私道は共有財産であるため管理処分不適格財産となりますが、その私道持分と一体として効用を有する他の土地とともに物納申請する場合は管理処分不適格財産にはなりません（相令18一ト、相規21⑤一ロ）。

<ケース１>　通り抜け私道（不特定多数の者が利用している私道）の場合

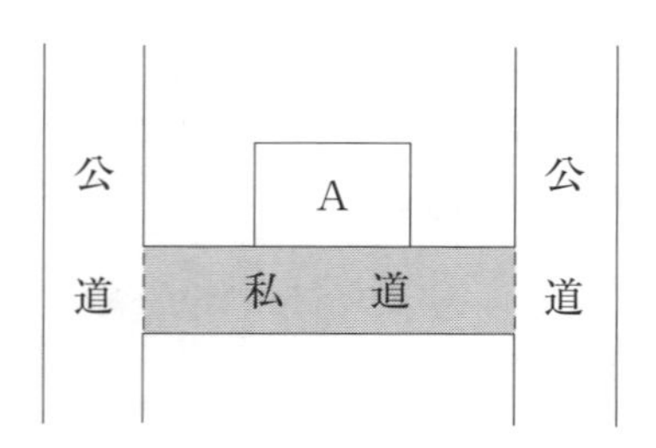

このような通り抜け私道は、原則として物納の対象にはなりませんが、A地を物納する際に、A地の私道持分と併せて物納することは認められます。

なお、上図の例でA地のみを物納に充てることも可能ですが、この場合、私道部分がいわゆる位置指定道路でないときは、通行承諾を要することとされています。この場合には、物納後もその物納申請土地の所有者又は賃借権者等が通行することを承諾する旨を記載した書面である「通行承諾書」（通行を承諾する土地所有者が押印したもの）を提出する必要があります。

（注） 不特定多数の者の通行の用に供されている私道は、相続税の課税上、評価しないことに取り扱われています（評基通24）。

＜ケース２＞ 専用私道（特定の者が利用している私道）の場合

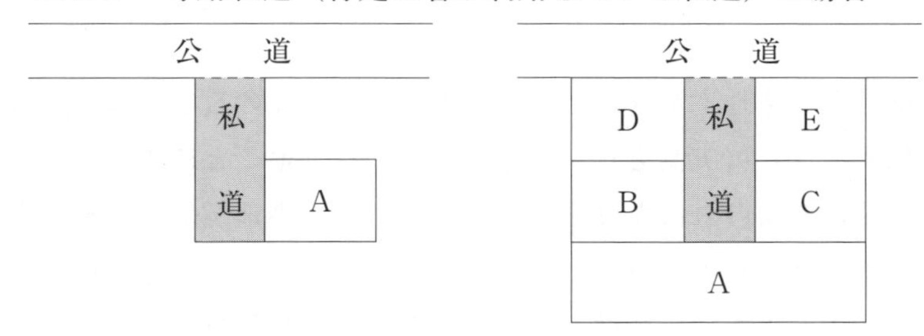

いわゆる行き止り私道（専用私道）の場合、宅地部分のみの物納や私道部分のみの物納は認められませんが、A地とその専用私道（A地の私道持分）、B地とその専用私道というように、宅地と一体として物納に充てることは可能です。

また、上図の土地が貸宅地である場合もその貸宅地と一体として物納を行うこともできますが、私道部分の賃貸関係を明確にしておく必要があるでしょう。

（注） 私道の用に供されている宅地の相続税評価額は、自用地価額の100分の30相当額とされています（評基通24）。

③　セットバック部分を有する宅地の物納

建築物の敷地は、道路に２メートル以上接していなければなりませんが（建築基準法43①）、この場合の「道路」は、原則として幅員４メートル以上のものをいいます。ただし、建築基準法が適用されることとなった際に「現に建築物が建ち並んでいる幅員４メートル未満の道路で、特定行政庁（市区町村長又は都道府県知事）が指定したもの」については、同法の道路とみなすこととされています（建築基準法42②）。いわゆる「２項道路」です。

このような「２項道路」に面している宅地は、いわゆるセットバック（その道路の中心線から２メートルの線をもって道路の境界線とみなす）部分を有することになりますが、このような宅地であっても、処分上は特に制約はありません。したがって、セットバックの要否に関係なく、その部分を含めて物納は可能です。

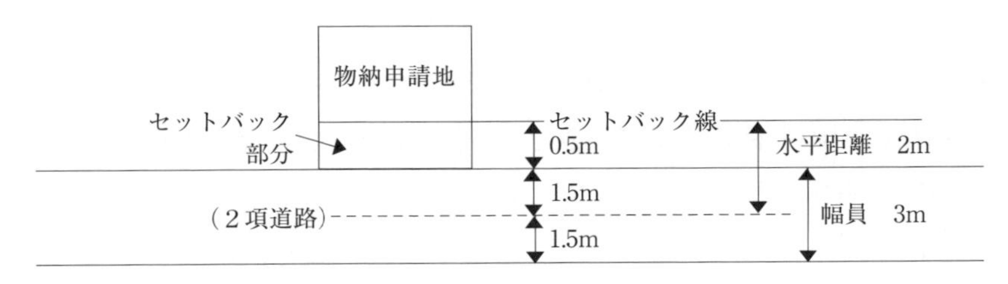

（注） セットバック部分を有する宅地の価額は、財産評価基本通達の定めにより評価した価額から、将来道路敷として提供する部分の価額の70％相当額を控除して評価することとされています（評基通24－６）。

④　貸宅地の物納

不動産の物納としては、貸宅地の事例が多く見られます。貸主に不利な貸付内容ではなく、物納後は国の定める貸付基準による賃貸料での貸付が見込まれる場合は、貸宅地のまま物納が可能です。

この場合、一筆又は数筆の宅地に２人以上の借地人がいる一団の貸宅地については、その利用区分ごと（借地人ごと）に実測を行い、それぞれの貸宅地ごとに境界標を設置して借地権の及ぶ範囲を明確にしなければなりません。もちろん、借地契約書は借地人の全員について整備されていることが物納の条件となります。また、賃貸料が近隣相場からみて大幅に下回る（おおむね70％以下）場合は、物納申請者において賃貸料の引上げが求められます。

ところで、物納申請税額との関係から、貸宅地の一部を更地化して物納に充てたいという納税者の要望もありますが、一棟の建物又は一団の建物群の敷地の一部分の物納は、原則として認められません。

ただし、物納によってその一部分の所有権を分離しても建築基準法上、既存建物の存在に問題がなく、その一部分の借地契約を物納申請者の負担において解除できる場合は、物納が可能です。これを図で説明すると次のとおりです。

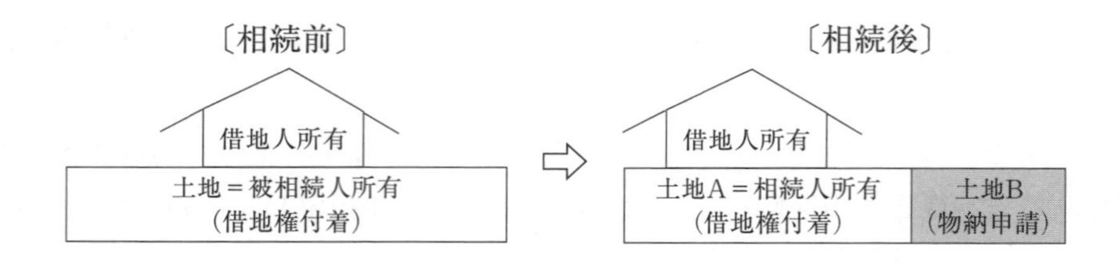

○　相続人が取得した土地Bの物納の条件

イ　境界が明確であるなど「管理処分不適格財産」に該当しないこと

ロ　土地Aのみで建築基準法上、借地人所有の建物の存在に問題がないこと

ハ　土地Bに関する借地人との借地契約を相続人が解除すること

また、物納申請者以外の者の所有する土地と一体として借地契約の目的となっているものであっても、物納後に国の条件による借地契約の円満な継続が可能なものも物納が認められます。これを図で説明すると次のとおりです。

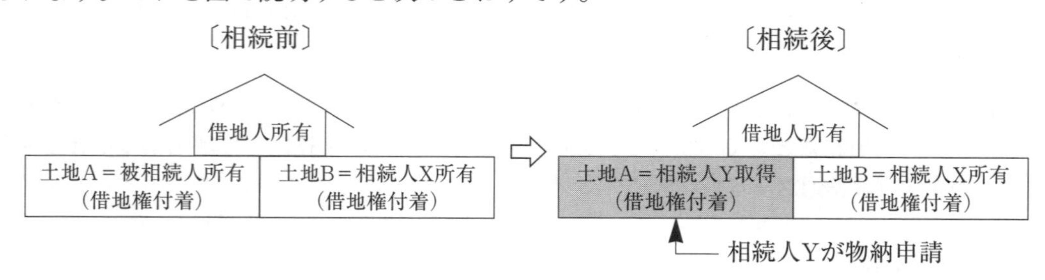

○　相続人Yが取得した土地Aの物納の条件

イ　境界が明確であるなど「管理処分不適格財産」に該当しないこと

ロ　国の貸付条件による借地契約の円滑な継続が可能であること

（注）上記の場合、土地Bの所有者が相続人Yのときも同様の取扱いとなります。

⑤　非上場株式の物納

中小同族会社の経営者等の相続に際し、その会社の株式を物納に充てたいというケースが生じることもあります。そこで、物納制度における非上場株式の取扱いについて、その概要をみておくことにします。

まず、株式について、管理処分不適格財産となり、物納申請できないのは、次の場合です（相令18二、相規21⑩）。

イ　物納財産である株式を一般競争入札により売却することとした場合の有価証券の売出しの届出書及び目論見書の交付において、その届出に係る書類及びその目論見書の提出がされる見込みがないもの

ロ　物納財産である株式を一般競争入札により売却することとした場合において、金融商品取引法第４条第６項の通知書の提出及び目論見書の交付が必要とされる場合において、その通知書及び目論見書の提出がされる見込みがないもの

ハ　譲渡制限株式

ニ　質権その他の担保権の目的となっている株式

ホ　権利の帰属について争いのある株式

ヘ　二以上の者の共有に属する株式

また、事業を休止（一時的な休止を除く）している会社の株式は、物納劣後財産とされています（相令19十三）。

これらからみると、通常の同族会社の株式であれば、いわゆる譲渡制限規定を解除すれば、株券が発行されている限り、物納が可能と考えてよいでしょう。

非上場株式を物納申請財産とする場合には、物納申請書のほか、次の書類等が物納手続関係書類となります（相規22②五）。

イ　非上場株式に係る法人の登記事項証明書

ロ　非上場株式に係る法人の決算書（物納申請の日前２事業年度分のもの）

ハ　非上場株式に係る法人の株主名簿の写し

ニ　物納財産売却手続書類提出等確約書

ところで、非上場株式の物納が許可される場合には、そのほとんどが後述（717ページ）する「条件付物納」の許可になるものと思われます（相基通42－14③）。物納財産は、収納後に国によって売却されるのですが、そのためには一定の書類が必要です。上記ニの「物納財産売却手続書類提出等確約書」〔書式98〕（次ページ）は、そのためのものであり、同

〔書式98〕

物納財産売却手続書類提出等確約書

私の物納申請財産である非上場株式について、物納許可（収納）後において、税務署長から下記に掲げる行為を求められた場合には、これを履行することを確約します。

記

1　金融商品取引法その他の法令の規定により一般競争入札に際し必要なものとして定められている書類を発行会社が税務署長に求められた日から６か月以内に提出すること。

2　株式の価額を算定する上で必要な書類を速やかに提出すること。

令和　　年　　月　　日

物納申請者
（〒　　　－　　　　）
（住所）

（氏名）（フリガナ）
㊞

確約書における「一般競争入札に際し必要なもの」とは、営業報告書等のいわゆる開示書類であり、「株式の価額を算定する上で必要な書類」とは、貸借対照表等のことです。要するに、国が収納した後の売却時に改めて必要書類を提出することを条件として物納が許可されるわけです。

非上場株式によって物納が可能であるとしても、実務上の問題は、その株式が国においてどのように処分されるかです。株式の譲渡制限が解除されていますから、処分先によっては新たな株主の出現のために経営上の問題が生じないとは限りません。

この点について、財務省理財局の「物納等有価証券に関する事務取扱要領について」通達（財理第2229号・令和元年６月27日）は、いわゆる随意契約又は一般競争入札により処分することとし、まず、随意契約適格者に対して買受意向があるかどうかを確認し、買受希望がある場合には、その者に売り払うこととしています。

なお、この場合の「随意契約適格者」とは、次の者をいいます（平成29年３月28日・財理第314号「財務省所管一般会計所属普通財産の管理及び処分を行う場合において指名競争に付し又は随意契約によることについての財務大臣との包括協議について」通達の別紙１の第２の４）。

イ　その株式を発行した法人、その法人の主要株主（発行済株式総数の10％以上の株式を有している株主）、役員及び従業員

ロ　その株式を物納した者

ハ　その法人の主要な業務について現に継続的取引関係にあるもの

要するに、その会社に直接的な利害のある者が買い戻すことができるということですが、実務的には、その価額の問題があるとともに、買取りの時期は原則として１年以内、分割して買い取る場合でも５年以内とされていることに注意する必要があります。

もっとも、随意契約適格者からの買受希望がない場合には、一般競争入札により売却処分が行われます。したがって、非上場株式の物納申請をするに際しては、物納した者を含めた会社の関係者において、物納の許可・収納後にどのように対応するかを検討・考慮しておくことが重要です。

参考までに、国による非上場株式の売却フローを上記の「物納等有価証券に関する事務取扱要領について」通達から引用掲記すると、次ページの図のとおりです。

4.　物納申請財産の処分と物納取下げの手続

(1)　物納申請財産の売却と「物納分岐点」の考え方

相続税の納付について、いったん物納申請をした後でも、物納の許可があるまでは、その申請を取下げ、物納申請財産を売却して金銭納付をすることができます。物納申請から許可までは、ある程度の期間を要するのが通常ですから、その間に物納財産の売却を進め、

非上場株式の売却フロー

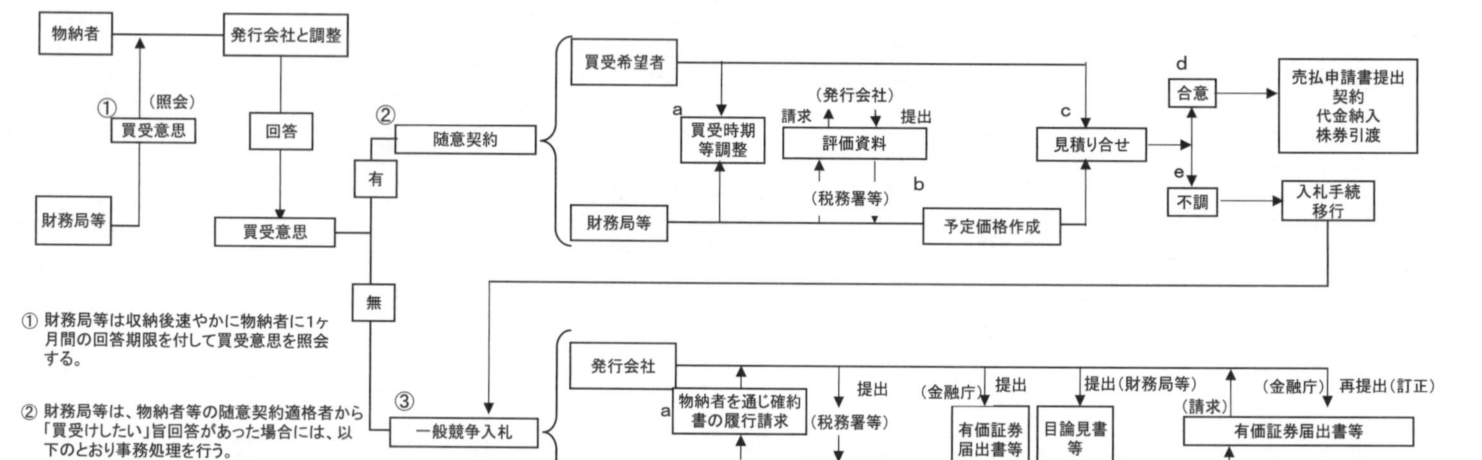

① 財務局等は収納後速やかに物納者に1ヶ月間の回答期限を付して買受意思を照会する。

② 財務局等は、物納者等の随意契約適格者から「買受けしたい」旨回答があった場合には、以下のとおり事務処理を行う。

a 速やかに物納者等買受要望者と時期・数量等について調整する。

b 買受時期に応じて物納者、税務署等を通じて発行会社から評価資料を提出させ、速やかに予定価格を作成する。

（注）評価資料、有価証券届出書等の提出は、原則として確約書の履行請求による。

c 買受要望者と見積り合せを実施する。（随意契約が不調となった場合を想定して予定価格は提示しない）

d 処分価格等について買受要望者と合意できた場合には、売払申請書を提出させ、売買契約を締結し、代金納入を確認のうえ株券を引渡す。

e 合意できなかった場合には、予定価格の有効期間を考慮しつつ、一般競争入札による処分手続に移行する。

> [参考]物納財産売却手続書類提出等確約書（施行規則第22条第2項第5号二）
>
> 1 金融商品取引法その他の法令の規定により一般競争入札に際し必要なものとして定められている書類を発行会社が税務署長に求められた日から6ヶ月以内に提出すること。
>
> 2 株式の価額を算定する上で必要な書類を速やかに提出すること。

③ 財務局等は、随意契約適格者等から、「買受けしない」旨回答があった場合（買受辞退等の場合を含む）には、以下のとおり事務処理を行う。

a 速やかに、税務署等を通じて確約書の履行請求手続を行う。
（履行請求にあたっては、提出を要する書類、期限を明記する）

b 物納者、税務署等を通じて発行会社から評価資料を提出させ、入札実施時期を考慮して予定価格を作成するとともに、入札実施準備作業を行う。

c 発行会社が金融庁に有価証券届出書（又は通知書）を提出、受理されたこと及び目論見書（又は開示資料）が財務局等に提出されたら、期間入札を実施する。

d 入札の結果、落札者がいるときは、売払申請書を提出させ、売買契約を締結し、代金納入を確認し、株券を引渡す。
（落札後速やかに、発行会社に有価証券届出書（又は通知書）の訂正方届出をさせ、受理されてから15日経過した後に落札者を決定する必要がある。下記eの随意契約による処分の場合にも準じて処理する）

e 入札の結果、不落となった場合は、見積り合せを行う。（再度入札時の状況等を勘案して行わないことができる。）

f 見積り合せによっても契約に至らない場合、見積り合せを行わなかった場合及び入札の結果が不調となった場合は、買受けが可能と認められる者の探索を行うことができる。

g 買受けが可能と認められる者の探索を行っても処分できなかった場合には、評価替を行い再度公告入札を実施する。
（再度公告入札の実施にあたっては、条件付許可の5年間の有効期間に留意する。）

有利な価額で売却できる場合は、物納申請の取下げを行うべきです。

実務上の問題は、売却が可能な場合の「物納分岐点」の見極めです。物納財産の売却によって譲渡所得課税が生じ、また、売却に伴う諸費用を要しますから、売却代金からこれらを控除し、なお物納申請税額（延滞税を含む）の納付が可能でなければ、物納申請の取下げと売却は意味がありません。このような資金収支がゼロになる売却価額が「物納分岐点」になるのですが、要するに、次の算式を満たすかどうかがポイントになるということです。

物納申請財産の売却価額 ≧ （物納申請税額）＋（物納の取下げによる延滞税の額）＋（物納財産の売却に係る譲渡所得税額）＋（物納財産の売却に伴う諸費用）

この計算で注意を要するのは、物納の取下げによる延滞税と、売却に係る譲渡所得税です。

物納について、申請⟶売却⟶取下げ⟶金銭納付、という場合、期限後納付となりますから、法定納期限の翌日から実際の納付日までの間について延滞税が生じます。

（注１） 延滞税の割合について、各年の特例基準割合（国内銀行の短期貸出約定平均金利として財務大臣が告示する割合に年１％を加算した割合）が年7.3％未満の場合には、法定納期限の翌日から２か月以内は特例基準割合に年１％を加算した割合とし、２か月経過後は特例基準割合に年7.3％を加算した割合となります（604ページ参照）。また、物納申請をしたことによって徴収猶予の手続がとられた場合には、一定の免除措置が適用されます（607ページ参照）。

（注２） 現行制度上、物納申請の却下又はみなし取下げの場合には、物納から延納への変更は可能ですが（相法44）、物納申請者が自らその申請を取り下げた場合には、延納申請をすることはできません。

また、物納申請者による自発的な物納申請の取下げの場合は、利子税ではなく、延滞税の納付を要します（通則法60、相基通53－２）。

次に、譲渡所得課税について、物納申請財産が土地等の場合、その譲渡が長期譲渡所得（譲渡した日の属する年の１月１日現在の所有期間が５年超）に該当するときは、通常は、次の算式により税額が求められます（措法31、地法附則34）。

税額＝｛譲渡収入金額－（取得費＋譲渡費用）｝×20％（所得税15％、住民税５％）

（注１） 譲渡所得に対する税率について、復興特別所得税（所得税額の2.1％相当額）を加味すれば、20.315％（＝15％＋15％×2.1％＋５％）となります。

（注２） 譲渡所得の課税上、相続・遺贈により取得した資産については、被相続人（遺贈者）の取得価額と取得時期を引き継ぎます（所法60①）。

また、この場合の取得費については、収入金額の５％相当額による概算取得費控除（措法31の4①）によることができるほか、相続土地等の譲渡が相続税の申告期限後3年以内であれば、次の算式による取得費加算の特例（措法39）が適用されます（取得費加算の特例の詳細は、754ページで説明します）。

$$取得費加算額 = 譲渡者の相続税額 \times \frac{譲渡した土地等の相続税評価額}{譲渡者の相続税の課税価格（債務控除前）}$$

以上を踏まえて、物納分岐点の計算を簡単な事例でみると、次のようになります。

＜事　例＞

1　被相続人の相続人は、配偶者と長男の2人であり、相続人が取得した相続財産と納付税額は、次のとおりである。

	〔配偶者〕	〔長　男〕
A土地	2億円	
B土地		1億円
土地以外の財産	1億2,000万円	2億2,000万円
財産合計	3億2,000万円	3億2,000万円
相続税額	（ゼロ）	1億755万円

2　長男は、納付税額（1億755万円）のうち755万円を金銭で納付することとし、物納許可限度額となる1億円については、B土地をもって物納申請した。

3　長男は、物納申請前からB土地の売却を意図しており、価額によっては売却するつもりである。売却による物件の引渡しと売却代金の収受は、相続税の申告期限（物納申請時）から6か月後の予定である。

なお、B土地の売却に伴う仲介手数料その他の費用は、売却価額の4％相当額と見込まれている。

（注1）B土地の譲渡による所得は、長期譲渡所得に該当し、譲渡所得金額の計算上の取得費は、収入金額の5％相当額となる。

（注2）B土地の売却のために物納申請を取り下げ、物納申請税額の全額を売却代金をもって金銭納付することとし、この場合に納付を要する延滞税の割合は、年2.6％（令和2年分の特例基準割合を基とした割合）と仮定する。

① 取得費加算の特例

この事例によるB土地の譲渡に係る取得費加算の特例は、次のように適用されます。

$$取得費加算額\quad \underset{（長男の相続税額）}{1億755万円} \times \frac{\overset{（長男が譲渡した土地等の価額）}{1億円}}{\underset{（長男の相続税の課税価格）}{3億2,000万円}} = 33,609,375円$$

② 延滞税の額

物納申請の取下げに伴って納付を要する延滞税の額（事例により法定納期限から6か月分）は、次により計算されます。

$$1億円 \times 2.6\% \times \frac{6月}{12月} = 1,300,000円$$

③ 譲渡価額と物納分岐点

ここで、物納申請したＢ土地（相続税評価額１億円）の物納分岐点となる譲渡価額を求めますが、譲渡価額を想定したうえで譲渡による資金収支を試算する方法がよいでしょう。B土地を、

・１億2,000万円で譲渡した場合

・１億2,300万円で譲渡した場合

・１億2,500万円で譲渡した場合

の３とおりで試算すると、次表のようになります。

			１億2,000万円で譲渡した場合	１億2,300万円で譲渡した場合	１億2,500万円で譲渡した場合
譲渡所得税額	譲渡収入金額	①	120,000,000円	123,000,000円	125,000,000円
	取得費（①×５％）	②	6,000,000	6,150,000	6,250,000
	取得費加算額	③	33,609,375	33,609,375	33,609,375
	譲渡費用（①×４％）	④	4,800,000	4,920,000	5,000,000
	課税譲渡所得金額（①－②－③－④）	⑤	75,590,000	78,320,000	80,140,000
	譲渡所得税額（⑤×20.315％）	⑥	15,356,100	15,910,700	16,280,400
納税収支	譲渡代金の手取額（①－④－⑥）	⑦	99,843,900	102,169,300	103,719,600
	相続税額（物納申請・取下額）	⑧	100,000,000	100,000,000	100,000,000
	延滞税の額	⑨	1,300,000	1,300,000	1,300,000
	差引資金収支残額（⑦－⑧－⑨）		△ 1,456,100	869,300	2,419,600

この結果、Ｂ土地の売却価額が１億2,000万円の場合は、資金的には約145万円のマイナス、１億2,300万円の場合は約87万円のプラス収支となります。要するに、上記事例のＢ土地の物納分岐点はおよそ１億2,300万円となり、これ以上の価額で売却できるのであれば、物納申請の取下げを行い、逆に売却価額がこれを下回るときは、物納申請の取下げをせずに物納許可を待つ方が有利になるわけです。

いずれにしても、物納分岐点は、相続財産の内容、相続税額、物納申請税額、譲渡所得税額、相続財産の譲渡時期（物納申請の取下げの時期）などにより異なりますから、それぞれのケースごとに対応してください。

⑵ 物納申請の取下げの手続

物納の申請を取り下げる場合は、「相続税物納申請（一部）取下げ書」〔書式99〕（次ページ）を提出します。

〔書式99〕

相続税物納申請（一部）取下げ書

令和 0 年 12月 10 日

練馬東 国税局長 税務署長 殿

（〒176－ XXXX ）

申請者 (住所) 東京都練馬区○○2−3−4

フリガナ コウ ヤマ イチ ロウ

(氏名) 甲 山 一 郎 ㊞

平成 ㊀令和 0年 7月10日付の相続税の物納申請は、下記のとおり（一部）取り下げます。

記

1 物納取下げ額等

物納申請税額	物納申請（一部）取下げ税額	差引物納申請税額
66,795,875 円	45,673,082 円	21,122,793 円

2 取下げする財産

別紙目録のとおり

3 参考事項

被相続人又は遺贈者			
		(住所) 東京都練馬区○○2−3−4	
		(氏名) 甲 山 太 郎	
右の欄には、該当の年月日を記入してください。	(相続開始)（遺贈）年月日		平成 (令和) 0 年 9 月12日
	(申告)（(期限内)、期限後、修正）、更正、決定年月日		平成 (令和) 0 年 7 月10日
	納 期 限		平成 (令和) 0 年 7 月12日

5.　物納財産の措置通知と措置期限の延長手続

(1)　現地調査と収納のための措置通知

不動産を物納申請すると、物納財産としての適格性を判断し確認するため、税務署及び財務局による現地調査が行われます。現地調査は、あらかじめ納税者又は代理人と実施日時の調整をした上で行われますが、隣接地主の立会いも求められることがありますので、あらかじめ隣接地主の了承を得ておく方がよいでしょう。

実際の調査では、境界標の設置状況、隣接地との間での工作物や樹木等の越境の有無、土留や護岸の設置の必要性の有無、廃棄物の有無など前述した管理処分不適格財産又は物納劣後財産に該当しないかどうかの確認が行われます。

現地調査の結果は、財務局等から税務署等に回答され、物納財産の整備・補完を要すると判断された場合には、「物納申請不動産に係る補完・措置事項連絡票」が送付されます。これを受けて税務署では、物納申請者に収納のために必要な措置を求める旨の通知書（措置通知書）を送付することとされています（相法42⑳㉑）。

どのような内容の措置を求められるかはケース・バイ・ケースですが、取扱通達では次のような事項が例示されています（相基通42－11）。

①　現状を維持するために必要な土留め、崩落防止措置

②　越境樹木の枝打ち、倒木等の撤去

③　地下埋設物、土壌汚染物質等の除去

④　ゴミその他の投棄物の撤去

物納申請者において措置すべき期限については、その内容に応じて措置通知が発せられた日の翌日から起算して１年以内の日が指定されます（相法42⑳、相基通42－12）。

なお、その指定された日までに措置が完了しない場合には、次項による措置期限の延長の手続をしたときを除き、その物納申請は却下されます（相法24㉒）。

(注)　税務署長による措置通知は、物納申請財産を収納するための措置を求めるものであり、管理処分不適格財産について不適格の事由を解消するためのものではありません。物納申請財産が管理処分不適格財産の場合には、軽微な措置で物納適格となるときを除き、措置通知を行う前にその申請が却下されます。

　現行の物納制度には、管理処分不適格事由を物納申請後に整備し、収納を可能にするという取扱いはないことに注意する必要があります。

(2)　措置期限の延長の手続

上記の措置通知による措置期限までに物納申請財産の整備ができない場合には、指定された措置期限までに「収納関係措置期限延長届出書」〔書式100〕（次ページ）を提出することにより、その措置期限を延長することができます（相法42㉓、相令19の２④、相規22⑧）。

この場合の延長期間は、３か月が限度となりますが、延長届出書の提出回数に制限はな

〔書式100〕

収納関係措置期限延長届出書

令和 0 年 2 月 25 日

練馬東 税務署長（国税局長）　殿

（〒 176 －xxxx）
（住所）　東京都練馬区○○ 2－3－4
フリガナ　コウヤマ イチロウ
（氏名）　甲山　一郎　㊞

法人番号													

平成
令和 0 年 12 月 20 日付「物納申請財産に関する措置通知書」により、実施を求められている下記の措置については、令和 0 年 2 月 28 日の措置期限までに実施することができないため、当該措置期限を延長します。

記

物納財産の種類、所在場所等	土地（宅地）　練馬区○○3丁目45番6		
期限までに実施することができない措置事項 （その他参考事項）	上記土地上の不法投棄物の撤去		
措置期限	令和 0 年 2 月 28 日	延長後の措置期限	令和 0 年 4 月 30 日

物納財産の種類、所在場所等			
期限までに実施することができない措置事項 （その他参考事項）			
措置期限	令和　年　月　日	延長後の措置期限	令和　年　月　日

（注）1　延長後の措置期限欄には、措置期限（又は前回延長した措置期限）から3か月以内の日を記載してください。
2　再延長の届出は何回でも提出できますが、延長できる期間は、措置通知書を受領した日の翌日から起算して1年を超えることはできません。
3　措置通知書を税務署長が発した日の翌日から、「物納申請財産に関する措置事項完了届出書」を提出した日までの期間については、利子税がかかります。

税務署整理欄	郵送等年月日	担当者印
	令和　年　月　日	

く、措置通知を受けた日の翌日から起算して最長で1年を経過する日まで延長することができます（相法42㉓㉔）。

なお、延長に係る最終の措置期限までに措置を完了しなかった場合には、その申請が却下されます（相法42㉒）。

（注）収納関係措置期限の延長は、上記のとおり最長で「1年」ですが、物納関係書類の提出期限の延長の規定（631ページの（注2））と同様の事由がある場合には、同規定による期間の延長が可能です（相法42㉘）。

⑶　措置事項の整備と措置完了の届出

物納申請者において必要な措置が完了した場合には、次の事項を記載した「物納申請財産に関する措置事項完了届出書」を税務署長に提出しなければなりません（相法42㉗、相規22⑨）。

①　物納申請者の住所及び氏名

②　措置をとった旨及び措置をとった日

③　措置に係る物納に充てようとする財産の種類及び所在場所

④　その他参考となるべき事項

（注）上記⑵により措置期限を延長した場合には、措置通知書を発した日の翌日から「措置完了届出書」を提出した日までの間について、利子税が課税されます（相令29①二）。

6.　物納財産の収納価額

⑴　収納価額の原則

物納申請が許可されると、その申請財産は国に収納されることになりますが、この場合の価額を収納価額といいます。物納財産の収納価額は、相続税の「課税価格計算の基礎となったその財産の価額」によるのが原則です（相法43①）。したがって、次のようになります。

①　財産評価基本通達によって評価した財産――通常の場合、相続財産の評価は財産評価基本通達の定めによっていますから、その財産が収納される場合の価額も財産評価基本通達によって評価した価額になります。

②　財産評価基本通達以外の方法で評価した財産――財産評価基本通達の定めによらない方法（たとえば、不動産についていわゆる鑑定評価）で評価した財産を物納申請した場合に、その申告が是認されたときは、その申告額（鑑定評価額）が収納価額になります。

③　小規模宅地等の特例を適用した財産――物納財産の収納価額は、「相続税評価額」ではなく、「課税価格計算の基礎となったその財産の価額」とされていますから、課税価格算入額の特例である、いわゆる小規模宅地等の特例（措法69の4）を適用した財産

を物納に充てた場合の収納価額は、その特例適用後の価額となります。

④　物納申請に係る相続税について修正申告・更正があった場合――相続税の申告後に物納財産について評価誤りなどで修正申告や更正が行われ、その財産の価額に異動を生じた場合は、異動後の価額が収納価額となります。

なお、物納申請にあたっては、前述のとおり「相続財産により取得した財産」も物納に充てることができますが、この場合の取得財産は課税価格計算の基礎には算入されていません。このため、実務上の取扱いとしてその財産については、収納の時の状態で相続開始の時にあったものとして、その収納価額を定めることとされています（相基通43－６）。

⑵　分割不動産の収納価額

いわゆる超過物納を回避するための物納不動産の分割については、前述（684ページ）で説明したところですが、この場合の分割不動産の収納価額は、その分割不動産（物納申請部分）と分割不動産以外の部分とに区分し、評価額を再計算する方法で算定されます。その算式と計算例を示すと、次のとおりです（相基通43－４）。

$$分割不動産の収納価額 = K \times \frac{A}{A+B}$$

K＝分割前の課税価格計算の基礎となった価額
A＝分割不動産について、相続開始時の財産評価基本通達により評価した価額
B＝分割前の不動産のうち、分割不動産部分以外の不動産について、相続開始時の財産評価基本通達により評価した価額

【計算例１】

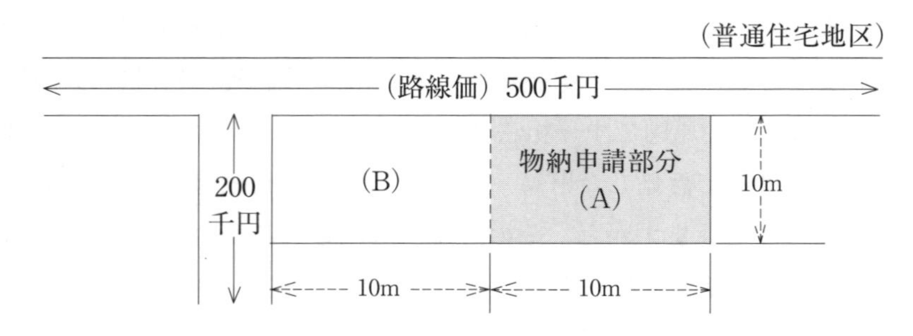

①　分割前の土地の評価額（課税価格計算の基礎となった価額）
・正面路線価　　500千円×1.00＝500千円
・側方路線影響加算額　　200千円×1.00×0.03＝６千円
・評価額　　（500千円＋６千円）×200m²＝101,200千円　……………前記算式のK

②　分割不動産（A部分）の評価額
500千円×1.00×100m²＝50,000千円…………………………………前記算式のA

③　分割不動産以外の土地（B部分）の評価額

・正面路線価　　　500千円

・側方路線影響加算額　　200千円×1.00×0.03＝６千円

・評価額　　（500千円＋６千円）×100m²＝50,600千円　……………前記算式のB

④　物納申請部分（A部分）の収納価額

$$101{,}200\text{千円(K)} \times \frac{50{,}000\text{千円（A）}}{50{,}000\text{千円（A）}+50{,}600\text{千円（B）}} = 50{,}298{,}210\text{円}$$

【計算例２】

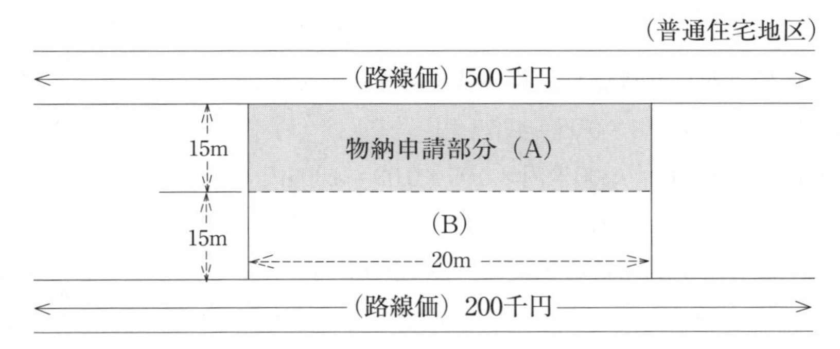

①　分割前の土地の評価額（課税価格計算の基礎となった価額）

・正面路線価　　500千円×0.95＝475千円

・二方路線影響加算額　　200千円×0.95×0.02＝3,800円

・評価額　　（475千円＋3,800円）×600m²＝287,280千円　……………前記算式のK

②　分割不動産（A部分）の評価額

500千円×1.00×300m²＝150,000千円　……………………………………前記算式のA

③　分割不動産以外の土地（B部分）の評価額

200千円×1.00×300m²＝60,000千円　………………………………………前記算式のB

④　物納申請部分（A部分）の収納価額

$$287{,}280\text{千円(K)} \times \frac{150{,}000\text{千円（A）}}{150{,}000\text{千円（A）}+60{,}000\text{千円（B）}} = 205{,}200\text{千円}$$

(3)　小規模宅地等の特例の適用を受けた分割不動産の収納価額

物納申請財産が「小規模宅地等の特例」（措法69の４）の適用を受けた宅地である場合の収納価額は、前述のとおりその特例適用後の価額となります。したがって、特例の適用を受けた宅地を物納することは、通常の場合は、納税者に不利になります。

なお、小規模宅地等の特例の適用を受けた宅地を分割して物納申請した場合の収納価額は、分割不動産以外の部分に優先的に特例を適用したものとし、前記の算式によって計算することとされています。要するに、分割不動産の収納価額の算定上は、納税者有利に取り扱われているわけです。これを計算例で示すと、次のとおりです。

【計算例】（特例の適用面積400m²・減額割合80％）

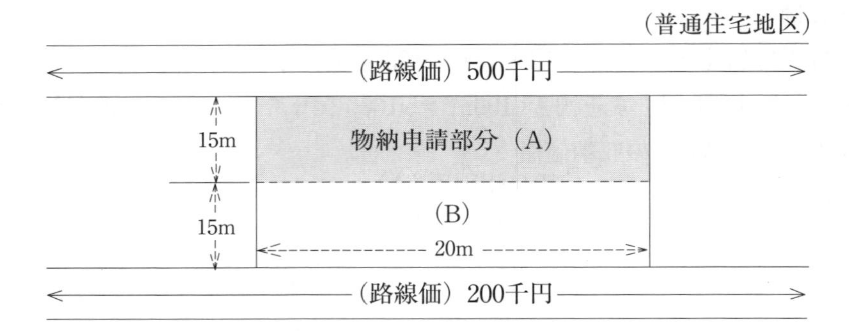

① 分割前の土地の価額（課税価格計算の基礎となった価額）

・正面路線価　500千円×0.95＝475千円

・二方路線影響加算額　200千円×0.95×0.02＝3,800円

・評価額　（475千円＋3,800円）×600m²＝287,280千円

・小規模宅地等の特例適用後の価額　$287{,}280\text{千円}-(287{,}280\text{千円}\times\frac{400\text{m}^2}{600\text{m}^2}\times 80\%)=134{,}064\text{千円}$……前記算式のK

② 分割不動産（A部分）の価額

・評価額　500千円×1.00×300m²＝150,000千円

・小規模宅地等の特例適用後の価額　$150{,}000\text{千円}-(150{,}000\text{千円}\times\frac{100\text{m}^2}{300\text{m}^2}\times 80\%)=110{,}000\text{千円}$………前記算式のA

(注) 小規模宅地等の特例（適用対象面積400m²）は、分割不動産以外の宅地（B部分300m²）に優先的に適用したものとし、分割不動産（A部分）の特例適用面積は、100m²として価額の計算を行います。

③ 分割不動産以外の土地（B部分）の評価額

・評価額　200千円×1.00×300m²＝60,000千円

・小規模宅地等の特例適用後の価額　$60{,}000\text{千円}-(60{,}000\text{千円}\times\frac{300\text{m}^2}{300\text{m}^2}\times 80\%)=12{,}000\text{千円}$ ………前記算式のB

④ 物納申請部分（A部分）の収納価額

$$134{,}064\text{千円(K)}\times\frac{110{,}000\text{千円（A）}}{110{,}000\text{千円（A）}+12{,}000\text{千円（B）}}=120{,}877{,}377\text{円}$$

(4) 収納価額の改訂

物納財産の収納価額は、課税価格計算の基礎となったその財産の価額によるのが原則ですが、収納の時までにその財産の状況に著しい変化を生じたときは、収納の時の現況によりその財産の収納価額を定めることとされています（相法43①ただし書）。

この場合、「その財産の状況に著しい変化を生じた」かどうかの判定は、原則として、許可の時における物納財産の現況によります（相基通43－1）。ただし、物納の許可の通知が

あった後においても、その許可に係る物納財産の引渡し、所有権移転の登記その他法令により第三者に対抗することができる要件を充足するまでの間に、納税者の責に帰すべき事由により、その状況に著しい変化を生じたときは、物納許可後においても収納価額の改訂が行われます（相基通43－２）。

収納価額の改訂が行われる財産の状況の「著しい変化」とは、不動産については、たとえば次のような場合をいいます（相基通43－３）。

①　土地の地目変換があった場合（地目の変換があったかどうかは、相続開始後に、たとえば市街地農地を造成して建物を建築した場合、いわゆる青空駐車場を廃止してその土地上に建物を建築した場合など、現実に地目の変換があった場合をいいます。したがって、単に地目変更の登記をしただけでは、ここにいう地目変換には該当しません）

②　荒地となった場合（物納許可までに長期間を要したことなどにより、土地が荒地となり、元の状態に戻すのに相当の費用を要する場合などをいいます）

③　竹木の植付け又は伐採をした場合

④　所有権以外の物権又は借地権の設定、変更又は消滅があった場合

⑤　配偶者居住権の設定、変更又は消滅があった場合

⑥　家屋の損壊（単なる日時の経過によるものは含まれません）又は増築があった場合

⑦　自家用家屋が貸家となった場合

⑧　引き続き居住の用に供する土地又は家屋を物納する場合

⑨　上記のほか、その財産の使用、収益又は処分について制限が付けられた場合

いずれにしても収納価額の改訂が行われるのは、物理的原因によって財産の状況が変化した場合です。相続後の地価や株価の下落など、単なる経済的事由で財産価額に変動が生じても収納価額の改訂は行われません。

(注) 上記のうち⑦の「引き続き居住の用に供する土地」の物納とは、居住用宅地の底地の物納のことです。この場合の土地は、自用地で評価されていますが、物納の結果、土地所有者と建物所有者が異なることとなるため、次の図のように自用地評価額から借地権価額を控除した価額が改訂後の収納価額となります。

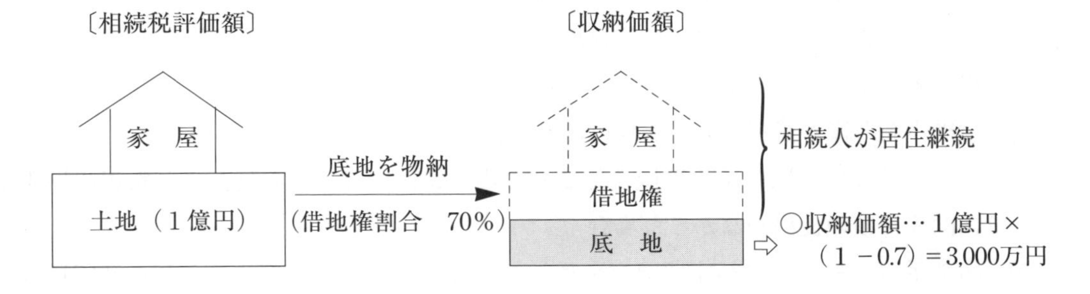

なお、この例で土地を使用貸借により借り受けている場合は、家屋が自用家屋又は貸家のいずれであっても土地は自用地として評価されます（昭48.11.1　直資２－189ほか通達の１）が、その場合に土地（底地）を物納するときも、上記と同様に自用地価額から借地

権価額を控除した価額が収納価額となります。

7. 物納の許可・却下と申請者の対応

(1) 物納の許可と申請者の手続

物納申請財産が適格であり、措置事項が完了した場合には、物納が許可され、税務署から物納申請者に「相続税物納許可通知書」が送付されます（相法42③）。物納の許可は、物納申請財産ごとに（物納財産の収納価額ごとに区分して）行われるので、複数の財産をもって物納申請した場合には、物納許可の日が異なる場合があります（相法42②、相基通42－5）。

物納の許可を受けた相続税は、物納財産の引渡しや所有権移転登記等により第三者対抗要件を充足した時に納付されたものとみなされ、納税者の租税債務が消滅することになります（相法43②）。

不動産について物納の許可を受けた者は、物納許可のあった日から7日以内に、「所有権移転登記承諾書」〔書式101〕（次ページ）とその者の印鑑証明書を提出しなければなりません（669ページの各種確約書〔書式94〕参照）。

なお、物納財産が国に収納されると、申請者には「物納財産収納済証書」が交付されます。

(注) 物納の許可のあった日から7日以内に上記の所有権移転手続に必要な書類（所有権移転登記承諾書及び印鑑証明書）の提出がない場合には、7日を経過した日から所有権移転手続が完了した日までの間について、利子税が課されます（相令29①三）。

なお、土地等の物納による国への所有権移転登記は、税務署長において登記所に嘱託することとされていますから（不登法4）、納税者においては何らの手続を要しません。

(2) 物納の却下に係る延納の申請と物納の再申請

一方、物納申請が却下されると、申請者には「相続税物納却下通知書」が送付されます（相法42③）。物納申請が却下となる理由には、次のようなものがあります。

① 物納申請書が申請期限に遅れて提出された場合
② 申請者に金銭納付困難理由がない場合
③ 物納申請財産が管理処分不適格財産又は物納劣後財産である場合
④ 物納手続関係書類の提出期限を延長した場合において、その延長された提出期限までに関係書類の提出がなかった場合
⑤ 物納手続関係書類の補完期限を延長した場合において、その延長された補完期限までに関係書類の訂正・提出がなかった場合
⑥ 収納関係措置期限を延長した場合において、その延長された措置期限までにその措置をとらなかった場合

〔書式101〕

所 有 権 移 転 登 記 承 諾 書

原　　因　令和 ○ 年 9 月 12 日相続税の物納許可

権 利 者　財務省

末記物件の所有権移転の登記をすることを承諾します。

令和 ○ 年 9 月 16 日

（住 所）東京都練馬区○○二丁目３番４号

（氏 名）甲　山　一　郎　㊞

練馬東 税 務 署 長 殿

物件の表示

一、所 在　練馬区○○三丁目

地 番　45 番 6

地 目　宅 地

地 積　126.45 平方メートル

このうち②の「金銭納付困難理由がない」ことを理由として物納申請が却下された場合、又は金銭納付を困難とする金額が申請に係る金額より少ないとされたことから申請税額の一部について却下された場合には、その却下の通知を受けた日の翌日から起算して20日以内であれば、延納の申請をすることができます（相法44①、相基通44－1）。

また、前記③の「管理処分不適格財産又は物納劣後財産である」ことを理由として物納申請が却下された場合には、その却下の日の翌日から起算して20日以内であれば、他の物納適格財産をもって、物納の再申請をすることができます（相法45①）。この場合の再申請は、却下された1財産につき1回限り認められますから、再申請された財産が却下された場合には、再度の物納申請はできません（相基通45－1）。

前記②又は③以外の理由で物納申請が却下された場合、あるいは②の理由で却下された場合に延納するための担保がないとき又は③の理由で却下された場合に物納の再申請をする適当な財産がないときは、その相続税を金銭で一時に納付することが求められます。

以上を要約すると、次図のとおりです。

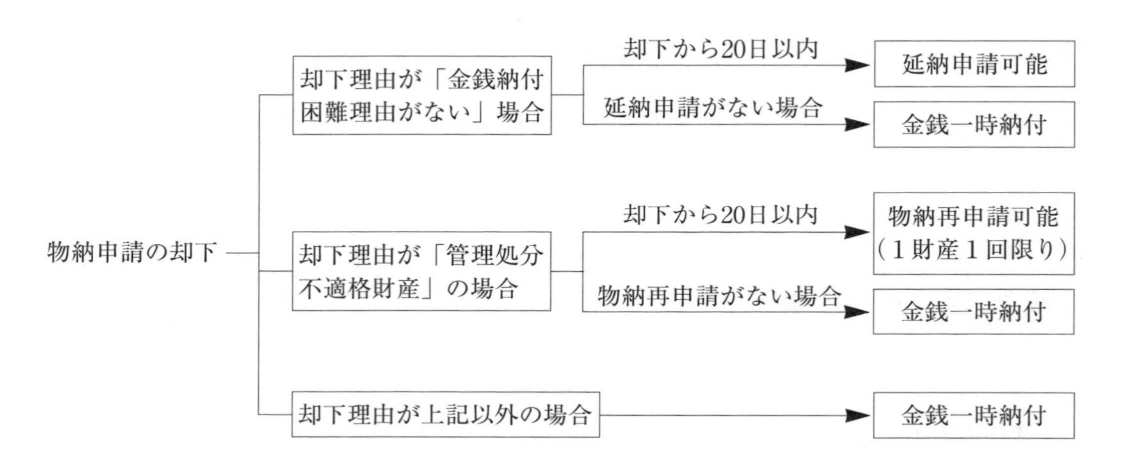

（注）上記の物納申請の却下に伴って延納申請をした場合、物納の再申請をした場合又は金銭納付をした場合の利子税・延滞税は、次のようになります。

① 延納申請をした場合……その延納申請が許可された場合は、納期限の翌日から延納に係る利子税となる（物納申請から却下の日までの間も延納に係る利子税の計算期間となる）。

② 物納の再申請をした場合……納期限の翌日から再申請の日までの期間は、全て物納に係る利子税の計算期間となる。

③ 却下された税額を金銭納付する場合……納期限の翌日から却下の日までの間は利子税が、また、却下の日の翌日から本税を完納する日までの間は延滞税が課される。

なお、物納申請が却下された場合に、その却下処分に不服があるときは、税務署長に対して不服申立てを行うことができます（通則法75①一、77①）。

（注）物納が認められないこととなるのは、物納申請の却下のほかに、物納手続関係書類の補完通知があった後20日以内に補完を行わなかった場合の「みなし取下げ」があります（相

法42⑩)。物納申請が却下された場合は不服申立てが可能ですが、みなし取下げの場合には、不服申立てはできません。

(3) 条件付物納の許可と条件の履行

物納の許可に際して、税務署長は、物納財産の性質その他の事情に照らし必要があると認めるときは、必要な限度においてその許可に条件を付すことができることとされています（相法42㉚)。

いわゆる条件付物納の許可であり、この場合は、物納許可通知書にその条件が記載され、物納許可後にその条件の履行を求める場合は、その履行を求める旨とその期限が通知されます（相法48①)。また、その履行がない場合には、条件付物納の許可通知をした日の翌日から５年以内を期限として、物納の許可が取消しとなります（相法48②)。

この場合の条件について、不動産では、「通常の確認調査等では土壌汚染等の隠れた瑕疵がないことが確認できない場合」に「瑕疵が判明した場合には当該瑕疵を除去等すること（土壌汚染の除去、地下埋設物の撤去や国が除去等を行った場合の当該除去費用の支払など)」とされています（相基通42－14)。

土地汚染対策法に規定する特定有害物質等により汚染されている不動産や「廃棄物の処理及び清掃に関する法律」に規定する廃棄物等で除去しなければ通常の使用ができないものが地下にある不動産は、もともと管理処分不適格財産とされています（相令18一ヌ、相規21⑦一、二)。ただし、土地汚染対策法による指定地域内にある土地であっても、特定有害物質等が環境省令の基準に適合している場合は、管理処分不適格財産にはなりません。このため、物納許可後に土壌汚染が判明した場合を想定して条件付物納とされるわけです。

(4) 条件付物納許可の取消しと更正の請求

上記の条件付物納の許可に関して、当初の相続税の申告段階では、土壌汚染や地下の埋設物の有無が判明していませんから、その土地の価額は通常どおりの方法で評価されているはずです。したがって、物納許可後に土壌汚染等のあることが判明し、かつ、指定された期限までにその除去等ができなかったことにより物納許可が取り消され、又は取り消されることとなる場合には、その土地の価額について再評価を要することになります。

その結果、その土地の価額が当初の申告価額より下落した場合には、相続税について減額する必要が生じます。そこで、事後的に次に掲げる事実が生じた場合には、上記の「条件の履行を求める通知」を受けた日の翌日から４か月以内に限り、更正の請求ができることとされています（相法32①五、相令８①)。

① その土地の土壌が土地汚染対策法に規定する特定有害物質等により汚染されていることが判明したこと。

② その土地の地下に「廃棄物の処理及び清掃に関する法律」に規定する廃棄物等で除去しなければその土地の通常の使用ができないものがあることが判明したこと。

(注) これらの土地の評価方法についての具体的な取扱いはありませんので、いわゆる時価評

価を要することになりますが、通常の方法による評価額から土壌汚染の除去や地下埋設物の撤去等に要した費用を控除した価額をその評価額とする方法でもよいと考えられます。

(5) 物納不動産の固定資産税の減免

ところで、固定資産税は、その年1月1日を賦課期日とし、その日現在の固定資産の所有者に1年分が賦課されます。納期は課税団体である市町村の条例で定められ、通常は6月、9月、12月及び翌年2月の4回とされています。

固定資産税の賦課と相続税の物納との関係について、特別の定めはありません。したがって、物納財産の収納の時期に関わらず、賦課期日現在の財産所有者にその年分の固定資産税の全額が課されるのが原則です。

もっとも、一般の不動産売買では、所有期間に応じた固定資産税の負担を調整するため、精算金を授受する取引慣行があります。このため、不動産が物納により収納された場合には、市町村によっては、地方税法第367条（固定資産税の減免）の規定に基づき、「固定資産税減免申請書」の提出を受けて、申請日（収納の日）後に到来する税額を免除する措置を講じているところが多いようです。その申請にあたっては、物納許可通知書（写）と物納財産の登記事項証明書（国への所有権移転登記を完了したもの）の添付が必要です。

いずれにしても、不動産の物納許可を受けた場合は、固定資産税の取扱いについて、その固定資産の所在する市町村に確認する必要があります。

8. 特定物納の要件と申請手続

(1) 特定物納制度の意義と適用要件

相続税について延納の許可を受けた後において、その者の資力の状況が変化したため、延納の継続が困難になる、という場合があります。このような納税者を救済するために措置されているのが「特定物納」で、延納期間の中途において延納から物納への変更を認める制度です。その内容は、次のとおりです。

① 特定物納は、次の全ての要件に該当する場合に認められる（相法48の2①②)。

イ 延納条件の変更を行っても延納を継続することが困難であり、その納付困難な金額の範囲内の申請があること。

ロ 特定物納の申請書及び物納手続関係書類を相続税の申告期限（法定納期限）の翌日から10年以内に提出すること。

ハ 特定物納による申請財産は、法定された種類及び順位による物納適格財産であること。

② 特定物納申請税額（特定物納可能額）は、特定物納対象税額と特定物納申請時における金銭納付困難税額のうち、いずれか少ない金額となる（相法48の2①、相令25の7）。

特定物納申請税額 ＝ いずれか少ない額
- 特定物納対象税額 ＝ 延納許可税額 － 特定物納申請日までに分納期限が到来している分納税額（利子税・延滞税の額は含まない）
- 特定物納申請時における延納によっても金銭納付困難な税額

③　特定物納申請財産の収納価額は、その財産の特定物納の申請時の価額による（相法48の２⑤）。

このうち①のハに関して、相続税の課税価格算入額の特例（いわゆる小規模宅地等の特例など）の適用を受けた財産は、特定物納の申請をすることはできません（措法69の４⑧、69の５⑫）。

特定物納は、延納から物納に変更しようとするものであり、延納の担保となっている財産を物納申請したいという場合があります。この場合に、その財産が他の私債権の担保となっていないときは、管理処分不適格財産にはなりません。ただし、特定物納が許可されても被担保債権（未納の延納税額）の全額が納付済とならず、担保権の抹消ができない場合は、物納財産としては不適格となります（相基通48の２－２）。

上記③の収納価額について、特定物納財産の価額は、その特定物納の申請時における相続税評価額によるということですが、次のように取り扱うこととされています（相基通48の２－５）。

イ　土地（路線価方式で評価するもの）……その年分に適用する路線価が公開されるまでの期間については、前年の路線価を用いて評価した価額に時点修正指数を乗じた価額による。

　この場合の「時点修正指数」とは、前年末から申請時までの地価の変動率をいい、その年分の地価公示における物納申請された土地の近傍の標準地の地価の変動率を用いることができる。

ロ　土地（倍率方式で評価するもの）……その年分に適用する倍率が公開されるまでの期間については、前年の固定資産税評価額及び倍率を用いて評価した価額に時点修正指数を乗じた価額による。

ハ　取引相場のない株式（純資産価額方式で評価するもの）……イ又はロによる土地の価額に基づいて計算した株価による。

⑵　物納と特定物納の異同点

特定物納制度の概要は上記のとおりであり、物納可能財産の範囲、申請の手続、提出書類等は、一般の物納の場合とほぼ同様ですが、両制度には異なる点もあります。その異同点を「相続税の物納の手引～手続・様式編～」（国税庁）から引用掲記すると、次のとおりです。

項　目	物納制度	特定物納制度
申請期限	物納申請に係る相続税の納期限又は納付すべき日まで	相続税の申告期限から10年以内
申請税額の範囲	延納によっても納付することが困難な金額の範囲内	申請時に分納期限の到来していない延納税額のうち、延納によって納付を継続することが困難な金額の範囲内
物納に充てることができない財産	管理処分不適格財産	管理処分不適格財産及び課税価格計算の特例の適用を受けている財産
収納価額（原則）	課税価格計算の基礎となった財産の価額	特定物納申請の時の価額
物納手続関係書類の提出期限	申請書と同時に提出。届出をすることにより提出期限の延長ができる。	申請書と同時に提出。提出期限の延長をすることはできない。
申請書又は関係書類の訂正等の期限（補完期限）	補完通知書を受けた日の翌日から起算して20日以内までに届出をすることにより、期限の延長ができる。	補完通知書を受けた日の翌日から起算して20日以内で、期限の延長はできない。
収納に必要な措置の期限（措置期限）	措置通知書に記載された期限までに届出をすることにより、期限の延長ができる。	措置通知書に記載された期限までに届出をすることにより、期限の延長ができる。
物納却下の場合	却下された理由によって、延納申請又は物納再申請ができる。	延納中の状態に戻る。 却下された日又はみなす取下げの日若しくは自ら取下げをした日までに、納期限が到来した分納税額については、それぞれの日の翌日から１か月以内に利子税を含めて納付する。
みなす取下げの場合	取下げされた相続税及び利子税を直ちに納付する必要がある。	
取下げの場合	自ら取下げはできるが、相続税及び延滞税を直ちに納付する必要がある。	
物納の撤回	できる。	できない。
利子税の納付	物納申請から収納されたものとみなされる期間（審査期間を除く）について、利子税を納付する。	当初の延納条件による利子税を納付する。

一般の物納では、物納手続関係書類を申請期限までに提出できないときは、「物納手続関係書類提出期限延長届出書」を提出することにより３か月間（最長１年間）の延長ができますが、特定物納にはこのような延長制度はありません。

また、一般の物納では、物納手続関係書類の不備・不足について、補完通知を受けた日の翌日から20日以内に訂正・提出ができない場合の延長手続として「物納手続関係書類補完期限延長届出書」の提出が認められていますが、特定物納にはこのような延長制度もありません。

したがって、特定物納の申請を行う場合には、一般の物納の場合よりも提出書類の事前整備がより重要になります。

第8章

相続税の申告後の諸問題と実務

Ⅰ　相続税の申告後の税務問題

1.　修正申告と更正の請求

⑴　過少申告と修正申告書の作成方法

相続税は、所得税や贈与税などと異なり、課税財産の所有者の相続後に税務手続が行われるという特徴があります。このため、課税財産の内容等を所有者自身に確認することは不可能です。

その結果、故意かどうかは別として、いわゆる申告もれとなるケースが少なくありません。また、税務調査では、被相続人の親族の財産も確認されますが、親族名義の財産が事実認定として被相続人に帰属するものとして課税財産に含められる場合もあります。

いずれにしても、当初申告が過少であった場合は、修正申告（通則法19）か更正処分（通則法24）となりますが、ここでは納税者側の手続として、修正申告書の作成事例を示しておくことにします。

（注）修正申告や更正処分に伴って延滞税や加算税の問題が生じますが、延滞税の原則的取扱いは前章（604ページ）で説明したとおりです。また、延滞税の特則については後述の３．の⑵（744ページ）で、また、加算税については２．（730ページ）でそれぞれ説明します。

＜設　例＞

1　被相続人甲山太郎（令和○年２月５日死亡）の相続人は、甲山花子（配偶者）、甲山一郎（長男）、乙川咲子（長女）の３人である。

2　被相続人甲山太郎に係る相続税について同人の相続人は、令和○年12月３日、次のような申告書を提出した。

	合　計	甲山花子	甲山一郎	乙川咲子
取得財産価額	498,975,753円	223,541,431円	182,506,023円	92,928,299円
債務控除額	26,729,800	1,670,950	18,440,700	6,618,150
課税価格	472,245,000	221,870,000	164,065,000	86,310,000
相続税の総額	119,303,700			
あん分割合	1.00	0.47	0.35	0.18
算出税額	119,303,700	56,072,739	41,756,295	21,474,666
配偶者の税額軽減額	56,051,227	56,051,227	—	—
納付税額	63,252,300	21,500	41,756,200	21,474,600

3　相続税の申告書の提出後の令和○年３月に至り、被相続人甲山太郎名義の財産として、次の株式が発見され、申告もれの事実が判明した。

上場株式（X社株式）……数量18,000株、評価額22,680,000円（１株当たり1,260円）

4　被相続人甲山太郎の相続人は、当該X社株式の全部を相続人甲山一郎が取得する旨の遺産分割協議を行うとともに、相続税の修正申告書を提出することとした。

この事例に基づく修正申告書（第１表）は〔書式102〕（次ページ）と〔書式103〕（725ページ）のとおりです。なお、修正申告分の課税財産の明細（第11表）は、〔書式104〕（726ページ）のような記載でよいでしょう。

⑵　税額の過大申告と更正の請求書の作成方法

上記の修正申告事例とは逆に、当初申告に係る税額等が過大であった場合は、減額更正を求めることができます。更正の請求に関する原則的規定は、国税通則法に置かれています。相続税に関しては、申告後に次の事由が生じたことにより、その申告に係る税額が過大（又は相続時精算課税に係る贈与税額の控除により還付を受ける場合のその還付金相当額が過少）であるときに、その請求を行うことができます（通則法23①一三）。

①　その申告書に記載した課税標準等若しくは税額等の計算が国税に関する法律の規定に従っていなかったこと又はその計算に誤りがあったことにより納付税額が過大であるとき

②　①の理由によりその申告書に記載した還付金の額に相当する税額が過少であるとき又はその申告書に還付金に相当する税額の記載がなかったとき

したがって、たとえば相続財産の評価誤り、債務控除の対象となる債務等の申告もれ、適用されるべき税額控除の適用ミスや計算違いなどは、国税通則法に基づいて更正の請求を行うことになります。この場合の相続財産の評価誤りには、土地の評価に際して財産評価基本通達の定めに従って算定した価額が、その後に鑑定評価をした結果、当初申告が時価を上回っていたことが判明した場合も含まれます。

なお、これらの事由に基づく更正の請求は、法定申告期限から５年以内に限って行うことができることとされています（通則法23①）。

(注) 小規模宅地等の特例（措法69の４）について、２以上の適用対象宅地等がある場合の選択は、納税者の当初申告の選択によって確定しますから、申告後の選択替えによる相続税額の減少は、更正の請求事由にはなりません。

＜設　例＞

1　被相続人甲山太郎（令和○年２月５日死亡）の相続人は、甲山花子（配偶者）、甲山一郎（長男）、乙川咲子（長女）の３人である。

〔書式102〕

相続税の修正申告書

北　税務署長
○○年 3 月 25 日 提出

相続開始年月日 ○○ 年 2 月 5 日

○フリガナは、必ず記入してください。

○この申告書は黒ボールペンで記入してください。

第1表

項目	各人の合計	財産を取得した人
フリガナ	(被相続人) コウ ヤマ タ ロウ	コウ ヤマ ハナ コ
氏名	甲山太郎	甲山花子 ㊞
個人番号又は法人番号		↓個人番号の記載に当たっては、左端を空欄としここから記入してください。
生年月日	昭0 年 9 月 20 日（年齢 73 歳）	昭0 年 8 月 10 日（年齢 70 歳）
住所（電話番号）	大阪市北区○○1丁目2番3号	〒530-0000 大阪市北区○○1丁目2番3号（06 − 6313 − ×××× ）
被相続人との続柄 / 職業	不動産貸付	妻 / なし
取得原因	該当する取得原因を○で囲みます。	(相続)・遺贈・相続時精算課税に係る贈与
※整理番号		

区分			合計 ㋑修正前の課税額	合計 ㋺修正申告額	合計 ㋩修正する額（㋺−㋑）	甲山花子 ㋑修正前の課税額	甲山花子 ㋺修正申告額	甲山花子 ㋩修正する額（㋺−㋑）
課税価格の計算	取得財産の価額（第11表③）	①	498,975,753円	521,655,753円	22,680,000円	223,541,431円	223,541,431円	—円
	相続時精算課税適用財産の価額（第11の2表1⑦）	②						
	債務及び葬式費用の金額（第13表3⑦）	③	26,729,800	26,729,800	—	1,670,950	1,670,950	—
	純資産価額（①＋②－③）（赤字のときは0）	④	472,245,953	494,925,953	22,680,000	221,870,481	221,870,481	—
	純資産価額に加算される暦年課税分の贈与財産価額（第14表1④）	⑤						
	課税価格（④＋⑤）（1,000円未満切捨て）	⑥	Ⓐ472,245,000	Ⓐ494,925,000	22,680,000	221,870,000	221,870,000	,000
各人の算出税額の計算	法定相続人の数及び遺産に係る基礎控除額		Ⓑ（3 人）48,000,000	Ⓑ（3 人）48,000,000	（　人）,000,000	左の欄には、第2表の②欄の㋺の人数及び㋩の金額を記入します。		
	相続税の総額	⑦	119,303,700	128,942,700	9,639,000	左の欄には、第2表の⑧欄の金額を記入します。		
	一般の場合（⑩の場合を除く） あん分割合（各人の⑥/Ⓐ）	⑧	1.00	1.00		0.47	0.45	△0.02
	一般の場合 算出税額（⑦×各人の⑧）	⑨	119,303,700円	128,942,700円	9,639,000円	56,072,739円	58,024,215円	1,951,476円
	農地等納税猶予の適用を受ける場合 算出税額（第3表⑬）	⑩						
	相続税額の2割加算が行われる場合の加算金額（第4表⑦）	⑪	円	円	円	円	円	円
各人の納付・還付税額の計算	税額控除 暦年課税分の贈与税額控除額（第4表の2㉕）	⑫						
	税額控除 配偶者の税額軽減額（第5表㋩又は㋬）	⑬	56,051,227	57,803,741	1,752,514	56,051,227	57,803,741	1,752,514
	税額控除 未成年者控除額（第6表1②、③又は⑥）	⑭						
	税額控除 障害者控除額（第6表2②、③又は⑥）	⑮						
	税額控除 相次相続控除額（第7表⑬又は⑱）	⑯						
	税額控除 外国税額控除額（第8表1⑧）	⑰						
	税額控除 計	⑱	56,051,227	57,803,741	1,752,514	56,051,227	57,803,741	1,752,514
	差引税額（⑨＋⑪－⑱）又は（⑩＋⑪－⑱）（赤字のときは0）	⑲	63,252,473	71,138,959	7,864,974	21,512	220,474	198,962
	相続時精算課税分の贈与税額控除額（第11の2表1⑧）	⑳	00	00	00	00	00	00
	医療法人持分税額控除額（第8の4表2B）	㉑						
	小計（⑲－⑳－㉑）（黒字のときは100円未満切捨て）	㉒	63,252,300	71,138,800	7,886,500	21,500	220,400	198,900
	納税猶予税額（第8の8表⑧）	㉓	00	00	00	00	00	00
	申告納税額（㉒－㉓） 申告期限までに納付すべき税額	㉔	63,252,300	71,138,800	7,886,500	21,500	220,400	198,900
	申告納税額（㉒－㉓） 還付される税額	㉕	△	△		△	△	

※税務署整理欄	年分	名簿番号	補完番号	補完番号
	検算印	集計表（徴収カード）	管理補完	確認

作成税理士の事務所所在地・署名押印・電話番号　㊞

□ 税理士法第30条の書面提出有
□ 税理士法第33条の2の書面提出有

通信日付印　確認者㊞

修正第1表（令元.7）　（資4－24－1－A4統一）

（注）㉒欄の金額が赤字となる場合は、㉒欄の左端に△を付してください。なお、この場合で㉒欄の金額のうちに贈与税の外国税額控除額（第11の2表1⑨）があるときの㉕欄の金額については、「相続税の申告のしかた」を参照してください。

※の項目は記入する必要はありません。

〔書式103〕

相続税の修正申告書（続）

○フリガナは、必ず記入してください。

○この申告書は黒ボールペンで記入してください。

第1表（続）

	財産を取得した人	財産を取得した人
フリガナ	コウ ヤマ イチ ロウ	オツ カワ サキ コ
氏名	甲山一郎 ㊞	乙川咲子 ㊞
個人番号又は法人番号	↓個人番号の記載に当たっては、左端を空欄としここから記入してください。	↓個人番号の記載に当たっては、左端を空欄としここから記入してください。
生年月日	昭0年 5月 5日（年齢 44 歳）	昭0年 3月 3日（年齢 41 歳）
住所（電話番号）	〒530-0000 大阪市北区○○1丁目2番3号 （ 06 － 6313 － ×××× ）	〒596-000 大阪府岸和田市○○3丁目2番1号 （ 0724 － 38 － ×××× ）
被相続人との続柄 / 職業	長男 / 会社員	長女 / なし
取得原因	(相続)・遺贈・相続時精算課税に係る贈与	(相続)・遺贈・相続時精算課税に係る贈与
※整理番号		

区分			甲山一郎 ㋑修正前の課税額	㋺修正申告額	㋩修正する額（㋺－㋑）	乙川咲子 ㋑修正前の課税額	㋺修正申告額	㋩修正する額（㋺－㋑）
課税価格の計算	取得財産の価額（第11表③）	①	円 182,506,023	円 205,186,023	円 22,680,000	円 92,928,299	円 92,928,299	円 —
	相続時精算課税適用財産の価額（第11の2表1⑦）	②						
	債務及び葬式費用の金額（第13表3⑦）	③	18,440,700	18,440,700	—	6,618,150	6,618,150	—
	純資産価額（①＋②－③）（赤字のときは0）	④	164,065,323	186,745,323	22,680,000	86,310,149	86,310,149	—
	純資産価額に加算される暦年課税分の贈与財産価額（第14表1④）	⑤						
	課税価格（④＋⑤）（1,000円未満切捨て）	⑥	164,065,000	186,745,000	22,680,000	86,310,000	86,310,000	,000
各人の算出税額の計算	法定相続人の数及び遺産に係る基礎控除額							
	相続税の総額	⑦						
	一般の場合（⑩の場合を除く） あん分割合（各人の⑥/Ⓐ）	⑧	0.35	0.38	0.03	0.18	0.17	△0.01
	一般の場合（⑩の場合を除く） 算出税額（⑦×各人の⑧）	⑨	円 41,756,295	円 48,998,226	円 7,241,931	円 21,474,666	円 21,920,259	円 445,593
	農地等納税猶予の適用を受ける場合 算出税額（第3表⑬）	⑩						
	相続税額の2割加算が行われる場合の加算金額（第4表⑦）	⑪	円	円	円	円	円	円
各人の納付・還付税額の計算	税額控除 暦年課税分の贈与税額控除額（第4表の2㉕）	⑫						
	税額控除 配偶者の税額軽減額（第5表㋥又は㋬）	⑬						
	税額控除 未成年者控除額（第6表1②、③又は⑥）	⑭						
	税額控除 障害者控除額（第6表2②、③又は⑥）	⑮						
	税額控除 相次相続控除額（第7表⑬又は⑱）	⑯						
	税額控除 外国税額控除額（第8表1⑧）	⑰						
	税額控除 計	⑱						
	差引税額（⑨＋⑪－⑱）又は（⑩＋⑪－⑱）（赤字のときは0）	⑲	41,756,295	48,998,226	7,241,931	21,474,666	21,920,259	445,593
	相続時精算課税分の贈与税額控除額（第11の2表1⑧）	⑳	00	00	00	00	00	00
	医療法人持分税額控除額（第8の4表2B）	㉑						
	小計（⑲－⑳－㉑）（黒字のときは100円未満切捨て）	㉒	41,756,200	48,998,200	7,242,000	21,474,600	21,920,200	445,600
	納税猶予税額（第8の8表⑧）	㉓	00	00	00	00	00	00
	申告納税額（㉒－㉓） 申告期限までに納付すべき税額	㉔	41,756,200	48,998,200	7,242,000	21,474,600	21,920,200	445,600
	申告納税額（㉒－㉓） 還付される税額	㉕	△	△		△	△	

※税務署整理欄	年分	名簿番号	補完番号	補完番号
	検算印		管理補完 確認	管理補完 確認

※の項目は記入する必要はありません。

（注）㉒欄の金額が赤字となる場合は、㉒欄の左端に△を付してください。なお、この場合で㉒欄の金額のうちに贈与税の外国税額控除額（第11の2表1⑨）があるときの㉕欄の金額については、「相続税の申告のしかた」を参照してください。

修正第1表（続）（令元.7）　（資4－24－2－A4統一）

〔書式104〕

相続税がかかる財産の明細書

（相続時精算課税適用財産を除きます。）

被相続人　甲山太郎

第11表

○相続時精算課税適用財産の明細については、この表によらず第11の2表に記載します。

この表は、相続や遺贈によって取得した財産及び相続や遺贈によって取得したものとみなされる財産のうち、相続税のかかるものについての明細を記入します。

遺産の分割状況	区分	1 全部分割	2 一部分割	3 全部未分割
	分割の日	・　・	・　・	

種類	細目	利用区分、銘柄等	所在場所等	数量 / 固定資産税評価額	単価 / 倍数	価額	分割が確定した財産 取得した人の氏名	取得財産の価額
				円	円	円	甲山花子	円 223,541,431
		（既申告価額）				(498,975,753)	甲山一郎	182,506,023
							乙川咲子	92,928,299
有価証券	上記以外の株式	×工業(株)	大阪市北区○○1丁目2番3号	18,000株	1,260	22,680,000	甲山一郎	22,680,000
[合計]						[521,655,753]		

合計表		(各人の合計)					
財産を取得した人の氏名		（各人の合計）	甲山花子	甲山一郎	乙川咲子		
分割財産の価額	①	円 521,655,753	円 223,541,431	円 205,186,023	円 92,928,299	円	円
未分割財産の価額	②						
各人の取得財産の価額（①＋②）	③	521,655,753	223,541,431	205,186,023	92,928,299		

（注）1　「合計表」の各人の③欄の金額を第1表のその人の「取得財産の価額①」欄に転記します。
2　「財産の明細」の「価額」欄は、財産の細目、種類ごとに小計及び計を付し、最後に合計を付して、それらの金額を第15表の①から㉘までの該当欄に転記します。

第11表（令元.7）　（資4－20－12－1－A4統一）

2　被相続人甲山太郎に係る相続税の期限内申告の内容は、前記(1)の設例の2（722ページ）のとおりである。

3　相続税の申告期限後において、次の事実が判明した。

①　甲山花子（配偶者）の取得した土地…… 1 m²当たり180,000円の土地について、登記面積345.65m²によって評価して申告（評価額180,000円×345.65m²＝62,217,000円）したが、実測の結果、319.53m²（評価額180,000円×319.53m²＝57,515,400円）であった。

②　甲山一郎（長男）の取得した土地…… 1 m²当たり215,000円、地積282.65m²（評価額215,000円×282.65m²＝60,769,750円）の土地のうち、地積74.50m²部分は都市計画道路予定地であり、補正率（0.91）を適用して計算すると、正当な評価額は、55,300,472円（＝60,769,750円×0.91）となった。

4　この結果に基づいて、課税価格及び相続税額を再計算すると、次のようになる（表中のカッコ内は、当初申告額である）。

	合　計	甲山花子	甲山一郎	乙川咲子
取得財産価額	488,804,875円 (498,975,753)	218,839,831円 (223,541,431)	177,036,745円 (182,506,023)	92,928,299円 (92,928,299)
債務控除額	26,729,800 (26,729,800)	1,670,950 (1,670,950)	18,440,700 (18,440,700)	6,618,150 (6,618,150)
課税価格	462,074,000 (472,245,000)	217,168,000 (221,870,000)	158,596,000 (164,065,000)	86,310,000 (86,310,000)
相続税の総額	114,981,000 (119,303,700)			
あん分割合	1.00 (1.00)	0.47 (0.47)	0.35 (0.35)	0.18 (0.18)
算出税額	114,981,000 (119,303,700)	54,041,070 (56,072,739)	40,243,350 (41,756,295)	20,696,580 (21,474,666)
配偶者の税額軽減額	54,039,382 (56,051,227)	54,039,382 (56,051,227)	— (—)	— (—)
納付税額	60,941,400 (63,252,300)	1,600 (21,500)	40,243,300 (41,756,200)	20,696,500 (21,474,600)

（注）再計算におけるあん分割合について、甲山一郎を0.34（158,596千円÷462,074千円＝0.3432…）とし、乙川咲子を0.19（86,310千円÷462,074千円＝0.1867…）とすることも可能であるが、この場合は乙川咲子の税額が当初申告より過大となるため、上記のように調整している。

この設例の場合は、相続人の全員について当初申告に係る税額が過大となるため、法定申告期限から5年以内に限り、更正の請求を行うことができます。ちなみに、甲山一郎（長男）の場合の更正の請求書の記載例を示すと、〔書式105〕（次ページ）及び〔書式106〕（729ページ）のとおりです。

〔書式105〕

税務署受付印

相　続　税の更正の請求書

○　○　税務署長

令和 0 年 1 月 20 日提出

(前納税地　　　　　　　　　　　)

〒530-○○○○

住所又は所在地　大阪市北区○○1丁目2番3号

納税地

フリガナ　コウ　ヤマ　イチ　ロウ

氏名又は名称　甲　山　一　郎　印

個人番号又は法人番号

↓個人番号の記載に当たっては、左端を空欄とし、ここから記入してください。

(法人等の場合)

代表者等氏名　　　　　　印

職業　会社員　電話番号　(6313)××××

1．更正の請求の対象となった申告又は通知の区分及び申告書提出年月日又は更正の請求のできる事由の生じたことを知った日

平成・(令和) 0 年分　相続税の申告書　　平成・(令和) 0 年 12 月 3 日　提出

2．申告又は通知に係る課税標準、税額及び更正後の課税標準、税額等

次葉のとおり

3．添付した書類

① 土地の実測図(写)　② 都市計画図(写)

③ 相続税の申告書第2表　④ 相続税の申告書第5表

⑤ 土地及び土地の上に存する権利の評価明細書

4．更正の請求をする理由

相続税の課税価格に算入した財産のうち、○○3丁目2番所在の土地及び○○市××16番所在の土地について、合計10,170,878円の評価誤りがあった。

5．更正の請求をするに至った事情の詳細、その他参考となるべき事項

○○区××3丁目2番所在の土地について、売却のために実測を行ったところ、当初申告の基礎とした登記簿上の地積と異なったため、評価誤り4,701,600円が生じた。また、○○市××16番所在の土地(282.65㎡)は、その一部(74.50㎡)が都市計画道路予定地であったことが判明したため、評価誤り5,469,278円が生じた。

6．還付を受けようとする銀行等	1 銀行等の預金口座に振込みを希望する場合	2 ゆうちょ銀行の貯金口座に振込みを希望する場合
	○○ 銀行・金庫・組合・農協・漁協　×× 本店・(支店)・出張所・本所・支所	貯金口座の記号番号　－
	普通 預金　口座番号 123456	3 郵便局等の窓口で受取りを希望する場合

関与税理士	印	電話番号	

税務署整理欄	通信日付印年月日	確認者印	整理簿	整理番号	名簿番号	番号確認	身元確認	確認書類
	令和　年　月　日						□ 済 □ 未済	個人番号カード ／ 通知カード・運転免許証 その他（　　）

(資 15－1－1－A4 統一)

〔書式106〕

被相続人	住所	〒530 − 0000 大阪市北区○○1丁目2番3号	相続の年月日	00年 2月 5日
	フリガナ 氏名	コウ ヤマ タ ロウ 甲 山 太 郎	職業	不動産貸付

次葉

申告に係る課税価格、税額等及び更正の請求による課税価格、税額等
（ 相 続 税 ）

(1) 税額等の計算明細

区分			申告（更正・決定）額	請求額
① 取得財産の価額			182,506,023 円	177,036,745 円
② 相続時精算課税適用財産の価額				
③ 債務及び葬式費用の金額			18,440,700	18,440,700
④ 純資産価額（①＋②－③）			164,065,323	158,596,045
⑤ 純資産価額に加算される暦年課税分の贈与財産価額				
⑥ 課税価格（④＋⑤）			164,065,000	158,596,000
⑦ 相続税の総額（(2)の⑨の金額）			119,303,700	114,981,000
一般の場合	⑧ 同上のあん分割合		35 %	35 %
	⑨ 算出税額（⑦×⑧）		41,756,295 円	40,243,350 円
租税特別措置法第70条の6第2項の規定の適用を受ける場合	⑩ 算出税額（付表1(1)の⑬）			
⑪ 相続税法第18条の規定による加算額				
税額控除額	⑫ 暦年課税分の贈与税額控除額			
	⑬ 配偶者の税額軽減額			
	⑭ 未成年者控除額			
	⑮ 障害者控除額			
	⑯ 相次相続控除額			
	⑰ 外国税額控除額			
	⑱ 計			
⑲ 差引税額（⑨＋⑪－⑱）又は（⑩＋⑪－⑱）			41,756,295	40,243,350
⑳ 相続時精算課税分の贈与税額控除額				
㉑ 医療法人持分税額控除額				
㉒ 小計（⑲－⑳－㉑）			41,756,200	40,243,300
㉓ 農地等納税猶予税額				
㉔ 株式等納税猶予税額				
㉕ 山林納税猶予税額				
㉖ 医療法人持分納税猶予税額				
(㉒－㉓－㉔－㉕－㉖)	㉗	申告期限までに納付すべき税額	41,756,200	40,243,300
	㉘	還付される税額		

(2) 相続税の総額の計算明細

区分	申告（更正・決定）額	請求額
① 取得財産価額の合計額	498,975,753 円	488,804,875 円
② 相続時精算課税適用財産価額の合計額		
③ 債務及び葬式費用の合計額	26,729,800	26,729,800
④ 純資産価額に加算される暦年課税分の贈与財産価額の合計額		
⑤ 課税価格の合計額	472,245,000	462,074,000
⑥ 法定相続人の数	3 人	3 人
⑦ 遺産に係る基礎控除額	48,000,000 円	48,000,000 円
⑧ 計算の基礎となる金額（⑤－⑦）	424,245,000	414,074,000
⑨ 相続税の総額	119,303,700	114,981,000

（資15－1－2－A4統一）

なお、更正の請求書は、相続税の申告書と異なり、共同提出の様式にはなっていません。したがって、当初申告税額が過大となった者は、それぞれが更正の請求書を提出する必要があります。

2.　相続税における加算税の取扱い

(1)　加算税の種類と割合

税務において、修正申告をした場合や更正処分を受けた場合は、必然的に加算税の問題が生じます。まず、加算税の種類等について、基本的な事項をまとめると次のとおりです（通則法65、66、68)。

種　類	適　用　要　件　等	課税割合
過少申告加算税	期限内申告書が提出された場合において、修正申告書の提出又は更正があったとき	10%
	修正申告又は更正により納付すべき税額が、期限内申告税額相当額と50万円とのいずれか多い金額を超えるときのその超える部分に対する過少申告加算税	15% （５%加重）
	修正申告又は更正により納付すべき税額の計算の基礎となった事実のうちに、過少申告となったことに「正当な理由」があると認められる場合	非課税 （課税なし）
	修正申告書の提出が、調査があったことにより更正があるべきことを予知してされたものでないとき	
	修正申告書の提出が、調査の事前通知以後、かつ、その調査があったことにより更正があるべきことを予知してされたものでないとき	５%
	修正申告により納付すべき税額が期限内申告税額相当額と50万円とのいずれか多い金額を超えるときのその超える部分に対する過少申告加算税	10%
無申告加算税	期限後申告書の提出又は決定があった場合（期限後申告書の提出又は決定があった後に、修正申告書の提出又は更正があった場合）	15%
	期限後申告又は決定により納付すべき税額が50万円を超える場合のその超える部分に対応する無申告加算税	20% （５%加重）
	期限内申告書の提出がなかったことについて「正当な理由」があると認められる場合	非課税 （課税なし）

	期限後申告書の提出があった場合において、その提出が、調査があったことにより決定があるべきことを予知してされたものでなく、期限内申告書を提出する意思があったと認められる場合で、かつ、法定申告期限から1か月以内に提出されたものである場合	
	期限後申告書（その申告書に係る修正申告書を含む）の提出が、調査があったことにより更正又は決定があるべきことを予知してされたものでないとき	5％
	期限後申告書（決定があった後の修正申告書を含む）の提出が、調査の事前通知以後、かつ、その調査があったことにより更正又は決定があるべきことを予知してされたものでないとき	10％
	期限後申告等により納付すべき税額が50万円を超えるときのその超える部分に対する無申告加算税	15％
重加算税	過少申告加算税が課される場合に、納税者が国税の課税標準等の計算の基礎となる事実の全部又は一部を隠蔽し又は仮装していたとき	35％
	修正申告等があった場合において、その申告の日前5年以内にその税目につき無申告加算税等が課せられたことがあるときの重加算税	45％ （10％加重）
	無申告加算税が課される場合に、納税者が国税の課税標準等の計算の基礎となる事実の全部又は一部を隠蔽し又は仮装していたとき	40％
	期限後申告等があった場合において、その申告の日前5年以内にその税目につき無申告加算税等が課せられたことがあるときの重加算税	50％ （10％加重）

（注1）加算税の額の計算上、その基礎となる税額（増差税額）に1万円未満の端数があるとき、又はその税額の全額が1万円未満であるときは、その端数金額又はその全額を切り捨てます（通則法118③）。また、計算された加算税の額に100円未満の端数があるとき、又はその全額が5,000円未満であるときは、その端数金額又はその全額を切り捨てます（通則法119④）。

（注2）過少申告加算税について、5％の加重が行われる場合の計算式と計算例を示すと、次のとおりです。

・10％課税分…増差税額×10％＝A
・5％加重分…〔増差税額－期限内申告税額と50万円のうちいずれか多い額〕×5％＝B
・過少申告加算税の額……A＋B

（計算例）
○期限内申告税額………………1,256,800円
○修正申告による増差税額……2,632,900円
〔過少申告加算税の額〕
・10％課税分………………2,630,000円×10％＝263,000円（A）
・5％加重分 ……………（2,632,900円－1,256,800円）＝1,376,100円→1,370,000円

1,370,000円×5％＝68,500円（B）

・過少申告加算税の額……263,000円（A）＋68,500円（B）＝331,500円

（注３） 無申告加算税が課されない場合の「期限内申告書を提出する意思があったと認められる場合」とは、次のいずれにも該当する場合をいいます（通則令27の２①）。

① 自主的な期限後申告書の提出があった日の前日から起算して５年前の日までの間に、その期限後申告書に係る国税の属する税目について、期限後申告書の提出又は決定を受けたことにより無申告加算税又は重加算税を課されたことがない場合で、かつ、この無申告加算税の不適用規定（通則法66⑥）の適用を受けていない場合

② ①の期限後申告書に係る納付すべき税額の全額が法定納期限までに納付されていた場合

⑵ 過少申告加算税・無申告加算税が課されない「正当な理由」の意義

上記の過少申告加算税又は無申告加算税の規定において、修正申告があったこと又は期限内申告書の提出がなかったことについて、正当な理由がある場合は、これらの加算税は課されません（通則法65④、66①）。

実務上は、どのような理由が「正当な理由」に当たるのかが問題となりますが、これについて国税庁は、次のような取扱いを示しています（平28.12.12課資２―15ほか「相続税、贈与税の過少申告加算税及び無申告加算税の取扱いについて（事務運営指針）」の第１の１及び第２の１）。

《過少申告加算税》

例えば、納税者の責めに帰すべき事由のない次のような事実は、正当な理由があると認められる事実として取り扱う。

① 税法の解釈に関し申告書提出後新たに法令解釈が明確化されたため、その法令解釈と納税者（相続人等から遺産の調査、申告等を任せられた者を含む）の解釈とが異なることとなった場合において、その納税者の解釈について相当の理由があると認められること。

(注) 税法の不知若しくは誤解又は事実誤認に基づくものはこれに当たらない。

② 災害又は盗難等により、申告当時課税価格計算の基礎に算入しないことを相当としていたものについて、その後、予期しなかった損害賠償金等の支払を受け、又は盗難品の返還等を受けたこと。

③ 相続税の申告書の提出期限後において、次に掲げる事由が生じたこと。

イ 相続税法第51条第２項各号に掲げる事由

ロ 保険業法第270条の６の10第３項に規定する「買取額」の支払いを受けた場合

《無申告加算税》

災害、交通、通信の途絶その他期限内に申告書を提出しなかったことについて真に

やむを得ない事由があると認められるときは、期限内申告書の提出がなかったことについて正当な理由があるものとして取り扱う。
（注）相続人間に争いがある等の理由により、相続財産の全容を知り得なかったこと又は遺産分割協議が行えなかったことは、正当な理由に当たらない。

上記の過少申告加算税の「正当な理由」のうち、③のイの「相続税法第51条第２項各号に掲げる事由」とは、次のとおりです。

ア　期限内申告書の提出期限後に、その被相続人から相続又は遺贈（その被相続人からの贈与財産で相続時精算課税の規定の適用を受けるものに係る贈与を含む）により財産を取得した他の者がその被相続人から贈与により取得した財産で相続税額の計算の基礎とされていなかったものがあることを知ったこと。

イ　期限内申告書の提出期限後に支給が確定した死亡退職金の支給を受けたこと。

ウ　未分割遺産に対する課税規定（相法55）により課税価格が計算されていた場合において、その後財産の分割が行われ、共同相続人等がその分割により取得した財産に係る課税価格が既に申告した課税価格と異なることとなったこと。

エ　死後認知、推定相続人の廃除、相続の放棄の取消し等により相続人に異動が生じたこと。

オ　遺留分侵害額の請求に基づき支払うべき金銭の額が確定したこと。

カ　遺贈に係る遺言書が発見され、又は遺贈の放棄があったこと。

キ　いわゆる条件付物納が許可された場合において、その後に物納財産である土地について土壌汚染又は地下に廃棄物等があることが判明したため、その物納許可が取り消され又は取り消されることとなったこと。

ク　相続、遺贈又は贈与により取得した財産ついての権利の帰属に関する訴えについての判決があったこと。

ケ　いわゆる死後認知により相続人となった者から民法第910条（相続の開始後に認知された者の価額の支払請求権）の規定による請求があったことにより弁済すべき額が確定したこと。

コ　条件付又は期限付の遺贈について、条件が成就し、又は期限が到来したこと。

このうちアは、いわゆる３年以内生前贈与加算の規定（相法19）及び相続時精算課税制度の適用を受けた贈与財産の相続税の課税価格加算の規定（相法21の15①）との関係です。贈与は、贈与者と受贈者との相対で行われるため、受贈者以外の者は贈与の事実を了知できないことが少なくありません。この場合、その贈与事実を相続税の申告後に知ると、生前贈与加算の規定を適用しなかったことによる過少申告となるわけですが、そのことについてその者の責任とはいえません。そこで、この場合は「正当な理由」ありとして、過少申告加算税は課税しないこととされているわけです。

もっとも、これは生前贈与を受けた相続人以外の者に対する取扱いです。被相続人から生前に財産の贈与を受けていた相続人が、自らの相続税申告で生前贈与加算の規定を適用しなかったことによる過少申告に正当理由はありません。したがって、その者については、通常どおり過少申告加算税が賦課されます。

（注）上記の生前贈与財産の相続税の課税価格加算規定に関しては、相続税の申告に際して必要となる他の共同相続人等の贈与税の課税価格の合計額について、相続人等は、納税地の所轄税務署長に対しその内容の開示を請求できる制度が設けられています（相法49①）。
　他の相続人に対する被相続人からの贈与事実の把握が困難な場合は、このような開示制度を活用すべきです。開示請求書の記載例は、前述の〔書式55〕（370ページ）のとおりです。

また、上記イからコまでの事由は、相続に特有ないわゆる後発的事由であり、当初申告が過少であったとしても、納税者個々の責任とはいえません。このため、これらに基づく過少申告はやむを得ないものとして、加算税免除の正当理由とされているわけです。なお、これら10の後発的事由は、後述（744ページ）のとおり、延滞税の免除事由にもなっています。

⑶ 「更正があるべきことを予知してされたものでないとき」の意義

ところで、修正申告書の提出が「調査があったことにより更正があるべきことを予知してされたものでないとき」は、過少申告加算税は非課税となり、また、期限後申告書の提出が「更正又は決定があるべきことを予知してされたものでないとき」は、課税割合が５％に軽減され又は不適用とされています（通則法65⑤、66③⑥）。要するに、納税者の自発的な修正申告や期限後申告には、加算税の免除又は軽減措置が講じられているわけです。

この場合の更正又は決定の「予知」の程度が問題となりますが、現実に税務調査（いわゆる臨場調査のほか、取引先に対する反面調査を含む）が開始された時以後に修正申告書等を提出しても、加算税の免除・軽減はありません。また、申告書等の書面調査で非違事項が指摘された後に修正申告書等を提出しても、同様に加算税の免除･軽減はありません。

ただし、「臨場のための日時の連絡を行った段階で修正申告書が提出された場合には、原則として、『更正があるべきことを予知してされたもの』に該当しない」ことに取り扱われており、この点は無申告加算税も同様です（前記平28.12.12「事務運営指針」の第１・２、第２・２）。したがって、税務調査の連絡があった時点で修正申告や期限後申告を行えば、加算税の免除又は軽減が受けられることになります。

（注１）過少申告加算税と無申告加算税との関係について、期限後申告書が提出されたことに正当な理由があると認められた場合において、その後にその申告に係る修正申告書が提出（又は更正）されたときは、その修正申告税額（更正税額）には、無申告加算税ではなく、過少申告加算税が課されます。
　ただし、当初申告が期限後申告で無申告加算税が賦課されている場合（正当な理由がない場合）のその後の修正申告については、無申告加算税となります。

（注２）修正申告書又は期限後申告書が「調査の事前通知以後、かつ、その調査があったことにより更正があるべきことを予知してされたものでないとき」は、過少申告加算税につ

いて５％（又は10%）、無申告加算税について10%（又は15%）の課税となりますが、この場合の「調査の通知」とは、次の３項目の通知をいいます（通則法65⑤、通則令27③）。

① 実地調査を行う旨
② 調査の対象となる税目
③ 調査の対象となる期間

なお、「調査の通知」には、納税者が自身に代えて税務代理人に対して行うことに同意している場合には、その税務代理人への通知を含むこととされています（通則法74⑤⑥、通則令27④、通則規11の３①②）。

(4) 重加算税の課税要件

納税者が課税計算の基礎となる事実について、いわゆる隠蔽又は仮装行為があった場合は、過少申告加算税に代えて35%の重加算税が賦課され、また、隠蔽仮装行為をした上で無申告又は期限後申告を行った場合は、無申告加算税に代えて40%の重加算税が課されます（通則法68①②）。

重加算税の課税要件について、法令上は「隠蔽又は仮装」と規定されているだけです。したがって、どのような行為がこれにあたるのかについては、もっぱら法解釈の問題となり、具体的な事例に基づいた判例等から判断せざるを得ません。ただ、この点についての課税当局の考え方は、「相続税及び贈与税の重加算税の取扱いについて」（平28.12.12課資２—16ほか事務運営指針）にまとめられていますので参考にすることができます。同事務運営指針では、相続税について、次のような事実がある場合を「隠蔽・仮装」としています。

① 相続人又は相続人から遺産の調査、申告等を任せられた者（以下「相続人等」）が、帳簿、決算書類、契約書、請求書、領収書その他財産に関する書類について改ざん、偽造、変造、虚偽の表示、破棄又は隠匿をしていること。
② 相続人等が、課税財産を隠匿し、架空の債務をつくり、又は事実をねつ造して課税財産の価額を圧縮していること。
③ 相続人等が、取引先その他の関係者と通謀してそれらの者の帳簿書類について改ざん、偽造、変造、虚偽の表示、破棄又は隠匿を行わせていること。
④ 相続人等が、自ら虚偽の答弁を行い又は取引先その他の関係者をして虚偽の答弁を行わせていること及びその他の事実関係を総合的に判断して、相続人等が課税財産の存在を知りながらそれを申告していないことなどが合理的に推認し得ること。
⑤ 相続人等が、その取得した課税財産について、例えば、被相続人の名義以外の名義、架空名義、無記名等であったこと若しくは遠隔地にあったこと又は架空の債務がつくられてあったこと等を認識し、その状態を利用して、これを課税財産として申告していないこと又は債務として申告していること。

相続税における「隠蔽・仮装」は、他の税目と異なり、税務申告を行う相続人にその行為があった場合と、被相続人に不正行為があった場合の両面があることが特徴です。前者の場合は、当然に重加算税の課税要件に該当しますが、後者の場合でも、隠蔽又は仮装の事実を相続人が認識していた場合は、重加算税の課税要件を充足することになります。上記の事務運営指針では、①から④が相続人における不正事実を示し、⑤が被相続人の隠蔽仮装行為を指しています。

実務で問題になりやすいのは、⑤に関して、被相続人の親族名義で多額の財産があり、それが申告されていなかった場合です。たとえば、未成年者である被相続人の孫名義で数千万円にのぼる金融資産がある場合、その財産は、常識的に考えれば孫が自ら稼得したものでないことは誰しも認識できるはずです。そうだとすれば、相続人がその財産の存在を知った上で課税財産として申告しなかったときは、上記⑤にいう「その状態を利用して」過少申告をしたことになります。もちろん、その財産が孫の固有財産であることが立証できる場合、あるいは、その財産が被相続人から孫に贈与されたものであり、贈与税の申告が行われていれば問題はありません。しかし、そうでないときは、重加算税の賦課をめぐる問題が生ずるでしょう。

(注) 重加算税は、過少申告加算税又は無申告加算税に代えて課税されるものであることから、これらの加算税の課税要件に該当しないときは、重加算税も課税されません。修正申告書の提出が更正を予知してされたものでないときは、過少申告加算税は課されないことから、この場合は、たとえ隠蔽又は仮装の事実があったとしても、重加算税が課税されることはありません。この点は、無申告加算税との関係も同じで、期限内申告書の提出がなかったことに正当な理由がある場合は、無申告加算税は課税されないことから、重加算税の課税はなく、また、期限後申告書の提出が更正又は決定を予知してされたものでないときは、過少申告加算税が軽減されており、この場合も重加算税はありません。

なお、15%の加重過少申告加算税（通則法65②）が課される場合に、重加算税が課されるときの重加算税は、加重された過少申告加算税に代えて課されることとされています（通則令27の３）。この関係を図示すると、次のとおりです。

○期限内申告税額……2,000万円
○増差税額……………6,000万円（うち、重加対象税額1,000万円）

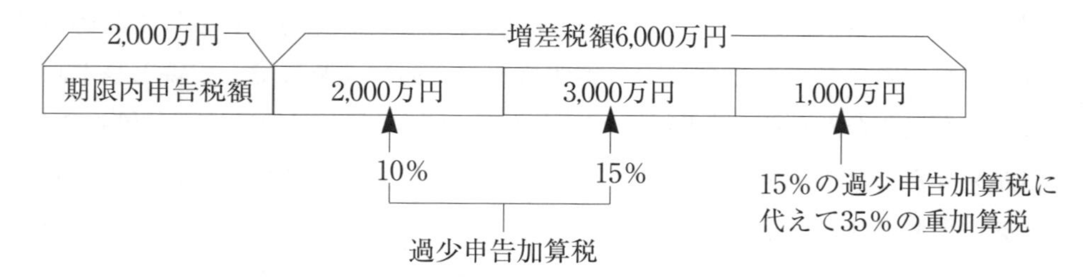

(5)　相続税における重加算税の計算方法

現行の相続税の計算体系からみると、複数の相続人（納税義務者）がある場合に、そのうちの特定の者の課税価格が増加すると、課税価格に異動がない他の者の相続税額も増加することになります。このような計算体系と加算税の賦課方法との関係は、所得税や法人税など他の税目とは多少異なる面があります。

もっとも、過少申告加算税と無申告加算税は他の税目と同様です。過少申告又は無申告であったことに正当な理由がなければ、各相続人（納税義務者）の増差税額にそれぞれの加算税の割合を乗じて計算されるだけです。当初申告と修正申告との間に課税価格の異動がなくても、増差税額が生じれば、その者についても過少申告加算税が課されます。

（注） 増差税額が、期限内申告税額と50万円とのいずれか多い額を超える場合は、15％の加重過少申告加算税となりますが、この場合の「増差税額」、「期限内申告税額」、「50万円」は、相続人全体の税額ではなく、いずれも個々の相続人ごとに判定されます。したがって、修正申告や更正の内容によっては、通常の過少申告加算税となる相続人と加重過少申告加算税が課される相続人に区分される例もあります。

加算税の賦課方法が問題になるのは、重加算税です。課税要件は隠蔽・仮装に基づく過少申告又は無申告ですが、その隠蔽・仮装の行為者が特定の相続人であった場合に、その者はともかくとして、その行為者以外の者の増差税額にも重加算税が課されるのか、という疑問が生ずるからです。

相続税における重加算税の計算方法について、国税庁の前記「事務運営指針」では、次のように説明されています。

重加算税の計算の基礎となる税額 ＝（重加算税賦課の基因となった更正等（更正、決定、修正申告、期限後申告）があった後の税額）－（隠蔽・仮装されていない事実のみに基づいて計算した税額）

（注１） この算式の「隠蔽・仮装されていない事実のみに基づいて計算した税額」を算出する上で基となる相続税の総額の基礎となる各人の課税価格の合計額は、

（その更正等のあった後の各人の課税価格の合計額）－（重加対象価額（その者の隠蔽又は仮装に基づく部分の価額））

を基に計算する。

（注２） 各人の税額計算を行う上で、上記「隠蔽・仮装されていない事実のみに基づいて計算した税額」の基礎となるその者の課税価格は、

〔その更正等のあった後のその者の課税価格〕－〔その課税価格に係る重加対象価額〕

を基に計算する。

この「事務運営指針」の内容は、必ずしも分かりやすいとはいえませんが、次の２つに区分されると思われます。

① 隠蔽・仮装していた財産を取得した者の増差税額――――→重加算税

②　隠蔽・仮装していた財産を取得しなかった者の増差税額──→過少申告加算税

これを設例で示すと次のようになります。

（注）次の設例の＜ケース３＞のように、隠蔽・仮装されていた財産を配偶者が取得して修正申告又は期限後申告をする場合に、それが相続税について調査があったことにより更正又は決定があることを予知してされたものであるときは、その隠蔽・仮装財産は、配偶者の税額軽減の対象にならないことに注意を要します（相法19の２⑤）。

この場合、隠蔽・仮装の行為者は配偶者には限られませんから（相基通19の２—20）、配偶者以外の者が隠蔽・仮装していた財産を配偶者が取得して修正申告等を行うときも同様に税額軽減の対象にはなりません。

＜設　例＞

①　相続人……配偶者、子Ａ、子Ｂ（３人）

②　期限内申告の内容

（単位；千円）

	合　計	配偶者	子　Ａ	子　Ｂ
課税価格	400,000	200,000	100,000	100,000
相続税の総額	92,200			
（あん分割合）	(1.00)	(0.50)	(0.25)	(0.25)
算出相続税額	92,200	46,100	23,050	23,050
配偶者の税額軽減額	46,100	46,100	—	—
納付税額	46,100	0	23,050	23,050

③　相続税の申告後に税務調査が行われ、１億円の申告もれ財産が生じたが、その財産は、子Ａが隠蔽していたものと認定された。

＜ケース１＞申告もれ財産を子Ａが取得するものとして修正申告を行った場合

＜ケース２＞申告もれ財産を子Ｂが取得するものとして修正申告を行った場合

＜ケース３＞申告もれ財産を配偶者が取得するものとして修正申告を行った場合

○　加算税の適用関係

＜ケース１の場合＞

（単位；千円）

	合　計	配偶者	子　Ａ	子　Ｂ
当初申告課税価格	400,000	200,000	100,000	100,000
申告もれ額（重加対象価額）	100,000	—	100,000	—
修正後課税価格	500,000	200,000	200,000	100,000
修正後相続税の総額	131,000			
（あん分割合）	(1.00)	(0.40)	(0.40)	(0.20)
修正後算出相続税額	131,000	52,440	52,440	26,220
修正後配偶者の税額軽減額	52,440	52,440	—	—
修正後納付税額	78,660	0	52,440	26,220
当初申告納付税額	46,100	0	23,050	23,050
増差税額	32,560	0	29,390	3,170

子Ａ ⇩ 重加算税　　子Ｂ ⇩ 過少申告加算税

＜ケース２の場合＞ (単位；千円)

	合　計	配偶者	子　A	子　B
当初申告課税価格	400,000	200,000	100,000	100,000
申告もれ額（重加対象価額）	100,000	—	—	100,000
修正後課税価格	500,000	200,000	100,000	200,000
修正後相続税の総額	131,100			
（あん分割合）	(1.00)	(0.40)	(0.20)	(0.40)
修正後算出相続税額	131,100	52,440	26,220	52,440
修正後配偶者の税額軽減額	52,440	52,440	—	—
修正後納付税額	78,660	0	26,220	52,440
当初申告納付税額	46,100	0	23,050	23,050
増差税額	32,560	0	3,170	29,390
			⇩ 重加算税	⇩ 過少申告加算税

＜ケース３の場合＞ (単位；千円)

	合　計	配偶者	子　A	子　B
当初申告課税価格	400,000	200,000	100,000	100,000
申告もれ額（重加対象価額）	100,000	100,000	—	—
修正後課税価格	500,000	300,000	100,000	100,000
修正後相続税の総額	131,100			
（あん分割合）	(1.00)	(0.60)	(0.20)	(0.20)
修正後算出相続税額	131,100	78,660	26,220	26,220
修正後配偶者の税額軽減額	52,440	52,440	—	—
修正後納付税額	78,660	26,220	26,220	26,220
当初申告納付税額	46,100	0	23,050	23,050
増差税額	32,560	26,220	3,170	3,170
		⇩ 過少申告加算税	⇩ 重加算税	⇩ 過少申告加算税

(注１) ＜ケース３＞の配偶者に対する修正後の税額軽減額の計算上、隠蔽・仮装財産はその対象にならないため、当初申告に係る取得財産価額（200,000千円）に対応する税額が軽減額になります。

修正後の軽減額……$131{,}100\text{千円} \times \dfrac{200{,}000\text{千円}}{500{,}000\text{千円}} = 52{,}440\text{千円}$

(注２) ＜ケース２＞の子Bは、増差税額（29,390千円）のうち当初申告税額（23,050千円）を超える部分の金額について、また、＜ケース３＞の配偶者は、増差税額（26,220千円）のうち500千円を超える部分の金額について、それぞれ加重過少申告加算税の規定が適用されます。

・＜ケース２＞の子Bの過少申告加算税額

29,390千円×10％＋（29,390千円－23,050千円）×5％＝3,256千円

・＜ケース３＞の配偶者の過少申告加算税額

26,220千円×10％＋（26,220千円－500千円）×5％＝3,908千円

ところで、上記の設例は、修正申告又は更正の基因となった申告もれ財産の全てが重加算税の対象となるもの（重加対象価額）ですが、申告もれ財産の一部が重加対象価額で、一部が過少申告加算税の対象となるもの（過少対象価額）である場合は、加算税の計算がやや複雑になります。上記の設例について、

・申告もれ財産の価額　１億円 ｛うち、重加対象価額 6,000万円
うち、過少対象価額 4,000万円｝

・重加対象価額 6,000万円は、子Aの隠蔽・仮装行為によるもの

・重加対象価額及び過少対象価額は、子Aと子Bがそれぞれ各２分の１あて分割により取得

として、加算税の取扱いを示すと、次のようになります。

（単位；千円）

	合　計	配偶者	子　A	子　B
当初申告課税価格	400,000	200,000	100,000	100,000
重加対象価額	60,000	—	30,000	30,000
過少対象価額	40,000	—	20,000	20,000
修正後課税価格	500,000	200,000	150,000	150,000
修正後相続税の総額	131,100			
（あん分割合）	(1.00)	(0.40)	(0.30)	(0.30)
修正後算出相続税額	131,100	52,440	39,330	39,330
修正後配偶者の税額軽減額	52,440	52,440	—	—
修正後納付税額	78,660	0	39,330	39,330
当初申告納付税額	46,100	0	23,050	23,050
増差税額	32,560	0	16,280	16,280

この場合、子Bの増差税額に対しては過少申告加算税のみが課されますが、子Aについては、重加対象価額に対応する増差税額に対して重加算税が、過少対象価額に対しては過少申告加算税がそれぞれ課されます。その計算方法は、次のとおりです。

①　子Aの重加算税の基礎税額

イ　重加対象価額を除いた課税価格の合計額……200,000千円＋（150,000千円－30,000千円）＋（150,000千円－30,000千円）＝440,000千円

ロ　イの課税価格の合計額に基づく相続税の総額（計算過程略）……106,200千円

ハ　子Aのあん分割合……$\dfrac{150{,}000\text{千円}-30{,}000\text{千円}}{440{,}000\text{千円}}$＝0.27

ニ　算出相続税額……106,200千円×0.27＝28,674千円

ホ　重加算税の基礎税額……39,330千円（修正後納付税額）－28,674千円（ニの算出相続税額）＝10,656千円

（重加算税の額……10,656千円×35％＝3,729,600円）

② 子Aの過少申告加算税の基礎税額

28,674千円（上記ニの算出相続税額）－23,050千円（当初申告納付税額）＝
5,624千円

（過少申告加算税の額……5,624千円×10％＝562,400円）

（注） 子Aの過少申告加算税の基礎税額（5,624千円）は、当初申告税額（23,050千円）を超えないので、過少申告加算税の税率は10％となります。なお、子Bの修正申告税額（16,280千円）も当初申告税額（23,050千円）を超えないので10％の過少申告加算税となります。

3. 相続税に特有な後発的事由と税務手続

⑴ 期限後申告、修正申告、更正の請求の特則

相続税について期限後申告や修正申告を行った場合は、加算税や延滞税の問題が生ずることになり、また、国税通則法による更正の請求は、原則として法定申告期限から５年以内にしなければなりません。

しかしながら、民法の相続制度を前提とした相続税では、他の国税にはあり得ない特有の後発的事由が生じることがあります。典型的な例は、未分割遺産が分割されたり、遺留分の侵害額の請求が行われたため、事後に課税価格や相続税額が増減する場合です。こうした事由が生じたために、当初申告が過少になったとしても納税者に責はありませんし、当初申告が過大である場合に国税通則法の更正の請求事由に該当しないからといって、その請求を認めないのは適当ではありません。

このため、相続税法では、期限後申告、修正申告及び更正の請求について特則規定を設け、国税通則法によるこれらの手続規定をカバーしています。国税通則法の原則規定と相続税法の特則規定を対比してまとめると、次のとおりです（通則法18、19、23、通則令６、相法30、31、32、相令８、相基通30―２）。

区　分		国税通則法の原則規定	相続税法の特則規定
	期限後申告ができる場合	期限内申告書を提出すべき者で、その提出期限内にその申告書を提出しなかった場合	期限内申告書の提出期限後に次の事由が生じたため、新たに申告書の提出要件に該当した場合 ① 未分割遺産に対する課税規定（相法55）により課税価格が計算されていた場合において、その後財産の分割が行われ、共同相続人等がその分割により取得した財産に係る課税価格が既に申告した課税価格と異なることとなったこと。 ② 死後認知、推定相続人の廃除、相続の放棄の取消し等により相続人に異動が生じたこと。 ③ 遺留分侵害額の請求に基づき支払うべき金銭の額が確定したこと。 ④ 遺贈に係る遺言書が発見され、又は遺贈の放棄があったこと。

(1) 期限後申告（通則法18・相法30）			⑤　いわゆる条件付物納が許可された場合において、その後に物納財産である土地について土壌汚染又は地下に廃棄物等があることが判明したため、その物納許可が取り消され又は取り消されることとなったこと。 ⑥　相続、遺贈又は贈与により取得した財産ついての権利の帰属に関する訴えについての判決があったこと。 ⑦　いわゆる死後認知により相続人となった者から民法第910条（相続の開始後に認知された者の価額の支払請求権）の規定による請求があったことにより弁済すべき額が確定したこと。 ⑧　条件付の遺贈について、条件が成就したこと。 ⑨　死亡退職金の支給額が確定したこと。
	期限後申告ができる期間	税務署長による決定があるまで	（同左）
	加算税・延滞税の課税	原則として課税あり	課税なし
(2) 修正申告（通則法19・相法31）	修正申告ができる場合	申告書を提出した者で、先の申告書に記載した税額に不足がある場合	申告書を提出した後に、上記(1)の期限後申告の①から⑨の事由が生じたため、既に確定した相続税額に不足が生じた場合
	修正申告ができる期間	税務署長による更正があるまで	（同左）
	加算税・延滞税の課税	原則として課税あり	課税なし
(3) 更正の請求（通則法23・相法32）	更正の請求ができる場合	①　申告書を提出した場合において、その申告書に記載した課税標準若しくは税額等の計算が国税に関する法律の規定に従っていなかったこと又はその計算に誤りがあったことにより、納付すべき税額が過大であるとき ②　①の理由により、その申告書に記載した還付金の額に相当する税額が過少であるとき又はその申告書に還付金の額に相当する税額の記載がなかったとき ③　申告書を提出した場合において、次に掲げる事由に該当することにより、その申告書に記載した税額が過大であるとき (イ)　課税価格等の計算基礎となった事実に関する訴えについての判決（判決と同一の効力を有する和解を含む。）により、その事実がそ	申告書を提出した後に、次の事由が生じたため、課税価格及び相続税額が過大となったとき ①　未分割遺産に対する課税規定（相法55）により課税価格が計算されていた場合において、その後財産の分割が行われ、共同相続人等がその分割により取得した財産に係る課税価格が既に申告した課税価格と異なることとなったこと。 ②　死後認知、推定相続人の廃除、相続の放棄の取消し等により相続人に異動が生じたこと。 ③　遺留分侵害額の請求に基づき支払うべき金銭の額が確定したこと。 ④　遺贈に係る遺言書が発見され、又は遺贈の放棄があったこと。 ⑤　いわゆる条件付物納が許可された場合において、その後に物納財産である土地について土壌汚染又は地下に廃棄物等があることが判明したため、その物納許可が取り消され又は取り消されることとなったこと。 ⑥　相続、遺贈又は贈与により取得した財産ついての権利の帰属に関する訴えについての判決があったこと。 ⑦　いわゆる死後認知により相続人と

		の計算の基礎としたところと異なることが確定したとき (ロ) 申告をした者に帰属するものとされていた課税物件が、他の者に帰属するものとする当該他の者に係る国税の更正又は決定があったとき (ハ) その他(イ)又は(ロ)に準ずる理由があるとき	なった者から民法第910条（相続の開始後に認知された者の価額の支払請求権）の規定による請求があったことにより弁済すべき額が確定したこと。 ⑧ 条件付の遺贈について、条件が成就したこと。 ⑨ 相続財産法人から財産分与があったこと。 ⑩ 特別寄与者が支払を受けるべき特別寄与料の額が確定したこと。 ⑪ 未分割遺産が分割された時以後において配偶者の税額軽減規定を適用して計算した相続税額が既に申告した相続税額と異なることとなったこと。 ⑫ 国外転出時の譲渡所得等の特例に係る納税猶予分の所得税の納税義務を承継した者の相続人がその所得税を納付することとなったこと。 ⑬ 非居住者に資産が移転した場合の譲渡所得等の特例に係る納税猶予分の所得税の納付義務を承継した適用贈与者等の相続人がその所得税を納付することとなったこと。
	更正の請求ができる期間	① 上記①②の場合……法定申告期限から５年以内 ② 上記③の場合……それぞれの事由が生じた日の翌日から２か月以内	上記の事由が生じたことを知った日の翌日から４か月以内

この表の「期限後申告」と「修正申告」における相続税法の特則規定の各欄の事項が相続税に特有の後発的事由です。期限内申告書の提出期限後にこれらの事由が生じたため、期限後申告又は修正申告を行ったとしても、税務署長による更正・決定の前であれば、加算税の問題は生じませんし、これらの申告書の提出と同時に納付をすれば、法定納期限後の納付であっても延滞税はないということです。

また、「更正の請求」における相続税法の特則規定の①から⑬は、国税通則法の規定では更正の請求の対象にならない相続税に特有の事由です。これらの事由が申告期限後に生じたことにより、当初申告額が過大となった場合は、国税通則法の規定にかかわらず、その事由が生じたことを知った日の翌日から４か月以内であれば、更正の請求をすることができるということです。

(注) 更正の請求ができる期限について、国税通則法第23条第１項の原則規定は法定申告期限から５年以内、同条第２項（国税通則法における後発的事由に基づく更正の請求）の場合は該当事由が生じた日の翌日から２か月以内とされていますが、これらの規定による更正の請求は、国税通則法に規定する事由が生じた場合に限られます。

したがって、たとえば、未分割遺産が分割されたことにより、相続税額が当初申告の額より減少したとしても、その当初申告の内容は、国税通則法にいう「税額等の計算が国税に関する法律の規定に従っていなかったこと」又は「その計算に誤りがあったこと」のいずれにも該当せず、国税通則法の規定による更正の請求は認められません（これらの事由は、既に提出した申告書に係るものですから、未分割遺産に対する相続税法第55条の適用による申告は、適法・正当なものであり、遺産が分割されたとしても国税通則法の更正の請求事由には当たりません）。そこで、この場合は、相続税法第32条の特則規定を適用し、その事由が生じたことを知った日の翌日から４か月以内に更正の請求を行うことになります。

ただし、未分割遺産が分割されたことにより配偶者の税額軽減規定が適用できることとなった場合は、相続税法第32条の規定に該当するとともに、国税通則法第23条による更正の請求もできることになります。したがって、この場合の更正の請求の期限は、分割が行われた日から４か月を経過する日と相続税の申告期限から５年を経過する日とのいずれか遅い日となります（相基通32—２）。

⑵　相続税の延滞税の特則

国税について、期限後申告書や修正申告書の提出又は更正や決定を受けたことによる納付は、法定納期限後の納付となるため、延滞税は免れません。

しかし、納税者に責任のない後発的事由が生じたことによる納期限後の納付について、延滞税を課すことは適当ではありません。このため、相続税法は、法定納期限後に一定の事由が生じたことによる修正申告等に係る納付税額については、延滞税を免除する特則規定を設けています（相法51②）。これをまとめると、次のとおりです。

《延滞税が免除される特則事由》

① 期限内申告書の提出期限後に、その被相続人から相続又は遺贈（その被相続人からの贈与財産で相続時精算課税の規定の適用を受けるものに係る贈与を含む）により財産を取得した他の者がその被相続人から贈与により取得した財産で相続税額の計算の基礎とされていなかったものがあることを知ったこと。

② 期限内申告書の提出期限後に支給が確定した死亡退職金の支給を受けたこと。

③ 未分割遺産に対する課税規定（相法55）により課税価格が計算されていた場合において、その後財産の分割が行われ、共同相続人等がその分割により取得した財産に係る課税価格が既に申告した課税価格と異なることとなったこと。

④ 死後認知、推定相続人の廃除、相続の放棄の取消し等により相続人に異動が生じたこと。

⑤ 遺留分侵害額の請求に基づき支払うべき金銭の額が確定したこと。

⑥ 遺贈に係る遺言書が発見され、又は遺贈の放棄があったこと。

⑦ いわゆる条件付物納が許可された場合において、その後に物納財産である土地について土壌汚染又は地下に廃棄物等があることが判明したため、その物納許可が取り消され又は取り消されることとなったこと。

⑧ 相続、遺贈又は贈与により取得した財産ついての権利の帰属に関する訴えについて

の判決があったこと。

⑨　いわゆる死後認知により相続人となった者から民法第910条（相続の開始後に認知された者の価額の支払請求権）の規定による請求があったことにより弁済すべき額が確定したこと。

⑩　条件付の遺贈について、条件が成就したこと。

《延滞税の計算期間に算入されない期間》

①　期限後申告又は修正申告の場合――法定納期限の翌日からこれらの申告書の提出があった日までの期間

②　更正又は決定の場合――法定納期限の翌日からこれらの通知書を発した日までの期間（上記③から⑩の事由の場合は、これらの通知書を発した日とこれらの事由の生じた日から４か月を経過する日とのいずれか早い日までの期間）

4.　未分割遺産が分割された場合の税務手続

(1)　課税価格等の異動と税務手続の要否

相続税の申告書の提出時において、共同相続人間で相続財産が分割されていない場合の課税上の取扱いや申告方法等についてはたびたび説明したところです。この場合、相続税の申告後に遺産分割が確定し、その確定したところに基づいて計算した課税価格や税額が当初の申告額と異なることとなったときは、課税価格や税額について調整を要することになります。納税者における税務手続は、次の３つに分かれます。

①　遺産分割が行われたことにより新たに申告義務が生じた場合……期限後申告（相法30①）

②　遺産分割が行われたことにより既に確定した税額に不足が生じた場合……修正申告（相法31①）

③　遺産分割が行われたことにより既に確定した税額が過大となった場合……更正の請求（相法32①一）

（注） 遺産が未分割の場合の相続税の申告は、各共同相続人が民法の規定による相続分に従って財産を取得したものとして課税価格の計算を行うこととされていますが（相法55）、税額控除等の適用により納付税額が算出されない相続人に申告義務はありません（相法27①）。このため、共同相続人の中に無申告の者がいる場合もありますが、その者について遺産分割が行われたことにより納付税額が生じたときは、上記①により期限後申告書を提出することができます。

ところで、遺産分割に基づく課税価格や税額が当初申告の額と異なることとなっても、相続人相互の間で税負担の調整を行う、ということであれば、上記の税務手続は必要ありません。たとえば、次のような場合、遺産未分割の当初申告に係る各相続人の納付税額の合計額と分割後の課税価格に基づく納付税額の合計額は、いずれも770万円であり、変わることはありません。

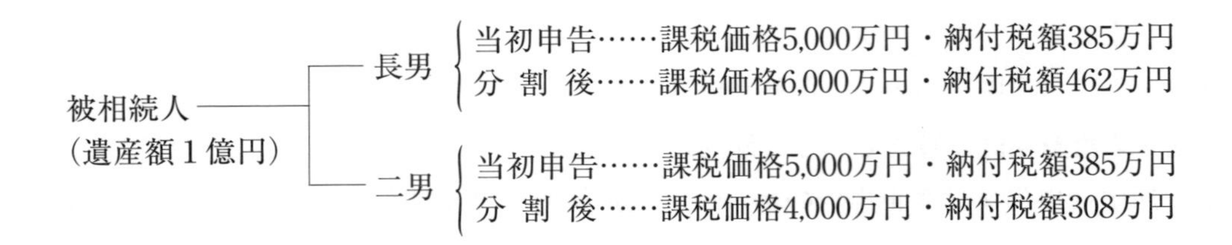

この場合、法令の規定に従えば、本来は長男において修正申告を、二男において更正の請求を行うべきですが、両者の間で異動した税額分の金銭等を授受するという場合には、実務上は、これらの事後的な手続は必要ないと考えられます。

もっとも、このような方法は相続人の全員が同意した場合に可能なことです。上例で二男が更正の請求をした場合には、長男は修正申告をしなければならず、その申告がないときは、税務署長において長男の相続税に更正処分が行われます（相法35③）。

⑵　配偶者の税額軽減規定と更正の請求

上述した相続人間での税負担の調整が可能となるのは、相続人に被相続人の配偶者がいない場合に限られます。配偶者に対する税額軽減の規定（相法19の２①）は、未分割遺産には適用されないこと、また、その未分割遺産が申告期限から３年以内（その間に遺産分割が行われなかったことにつき、やむを得ない事情がある場合に税務署長の承認を受けたときは、遺産の分割ができることとなった日の翌日から４か月以内）に分割された場合は、軽減規定の適用を受けられることは、前述（453ページ）したとおりです。

当初申告において、遺産未分割のために配偶者の軽減規定が適用できなかった場合において、申告期限後３年以内等に分割が行われたときは、軽減規定の適用を受けるための更正の請求が必要になります。この場合は、納付税額の絶対額が減少するため、相続人間で税負担の調整をすることはできません。したがって、必然的に更正の請求を要することになります。

なお、更正の請求書の様式は、〔書式105〕（728ページ）に示したとおりであり、また、配偶者の税額軽減規定の適用を受けるための必要添付書類は、415ページのとおりです。

（注） 遺産分割が行われた結果、配偶者の課税価格が当初申告の課税価格と異なる場合は、相続税法第32条第１項の「第一号」を事由として更正の請求ができますが、分割後の課税価格が当初申告と同額の場合（民法の相続分どおりに分割が行われた場合）は、「課税価格」に異動はありません。この場合は、同条同項の「第八号」により更正の請求を行うことになります。

⑶ 小規模宅地等の特例と更正の請求

未分割遺産が相続税の申告後に分割された場合の税務手続としての更正の請求については、いわゆる小規模宅地等の特例（措法69の４）と上記の配偶者の税額軽減規定はまったく同様です。

① 小規模宅地等の特例の規定は、申告期限までに分割されていない宅地等には適用されない（措法69の４④）。

② その分割されていない宅地等が申告期限から３年以内（その間に特例対象宅地等の分割が行われなかったことにつき、やむを得ない事情がある場合に税務署長の承認を受けたときは、特例対象宅地等の分割ができることとなった日の翌日から４か月以内）に分割された場合は、特例が適用される（措法69の４④ただし書）。

③ ②の場合は、相続税法の更正の請求の特則規定（相法32①）が適用される（措法69の４⑤）。

したがって、相続税の申告後の遺産分割によりこの特例を適用できることとなった場合は、その分割が行われた日の翌日から４か月以内に更正の請求をすることになります。

配偶者の税額軽減と小規模宅地特例との違いは、前者が配偶者のみに適用できる「税額控除」であるのに対して、後者は「課税価格の計算の特例」であることです。このため、申告後の遺産分割を基因として配偶者の税額軽減規定の適用を受ける場合は、配偶者が更正の請求をすることになります。これに対し、小規模宅地等の特例では、特例の適用を受けることによって、課税価格の合計額が減少するとともに、相続税の総額も減額されます。したがって、特例の適用者はもちろんのこと、特例の適用を受けない者についても更正の請求を行う必要があります。

なお、更正の請求書の様式は、〔書式105〕（728ページ）に示したとおりですが、相続税の申告書と異なり、更正の請求書は各人ごとに作成して提出することになります（小規模宅地等の特例を受けるための添付書類は416ページを参照してください）。

ところで、小規模宅地等の特例の対象となる宅地等が２以上ある場合において、申告期限後にその宅地等の一部が分割され、その分割された宅地等に特例の適用を受けるための更正の請求は、他に分割されていない特例対象宅地等があるときであっても、その分割の日の翌日から４か月以内に行う必要があります（措通69の４―26）。

これを図示すると次の図のとおりです。

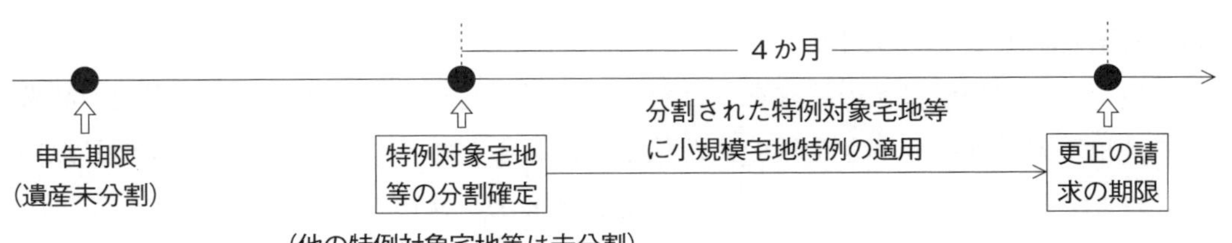

5. 遺留分侵害額の請求と税務手続

(1) 申告後の遺留分侵害額の請求と税務手続の要否

遺留分の意義や侵害額の請求の方法などについては、第1章（81ページ）で説明したとおりですが、相続税の申告後の税務問題は、申告によって納税額が確定した後に遺留分侵害額の請求が行われた場合に生じます。

被相続人の適法な遺言に基づいて財産を取得し、相続税の申告を行った相続人や受遺者に対し、その後に他の遺留分権利者から侵害額の請求があり、その履行があれば、相続財産と相続税に異動が生じます。

この場合の税務手続をまとめると、次のとおりです。

	税務手続	手続の期限
更正の請求 （相法32①三）	遺留分侵害額の請求を受けた者は、既に確定した相続税額が過大となるため、更正の請求をすることができる。	遺留分侵害額の請求に基づき支払うべき金銭の額が確定したことを知った日の翌日から4か月以内に更正の請求を行う。
期限後申告 （相法30①）	遺留分侵害額の請求により財産を取得し、新たに相続税の申告義務が生じた（納付すべき税額が算出された）者は、期限後申告書を提出することができる。	申告期限の定めはなく、税務署長による決定があるまでは、いつでも申告書を提出することができる。
修正申告 （相法31①）	遺留分侵害額の請求により財産を取得した者が既に相続財産を取得し、申告書を提出している場合は、その侵害額の請求により既に確定した相続税額に不足を生ずるため、修正申告書を提出することができる。	申告期限の定めはなく、税務署長による更正があるまでは、いつでも申告書を提出することができる。

相続税法は、以上のような手続規定を設けていますが、前述した未分割遺産が分割された場合と同様に、上記の税務手続を行わず、当事者間で税負担を調整することは一向にかまいません。要するに、修正申告（期限後申告）と更正の請求を行わずに、事後に異動した税額相当の金銭を相続人間で授受する方法です。

もっとも、遺留分侵害額の請求を受けた者が更正の請求をした場合は、その侵害額の請求をした者に修正申告（期限後申告）の義務が生じますし、その申告が行われないときは、税務署長による更正（決定）の処分があります（相法35③）。

(2) 更正の請求と手続の期限

ところで、遺留分侵害額の請求を受けた者の更正の請求の期限は、その侵害額の請求について、相手方に支払うべき金銭の額が確定したことを知った日の翌日から4か月以内とされています（相法32①三）。これを事例で確認すると、次のとおりです。

＜事　例＞

①　相続人Ａは、令和Ｘ年１月に死亡した被相続人甲の適法な遺言に基づいて甲の全財産を取得し、令和Ｘ年10月に相続税の申告をした。

②　その後３か月を経過した令和X_1年１月に、相続人ＢからＡに対し、遺留分侵害額の請求が行われた。

③　Ａは、Ｂからの請求内容に不服があるとしてこれに応じなかった。そこで、Ｂは令和X_1年５月に請求権の履行を求めて家庭裁判所に調停を申し立てた。

④　令和X_1年12月に、Ｂの申し立てに係る調停が成立し、Ａの支払うべき金銭の額が確定した。

この事例の相続人Ａは、令和X_1年12月の調停成立（支払額の確定）の日の翌日から４か月以内に限り、相続税法第32条第１項第３号の「遺留分侵害額の請求に基づき支払うべき金銭の額が確定したこと」を事由として更正の請求をすることができます。これを図で示せば、下記のとおりです。

なお、遺留分侵害額の請求によって新たに財産を取得した相続人Ｂは、相続税法第30条第１項に基づき期限後申告書を提出できます。この場合、税務署長による決定（相法35①）があるまでに期限後申告書の提出と納税を行えば、加算税・延滞税は課税されません（通則法65①、相法51②）。

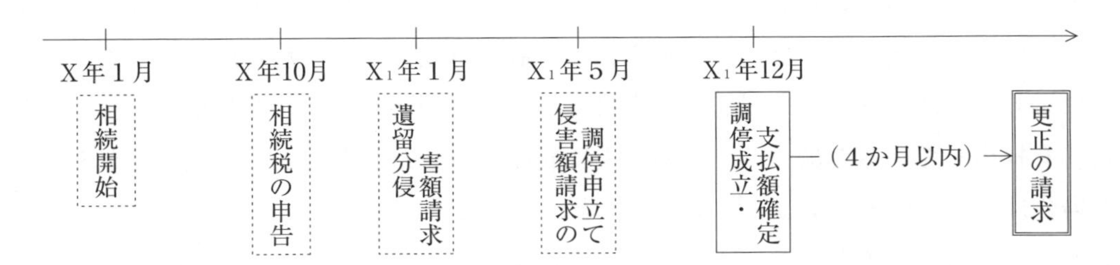

ところで、国税通則法では、更正の請求の期限を原則として法定申告期限から５年以内としています（通則法23①）。したがって、遺留分侵害額の請求を受けて支払うべき額が確定したことが同項１号における「当該申告書に記載した課税標準等若しくは税額等の計算が国税に関する法律の規定に従っていなかったこと」又は「当該計算に誤りがあったこと」のいずれかに該当する場合には、上記の事例における更正の請求期限は、相続税の法定申告期限から５年以内になります。

問題は、「遺留分侵害額の請求を受けて支払うべき額が確定したこと」が相続税の「当初申告書に記載した課税価格又は税額の計算が相続税法の規定に従っていなかった」といえるかどうかです。この点については、疑義のあるところですが、遺留分侵害額の請求を受けるかどうかは、当初申告の段階では不明であり（遺留分権利者が遺留分侵害額の請求を行うかどうかはその者の任意であり）、当初申告に係る課税価格又は税額の計算が相続税法の規定に従っていなかったとはいえないという見方もできます。このため、上例の場合には、遺留分侵害額の請求を受けて支払うべき金銭の額が確定したことを知った日の翌日から４か月以内に更正の請求を行った方がよいでしょう。

6. 相続人に異動が生じた場合の税務手続

⑴ 相続人の異動事由と税務手続

相続税の申告後に、相続人であった者が相続人に該当しないこととなったとき、あるいは、相続人とされていなかった者が相続人となるなど、相続人に異動が生じた場合には、相続税の課税関係にも異動が生じます。申告後に相続人が異動する事由としては、次のような例が考えられます（相法32①二、相基通32―１）。

① 強制認知（死後認知）の判決の確定（民787）

② 相続人の廃除又は廃除の取消しの審判の確定（民892～894）

③ 相続回復請求権に基づく相続の回復（民884）

④ 胎児の出生（民886）

⑤ 相続人に対する失踪の宣告又はその取消しの審判の確定（民30～32）

これらの事由が後発的に生じた場合の税務手続は、前述した未分割遺産の分割や遺留分侵害額の請求があった場合と同様です。これらの事由により相続人となった者が新たに財産を取得して相続税の納税義務が生じた場合は期限後申告（相法30①）を、既に申告書を提出している者（相続人ではないが遺贈により財産を取得していた者）が相続人になったことにより追加的に財産を取得した場合は修正申告（相法31①）となります。また、既に申告書を提出している者について、相続人に異動が生じたことにより相続税額が過大となった場合は更正の請求をすることができます（相法32①二）。

これらの場合、納税者において申告や更正の請求等の税務手続を行わず、相続人間で財産の異動に見合う相続税相当額を調整することも考えられます。しかし、相続人の異動は、相続税の基礎控除額等に影響するため、相続人全体の納税額に変動を来すのが通常です。したがって、上記いずれかの税務手続が必要になります。

⑵ 相続人の異動と更正の請求の期限

税務手続のうち更正の請求については、一定の期限があることはこれまでに説明したところですが、相続人の異動と更正の請求の期限に関して、強制認知（死後認知）を例に実務上の留意点を確認しておきましょう。

いわゆる婚外子とその血縁上の父との法的親子関係は、認知によってのみ生ずることになりますが、父が自ら認知しない場合は、子は訴えによって父子関係の確定を求めることができます。また、父の死亡後でも３年間に限り（検察官を相手方として）訴えを提起できることとされています（民787）。

このため、相続税の申告時に相続権の無かった者がその後に非嫡出子として相続人になることがあるわけです。その結果、相続税の基礎控除額の増加等により、既に申告書を提出した者の相続税額は過大となるわけですが、この場合は、相続人に異動が生じたことを知った日の翌日から４か月以内に限り、更正の請求をすることができます。

ところで、いわゆる死後認知によって相続人となった者が財産の取得を求める場合に、他の相続人が既に遺産分割を行っているときは、価額（金銭）のみによる請求権を有することとされています（民910）。

認知の効力は出生時にさかのぼりますが、「第三者が既に取得した権利を害することはできない」こととされており（民784）、死後認知を受けた非嫡出子は、遺産分割終了後に再分割を要求することはできません。このため、非嫡出子の実質的な遺産取得は、他の相続人に対する価額償還請求のみとなるのですが、これは、既に確定した遺産分割の法的安定を維持するためであると解されています。

相続税の申告後に死後認知が確定し、価額の償還請求があった場合の税務について、事例で確認すると、次のとおりです。

＜事　例＞

①　被相続人甲は、令和Ｘ年２月に死亡した。甲の相続人（嫡出子）であるＡとＢは、令和Ｘ年11月に遺産分割を行い、同年12月に相続税の申告をした。

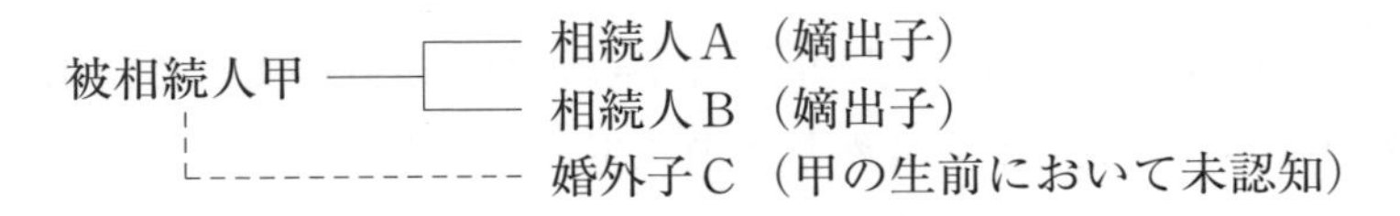

②　甲の婚外子であるＣから令和X_1年３月に認知の訴えが提起された。

③　Ｃの認知の訴えは、令和X_1年７月に勝訴確定し、Ｃは非嫡出子としての相続権を取得した。なお、相続人ＡとＢは、同日その事実を知った。

④　令和X_1年８月に、非嫡出子Ｃから相続人ＡとＢに対し、民法第910条による価額の償還請求が行われた。

⑤　相続人ＡとＢは、Ｃからの請求内容を不服としてこれに応じなかったが、Ｃからの再々の請求に応じて協議し、令和X_1年12月に合意が成立し、金銭の償還をした。

この事例における相続人ＡとＢは、金銭の償還をしたため、相続税について更正の請求ができるのですが、上記の事実からみると、次の２つの手続になります。

①　令和X_1年７月から４か月以内に「相続人に異動が生じたこと」（相法32①二）を事由として更正の請求を行う。

② 令和X_1年12月から４か月以内に「民法第910条（相続の開始後に認知された者の価額の支払請求権）の規定による請求があったことにより弁済すべき額が確定したこと」（相法32①六、相令８②二）を事由として更正の請求を行う。

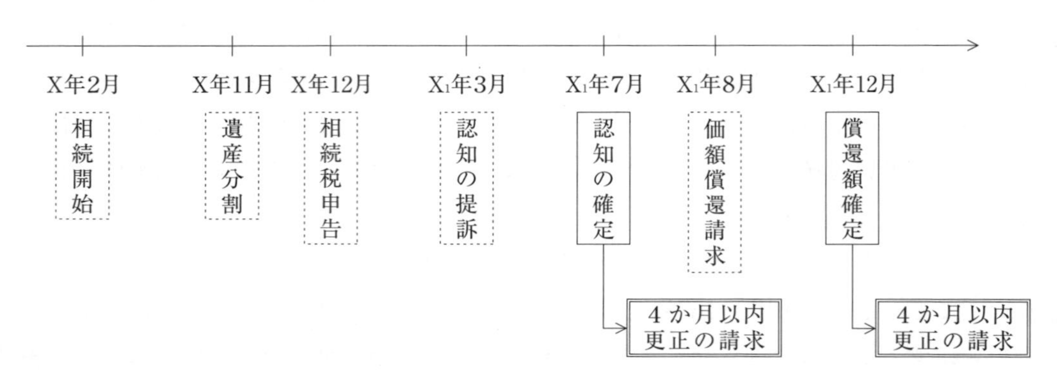

相続税法の規定からみれば、上例の場合は更正の請求を２回にわたって行うのが原則です（相基通32―３）。しかしながら、死後認知の確定による相続人の異動と被認知者に対する償還額の確定とは、いわば同一事象に基づく一連の事実であり、更正の請求を一度に行う方が現実的です。

このため、実務上は、認知に関する裁判が確定したことを知った日の翌日から４か月以内に更正の請求が行われず、価額償還請求に基づき弁済すべき額が確定したことを知った日の翌日から４か月以内に、２つの事由を併せて更正の請求があった場合は、いずれの事由についても更正の請求の期限内に請求があったものとして取り扱うこととされています（相基通32―３なお書）。

したがって、上例の相続人ＡとＢは、X_1年７月から４か月以内の更正の請求を省略し、X_1年12月の償還額の確定日の翌日から４か月以内に更正の請求をすればよいことになります。もっとも、この場合の更正の請求書には、死後認知の確定による相続人の異動と被認知者に対する償還額の確定という２つの事由を明記しておく必要があります。

なお、上例の被認知者であるＣは、償還請求により取得した金銭の額について、新たに申告義務が生じた場合は、期限後申告書を提出する必要があり（相法30①）、その提出と納税が税務署長による決定の前であれば、加算税・延滞税の問題は生じません。

（注）上例の場合に、死後認知の確定と被認知者に対する弁償額の確定が国税通則法第23条における「当該申告書に記載した課税標準等若しくは税額等の計算が国税に関する法律の規定に従っていなかったこと」に該当するときは、法定申告期限から５年以内に更正の請求を行うことが可能です。ただし、この場合の更正の請求期限については、前述した遺留分侵害額の請求の場合と同様にやや疑義のあるところです。

上例の場合、死後認知が確定すると、相続税法上の法定相続人の数が増加しますから、当初申告における基礎控除額は過少であったことになります。したがって、この限りでは、当初申告書に記載した相続税額は、「国税に関する法律の規定に従っていなかったこと」に該当しますから、そのことを事由とする更正の請求は、５年間可能であると解されます。

問題は、被認知者に対する弁償額の確定が国税通則法に規定する更正の請求事由に当たるかどうかです。この点は、遺留分侵害額の請求に基づく金銭の支払額の確定の場合と同様に疑義のあるところですから、上例の場合には、価額の弁償額が確定したところから４か月以内に更正の請求を行うことが実務的であると思われます。

7. 遺産分割のやり直しと税務問題

⑴ 遺産分割の効果と無効・取消し

遺産分割の意義や方法については、第２章で説明したとおりですが、いったん有効に成立した遺産分割について、やり直しができるかどうかが問題になることがあります。ことに、相続税の申告後の再分割は、そのことに何らかの理由があるとしても、税務への影響は避けられません。

民法は、「遺産の分割は、相続開始の時にさかのぼってその効力を生ずる」と規定しています（民909）。遺産分割の遡及効で、相続人は分割により取得した財産を相続開始時から所有しているものとみなされます。このような、遺産分割の法的効果からみると、そのやり直しは、新たな所有権の移転と考えることができます。

ただ、当初の遺産分割が無効である場合は、初めから分割が行われていないことになりますから、その後の遺産分割は、再分割あるいはやり直しとは異なります。無効になる典型例は、一部の相続人のみで行われた遺産分割です。相続権のある胎児を除いて行われた遺産分割や行方不明の相続人がいるにもかかわらず、その者の財産管理人を選任しないで行われた遺産分割は、いずれも無効です。また、共同相続人や包括受遺者でない者が加わった遺産分割も同様です。

(注) いわゆる死後認知（強制認知）により相続人となった者がいる場合に、その者を除いて行った遺産分割は無効にはなりません。前述のとおり、その遺産分割は有効なものとし、被認知者の権利は他の共同相続人に対する価額（金銭）償還請求によって確保することとされています（民910）。

ある相続人が遺産分割により取得した500m²の土地が、実際には300m²であったという場合、あるいは、時価１億円と認識して分割取得した土地の実際の価額は5,000万円であったという場合に、その遺産分割が無効になるか否かは微妙な問題です。これは、遺産の一部に瑕疵があったことになりますが、民法は、「各共同相続人は、他の共同相続人に対して、売主と同じく、その相続分に応じて担保の責任を負う」と定めています（民911）。売主の担保責任については、民法第560条から第572条に規定がありますが、要するに損害賠償請求（瑕疵のある財産を取得した相続人は、他の相続人に損害賠償を請求できる）によって解決すべき問題であるということです。

また、被相続人の遺産でない財産を遺産分割の対象としてしまった、という場合も直ちに無効となるのではなく、遺産の瑕疵と同様に担保責任の問題になるというのが通説です。なお、遺産の一部を除いて遺産分割を行った場合は、その除かれた遺産について未分割であるというにすぎませんから、当初の遺産分割についてやり直しという問題は生じません。

この他では、遺産分割が詐欺や脅迫によって行われた場合は、遺産分割の取消し原因になりますが、実例はそれほど多くはないものと思われます。

(2) 遺産分割のやり直しと税務問題

上述した遺産分割の法的効果からみれば、いったん有効に成立した遺産分割のやり直しは、相続により確定した所有権の移転と考えられます。したがって、税務上は、その時点での贈与、譲渡又は交換等の発生として処理せざるを得ません。遺産分割は、いうまでもなく相続人全員の合意により成立しますから、相続人全員の同意の下で解除することは可能です。しかし、そのことと税務は別の問題といえるでしょう。

もっとも、遺産分割について、上述した無効又は取消しとなる事実がある場合は、事後に財産が移転しても贈与等には該当しません。もともと有効な遺産分割が成立していないため、遺産の再分割又は分割のやり直しとは異なるからです。

実務で問題になるのは、遺産分割の不公平を解消するための再分割です。相続人Aの取得した土地の価額がその後に下落し、相続人Bの取得した株式の価額が高騰したという場合、当事者間の利害を調整するため、遺産分割をやり直したいという意向をもつことがあります。しかし、このような単なる利益調整的な再分割を行った場合は、贈与税等の問題が生じることになります。また、再分割を行ったことで相続財産が減少しても、更正の請求ができないことはいうまでもありません。

なお、代償分割が成立した後に、代償金の支払債務が履行されなかったとしても、その遺産分割は有効であり（解除原因にならない）、その後は代償金を受領する相続人と代償金を支払う相続人との間の債権債務関係が残るだけである、とするのがほぼ確立した判例です（最高裁平成元.2.9判決）。したがって、このような場合の遺産分割のやり直しにも新たな課税関係が生じます。

いずれにしても、遺産分割のやり直しは通常の場合、ほとんど不可能と考えるべきであり、当初の段階で慎重に行うことが重要です。

8. 相続後の相続財産の譲渡と取得費加算の特例

(1) 特例の概要と取得費加算額の計算

譲渡所得の金額は、次の算式により計算しますが（所法33③）、相続又は遺贈により取得した資産を譲渡した場合の「取得費」は、限定承認相続及び包括遺贈のうち限定承認に係るものを除き、被相続人（遺贈者）の取得価額と取得時期を引き継ぐこととされています

(所法60①)。

譲渡所得の金額＝譲渡収入金額－（取得費＋譲渡費用）－（特別控除）

ところで、相続又は遺贈により財産を取得した者が、その取得した財産を相続開始の日の翌日から相続税の申告期限の翌日以後３年以内に譲渡した場合には、上記算式による取得費の額に、その者の相続税額のうち一定の金額を加算する特例の適用を受けることができます（措法39)。この特例による取得費加算額は、次の算式により計算されます。

取得費加算額＝譲渡者に係る確定相続税額×（譲渡資産の相続税評価額／譲渡者の相続税の課税価格）

(注) 特例による取得費加算額は、譲渡収入金額から取得費と譲渡費用を控除した金額（譲渡益）が限度となります。したがって、特例を適用した結果、譲渡所得の金額がマイナスになることはありません（措令25の16①)。

① 「確定相続税額」の算定方法

上記の算式における「確定相続税額」とは、譲渡資産を相続又は遺贈により取得した者の相続税額で、その譲渡した日の属する年分の所得税の納税義務の成立する時において確定している相続税額をいいます（措令25の16①)。

この場合の「所得税の納税義務の成立する時」とは、その暦年の終了の時（その年12月31日）ですが、その時が、その相続税の申告書の提出期限内における相続税の申告書の提出前である場合には、その相続税の期限内申告書の提出の時をいいます。したがって、相続財産を譲渡した年の翌年の所得税の確定申告期限までに相続税の申告書を提出して相続税額が確定すれば、この特例が適用されます。

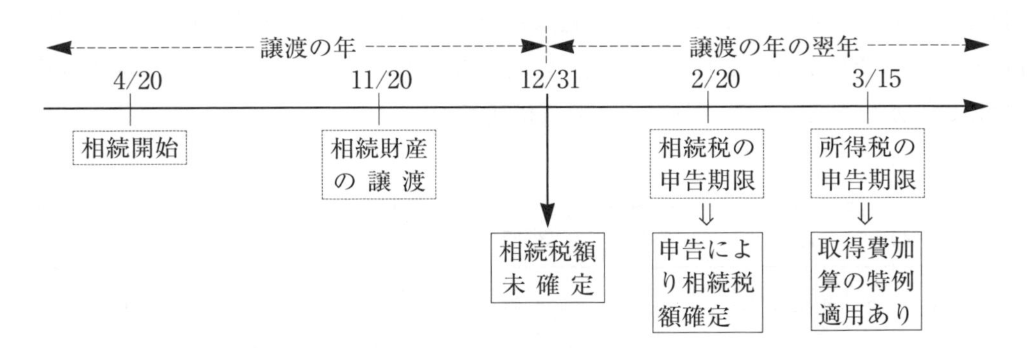

また、前記の算式の「確定相続税額」について、譲渡者の相続税額の計算上、贈与税額控除（相法19）が適用されている場合はその贈与税額控除がなかったものとし（措令25の16③)、相次相続控除（相法20）及び相続時精算課税に係る贈与税額控除（相法21の15③、21の16④）が適用されている場合は、これらの規定による控除相当額を加算した金額により

ます（措法39⑥）。したがって、確定相続税額は、次の算式によって計算します。

確定相続税額	＝	納付すべき相続税額	＋	相続税法第19条の贈与税額控除額	＋	相次相続控除額	＋	相続時精算課税に係る贈与税額控除額

なお、所得税の納税義務が成立する時後において、相続税額が更正又は修正申告により異動した場合は、その異動後の税額によります（措令25の16②）。

②　「譲渡者の相続税の課税価格」の計算方法

前ページの算式の「譲渡者の相続税の課税価格」とは、債務控除（相法13）を行う前の額をいいますが、その者について、相続開始前３年以内の贈与財産の加算規定（相法19）及び相続時精算課税に係る贈与財産の加算規定（相法21の14～21の18）が適用されている場合は、これらの規定による贈与財産の価額を加算した金額によります（措令25の16①）。

（注） 相続税の申告後に未分割遺産が分割されるなど相続税法第32条の後発的事由に基づいて更正の請求を行ったことにより相続税額が減少した場合には、取得費加算額も減少します。その結果、当初申告の譲渡所得税額が増加し、所得税について修正申告を要する場合がありますが、この場合の増加する所得税額について、法定納期限の翌日からその修正申告をした日までの間の延滞税は免除することとされています（措法39⑨）。

⑵　所得税の申告期限後の相続税額の確定に伴う更正の請求

この特例は、いわゆる申告要件があり、所得税の確定申告書にその適用を受けようとする旨の記載があり、かつ、譲渡所得の金額の計算に関する明細書等の添付がある場合に適用されます（措法39②、措規18の18①）。しかし、相続税の申告期限が所得税の確定申告期限の後になる場合には、相続税額が確定しないため、取得費に加算する金額の計算ができず、その確定申告では特例の適用を受けることはできません。

そこで、所得税の確定申告期限後に相続税の期限内申告書を提出した者について、この特例を適用したことにより所得税額が過大となる場合には、その相続税の期限内申告書を提出した日の翌日から２か月以内に限り、更正の請求をすることによりこの特例の適用を受けることができることとされています（措法39④）。

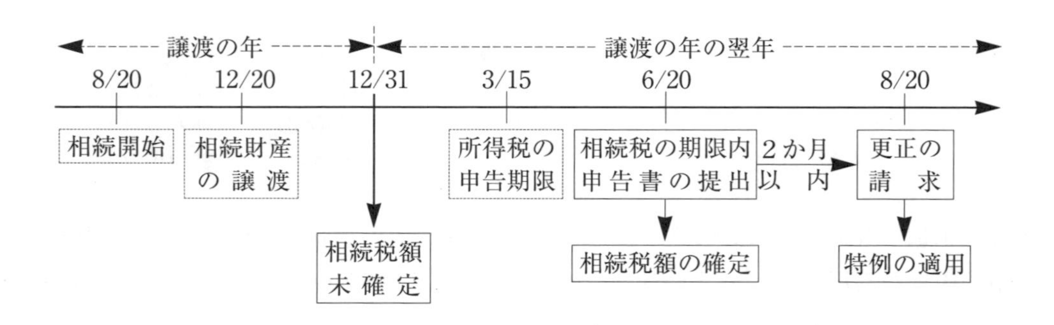

注意したいのは、所得税の申告期限までに相続税額が確定していない場合に更正の請求

を認めることとされていることです。したがって、所得税の確定申告期限までに既に相続税の申告書を提出した者及び相続税の期限内申告書の提出後に所得税の確定申告書を提出した者については、更正の請求をすることはできません。

⑶　２以上の相続財産を譲渡した場合の取得費加算額の計算

この特例における取得費加算額は、譲渡資産の収入金額から取得費と譲渡費用を控除した金額（譲渡益）を限度としますから、特例の適用によって譲渡所得の金額がマイナスになることはありません。

ところで、相続財産となった２以上の資産を譲渡し、一方は譲渡益が算出され、他方は譲渡損失になるという場合、取得費加算額は、双方の譲渡損益を通算した後の譲渡益を限度とするのか、それとも譲渡益が生じる譲渡についてのみ特例が適用されるのかという問題があります。

この点について、同一年中にこの特例の対象となる相続財産の譲渡を２回以上した場合には、譲渡所得の金額の計算において、この特例により取得費に加算する金額は、譲渡をした資産ごとに計算することとされています（措法39⑧）。この計算方法を設例で示すと、次のとおりです。

＜設　例＞

①　資産を譲渡した者の相続税の課税価格（債務控除前の価格）………………５億円

②　資産を譲渡した者の確定相続税額 ……………………………………１億5,000万円

③　譲渡した相続財産

A土地……相続税評価額9,000万円、譲渡価額１億円、取得費・譲渡費用900万円

B土地……相続税評価額6,000万円、譲渡価額7,000万円、取得費・譲渡費8,000万円

（計　算）

①　特例による取得費加算額

A土地……１億5,000万円（相続税額）× $\frac{\text{9,000万円（相続税評価額）}}{\text{5億円（相続税の課税価格）}}$ ＝2,700万円

B土地……１億5,000万円（相続税額）× $\frac{\text{6,000万円（相続税評価額）}}{\text{5億円（相続税の課税価格）}}$ ＝1,800万円

②　譲渡所得の金額

A土地……9,000万円（譲渡価額）－900万円（取得費・譲渡費用）－2,700万円（取得費加算額）＝5,400万円

B土地……7,000万円（譲渡価額）－8,000万円（取得費・譲渡費用）＝△1,000万円
→取得費加算の特例の適用はない。

なお、A土地の譲渡所得の金額とB土地の譲渡損失の金額は通算できますから、この例の場合には、4,400万円（＝5,400万円－1,000万円）が譲渡所得の金額になります。

(4)　代償分割が行われた場合の取得費加算の適用方法

相続財産の分割方法としての代償分割については、第2章で説明したとおりですが、代償金の支払をした相続人が相続で取得した資産を譲渡した場合に、取得費加算額を前記(1)による算式で求めると、不合理になることがあります。次のような例です。

・相　続　人……甲と乙の2人（法定相続分は、各2分の1）
・相続財産……土地2億円とその他の財産5,000万円（債務5,000万円）
・遺産分割……財産の全部を甲が取得し、甲は乙に代償金1億円を支払う
（債務は、甲が3,000万円、乙が2,000万円を負担）

この場合の課税価格と相続税額は、次のようになります。

	〔相続人甲〕	〔相続人乙〕
土　　　地	2億円	
その他の財産	5,000万円	
代　償　金	△1億円	1億円
（債務控除前の価額）	（1億5,000万円）	（1億円）
債　務　控　除	3,000万円	2,000万円
課　税　価　格	1億2,000万円	8,000万円
相　続　税　額	2,004万円	1,336万円

ここで、相続人甲が相続した土地を譲渡した場合の取得費加算額を前述した算式にあてはめて計算すると、次のように甲の相続税額（2,004万円）を超えることになります。

$$2{,}004\text{万円（相続税額）} \times \frac{2\text{億円（土地の相続税評価額）}}{1\text{億}5{,}000\text{万円（課税価格）}} = 2{,}672\text{万円}$$

このような結果が生じるのは、算式の分母である「譲渡者の相続税の課税価格（債務控除前）」は、支払った代償金を控除した後の金額であるのに対し、分子の「譲渡資産の相続税評価額」は、支払代償金をまったく考慮していないためです。

そこで、代償分割が行われた場合の代償金を支払った者の取得費加算額は、次の算式により計算した金額とすることとされています（措通39－7）。

$$\text{取得費加算額} = \text{確定相続税額} \times \frac{\text{譲渡した資産の相続税評価額(B)} - \text{支払代償金の額（C）} \times \dfrac{B}{A+C}}{\text{譲渡者の相続税の課税価格（債務控除前）(A)}}$$

したがって、上例の場合の取得費加算額は、次のとおり1,603.2万円となり、確定相続税額を超えることはありません。

$$2{,}004万円 \times \frac{2億円 - 1億円 \times \dfrac{2億円}{1億5{,}000万円 + 1億円}}{1億5{,}000万円} = 1{,}603.2万円$$

(5)　取得費加算の特例を受けるための申告要件と添付書類

この特例の適用を受ける場合は、その適用を受ける年分の所得税の確定申告書の特例適用条文欄に「措法第39条」と記載するとともに、次の書類を添付して申告する必要があります（措法39②③、措規18の18①）。

①　「相続財産の取得費に加算される相続税の計算明細書」

②　相続税の申告書第１表、第11表、第14表、第15表の写し

9.　相続した非上場株式を発行会社に譲渡した場合のみなし配当課税の特例

(1)　自己株式の譲渡とみなし配当課税

現行の所得税法では、法人が自己株式の取得をし、その法人の株主に金銭等の交付をした場合において、その金銭等の額がその法人の資本金等の額のうちその交付の基因となったその法人の株式に対応する部分の金額を超えるときは、その超える部分の金額に係る金銭等は、その株主に対する剰余金の配当とみなして課税することとされています（所法25①四）。

これを設例で示すと、次のとおりです。

＜設　例＞

甲社のB/S

資　　産	150,000,000円	負　　債	90,000,000円
		資本金等の額	25,000,000円（発行済株式総数４万株）
		利益積立金	35,000,000円

①　甲社は、自己株式１万株を相対取引により、株主乙から1,500万円（１株当たり1,500円）で取得した。

②　株主乙が譲渡した甲社株式１万株の取得価額は500万円（１株当たり500円）である。

【計　算】

・甲社の取得対価のうち資本金等の額

$$\frac{2{,}500万円（資本金等の額）}{4万株（発行済株式総数）} \times 1万株（取得した自己株式数）= 625万円$$

・株主乙からの取得対価のうち配当とみなされる金額

1,500万円（取得対価の額）－625万円（資本金等の額）＝875万円

・株主乙からの取得対価のうち株式の譲渡所得の収入金額

1,500万円(取得対価の額)－875万円(みなし配当金額)＝625万円

(株式の譲渡所得の金額625万円(譲渡収入金額)－500万円(取得費)＝125万円)

(注) 法人による自己株式の取得が市場における購入など一定の事由に該当する場合は、みなし配当課税から除かれ(所令61①)、株式等に係る譲渡所得として課税されますが、一般の非上場株式の場合は、みなし配当課税の除外規定が適用されることはありません。

(2) 相続した自己株式の譲渡とみなし配当課税の特例

相続した非上場株式を発行会社に譲渡するのは、相続税の納税資金の調達を目的とする例がほとんどですが、上記により配当課税(総合課税)が行われると、所得税等の負担が大きく、相続税の納税に支障が生じるおそれがあります。

そこで、相続により取得した非上場株式の譲渡については、一定の要件の下に、みなし配当課税に代えて株式譲渡所得課税とする特例が設けられています。この特例の概要は、次のとおりです。

相続又は遺贈による財産の取得をした個人で、その相続又は遺贈につき相続税額があるものが、その相続の開始の日の翌日からその相続税の申告期限の翌日以後3年を経過する日までの間に、その相続税の課税価格に算入された非上場株式をその発行会社に譲渡した場合において、その譲渡対価としてその発行会社から交付を受けた金銭等の額がその発行会社の資本金等の額を超えるときは、その超える部分の金額については、みなし配当課税は行われません(措法9の7①)。

この場合、この適用を受ける金額については、株式等に係る譲渡所得等に係る収入金額とみなして株式等の譲渡所得課税の規定を適用することとされています(措法9の7②)。

(注) 上記の「相続又は遺贈により財産を取得した個人」には、次に掲げる者も含まれます。

① 生前贈与により非上場株式を取得した者が、その贈与について相続時精算課税の適用を受けた場合において、その贈与者の相続時に相続又は遺贈により財産を取得しなかったため、相続税法第21条の16の規定により、その非上場株式を相続又は遺贈により取得したとみなされたもの。

② 非上場株式等に係る贈与税の納税猶予制度の適用を受けた者について、その贈与者が死亡したため、租税特別措置法第70条の7の3又は70条の7の7の規定により、納税猶予対象株式等を相続又は遺贈により取得したとみなされたもの。

この特例を適用した場合の計算例を示すと、下記のとおりですが、この特例の適用を受けることにより、次のような税負担軽減の効果が生じることになります。

① 配当に対する所得税の源泉徴収が不適用となる。

② 配当課税(総合課税)に代えて株式等に係る譲渡所得課税が適用され、20.315%(うち住民税5%)の比例税率による申告分離課税となる。

③ 譲渡所得の課税上、相続財産を譲渡した場合の相続税額の取得費加算の特例(措法

39）の適用を受けることができる。

なお、みなし配当課税の特例の適用を受けない場合には、配当所得課税（総合課税）となり、配当控除が適用されます。一般的には特例の適用を受ける方が有利になりますが、株式を譲渡した者の所得金額等を勘案して、その選択の是非を判断する必要があります。

＜設　例＞

① 被相続人甲の相続財産は、A社株式４万株とその他の財産１億円であり、法定相続人は、子乙１人である。

② A社（資本金2,000万円）の発行済株式総数は４万株であり、１株当たりの相続税評価額は１万円である。したがって、被相続人甲の相続財産価額は、５億円となる。

A社株式	４億円（＝４万株×１万円）
その他の財産	１億円
合　計	５億円

③ 甲の全財産を相続により取得した乙は、相続税（１億9,000万円）の納税のため、A社株式１万株を１億5,000万円（１株当たり15,000円）でA社に譲渡した。なお、譲渡したA社株式１万株の取得価額は、500万円（１株当たり500円）である。

【相続人乙の株式譲渡所得課税の計算】

・譲渡所得の収入金額……………１億5,000万円

・相続税額の取得費加算額　……

$$1億9{,}000万円(相続税額)\times\frac{1億円(譲渡した株式の相続税評価額)}{5億円(相続財産価額)}=3{,}800万円$$

・株式の譲渡所得金額……………１億5,000万円（収入金額）－500万円（取得費）－3,800万円（取得費加算額）＝１億700万円

・所得税及び住民税の額…………１億700万円×20.315％＝2,173.7万円

⑶　特例の適用を受ける手続等

この特例の適用を受けようとする個人は、対象となる非上場株式をその発行会社に譲渡する時までに、その適用を受ける旨その他一定の事項を記載した書面を、その発行会社を経由してその発行会社の本店又は主たる事務所の所在地の所轄税務署長に提出しなければなりません（措令５の２②）。

また、その書面の提出を受けた非上場株式の発行会社は、その株式を譲り受けた場合には、その譲り受けた株式の数その他一定の事項を記載した書類を、その譲り受けた日の属する年の翌年１月31日までに上記の書面とあわせて上記の所轄税務署長に提出しなければならないこととされています（措令５の２③、措規５の５）。

Ⅱ　相続財産の名義変更の手続

1.　株式等の名義変更手続

相続により取得した株式や社債などの有価証券が上場されている場合には、振替機関又は口座管理機関である信託銀行や証券会社で取引口座の名義変更を行います。

信託銀行等の取引口座の名義変更に際しては、おおむね次のような書類が必要になるでしょう。

①　取引口座の名義変更及び相続人の引継ぎに関する依頼書

②　被相続人の除籍謄本

③　相続人の戸籍謄本

④　遺産分割協議書（遺言書）

⑤　相続人全員の印鑑証明書

これらのうち、①の書類は信託銀行等に所定の用紙があります。また、信託銀行等によっては上記以外の書類等が必要になる場合もありますから、実際には各信託銀行等に問い合わせ、あらかじめ確認してください。

2.　預貯金等の名義変更手続

相続の開始があったことを金融機関が知ると、被相続人名義の預貯金は、いったん支払いが停止されますから、その引出しを行う場合は、相続人名義に変更しなければなりません。

その手続に必要な書類等は、おおむね上記の株式等の場合と同様ですが、各金融機関によって異なりますから、事前に確認する必要があります。

（注）預貯金について、遺産分割協議の成立前にはその引出しはできませんが、各共同相続人は、次の算式で計算した金額の範囲内（一金融機関につき150万円が限度）で、金融機関に対し、その払戻し請求ができることは、前述（132ページ）したとおりです。

$$相続開始時の預貯金の額\times\frac{1}{3}\times その相続人の法定相続分$$

この取扱いにより、金融機関に対して払戻し請求をするためには、次の書類を提出する必要があると考えられます（全国銀行協会資料）。

①　被相続人の除籍謄本、戸籍謄本又は全部事項証明書

②　相続人全員の戸籍謄本又は全部事項証明書

③　預貯金の払戻しを請求する者の印鑑証明書

3. 不動産の相続登記の申請実務

相続に伴う実務として重要な手続に相続不動産の登記があります。ここでは、土地建物の相続登記について、基本的な事項を中心に説明しておくことにします。

平成17年３月７日に施行された改正不動産登記法では、不動産の登記にインターネット回線を利用したオンライン申請手続が導入され、平成20年７月14日から全国すべての法務局（本局・支局・出張所）がオンライン庁になりました。

もっとも、オンライン申請に際しては、申請人は電子証明書を提出しなければなりませんが、不動産の相続登記に必要な戸籍謄本等は電子証明書では発行されません。このため、相続登記の申請は、次のいずれかの方法によります。

① 従来と同様に、必要書類を添付して書面（紙）による申請

② インターネット回線によるオンライン申請（この場合には、申請情報をオンラインで送信した後、添付書類を別途に法務局に持参又は送付する）

⑴ 相続登記の申請人

まず、不動産登記の申請人について、登記は登記権利者（権利に関する登記をすることにより、登記上、直接に利益を受ける者）と登記義務者（権利に関する登記をすることにより、登記上、直接に不利益を受ける登記名義人）の共同申請によるのが原則です（不登法60）。ただし、相続登記の場合は、登記義務者に当たる被相続人が死亡していますから、登記権利者である相続人のみが登記申請を行うことになります（不登法62）。

この場合、共同相続人間で遺産分割協議が成立した後に相続登記を行うのが一般的ですが、その登記は、登記の目的となる不動産を取得した者が単独で申請することになります。

(注) 不動産の相続登記は、遺産分割協議の成立前に共同相続人が法定相続分に応じて共有登記を行うこともありますが、これは、共有物の保存行為（民252ただし書）と考えられます。この場合の登記は、共同相続人の全員が登記申請人となるのが原則ですが、共同相続人の中の１人が他の相続人のために単独で申請することもできます。

なお、このような共同相続登記を行った後に遺産分割を登記原因として相続登記を行うときは、その不動産を取得した者が登記権利者となり、他の相続人が登記義務者となります（〔書式112〕（774ページ参照）。

⑵ 相続登記に必要な添付書類

不動産の相続登記の申請書の書き方は⑶で説明しますが、その前に登記申請に必要な書類を確認しておきます。

遺産分割協議の成立により、特定の相続人が取得した不動産の相続登記を行う、という一般的な例では、次のものが添付書類として必要です。

① 登記原因証明情報

②　住所証明書

③　代理権限証書

まず、上記①の「登記原因証明情報」とは、相続を証する書面（従来の相続証明書）のことで、

イ　戸籍謄本及び除籍謄本（全部事項証明書）

ロ　被相続人の戸籍の附票の写し又は住民票の写し

ハ　相続人全員の戸籍謄本又は抄本（全部又は一部事項証明書）

ニ　遺産分割協議書

が必要となります。要するに、相続の開始があったことを証明することと、相続人を特定するための書類です。このうち、戸籍謄本等については、第１章（49ページ）で説明したとおりです。なお、平成６年の「戸籍法及び住民基本台帳法の一部を改正する法律」による改正後の戸籍法に基づき、戸籍のコンピュータ化が行われており、磁気ディスクによって調整された戸籍に変更されています（戸籍法119）。この場合には、戸籍謄本又は抄本に代えて、戸籍に記録されている事項の全部又は一部を証明する書類が交付されます（戸籍法120）。したがって、その証明書が相続を証する書面になります。

ところで、戸籍簿は、除籍された年の翌年から起算して150年間保存され（戸籍法施行規則５）、その後は廃棄されます。さらに、戦時における空襲や火災・震災等の災害によって戸籍簿が滅失している例も少なくありません。このため、相続証明に必要な全ての戸籍謄本等が取得できないことがありますが、その場合には、「廃棄処分により（滅失により）除籍された謄本を交付できない」旨の市区町村長の証明書の発行を受けるとともに、相続人全員が「私たちのほかに相続人はいない」旨を記載した書面を作成します。戸籍簿が滅失している場合には、これらの書面をもって登記原因証明情報とすることができます。

上記ロの被相続人の戸籍の附票等は、不動産の登記事項証明書の被相続人と戸籍上の被相続人が同一人であることを証するためのものです。登記簿には所有者の住所と氏名が記載されていますが、戸籍には本籍と氏名が記載されています。したがって、これだけでは登記上の所有者と戸籍上の被相続人が同一人であるか否かが不明です。このため、相続証明書として被相続人の戸籍の附票等が必要になるわけです。

不動産の取得者を遺産分割協議で決定した場合は、遺産分割協議書（相続人全員の印鑑証明書を添付しますが、この場合の印鑑証明書の有効期限の定めはありません）も相続証明書のひとつになります。このほかの例としては、次のようなものがあります。

・遺言による不動産の取得……遺言書

・家庭裁判所の審判又は調停による遺産分割……家事審判書又は調停調書

・共同相続人中に特別受益者（民903）がいる場合……特別受益証明書〔書式21〕（75ページ）

・相続放棄者がいる場合……家庭裁判所の相続放棄の申述受理証明書

上記②の住所証明書は、登記権利者である相続人の住所を証するもので、住民票の写し

（又は戸籍の附票の写し）を添付します。

なお、被相続人の「相続関係説明図」〔書式107〕（次ページ）を添付すれば、登記完了後に戸籍謄本などの登記原因証明情報を返却してもらえます。したがって、相続登記を行う不動産の管轄登記所が複数の場合でも登記原因証明情報を何通も作成する必要はありません。ただし、遺産分割協議書などの原本の還付を受ける場合は、これらのコピーを原本とともに提出する必要があります。

上記③の代理権限証書は、代理人によって登記申請する場合の委任状や親権者、後見人、保佐人を証する戸籍の謄本等をいいます。委任状は〔書式108〕（767ページ）のように作成します。

（注） 上記のほか、登記申請に際しては、登録免許税を計算するために登記不動産の「固定資産税評価証明書」を要します（登録免許税の計算方法等は、後述（772ページ）を参照して下さい）。

なお、相続による所有権移転登記の場合は、登記義務者（被相続人）の登記済証（権利証）の添付は要しません。

⑶ 法定相続情報証明制度

不動産の相続登記の手続に関して、「法定相続情報証明制度」に触れておきます。同制度は、相続登記が未了のまま放置されている不動産が増加している現状に対処し、相続登記を促進するために措置されたもので、平成29年５月29日から開始されています。

この制度は、相続人が被相続人の相続関係を明らかにした「法定相続情報一覧図」を作成し、被相続人及び相続人の戸籍謄本等と合わせて法務局に申出をすると、登記官がその内容を確認した上で、認証文付きの法定相続情報一覧図の写しの交付を受けられるというものです。その法定相続情報一覧図の写しは、不動産の相続登記のほか、被相続人の預貯金の払戻しなど、各種の相続手続に利用することができます。

この制度は、被相続人や相続人の戸籍書類を収集し、法定相続情報一覧図を作成するという作業は必要ですが、法定相続情報一覧図の写しは、無料で必要な通数の交付を受けられるため、相続登記等の手続が迅速に行えるというメリットがあるとされています。

① 制度の申出に必要な書類

法定相続情報制度の利用に際しては、申出書に次の書類を添付して法務局に提出することとされています。

イ　法定相続情報一覧図（769ページの〔書式109〕・法務省資料）

ロ　被相続人の戸除籍謄本（被相続人の出生時から死亡時までの連続した戸籍謄本及び除籍謄本）

ハ　被相続人の住民票の除票

ニ　相続人全員の戸籍謄抄本

ホ　申出人（代表相続人）の氏名・住所を確認することができる公的書類（マイナン

〔書式107〕

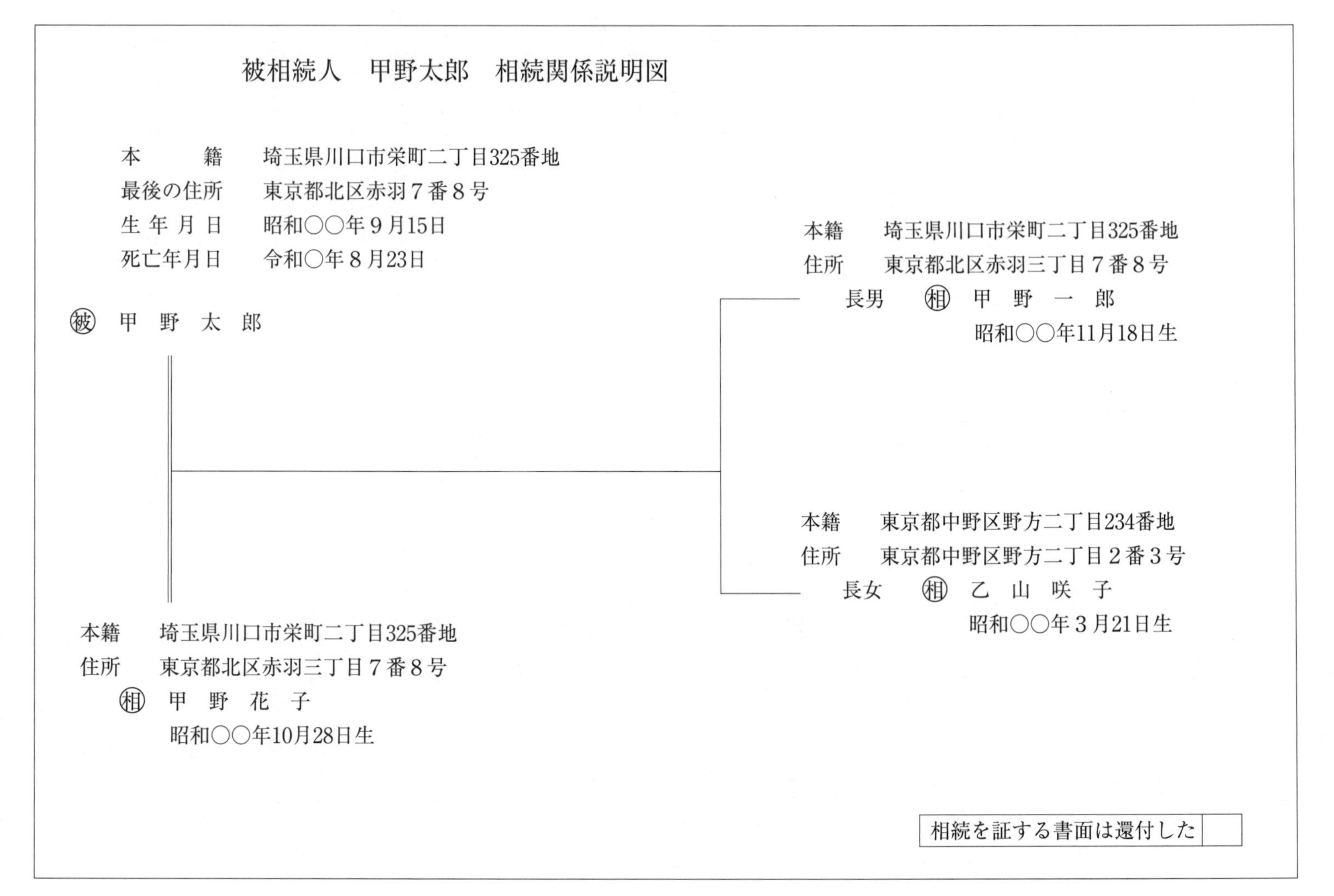

被相続人　甲野太郎　相続関係説明図

本　　籍　　埼玉県川口市栄町二丁目325番地
最後の住所　　東京都北区赤羽7番8号
生年月日　　昭和○○年9月15日
死亡年月日　　令和○年8月23日

㊫　甲野太郎

本籍　　埼玉県川口市栄町二丁目325番地
住所　　東京都北区赤羽三丁目7番8号
㊐　甲野花子
昭和○○年10月28日生

本籍　　埼玉県川口市栄町二丁目325番地
住所　　東京都北区赤羽三丁目7番8号
長男　㊐　甲野一郎
昭和○○年11月18日生

本籍　　東京都中野区野方二丁目234番地
住所　　東京都中野区野方二丁目2番3号
長女　㊐　乙山咲子
昭和○○年3月21日生

相続を証する書面は還付した

〔書式108〕

委　　任　　状

東京都北区滝野川六丁目４番７号
司法書士　　乙　川　次　郎

私は、上記の者を代理人として、下記の権限を委任します。

１．後記の不動産につき、下記のとおりの登記を申請する一切の件

記

登記の目的　　所有権移転
原　　　因　　令和○年８月23日相続
相　続　人　　（被相続人　甲野太郎）
　　　　　　　東京都北区赤羽三丁目７番８号
　　　　　　　甲　野　花　子

不動産の表示
一　所　　　在　　北区赤羽三丁目
　　地　　　番　　78番２
　　地　　　目　　宅地
　　地　　　積　　345.43平方メートル
二　所　　　在　　北区赤羽三丁目７番地
　　家屋番号　　８番１
　　種　　　類　　居宅
　　構　　　造　　木造スレート葺２階建
　　床　面　積　　１階　189.45平方メートル
　　　　　　　　　２階　103.21平方メートル

１．不動産登記法第２条第14号に規定する登記識別情報受領の件
１．原本還付請求及び受領の件

上記代理委任状に捺印します。

令和○年○月○日

（住所）　東京都北区赤羽三丁目７番８号
（氏名）　甲　野　花　子　　　㊞

バーカードの写し、運転免許証の写し、住民票の写しなど）

（注） 法定相続情報一覧図に相続人の住所を記載する場合（相続人の住所を記載するかどうかは任意）には、各相続人の住民票記載事項証明書（住民票の写し）を提出する必要があります。また、代理人（税理士、弁護士等の資格者又は申出人の親族など）が申出をする場合には、委任状が必要になります。

なお、提出した戸籍謄本等は、法定相続情報一覧図の写しの交付を受ける際に返却されます。

② 申出をする法務局

法定相続情報制度の申出は、次の地域を管轄する法務局のいずれかを選択することができます。

イ　被相続人の本籍地

ロ　被相続人の最後の住所地

ハ　申出人の住所地

ニ　被相続人名義の不動産の所在地

③ 法定相続情報一覧図の様式

法務局から交付を受けられる法定相続情報一覧図の写しは、770ページの〔書式110〕（法務省資料）のようなものです。

なお、申出の際に提出する法定相続情報一覧図は、申出人の選択により、被相続人との続柄を「子」と記載することもできます。ただし、相続税においては、被相続人との関係によって、２割加算の対象になる者であるかどうか、養子の人数制限規定が適用されるか否かの判別が必要です。したがって、相続税の申告書の添付書類として一覧図を使用する場合には、被相続人との続柄について、長男、二男、養子などと記載しておく必要があります。

〔書式109〕法務局に提出する法定相続情報一覧図

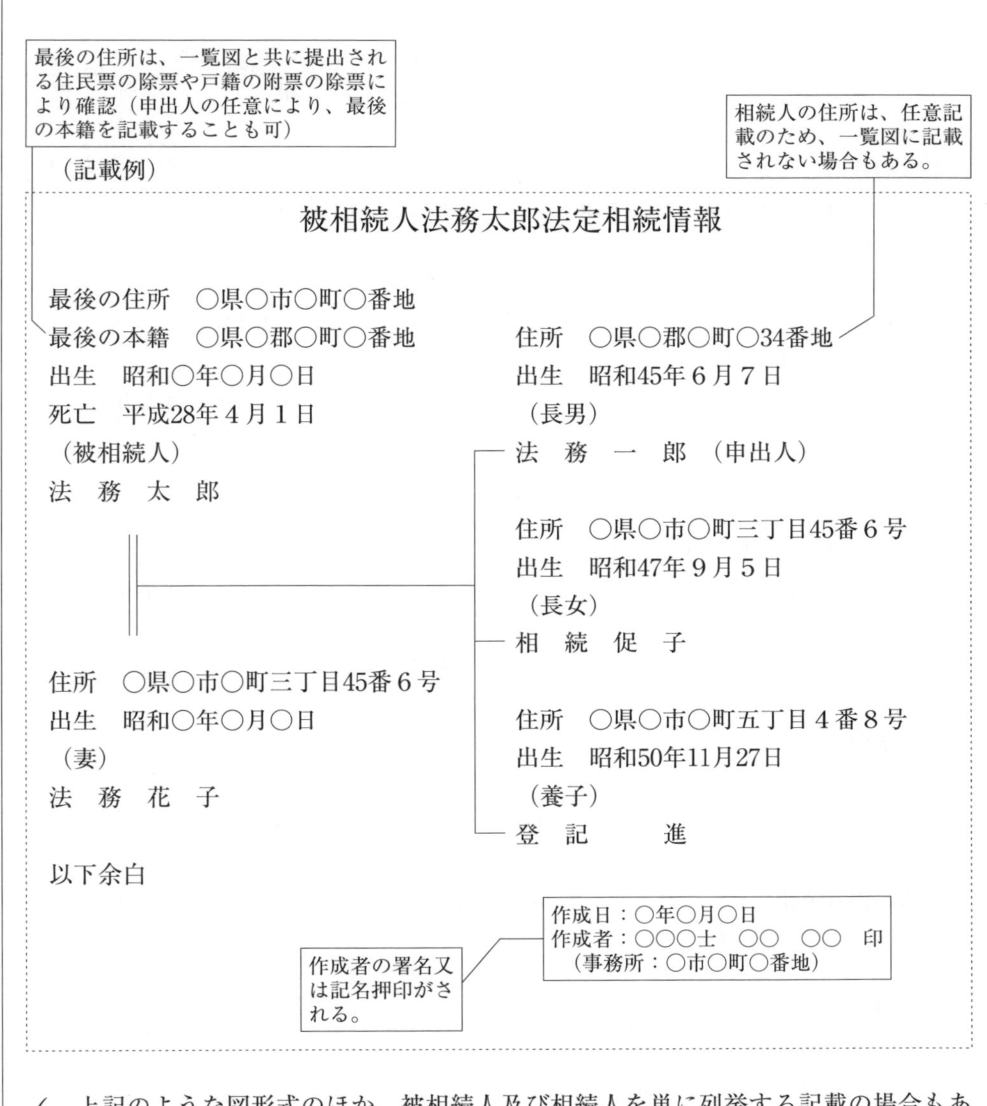
最後の住所は、一覧図と共に提出される住民票の除票や戸籍の附票の除票により確認（申出人の任意により、最後の本籍を記載することも可）

相続人の住所は、任意記載のため、一覧図に記載されない場合もある。

（記載例）

被相続人法務太郎法定相続情報

最後の住所　○県○市○町○番地
最後の本籍　○県○郡○町○番地
出生　昭和○年○月○日
死亡　平成28年４月１日
（被相続人）
法　務　太　郎

住所　○県○市○町三丁目45番６号
出生　昭和○年○月○日
（妻）
法　務　花　子

住所　○県○郡○町○34番地
出生　昭和45年６月７日
（長男）
法　務　一　郎（申出人）

住所　○県○市○町三丁目45番６号
出生　昭和47年９月５日
（長女）
相　続　促　子

住所　○県○市○町五丁目４番８号
出生　昭和50年11月27日
（養子）
登　記　　進

以下余白

作成日：○年○月○日
作成者：○○○士　○○　○○　印
（事務所：○市○町○番地）

作成者の署名又は記名押印がされる。

✓　上記のような図形式のほか、被相続人及び相続人を単に列挙する記載の場合もある。
✓　作成はA4の丈夫な白紙に。手書きも“明瞭に判読”できるものであれば可とする。

〔書式110〕法務局から交付される法定相続情報一覧図の写し

（記載例）

法定相続情報番号　0000－00－00000

被相続人法務太郎法定相続情報

一覧図は、登記所において唯一の番号により保管・管理される。

最後の住所　〇県〇市〇町〇番地
最後の本籍　〇県〇郡〇町〇番地
出生　昭和〇年〇月〇日
死亡　平成28年４月１日
（被相続人）
法　務　太　郎

住所　〇県〇郡〇町〇34番地
出生　昭和45年６月７日
（長男）
法　務　一　郎（申出人）

住所　〇県〇市〇町三丁目45番６号
出生　昭和47年９月５日
（長女）
相　続　促　子

住所　〇県〇市〇町三丁目45番６号
出生　昭和〇年〇月〇日
（妻）
法　務　花　子

住所　〇県〇市〇町五丁目４番８号
出生　昭和50年11月27日
（養子）
登　記　　　進

以下余白

作成日：〇年〇月〇日
作成者：〇〇〇士　〇〇　〇〇　印
（事務所：〇市〇町〇番地）

✓　法定相続情報一覧図の写しは、偽造防止措置の施された専用紙で作成される。

以下のとおり、申出日を含んだ認証文、一覧図の写しの発行日、登記所名等、登記官印、注意事項が印字される。

頁番号及び総頁数が振られる。相続人が多く、法定相続情報一覧図が２枚以上にわたる場合も想定

これは、令和〇年〇月〇日に申出のあった当局保管に係る法定相続情報一覧図の写しである。

令和〇年〇月〇日

〇〇法務局〇〇出張所

登記官　　〇〇　〇〇　職印

注）本書面は、提出された戸除籍謄本等の記載に基づくものである。相続放棄に関しては、本書面に記載されない。また、相続手続以外に利用することはできない。

整理番号　S00000　1／1

⑷ 相続登記の申請書の作成方法

不動産の相続登記の申請書の作成例を示すと、〔書式111〕（773ページ）及び〔書式112〕（774ページ）のとおりです。このうち、〔書式111〕は、土地と建物を共同相続人中の１人（記載例は、相続人「甲野花子」）が取得して登記申請をする場合であり、〔書式112〕は、区分所有建物（敷地権付のマンション）を相続人の２人（記載例は、「乙山花子」と「乙山太郎」）がそれぞれ２分の１の共有で相続した例です（マンションの場合の「不動産の表示」の記載方法は、〔書式112〕のようになります）。

これらの申請書の作成上の留意点を列挙すると、次のとおりです。

① 登記の目的……相続による所有権移転の場合は、「所有権移転」と記載します。

② 登記原因……「原因」は「相続」とし、相続開始の年月日（被相続人の死亡日）を記載します。

③ 「相続人」欄……被相続人の氏名を記載しますが、その氏名は登記上の氏名と一致していなければなりません。また、相続人の住所と氏名を記載しますが、これらは登記原因証明情報（戸籍謄本等）及び住所証明書の表示と一致していることを要します。なお、共有持分で２人以上の相続人が取得した場合は、それぞれの持分を記載します。

④ 申請の年月日……登記申請書を提出する日を記載します。

⑤ 不動産の表示……土地の場合は、所在地の市（郡）町村及び字、地番、地目、地積を記載し、建物の場合は、所在、家屋番号、種類、構造、床面積を記載します。これらの表示は、登記事項証明書の記載と一致していなければなりません。また、区分所有建物の場合は、「１棟の建物の表示」、「専有部分の表示」及び「敷地権の表示」を登記事項証明書の記載と一致させるように記載します。

なお、〔書式111〕のように不動産が２個以上の場合は、各不動産の固定資産課税台帳に登録された価格をそれぞれに記載します。

(注) 登記申請書の様式については、Ａ４版横書きを標準とし、左とじとします。申請書の記載に際して用紙の裏側は使用しません。また、申請書が２枚以上のときは、申請人又は代理人は、各用紙のつづり目に契印をしなければなりませんが、申請人等が複数のときは、そのうち１人が契印をすればよいこととされています（不動産登記規則46）。

なお、従前の申請書の様式は縦書きで、文字はいわゆる多画文字（漢字及び壱、弐、参、拾などの漢数字）を使用することとされていましたが、平成17年３月施行の改正不動産登記法には、文字に関する規定はなく、「字画を明確にしなければならない」とされているのみです（不動産登記規則45①）。したがって、横書きの申請書では、アラビア数字による記載でもかまいません。

ところで、不動産の相続登記の方法として、遺産分割協議の前に、いったん法定相続分による所有権移転登記を行い、その後の遺産分割協議で取得者が決定してから、その取得者名義に変更することがあります。

このような登記について、〔書式112〕(774ページ）の登記申請書が遺産分割協議前の法定相続分によるものと仮定し（共同相続人は「乙山花子」と「乙山太郎」の２人で、法定相続分はそれぞれ２分の１）、その後の遺産分割協議で、乙山花子が全部を相続することとした場合の登記申請書は、〔書式113〕(775ページ）のようになります。

この場合の申請書における「登記の目的」は、持分の移転となり、登記の「原因」は、「遺産分割」と記載します（年月日は、遺産分割協議書に記載された分割協議の成立日となります)。また、この場合の登記権利者は、不動産を取得した者、登記義務者は、持分の移転を行った者となります。

前述した遺産分割後の登記〔書式111〕(次ページ）と異なるのは、登記申請書の添付書類です。

○登記原因証明情報……この場合の登記原因証明情報とは、遺産分割協議書のことです。ただし、遺産分割協議書には、不動産の表示が登記上のそれと一致するように正しく記載されていなければなりません。

○登記識別情報……法定相続分による共同相続登記を行ったときの登記識別情報を添付します。

○印鑑証明書……登記義務者の印鑑証明書を添付しますが、この場合は作成後３か月以内のものに限られます。

この場合の登記は、いったん相続を原因として所有権移転登記が完了した後に行うものですから、戸籍謄本等の相続を証する書類は添付する必要はありません。

なお、法定相続分による相続共有登記を行った後に、遺産分割協議で決定した取得者名とする方法に「更正登記」があります〔書式114〕(776ページ)。この方法は、登記上の利害関係人（抵当権者や根抵当権者など）がない場合に可能な登記で、登記原因は「錯誤」によります（登記上の利害関係人がいても、その者が更正登記をすることに同意する旨の承諾書を添付すれば更正登記が可能です。)。また、この登記の場合の登録免許税は、不動産１個につき1,000円とされています（登免法別表第一の一（十四))。

(5)　登録免許税の計算方法

不動産の登記のうち、所有権の移転登記における登録免許税の税率について、登記の原因別にまとめると777ページのとおりです（登免法９、別表第一の一（二)、措法72①)。

なお、相続人に対する「遺贈」は、「相続」と同じ税率になります。したがって、相続人に対する財産移転について、遺言書上「遺贈する」としても「相続させる」と記載しても、いずれも「相続」の場合の税率が適用されますから、財産の所有権移転登記の際の登録免許税に差異はありません。

〔書式111〕

登 記 申 請 書

登記の目的　　所有権移転
原　　　因　　令和○年○月○日相続
相　続　人　　（被相続人　甲野太郎）
　　　　　　　東京都北区赤羽三丁目７番８号
　　　　　　　　　　甲　野　花　子
添付書類　　登記原因証明情報　　　住所証明書
　　　　　　　代理権限証書

令和○年○月○日申請　　東京法務局　北出張所

代　理　人　　東京都北区滝野川六丁目４番７号
　　　　　　　乙　川　次　郎　㊞

課税価格　　　金57,890,000円
（土　　地　　　金48,653,450円）
（建　　物　　　金9,237,000円）
登録免許税　　金231,500円

不動産の表示
一　不動産番号　　1234567890123
　　所　　　在　　北区赤羽三丁目
　　地　　　番　　78番２
　　地　　　目　　宅　地
　　地　　　積　　345.43平方メートル
二　不動産番号　　2345678901234
　　所　　　在　　北区赤羽三丁目７番地
　　家屋番号　　８番１
　　種　　　類　　居　宅
　　構　　　造　　木造スレート葺２階建
　　床 面 積　　１階　189.45平方メートル
　　　　　　　　　２階　103.21平方メートル

（注）相続人が本人で申請する場合は、添付書類の「代理権限証書」及び「代理人」の表示は不要です。この場合は、申請人（相続人）の氏名の下に押印してください。

〔書式112〕

登　記　申　請　書

登記の目的　　所有権移転
原　　　因　　令和〇年〇月〇日相続
相　続　人　　（被相続人　乙山一郎）
東京都江戸川区小岩二丁目３番５号
持分２分の１　　乙　山　花　子　㊞
千葉県市川市八幡三丁目11番17号
持分２分の１　　乙　山　太　郎　㊞
添付書類　　登記原因証明情報　　住所証明書
代理権限証書

令和〇年〇月〇日申請　　東京法務局　江戸川出張所

課税価格　　金14,453,000円
建　物　　金10,492,000円
敷地権　　金3,961,254円
登録免許税　　金57,800円

不動産の表示
一棟の建物の表示
所　　　在　　江戸川区小岩二丁目３番地５
建物の番号　　コイワグリーンマンション
専有部分の表示
不動産番号　　3456789012345
家屋番号　　江戸川区小岩二丁目３番５の301
種　　　類　　居　宅
構　　　造　　鉄筋コンクリート造一階建
床　面　積　　三階部分　86.38平方メートル
敷地権の表示
所在及び地番　　江戸川区小岩二丁目３番５
地　　　目　　宅　地
地　　　積　　945.14平方メートル
敷地権の種類　　所有権
敷地権の割合　　10,000分の248

〔書式113〕

登 記 申 請 書

登記の目的　乙山太郎持分全部移転
原　　　因　令和○年○月○日遺産分割
権　利　者　東京都江戸川区小岩二丁目３番５号
　　　　　　　　持分２分の１　　乙　山　花　子
義　務　者　千葉県市川市八幡三丁目11番17号
　　　　　　　　　　　　　　　　乙　山　太　郎
添 付 書 類　登記原因証明情報　　登記識別情報
　　　　　　印 鑑 証 明 書　　代理権限証書

令和○年○月○日申請　　東京法務局　江戸川出張所

代　理　人　東京都葛飾区青戸五丁目４番６号
　　　　　　　　　　　　西　川　三　郎　㊞

課 税 価 格　転移した持分の価格　金7,226,000円
　　　　　　　建　物　金5,246,000円
　　　　　　　敷地権　金1,980,627円
登録免許税　金28,900円

不動産の表示

（略）

〔書式114〕

登　記　申　請　書

登記の目的　　２番所有権更正
原　　　因　　錯誤
更正後の事項　所有者　東京都江戸川区小岩二丁目３番５号
　　　　　　　　　　　　乙　山　花　子
権　利　者　東京都江戸川区小岩二丁目３番５号
　　　　　　　　　　　　乙　山　花　子
義　務　者　千葉県市川市八幡三丁目11番17号
　　　　　　　　　　　　乙　山　太　郎
添付書類　登記原因証明情報　登記識別情報　印鑑証明書
　　　　　住所証明書　代理権限証書

令和○年○月○日申請　東京法務局　江戸川出張所

代　理　人　東京都葛飾区青戸五丁目４番６号
　　　　　　　　　　　　丙　川　三　郎　㊞

登録免許税　金2,000円

不動産の表示

（略）

登記の原因	税　率	課税標準
○相続（相続人に対する遺贈を含む） ○遺産分割 ○共有物の分割（共有分について有していた持分に対応する部分に限る）	1,000分の４	不動産の価額
○遺贈（相続人に対する遺贈を除く） ○贈与 ○財産分与 ○時効による取得 ○真正な登記名義の回復 ○売買 ○交換 ○代物弁済 ○現物出資 ○譲渡担保	1,000分の20 （平18.4.1～令3.3.31までの間の土地の売買による移転は1,000分の15）	不動産の価額

登録免許税の課税標準となる「不動産の価額」は、原則として固定資産課税台帳に登録された価格（固定資産税評価額）ですが、登記の申請日の属する日の区分に応じ次によることとされています（登免法附則７、登免令附則３）。

① 登記の申請日がその年１月１日から３月31日までの期間内であるもの……その年の前年12月31日現在において固定資産課税台帳に登録された価格

② 登記の申請日がその年４月１日から12月31日までの期間内であるもの……その年１月１日現在において固定資産課税台帳に登録された価格

（注）固定資産課税台帳に登録された価格のない不動産については、登記機関が認定した価額が課税標準額となります（登免令附則４）。

また、不動産の登記に係る登録免許税の計算は、次のように扱われます。

① 課税標準額となる不動産の価格に1,000円未満の端数があるときは、その端数金額を切り捨てる（通則法118①）。

② 同一の申請書で数個の不動産の登記申請を行う場合の課税標準額は、その不動産の価額の合計額となり（登免令７）、その合計額に1,000円未満の端数があるときは、その端数金額を切り捨てる。

③ 算出した登録免許税の額に100円未満の端数があるときは、その端数金額を切り捨てる（通則法119①）。

④ 算出した登録免許税の額が1,000円未満の場合は、1,000円を登録免許税の額とする（登免法19）。

以上について、相続登記の場合の具体的な計算方法を示すと、次のとおりです。

	不動産の価額	課税標準額	登録免許税の額
〔ケース１〕 不動産が１個（土地）の場合	・土地…10,387,486円	・10,387,486円→ 10,387,000円	・10,387,000円×$\frac{4}{1,000}$ ＝41,548円→ 41,500円
〔ケース２〕 不動産が２個（いずれも土地）の場合	・Ａ土地…28,764,962円 ・Ｂ土地…15,407,850円	・28,764,962円＋ 15,407,850円＝ 44,172,812円 →44,172,000円	・44,172,000円×$\frac{4}{1,000}$ ＝176,688円→ 176,600円
〔ケース３〕 不動産が土地２個と建物１個の場合	・Ａ土地…32,105,880円 ・Ｂ土地…16,728,073円 ・Ｃ建物… 6,246,300円	・32,105,880円＋ 16,728,073円＋ 6,246,300円＝ 55,080,253円→ 55,080,000円	・55,080,000円×$\frac{4}{1,000}$ ＝220,320円→ 220,300円
〔ケース４〕 敷地権の登記をした区分所有建物の場合	・土地…97,482,560円 （敷地権の割合1,000分の18） ・建物…4,732,000円	・敷地権の価額 97,482,560円×$\frac{18}{1,000}$＝ 1,754,686円 ・課税標準額の合計 1,754,686円＋ 4,732,000円 ＝6,486,686円→ 6,486,000円	・6,486,000円×$\frac{4}{1,000}$ ＝25,944円→25,900円

(6)　相続登記に係る登録免許税の免税措置

近年において、所有者不明土地が増加しており、公共事業用地の取得が困難になるなどの問題が生じています。この問題は、相続を原因とする所有権の移転登記が未了のまま放置されていることが一つの要因とされています。そこで、長期間にわたる相続登記の未了の問題に対処するため、相続登記に係る登録免許税の免除措置が講じられています。

①　数次相続の土地に係る免税

個人が相続（相続人に対する遺贈を含む）により土地の所有権を取得した場合において、その個人がその相続によるその土地の所有権の移転登記を受ける前に死亡したときは、平成30年４月１日から令和３年３月31日までの間にその個人をその土地の所有権の登記名義人とするために受ける登記については、登録免許税を課さないこととされています(措法84の２の３①)。

Ａ（死亡）—土地の相続登記未了→相続人Ｂ（死亡）—相続→相続人Ｃ

※Ｂをその土地の登記名義人とするための相続登記について、登録免許税が免税となる。

② 行政目的のために相続登記を推進する必要のある土地に係る免税

個人が平成30年11月15日（所有者不明土地の利用の円滑化等に関する特別措置法の施行日）から令和３年３月31日までの間に、土地について相続による所有権の移転登記を受ける場合において、市街化区域外の土地であって、市町村の行政目的のため相続による土地の所有権の移転の登記の促進を特に図る必要があるものであり、かつ、その土地のその登記に係る登録免許税の課税標準である不動産の価額が10万円以下であるときは、その土地の相続による所有権の移転の登記については、登録免許税を課さないこととされています（措法84の２の３②）。

上記の「相続による土地の所有権の移転の登記の促進を特に図る必要があるもの」として、この措置の対象になる土地については、法務大臣が指定することとし、その指定後、法務大臣はこれを告示することとされています（措令44の２①②）。なお、該当する土地については、法務局・地方法務局のホームページで公表されています。

⑺ 登録免許税の納付方法

登録免許税の納付は、原則として現金納付の方法によることとされており、その納付に係る領収証書を登記申請書に貼付して登記所に提出することになります（登免法21）。

ただし、次の場合には、印紙による納付が認められ、登録免許税の額に相当する収入印紙を登記申請書に貼付することとされています（登免法22、登免令29）。

① 登録免許税の額が３万円以下の場合
② 法務局又は地方法務局の長が印紙納付によることを認めてその旨を登記所に公示した場合
③ 登録免許税額の３万円未満の端数の部分を納付する場合
④ その他印紙により納付することについて特別の事情があると登記機関が認めた場合

登録免許税の納付方法についての税法規定は上記のとおりですが、現行の登記実務では、その税額等にかかわらず、収入印紙を登記申請書に貼付して納付する取扱いによっています。

〔著 者 略 歴〕

長野県生まれ。中央大学卒。税理士として中小企業の経営税務の指導にあたるとともに、研修会・セミナー等の講師も担当。現在、日本税理士会連合会税制審議会専門委員長、早稲田大学大学院法務研究科講師。

主な著書に「税理士のための相続法と相続税法」（清文社）、「法人税・消費税の実務処理マニュアル」（日本実業出版社）、「図解消費税のしくみと実務がわかる本」（同）、「わかりやすい相続税贈与税」（税務研究会）などがある。

本書の内容に関するご質問は、税務研究会ホームページのお問い合わせフォーム（https://www.zeiken.co.jp/contact/request/）よりお願いいたします。なお、個別のご相談は受け付けておりません。

本書刊行後に追加・修正事項がある場合は、随時、当社のホームページ（https://www.zeiken.co.jp/）にてお知らせいたします。

民法・税法による 遺産分割の手続と相続税実務

令和２年６月10日　八訂版第一刷発行
令和５年８月25日　八訂版第二刷発行
（著者承認検印省略）

 小池正明（こいけ まさあき）

発行所　週刊「税務通信」「経営財務」発行所
税務研究会出版局

代表者　山根　毅
郵便番号100-0005
東京都千代田区丸の内１-８-２
鉄鋼ビルディング
https://www.zeiken.co.jp

乱丁・落丁の場合はお取り替え致します。　印刷・製本　奥村印刷
ISBN978-4-7931-2539-3